W9-DFW-473

INTRODUCCIÓN A LA BIBLIA

BIBLIOTECA HERDER
SECCIÓN DE SAGRADA ESCRITURA
VOLUMEN 160

INTRODUCCIÓN A LA BIBLIA

* * *

BARCELONA
EDITORIAL HERDER
1992

INTRODUCCIÓN A LA BIBLIA

* * *

INTRODUCCIÓN CRÍTICA AL NUEVO TESTAMENTO

VOLUMEN SEGUNDO

Publicada bajo la dirección de
AUGUSTIN GEORGE y PIERRE GRELOT

BARCELONA
EDITORIAL HERDER
1992

Segundo volumen en la versión castellana de MARCIANO VILLANUEVA, de la obra *Introduction à la Bible*, tomo III, publicada bajo la dirección de AUGUSTIN GEORGE y PIERRE GRELOT, Desclée et Cie., Éditeurs, Tournai - Paris

Segunda edición 1992

ISBN 84-254-1277-3 rústica
ISBN 84-254-1276-5 tela

 DEPÓSITO LEGAL: B. 39.690-1992 PRINTED IN SPAIN

LIBERGRAF S.A. - Constitución, 19 - 08014 Barcelona

LISTA DE COLABORADORES

C. BIGARÉ, de la Compañía de Jesús

M.E. BOISMARD, Escuela Bíblica de Jerusalén

J.M. CAMBIER, Universidad de Lovaina

J. CANTINAT, Escolasticado de los Padres de la Misión (París)

J. CARMIGNAC, Instituto Católico de París

M. CARREZ, Facultad de Teología Protestante e Instituto de Estudios Ecuménicos (París)

E. COTHENET, Instituto Católico de París

J. GIBLET, Universidad de Lovaina

P. GRELOT, Instituto Católico de París

R. LE DÉAUT, Pontificio Instituto Bíblico de Roma

X. LÉON-DUFOUR, Instituto Católico de París

A. PAUL, Instituto Católico de París

C. PERROT, Instituto Católico de París

A. VANHOYE, Pontificio Instituto Bíblico de Roma

SUMARIO DEL TOMO * * *

VOLUMEN PRIMERO

VOLUMEN SEGUNDO

ÍNDICE DEL VOLUMEN SEGUNDO

Índice

Índice

ÍNDICE DE MAPAS DE AMBOS VOLÚMENES

VOLUMEN PRIMERO

VOLUMEN SEGUNDO

ABREVIATURAS

1) *Libros de la Biblia*

Abd	Abdías	Flp	Filipenses	Miq	Miqueas
Act	Actos	Gál	Gálatas	Mt	Mateo
Ag	Ageo	Gén	Génesis	Nah	Nahúm
Am	Amós	Hab	Habacuc	Neh	Nehemías
Ap	Apocalipsis	Heb	Hebreos	Núm	Números
Bar	Baruc	Is	Isaías	Os	Oseas
Cant	Cantar	Jds	Judas	Pe	Pedro
Col	Colosenses	Jdt	Judit	Prov	Proverbios
Cor	Corintios	Jer	Jeremías	Re	Reyes
Cró	Crónicas o Paralipómenos	Jl	Joel	Rom	Romanos
		Jn	Juan	Rut	Rut
Dan	Daniel	Job	Job	Sab	Sabiduría
Dt	Deuteronomio	Jon	Jonás	Sal	Salmos
Ecl	Eclesiastés	Jos	Josué	Sam	Samuel
Eclo	Eclesiástico	Jue	Jueces	Sant	Santiago
Ef	Efesios	Lam	Lamentaciones	Sof	Sofonías
Esd	Esdras	Lc	Lucas	Tes	Tesalonicenses
Est	Ester	Lev	Levítico	Tim	Timoteo
Éx	Éxodo	Mac	Macabeos	Tit	Tito
Ez	Ezequiel	Mal	Malaquías	Tob	Tobías
Flm	Filemón	Mc	Marcos	Zac	Zacarías

2) *Literatura judía y cristiana extrabíblica*

2Ba	Apocalipsis sirio de Baruc
3Ba	Apocalipsis griego de Baruc
CDC	Cairo Damascus Covenant (= Documento de Damasco)
1Clem	Carta de Clemente a los Corintios
2Clem	*2.ª Clementis* (homilía)

Abreviaturas

Did	*Didakhe*
4Esd	4.º libro de Esdras
5-6Esd	Apocalipsis griegos de Esdras
1Hen	Primer libro de Henoc (etiópico)
2Hen	Henoc eslavo
3Hen	Henoc hebreo
Jub	Libro de los jubileos
LAB	*Liber Antiquitatum Biblicarum* (= pseudo-Filón)
LXX	Versión de los Setenta
3Mac	Tercer libro de los Macabeos
4Mac	Cuarto libro de los Macabeos
OrSib	Oráculos sibilinos
PRE	Pirqe del rabí Eliezer
1Q (etc.)	Primera cueva de Qumrân (etc.)
1QGénAp	1Q apócrifo del Génesis
1QH	Himnos (= *Hôdayôth)* de 1Q
1QM	1Q Regla de la Guerra
1QpHa	1Q Pesher de Habacuc
1QS	1Q Regla *(Serek)* de la Comunidad
3QpIs	3Q Pesher de Isaías
4QMelq	4Q Melquisedec
4QMesAr	4Q texto «mesiánico» arameo
4QOrNab	4Q Oración de Nabonido
4QpIs	4Q *Pesher* de Isaías
4QpNa	4Q *Pesher* de Nahúm
4QpOS	4Q *Pesher* de Oseas
SalSl	Salmos de Salomón
Tb	*Talmud* de Babilonia
Tj	*Talmud* de Jerusalén
4QTest	4Q *Testimonia*
TestLeví	Testamento de Leví, etc.
Theod	Versión griega de Teodoción
Trg	*Targum*
TrgJ	*Targum* de Jerusalén sobre el Pentateuco
TrgJ¹	*Targum* 1 de Jerusalén (= pseudo-Jonatán)
TrgJ²	*Targum* de Jerusalén fragmentario
TrgN	*Targum* de Jerusalén: códice *Neofiti* I
TrgPal	*Targum* palestinense

Cartas de Ignacio de Antioquía:
Ef = a los Efesios; Esm = a los Esmirniotas; Fil = a los Filadelfios; Magn = a los Magnesios; Pol = a Policarpo; Rom = a los Romanos; Tral = a los Tralianos
Los demás títulos se citan sin abreviaturas.

3) *Siglas de revistas, diccionarios, colecciones, etc.*

AAS	«Acta Apostolicae Sedis», Ciudad del Vaticano
AnchB	*Anchor Bible,* Nueva York
BA	«Biblical Archaelogist», New Haven (USA)
BAC	«Biblioteca de autores cristianos», Madrid
BJ	*Bible de Jérusalem,* París
BJRL	«Bulletin of the John Rylands Library», Manchester
BLE	«Bulletin de littérature ecclésiastique», Toulouse
BNTC	*Black's New Testament Commentary,* Londres
BO	«Bibliotheca Orientalis», Leiden
BPC	*La sainte Bible* (Pirot-Clamer), París
BTB	«Biblical Theology Bulletin», Roma
BTS	«Bible et Terre Sainte», París
BVC	«Bible et Vie Chrétienne», Maredsous
BZ	«Biblische Zeitschrift», Paderborn
CBC	*Cambridge Biblical Commentary,* Cambridge
CBQ	«Catholic Biblical Quarterly», Washington
CBSC	*Cambridge Bible for Schools and Colleges,* Cambridge
CCHS	*A Catholic Commentary on Holy Scripture,* Londres
CGTC	*Cambridge Greek Testament Commentaries,* Cambridge
CNT	*Commentaire du Nouveau Testament,* Neuchâtel-París
CNTC	*Cambridge New Testament Commentary,* Cambridge
CPJ	*Corpus Papyrorum Judaicarum,* ed. V.A. Tcherikover - A. Fuks, Cambridge (USA)
CSCO	*Corpus scriptorum christianorum orientalium*
CSEL	*Corpus scriptorum ecclesiasticorum latinorum,* Viena
CSS	*Cursus Scripturae sacrae,* París
DAGR	*Dictionnaire des Antiquités Grecques et Romaines,* ed. C. Daremberg - E. Saglio, París
DJD	*Documents of Judaean Desert,* Oxford
DS	*Dictionnaire de Spiritualité,* París
DSB	*Daily Study Bible,* Edimburgo
DTC	*Dictionnaire de Théologie Catholique,* París
EB	col. «Études Bibliques», París
ETL	«Ephemerides theologicae lovanienses», Lovaina
EvTh	«Evangelische Theologie», Munich
Exp Times	«Expository Times», Londres
FRLANT	col. «Forschungen zur Religion und Literatur des Alten und Neuen Testaments», Gotinga
GCS	*Die griechischen christlichen Schriftsteller der ersten drei Jahrhunderte,* Berlín
HE	*Historia eclesiástica* de Eusebio de Cesarea
HNT	*Handbuch zum Neuen Testament* (Lietzmann), Tubinga
HSNT	*Die heilige Schrift des NT,* Bonn
HTR	«Harvard Theological Review», Cambridge (USA)
HUCA	«Hebrew Union College Annual», Cincinnati

ICC	*International Critical Commentary,* Edimburgo
IEJ	«Israel Exploration Journal», Jerusalén
IG	*Inscriptiones graecae,* Berlín
IntB	*The Interpreter's Bible,* Nueva York
JAOS	«Journal of the American Oriental Society», Baltimore
JBC	*The Jerome Biblical Commentary,* Londres
JBL	«Journal of Biblical Literature», Philadelphia
JJS	«Journal of Jewish Studies», Londres
JQR	«Jewish Quarterly Review», Londres
JSJ	«Journal for the Study of Judaism», Leiden
JSS	«Journal of Semitic Studies», Manchester
JTS	«Journal of Theological Studies», Oxford
KNT	*Kommentar zum Neuen Testament* (Zahn), Leipzig-Erlangen
LD	col. «Lectio Divina», París
LMD	«La Maison-Dieu», París
LThK	*Lexikon für Theologie und Kirche,* Friburgo de Brisgovia
MFF	*The Moffatt New Testament Commentary,* Londres
MKNT	*Kritisch-exegetischer Kommentar z. NT* (Meyer), Gotinga
NBJ	*(Nouvelle) Bible de Jérusalem,* París
NCB	*New Clarendon Bible,* Oxford
NIC	*New International Commentary on the NT,* Londres-Grand Rapids
NRT	«Nouvelle Revue Théologique», Lovaina
NT	«Novum Testamentum», Leiden
NTA	«New Testament Abstracts», Weston
NTD	*Das Neue Testament deutsch,* Gotinga
NTS	«New Testament Studies», Cambridge
NTSuppl	«Novum Testamentum», Suplementos
OliphantsNCB	*Oliphants New Century Bible,* Londres
Peake'sC	*Peake's Commentary on the Bible,* Edimburgo
PG	*Patrologia Graeca* (J.P. Migne)
PL	*Patrologia Latina* (J.P. Migne)
PO	*Patrologia Orientalis,* París
RAC	*Reallexikon für Antike und Christentum,* Stuttgart
RB	«Revue Biblique», París
RECA	*Real-Encyclopädie der Classischen Altertumswissenschaft* (Pauly - Wissowa), Stuttgart
RevSR	«Revue des Sciences Religieuses», Estrasburgo
RGG	*Die Religion in Geschichte und Gegenwart,* Tubinga
RHE	«Revue d'histoire ecclésiastique», Lovaina
RHPR	«Revue d'Histoire et de Philosophie Religieuse», Estrasburgo
RHR	«Revue d'Histoire des Religions», París
RivB	«Rivista biblica», Roma
RNT	Regensburger Neues Testament, Ratisbona (si no se indica lo contrario, citamos según trad. cast. de Herder, Barcelona 1967ss)
ROC	«Revue de l'Orient chrétien», París
RQ	«Revue de Qumrân», París

RSPT	«Revue des sciences philosophiques et theologiques», París
RSR	«Recherches de science religieuse», París
RTh	«Revue thomiste», Brujas - París
RTP	«Revue de théologie et philosophie», Lausana
RVV	*Religionsgeschichtliche Versuche und Vorarbeiten*, Giessen
SBG	*La sacra Biblia* (Garofalo), Turín
SBL	«Society of Biblical Literature»
SC	«Sources chrétiennes», París
ScEccl	«Sciences ecclésiastiques», Montreal
SDB	*Supplément au Dictionnaire de la Bible*, París
THK	*Theologischer Handkommentar z. NT*, Leipzig
TKNT	*(Herders) Theologischer Kommentar z. NT*, Friburgo de B.
TLZ	«Theologische Literatur Zeitung», Berlín
TOB	*Traduction oecuménique de la Bible*, París
TorchBC	*Torch Biblical Commentaries*, Londres
TU	col. «Texte und Untersuchungen», Berlín
TWNT	«Theologisches Wörterbuch zum Neuen Testament», Stuttgart
TyNT	*Tyndale New Testament Commentaries*, Londres
TZ	«Theologische Zeitschrift», Basilea
VD	«Verbum Domini», Roma
VS	«Verbum salutis», París
VT	«Vetus Testamentum», Leiden
VTB	*Vocabulario de teología bíblica* (X. Léon-Dufour), tr. cast., Barcelona
VTSuppl	«Vetus Testamentum», Suplementos
ZAW	«Zeitschrift für die alttestamentliche Wissenschaft und die Kunde des nachbiblischen Judentums», Berlín
ZKT	«Zeitschrift für katholische Theologie», Viena
ZNW	«Zeitschrift für die neutestamentliche Wissenschaft und die Kunde der ältere Kirche», Berlín
ZRG	«Zeitschrift für Religions— und Geistesgeschichte», Colonia
ZTK	«Zeitschrift für Theologie und Kirche», Tubinga

Los demás títulos de revistas, diccionarios y colecciones se indican sin abreviaturas.

En las referencias bíblicas, las abreviaturas se leen así:

Mc 4,3 = Marcos, c. 4, versículo 3.
Mc 4,3s = Marcos, c. 4, versículo 3 y siguiente.
Mc 4,3ss = Marcos, c. 4, versículo 3 y siguientes.
Mc 4,3*b* = Marcos 4,3, segunda parte del versículo.
Mc 4,3-14 = Marcos, c. 4, versículos del 3 al 14.
Mc 4,3-14 par. = Marcos, c. 4, versículos del 3 al 14 y paralelos.
Mc 4,3-5,16 = Marcos, del c. 4 versículo 3 al c. 5 versículo 16.

BIBLIOGRAFÍA GENERAL *

I. Introducciones generales

* P. Feine, *Einleitung in das NT,* Leipzig ^{8}1913; J. Behm, ^{12}1936; W.G. Kümmel, 1963.
* H. Höpel, *Introductio specialis in NT,* 3 vol., Subiaco ^{1}1922; B. Gut, ^{5}1938; A. Metzinger, Nápoles-Roma 1949.
* M. Goguel, *Introduction au NT,* 4 vol., París 1922-1926.
* A.H. MacNeile, *An Introduction to the Study of the NT,* Oxford ^{2}1927; C.S.C. Williams, 1953.
* R. Knopf, *Einführung in das NT,* Berlín 1929^{2}, H. Lietzmann, ^{5}1933; H. Weinel, 1949.
* W. Michaelis, *Einleitung in das NT,* Berna 1946^{3}; 1961.
M. Albertz, *Botschaft des NT.s,* t. 1, Zurich 1947-1952.
P. Morant, *Introductio specialis in das NT,* Roma 1950.
* A. Wikenhauser, *Introducción al NT,* Herder, Barcelona ^{2}1966 (ed. al. 1953).
L. Moraldi - S. Lyonnet - T. Ballarini, *Introduzione alla Bibbia,* t. 4-5, Turín 1960-1966; trad. cast.: *Introducción a la Biblia,* 2 vol., Mensajero, Bilbao 1967-1975.
G. Rinaldi, *Introduzione al NT,* Brescia 1961, ^{2}1971.
C.F.D. Moule, *The Birth of the NT,* Londres 1962 (= *La Genèse du NT,* Neuchâtel 1971).
K.H. Schelkle, *Das NT, Seine literarische und theologische Geschichte,* Kevelaer 1963; ^{4}1970 (= *Introduction au NT,* Mulhouse 1965). Id., *Teología del NT,* 4 vol., Herder, Barcelona 1975-1978 (ed. al. 1968-1976).
W. Marxsen, *Einleitung in das NT,* Gütersloh 1963.
W.G. Harrington, *Record of the Fulfilment: the NT,* Chicago 1966 (= *Nouvelle Introduction à la Bible,* París 1971); trad. cast.: *La plenitud de la promesa — Nuevo Testamento,* Sal Terrae, Santander 1967.

---

* Las obras muy técnicas van precedidas de un asterisco.

J. Schreiner (dir.), *Forma y propósito del NT*, Herder, Barcelona 1973 (ed. al. 1969).
E. Lohse, *Die Entstehung des NT.s*, Stuttgart 1972; trad. cast.: *Introducción al NT*, Cristiandad, Madrid 1975.
* W.G. Kümmel, *Einleitung in das NT*, Heidelberg 1973 (17.ª ed. refundida de la *Introducción* de P. Feine).
* A. Wikenhauser - J. Schmid, *Introducción al NT*, Herder, Barcelona 1978, 3.ª ed. refundida (ed. al. 1973).
P. Vielhauer, *Geschichte der urchristlichen Literatur*, Berlín 1975.
J.A.T. Robinson, *Redating the New Testament*, Londres 1976.

II. Series de comentarios

Las series se presentan cronológicamente, según la fecha del primer volumen. Los puntos suspensivos indican que la serie no ha terminado o está en período de renovación. Citamos sólo el nombre del director inicial de la colección. Muchas colecciones menos técnicas han sido omitidas.

* *Kritisch-exegetischer Kommentar über das NT* (A.W. Meyer), Gotinga 1842... (= MKNT).
Cursus Scripturae Sacrae (R. Cornely), París 1890 (= CSS).
* *The International Critical Commentary* (S.R. Driver), Edimburgo 1895... (= ICC).
* *Kommentar zum NT* (T. Zahn), Leipzig-Erlangen 1903 (= KNT).
* *Handbuch zum NT* (H. Lietzmann), Tubinga 1906... (= HNT).
* *Études bibliques* (M.J. Lagrange), París 1907... (= EB).
Die heilige Schrift des NT.s (F. Tillmann), Bonn 1913-1919 (= HSNT).
* *Kommentar zum NT aus Talmud und Midrasch* (H.L. Strack - P. Billerbeck), 6 vol., Munich 1922-1961.
Verbum Salutis, 16 vol., París 1924... (= VS).
The Moffatt NT Commentary, Londres 1928... (= MFF).
Bible du Centenaire: Le NT, París 1928.
* *Theologischer Handkommentar zum NT* (P. Althaus), Leipzig 1928... (E. Fascher), Berlín 1957... (= THK).
Das NT Deutsch, 12 vol. (P. Althaus), Gotinga 1932... (= NTD).
La sainte Bible, t. 9-12 (L. Pirot - A. Clamer), París 1935-1949 (= BPC).
Regensburger NT, 10 vol. (A. Wikenhauser), 1938..., trad. cast. *Comentario de Ratisbona al NT*, Herder, Barcelona 1967ss (= RNT).
La Sacra Bibbia (S. Garofalo), Turín - Roma 1946 (= SBG); trad. cast. *Biblia*, Labor, Barcelona 1969.
Torch Biblical Commentary, Londres 1948... (= TorchBC).
La sainte Bible (= Bible de Jérusalem), París 1948-1956; nueva edición 1973 (= BJ).
* *Commentaire du NT* (P. Bonnard), Neuchâtel - París 1949... (= CNT).
The Interpreter's Bible, t. 7-12, Nashville 1951 (= TIB).

* *Herders Theologischer Kommentar zum NT* (A. Wikenhauser), Friburgo de B. 1953... (= TKNT).
A Catholic Commentary on Holy Scripture (B. Orchard), Londres 1953 (= CCHS); trad. y adaptación cast. *Verbum Dei*, Herder, Barcelona 1956ss.
Black's NT Commentary, Londres 1957... (= BNTC).
Cambridge Greek Testament Commentary, Cambridge 1957... (= CGNT).
Tyndale NT Commentary, Londres 1960... (= TyNT).
Peake's Commentary (dir. M. Black - H.H. Rowley), Londres 1963... (= Peake'sC).
Sources bibliques, París 1963... (= SB).
Cambridge Biblical Commentary, Cambridge 1963... (= CBC).
New Clarendon Bible, Oxford 1963... (= NCB).
New International Commentary on the NT, Londres - Grand Rapids (= NIC).
Oliphants New Century Bible, Londres (= Oliphants NCB).
* *The Anchor Bible*, t. 26-38, Nueva York 1964... (= AnchB).
Traduction oecuménique de la Bible: Nouveau Testament, París 1967-1972 (= TOB).
The Jerome Biblical Commentary (R.E. Brown - J.A. Fitzmyer - R.E. Murphy), Londres 1968. (= JBC); trad. cast. *Comentario bíblico «San Jerónimo»*, Cristiandad, Madrid 1971-1972.

III. Diccionarios

Véase el repertorio de *diccionarios* en *Introducción crítica al AT*, p. 29.
G. Kittel - G. Friedrich, *Theologisches Wörterbuch zum NT*, 9 vol., Stuttgart 1933-1973 (= TWNT).
Hay artículos sobre algunos libros que figuran en enciclopedias, como *Lexikon für Theologie und Kirche (LThK)*, *Catholicisme*, le *Dictionnaire de Spiritualité (DS)*.

IV. Revistas especializadas

Se hallan reseñadas en p. 27s de la *Introducción crítica al AT*, y en la página 25ss de este volumen.
Zeitschrift für die neutestamentliche Wissenschaft, Berlín 1900... (= ZNW).
New Testament Studies, Cambridge 1954... (= NTS).
Novum Testamentum, Leiden 1956... (= NT).
Indicamos el nombre completo de las revistas menos corrientes.

V. Bibliografías

Véase la *Introducción crítica al AT*, p. 30.
New Testament Abstracts, Weston 1956... (= NTA).

Bibliografía general

J. Sánchez Bosch - A. Cruells Viñas, *La Biblia en el libro español* (la bibliografía reúne 2500 títulos). Instituto Nacional del Libro Español, Barcelona 1977.
P. Langevin, *Bibliographie biblique* (1930-1970), Quebec 1972.
B.M. Metzger, *Index of Articles on the New Testament and the Early Church Published in Festschriften,* Filadelfia 1951 (suplemento, 1955); complementos sobre san Pablo, 1960; sobre los evangelios, 1966.
Se encontrarán bibliografías prácticamente completas en las *Introducciones al NT* de Wikenhauser - J. Schmid (1978) y W.G. Kümmel (1973).

Aviso al lector sobre la forma de utilizar la bibliografía

Toda la bibliografía especial de las distintas partes del volumen se halla al final (páginas 625-665). Su distribución se ha hecho según partes, secciones, capítulos y párrafos en los que se subdividen los distintos trabajos. Se invita al lector a recurrir a ella en cada subdivisión del texto. Si ésta no incluye bibliografía propia, no se reproduce su título.

PARTE QUINTA

LAS OTRAS CARTAS

por J. Cantinat y A. Vanhoye

Desde los tiempos de Orígenes se viene insertando en el *corpus* paulino, la llamada *carta a los Hebreos*, aunque el sabio alejandrino no ignoraba que su composición y su estilo suponían un redactor distinto del apóstol Pablo. Esta apreciación ha sido radicalizada por los críticos modernos, que se muestran unánimes en atribuirla a otro autor. No tiene, pues, nada de extraño que figure aquí en la sección de *Las otras cartas*. Añadimos también el grupo de las siete cartas que llevan los nombres de Santiago. Pedro (2), Juan (3) y Judas. Sus divergencias son tales que su reagrupación no obedece a otro criterio que el de no ser paulinas. Ya estaban coleccionadas y agrupadas hacia el 350, época desde la que viene prevaleciendo la costumbre de llamarlas católicas, es decir, «destinadas a todo el mundo» (PG 20,205; 23,609 y 613). Los críticos de lengua inglesa prefieren designarlas con el nombre de *General Epistles*. Cinco de ellas (Sant, 2Pe, 2-3 Jn, Judas) reciben a veces la denominación de deuterocanónicas, porque fueron tardíamente admitidas en la lista oficial de algunas iglesias, sobre todo en Oriente (siglos V-VI). El orden en que se estudien tiene escasa importancia, porque cada una de ellas presenta sus peculiares problemas respecto del origen, el autor y la fecha de composición, salvo en el caso de las tres cartas de Juan, que forman necesariamente un conjunto. Pero estas tres cartas han sido separadas aquí del grupo de las «católicas», para reagruparlas con el cuarto evangelio y el Apocalipsis. La tradición joánica forma, efectivamente, un todo en su diversidad. Por esta razón, lo mismo que se hizo en la primera edición de la *Introducción a la Biblia*, se ha preferido no disociar este conjunto literario, que se estudia en la parte sexta de este libro. En cambio, se ha desplazado la segunda carta de Pedro, poniéndola a continuación de la carta de Judas, de la que seguramente depende.

CAPÍTULO PRIMERO

LA CARTA A LOS HEBREOS

por A. Vanhoye

Tanto desde el punto de vista literario como desde el punto de vista teológico, la carta a los Hebreos ocupa un lugar aparte en el Nuevo Testamento. Obra difícil, pero fascinante, plantea numerosos problemas a la investigación exegética, al tiempo que aporta una gran riqueza a la fe y a la vida cristianas.

I

PRESENTACIÓN GENERAL

Situación en el Nuevo Testamento

Lugar dentro del «corpus» paulino

La carta a los Hebreos se distingue nítidamente de todas las cartas paulinas ya desde la primera línea, porque no menciona el nombre del apóstol. A pesar de ello, se ha colocado Heb en el Nuevo Testamento, dentro de la colección de las cartas paulinas, en un lugar que varía según los manuscritos. El más antiguo testimonio del texto, el papiro Chester Beatty (P^{46}), fechado a comienzos del siglo III, lo coloca entre Rom y 1Cor [1]. Los grandes unciales sitúan esta carta entre 2Tes y 1Tim o bien —aunque con menor frecuencia— después de la carta a Filemón. Esta última situación es la que ha prevalecido en los manuscritos bizantinos y en la Vulgata, y se ha convertido en tradicional. Es, por lo demás, la que mejor responde al talante peculiar de la carta, emparentada con las cartas paulinas pero sin que pueda asimilarse a ellas.

El título «a los Hebreos» es antiguo. Se encuentra ya en P^{46} y está testificado por algunos autores desde finales del siglo II en Oriente (Panteno, y Clemente de Alejandría, citados por Eusebio) y en Occidente (Tertuliano). Pero no se sabe quién lo eligió, ni en qué se basó para esta elección, ya que la carta no menciona ni una sola vez a los hebreos.

Las opiniones de la época patrística

En *Oriente,* la carta fue aceptada como paulina hasta donde puede remontarse la tradición. Las evidentes diferencias que la distinguen de las cartas de Pablo provocaron intentos de explicación. Clemente de Alejandría opinaba que el texto griego no se debía al mismo Pablo, sino a Lucas, que lo habría traducido y adaptado al gusto de los griegos a partir de un original escrito por Pablo en hebreo (Eusebio, HE 6,142). Orígenes no habla ya de un original hebreo, pero propone distinguir entre el fondo y la forma: la doctrina expresada es evidentemente digna del apóstol, lo que confirma el dato tradicional, pero el estilo y la composición no podían ser de Pablo. Debían proceder de un discípulo: «¿Quién ha escrito la carta? La verdad, sólo Dios la sabe; a nosotros nos han llegado algunas declaraciones: algunos creen que su redactor fue Clemente de Roma, otros que Lucas» (Eusebio, HE 6,25,11-13). Menos preocupados por la precisión literaria que por la eficacia pastoral, los padres orientales se atenían en general a la afirmación de un origen paulino.

En *Occidente* la situación fue muy distinta: durante mucho tiempo reinó la perplejidad. No se creía en la autenticidad paulina de la carta. Tertuliano la cita como propia de Bernabé. Cuando el *Ambrosiaster* comentó toda la serie de las cartas paulinas, no se le ocurrió la idea de añadir Heb. Las controversias sobre ciertos pasajes del escrito, de los que se servían los rigoristas o los arrianos, contribuyeron a aumentar las dudas, que repercutieron incluso en Oriente. «Algunos —escribe Eusebio— rechazan la carta a los Hebreos, apoyándose en la Iglesia de los romanos para decir que no es de Pablo» (HE 3,3,5).

Finalmente, la firmeza de la tradición oriental se impuso al conjunto de la Iglesia. Hilario de Poitiers, que había estado algún tiempo desterrado en Frigia, cita Heb con el mismo rango que las cartas paulinas. Jerónimo, latino establecido en Oriente, se pronunció con total claridad en pro de la canonicidad de la carta, separando esta cuestión de la de la autenticidad paulina. Agustín mantuvo la misma posición, invocando «la autoridad de las Iglesias orientales» (*De peccatorum meritis*, 1,27,50).

Canonicidad

La canonicidad de la carta, reconocida en Oriente por el concilio de Laodicea del 360 y testificada por Atanasio en su carta pascual del 367, fue admitida también en Occidente algunos años más tarde. Los concilios africanos (Hipona, 393; Cartago, 397 y 419) son explícitos sobre este tema. Al parecer, les había ya precedido el sínodo romano del 382. A partir de entonces, fue ya cuestión zanjada. Los concilios de Florencia y después de Trento no hicieron sino confirmarlo.

II

EL TEXTO DE LA OBRA Y SU GÉNERO LITERARIO

Las cuestiones relativas al autor, los destinatarios y las circunstancias de la composición son oscuras y sólo pueden esclarecerse a través del examen de la obra misma. Conviene, pues, comenzar por este análisis.

Crítica textual

El texto de la carta está bien conservado. Nos ha sido transmitido por un gran número de manuscritos (los unciales son sobre todo de tipo alejandrino); los más antiguos son el Sinaítico y el Alejandrino (siglos IV-V). El texto está incompleto en el Vaticano, que se interrumpe en medio de 9,14. A esto se añaden algunos papiros fragmentarios (P^{12}, P^{13}, P^{17}) y uno completo (P^{46}), así como el testimonio de las versiones coptas, latinas y siríacas. Hay algunas variantes que merecen mayor atención (2,9; 9,11; 10,1; 11,11.37). Por lo demás, se han propuesto algunas conjeturas textuales para resolver ciertas dificultades (2,9; 4,2; 12,1), incluso en lugares en los que la tradición textual es unánime (5,7; 10,20). La más célebre ha sido de Harnack, que no vaciló en transformar la frase de 5,7, introduciendo en ella una negación. Esta conjetura sigue provocando discusiones.

El problema del género literario

El estado del texto es muy satisfactorio, de modo que la primera cuestión que se plantea es la del género literario. Tradicionalmente se ha dado a este escrito el nombre de *epístola,* pero existen razones para preguntarse si esta apelación es exacta. Se han sostenido las opiniones más dispares sobre este punto, a veces simultáneamente por un mismo autor. Así, se ha presentado Heb como un tratado de apologética y como una obra oratoria, como discurso y como homilía, como epístola propiamente dicha y como «una carta en el sentido más usual del término».

Los datos del texto

Basta comparar los primeros versículos (1,1-4) con los últimos (13,22-25) para advertir que, efectivamente, el problema no es sencillo. El final (13,22-25) es un verdadero final de carta. Contiene los elementos que se encuentran con relativa regularidad en los finales de las cartas de Pablo: breve exhortación, noticias personales, saludos que se dan o se reciben, corta fórmula con el deseo final. En ellos se expresa una relación entre un «yo» y un «vosotros» que no se encuentran en el mismo lugar y, por tanto, sólo pueden comunicarse por escrito. El estilo es sencillo: frases cortas, sin conexiones gramaticales. Este final justificaría, pues, la opinión que califica al escrito como epístola, e incluso como carta.

Pero el comienzo no tiene absolutamente nada de epistolar

(1,1-4). No aparece aquí ni el nombre del autor, ni la mención de los destinatarios, ni la menor distinción entre un «yo» y un «vosotros», ni tampoco una fórmula de saludo. El estilo es amplio, solemne. Los cuatro versos forman una sola frase, que se desarrolla con majestad.

Una falta tan evidente de correspondencia entre los primeros versículos y los últimos plantea un problema que no puede resolverse sin una investigación metódica. Con excesiva frecuencia, los comentaristas se han contentado con aproximaciones. Un primer punto que requiere aclaración es saber si se ha perdido o se ha suprimido un comienzo epistolar, como han supuesto F. Overbeck y algunos otros. El análisis literario lleva a una respuesta negativa, porque permite demostrar que los primeros versículos actuales constituyen un verdadero comienzo, pero no un comienzo de carta, sino un exordio oratorio, perfectamente compuesto, que introduce los desarrollos siguientes.

Este simple hecho precisa ya por sí solo el problema del género literario: el comienzo pertenece al género oratorio, el fin al género epistolar. Hay que examinar, pues, el cuerpo del escrito para determinar si su género responde al exordio y constituye un discurso o, por el contrario, si responde al género del final y presenta los caracteres de una carta o bien, finalmente, si se mezclan los dos géneros y de qué manera.

Una predicación enviada por escrito

Partiendo del presupuesto tradicional que hace de Heb una carta, son muchos los autores que han creído encontrar en su texto elementos epistolares [2]; tienen razón, si con este término se entienden expresiones o frases que pueden encontrarse en una carta, por ejemplo, frases que evocan recuerdos o aluden a la situación presente. Son muchas las cosas dichas en Heb que pueden decirse, de la misma manera, en una carta. Pero esto no basta para zanjar la cuestión, porque estas frases pueden darse igualmente en un discurso. Lo que habría que descubrir son los elementos específicos del género epistolar, es decir, formulaciones que sólo pueden encontrarse en una carta, porque reflejan explícitamente la situación de una persona que se comunica con otra por escrito.

Uno de estos elementos es, sencillamente, la expresión: «Os escribo...», que se encuentra en casi todas las cartas del Nuevo Testamento, incluida 1Jn, que no comienza ni finaliza como una carta. Otro indicio válido sería una frase que implicara que el autor se dirige a personas que se encuentran en otro lugar. La búsqueda de estos elementos en el texto de Heb desemboca en la comprobación de su inexistencia. Se buscará en vano, en todo el cuerpo de la pretendida carta, una frase o una expresión que sea específicamente epistolar. El autor no dice ni una sola vez que escribe, sino que habla (2,5; 5,11; 6,9; 8,1; 9,5; 11,32). No hay ni una sola de sus expresiones que obligue a suponer que aquellos a quienes se dirige no se encuentren delante de él. Nunca hay alusiones a cartas que el autor haya recibido de ellos o de noticias que quisiera comunicarles. Los elementos epistolares se encuentran exclusivamente en los últimos versículos 13,19.22-25.

La conclusión a que nos vemos abocados y que es adoptada por un número creciente de exegetas es que Heb no es una carta, sino un sermón. Su género literario no es el de un mensaje escrito, sino el de una predicación oral (Windisch, Strathmann, Michel, Héring, Andriessen-Lenglet, Bourke, Buchanan). Existen excelentes razones para suponer que se trata efectivamente de un sermón pronunciado en una asamblea cristiana. Luego, se envió también por escrito a una comunidad, y a esta feliz circunstancia debemos que haya llegado hasta nosotros. Al ser remitido, se le añadió, evidentemente, un billete de destinación, que quedó asociado al texto y constituye su final epistolar.

La extensión de este final ha sido valorado de diversas formas. Algunos, creyendo descubrir un cambio de estilo en 13,1[3], le atribuyen todo el último capítulo. Otros opinan que un análisis riguroso lo restringe a los versículos 19 y 22-25, que son los únicos específicamente epistolares. Esta última posición puede apoyarse también en el examen de la estructura literaria y ofrece la ventaja de que así se le da al discurso una peroración digna de él (13,20-21).

Este fin epistolar atestigua por sí mismo (al contrario de lo que sucede en Rom 16,22 ó Col 4,16) que las páginas que le preceden no constituyen una carta, sino un discurso (λόγος: Heb 13,22) y, más concretamente, una predicación, porque éste es el sentido de la expresión utilizada (λόγος παρακλήσεως), como puede verse en Act 13,15. El rasgo característico del género predicación es el de ser mixto. En la predicación se dan cita dos géneros literarios, el de la exposición doctrinal y el de la exhortación pastoral. El texto de Heb responde exactamente a este requisito. Entre el exordio (1,1-4) y la peroración (13,20-21) se nota una constante alternancia de géneros. Apenas el autor ha demostrado un punto doctrinal, se apresura a invitar a sus oyentes a extraer las consecuencias pertinentes para su vida (2,1-4; 3,7-4,16; 5,11-6,20; 10,19-39; 12,1-13,18).

La mezcla de los géneros y el objetivo de la obra

Esta mezcla de géneros ha provocado discusiones. Algunos autores han querido ver aquí una amalgama artificial de dos obras diferentes, que habrían sido cortadas en fragmentos e imbricadas la una en la otra. Las exposiciones procederían de un tratado de apologética compuesto para refutar las objeciones judías —de ahí el título: «[Respuesta] a los Hebreos»—, mientras que los pasajes exhortativos procederían de una alocución dirigida a cristianos[4]. Esta ingeniosa conjetura tiene el mérito de estimular al lector a un atento examen del texto; pero de aquí sacará la conclusión contraria, a saber, que son muy estrechas las relaciones entre las secciones exhortativas y las expositivas.

Más controvertida es la cuestión de determinar a cuál de los dos géneros le compete la función más importante en la intención del autor. ¿Es su objetivo principal la exhortación? ¿Pretende ante todo iluminar la fe de sus oyentes? Algunos exegetas parten del principio de que la parenesis constituye la clave de la epístola y a ella se subordina la exposición (Michel; Schierse; Nauck; Thurén). A lo que otros responden que no es la exposición la que depende de la parenesis, sino que es la parenesis la que se apoya en la exposición[5]. La controversia puede prolongarse indefinidamente, porque las relaciones entre los dos géneros son recíprocas. Conviene, con todo, subrayar que la parenesis cristiana —y en especial la de Heb— se subordina por sí misma a la exposición, porque insiste ante todo en la necesidad de acoger el mensaje de la fe (2,1; 3,12; 4,14; 10,22.38; 12,25; 13,7). La estrecha unión entre una doctrina cristológica sustancial y las exhortaciones estrechamente vinculadas a aquella doctrina, hace de Heb un modelo de predicación cristiana. Es el único sermón del Nuevo Testamento que ha llegado hasta nosotros en su total integridad.

Es, pues, innegable la diferencia de género entre Heb y los restantes escritos del Nuevo Testamento. Pero no se debe exagerar su importancia. De hecho, el género de la predicación marca al Nuevo Testamento en su conjunto y más en particular a las cartas. En algunas de éstas es muy reducida la parte propiamente epistolar. La carta más extensa de Pablo, daba a los romanos — entre un comienzo epistolar (Rom 1,1-15) y un final del mismo género (15,14-16,23) — una predicación en su debida forma, que se extiende a lo largo de quince capítulos, en los que no existe ni un solo rasgo característico de una carta (Rom 1,16-15,13).

Es interesante comparar el sermón íntegramente conservado en Heb y esta predicación contenida en la carta a los Romanos. Se advertirá que el contacto con el auditorio es más estrecho en Heb 1,1-13,21 que en Rom 1,16-15,13, incluso teniendo en cuenta que el autor de Heb posee un temperamento mucho menos espontáneo que Pablo. El motivo se debe seguramente a las circunstancias: Pablo dirigía su escrito a una comunidad lejana, a la que nunca había visitado: evita, pues, intervenir de forma directa, haciendo, por ejemplo, reproches sobre algunos puntos determinados. Su predicación se mantenía en el plano teórico. El autor de Heb, por el contrario, pone con frecuencia los puntos sobre las íes. Dirigiéndose directamente a aquellos a quienes habla, despierta su atención con hirientes reproches (5,11-12), para poco después tranquilizarlos y animarlos (6,9-10; cf. también 10,25.35; 12,4). Esto induce a pensar que compuso su sermón con la mirada puesta en un auditorio al que conocía y con la intención de pronunciarlo efectivamente.

III

ESTRUCTURA LITERARIA

A la cuestión del género literario está vinculada la de la composición. Una verdadera carta, como 1Cor, no tiene, propiamente hablando, estructura literaria. Su composición es libre, obedece a las circunstancias y puede ir tocando sucesivamente los temas más diversos. Un discurso tiene que estar mejor construido. También desde este punto de vista es claro que Heb 1,1-13,21 no es una carta, sino un discurso. Ya desde la primera frase, se advierte que el autor redacta con sumo cuidado.

¿Debe buscarse una división lógica?

Los críticos han tropezado con dificultades a la hora de determinar con precisión el plan de esta obra oratoria. Más de uno ha confesado su embarazo. Se han propuesto diversos planes, ensayos de reconstrucción lógica o esquemas literarios.

1) Un buen número de comentaristas se contenta con aplicar a Heb la fácil división que se emplea para las cartas paulinas:

I. 1,1-10,18: Sección dogmática.
II. 10,19-13,21: Sección moral.

Pero esto es olvidar que el autor no espera hasta el cap. 10 para hacer exhortaciones a su auditorio. Éstas aparecen ya, como hemos visto, desde el cap. 2 y se van alternando con la parte expositiva.

A la pretendida «sección dogmática» se la da una presentación sistemática basada en la idea de «superioridad»: Cristo es superior a los ángeles (1,5-2,18), superior a Moisés (3,1-4,13), superior al sacerdocio antiguo (4,14-10,18). En realidad, el autor varía sus perspectivas y, muy lejos de limitarse a hablar de «superioridad», muestra que entre Cristo y el Antiguo Testamento existen numerosas relaciones, entre las que se encuentra la de la semejanza (cf. 3,1-2; 5,4-5).

2) Los exegetas de lengua alemana adoptan, en general, una división en tres grandes secciones, basada en otras tantas distinciones temáticas:

I. La palabra de Dios (1,1-4,13);
II. El sacerdocio de Cristo (4,14-10,18);
III. El camino de los creyentes (10,19-13,21).

Pero esta presentación responde mal al texto de Heb, porque ignora las divisiones, muy precisas, que se advierten en 3,1 y en 5,11. Además, impone a los temas de la palabra y del sacerdocio límites arbitrarios: efectivamente, el sacerdocio aparece mencionado desde el fin del cap. 2 y la palabra no está menos presente en el cap. 5 ó en los cap. 12 y 13 que en los primeros capítulos del escrito.

A la búsqueda de los indicios textuales

Los indicios verbales

El estudio de la composición de Heb ha registrado un paso decisivo con el breve artículo de L. Vaganay en el *Mémorial Lagrange* (1940). Vaganay ha descubierto la organización del discurso en cinco partes, que comprenden respectivamente una sección, luego dos, luego tres, luego dos y luego una. La importancia de este descubrimiento ha sido reconocida por C. Spicq en su gran comentario, al menos en lo referente a las tres primeras partes.

En vez de esforzarse, como tantos otros, por lograr una reconstrucción conceptual de la carta, Vaganay ha tenido el mérito de buscar, en el texto de Heb, los indicios *verbales* que revelan su composición. Y ha encontrado toda una serie, que le ha permitido establecer un esquema desconocido hasta entonces.

Con todo, la exposición que hizo de su descubrimiento amenazaba con enmascarar su valor, porque adolecía de dos defectos. De un lado, Vaganay no ofrecía como base de su esquema más que una sola serie de indicios, lo que disminuía su valor científico. En efecto, una demostración que sólo se apoya en un género de observaciones, se presta a la refutación. Sólo la convergencia de varias series de pruebas, independientes entre sí, permite eliminar todas las dudas posibles. De otro lado, Vaganay daba a todos los indicios que había descubierto el nombre de palabras nexo *(mot-crochet)*. Y es que, pensaba, efectivamente, que se trataba de *palabras nexo* y que toda la composición de Heb dependía de este único procedimiento. Por consiguiente, se creía en el deber de reconocer el carácter artificial de esta composición. Consideradas como procedimiento mecánico de transición por repetición de una palabra o de una fórmula, las palabras nexo sólo tienen, en efecto, un valor muy restringido para estructurar un discurso.

De los indicios verbales a los indicios estilísticos

Se hacía, pues, necesario, un análisis más riguroso y más completo; de este modo, se eliminaron los dos defectos mencionados, y se obtuvo además una amplia cosecha de nuevos indicios.

1) *Punto primero:* lo que Vaganay había descubierto no eran simples palabras nexo, sino, en la mayoría de los casos, fórmulas de *anuncio del tema,* procedimiento de muy otra significación cuando se trata de determinar la composición de una obra. Al comienzo de cada parte, el autor anuncia el tema que va a desarrollar e indica también, de manera discreta, cuántas secciones abarcará el desarrollo. Los anuncios del tema pueden reconocerse con ayuda de dos criterios: su situación en el texto (al final del exordio o de una parte) y la novedad del tema expresado. Se encuentran en 1,4; 2,17-18; 5,9-10; 10,36-39; 12,13. Aparecen confirmados por notaciones significativas al comienzo del desarrollo correspondiente, como, por ejemplo, la frase de 3,1 que invita a «considerar» el tema anunciado en 2,17 ó el de 5,11, que promete un «largo discurso» sobre el tema anunciado en 5,9-10. La reasunción de los mismos términos del anuncio, lleva ya a su término final la manifestación de las intenciones del autor. Los cinco anuncios fijan las líneas maestras de una estructura orgánica.

2) *Punto segundo:* el examen del texto permite descubrir otras series de indicios. Numerosos exegetas han aportado sugerencias útiles en este sentido (Thien, Büchsel, Gyllenberg, Descamps). Basta con proceder a su explotación metódica. Cada desarrollo se distingue de los otros por la frecuencia de ciertas palabras, por ejemplo «ángeles» para la primera parte (1,5-2,18). Una encuesta sobre el *vocabulario* permite, pues, caracterizar las secciones sucesivas. Hay también razón para observar la *alternancia de los géneros literarios* (exposición y exhortación), porque desempeña su papel en la composición.

3) A estos indicios literarios de uso universal se añaden *otros indicios más específicamente bíblicos,* el más importante de los cuales es una técnica de repetición verbal, llamada *inclusión,*

que sirve para marcar los límites de una unidad literaria. Consiste en repetir textualmente, al fin de un poema o de un parágrafo, una fórmula o una expresión utilizadas al principio. Este procedimiento es de uso frecuente en la Biblia (cf. Sal 8,2.10; Is 1,2.20; Mt 7,16.20; Jn 2,1-2.11). El libro de la Sabiduría lo emplea de manera sistemática: compárense, por ejemplo, Sab 1,1 (justicia, tierra) y 1,14-15 (tierra, justicia), 1,16 (ser de su partido) y 2,24 (siendo de su partido); 2,1 (razonando sin rectitud) y 2,21 (razonan y se extravían), etc. El autor de Heb sigue fielmente este modelo. Las inclusiones marcan los límites de casi todas las divisiones y subdivisiones de su discurso. Algunas son claramente visibles, por ejemplo, entre 1,5: «¿A cuál de los ángeles dijo Dios jamás...?» y 1,13: «¿A cuál de los ángeles ha dicho jamás...?» Otras son más discretas, por ejemplo entre el «corramos» de 12,1 y «senderos rectos para vuestros pies» de 12,13. Pero, consideradas en su conjunto, forman un sistema impresionante, que ha contribuido de manera decisiva a confirmar y completar la estructura indicada por los anuncios del tema.

4) Otra característica del estilo bíblico es el gusto por el *paralelismo* y, más en general, por las disposiciones simétricas. También en este punto el libro de la Sabiduría manifiesta que la tradición literaria antigua se mantenía muy viva en el umbral de la era cristiana, incluso en el judaísmo alejandrino, que usaba el griego. Y, una vez más, hay que confesar que el autor de Heb se sitúa en esta misma línea. Desde la primera frase, compone según las leyes del paralelismo bíblico (1,1-2).

Estructura propuesta

Gracias al examen de estas diversas series de indicios, ha podido comprobarse la exactitud de los resultados de Vaganay. Han sido necesarias algunas rectificaciones, pero, en el conjunto, la contraprueba ha llevado sobre todo a una confirmación. Como resultado final se obtiene la estructura siguiente:

Análisis del sermón

1.º El fin del *exordio* (1,4) anuncia una exposición sobre el «nombre» que el Hijo ha recibido en herencia, «nombre bien diferente del de los ángeles». Dicho de otra manera, anuncia una *exposición sintética de cristología*. Éste es el tema de la primera parte (1,5-2,18). Evocando a grandes rasgos la catequesis tradicional, el autor muestra que Cristo es el Hijo de Dios (1,5-14) y hermano de los hombres (2,5-16). Prepara de esta manera, con gran perspicacia, su cristología sacerdotal, porque la posición de Cristo, así definida, es la de un perfecto mediador.

2.º El fin de la parte primera (2,17-18) puede, pues, presentar el tema del *sacerdocio de Cristo,* afirmando que Cristo debía llegar a ser «sumo sacerdote misericordioso y digno de fe en las relaciones con Dios» (2,17). Con estos términos anuncia la parte segunda, que abarca dos secciones, correspondientes a dos cualificaciones dadas al sumo sacerdote.

— La *sección A* (3,1-4,14) vuelve sobre el *sumo sacerdote digno de fe*[6] y se sirve de entrada, para desarrollar este aspecto, de una comparación entre Cristo y Moisés (3,1-6), basada en Núm 12,7. Tras esta breve exposición, para el género exhortatorio: ya que Cristo es digno de fe, debemos precavernos de la incredulidad (3,7-4,14).

— La *sección B* (4,15-5,10) vuelve sobre la otra cualificación, la de *sumo sacerdote misericordioso,* y aquí se sirve de una comparación entre Cristo y Aarón (cf. 5,4-5). Da una definición del sacerdocio y muestra su aplicación a Cristo, aunque sin expresar directamente el aspecto de superioridad. En esta segunda parte el autor se limita, en efecto, a subrayar que Cristo posee las dos cualidades esenciales a todo sacerdocio o, por mejor decir, que tiene la doble capacidad de relación necesaria al sumo sacerdote en virtud de su función de mediador. «Misericordioso», Cristo está abierto a la relación de solidaridad con los hombres; «digno de fe», en virtud de su glorificación, puede intervenir ante Dios en favor de los hombres.

3.º De esta demostración de base es fácil pasar a una presentación más precisa. La última frase de la parte segunda (5,9-10) expresa, en efecto, *los rasgos específicos del sacerdocio de Cristo* y anuncia así el tema de la parte tercera. Ésta se compone de tres secciones expositivas (7,1-28; 8,1-9,28; 10,1-18), que corresponden a las tres afirmaciones de 5,9-10. Al comienzo de cada sección, el autor cuida de recordar los términos del enunciado que se desarrollará en ellas (cf. 6,20; 7,28; 9,28). Un preámbulo del género exhortativo (5,11-6,20) reclama la atención de los oyentes y subraya a la vez la importancia de esta gran exposición doctrinal (7,1-10, 18).

— La *sección primera* (7,1-28) define el *género de sacerdocio* que corresponde a Cristo glorificado. Es sacerdote, «no a la manera de Aarón», sino «a la manera de Melquisedec» (7,11). Su sacerdocio no se deriva de su pertenencia a una familia sacerdotal terrestre, sino que está especificado por su filiación divina. Pero no por eso deja de presuponer un proceso de transformación sacrificial verdaderamente eficaz, una τελείωσις o consagración sacerdotal (cf. Éx 29 y Lev 8), que sea digna de su nombre y lo haga, por tanto, perfecto, ya que esto es lo que significa, literalmente τελείωσις : «acción de convertir en perfecto».

— La *sección segunda* (8,1-9,28) se consagra precisamente al tema del *sacrificio* que ha hecho de Cristo el sumo sacerdote perfecto, sentado a la derecha de Dios. Para definir esta nueva «liturgia» (8,6), el autor la opone al culto de la antigua alianza, que no conocía más que inmolaciones de animales en un templo terrestre, ritos externos ineficaces. El sacrificio de Cristo, por el contrario, fue una ofrenda personal incomparable, que le dio acceso al cielo mismo y le convirtió en el verdadero mediador, porque era una ofrenda eficaz para la purificación de las conciencias.

— La *sección tercera* (10,1-18) desarrolla con mayor amplitud este último punto. Subraya la impotencia de la ley antigua para obtener la purificación de las conciencias, a pesar de la repetición indefinida de sus sacrificios, y contrapone la *eficacia del sacerdocio* de Cristo, que «con una sola ofrenda, ha perfeccionado para siempre a los consagrados» (10,14).

Inmediatamente después de esta magistral exposición, una importante *exhortación* (10,19-39) expresa con vigor la conexión entre la doctrina y la vida. Invita a los oyentes a entrar en el santuario en seguimiento de Cristo, sumo sacerdote, viviendo en la fe, la esperanza y la caridad. La exhortación pone en guardia contra posibles desfallecimientos. Aquí se encuentra el núcleo esencial de toda la parenesis de *Hebreos.*

4.º El final de esta exhortación (10,36-39) insiste sobre dos temas: la constancia necesaria (10,36) y la fe que hace vivir al justo (10,38-39). Éstos serán los temas de la parte cuarta (11,1-12,13), claramente dividida en dos secciones. Un fresco espléndido de la historia bíblica comienza por describir *la fe de los antiguos (sección A:* 11,1-40). Viene a continuación una exhortación a la *constancia,* dirigida a los cristianos sometidos a prueba *(sección B:* 12,1-13).

5.º La última frase de esta sección —y de la parte cuarta— introduce otro tema: incita a los cristianos a *trazar senderos rectos para sus pies* (12,13). Del aspecto de la receptividad (fe y constancia), fundamental para la vida cristiana, se pasa al aspecto de la actividad, que no puede ser olvidado. Éste es el tema de la parte quinta y última (12,14-13,18), que fija las orientaciones para el comportamiento: buscar la paz con todos y la santificación (12,14). El autor define aquí el culto cristiano en su relación con la existencia concreta, basándose siempre en el sacrificio de Cristo (13,12) y en la posición del Señor glorificado (12,25).

Un amplio *deseo final* pone fin a la predicación (13,20-21). En él se evoca tanto la doctrina (13,20) como las exhortaciones (13,21) y concluye con una doxología.

Carácter operatorio del análisis

El argumento principal en favor de la estructura que acabamos de describir consiste, digámoslo una vez más, en la convergencia perfecta de varias series de indicios, que pueden observarse en el texto mismo. Para formarse una opinión sobre este punto, es preciso, evidentemente, tomarse el trabajo de penetrar en el método y de someter a comprobación los indicios propuestos. Así lo ha hecho un buen número de exegetas que han emitido, tras su análisis, un voto positivo[7]. Para otros, en cambio, la cuestión sigue aún sujeta a debate.

Una vez establecida con método, la estructura evidencia su valor a través de los servicios que presta a la exegesis. En nuestro caso, permite comprender mejor la coherencia del discurso y su progresión, hábilmente dirigida; pone de relieve las múltiples relaciones que ligan entre sí a las diversas secciones, otorga su debido puesto a las exposiciones y exhortaciones y revaloriza la armonía literaria del conjunto.

Observemos, a este propósito, que el gusto por las disposiciones simétricas, de las que ya hemos dicho algo en páginas anteriores, se manifiesta aquí de forma impresionante. El autor dosifica con arte simetrías paralelas (ABAB) y simetrías concéntricas (ABCBA). El número de secciones en las cinco partes sucesivas forma un esquema general concéntrico: 1,2,3,2,1. Pero las dos secciones de la segunda y de la cuarta parte se corresponden según una simetría paralela, tanto respecto de la longitud de las secciones como respecto de los temas desarrollados.

Las secciones A son largas (3,1-4,14: 33 versículos; 11,1-40: 40 versículos) y tratan, la una, del sumo sacerdote digno de fe (II,A), la otra de la fe de los antiguos (IV,A). Las secciones B son cortas (4,15-5,10: 12 versículos; 12,1-13: 13 versículos) y tratan, la una de la misericordia sacerdotal de Cristo, que ha sufrido como nosotros (II,B) y la otra de la constancia necesaria a los cristianos sujetos a prueba (IV,B).

La parte tercera (5,11-10,39) adquiere un relieve particular en la estructura, porque es la parte central. La preceden dos partes y la siguen otras dos. Es también la más larga de todas, y la única que abarca tres secciones expositivas, flanqueadas además por dos exhortaciones paralelas [8]. Su amplitud y su situación es la correspondiente a la importancia de su tema: en ella se definen los rasgos específicos del sacerdocio de Cristo. En esta parte, la sección central es la segunda (8,1-9,28). Más larga que todas las demás (41 versículos), se presenta como el «punto capital de la exposición» (8,1). Trata, como ya hemos visto, del sacrificio de Cristo. El punto central de toda la estructura se sitúa al principio de 9,11: aquí se encuentra el nombre de Cristo con el título de sumo sacerdote [9].

IV

PERSPECTIVAS DOCTRINALES

Cristología sacerdotal

La comprensión de la estructura expone a más viva luz una aserción que se venía imponiendo desde siempre: la importancia de la doctrina acerca del sacerdocio de Cristo en la carta a los Hebreos. Es bien sabido que Heb es el único escrito del Nuevo Testamento que aplica a Cristo los títulos de sacerdote (ἱερεύς) y de sumo sacerdote (ἀρχιερεύς). Pero su originalidad no se limita a la utilización de estos nuevos títulos. El autor ha emprendido la tarea de elaborar toda una síntesis doctrinal nueva. Ha profundizado el misterio de Cristo con la ayuda de la tradición cultual del Antiguo Testamento y, a la vez, ha introducido una modificación radical en las nociones de sacrificio y sacerdocio.

Cristo y el sacerdocio antiguo

Atendida la situación de primer plano que ocupan en la Biblia las instituciones cultuales, los cristianos tenían que plantearse inevitablemente el problema de su relación con la fe de Cristo: ¿encontraba el culto antiguo su consumación en el misterio de Cristo? La respuesta era difícil. En efecto, a primera vista no se percibían relaciones de similitud entre la realidad cristiana y el sacerdocio judío y, más aún, estas relaciones parecían de signo opuesto. No era sólo que Jesús no había sido sacerdote, ya que no pertenecía a una familia sacerdotal (Heb 7,14; 8,4), sino que además había tropezado con la hostilidad de los sumos sacerdotes y su muerte de condenado le había separado definitivamente de la esfera sacra del culto ritual (Gál 3,13). Se comprende bien que a la predicación primitiva no se le ocurriera la idea de expresar el misterio de Cristo en categorías sacerdotales. Poco a poco, sin embargo, la reflexión cristiana se fue orientando hacia este aspecto, comenzando por la noción de sacrificio (cf. 1Cor 5,7; Rom 3,25; Ef 5,2). El autor de Heb pasó resueltamente más adelante y examinó la cuestión del sacerdocio. La empresa no carecía de audacia. Exigía un doble esfuerzo. Había que liberarse de la concepción tradicional del sacerdocio, distinguiendo entre las formas rituales exteriores y la intención profunda y, a la vez, reexaminar los datos fundamentales de la cristología, para establecer su relación con la intención profunda de la institución sacerdotal.

Eran indudablemente muy numerosas las funciones atribuidas al sacerdocio antiguo, desde la consulta de los oráculos sagrados *(urim* y *tummim)* hasta la bendición en nombre de Yahveh, pasando por la ofrenda de los animales sacrificados, los ritos de expiación en la sangre, el control de la pureza ritual y la custodia del santuario (cf. Dt 33,8-11; Lev 13-14; Núm 6,22-27; 19; Eclo 45,6-22). Es claro que Jesús no asumió materialmente estas funciones y que, además, tampoco se encuentran en el culto cristiano.

Pero, cuando se lleva a cabo el esfuerzo por comprender el dinamismo que subtiende su diversidad, se comprueba que todas ellas se inscriben en el esquema de una empresa de *mediación,* que implica tres fases: una fase ascendente, que desde el mundo profano se eleva hasta la morada de Dios; otra fase central de acogida del sumo sacerdote ante Dios; y una tercera fase descendente, que trae a los fieles los beneficios de Dios. La actividad sacrificial de los sacerdotes intentaba realizar la primera fase, que —obsérvese bien— es decisiva para el buen funcionamiento del esquema. La entrada en el santuario representaba la fase central. Las otras funciones correspondían a la fase descendente, en la que el favor de Dios se traducía de diversas maneras: perdón de las faltas (expiación), luz para el camino a seguir (oráculos e instrucciones), fecundidad, paz, prosperidad (bendición).

La mediación sacerdotal de Cristo

Si se quieren apreciar de una manera que vaya más allá de la superficie las relaciones entre Cristo y el sacerdocio, conviene tomar como punto de partida este esquema de mediación. Se comprende entonces que el misterio de Cristo constituye verdaderamente el cumplimiento de aquel sacerdocio. Y éste es, cabalmente, el modo de proceder del autor de la carta.

1) En su demostración, comienza regularmente por la fase central, es decir, por la *contemplación de Cristo glorificado,* ya sea en la primera parte (cf. 1,5-14), ya en la segunda (cf. 3,1-6) o en la tercera (cf. 7,1-28). Advirtamos que, al proceder de esta manera, toma como punto de partida la experiencia presente de la comunidad cristiana, consciente de que debe su existencia a su relación con Cristo glorificado. Hijo de Dios entronizado a la derecha del Padre (1,5-14), Cristo ocupa ya una posición de autoridad que le permite hablar en nombre de Dios (3,1-6), y también interceder eficazmente ante Dios y procurar la salvación (7,25: cf. Rom. 8,34). Ahora bien, al mismo tiempo es nuestro hermano, un hombre como nosotros (2,11-12). El camino que le ha llevado a la gloria no es otro que el de una total solidaridad con nosotros (2,9.14-16). Unido íntimamente a nosotros, íntimamente unido a Dios, es mediador perfecto, y debe, por consiguiente, ser reconocido como «sumo sacerdote» (2,17; 3,1; 4,14).

2) Al autor no le basta este primer tipo de argumentación porque sólo desde aquí no podría ir más allá de una simple conclusión teológica, que proporcionaría sin duda una interpretación aceptable de la realidad cristiana, pero no una certeza de fe. Para conseguir esta certeza, debe darse una palabra de Dios. *El autor ha buscado, pues, si la Escritura testifica que Cristo es sacerdote.* Y no le ha costado trabajo encontrar una declaración explícita en relación inmediata con su contemplación de Cristo glorificado.

Le ha bastado, para ello, pasar del v. 1 al 4 del Salmo 110. El primer versículo de este salmo contiene un oráculo mesiánico que sirve para expresar la glorificación de Cristo ante Dios. Su aplicación a Jesús está garantizada por los evangelios (Mt 22,41-46; 26,63-66 par); y era corriente en el Nuevo Testamento (cf. Mc 16,19; Act 2,34; Ef 1,20, etc.). Nuestro autor se refiere a ella desde su primera frase (1,3) y vuelve una y otra vez sobre la misma (1,13; 8,1; 10,12; 12,2). Pero no se detiene aquí su lectura del salmo: ha observado que, tres versículos más lejos, aparece un segundo oráculo, dirigido al mismo personaje y que, por tanto, se aplica también a Cristo glorificado. Ahora bien, este oráculo le proclama solemnemente «sacerdote para siempre». Por consiguiente, hay que reconocer que el sacerdocio de Cristo es un dato explícito de la revelación bíblica. Dios mismo no solamente ha dicho, sino incluso «jurado» que Cristo glorificado es sacerdote. El autor introduce esta testificación escriturística en 5,6 y la repite en 5,10 y en 6,20, para analizarla y explotarla con todo detalle a lo largo del cap. 7.

3) Pero la demostración no es todavía completa, porque la doctrina no es totalmente inteligible hasta tanto no pueda demostrarse su base existencial. ¿Sobre qué se basa, en concreto, la proclamación divina del sacerdocio de Cristo? ¿Cómo ha llegado a ser Cristo el sumo sacerdote perfecto? La tercera componente del argumento será, pues, *una reflexión sobre el acontecimiento decisivo, a saber, sobre la pasión glorificadora de Cristo.* Esta reflexión, ya iniciada en 2,9-18, se continúa en 5,7-10, donde da cuenta de la afirmación del salmo, y llega a su fin en las secciones B y C de la parte central (8,1-9,28 y 10,1-18).

El autor pudo apoyarse en diversos elementos de la catequesis evangélica y paulina. Ésta había ido reconociendo, con creciente claridad, que la muerte de Jesús le había convertido en víctima sacrificial: víctima de expiación, porque «murió por nuestros pecados» (1Cor 15,3; cf. Mt 26,28; Rom 3,25; 4,25), víctima pascual (1Cor 5,7), sacrificio de alianza (Mc 14,24 par; 1Cor 11, 25). Por otra parte, era sabido que aquella muerte no había sido sufrida con una oscura pasividad, y menos aún en actitud de rebelión, sino que había sido asumida con total conocimiento de causa (Jn 10,18), como obediencia a Dios (Mt 26,42; Jn 14,31;

Flp 2,8) y como medio de servir a los hombres (Mc 10,45), por amor (Jn 15,13; Gál 2,20). Hay ya una primera síntesis de estos aspectos en Ef 5,2, donde se dice que Cristo «nos amó y se entregó a la muerte por nosotros» (vocabulario existencial de Gál 2,20), «en oblación y sacrificio a Dios» (vocabulario cultual, como en 1Cor 5,7). Cristo aparece así como víctima sacrificial voluntaria.

El autor de Heb lleva más adelante la síntesis, afirmando que Cristo «se ofreció a Dios» (9,14); es, pues, a la vez el sumo sacerdote que ofrece (5,1; 8,3) y la víctima de su propio sacrificio. Pero el autor pone gran cuidado en mostrar qué transformación resulta de aquí en orden al modo de concebir sacerdocio y sacrificio. Se pasa de un culto ritual externo e ineficaz a un culto existencial que abraza al hombre en su totalidad y lo «hace perfecto» (2,10; 5,9; 7,28) en un acto de completa obediencia a Dios (5,8; 10,5-9) y de solidaridad extrema con los hombres (2,14-18; 4,15). Un acto como éste lleva a su perfección y vincula, por así decir, una con otra las dos relaciones que hacen posible la mediación: la relación filial de Cristo con Dios y su relación fraterna con los hombres. La proclamación divina del sacerdocio de Cristo encuentra aquí su justificación profunda. No se trata de una simple denominación honorífica. El oráculo divino revela el punto final real de los acontecimientos: Cristo se ha convertido efectivamente en el sumo sacerdote gracias a su pasión y su resurrección. Más aún: es el único sumo sacerdote auténtico; los otros no hicieron sino prefigurarlo.

En la elaboración de esta cristología sacerdotal, el autor da muestras de un vigor de pensamiento poco frecuente. Lejos de proceder a nivelaciones simplistas, destaca con gran relieve los aspectos más opuestos del misterio de Cristo, trascendencia divina (1,2-3; 4,14; 7,3.16.26) y verdadera humanidad (2,14; 4,15; 5,7-8) y encuentra, para expresarlos, fórmulas incomparables. Pero muestra además que el dinamismo del acontecimiento opera entre ellos una asombrosa unión, que es precisamente lo que constituye a Cristo en sumo sacerdote.

Hermenéutica bíblica

Testimonio de la Escritura

Este mismo vigor de pensamiento aflora en su manera de afrontar el problema de la interpretación de las Escrituras. El autor consigue conciliar los extremos contrarios: el respeto más absoluto frente a la autoridad del Antiguo Testamento y la crítica más radical a su respecto. De este Antiguo Testamento afirma a la vez su anulación y su cumplimiento. Tiene, en contra de la ley antigua, fórmulas más tajantes que el mismo Pablo (7,12.18-19; 10,1.9). Pero no cesa de recurrir a los textos bíblicos para fundamentar su demostración. Y lo consigue porque distingue cuidadosamente en el Antiguo Testamento entre el aspecto *institucional* y el aspecto *profético*. En cuanto profecía, el Antiguo Testamento conserva su valor, porque testifica en favor de Cristo. Pero, en cuanto institución, debe ceder su puesto porque, una vez construido el edificio definitivo, se abandona el alojamiento provisional. Así pues, el autor hace comprender claramente que el *Antiguo Testamento, como profecía, anuncia su propio fin como institución.* Así se advierte sobre todo en la gran exposición central (7,1-10,18) donde se recurre, para este fin, al Sal 110, a Jer 31,31-34 y al Sal 40, junto con un análisis de los ritos prescritos por la ley (cf. Lev 16).

Relación de los dos Testamentos

El autor se muestra muy consciente de las condiciones necesarias para el cumplimiento de las Escrituras. Sabe que es preciso poder mostrar una *triple relación entre el Nuevo Testamento y el Antiguo:* continuidad, ruptura y superación. Y se toma el cuidado de hacer luz sucesivamente sobre estos tres aspectos. Si la muerte de Cristo, por ejemplo, no tuviera ninguna relación con los sacrificios antiguos, no podría verse en ella el cumplimiento del designio de Dios. Sería un hecho simple y desnudo, que no tendría un puesto en la historia de la salvación. Es, pues, necesaria una similitud real (cf. 5,1.7; 9,13-14). Pero son también necesarias las diferencias: si Cristo se hubiera limitado simplemente a ofrecer un sacrificio ritual, como los otros sacerdotes, no podría hablarse de cumplimiento; sólo habría habido reproducción de un rito ineficaz. El verdadero cumplimiento implica un sacrificio de un género nuevo (cf. 9,11-12.24-26). Y las diferencias deben darse, evidentemente, en el sentido de la superioridad. De nada habría servido sustituir los ritos impotentes por una ceremonia diferente, pero desprovista también de eficacia. Lo que hacía falta era una realización perfecta, que no dejara nada que desear. Y esto es lo que se encuentra en la pasión glorificadora de Cristo (cf. 10,10.14. 18).

Gracias a esta dialéctica de la triple relación, el autor consigue dar al sacerdocio de Cristo una presentación a la vez muy profunda, muy equilibrada y muy dinámica. No resulta tarea fácil retener la riqueza de esta plenitud. Se corre el peligro ya de insistir demasiado sobre la continuidad y retornar inconscientemente a las instituciones del Antiguo Testamento [10], ya de comprender mal las diferencias, considerando, por ejemplo, como una especie de metáfora la afirmación del sacerdocio de Cristo [11]. La perspectiva del autor es exactamente la contraria: en Cristo, el sacerdocio se ha convertido, al fin, en realidad, mientras que antes no podía rebasar el estadio de una impotente figuración simbólica. Aquí se echa bien de ver hasta qué punto el texto de Heb merece retener la atención de cuantos se interesan por los problemas de la hermenéutica.

Las técnicas exegéticas

Se han consagrado numerosos estudios al análisis de las técnicas utilizadas por el autor en su empleo del Antiguo Testamento [12]. Estos estudios subrayan sobre todo lo que Heb tiene en común con los métodos de interpretación entonces en uso [13] (en las tradiciones rabínicas, en Qumrân, en la sinagoga helenista o en Filón) y han conseguido así aclarar más de un detalle. Pero caen a veces en precipitadas generalizaciones: porque Qumrân nos ha entregado algunos ejemplos de *pesher*, se pretende afirmar que el autor de Heb ha hecho lo mismo. Pero la verdad es que nunca se detiene en hacer el comentario seguido de un texto, a la manera del *Pesher de Habacuc;* sus citas quedan siempre integradas en el cuerpo de su argumentación. Otros comentaristas definen Heb como «un *midrash* homilético basado en el Sal 110», lo que da una imagen muy aproximativa e incompleta. En realidad, es preciso reconocer que la exégesis del Antiguo Testamento en Heb sólo superficialmente se asemeja a tal o cual corriente contemporánea y que lo que manifiesta, ante todo y sobre todo, es una vigorosa originalidad. De hecho se explica, primariamente, por la clara conciencia que tenía el autor de que las Escrituras se habían cumplido en Cristo.

Culto nuevo y vida cristiana

Es también este cumplimiento lo que define, para él, la situación de la comunidad cristiana, situación privilegiada de libre acceso a Dios gracias a la mediación del sumo sacerdote Cristo (4,16; 10,19-25). De este modo, el tema del culto espiritual, que ya gozaba de un cierto honor en la piedad de la diáspora helenista, llega a su plena consumación.

El acceso a Dios

A pesar de que así lo afirman algunos autores renombrados (Käsemann, Spicq), Heb no presenta de ningún modo la vida cristiana como una larga marcha a través del desierto, sino más bien como una entrada, ya actual, en el descanso de Dios [14]: «Hemos entrado en el descanso, los que hemos creído» (4,3; cf. 4,16; 6,18-20; 10,19-22; 12,22-24.28). La larga espera es lo que caracteriza al Antiguo Testamento (11,13.39), pero no al Nuevo (10,37; 11,40), porque el sacrificio de Cristo ha transformado radicalmente la situación religiosa de los hombres. Acto mediador perfecto, ha abierto el paso, aboliendo todas las antiguas separaciones. Lo que en otro tiempo era un privilegio, reservado en exclusiva al sumo sacerdote y una sola vez por año (9,7), se ha convertido en posibilidad abierta en todo tiempo (10,19). Ahora todos los creyentes están invitados a acercarse a Dios sin temor (4,16; 10,22) y a presentarle sus sacrificios (13,15-16). A partir de ahora, estos sacrificios no serán ya ritos separados de la vida, sino, a imagen del sacrificio de Cristo, ofrendas existenciales. Como Cristo, los cristianos están llamados a vivir en la obediencia filial «cumpliendo la voluntad de Dios» (10,36; 13,21; cf. 5,8; 10,7-9) y a progresar en el amor fraterno (10,24; 13,1-3), practicando la solidaridad efectiva (13,16). Así es como ofrecerán a Dios sacrificios que le agraden (ibidem), pues el culto nuevo no es otra cosa que la transformación cristiana de la existencia.

La mediación de Cristo

Con todo, se engañarían mucho quienes se imaginaran poder realizar por sí mismos esta transformación. En efecto, está estrictamente condicionada por la mediación de Cristo. Sólo hay acceso a Dios «por él» (7,25); mejor aún, es Dios mismo quien «por Jesucristo» realiza en nosotros toda obra buena (13,20-21). He aquí por qué, en todas sus exhortaciones, el autor comienza siempre por insistir en la fe, base insustituible de la existencia cristiana.

La comunidad cristiana

La fe, que es adhesión a Cristo mediador, no puede vivirse de forma individualista, porque Cristo nos pone en comunicación a unos con otros. El autor hace continuas llamadas a la responsabilidad comunitaria (3,12; 4,1.11; 10,24; 12,15), subrayando el papel necesario de los dirigentes. Son éstos quienes hacen presente en la comunidad la autoridad (13,7; cf. 4,14; 12,25) y la solicitud (13,17; cf. 4,15; 13,20) del sumo sacerdote Cristo [15]. El autor pone en guardia contra una tendencia a abandonar las reuniones de la comunidad (10,25) y alude a diversos aspectos de la liturgia cristiana (cf. 6,4-5; 10,19-22.29; 13,10.15). A este propósito, algunos críticos se extrañan de que no se encuentre en Heb una mención explícita de la cena del Señor y de aquí han concluido, con excesiva precipitación, que la comunidad en cuestión no practicaba la eucaristía [16]. Para dar base sólida a semejante conclusión se requiere mucho más que un argumento *ex silentio*, y ello tanto más cuanto que, en el caso presente, se trata de un argumento muy problemático. Son muchos, en efecto, los autores que perciben en el texto de Heb varias alusiones a la eucaristía [17]. Podemos retener aún otra observación: es significativo que el autor insista mucho en el acontecimiento redentor en su realidad misma y se contente, en cambio, con alusiones respecto del sacramento que lo representa. Esto significa tener sentido de las proporciones. La piedad tiende a veces a olvidarlo. En este punto, al igual que en otros muchos, la carta fija con seguridad la auténtica perspectiva cristiana.

V

PROBLEMAS SORE EL ORIGEN

El trasfondo cultural

¿Qué es lo que la obra nos revela sobre los antecedentes de su autor? Se han llevado a cabo varios intentos por fijar su posición respecto de las diversas corrientes culturales de su época. Apenas puede ponerse en duda su origen judío, ya que evidencia una extraordinaria familiaridad con el Antiguo Testamento. El primer problema a precisar es, pues, si está vinculado al judaísmo palestino o al judaísmo helenista.

Las afinidades qumranianas

Los descubrimientos qumranianos han vuelto a poner sobre el tapete la solución, generalmente aceptada, de una vinculación al judaísmo helenista. Se ha hecho notar, en efecto, un buen número de puntos de contacto entre Heb y los escritos de Qumrân, tanto respecto de las expresiones utilizadas como de las situaciones afrontadas. Citemos en particular la mención de la «nueva alianza» y la espera de un sacerdote para los últimos tiempos [18]. Un examen más atento ha llevado, con todo, a relativizar la importancia de estos contactos, que siempre están acompañados de sensibles diferencias [19]. En Heb, la nueva alianza tiene un fundamento nuevo, completamente ignorado en Qumrân, y, además, el Mesías sacerdotal no pertenece a la familia de Aarón [20]. No puede hablarse de préstamos característicos, ni tampoco de polémica claramente identificable. Su común enraizamiento en la tradición bíblica y en la judía del siglo I basta para explicar sus semejanzas.

El judaísmo helenista

Tras un período de vacilaciones, se ha retornado, pues, a la tesis del judaísmo helenista. Hemos visto en las páginas anteriores que los procedimientos de composición de Heb se acercaban mucho a los del libro de la Sabiduría. Pueden notarse otros muchos puntos de conexión entre Heb y el judaísmo alejandrino, que intentaba crear un puente entre la cultura judía y la cultura griega [21]. Cuando habla de la fe, el autor alterna la perspectiva judía, más atenta a las relaciones interpersonales y al dinamismo del compromiso personal, con la perspectiva griega, más especulativa y preocupada por definir el contenido de la fe. En su tipología, evoca, de un lado, la correspondencia entre imágenes terrestres y realidad celeste, aspecto que no deja de tener cierta relación con el idealismo platónico, y del otro, la tensión típicamente bíblica entre el mundo presente y el cumplimiento futuro. ¿Ha sufrido tal vez la influencia del más célebre de los pensadores judíos de Alejandría, Filón, cuyas obras podemos leer todavía hoy? C. Spicq cree poder demostrar que así sucedió, efectivamente [22]. Pero, tras un nuevo examen del problema, otro exegeta llega a la conclusión contraria [23]. El autor de Heb pertenece a la cultura judeoalejandrina; pero no puede decirse que sea «un filoniano convertido al cristianismo», porque su perfil espiritual es muy diferente del de Filón. No practica, como éste la transposición de los textos bíblicos al plano de la vida moral individual; conserva, por el contrario, un sentido muy concreto de la historia de la salvación y de la escatología.

La corriente gnóstica

Otra de las hipótesis propuestas se refiere a la posibilidad de un trasfondo gnóstico. E. Käsemann se ha pronunciado con decisión en favor de esta posición [24], interpretando en este sentido numerosos pasajes de la carta: solidaridad del Hijo y de los hijos (2,11), evocación del descanso de Dios (4,1-11), imagen del paso «a través del velo» (6,19-20; 10,20). Pero su argumentación adolece de defectos de método; no parte de una definición precisa del gnosticismo ni muestra la menor preocupación por las relaciones cronológicas entre los textos. Los textos gnósticos que poseemos, son, todos ellos, posteriores a Heb y, por consiguiente, habría que hablar más bien de relaciones eventuales con un «pregnosticismo» cuyos contornos son problemáticos. Algunas obras recientes han vuelto sobre este tema en puntos concretos, con resultados negativos [25]: Heb no depende de concepciones gnósticas, sino de tradiciones judías.

La discusión, evidentemente, no está aún cerrada. El texto de Heb refleja un medio cultural complejo, en el que se entrecruzaban múltiples influencias. Intentar desmadejar el ovillo es una tarea no carente de interés ni de utilidad. Pero, hay que tener presente que el autor no se deja dominar por ninguna de estas influencias. Su centro de referencia es siempre la revelación bíblica, tal como se ha cumplido en Cristo Jesús.

Destinatarios

¿Para quién se compuso el discurso? ¿A quién se le envió por escrito? Se plantean aquí dos cuestiones distintas, aunque no suelen separarse. Para responder a ellas, sólo disponemos de algunos escasos indicios.

Lugar de destino

El único dato geográfico se halla en el billete de destino: «Los de *Italia* os saludan» (13,24). Puede entendérsele de diversas formas. Cabe pensar que estos italiotas se hallaban en su país y enviaban la carta a otro lugar: 1Cor 16,19 presenta un caso análogo. En este sentido van también las anotaciones añadidas al texto en algunos manuscritos: «Escrito de Italia» o «Escrito de Roma». Pero cabe también pensar que se trata de gentes originarias de Italia y establecidas en otro país. Otro manuscrito dice: «Escrito de Atenas». De cualquier forma, esta información no dice nada sobre el lugar en que se hallaban los destinatarios.

Otro indicio que podría servir para la identificación de estos destinatarios es el hecho de que el billete de destino presenta un nombre propio de persona, el de Timoteo (13,23). Los destinatarios conocían a un Timoteo. Esto permite suponer un ambiente paulino: el único Timoteo mencionado en el Nuevo Testamento es el compañero de Pablo.

El título: «a los Hebreos»

Más que en el billete de destino, los antiguos se basaron en el título «a los Hebreos». De aquí concluyeron que los destinatarios eran judíos, que vivían en Judea y hablaban hebreo [26]. Pablo les habría escrito en esta lengua. Pero el texto que poseemos se presenta como una obra concebida y redactada en griego, y no como una traducción del hebreo. Por lo demás, es totalmente evidente que se dirige a cristianos, no a judíos. El autor les insta, en efecto, a mantener su profesión de fe cristiana (3,6.14; 4,14; 10,22; 13,7-8). La reciente tentativa de considerar el escrito como una invitación a la conversión dirigida a los qumranianos concuerda mal con el texto.

Origen de los destinatarios

Estos cristianos, ¿son de origen judío o pagano? La cuestión es ásperamente controvertida. Muchos exegetas están convencidos de que se trata de judíos convertidos (algunos precisan más aún: «antiguos sacerdotes judíos») y de que el autor les previene contra la tentación de un retorno al judaísmo. Pero otros sostienen que se trataba de paganos convertidos y que el autor no habla nunca de un retorno al judaísmo, sino solamente de una posible debilitación de la fe. Hay que confesar que no hay ningún pasaje que fuerce la decisión. También cabe pensar que el autor se dirige a una comunidad cristiana cuyos miembros proceden, en parte, del judaísmo y, en parte, del paganismo. Pero no se interesa por esta cuestión de origen. No habla nunca ni de judíos ni de gentiles, de circuncisión o incircuncisión. Estos términos, tan frecuentes en el vocabulario paulino, no aparecen ni una sola vez bajo su pluma. No obstante, combate vigorosamente, como hemos visto, las pretensiones de la ley (7,18-19; 10,1.8-9), proclama que ha caducado la primera alianza (8,13) y que Cristo ha establecido una alianza nueva (7,22; 9,15; 12,24). Su perspectiva es específicamente cristiana, es decir, que parte de una relación profunda con la «descendencia de Abraham» (2,16), que ha dado nacimiento al «pueblo de Dios» (4,9; 11,25), pero adquiere inmediatamente una apertura universal. Cristo ha afrontado la muerte «por todos los hombres» (2,9) y se ha convertido en «causa de salvación eterna para todos los que le obedecen» (5,9; cf. 7,25), sin distinción de origen.

Datos de la crítica interna

Se puede espigar en el sermón (1,1-13,21) cierto número de rasgos que ayudan a precisar la situación de los cristianos a quienes se dirige. Éstos no conocieron directamente al Señor (2,3), lo que impide atribuirles un origen palestino. No son nuevos convertidos, sino cristianos desde antiguo (5,12); su comunidad no tiene ya a sus primeros dirigentes (13,7). En los primeros tiempos de su conversión, padecieron vejaciones y persecuciones, que les causaron muchos sufrimientos y pérdidas materiales, pero todo lo soportaron con alegría (10,32-34). Ahora se presentan nuevas dificultades (12,1.7). La constancia es necesaria (10,36). El desánimo amenaza insinuarse en sus almas (12,3.12); algunos miembros de la comunidad no asisten con asiduidad a las reuniones (10,25) y el nivel espiritual no es el que debiera ser (5,11-12). Por otra parte, asoman algunas desviaciones doctrinales (13,9). El autor tiene que poner en guardia a los fieles contra ciertas posiciones judaizantes que insisten en las observancias sobre alimentos (13, 9*b*-10; 12,16; 9,10). En varias ocasiones evoca el peligro de la caída grave y hasta de la apostasía. Recurre entonces a un tono dramático y afirma —en pasajes que suscitan muchas discusiones— que esta vía de perdición no tiene salida (6,4-6; 10,26-31). No quiere decir que la situación actual de sus oyentes sea efectivamente desesperada, y ni siquiera alarmante. Tiene el cuidado de precisarlo y de alabar, por el contrario, su generosidad pasada y presente al servicio de Dios y de la Iglesia (6,10). Pero ha querido estimularlos.

Por muy viva que sea la imagen obtenida con ayuda de estas indicaciones, sigue siendo, en definitiva, vaga. Puede adaptarse a numerosas comunidades de la segunda mitad del siglo I. Se comprende, pues, que los comentaristas hayan propuesto soluciones muy diversas. Junto a los que sitúan a los destinatarios en Jerusalén —posición que acabamos de criticar— hay quienes propugnan Roma, Éfeso, Corinto, Galacia y Antioquía.

Fecha de composición

No son menos divergentes las opiniones acerca de la fecha de composición. A falta de datos precisos, no queda sino entregarse a estimaciones forzosamente subjetivas. Algunos exegetas (Synge, Montefiore), creyendo descubrir un aire arcaico en algunos pasajes y estimando que la situación evocada corresponde a la que precedió a la crisis de Galacia, se pronuncian por una fecha precoz, anterior al año 55. Otros, en el extremo contrario, ven razones para elegir una fecha tardía. Algunos autores hablan del año 115 (Dulière); un buen número se inclina a una fecha situada entre el 80 y el 90.

Hay un punto de referencia en un dato suministrado por la carta de Clemente de Roma a los corintios, en la que se registran varios contactos con Heb, en particular un largo pasaje (1Clem 36), que tiene una estrecha relación con Heb 1,3-13. Dado que 1Clem se fecha entre el 95 y el 96, la mayoría de los autores admiten que Heb debe ser anterior a esta fecha. Es una de las posiciones más razonables. Debemos simplemente señalar que no se funda sobre una prueba apodíctica. Clemente no dice que cita a Heb y tampoco reproduce el texto con fidelidad. Es, pues, posible que dependa de otra fuente. Pero las relaciones entre los dos textos son de tal naturaleza que tal posibilidad es muy reducida.

Otra referencia cronológica es la destrucción del templo de Jerusalén, el año 70. El modo de hablar Heb del culto judío, ¿permite descubrir si el autor escribió antes o después de esta fecha?

La evaluación de los datos es delicada. Es indudable que el autor describe la liturgia judía como un hecho actual (9,9.25; 10,1-3. 11), pero se refiere a la tienda del Pentateuco (9,2-5) y no al templo; por lo demás, sus descripciones pertenecen al presente jurídico, es decir, intemporal. Hay que guardarse de conclusiones precipitadas. Esto dicho, hay que convenir en que un pasaje como 10,1-3, en el que el autor presenta como una hipótesis irreal el fin de los sacrificios, difícilmente pudo ser escrito en un tiempo en que los sacrificios habían efectivamente llegado a su fin, como consecuencia de acontecimientos trágicos de todos conocidos. Hay, pues, aquí un motivo para pronunciarse a favor de una fecha anterior al 70, y así lo hacen Riggenbach, Spicq y otros críticos. De ser así, el desarrollo de la cristología, de una parte, y la mención relativa a los primeros dirigentes de la comunidad (13,7), de otra, invitan a pensar que la composición de Heb no fue muy anterior al año 70.

El autor

Cuando, una vez finalizado el estudio de Heb en sus diversos aspectos, volvemos a la pregunta de Orígenes: «¿Quién ha escrito la epístola?», apreciamos más aún la sabiduría de su respuesta: origen paulino en sentido amplio, pero no autenticidad paulina directa.

Contra la autenticidad paulina

La autenticidad directa tuvo aún sus defensores en la primera mitad del siglo XX, pero nadie la sustenta en la actualidad. Son demasiados los indicios en contra. El estilo de Heb difiere mucho del de Pablo. Carece por completo de la impetuosa espontaneidad de éste y de su irregularidad. Es, por el contrario, un estilo muy literario, cuidadosamente rimado y acorde con las reglas de la retórica. Ya hemos visto que la composición sigue esquemas muy meditados. Por lo demás, mientras que Pablo no vacila en situarse en primer término, incluso en una gran predicación como Rom 1,16-15,13 (cf. Rom 3,8; 9,1-3; 10,1-2; 11,1), el autor de Heb se esfuma por completo detrás de su obra. No hay efusiones personales ni confidencias. No aparece el «yo»; sólo se encuentra el convencional «nosotros». Ninguna pretensión de autoridad apostólica; al contrario, hay una frase que permite sospechar que el autor no tuvo contacto directo con el Señor Jesús (2,3). Se está lejos de la posición de Pablo, que proclama muy alto haber recibido su evangelio sin intermediarios (Gál 1,1. 11-12) y defiende apasionadamente su título de apóstol (1Cor 9,1; 2Cor 12,11-12). A todo esto se añaden otros muchos indicios: modo diferente de introducir las citas del Antiguo Testamento, empleo de diferentes apelaciones para hablar de Jesús y, sobre todo, doctrina centrada en un tema ignorado de Pablo, el del sacerdocio. No parece, pues, posible atribuir a Pablo el texto de este sermón.

Las afinidades paulinas

Pero de aquí no debe concluirse con excesiva precipitación que carece de fundamento la tradición oriental del origen paulino del escrito. En efecto, los contactos más numerosos de Heb son los mantenidos con la corriente paulina. Su cristología en particular recuerda la de las cartas de la cautividad: el Hijo, imagen de Dios, elevado por encima de los ángeles, que recibe un nombre sobre todo nombre. La presentación sacrificial de la pasión de Cristo tiene puntos de apoyo en varios textos de Pablo e incluso el tema mismo del sacerdocio aparece en Heb vinculado a dos temas característicamente paulinos: la crítica al régimen de la ley y la obediencia redentora de Cristo. Puede, pues, mantenerse la opinión de que el autor de Heb pertenecía a un grupo apostólico paulino.

La cuestión del billete de destino

Todo lo dicho vale para el «discurso» (Heb 1,1-13,21). Por lo que hace al billete de destino (13,19.22-25), suscita dos observaciones. 1) Los argumentos desfavorables a la autenticidad paulina extraídos del discurso no tienen aplicación para algunas frases del billete, ya que éstas tienen un acento personal y están desprovistas de retórica. 2) El billete tiene un perfil paulino; entre otros indicios, cabe destacar el nombre de Timoteo y el breve deseo final, típicamente paulino. Estas comprobaciones han dado pie, hace ya tiempo, a una hipótesis reavivada en nuestros días (Gaechter, Héring): el billete podría proceder del mismo Pablo, que lo habría añadido a la predicación compuesta por uno de sus compañeros de apostolado. El texto del billete es demasiado corto para que pueda demostrarse la veracidad de esta hipótesis, pero tiene al menos el mérito de apoyarse en observaciones precisas y de explicar la tradición oriental, que constituye uno de los elementos del problema.

Intentos de identificación

Se han hecho numerosos intentos por identificar al autor de la predicación. Los nombres dados por Orígenes — los de Clemente de Roma y Lucas — no son admitidos por los modernos, porque se estima que Heb tiene poca relación con la manera de escribir de estos dos autores. Bernabé, presentado por Tertuliano, cuenta con el favor de más de un exegeta. Pero, dada la ausencia de otros escritos de Bernabé como punto de comparación, no puede extraerse ninguna conclusión firme. El campo sigue abierto a las conjeturas que, por supuesto, no faltan ni faltarán: se han propuesto los nombres de Felipe, «uno de los siete», de Judas — de quien poseemos una carta — o, entre los compañeros de Pablo, de Silas, Prisca y su marido, de Apolo, y también de Aristión, discípulo del Señor. El candidato mejor situado parece ser Apolo, debido a su origen judeoalejandrino, a su conocimiento de las Escrituras, a su formación literaria (cf. Act 18,24-28) y a sus relaciones con Pablo (1Cor 1,12; 3,4-9; 16,12; Tit 3,13). Pero la ausencia de todo testimonio antiguo y la imposibilidad de toda comparación con ninguna obra que sea seguramente de él, impiden llegar a una conclusión cierta.

Sobre el problema del autor, al igual que sobre el de la fecha y los destinatarios, la curiosidad queda, pues, insatisfecha. Este vacío no deja de tener sus desventajas. Pero también puede tener una gran ventaja, a saber, la de desviar la atención de los problemas exteriores para orientarla más decididamente hacia lo esencial: el texto inspirado en sí mismo y su rico contenido doctrinal y espiritual.

CAPÍTULO SEGUNDO

LA CARTA DE SANTIAGO

por J. Cantinat

Centraremos nuestra atención en cuatro puntos: 1) el examen objetivo de la carta tal como se presenta ante nosotros; 2) la enumeración de los principales puntos doctrinales tratados en ella; 3) las cuestiones relativas a su origen; 4) el problema de la canonicidad.

I

PRESENTACIÓN DE LA CARTA

Plan y análisis del contenido

Aparte el encabezamiento (Sant 1,1), la carta sólo contiene exhortaciones morales. ¿Existe un *plan de conjunto* en su presentación, en las ideas expresadas? Así lo piensan algunos autores, pero la mayoría está — y con buenas razones — persuadida de lo contrario.

Los partidarios de la unidad del plan no tienen, por lo demás, una opinión unánime sobre la base de esta unidad. Algunos (Pfeiffer, Cladder) la descubren en el constante desarrollo de uno de los temas siguientes: escuchar la palabra (1,19), el dominio de la lengua (1,26), la pobreza (1,9-11) o la sabiduría (1,5-8). Otros (A. Meyer, G. Hartmann, Rustler, Easton-Poteat) en el hecho de que el autor sería un pseudo-Jacob, que daría a cada uno de sus doce hijos, como en Gén 49,1-28, una recomendación relacionada con el sentido de su nombre respectivo. Otros, en fin (M. Gertner) en el hecho de que la carta sería una homilía judía sobre Os 10,2, en la que se desarrollan los cinco temas de los versículos del Sal 12 [1].

En opinión de la mayoría de los autores, las exhortaciones de la carta están más yuxtapuestas que enlazadas entre sí [2], hasta el punto de que podrían agruparse —y con ventaja— de otra manera (J. Moffatt). Esto se debe, dicen, al género literario adoptado. Son muy pocos los autores que, en contra de la tradición manuscrita, defiendan la existencia de interpolaciones o de adiciones posteriores (1,1; 2,1; M.E. Boismard, W.L. Knox). Es, de todas formas, opinión general que de todas las exhortaciones se desprende una misma verdad subyacente: la necesidad de adecuar la conducta a la fe religiosa, es decir, de optar por la probidad total (ὁλοκληρία: 1,4) y no por la doblez (διψυχία: 1,8; 4,8).

El *análisis de la carta* se reduce, pues, a la enumeración de las exhortaciones en el orden en que el autor las presenta. El hecho de que no siempre los críticos hayan llevado a cabo del mismo modo la enumeración de estas exhortaciones se debe a que no son precisos los límites de varias de ellas. Además, algunos temas se tocan en diversas ocasiones.

He aquí el *análisis temático* que consideramos más verosímil: alegría en las pruebas (1,2-4.12; 5,7-11; cf. Mt 5,11); la oración confiada, fuente de la sabiduría (1,5-8; cf. 3,13-17; 4,3; 5, 13-20); justa valoración de la pobreza y de la riqueza (1,9-11; cf. 2,1-13; 4,1-10; 5,1-11); bienaventuranza de los que soportan las pruebas (1,12); origen del pecado (1,13-15); bondad de Dios (1, 16-18; cf. 2,5,13; 4,5-10); deberes respecto de la palabra de Dios (1,19-25); verdadera religión (1,26-27; cf. 2,14-16); imparcialidad (2,1-13); fe que salva (2,14-26); disciplina y control de la lengua (3,1-12); verdadera sabiduría (3,13-18); contra la búsqueda de placeres (4,1-3; cf. 5,1-6); amor al mundo y conversión (4,4-10); maledicencia o calumnia (4,11-12); presunción (4,14-17); riqueza vituperable (5,1-6; cf. 2,6-7); paciencia (5,7-11); juramentos (5,12); necesidad y valor de la oración (5,13-18); salvación de los extraviados (5,19-20) [3].

Lenguaje de la carta[4]

El griego de la carta es uno de los mejores del Nuevo Testamento. Así pues, hoy día ya no se admite la hipótesis de una traducción a partir de un original arameo (J. Wordsworth).

El *vocabulario*, siempre preciso, es rico en *hapax legomena:* se han contado 63, de los que 45 derivan de los LXX, 18 son inéditos, 4 están ausentes en todos los escritos de la *koine.* Se han notado también el uso de términos bien adaptados o técnicos, de expresiones más clásicas y el empleo frecuente de adjetivos compuestos.

La *sintaxis* da pruebas de excelente calidad. Los juegos de palabras no pueden ser fortuitos (1,2s.13; 3,4.13.20; 3,17; 4,14), como tampoco las numerosas repeticiones de las mismas consonantes o de los mismos sonidos (1,2.6.14; 2,4.13.20; 3,5.8.17; 4,9; 5,2.5s) ni el recurso a unos mismos finales (1,6.14; 2,12.16; 4,8.14; 5,5). Algunas construcciones revelan una gran facilidad en el uso de la lengua griega, por ejemplo la exacta disposición de las palabras, de los artículos o de las partículas, la utilización del aoristo y de la voz media, la búsqueda de giros menos populares (5,12; cf. Mt 5,34s; 23,16ss), la casi total ausencia de anacolutos, la forma de un hexámetro en 1,17. Al servirse de los procedimientos oratorios de los moralistas cínicos o estoicos, el autor da pruebas de dominio de esta técnica: personifica a sus lectores, los interpela empleando el imperativo (58 veces), los interroga (2,4ss; 3,11s; 4,1), dialoga con ellos (2,18), los toma aparte (4,13; 5,1), les propone ejemplos (2,21-25; 5,10s.17) o comparaciones muy concretas (16 veces). Las huellas de semitismos (acaso unos 40) se explican por la influencia de los LXX y muchos de ellos no son, tal vez, más que simples helenismos (1,9s.19; 2,2s.5; 3,9; 4, 4.7s).

La cuestión del género literario

Fuera del encabezamiento o saludo (1,1) y de la alusión, muy vaga, a la *didaskalia* del autor (3,1), la carta no tiene nada del género epistolar. Su verdadero género es de tipo parenético, como el de varios libros sapienciales del Antiguo Testamento (Prov, Eclo, Sab). Este género estaba entonces muy en boga, con numerosas modalidades. Sabemos que era practicado por los maestros paganos de la diatriba, por los judíos consagrados a la enseñanza, oral u escrita [5], y por los primeros catequistas cristianos, preocupados por exponer el nuevo código de santidad en sus instrucciones o sus escritos (Mt 5-7: 1Tes 4-5; Gál 5-6; Rom 12-13; Col 3-4; Ef 4,6; Heb 13; ...) [6]. En este género, nuestra carta puede reclamar para sí el privilegio de ser el único ejemplar antiguo en estado puro, ya que sólo contiene exhortaciones morales. Las escasas justificaciones doctrinales de los temas tratados sólo aparecen esbozadas (1,5*b*.17; 2,7; 3,2.9; 4,12), lo que hizo decir a Lutero que se trataba de una «epístola de paja» [7], aludiendo a 1Cor 3,12.

Las afinidades literarias y doctrinales [8]

En los confines de la era cristiana, fueron sobre todo los *escritos estoicos,* y especialmente los de Séneca y Epicteto, los que se hicieron eco de la moral pagana. Muchas de sus recomendaciones se asemejan a las de Santiago: la paciencia en las pruebas, la sabiduría en el comportamiento y en las palabras, el despego de las riquezas, etc. Pero ¡cuántas diferencias! Los estoicos no se alejan nunca de sus tendencias panteístas, indiferentes al politeísmo. Santiago profesa el monoteísmo bíblico (1,5s.13-17; 2,5.19. 23, etc.) y sus motivaciones son siempre de orden superior. Para él nuestras pruebas no son, como para los estoicos, un espectáculo para los dioses, ni la cólera un aguafiestas, ni la paciencia una constante apatía, ni la virtud un puro conocimiento, ni la esperanza de la dicha una bella ilusión [9].

La carta, heredera del monoteísmo de la *Biblia,* lo es también de su moral, especialmente de la que aparece en los Proverbios y en el Eclesiástico. En ambos lados el ideal es idéntico: vivir según la sabiduría, la verdad, la justicia, etc., pero ¡cuántas diferencias en la exposición! Estas diferencias aparecen en el contexto, en los términos, en el tono, en las motivaciones. Pocas veces se da una correspondencia adecuada en los paralelos observados. Así, más que hablar de una utilización inmediata de los libros del Antiguo Testamento, en el caso de la carta de Santiago habría que hablar de un recurso a «relecturas» bíblicas que, en los inicios de nuestra era, constituían la base de un fondo común tradicional, tanto judío como cristiano. La carta trae cuatro citas de los

LXX (2,8.23; 4,6; 5,20), la última de las cuales se aparta de los términos usados por esta versión, así como de los términos del texto hebreo (TM), lo que parece indicar que utilizaba una variante griega más tardía [10].

Evidentemente, tampoco faltan afinidades entre nuestra carta y *algunos escritos judíos* de la época, consagrados a la moral y tributarios, también ellos, del Antiguo Testamento [11]. Pero en estos escritos, el contexto de inserción de la parenesis tiene un perfil doctoral, filosófico o sectario. Ya no es vivo, directo y sin exclusión, como en Santiago.

Casi todos los libros del Nuevo Testamento tienen pasajes parenéticos análogos a los de nuestra carta, porque son tributarios de las mismas fuentes de inspiración. Entre estos pasajes hay algunos cuya similitud con los textos de Santiago es tal (la misma serie de ideas y de frases, la misma elección de palabras raras) que han hecho pensar en una verdadera dependencia, en un sentido o en el otro. Por lo que hace a Pablo, la confrontación de los paralelos más característicos (10 veces) parece manifestar que es la redacción definitiva de Santiago la que se ha inspirado en la catequesis paulina [12]. Ya es más difícil saber quién, entre Pedro (1Pe) y Santiago, se ha inspirado en el otro (9 veces). Las opiniones están divididas [13]. Los parecidos más numerosos (29 veces al menos) de Santiago con el primer evangelio (Mt 5-7 sobre todo) se refieren más a los temas que a los términos, de tal modo que es más aconsejable pensar en la utilización de una fuente común que no en la dependencia directa del uno respecto del otro. Sea como fuere, de estas diversas confrontaciones se desprende una impresión muy nítida: tenemos en Santiago un auténtico escritor cristiano [14].

Pueden también subrayarse algunas afinidades entre nuestra carta y los *escritos cristianos* aparecidos entre el 95 y el 150 (1Clem, *Didakhe, Carta de Bernabé, Pastor de Hermas).* En conjunto, dichas afinidades son el resultado de la utilización de un mismo género literario y de un mismo fondo común [15]. Sólo los «preceptos» del *Pastor de Hermas* ofrecen auténticos paralelos. La gran mayoría de los autores estima que la dependencia, directa o no, es del Pastor respecto de Santiago [16].

II

PRINCIPALES PUNTOS DOCTRINALES

La enseñanza moral

El autor quiere, ante todo, dar una enseñanza moral. Sus recomendaciones, ya propuestas en el Antiguo Testamento, y sobre todo en los libros sapienciales, no abordan todos los temas, pero tienen resonancias de orden superior. No se basan en la perspectiva de los beneficios terrestres, sino en la certeza de cumplir la voluntad divina, de acercarse a Dios (1,20; 2,5s; 4,5ss), de obtener de él beneficios espirituales aquí, en la tierra, y en el cielo (1,2-4. 12; 2,5.13-26; 5,7-20).

En la enseñanza más directamente social resuenan las mismas tradiciones cristianas. La dignidad de los pobres se trata en la carta lo mismo que en los evangelios o en san Pablo (Mt 5,3; 11,5; 1Cor 1,26-31). Estos pobres, a quienes se promete la bienaventuranza escatológica tras haber soportado las pruebas (1,9.12; 2, 5.7ss; cf. Mt 5,10-12; 10,17ss; 2Cor 4,7ss; Rom 8,17s), tienen ya desde ahora el derecho a poner en práctica los medios que mejoren su condición presente (4,13ss; 5,4,7ss; 2,5-7). A los ricos no se les condena sin remisión, sino que se les invita con insistencia a meditar sobre la caducidad de sus bienes (1,10s), a no despreciar o maltratar a los pobres (2,6s), a no explotarlos (5,1-6). No existe ningún pasaje que nos muestre al autor inclinado al uso de la violencia contra los ricos (cf. 5,7ss; cf. Mt 5,38-42; 1Cor 6,7s; Rom 12,14ss) [17].

Cuestiones teológicas

Las cuestiones teológicas sólo se tocan de pasada, como justificaciones de la moral. El Dios del autor es el del Antiguo Testamento, tal como lo revela el Nuevo (1,17s.21*b*.27; 2,5.13.23). Jesús es el Mesías, el Salvador, el Señor glorificado (1,1; 2,1), cuyo nombre se invoca sobre los creyentes y sobre los enfermos (Sant 2,7; cf. Act 2,21.38; Sant 5,14; cf. Act 3,7). Estas referencias parecen remitir a *prácticas cúlticas*, a ceremonias bautismales, por ejemplo cuando se habla de la asamblea (2,2), de la imagen del cuerpo y de los miembros (3,10), de la bendición y la maldición (3,10), de la palabra que regenera (1,18ss), del culto o de la religión verdadera (1,26s), de los *didaskaloi*, de los presbíteros (3,1s; 5,14), de los cantos (5,13; cf. Ef 5,19), de las oraciones y de las confesiones mutuas (5,16). Cf. B. Reicke, Hamman, Boismard.

Se subrayan de forma particular algunos temas: el de la sabiduría, es decir, la manera de comportarse según las perspectivas y las inspiraciones divinas (ἄνωθεν; 1,5-8; 3,13-17); el del pecado, cuya universalidad precisa el autor (3,2), así como su verdadero origen (1,13-15; 4,17), su gravedad y su posible perdón (5,15s.19s); el tema de la oración, de la que se indican las cualidades y los defectos, las circunstancias y las ventajas (1,5-8; 4,3; 5,13-20).

El *tema de la fe* sólo se aborda desde una perspectiva parcial. El autor no recuerda a sus lectores, bautizados (cf. 1,18.21*b;* 2,7?), lo que éstos ya debían saber: el origen y la gratuidad de esta virtud (cf. Rom 3,22-28). Aunque sugiere brevemente su carácter de compromiso confiado (1,6; 5,1) y su doble objeto (2,1,19), pasa en silencio aspectos muy subrayados por san Pablo, a saber, las consecuencias directas de este compromiso: liberación del pecado, comunicación de la vida divina (cf. Rom 5,12-21). Tampoco dice nada de la razón de ser de estas consecuencias: la voluntad salvadora universal de Dios, que se realiza en la obra única de la venida y del sacrificio de Cristo (cf. Rom 3,21-ss; 5-8; Gál 3-4). Se limita a recordar que la fe cristiana no es simple adhesión intelectual (1,19), sino que *exige, para ser salvadora, que inspire todos los actos,* como ocurrió con Abraham y Rahab (2,14-26). En este punto, se da la mano con las enseñanzas de Pablo, que pide a los cristianos, justificados por la sola obra de Cristo, practicar a su vez las obras exigidas por su nueva fe (Gál 5,6.16ss; 1Cor 13; Rom 12-15; cf. Ef 2,10). Hoy día, ya no se opone la autoridad de Santiago a la de Pablo, o viceversa, en el tema de la fe y de las obras. El único problema que queda por determinar es saber si, de una parte, existe dependencia del uno respecto del otro, y, de la otra, si aquel de los dos que ha escrito el último ha querido precaver a sus lectores contra una falsa interpretación de lo que había enseñado el primero. Al parecer, fue Santiago quien escribió en segundo lugar, aunque sin directa dependencia de Pablo. Atendida la fecha tardía de la carta (cf. infra), no ha querido reaccionar contra aspectos doctrinales, sino contra un relajamiento moral que preludiaba ya el gnosticismo evolucionado del siglo II [18].

La unción de los enfermos [19]

Hacia el fin de su carta, el autor vuelve sobre el tema de la oración, para recomendarla de una manera especial (5,14-15). Invita al cristiano enfermo, y tan débil que no puede salir de casa, a llamar a los ancianos o presbíteros de la iglesia comunidad, para que oren por él, y le hagan una unción de aceite en nombre del Señor. Precisa que esta oración, animada de fe confiada (cf. 1,5-8), salvará al paciente, le permitirá levantarse y, si es pecador, le valdrá el perdón de las faltas cometidas (5,15) [20].

Hay, en esta recomendación algo más que una mera referencia al ejercicio del carisma cristiano de la curación (1Cor 12,9) [21] o incluso a la costumbre judía de visitar a los enfermos recomendada por la Biblia (Eclo 7,35), por Jesús (Mt 25,35ss), Pablo (Rom 12,15), Santiago (1,27) y el Talmud (tratado *Sanhedrin,* 101,1, etc.) [22]. El consejo, en efecto, se refiere en exclusiva al enfermo mismo, aquejado por enfermedades que se distinguen de los sufrimientos ordinarios (Sant 5,13). Es al enfermo a quien compete la iniciativa de llamar a los visitantes. Éstos no son parientes, amigos, vecinos, médicos ni curanderos, sino «ancianos» o presbíteros de la comunidad cristiana del lugar. En la época de la carta, estos «ancianos» tenían poderes religiosos bastante amplios, y muy distintos de los de sus homónimos, los notables de las comunidades judías o paganas [23]. La acción de los visitantes convocados reviste un aire más litúrgico que medicinal, tal como se desprende de las expresiones empleadas: oración de fe, unción hecha en nombre del Señor y en dependencia con la oración de la fe (aoristo) [24]. La hipótesis del estado en pecado o sin pecado del enfermo subraya por su parte la calidad espiritual del resultado esperado, al tiempo que descarta la concepción judía de la estrecha conexión entre el pecado y la enfermedad [25]. El consejo del v. 16 no supone contradicción sobre este punto, porque se dirige a todos los cristianos (verbos en plural) y no se refiere necesariamente (con ἰάομαι) a la curación física [26].

Cabe, pues, pensar que Sant 5,14-15 testifica la existencia viva de una tradición procedente de Jesús y de sus apóstoles. Éstos, tras haber recibido de Cristo, en el curso de su misión galilea, el poder de curar enfermos ungiéndolos con aceite (Mc 6,13), vieron aquí una orientación de su actividad que no debía perderse, sino que debía transmitirse (cf. el final tardío de Mc 16,18). En esta línea interpretó la cuestión el concilio de Trento [27]. Dado que nada hay en el texto que permita concluir que se trate de un enfermo moribundo y ni siquiera en estado muy grave, el concilio Vaticano II ha preferido hablar aquí de unción de los enfermos, más que de extrema unción [28]. Pero reconozcamos que aunque Sant 5,14-15 se adapta bien al sentido que le da la Iglesia católica, con los solos recursos de la exégesis no puede descubrirse en este pasaje la promulgación de un sacramento [29].

III

ORIGEN DE LA CARTA

El problema del autor

Puntos seguros

El autor es de origen judío. Así se desprende de su gran conocimiento de las enseñanzas y de las fórmulas del Antiguo Testamento. Su mentalidad de perfiles concretos (1,6.9s.15-17.23s; 2,2s. 15s; 3,3ss...) tiene un aire hebreo. Sus modos de expresarse —abstracción hecha del contexto— podrían a menudo interpretarse en un sentido estrictamente judío. Así ocurre cuando habla por ejemplo de Dios Padre (1,17.27; 3,9), de «nuestro padre Abraham» (2,21), de los ejemplos que imitar: los profetas o Job (5,10s), las «doce tribus de la dispersión» (1,1), del Señor (1,7; 4,10.15; 5,7s. 10s.14s), de la generación como primicias de la creación (1,18; cf. 3,9 = Gén 1,27), de la ley perfecta y de la libertad (1,25; cf. Sal 119,45) de la ley regia (2,8; cf. Lev 19,18), del hermoso nombre invocado sobre los destinatarios (2,7; cf. Am 9,12), del justo condenado y muerto (5,6; cf. Sab 2,10,12,19s), de la venida del Señor (5,7; cf. Mal 3,1-3), del juez sentado a la puerta (5,9; Jer 17,19), de la sinagoga y de los ancianos de la Iglesia (2,2; 5,14).

Judío, el *autor es también cristiano.* Así lo testifican sus dos menciones de Jesucristo (1,1; 2,1). La unanimidad de la tradición manuscrita se opone a quienes ven, en estas menciones (Spitta, A. Meyer, Bieder, Easton), adiciones posteriores. Por lo demás, toda la carta está —como ya hemos visto— impregnada de espíritu cristiano. Y esto exige transponer a este mismo plano las expresiones bivalentes que se acaban de mencionar.

Judeocristiano, *el autor se proclama maestro y habla como jefe.* Se sitúa, al parecer, en el rango de los maestros o *didaskaloi* (3,1*b*: λημψόμεθα) y se muestra consciente de las responsabilidades que entraña esta función [30], ya que recomienda no ambicionarla sin mandato. Más aún que *didaskalos,* se nos revela como verdadero jefe en la Iglesia. De un cabo al otro de su carta, manda con autoridad, sin jamás dar muestras de que necesite legitimar su modo de proceder. ¡Cuántos imperativos bajo su pluma! No contento con instruir y animar, pone en guardia (2,5; 3,1ss; 4,13ss), recrimina severamente (4,1ss), profiere incluso amenazas (5,1ss) y guía las iglesias locales (2,2ss; 5,13ss).

Opinión tradicional

Según la opinión tradicional, *el autor es Santiago, el «hermano del Señor», jefe de la Iglesia de Jerusalén.* Esta opinión tomó cuerpo con Clemente de Alejandría, y todavía más con Orígenes, antes de afianzarse con Crisóstomo y Jerónimo. Santiago, «el hermano del Señor» (Gál 1,19), hijo de María (Mc 15,40) de Cleofás, era originario de Nazaret (Mc 6,3) y «hermano de Jesús» en el sentido oriental de primo [31]. Algunos lo identifican con Santiago hijo de Alfeo (H. Cazelles). En este caso, es seguro que formaba ya parte de los «doce» cuando sus hermanos aún no creían en la misión de Jesús (Mc 3,18ss; Jn 7,3s). Así se explicaría lo que Pablo dice de él a los gálatas (Gál 1,19; 2,9), la aparición especial que tuvo de Jesús resucitado (1Cor 15,7), la gran autoridad que tenía en la Iglesia de Jerusalén (Act 15,13ss; 21,18ss) tras la partida de Pedro (Act 12,17) y hasta su muerte (el año 62, según Eusebio en su *Historia eclesiástica,* 2,23).

Los gnósticos de Nag Hammadi pretendían que Jesús le nombró su sucesor y le encargó que transmitiera sus enseñanzas a un grupo restringido de iniciados[32]. Este Santiago era fiel cumplidor de las prescripciones mosaicas, aunque lo hacía así llevado de su afán de facilitar las transiciones (Act 15,20s; 21,10). No compartía el sectarismo de los que le rodeaban (Gál 2,1-10; Act 15,13ss; 21,19s), ni tenía el menor parecido con el retrato legendario, de tendencia ebionita, que ha trazado de él Hegesipo[33]. Las disposiciones antipaulinas e incluso antipetrinas que algunos le siguen atribuyendo[34] no tienen ninguna base en el Nuevo Testamento y sólo figuran en algunos escritos gnósticos bastante tardíos[35].

Valoración crítica

Según muchos modernos, *el autor no es Santiago, el «hermano del Señor»*. Consideran, en efecto, que son demasiadas las dificultades que se oponen a esta identificación, sobre todo cuando se toman acumulativamente (E.C. Blackman). El autor sería un judeocristiano de la segunda o de la tercera generación, dotado de buena cultura helenista y de un gran conocimiento del Antiguo Testamento en su versión griega (LXX). Se llamaría Santiago, o bien se habría dado este nombre, porque la pseudonimia estaba entonces muy en boga. Habría escrito durante el período de tranquilidad subsiguiente a la ruina de Jerusalén. Se habría servido de un documento o de una tradición oral procedente del «hermano del Señor», con la intención de interpretarla a tenor de las necesidades del momento[36]; o tal vez incluso se limitó a expresar sus propias ideas[37]. Así lo pensaba ya Cayetano (siglo XVI). En la hipótesis de una pseudonimia o de una explotación de las enseñanzas de «Santiago, el hermano del Señor», puede evidentemente llamar la atención el hecho de que el autor no haya intentado sacar mayor partido de esta circunstancia en Sant 1,1, como se hace en 2Pe 1,1. Las objeciones formuladas contra la opinión tradicional pueden reducirse a las cinco siguientes.

1) *Llama la atención la ausencia de la concepción legalista en la carta.* No hay ninguna alusión a las prescripciones rituales de la ley mosaica: todo se reduce a exhortaciones morales. Y esto

contrasta notablemente con cuanto sabemos de la vinculación de «Santiago, el hermano del Señor», a las prácticas religiosas de su pueblo [38]. La verdad es que esta objeción apenas es aceptable. Era sólo el entorno de Santiago, como hemos visto, el que daba pruebas de ritualismo (Gál 2,12; Act 11,3ss; 15,1.5; 21,20). Santiago no imponía la circuncisión a los convertidos del paganismo (Act 15,13ss; Gál 2,6ss) y si bien recomendaba a las cristiandades mixtas las leyes de la pureza legal, era sólo con la intención de hacer posible la comensalidad, el entendimiento entre todos (Act 15,20s; 21,18-25). Y, para concluir, incluso en el caso de que fuera ritualista, no tenía por qué patentizarlo en un escrito que sólo analizaba puntos de moral o de fe práctica.

2) Sorprende también a numerosos modernos *la ausencia de referencias a la vida de Jesús.* Opinan, de una parte, que siendo Santiago pariente de Cristo, no podría pasar en silencio los grandes acontecimientos de la vida de Jesús (Lutero), sobre todo la pasión (Ropes) y la resurrección (Oesterley) y, de otra, que en vez de proponer como modelos de caridad (2,21ss), de paciencia (5,7-11), y de oración (5,17s) a personajes del Antiguo Testamento, habría propuesto al mismo Jesús, tal como lo hace 1Pe 2,21ss. Esta objeción tendría mayor consistencia si no fuera porque las dos menciones de Jesús en la carta (1,1; 2,1) son perfectamente auténticas, porque estas menciones son ya por sí mismas evocadoras (Cristo, Señor glorioso), porque probablemente existen otras menciones implícitas (2,7; 5,7.14) y, en fin, porque afloran por doquier en el escrito las doctrinas morales de Jesús. Citar como ejemplo a personajes bíblicos y no a Cristo puede explicarse por el género literario adoptado, por las costumbres de la época (Heb 11,4ss; cf. Eclo 44-50; Sab 10-12 y 1Clem 9-12) y tal vez también por el temor de proponer un «modelo» menos accesible, por «demasiado exaltado en la gloria» [39].

3) Se aduce también la dificultad del *tardío reconocimiento canónico.* Si el autor de la carta fue verdaderamente Santiago, el hermano del Señor, resulta difícil explicar que se tardara tanto tiempo en hablar de este escrito en la literatura patrística y más aún en inscribirlo en el número de los libros inspirados [40]. Con todo, el largo silencio de la patrística se explica tal vez por

el hecho de que las enseñanzas de la carta son, ante todo, morales: la Iglesia, centrada en la expansión, se preocupaba sobre todo, en aquel tiempo, por las doctrinas fundamentales de la fe [41]. El silencio podría también deberse a que el encabezamiento de la carta (1,1) no manifiesta la excepcional calidad del autor.

4) *Algunas dependencias literarias* de la carta la situarían después de la muerte del hermano del Señor. Santiago murió, efectivamente, hacia el año 62. ¿Cómo, pues, puede ser autor de un escrito cuya atmósfera cristiana evoca la de los escritos más tardíos: cartas de Clemente, de Bernabé, *Pastor de Hermas* [42], si no es ya que su texto se inspira en estos mismos escritos [43]? Es cierto que entre nuestra carta y los citados escritos existen similitudes en cuanto al género, las ideas y las expresiones. Pero, en buena parte, esto puede deberse a una larga tradición común (Aland, Seitz, Blackman). Si, en algunos casos, es preciso hablar de una dependencia más estrecha, ha sido más bien la carta de Santiago la que ha servido de modelo [44]. Es, por lo demás, demasiado gratuito hablar del *Libro de Eldad y Medad* (cf. Núm 11,26s) como fuente común (Sant 4,5-6; 1Clem 23,3; 11,2; *Pastor de Hermas,* Vis. 2,3,4).

5) *El lenguaje de la carta* es demasiado perfecto para que pueda atribuirse a Santiago, hermano del Señor. De todas las objeciones contra la opinión tradicional ésta es, sin duda, la más fuerte. ¿Cómo, en efecto, Santiago, pariente de Cristo, galileo de origen como Pedro (Mt 26,73), procedente de una familia cuyos descendientes fueron incultos [45], ha podido, sin jamás haber salido de los medios judeocristianos de Jerusalén (Act 12,17; 21,18; Gál 1,19; 2,9.12), redactar una carta cuyo griego es más perfecto que el de los mejores escritos del Nuevo Testamento? Sólo un helenista podía llevar a cabo este trabajo. Está muy lejos de haberse demostrado que Santiago fuera un perfecto bilingüe de nacimiento, o que sus contactos con los judeohelenistas de Jerusalén (Act 6,1ss; 9,26ss) le permitieran llegar a serlo. Cierto que pudo servirse de un secretario redactor, de acuerdo con las costumbres de la época, como tal vez lo hizo Pedro [46]. Pero hay que probarlo. Son muchos los autores que tienen ya esta sola objeción por determinante [47].

En conclusión, si se rechaza la opinión tradicional, se explica mejor la ausencia de alusiones a la querella judaizante anterior al 70 en Sant 2,14-26, las relaciones de la carta con los textos evangélicos, paulinos y petrinos, así como con las cartas de Clemente, de Bernabé y con el *Pastor de Hermas*. Además, en esta hipótesis se tienen suficientemente en cuenta los datos patrísticos y los indicios proporcionados por los documentos de Nag Hammadi. Pero hay que reconocer que la cuestión sigue abierta.

Lugar y fecha de composición

Todos los partidarios de la opinión tradicional piensan que Santiago o su secretario escribieron la carta en Jerusalén. Pero se dividen en dos grupos en el tema de la fecha de su composición. Algunos la sitúan entre el 35 y el 49 [48], porque creen descubrir en la carta huellas de cristianismo primitivo: estado embrionario de la comunidad (2,2; 3,1; 5,14), cristología apenas esbozada (1,1; 2,1; 5,6); esperanza de una próxima parusía (5,7-11; 2,13); tono prepaulino de la enseñanza (2,14ss), ignorancia de la evangelización en tierras paganas y de la crisis subsiguiente (Act 15,1ss; Gál 2,1ss). Otros optan por una fecha más tardía, poco antes del martirio de Santiago (62/66) [49]. Según ellos, el sedicente estado embrionario de la comunidad es discutible; el género literario adoptado y el objetivo que se propone la carta explican suficientemente bien los silencios históricos o las omisiones doctrinales que se advierten; las afinidades de la carta con las diversas tradiciones neotestamentarias exigen un cierto retraso en el tiempo.

Los partidarios de una obra pseudonímica piensan en los últimos decenios del siglo I. Hemos expuesto en líneas anteriores las razones en que se basan. La mayoría de estos autores creen que el lugar de la composición debe buscarse en un espacio judeocristiano, sea Palestina, Siria o incluso Egipto. Este último lugar explicaría bien las teorías gnósticas puestas bajo la autoridad de Santiago en los documentos de Nag Hammadi, así como el hecho de que fuera en la iglesia de Egipto donde aparecieron los primeros testimonios en favor de la carta de Santiago.

Los destinatarios de la carta

La carta está dirigida a «las doce tribus que (están) en la diáspora» (1,1). Dado que nos hallamos ante un escrito indudablemente cristiano, la expresión de este encabezamiento se dirige a los cristianos, no al pueblo judío (cf. Esd 6,17) o, al menos, a la parte de este pueblo emigrado fuera de Palestina (cf. Jn 7,35) [50]. Para los escritores neotestamentarios, el pueblo cristiano representaba al nuevo pueblo elegido, a las doce tribus del nuevo Israel (cf. Mt 19,28; Lc 23,30; Gál 3,7ss; 6,16; 1Pe 1,1; 2,9s; Ap 7,4; 21,12). Cabe, con todo, preguntarse si el autor no tenía a la vista sólo en los convertidos del judaísmo (Hort) y más especialmente a los que estaban dispersos en todo el mundo (Chaine, Charue, Leconte), o si no pensaba más bien en todos los cristianos, sin distinción de raza y lugar, que estaban en la tierra como exiliados, camino de la patria celestial (Flp 3,20; 1Pe 1,1; 2,11) [51]. En favor de esta última hipótesis se señala el hecho de que los escritos cristianos de un género muy similar al de la carta de Santiago (1Clem, Carta de Bernabé, *Pastor de Hermas)* se dirigen de la misma manera y sin distinción al conjunto de los convertidos.

IV

EL PROBLEMA DE LA CANONICIDAD

Las afinidades antes mencionadas (Carta de Bernabé, Pastor de Hermas) muestran, a su manera, que hacia el año 150, se tenía ya en cuenta la carta de Santiago. En este mismo sentido testifican tres libros apócrifos conservados en copto en la colección de Nag Hammadi, que son probablemente de esta misma época. Se trata de dos apocalipsis y de una carta, falsamente atribuidos a Santiago para confirmar su autoridad. La manera como estos libros utilizan la doctrina de la carta para establecer sus tesis gnósticas es un serio indicio de su gran influencia en Egipto [52].

De hecho, el más antiguo testimonio explícito de su recepción y de su utilización oficial en la Iglesia es el de Orígenes, muerto el 254 (PG 20, col. 587; 1205, 1300). En los años siguientes, todos los obispos de Alejandría muestran que la carta formaba parte de la lista de los libros inspirados (véase PG 20, col. 1596; 26, col. 1176s, 1437, etc.). En Palestina, hacia el año 312, Eusebio de Cesarea citaba a Santiago como Escritura (PG 33, col. 505, 1244), pero añadiendo que formaba parte de los libros discutidos *(antilegomena)* y que algunas iglesias no la leían públicamente en la asamblea [53]. En Siria, la rechazó Teodoro de Mopsuesta, porque proponía a Job como modelo de paciencia (PG 86, col. 1363); su autoridad hizo que, en lo sucesivo, fuera excluida del canon de la iglesia siria nestoriana.

En Occidente, los testimonios indiscutibles de las iglesias latinas no aparecen hasta finales del siglo IV [54]. Pero, a partir de esta época, figura en todos sus catálogos de libros canónicos, y en concreto en los de los concilios africanos y en la carta de Inocencio I a Exuperio de Tolosa. Esta costumbre, ya establecida hacia el 410, se continuó durante toda la edad media latina. Las dificultades suscitadas por Lutero sobre este punto en 1519 llevaron al concilio de Trento a oficializar la canonicidad de la carta (1546). Por otra parte, dichas dificultades no han sido constantes. Los reformados no las han aceptado y las iglesias luteranas han reintroducido la carta en su Biblia en el curso del siglo XVII [55].

CAPÍTULO TERCERO

LA PRIMERA CARTA DE PEDRO

por J. Cantinat

I

PRESENTACIÓN DE LA CARTA

Estructura y plan

Entre su *Introducción* (1,1-2) y su *Conclusión* (5,12-14), la carta presenta una secuencia de exhortaciones a la vida cristiana acompañadas de consideraciones doctrinales que las justifican. La mayor parte de estas exhortaciones están unidas por un vínculo gramatical (1,13; 2,1; 3,1.8.13; 4,1; 5,1.5.6), aunque no siempre es perceptible la conexión lógica. Esto se debe en parte a que la ética está impregnada por la doctrina pero, sobre todo, al género literario adoptado y a las circunstancias de la composición: examinaremos más adelante estos dos puntos. Sólo la idea dominante aparece con bastante claridad: la regeneración cristiana impone la buena conducta, incluso al precio de los sufrimientos que de aquí puedan seguirse; éste es el precio de la esperanza de la salvación final. Tampoco es fácil establecer la división detallada del texto. Puede proponerse la siguiente estructura, que tiene al menos el mérito de destacar la continuidad de los desarrollos:

Encabezamiento o saludo (1,1s). Subraya la calidad del autor y menciona ya también la de «regenerados» de los destinatarios. Sigue una *acción de gracias* (1,3-5) por esta regeneración y por la esperanza de salvación que otorga. Dos *corolarios* indican el papel de las pruebas (1,6-9) y la función de los profetas (1,10-12) en el designio divino de la regeneración.

Exhortación primera. El autor invita a vivir santamente según la condición nueva (1,13-17), sin olvidar jamás el modo y la certeza de la redención (1,18-21).

Exhortación segunda. La regeneración implica un amor fraternal tan permanente como la misma palabra evangélica (1,22-25), un rechazo de todo cuanto se opone a la palabra (2,1-3), una gran unión con Cristo para formar el nuevo pueblo elegido y proclamar la gloria de Dios (2,4-10).

Exhortación tercera. El autor se ocupa de las obligaciones cívicas (2, 11-17), domésticas (2,18-3,7) y comunitarias de los fieles (3,8-12).

Exhortación cuarta. Insiste sobre la conducta a observar en medio de las pruebas (3,13-17) y sobre los beneficios que nos ha merecido Cristo con sus sufrimientos (3,18-22).

Exhortación quinta. Tras haber pedido que se siga el ejemplo de Cristo y haber hablado del juicio (4,1-6), el autor insiste en la urgencia de mantenerse vigilante y de hacer buen uso de los carismas (4,7-11).

Exhortación sexta. Renueva los alientos dados a los que se han visto expuestos a ultrajes por causa de la fe (4,12-19).

Exhortación séptima. El autor expone los deberes de los responsables (5,1-4) y de los miembros del pueblo regenerado (5,5-11), todos ellos llamados a la gloria (cf. 5,4.10).

Conclusión. Recuerda el objetivo de su carta (5,12), antes de pasar a los *saludos* de rigor (5,13-14).

Lenguaje de la carta

El autor escribe y piensa en griego, casi con la misma perfección que el responsable de la carta de Santiago. Su vocabulario contiene 62 *hapax legomena* neotestamentarios; 34 de ellos se encuentran en la versión griega (LXX) del Antiguo Testamento. Esta riqueza de vocabulario testifica la familiaridad del autor con la lengua común de la época, la *koine*, y con la de los Setenta. Su estilo es de ordinario preciso, como se echa de ver en el empleo de antítesis (1,14,18.23; 2,10; 3,18; 4,6; 5,2), en las acumulaciones de sinónimos (1,8.10; 2,25; 3,4), en la coordinación de expresiones contrastadas que acentúan la misma idea (1,14s.18.23; 2,16; 5,2s), en las presentaciones rítmicas (1,3-12), en el uso clásico del artículo (1,17; 3,1,3,20; 4,14; 5,1,4), de la partícula *hôs* (1,19; 2,16; 3,17), y del aoristo imperativo. Las imperfecciones son muy raras, por ejemplo en la manera de expresar la negación ante un participio (1,8; 4,4) o de recurrir al *hina* ante un futuro indicativo (2,17), en la pobreza de las partículas conjuntivas y en la ausencia de la partícula *an.* Con ocasión de las numerosas alusiones a los textos bíblicos, la lengua se moldea a veces en fórmulas veterotestamentarias; podrían tal vez explicarse así varios semitismos (1,14s,17.25; 2,9; 3,7; 4,3).

Género literario y finalidad

El género literario de este pequeño escrito ha dado lugar a diversas hipótesis. He aquí una exposición de esta cuestión controvertida:

¿Es una verdadera carta?

Así lo sigue pensando cierto número de críticos [1]. El encabezamiento y salutación, muy elaborado (1,1s), va acompañado de una oración, como en otras muchas cartas de la época [2]. La conclusión se parece también a muchos de los finales de las cartas paulinas. Es cierto que el cuerpo del escrito es avaro en detalles sobre el autor o los destinatarios, pero está siempre de acuerdo con el encabezamiento o saludo y acción de gracias, a cuyas palabras clave recurre para desarrollarlas (1,4,13.15.17.22; 2,5.9.10-12.16.21; 3,15.18; 4,14; 5,1s). El carácter, bastante impersonal, del conjunto del escrito se explica sin duda por el hecho de que va dirigido a un conjunto muy amplio de comunidades.

¿Es una homilía?

Las múltiples exhortaciones morales de la carta le confieren el aire de una homilía, dotada de un escaso aparato epistolar (1,1-2; 5,12-14). Sin embargo, a diferencia de la carta de Santiago, aquí la presentación lógica sustituye a la diatriba y a la forma gnómica. Las frecuentes citas o reminiscencias del Antiguo Testamento proceden pocas veces de los libros sapienciales. Las constantes motivaciones doctrinales, muy subrayadas, hacen pensar en las de la carta a los Hebreos y concuerdan bien con el doble objetivo perseguido por el autor, según lo que se dice al final de la carta: exhortar a la fidelidad, a pesar de las pruebas, y testificar, de este modo, las gracias recibidas (5,12).

¿Es una homilía o incluso una liturgia bautismal?

Las alusiones al bautismo que se descubren, o se creen descubrir, en la carta (1,3.23; 2,2; 3,21) han llamado mucho la atención. Se ha deducido de ellas que el autor se ha servido en este punto de expresiones y de ideas procedentes de la catequesis bautismal entonces usada [3]. Algunos autores han llegado incluso a servirse de estas alusiones para construir hipótesis que están en contradicción con datos ciertos dados a lo largo de la carta y que, por consiguiente, niegan su unidad fundamental. Para algunos (W. Borneman), toda la carta reproduciría una predicación bautismal inspirada en el salmo 34 (cf. 1Pe 2,3; 3,10-12); luego, un falsario le habría añadido su coloración epistolar (1,1s; 5,12-14). Según otros, tendríamos dos escritos primitivamente separados (1,3-4,11 y 4,12-5,11), tal como testificaría la doxología de 4,11, verdadero final del primer escrito. Éste reproduciría bien un sermón pronunciado con ocasión de una ceremonia bautismal [4], bien la misma ceremonia bautismal, tal como se practicaba en Roma (H. Preisker) o como se llevaba a cabo en el curso de la vigilia pascual [5]. El segundo escrito (4,12-5,11) sería una exhortación que no se dirigía sólo a los catecúmenos tal vez expuestos un día a sufrir por causa de su fe (1,6; 3,13ss; 4,4), sino al conjunto de la comunidad, ya sujeta a las persecuciones (4,12ss; 5,8-10). Estos dos escritos, una vez ya yuxtapuestos y dotados del aparato epistolar añadido (1,1s; 5,12-14), habrían formado la circular actual, destinada a las diversas cristiandades perseguidas, que tenían más necesidad que nunca de recordar su compromiso bautismal.

Conclusión

En nuestra opinión, es más indicado considerar 1Pe como una *verdadera carta, compuesta de una sola vez, con ayuda de numerosos elementos tradicionales* (catequéticos o litúrgicos) difíciles de determinar, pero adaptados a las circunstancias en forma de exhortaciones. El autor, que quería sostener a los cristianos sometidos a prueba por su fe, recuerda el origen divino de esta fe, el compromiso que entraña a todos los niveles y la salvación final que es su coronación[6].

No es posible, en efecto, aceptar, las hipótesis contrarias. Nada autoriza a ver en la doxología de 1Pe 4,11 la conclusión de un primer escrito: recordemos el lugar similar de ciertas doxologías paulinas (Rom 9,5; Ef 3,21). La unidad de vocabulario, de estilo y de motivaciones que se advierten todo a lo largo de la carta se opone al desglose propuesto. Los sufrimientos señalados en 1,6; 3,13ss; 4,4 no son eventuales, sino tan reales como los mencionados en 4,12ss; 5,8-10. Pretender, en nombre del aoristo utilizado aquí, que en 1,22s acaba de tener lugar la ceremonia bautismal y que todo lo que precede no sería sino la preparación de la misma, es olvidar que en 1,3 se tiene en cuenta, con el empleo del mismo aoristo, que los interpelados están ya presentes como bautizados. Aparte la tipología de 3,20s, no hay en toda la carta ninguna mención precisa de la ceremonia bautismal, tales como las que aparecen en Rom 6,3s; Col 2,12; Tit 3,5s (P. Bonnard). La paranomasia πάσχειν-πασχά (sufrir-Pascua) que, se dice, está subyacente en 1Pe 1,3-4,11 no está demostrada: de hecho, la palabra *paskha* no aparece nunca en el escrito; las palabras *sufrir-sufrimiento* figuran también en la parte de la carta (4,12-5,11) que se supone no perteneciente a la liturgia pascual[7].

Las afinidades doctrinales y literarias

El autor utiliza con frecuencia el Antiguo Testamento, aunque más el Pentateuco, Isaías y los Salmos (1,11.18.24s; 2,3.6-11. 22.24s; 3,10-14; 5,7s) que los libros sapienciales (4,8.18; 5,5). Es raro que mencione los libros citados (1,16; 2,6), incluso cuando reproduce los textos a la letra; sin perjuicio de combinarlos (1,24s; 2,3s.7-10.22-25; 3,10-12.14; 4,8.13.18; 5,5). Ocurre a veces que sólo subraya con la Biblia los hechos (3,6.20) o expresiones aisladas (herencia, lomos ceñidos, sangre del cordero sin mancha, extranjeros o viajeros: 1,4.13.19; 2,11). Lo mismo hacía toda la tradición neotestamentaria (Act 2,16ss.25ss.34s; 3,18ss; 4,11.24ss; Rom 1,17; 2,24; 3,4,10ss, etc.). Mediante este recurso al Antiguo Testamento, el autor pretende corroborar sus declaraciones sobre la presciencia de Dios (1,2.20) y sobre las preparaciones proféticas del designio redentor (1,10-12). Al actuar así, no abrigaba ningún temor de desorientar a sus lectores.

Son también numerosos los paralelos entre 1Pe y los otros escritos del Nuevo Testamento. Aparece a veces el mismo vocabulario para temas del mismo género y en un mismo orden de presentación [8]. 1Pe habla, igual que la carta de Santiago, de la dispersión (1,1 = Sant 1,1), de la regeneración por la palabra (1,23 = = Sant 1,18), del gozo en las pruebas (1,6s = Sant 1,2-4), del culto espiritual (2,5 = Sant 1,26s); o como 1Jn, de la liberación por Cristo o por la palabra (1,3-5.18-25 = 1Jn 2,19ss; 3,2.5-10). Los paralelos con los evangelios no son tan precisos [9]. Los discursos atribuidos por los Hechos a Pedro aplican a Jesús, como 1Pe, el tema isaiano (Is 52,13-53,1ss) del siervo sufriente y de la gloria de Jesús resucitado [10]. Pero los paralelos de 1Pe se dan sobre todo respecto de los escritos paulinos: en una y otra parte aparece el mismo código social, la elección hasta ahora, escondida, el nuevo nacimiento, la esperanza final, la necesidad de la conversión, el culto espiritual y el nuevo Israel [11]. Dado que estos paralelos no son nunca perfectos y que están acompañados de impresionantes divergencias, es mejor pensar que son debidos no tanto a préstamos directos cuanto a la adaptación de un mismo fondo común a las diversas situaciones de la catequesis [12]. Esta conclusión se impone aún más respecto de las afinidades —más vagas y más raras— de 1Pe con la Carta de Clemente (1Clem 4,8; 8,1; 16,17; 49,2.5; 57,1), la carta de Policarpo (Pol 1,3; 2,12), El Pastor de Hermas (Vis. 4: 2,4 y 3,4) y los escritos de Ireneo (*Adv. Haer.* 1,23,3).

II

PRINCIPALES PUNTOS DOCTRINALES

La enseñanza moral

Lo que el autor quiere dar directamente es una enseñanza moral (5,12) [13]. Exhorta a los cristianos a permanecer firmes en su fe (1,5.7.9.21; 5,9) a pesar de las pruebas que esto les acarrea (1,6s; 2,19; 3,6.14-17; 5,8-10), a permanecer alejados de su antigua conducta (1,13s.18; 2,1.11; 4,2s.15); a mostrarse ejemplares y caritativos en todos los ámbitos: comunitario (1,22; 2,4ss; 3,8ss; 4,8-10; 5,1ss), social (2,11s.18-20; 3,13-17; 4,15), cívico (2,13-17), familiar (3,1-7). Todos estos puntos cuentan con paralelos en las cartas paulinas.

Enseñanzas teológicas

Las enseñanzas teológicas se dan sólo de forma indirecta. Se añaden, de forma fragmentaria, a las exhortaciones morales, para corroborarlas y justificarlas. Dichas enseñanzas, muy ricas y a menudo paralelas a la doctrina paulina de la justificación, están centradas en la idea de la *regeneración cristiana* (2,3.23; 4,2), cuyos principales aspectos esboza. Esta regeneración es, de suyo, el paso de un estado de pecado (2,24; 3,18; 4,1; cf. 1,18) a un estado de justicia, de santidad y de luz (1,2.15.22; 2,9,24). En razón de su origen es divina. Dios Padre la quiso ya desde antes (1,2,20; 2,9; 5,10) por su misericordia (1,3; 2,10). Para esto ha predestinado a su Hijo Jesucristo (1,3,20). Éste, manifestado en los últimos tiempos (1,20*b*), tras haber sido anunciado (1,10-12), ha llevado a cabo esta regeneración tanto por su muerte como por su resurrección (1,2s.19; 2,21-25; 3,18.21*b*; cf. Rom 3,21ss; 4,25). El Espíritu de Dios y de Jesucristo (1,11; 4,14), que actúa en la revelación del designio divino de la redención (1,10-12), reposa sobre los cristianos regenerados (4,14), preside su santificación (1,2), del mismo modo que ha intervenido en la resurrección de Jesús (3,18[?]; cf. Rom 1,4; 1Tim 3,16).

Todo lo que *condiciona* que se obtenga y conserve de la regeneración es objeto de exhortaciones morales. Fundamentalmente, es la fe (1,5,21), mantenida a pesar de las pruebas y de las tentaciones (1,7ss; 5,9), es decir, la adhesión y la obediencia a Cristo, a su verdad, a la palabra divina y viva que le anuncia (1,2.12.22s; 2,4-8). Es también el bautismo, prefigurado en el pasado [14], cuyo compromiso o exigencia de una buena conciencia, traduce la fe (3,21; cf. Act 2,38; Rom 6,1ss; Tit 3,5).

Varias consideraciones deben favorecer la *perseverancia* de los cristianos. 1) El ejemplo dado por Cristo, que también sufrió (2,21ss; cf. Is 53,9). 2) El excelente resultado de su muerte y resurrección (3,18): justificación de los pecadores, notificación a los poderes infernales del fin de su poderosa influencia sobre los hombres (3,18s.22; cf. 1Cor 2,8.15; Col 2,14s; Ef 1,21s; 3,9s) [15]. 3) La certeza de la salvación definitiva. Esta última consideración reaparece a menudo en la carta [16]. La vida es solo un paso o tránsito, una peregrinación en tierra extranjera (1,1.17.24; 2,11), una espera de la salvación definitiva (4,7; 5,10; 1,3-9), es decir, de la herencia espiritual que consiste en compartir la gloria eterna de Cristo resucitado (1,3-9; 5,4.10; cf. Rom 8,17). Los sufrimientos son garantía de este futuro, porque acrisolan la fe (1,6ss; 4,12s). Sólo los pecadores impenitentes deben temer el juicio final (4,5s.17; cf. Sant 2,13) [17]. 4) La seguridad de que todos los «llamados» por Dios (1,1; 5,13), venidos a Cristo glorioso como a la fuente de vida (2,4), forman el nuevo pueblo elegido (2,9s), la casa en que mora el Espíritu Santo (2,5), la corporación sacerdotal que, de todos los actos de la vida, hace una ofrenda espiritual a Dios (2,5*b*) y así le glorifica (2,9; cf. Rom 12,1; Heb 13,15) [18]. Al hablar así de la realidad que el Nuevo Testamento llama Iglesia (Col 1,18; Mt 16,18), el autor subraya las obligaciones especiales de los que las dirigen (5,1-4) y que reciben en ella carismas particulares (4,9-11).

III

ORIGEN DE LA CARTA

La cuestión del autor

Es una cuestión muy debatida. Se dan entre los críticos tres categorías de opiniones: el autor es el mismo Pedro, o bien Silvano, o bien un anónimo.

El autor es el mismo Pedro

Es la opinión clásica, fundada en las indicaciones de la carta y en la tradición patrística. La sostienen también numerosos comentaristas, que juzgan inadmisibles los argumentos contrarios [19].

1) *Las indicaciones de la carta* concuerdan bien —dicen estos críticos— con lo que sabemos de Pedro por los evangelios y

por los Hechos de los apóstoles. Nos hablan de Pedro como «apóstol de Jesucristo» (1,1; cf. Mc 3,12), «testigo de los padecimientos de Cristo» (5,1; cf. Mt 26,69ss; Jn 18,10ss), «anciano, encargado de apacentar la grey de Dios» (5,1s; cf. Mt 16,18s; Jn 21.15ss), ayudado por Silvano (5,12; cf. Act 15,22ss) y por Marcos (5,13; cf. Act 12,12), dotado de un temperamento espontáneo (1,8; 2,3; cf. Mc 9,5; Jn 6,68), que utiliza los temas del primer discurso de los Hechos [20]. Estas indicaciones están corroboradas por la unanimidad de la tradición patrística sobre la autenticidad petrina de la carta.

2) *Las objeciones no son admisibles.* Se dice que *el buen griego* de la carta y la utilización directa de los Setenta desbordarían las aptitudes de Pedro. La verdad es que hoy día se discute más que nunca la cuestión del bilingüismo (arameo-griego) en la antigua Galilea [21] y, por otra parte, no puede olvidarse que el apóstol estuvo en largo contacto con el mundo helenista (Act 6,1ss; 10,24ss; Gál 2,12ss; 1Cor 1,12; 9,5). Deben relativizarse los calificativos aplicados por el gran sanedrín a Pedro (Act 5,13; cf. Jn 7,13.49; Act 22,3). Es, por lo demás, gratuito afirmar, por 1Pe 5,12, que el verdadero redactor de la carta fue Silvano [22].

La carta, se dice también, no puede ser de Pedro porque en la segunda parte (4,12ss; 5,8-10) se echan de ver *alusiones a las persecuciones oficiales* de Domiciano (†96; cf. Ap 5-18) o incluso de Trajano en el año 110/111 (1Pe 4,16 = carta 96 de Plinio el Joven) [23]. Pero esta objeción dista mucho de estar bien fundada. Porque si los sufrimientos de los cristianos de que habla la primera parte de la carta (1,1-4,11) no proceden, indudablemente, del poder oficial (2,13s), sino del entorno inmediato (2,12,18s; 3,15), lo mismo cabe decir de la segunda parte (4,11-5,11). La imagen utilizada en 4,12 para referirse a estos padecimientos recuerda la de 1,6s (fuego purificador) y se inspira en el Antiguo Testamento (Prov 27,21; Sab 3,6). La mención de los sufrimientos padecidos «como cristiano» (4,16) recuerda lo que se dice de 4,4, lo mismo que en Mc 9,37-41, más que la expresión general de Plinio [24]. En toda la carta se evoca, a propósito de los padecimientos, la misma alegría (1,6; 4,13), la misma bienaventuranza (3,14; 4,14), la misma gloria (3,17; 4,14; 5,10), la misma obediencia legal (2,13s,18; 4,15), el mismo ejemplo de Cristo sufriente (1,11; 2,21; 3,18; 4,13), la misma voluntad de Dios (3,17; 4,19).

Podría también aducirse en contra de la autenticidad petrina el *paulinismo*, en realidad muy relativo, de la carta; la ausencia, no menos relativa, de referencias a Jesús, ausencia justificada sea por el género literario adoptado, sea por la publicación, hacia esta misma época, del segundo evangelio; el simple título de *anciano* tomado por el autor, pero que tal vez tiene más importancia de la que de ordinario se le da (cf. 3Jn 1; Act 20,17.28; Eusebio, *Historia eclesiástica*, 3,39,4) y acaso revelador de disposiciones íntimas (Windisch, Selwyn); la ausencia de saludos de los asiáticos de Roma, pero debida a que el escrito tiene un amplio auditorio (1,1).

El autor es Silvano [25]

Esta opinión se funda en una indicación de la carta (5,12). Silvano es el mismo personaje que Silas de Jerusalén (Act 15,22ss), compañero de apostolado de Pablo (Act 15,40; 1Tes 1,1; 2Cor 1,19, etc.). Algunos defensores de esta opinión piensan que escribió por invitación de Pedro y con su plena aprobación (5,12-14; así Selwyn, Schelkle, Cullmann). Otros creen que escribió después de muerto Pedro, pero según su deseo y para expresar sus ideas, hacia el 80-95, sea en Roma (Boismard), sea en una ciudad de Asia Menor (Bornemann, Von Soden): su finalidad sería recordar la doctrina bautismal apoyándose en Pedro (1,3-4,11) y reconfortar a los cristianos sometidos a prueba (4,12-5,11). Esta teoría tiene la ventaja de que permite comprender mejor la elegancia literaria de la carta, la utilización directa que en ella se hace de los Setenta, las afinidades literarias con los escritos paulinos, su envío a las cristiandades de Asia de origen pagano, las alusiones a las persecuciones (4,12ss). Pero no explica, en cambio, el elogio que Silvano se tributa a sí mismo en 5,12, a menos que no se piense en una adición tardía (Moffat, Best), ni tampoco el silencio de la carta sobre Pablo, que se supone conocido de sus lectores, o la mención de Pedro, desconocida por estos últimos.

El autor es anónimo [26]

Según esta tercera hipótesis, el autor viviría en Roma o en una ciudad de Asia Menor, Esmirna por ejemplo. Es la opinión de quienes descubren en la carta dos escritos (1,3-4,11 y 4,12-5,11) y que, además, sitúan su envío durante la persecución de Trajano (según 4,12ss) y con motivo de ella, con ayuda de un somero revestimiento literario (1,1s y 5,12-14). Una variante de esta teoría ve en el autor anónimo a un representante de la escuela petrina de Roma hacia finales del siglo I [27].

Los destinatarios

El autor se dirige a lectores que viven en cinco regiones de Asia Menor (1,1). Entendidas en el sentido político de provincias romanas (Beare, D. Magie, Schelkle, Spicq, Best) más que en el étnico o popular (Selwyn, Guthrie, Kelly), estas regiones cubrían un vasto territorio, en el que se enclavaban algunos campos de apostolado de Pablo. Su orden de enumeración correspondía, tal vez, al itinerario seguido por el portador de la carta (Hort, Bigg, Beare). Al igual que a los judíos que vivían fuera de Palestina (Jn 7,35), a los lectores se les califica de extranjeros de la diáspora (1,1; cf. Sant 1,1); pero la frase debe entenderse en sentido simbólico, de acuerdo con la línea escatológica de la carta. Y ello tanto más cuanto que la mayoría de ellos parecían ser convertidos del paganismo; en otro tiempo estuvieron en la ignorancia (1,14), en una vana manera de vida (1,18; 4,5) y vivían al margen del pueblo de Dios (2,10). Desde el punto de vista social debía tratarse de ciudadanos capacitados para comprender la lengua griega de la carta (cf. Act 14,11). Algunos de ellos disfrutaban de cierta prosperidad (2,13-17; 3,1-6), pero muchos debían vivir en esclavitud (2,18-25; cf. 1Col 1,26ss).

Lugar y fecha de composición

El autor remite su carta desde *Babilonia* (5,13). En la Biblia, el nombre de Babilonia había pasado a ser símbolo de las capitales paganas hostiles al pueblo elegido (Is 13; 21,9; 43,14; Jer 28, 4; 50,29, etc.). Los escritores judíos y cristianos del siglo I empleaban este nombre para designar a Roma [28]. Así, se admite en general que en 1Pe 5,13 Babilonia designa la capital del imperio [29].

Por otra parte, nada hay que permita creer que Pedro haya evangelizado la antigua Babilonia, entonces casi abandonada (H.C. Thiessen), y menos aún la fortaleza de este nombre situada cerca de Menfis según Flavio Josefo (*Antigüedades judías* 2,15,1). Algunos críticos justifican ampliamente esta identificación simbólica [30]. Otros, aunque admiten la identificación, creen que la carta fue escrita en una ciudad del Asia menor [31].

Deben ponderarse varios factores para intentar determinar la fecha de composición de la carta. La situación geográfica de los destinatarios y las afinidades del escrito exigen que su fecha de composición se sitúe poco después de los últimos viajes de Pablo al Asia y de la redacción de las grandes epístolas: es un *terminus a quo*. Si se acepta la estricta autenticidad petrina, lo que se sabe de la venida de Pedro a Roma y de su martirio pide que la fecha no se retrase mucho más allá del año 67 [32]. Por otra parte, la utilización que, al parecer, hacen los padres apostólicos de este texto recomienda que no se traslade la fecha hasta el siglo II. Los partidarios de la composición del texto por Silvano escalonan esta fecha entre el 64 y el 95; los partidarios de un autor anónimo la sitúan más bien entre el 96 y el 111. Se trata de un problema crítico que, en sí mismo, no afecta para nada a la fe. Es, con todo, interesante notar que, según la carta, el recuerdo de Pedro aparece ya vinculado a Roma en el momento de su composición. Incluso en el caso de que el autor sea Silvano o un anónimo, se invocaba la autoridad del apóstol como segura guardiana de la tradición [33].

IV

CANONICIDAD DE LA CARTA

Los primeros testimonios explícitos a favor de la carta aparecen hacia fines del siglo II, con Ireneo (*Adversus haereses* 4,9,2) y Clemente de Alejandría (*Stromata* 3,11-18). Hasta entonces no existen otros indicios sobre el tema [34]. El silencio del *Canon de Muratori* (líneas 65-70) admite explicaciones (Schelkle, R.M. Grant). A partir del siglo III, la carta es ya mencionada entre los escritos indiscutidos del Nuevo Testamento (Eusebio, HE 3,25), y ya no es necesario investigar los testimonios. Baste recordar los nombres de Orígenes (PG 11,206; 13,1334), Tertuliano (PL 1,1184; 2,146), Cipriano (PL 4,628 y 663), Atanasio (PG 26,543 y 1437), Cirilo de Jerusalén (PG 33,500), Epifanio (PG 42,652), Jerónimo (PL 22,548 y 1002). A partir del siglo v, todas las iglesias siríacas, que hasta entonces se habían mostrado silenciosas o reticentes, se adhieren a la posición de las restantes iglesias.

CAPÍTULO CUARTO

LA CARTA DE JUDAS

por J. Cantinat

I

PRESENTACIÓN DE LA CARTA

Estructura, finalidad y plan

Los diversos elementos de la carta, lógicamente ordenados, van poniendo progresivamente en evidencia su idea dominante: preservar la fe de sus lectores. Puede proponerse el siguiente plan:

Encabezamiento y saludo (v. 1-2). El autor, que recuerda a sus lectores su vocación y su destino, prepara la recomendación que sigue, permanecer fieles a la fe transmitida (v. 3). El tono de la recomendación se explica por el peligro que amenaza: la presencia de impíos en el seno de la comunidad (v. 4).

El *cuerpo de la carta* (v. 5-23) subraya las razones de esta recomendación, insistiendo sobre la malicia de los impíos (v. 5-19) y sobre la posibilidad de evitar su influencia (v. 20-23).

La *doxología final* (v. 24-25) acentúa la totalidad mencionando los atributos de Dios remunerador.

Ya en sí mismos, los detalles prueban que la carta está hábilmente compuesta. Para dar a sus lectores mayor firmeza frente al peligro que corren (3-4), el autor evoca los castigos divinos de los impíos en el pasado (5-7), antes de pasar a describir la perversidad de los del momento actual (8-13) y de asegurar que tanto su castigo (14-16) como su venida (17-19) habían sido previstos por Dios. Está presente por doquier la idea de la salvación (1*b*), es decir, de la bienaventuranza última que se ha de recibir (3.21.24*b*) o de la desdicha final que se debe evitar (4*b*.5-7.11.14s.23). Lo mismo cabe decir de la designación de los impíos (4*b*.8.10.12.16.19. 22s). Una doble antítesis (16.19-17.20) vincula estrechamente los grandes elementos de la carta (4-6; 17-23). Las partículas ligan entre sí, en los momentos oportunos, las pequeñas secciones e incluso las frases (5.7-10).

El lenguaje de la carta

La carta ha sido redactada en griego, no en arameo (F. Maier), tal como testifican su estilo y su vocabulario.

El *vocabulario,* muy variado, revela incluso soltura en esta lengua. La quíntuple repetición del pronombre «ésos» (8.10:12. 16.19) para designar a los impíos del v. 4 procede de la familiaridad con los textos griegos de los apócrifos judíos, en los que a los impíos se les designa de esta misma desdeñosa manera (οὗτοι: J. Moffatt). A pesar de su pequeña extensión, la carta es uno de los escritos del Nuevo Testamento más rico en *hapax legomena:* se cuentan hasta 14.

El *estilo* es de buena factura [1]. Se advierten en él giros clásicos (3.7.9), construcciones de frases con participios (3-7; 20s), la conjunción ὅτι (5.11.18) o la alternancia de las partículas μέν...δέ (8.10.23), el buen empleo de las negaciones οὐκ (9) y μή (19), la utilización de artículos delante de los sustantivos afectados por pronombres (3s.6.12s.16s.18.20s.24s), numerosas aliteraciones formadas por las sílabas iniciales (3s) o finales de las palabras (8.10s. 20s.24). Algunas incorrecciones pertenecían a la lengua de la época: ἑαυτούς por ὑμᾶς αὐτούς (20s), ἐλεᾶτε por ἐλέειτε (23). Los semitismos se deben a las fuentes utilizadas. Así los paralelismos de los v. 6 y 10, la repetición de ciertas expresiones (6.8.10.13), la triple mención de los deseos (1), de los malos ejemplos del pasado (5.7.11), de las perversidades del momento (8.19), de las buenas actitudes frente a las tres Personas divinas (20s), de los tiempos que comprende la idea de eternidad (25), de las categorías de impíos (23?). Es notable el giro griego de la doxología final (24-25).

Género literario

No está muy marcado el carácter epistolar del escrito. El encabezamiento y saludo (1-2) es impreciso en cuanto a los destinatarios. La suscripción (24-25) es una doxología de tipo litúrgico. El resto del texto (3-23) apenas si tiene algo más que insinuaciones personales (3s.17.22s); ofrece el aspecto de un panfleto (5-16) a la par que una exhortación moral (17-23). Su modo de emplear los ejemplos bíblicos (5.7.11) y los libros apócrifos (7.9. 14-16) refleja la homilética judeohelenista. En este género se encontraba con frecuencia, como ocurre en nuestra carta, el apelativo de «queridos» (3.17), la vivacidad del tono, el pintoresquismo de las imágenes (12s), la alternancia de invectivas (8ss) y de exhortaciones (17-23). Sea como fuere, el escrito se refiere sin duda a una situación muy reciente (3), que se estima peligrosa (12) para los destinatarios.

Las afinidades literarias y doctrinales

Judas y los apócrifos judíos

Existen, indudablemente, vinculaciones de Judas con el Antiguo Testamento. Los ejemplos de los impíos de los tiempos pasados (5-7.11) están sacados del Pentateuco (Gén 4; 6; 19; Núm 14; 16; 22). Pero la forma de narrarlos muestra ya la influencia de los apócrifos judíos que parafrasearon su significación. Efectivamente, Judas hace amplio uso de esta literatura (v. 4 al 16), sin decirlo expresamente salvo una vez (14s). El procedimiento de las citas implícitas o condensadas —entonces en uso— hace aún más difícil determinar los préstamos.

Lo que se dice de «los impíos... inscritos para este juicio» (v. 4), parece referirse ya al libro de Henoc, citado más adelante (v. 14-16; cf. 1Hen 1,9s). Dado que Judas escribe en griego, se sirve de una versión griega de Henoc, ya llevada a cabo para las secciones del libro que él utilizó (sobre todo el *Libro de los vigilantes;* 1Hen 1-36). También procede de Henok la mención del pecado y castigo de los ángeles (v. 6-7), luego repetido por otros varios apócrifos[2]. El altercado entre el arcángel y el diablo a propósito del cuerpo de Moisés (v. 9) procedería, según Orígenes, de la *Ascensión de Moisés*[3]. La manera de hablar de Caín y de Balaam (v. 11) recuerda las tradiciones judías extrabíblicas[4]. La imagen de los astros errantes (v. 13) podría proceder de 1Hen 86, 1ss (ó 88,4), libro explícitamente citado[5] en los v. siguientes (v. 14-15 = 1 Hen 1,9). La expresión relativa al orgullo de los impíos (v. 16), ¿está sacada del *Testamento de Moisés*[6]? Las modificaciones aportadas al texto podrían tal vez explicarse si la cita se hizo de memoria o si el autor utilizó otra recensión del texto. Este punto sigue controvertido.

El hecho de que Judas haya recurrido a los apócrifos, ¿supone que los considera como libros santos? En todo caso, hay que notar al menos que Henoc es citado a título de profeta (v. 14). Todos los autores del Nuevo Testamento leyeron y utilizaron la Escritura en el marco de la tradición interpretativa del judaísmo. Pero Judas parece ir más lejos, concediendo a la apocalíptica un crédito inusitado.

Judas y la carta 2Pedro

Las afinidades de Judas con los escritos del Nuevo Testamento son de orden general. Se dan ciertos parecidos con las cartas de san Pablo a propósito de la fe como depósito (v. 3; cf. 2Tes 2,15; 1Col 11,2; 15,1ss; Rom 16,17; 1Tim 1,18s; 2Tim 2,1s, etc.), de la libertad mal comprendida (v. 4; cf. Gál 5,13; Rom 6,1ss.15; 1Cor 6,12), de la negación práctica del Señor (v. 4*b*.8; cf. Tit 1,15s), de la edificación, de la oración, de la comparecencia ante el único Dios salvador (v. 20ss; cf. 1Cor 23,10ss; Rom 8,15.26s; Gál 4,6). Finalmente, la doxología es de estilo clásico (v. 24s; cf. Rom 16,25-27).

Sólo existe una excepción: Jud v. 4-19 ofrece asombrosas afinidades con 2Pe 1-18 y 3,1-3. Los dos autores hablan de un surgimiento de impíos, de falsos profetas[7] ya destinados al castigo divino por su vida disoluta, y por haber renegado de Jesús, el único maestro (v. 4; cf. 2Pe 2,1-3); los dos escritos recuerdan la pérdida de los ángeles pecadores, de Sodoma y Gomorra (v. 6s; 2Pe 2,4.6); los pecados de los impíos (v. 8; 2Pe 2,10); la actitud contrapuesta de los ángeles buenos y de los impíos (v. 9; 2Pe 2,11); la gravedad de las faltas cometidas por estos impíos (v. 9; 2Pe 2,11); la presencia de estos hombres en los ágapes cristianos, su parecido con las nubes sin agua o empujadas por la tempestad (v. 12; 2Pe 2,17); las espesas tinieblas que les están reservadas (v. 13; 2Pe 2,17); las derivaciones de sus actitudes (v. 16; 2Pe 2,18); los anuncios apostólicos hechos sobre ellos (v. 17; 2Pe 3,2); la referencia de estos anuncios a los últimos tiempos (v. 1.18; 2Pe 3,3). Estas semejanzas se dan tanto en el campo de las ideas como en el de su orden y formulación. Por otra parte, Jud y 2Pe son los únicos autores del Nuevo Testamento que utilizan los términos συνευωχέομαι, ὑπέρογκος, ἐμπαῖκτης (v. 12.16.18; 2Pe 1,18; 2,13; 3,3).

Pero, junto a estos parecidos, hay también diferencias. Las huellas de utilización de los apócrifos sólo aparecen en Judas. Los ejemplos de antiguos castigos sólo son citados por orden cronológico en 2Pe 2,4-8. Entre estos ejemplos, 2Pe 2,5 pone el del diluvio en lugar del del pueblo hebreo (v. 5). El ejemplo final, el de Sodoma, se presenta de modo diferente en 2Pe 2,6-9; en 2Pe 2,15 a los impíos no se les compara más que con Balaam, y bajo una luz diferente (v. 11). Sólo en 2Pe 3,1ss se utiliza la mención de la predicación de los apóstoles para desarrollar el tema de la parusía. El tono, vivo en Judas, es didáctico en Pedro. La manera, concisa en Judas, es detallada en Pedro. El vocabulario, rico en Judas, es más corriente en Pedro.

Ante estas afinidades, acompañadas de diferencias, nadie pone en duda una dependencia entre Judas y 2Pe. Pero, ¿cómo concebirla? Algunos piensan que es Judas quien utiliza y adapta 2Pe (Spitta, Zahn, Bigg, Puech); otros opinan que ambos escritos dependen de una fuente común, oral o escrita [8]; la mayoría que es 2Pe quien se ha servido de Judas, adoptándolo de acuerdo con la costumbre bíblica de las relecturas (Chaine, Leconte, Knoch, J. Alonso). Esta última opinión explica mejor la omisión de referencias a los apócrifos en 2Pe; el desarrollo en esta carta (3,1ss) de un nuevo tema (la parusía), a partir de frases que, en Jud (17-19), concluyen la diatriba; el respeto, en 2Pe 2,4-9, al orden cronológico de los sucesos mencionados; la ausencia, en 2Pe 2,4-7, de los detalles chocantes dados por Jd 5-7; el recurso, en 2Pe 2, 15-17, a comparaciones diferentes de las utilizadas en Jd 11-13; la adición, en fin, en 2Pe de su primer capítulo. La dependencia de una misma fuente oral explicaría con dificultad el empleo de varias expresiones raras en los dos autores, en el marco de unos mismos temas presentados en distinta forma (Jud 7.12.16.18; 2Pe 2,4.13.18; 3,3). Concediendo la prioridad a Jud se comprende mejor el hecho de que sea mucho más breve, más vivo, más natural. En cuanto a las afinidades con los primeros escritos de la época patrística, son escasas y poco concluyentes [9].

II

PRINCIPALES PUNTOS DOCTRINALES [10]

Aunque breve, la *parte positiva de la carta* (v. 1-4.20-25) testifica una gran riqueza doctrinal. A la profesión de monoteísmo (25) se yuxtapone la mención de las tres Personas divinas, en razón de su intervención en la obra de la salvación. Dios Padre, que castigará a los impíos (6.15s) ama a los destinatarios (1.21*a*), les llama a la salvación, a la gracia (3.4), es decir, a la vida eterna, a la gloria que él posee (21*b*.24.25). Jesús, Señor como Dios Padre (4.9.14.17.21.25) es el único soberano (4), porque ha rescatado a la humanidad (25*a*); él, que ha hablado por medio de los apóstoles (17), tendrá piedad de los cristianos para la vida eterna (21*b*), porque para él son guardados (1*b*). Cuando se ora al Espíritu Santo, es el garante de la constancia en la fe recibida (20); sin él, no se pasa de ser «psíquicos» como los impíos (19). Se contempla la fe bajo el ángulo de una doctrina recibida a título de depósito (3) y su objeto fundamental consiste en reconocer que Jesús es el único soberano (4; cf. 2Pe 2,1); para no perder esta fe, hay que apartarse de los impíos irreductibles (23*b*).

La doctrina de la *parte polémica* (5-19) es menos precisa. La ambigüedad de las expresiones principales no permite saber cuáles son los errores de que se acompaña la inmoralidad de los impíos. Se insiste tanto en la pésima conducta de estos impíos, libertinos (4), impuros (8.12.23), bestiales (11), desvergonzados (13), rebeldes, cupidinosos, aduladores serviles (15-16) y engreídos (8,18s) que puede deducirse que son sobre todo sus actos, opuestos a las leyes divinas, los que les hacen renegar de Jesucristo (4; cf. Tit 1,16; 2Pe 2,1*b*), despreciar su soberanía (8.15-16), insultar a los seres superiores establecidos como guardianes de las leyes en cuestión (8*b*. 10*a*; cf. Act 7,38,53; Gál 3,19; Heb 2,1). Existe, efectivamente, un lazo gramatical entre la mención de las faltas morales y la de los errores que le sigue inmediatamente (4.8.10). Además, el giro del v. 4 («convierten en libertinaje la gracia de nuestro Dios») permite comprender que los impíos interpretan falsamente la libertad cristiana de que hablaba Pablo (Gál 3,19ss; Rom 7): juzgaban que carecía de importancia la calidad moral de su vida, desde que la gracia de Cristo les salvó a ellos, poseedores del Espíritu (19; cf. 1Cor 2,10-16).

III

ORIGEN DE LA CARTA

La cuestión del autor

El autor es un judeocristiano de cultura helenista: así lo demuestran el género del escrito, sus afinidades, su vocabulario, su estilo, su doctrina. Pero, ¿puede identificarse este autor? En este punto los críticos se dividen, según que admitan la tesis de la autenticidad o la hipótesis de la pseudonimia.

Tesis de la autenticidad

El autor se llama a sí mismo «Judas, siervo de Jesucristo y hermano de Santiago» (v. 1). Se trataría, pues, del hermano de Santiago de Jerusalén, del que hablan los escritos del Nuevo Testamento (Act 12,17; 15,13ss; 21,18ss; Gál 1,19; 2,9). Al especificar que es hermano de Santiago quiere, al parecer, evitar que se le confunda con su homónimo: Judas (hijo de) Santiago (Lc 2,16s; Act 1,13; Jn 14,22), aquel de los doce que Mateo y Marcos llaman Tadeo (Mt 10,3 y Mc 3,18), supuesto que se distinga entre

Santiago «hermano del Señor» y Santiago hijo de Alfeo (Mt 10,3; Mc 3,18; Lc 6,15). La expresión empleada supone que, en la fecha en que el autor escribía, Santiago era universalmente conocido, sin confusión posible. Ahora bien, Santiago de Jerusalén se hallaba, en aquella situación, en un ambiente judeocristiano. Pero algunos autores identifican a «Judas hermano de Santiago» con el apóstol Tadeo, traduciendo Lc 6,16 por «Judas (hermano de) Santiago».

Hipótesis de la pseudonimia

En nuestros días, buen número de críticos estiman, sin embargo, que «Judas hermano de Santiago» es un pseudónimo que oculta la personalidad del autor. Las razones que aducen para ello son de desigual valor.

En principio, la pseudonimia no es incompatible con la canonicidad de la carta (E. Vogt, L. Alonso-Schökel): hay pseudoepígrafos que forman parte del canon del Antiguo Testamento (Prov, Ecl, Sab) y este procedimiento se empleaba corrientemente en los ambientes judíos en torno a nuestra era, y en concreto en los medios apocalípticos cuya literatura conoce el autor de la carta. Ahora bien, hacia finales del siglo I el nombre de Judas era lo bastante célebre como para poder servir de pseudónimo: así lo testifica un relato de Hegesipo, conservado por Eusebio (HE, 3,20, 1ss). Pero no hay que transformar automáticamente una posibilidad en una certeza: hacen falta indicios concretos para apoyar la hipótesis.

Cuando el autor escribe, se advierte que la *época apostólica pertenece ya al pasado:* se ha estabilizado la doctrina cristiana (v. 3); la enseñanza de los apóstoles y de sus delegados (v. 17) parece remontarse a un pasado ya lejano. Pero, ¿es forzoso deducir de aquí que Judas no pudo sobrevivir el tiempo necesario, sobre todo si no se trata del apóstol Judas? Se aduce también que la *carta combate errores gnósticos* más evolucionados que los que se daban en la época apostólica (Pfleiderer, Holtzmann)[11]. Pero, de hecho en el texto no se encuentra ninguna definición precisa de los errores combatidos. La actividad de los impíos incriminados está aún en sus comienzos (v. 12); la comunidad los acepta en sus ágapes y el autor apenas acaba de ser alertado sobre este punto (v. 3s).

El argumento de mayor peso es, sin duda, el derivado de la *lengua de la carta*. Judas, hermano de Santiago, era, según Mc 6,3, un aldeano de Nazaret. Según un informe conservado por Eusebio, su familia siguió siendo aldeana (HE 3,20,1ss). ¿Puede atribuírsele la cultura griega que evidencia el texto, la lectura de los apócrifos en griego (y en concreto 1Hen), etc.? Con todo, hay que admitir que el argumento no es absolutamente decisivo, porque los jefes de las comunidades primitivas contaban en su entorno con hombres convertidos del helenismo (Act 6,1ss), que podían servirles de secretarios y redactores: el caso es paralelo al presentado por la carta de Santiago. En resumen, nos hallamos ante un caso dudoso: la posición que se adopte depende de una apreciación en la que se tienen en cuenta motivos generales.

Fecha de composición

Los partidarios de la autenticidad de la carta sitúan su composición en torno al año 70, en una fecha que concuerda con Jud 17, y que tiene en cuenta los límites posibles de la vida de Judas (así Chaine, Wikenhauser, Leconte, Spicq). Los partidarios de la pseudonimia se dividen. Algunos, con argumentos aceptables, pero no determinantes, fechan la carta en los alrededores del 80/90 (H. Windisch-Preisker, R. Grant, H. Schelkle, TOB). Otros, juzgando, aunque sin argumentos suficientes, que la carta se enfrenta con un gnosticismo evolucionado, retrasan su composición hasta mediados del siglo II (E.F. Scott, E.J. Goodspeed, G. Klein, W.G. Kümmel).

En todo caso, debe partirse del hecho de que el autor redactó su escrito en una época en que ya se había claramente deformado la doctrina paulina sobre la libertad cristiana y sobre los espirituales (v. 4.8.19), una época, pues, que ya no es la de los inicios apostólicos (v. 17-18). El silencio que guarda sobre la ruina de Jerusalén, cuando enumera los grandes castigos del pasado (v. 5-7), no permite extraer ninguna conclusión, porque ya era clásico, en la Biblia y en la literatura judía, dar la lista de los ejemplos citados [12]. Si se hace depender este escrito de la segunda carta de Pedro — lo que es mucho menos probable — entonces evidentemente habría que retrasar de forma congruente la fecha de redacción. Se ha propuesto situar dicha fecha antes del 90, porque hacia esta época el sínodo judío de Jamnia borró oficialmente de su canon los apócrifos utilizados por Judas [13]. Pero se olvida entonces que los apócrifos fueron usados todavía mucho tiempo después de este sínodo en las iglesias cristianas que nos los han transmitido [14]. Es, con todo, cierto que la segunda carta de Pedro — aun utilizando a Judas — hace desaparecer las citas de los apócrifos: ¿se explicaría este cambio de actitud en razón de la pérdida de autoridad sufrida por aquellos libros en los medios judíos? En tal caso, los años 85/95 constituirían un *terminus ad quem* para la composición de Jud y un *terminus a quo* para 2Pe. Pero este punto continúa incierto.

Destinatarios y lugar de composición.

Ni el autor ni la tradición patrística dan indicaciones sobre los destinatarios y sobre el lugar de composición del escrito. Los destinatarios eran probablemente convertidos procedentes del paganismo, porque unos judeocristianos, con su pasado rígido, no habrían sido tan permeables a la inmoralidad propuesta por los «impíos». En cambio, las cartas paulinas muestran bien la gran fragilidad de las comunidades procedentes del paganismo en el terreno moral (cf. 1Cor 5-6; Gál 5,13s; Col 3-4; Ef 4-5; 2 Tim 3,4).

¿Dónde vivían los destinatarios? ¿Desde dónde les escribía el autor? No se puede afirmar nada sobre estos puntos. Sólo caben conjeturas. La utilización de los apócrifos judíos no implica que el escrito haya sido compuesto en Palestina, porque estos libros fueron rápidamente traducidos al griego y se difundieron en la diáspora: allí fue donde llegaron a conocimiento de los autores cristianos.

IV

CANONICIDAD DE LA CARTA

Ya desde finales del siglo II, el canon de Muratori (línea 68) trae la carta de Judas. Tertuliano (*De cultu feminarum,* 1,3) la considera como Escritura. Desde el siglo III figura su texto en el papiro Bodmer 8 (P^{72}). [15]. Orígenes lo usa y lo admira, aunque conocía bien las reservas que provocaba su utilización de los apócrifos judíos (PG 39,1811). En el siglo IV, san Jerónimo dice que todavía existían ciertas dudas en algunos de sus contemporáneos (PL 23,613ss). El silencio de las iglesias de Siria —que tal vez pueda explicarse por el carácter menor de la carta— cesa hacia fines del siglo V. La tradición latina, fijada ya desde los inicios del siglo V (concilios africanos y carta de Inocencio I), fue consagrada por el concilio de Trento (en 1546). No se ha considerado argumento suficiente para rechazar la carta la objeción que suscita el hecho de que utiliza los libros apócrifos [16].

CAPITULO QUINTO

LA SEGUNDA CARTA DE PEDRO

por J. Cantinat

I

PRESENTACIÓN DE LA CARTA

Plan, objetivo y unidad

Plan y objetivo

Esta carta, que es una exhortación a creer en la fe recibida (1,1), en el exacto conocimiento de Dios y del Salvador Jesucristo (1,2s.5-8; 2,20; 3,18) para acceder al reino eterno (2,11; 3,13), insiste una y otra vez sobre los medios para conseguirlo: practicar las virtudes (15,5-10; 3,11.14), aceptar la esperanza de la nueva venida de Cristo (1,11.16-21; 3,1-13), negarse a seguir a los cristianos inmorales que niegan la parusía (2,1-22; 3,3s.17). Éstos son los temas que se van desplegando a lo largo de tres desarrollos sucesivos:

Encabezamiento y saludo (1,1s). Se duda en prolongarlo hasta el v. 4, con la Vulgata y algunos críticos; en él aflora ya — a través del deseo que formula — la preocupación dominante.

1. *Llamada a la fidelidad* (1,3-21). La primera recomendación (1,3-11) indica que a los dones recibidos (1,3s) debe responderse con la práctica de las virtudes cristianas (1,5s). Ésta es la condición para progresar en el conocimiento de Jesucristo, en vez de perderlo (1,8-10), y para acceder a su reino eterno (1,11).

Para el autor, que alude a su fin próximo, esta recomendación se presenta como un deber apremiante (1,12-15), y cree que tiene sólidos fundamentos para hacerlo. Si pide que se hagan esfuerzos por acceder al reino eterno de Cristo, es porque está seguro del poder y de la venida de este Salvador. La transfiguración le dio una prefiguración de esta venida (1,16-18), de la que fueron prenda y testimonio los anuncios proféticos de la Escritura (1,19-21).

2. *Señal de alerta contra los falsos doctores* (2,1-22). Antes de acometer la refutación directa de los negadores de la parusía, el autor, a modo de paréntesis, se dedica a desacreditarlos a los ojos de sus lectores, subrayando ampliamente su perversidad moral: es una señal de alerta indirecta contra el abandono de la esperanza cristiana. La venida de estos falsos doctores ya había sido prevista (2,1-3, verbos en futuro); no debe, pues, sorprender. Su conducta es una negación práctica de Jesús, su señor y redentor (2,1*b;* cf. Judas). Pero serán castigados con la misma seguridad que lo fueron los impíos en el pasado (2,4-13). Su inmoralidad los esclaviza (2,14-19) y los rebaja a un nivel más degradante aún que el que tenían antes de conocer a Jesucristo (2,20s).

3. *La preparación para el día del Señor.* Acabado su paréntesis, el autor puede ya pasar a refutar más eficazmente la negación de la parusía, error del que se deriva la mala conducta de los falsos doctores. Este error se opone a las enseñanzas de los apóstoles (3,1s; cf. 1,16-21). Va en contra de la exacta comprensión de las Escrituras y de la paciencia divina (3,3-10). La certeza de la parusía implica la necesidad de prepararse para ella por la santidad y el crecimiento en el conocimiento de Jesús (3,11-18*a).* El nombre de Jesús introduce la *doxología final* (3,18*b;* cf. 1Pe 4,12).

Unidad de la carta

Sería mejor la estructura literaria de la carta, y su armonía más perfecta, si el cap. 2 no se viera interrumpido por el tema de la parusía, ya anunciado en 1,16-21: este capítulo está más yuxtapuesto que ligado al resto del texto, y su lengua es muy diferente. De ahí han deducido algunos críticos que 2,1-22 es una interpolación tardía inspirada de una manera más o menos directa en Jud 4-19, y engarzada a lo que sigue mediante una breve adición (2Pe 3,1-2) [1] (Mc Namara). Otros (Ladeuze, Moffatt) han concluido que ha tenido lugar una transposición de secciones en el interior de la carta [2]. En nuestros días, nadie piensa negar que la carta ha sido compuesta tal como está. La unanimidad de la tradición manuscrita se opone a la idea de una interpolación o de una transposición. Además, el estudio atento de la carta revela una correlación más profunda de lo que aparece a primera vista en los tres capítulos, tanto en razón de la lengua como de la doctrina. Señalemos simplemente la constancia de los temas de la profecía (1,19ss; 2,1,16; 3,2), de la corrupción del mundo (1,4*b*; 2,19), de la perdición (1,11; 2,3*b*; 3,16*b*), del día del juicio (2,3s.9; 3,7*b*.10.12), del conocimiento del Señor Jesús (1,2s.8; 2,20; 3,18*a*).

El lenguaje de la carta

Tanto por su vocabulario como por su estilo, el autor demuestra poseer una buena cultura helenista, aunque la usa con menos equilibrio que los autores de Sant y 1Pe.

El vocabulario, un poco erudito, testifica una cierta afectación [3]. Si sólo se tiene en cuenta la brevedad de la carta, es, de todos los escritos del Nuevo Testamento, el que contiene más *hapax legomena.* De los 56 que hay en él, solamente 23 se encuentran ya en la versión griega del Antiguo Testamento [4]. Varios de ellos fueron tal vez elegidos en razón de su asonancia con palabras vecinas (2,16) o porque ofrecían un ritmo mejor (2,22; 3,14); otros, más numerosos, en razón probablemente de que eran utilizados en la lengua religiosa del helenismo contemporáneo (1,2-4.6.8; 2,20; 3,18).

El estilo [5], generalmente correcto y sencillo, sobre todo en el primer capítulo, adquiere en algunos momentos grandilocuencia, laboriosidad, incluso confusión (2,12-14; 3,5-7), bajo los efectos acaso de una mayor emoción. El autor recurre con menos frecuencia y menos oportunidad que la primera carta de Pedro a las conjunciones de coordinación. La partícula μέν no aparece, en modo alguno, bajo su pluma. En cambio, sabe utilizar con mayor elegancia los artículos (1,4.8.16; 2,7.10; 3,5.12). Las principales características de su estilo son, de un lado, la repetición frecuente y cercana de las mismas palabras (1,3-7; 2,1-3.7.16) o de las mismas partículas (γάρ, διά, ἀπό) y, del otro, el aire rítmico dado a muchas frases, con ayuda sobre todo de aliteraciones o de asonancias (1,8s; 2,1-4; 3,10-12). De cuando en cuando se perciben algunas huellas de semitismos (1,1.20; 2,10.16), pero tal vez no procedan tanto del autor cuanto de las fuentes utilizadas (cf. Judas 7). Se ha notado, justamente, que la persistencia, a través de todos los capítulos, de los mismos procedimientos estilísticos es un serio indicio de la unidad de la obra (Bigg).

El género literario

La forma epistolar del escrito sólo aparece claramente en las indicaciones referentes al autor (1,1.14.16-18; 3,1.15), que afirma ser el jefe de los apóstoles. No aparece ningún dato sobre los destinatarios. La introducción, que debería prolongarse mediante una oración (cf. 1Pe 1,3ss), se contenta con decir que los destinatarios han recibido la fe cristiana (1,1). El cuerpo de la carta da a entender que han venido del paganismo (1,4; 2,18.20-22). La conclusión se reduce a una doxología, sin saludos ni deseos (3,18). La mención de 3,1, donde el autor dice a sus lectores que les escribe «por segunda vez», alude sin duda a 1Pe, pero no tiende tanto a determinar quiénes son los destinatarios cuanto a confirmar su propia identificación con el apóstol Pedro. El conjunto del escrito presenta una serie de exhortaciones que tienen más en cuenta a la totalidad de la comunidad creyente que a las Iglesias particulares. Ha desaparecido el tono paternal que se percibía en 1Pe, al igual que la emoción del autor cuando hablaba de Cristo. Por lo demás, a este último no se le presenta ya como modelo de vida, sino como objeto del conocimiento (1,2s.8; 2,20; 3,18).

Resumidamente, se tiene la impresión de que no nos hallamos ante una auténtica carta, sino más bien ante una homilía del género haggádico, e incluso ante un testamento espiritual. Algunos pasajes de la carta recuerdan en efecto el género de los discursos de despedida, de los que la literatura bíblica y judía ha dejado tantos ejemplos [6]. De acuerdo con lo que pide este género, el autor, advertido por Dios de su próxima muerte (1,14), recuerda sus enseñanzas pasadas (1,12s; 3,1) y las razones que hay para creer en ellas (1,6-21; 3,2s); anuncia la próxima aparición de propagadores de errores (2,1-21; 3,3s), y pone con antelación a sus lectores al abrigo de su influencia, mediante el escrito que les deja (1,15) y las exhortaciones en él contenidas.

Las afinidades literarias y doctrinales

Antiguo Testamento y literatura judía

Los puntos de contacto con el Antiguo Testamento no son tan abundantes ni tan precisos como los de 1Pe. Aparte algunas fórmulas aisladas (1,1.11.18; 2,5; 3,3) se advierte, aunque sin indicación de referencia, una cita literal de Prov 26,11 (2Pe 2,22), una evocación muy nítida del Sal 90,4 (en 3,8) y de Is 65,17 (en 3,13). Hay, sobre todo, una explotación doctrinal de los relatos bíblicos referentes a la creación (3,5 = Gén 1,6-9), al pecado de los ángeles (2,4 = Gén 6,1s), al diluvio (2,5 = Gén 6-9), a la ruina de Sodoma y Gomorra (2,6-8 = Gén 19), al extravío de Balaam (2,15s = Núm 22). No es seguro, sin embargo, que todos estos contactos sean el resultado de una utilización directa. Cierto número de ellos parecen proceder de fuentes intermedias.

Existen, efectivamente, las afinidades correspondientes entre la carta y la reciente literatura judía. Éste es concretamente el caso en los temas que se refieren a los juicios sucesivos del mundo por el agua (del diluvio), y por el fuego (parusíaco), a la noción divina del tiempo (mil años son como un día), a la aparición de nuevos cielos en los que habitará la justicia (3,5ss) [7]; a la palabra profética; a la presencia del Espíritu en los profetas [8]; a la corrupción de los últimos tiempos y al castigo que seguirá [9]. Sobre este último tema, 2Pe 2,1-3,3 presenta afinidades con la carta de Judas (4-19), aunque sin hacer referencia expresa a los apócrifos judíos [10]. ¿Puede explicarse también por medio de esta literatura intertestamentaria las semejanzas de vocabulario religioso que ofrece 2Pe 1,3-11 respecto de algunos documentos helenistas? Tal vez todo se deba al simple hecho de que este vocabulario era entonces de uso común [11]. No parece indicado hablar de dependencia directa a este propósito (A. Deissmann), debido a que los contextos son muy diferentes [12].

Nuevo Testamento y literatura cristiana antigua

Llama la atención el hecho de que la carta presente tan escasos paralelos con otros escritos del Nuevo Testamento —aparte la explotación general de un mismo vocabulario cristiano — cuando el autor afirma que conoce las enseñanzas de Cristo y de los apóstoles (1,12ss; 3,2), así como la primera carta de Pedro y las cartas paulinas (3,1.15s). De los evangelios sólo conserva el relato de la transfiguración (1,16-18) y acaso una sentencia de Jesús referente a Pedro (1,14; cf. Jn 21,18s). De 1Pe sólo retiene el acontecimiento del diluvio, considerándolo desde otro ángulo (2Pe 2,5; 3,5-7; cf. 1Pe 3,20s). De Pablo sólo guarda los temas de la fe y de la filiación divina (2Pe 1,1-4), que trata de una manera enteramente diferente.

Las conexiones que se han propuesto entre nuestra carta y los escritos de los Padres apostólicos son demasiado vagas para poder ser tenidas en consideración [13]. Sólo merecen atención las afinidades temáticas con el *Apocalipsis de Pedro* (hacia el 150 de nuestra era). En ambos casos se habla de la transfiguración, del anuncio de falsos profetas y del castigo final de los pecadores [14]. Pero hay demasiadas diferencias, tanto en la presentación de estos temas como en el vocabulario utilizado [15], para que pueda hablarse de una dependencia directa (H. Harnack, F.C. Porter, Moffatt), de una identidad de autor (Kühl, Sanday) o de una pertenencia al mismo medio (F.H. Chase, M.R. James, McNeile-Williams). En la hipótesis de una dependencia indirecta, la mayoría de los críticos otorga la prioridad a 2Pe.

II

LA DOCTRINA DE LA CARTA

Generalidades

El fondo doctrinal de la carta es uno de los más limitados, pero reproduce en sus grandes líneas el de los otros escritos del Nuevo Testamento. Se habla de las tres Personas divinas (1,1.17. 21; 2,1-9; 3,5-14), de la fe recibida gracias a la justicia del salvador Jesucristo (1,1.5.11.18), de la participación en la vida divina que de aquí se deriva (1,4), de las condiciones morales que permiten mantenerse y crecer en los dones recibidos (1,5-8; 2,15.18-22; 3,17s), del acceso al reino eterno de nuestro Señor Jesucristo (1,11), cuando venga (1,16; 3,4).

Algunos de los elementos de esta doctrina apenas están señalados o, en todo caso, aparecen poco desarrollados. *Dios Padre* (1,17), principio del poder y de la gloria (1,3s.17), aparece, a través de algunas alusiones bíblicas, como el Creador (3,5 = Gén 1,6ss), el juez de los pecadores endurecidos (2,4-17; 3,7 = Gén 6,9; 19; Núm 22), el renovador último del universo en el «día del Señor» (3,9-13 = Hab 2,3; Is 65,17), el misericordioso que aplaza la llegada de este día, para dar a todos tiempo de «llegar a la conversión» (3,9.14s; cf. Ez 18,23; 33,11). Al *Espíritu Santo*, que no está nítidamente presentado como una persona, sólo se le nombra una vez, a propósito de los profetas elegidos (φερόμενοι) por él para convertirlos en portavoces de Dios (1,21; cf. 1Pe 1,10-12). De *Jesús* se habla muchas veces, pero sólo de una forma genérica y poco viva. Tal vez llamado Dios (1,1; cf. Rom 9,5; Jn 20,28), recibe indudablemente el título de «Hijo muy amado» de Dios Padre (1,17) en el sentido de Mt 17,5. También se le da el título de Cristo o Mesías (1,1.8.11.14.16; 2,20; 3,18). Su función redentora, vagamente implicada en el título de Salvador que se le atribuye varias veces (1,1.11; 2,20; 3,2.18); sólo aparece claramente afirmada en 2,1*b*, y aun aquí sin la menor descripción. Su misma resurrección sólo se insinúa, cuando se le califica de Señor (1,2. 11.14.16; 2,20; 3,2.18), o cuando se dice que está en posesión del reino eterno (1,11), que se espera su segundo advenimiento (1,16; 3,3s) y que es el origen de los dones divinos comunicados (1,1ss).

La *fe* —aun siendo el tema central de la carta— sólo se menciona bajo este nombre en dos ocasiones (1,1.5). Al igual que en el resto del Nuevo Testamento, es considerada un don procedente de Dios y de Jesús (1,1), don que viene acompañado de grandes beneficios y en concreto el de una comunión con la naturaleza divina (1,2-4), esto es, lo que Pablo llamaba «filiación adoptiva» (Rom 8,14-16; Gál 4,4-7). La fe es expresión de una vocación, de una elección (1,10). Para conservarla, aquel que la ha recibido debe practicar la virtud (1,5). En este punto, la originalidad del autor consiste en que remplaza muy rápidamente la palabra *fe* por la de *conocimiento* (γνῶσις, ἐπίγνωσις). Se desea a los destinatarios el conocimiento de Dios y nuestro Señor Jesucristo (1,2s.5s), la perseverancia en este conocimiento (1,12), sin volver de nuevo a las impurezas del mundo (2,20), es decir, a la manera de vida pagana (cf. Ef 4,17ss; Col 3,5ss) y el progreso en esta fe conocimiento, mediante una vida virtuosa (1,8; 3,18). La larga diatriba contra los falsos doctores [16] (2,1-21) muestra bien que la fe conocimiento recomendada, lejos de ser puramente conceptual, compromete la conducta total del creyente (1,5-9; 3,11-14). Los gnósticos del siglo II mostrarán una creciente tendencia a olvidar este aspecto.

La escatología de la carta

De entre los conocimientos recibidos, hay que retener de forma especial un punto (1,13; 3,1): el de la *parusía* de Jesús (1,16; 3,4) en el día del Señor Dios (3,10.12). La doctrina referente a este punto no es producto de la imaginación (1,16*a*): se basa en dos testimonios: el de los apóstoles, que sobre el monte santo contemplaron por anticipado la gloria de Cristo (1,16-18), primicia del mundo renovado (3,13) [17] y el de los profetas del Antiguo Testamento, que ya anunciaron esta gloria venidera (1,19-21; cf. 1Pe 1,10-12). Este segundo testimonio, inspirado por el mismo Dios, no debe ser despojado de su alcance por gentes irresponsables (1,20s; 3,2.16; cf. Sant 3,1; Heb 5,12). No puede aceptarse el argumento esgrimido por los negadores de la parusía. Cierto que ésta no se produjo en la época de la generación anterior, contra lo que algunos esperaban: el mundo sigue igual (3,1-4). Pero estos negadores olvidan que, a tenor de la acción precedente de Dios, el mundo actual tiene que cambiar un día (3,5-7); que nuestra noción del tiempo no es la de Dios (3,8; cf. Sal 90,4); que la misericordia divina, antes de proceder al cambio del mundo, quiere dar a los hombres tiempo para la conversión (3,9-10).

A partir de 3,4*b*, el acento no se pone ya directamente en el retorno de Cristo (3,3*a*), sino en la deflagración final (3,6-12), preludio de un mundo renovado [18]. La palabra parusía (1,16; 3,4*a*) cede el puesto a expresiones tales como «día del juicio» y de «la perdición» (3,7), «día del Señor» (3,10) o «de Dios» (3,12). De aquí no puede concluirse, como hacen algunos, que la perspectiva no es ya la misma que en 1,16ss [19]. En efecto, de una parte, la palabra «parusía» (1,16) reaparece en 3,4; de otra, la «gloria de nuestro Señor Jesucristo», mencionada en 1,17, figura también en 3,18*b*. Y por lo demás, en las dos partes señala el autor las falsas interpretaciones de las Escrituras (1,16.20; 3,16).

Prolongando esta observación, es posible ver en los falsos doctores del cap. 2 a los negadores de la conflagración final (3,3s). ¿No están igualmente guiados por sus pasiones (2,3.9.12-14.18ss) y destinados al mismo juicio de perdición (2,1*b*.3.9; 3,7.10*b*.16*b*)? Y, en fin, aunque la carta acentúa la idea del aplazamiento de la parusía (3,8), nunca abandona la de su proximidad relativa, a juzgar por su manera de anunciar el castigo de los falsos doctores (2,1.3) y por su recomendación de apresurar la venida del mundo nuevo (3,12), esforzándose por llevar un género de vida irreprochable (3,14.17s).

Al margen de estos datos, hay en la carta dos indicaciones que son preciosas por su nitidez y por su novedad. La Escritura — referida al Antiguo Testamento — tiene valor porque es de inspiración divina (1,21; cf. 1Pe 1,11s; Sant 5,10; 2Tim 3,15s). Ahora bien, las cartas de san Pablo, conocidas por el autor, forman también parte de las Escrituras inspiradas (3,16): es decir, que se perfila ya en el horizonte el problema del canon de Nuevo Testamento.

III

ORIGEN DE LA CARTA

La cuestión del autor

La mayoría de los críticos contemporáneos no admite la paternidad del apóstol Pedro para esta carta. Conocen los argumentos invocados a favor de su autenticidad literaria y algunos incluso la admiten [20]. Pero piensan que tienen mayor peso los argumentos en contra.

Argumentos en favor de la autenticidad petrina

1) El argumento más obvio es la *manera como el autor se presenta* al comienzo del escrito: dice de sí mismo ser «Simeón

Pedro, siervo y apóstol de Jesucristo»; subraya su identidad mediante la forma arcaica del nombre: Simeón (1,1; cf. Act 15,14). Afirma haber sido testigo de la transfiguración (1,16-18), lo que equivale a repetir que es, sin duda, Pedro, ya que, de los tres apóstoles presentes en la escena (Mc 9,22ss y par.), no podía hablarse aquí de los dos hijos de Zebedeo. Afirma escribir por segunda vez (3,1), lo que constituye una referencia a la 1Pe. Tal vez se aplique a sí mismo el texto joánico (Jn 21,18s) que refiere la predicación de la muerte de Pedro hecha por Jesús (1,14). Nombra, en fin, a Pablo, «nuestro amado hermano» (3,15), lo que equivale prácticamente a decir que son compañeros de apostolado.

2) Hay que tener en cuenta, además, *los datos de la tradición patrística.* En Egipto, hacia finales del siglo II, se utilizaba esta carta bajo el nombre de Pedro, como testifican las versiones sahídica y bohaírica, así como la copia griega del Papiro *Bodmer*[8] (P^{72}). En el siglo III, Orígenes admitía la autenticidad petrina, aunque también sabía que algunos la negaban. En el siglo IV Jerónimo profesaba la misma opinión: «Pedro escribió dos cartas; ... la segunda se la niega la mayoría debido a la diferencia de su estilo.» Esta diferencia —precisa él— se explica por haber recurrido a «intérpretes» distintos (PL 23,638; cf. 22,1002). Adviértase que los testimonios de Orígenes y Jerónimo introducen ya en la tesis de la autenticidad notables matices: muchos la negaban, basándose en una crítica interna puramente estilística. Así pues, la tradición eclesiástica no era unánime. Tal vez la única base de aquella opinión y de Jerónimo fuera el argumento invocado aquí en primer lugar.

Argumentos contra la autenticidad petrina

1) *Argumentos discutibles.* La insistencia del autor en presentarse como el apóstol Pedro, y en concreto su interés en tomar la forma arcaica de este nombre y en afirmar que fue testigo de la transfiguración, parece sospechosa a muchos críticos. ¿No afloran aquí los procedimientos empleados en la literatura pseudoepigráfica? Pero puede responderse que esta insistencia debe ponerse en la cuenta de un secretario redactor (San Jerónimo, Wohlenberg, Green).

Las diferencias de vocabulario y estilo entre las dos cartas canónicas que llevan el nombre de Pedro, y sobre todo, las diferencias de género literario y de doctrina se explican mejor si los dos escritos no son ni del mismo autor ni de la misma fecha[21]. Pero también podrían explicarse en la hipótesis de un mismo autor enfrentado a situaciones diferentes y sirviéndose de secretarios también diferentes.

Las semejanzas de temas e incluso de argumentación y las coincidencias verbales entre la carta y el *Apocalipsis de Pedro* van acompañadas de tales desemejanzas, o son tan raras, que de aquí no puede extraerse ninguna conclusión sólida contra la autenticidad petrina.

Los errores combatidos por la carta serían los de la gnosis del siglo II (Holtzmann, Pfleiderer), o de fines del siglo I (Knopf, Windisch), errores que aparecieron mucho después de la muerte de Pedro, de modo que éste no pudo ser el autor de la carta. De hecho, aunque la carta habla de *epignosis* (1,2) y más a menudo de *gnosis* (1,3.5.6.8; 2,20; 3,18), es decir, de inteligencia exacta (ἐπίγνωσις), de conocimiento (γνῶσις) del objeto de la fe[22], no es menos cierto que sólo refuta desórdenes morales (2,1ss) y la negación de la parusía (3,3ss), y de ningún modo herejías más tardías.

La mención de una colección de cartas de san Pablo y la autoridad canónica que se les reconoce (3,15s) parece a primera vista retrasar hasta una fecha tardía (hacia el 150) la composición del escrito[23], y ello tanto más cuanto que el autor habla también de las falsas interpretaciones dadas a estas cartas y de la dificultad de entenderlas (3,16). Observemos, sin embargo, que ya en vida del apóstol Pablo parecen haber circulado entre las primitivas comunidades colecciones incompletas de cartas paulinas (Col 4,16), que eran leídas en el curso de las asambleas litúrgicas al mismo tiempo que algunos pasajes seleccionados del Antiguo Testamento (1Tes 5,27; Flp 4,21s; 2Cor 13,12; cf. 1Pe 5,14). La expresión empleada en 2Pe 3,16 (ἐν πάσαις ἐπιστολαῖς) podría interpretarse como referida sólo a las cartas conocidas por el autor y dedicadas al mismo tema.

2) *Argumentos válidos contra la autenticidad petrina.* Resultaría inexplicable el largo silencio de las iglesias orientales y latinas sobre esta carta, de haber sido Pedro su autor. En el siglo III

sólo es mencionada en Egipto, muy pocas veces por lo demás, y aun entonces señalando que muchos no la admiten. En el siglo IV, la carta es mencionada con mayor frecuencia, pero sigue siendo discutida su autenticidad. Hasta los siglos V y VI no se afirma definitivamente su canonicidad.

Por otra parte, todo induce a creer que la carta depende, al menos de forma indirecta, de la de Judas[24]. Y ésta no fue redactada hasta después de la muerte de Pedro. En tal caso, ¿cómo seguir pensando en la autenticidad petrina?

Las afirmaciones que el autor atribuye a los negadores de la parusía son inexplicables en vida de Pedro. «¿Dónde está la promesa de su venida?», decían estos negadores. «Desde que murieron los padres, todo sigue como desde el principio de la creación» (3,4). Estas afirmaciones pertenecen a los contemporáneos de la carta, a pesar del futuro de los verbos que las introducen (3,3; cf. 2,1-3): se trata de un futuro puramente literario, ya que todo el contexto pone en guardia contra la peligrosidad presente de los negadores en cuestión (2,3.12-22; 3,5.16-17)[25]. Aun en el caso de que los «padres» del texto representen a los cristianos de la generación precedente más que a los apóstoles (cf. Jer 31,29), parece haber transcurrido un lapso bastante grande desde su desaparición (2Pe 3,4*b*), hasta el punto de que se los puede ya calificar de «padres». En la época de 1Pe no existía aún el estado de ánimo sobre el que se asienta la negación: más bien, la parusía (o manifestación) del Señor aparece en este escrito como próxima (4,7.17; 5,4.10). Este estado de espíritu se comprende mejor tras la ruina del templo de Jerusalén (el año 70), es decir, después de la muerte de Pedro. Había, en los espíritus, una relación muy estrecha entre esta ruina y la venida del fin de los tiempos (cf. Mt 24,3): pero, al haberse producido sólo el primero de estos acontecimientos, cabía imaginar que ya no tendría lugar el segundo.

Conclusión

Parece, pues, más indicado hablar de pseudonimia o de ficción literaria a propósito de 2Pe. El autor es un cristiano de raíz judía (1,16; 2,1.18), buen helenista, distinto del autor de 1Pe, del que le separan una lengua y un género literario muy diferentes. Discípulo o no de Pedro, quiere transmitir una enseñanza que se vincula al apóstol (2Pe, 1,14-18); y quiere hacerlo, al parecer, como responsable de la ortodoxia doctrinal (1,19-21; 3,2ss.15s). Para facilitar el triunfo de la tradición auténtica procedente de Pedro, pone la carta bajo el amparo de este nombre. Esta costumbre estaba por aquel entonces muy extendida: el autor que echaba mano de este recurso no engañaba a sus lectores, sino que simplemente daba más crédito a las enseñanzas que comunicaba [26].

Destinatarios, lugar y fecha de la composición

No puede afirmarse nada con precisión sobre los *destinatarios* de la carta. Las indicaciones dadas por el autor son demasiado genéricas (1,1) o demasiado ficticias (3,1). Tal vez se tratara de convertidos del judaísmo, porque al parecer les resultaban familiares las interpretaciones apocalípticas de la Biblia (1,17; 2,4-7.15; 3,6s.10-13). Pero, más probablemente, se trataba de antiguos paganos que frecuentaron largo tiempo las sinagogas como adoradores de Dios antes de hacerse cristianos, ya que se veían solicitados por falsos doctores para volver de nuevo a las impurezas del mundo (2,18-20), es decir, a formas de vida que los judíos de la época no tolerarían (2,13-14).

Igualmente se ignora todo lo referente al *lugar de composición de la carta.* Los que sostienen su autenticidad literaria sugieren la ciudad de Roma, donde habría pasado Pedro los últimos días de su vida (1Pe 5,13). Otros autores piensan bien en Egipto, en razón de los primeros testimonios favorables a este escrito (Schelkle), bien en Siria, debido a las afinidades que presenta con la carta de Judas (Cullmann).

Según sea el enfoque de la cuestión de la autenticidad de la carta, los críticos sitúan la *fecha de su composición* entre el 64/67 (muerte de Pedro) y el 150. Como, de una parte, no parece que la carta se refiera al gnosticismo evolucionado del siglo II ni, de otra, depende del *Apocalipsis de Pedro,* no puede retrasarse su composición hasta el 150. ¿Puede retrasarse hasta el 125? [27] ¿No sería mejor pensar que fue redactada hacia finales del siglo I (Windisch), sin pretender mayores precisiones (cf. 1Clem 23,3s)?

Más que nunca, la posición depende de consideraciones generales, que desembocan en probabilidades más que en una certeza indiscutible.

IV

CANONICIDAD DE LA CARTA

Esta carta es uno de los escritos neotestamentarios que más tiempo necesitó para imponerse como libro inspirado. Orígenes († 254[?]), que fue el primer escritor eclesiástico que se expresó sobre este punto, la utilizó como Escritura en el mismo sentido y con los mismos títulos que 1Pe, aun reconociendo que había discusiones sobre este punto (PG 12,437.857; 14,997.1119; 20,583)[28]. Su ejemplo fue seguido por la iglesia de Alejandría: san Atanasio la inscribió en el canon de su 39 *Carta pascual* (el año 367). Dídimo la utilizó como Escritura, aunque sin pronunciarse sobre el autor (PG 39,516.1173). Pero, por la misma época, los silencios, las dudas y las negaciones de Palestina, Siria y Asia Menor (PG 33,500; 37,1597; 56,317) igualaban las aceptaciones (PG 29, 712; 37,474). Eusebio de Cesarea se pone del lado de los que califican a la carta de libro «controvertido», aunque añadía que había sido aceptado por la mayoría (HE, 3,3,1; 25,3). San Jerónimo, yendo contra corriente de la opinión más extendida, consideraba la carta como obra de san Pedro, y por consiguiente, como inspirada (PL, 3,636).

A partir de fines del siglo IV, las iglesias latinas, que hasta entonces no se habían pronunciado, muestra ya que esta carta formaba parte de sus listas canónicas. En el siglo VI, también la Iglesia siria siguió esta actitud. Desde entonces, no se rompió nunca la unanimidad, consagrada por la decisión del concilio de Trento (sesión IV, 1546)[29].

PARTE SEXTA

LA TRADICIÓN JOÁNICA

SECCIÓN PRIMERA

EL APOCALIPSIS DE JUAN

por M.E. Boismard

Desde el siglo II, el Apocalipsis de Juan aparece junto al cuarto evangelio y la primera carta de Juan, bajo el patrocinio del hijo del Zebedeo, del que hablan los evangelios sinópticos. A medida que vayamos avanzando en nuestro estudio se irá viendo que la atribución de todas estas obras a un mismo autor suscita dificultades que sería erróneo subestimar. Pero no es menos cierto que bajo la gran diversidad de sus géneros literarios, estos escritos acusan una misma corriente general, que puede definirse como «tradición joánica». El orden en que se estudian estos libros es, en realidad, de importancia muy secundaria. No obstante, al comenzar por el Apocalipsis, se analizará ya la documentación de la tradición patrística antigua relativa al autor de los escritos en cuestión. Por otra parte, si, como se verá más adelante, la fecha de edición del Apocalipsis debe situarse hacia el año 95, nos encontramos con una datación que es ciertamente anterior a la edición final del cuarto evangelio y de las cartas que gravitan en su órbita. Por esta razón, comenzaremos por el Apocalipsis nuestro análisis de la tradición joánica. Sin embargo, no estudiaremos el problema del autor hasta después de haber expuesto los problemas literarios que la obra plantea a los críticos y sus principales enseñanzas doctrinales.

TRACIA
MACEDONIA
Bizancio
Nicomedia
Filipos
Neápolis
Anfípolis
Tesalónica
Samotracia
Nicea
Berea
Apolonia
MISIA
Tróade
Aso
Adramicio
TESALIA
Pérgamo
Tiatira
LESBOS
FRIGIA
Mitilene
LIDIA
Sardes
Esmirna
Filadelfia
QUIOS
ASIA
Hierápolis
Atenas
Éfeso
Laodicea
Colosos
SAMOS
Trogilio
Corinto
Céncreas
Mileto
CARIA
PATMOS
ACAYA
COS
LICIA
Cnido
Rodas
Pátara
Mira
RODAS
CRETA
Fénix
Lasea
CAUDA
GRECIA
y ASIA MENOR
en tiempo de
san Pablo y de san Juan

CAPÍTULO PRIMERO

PROBLEMAS LITERARIOS

I

EL GÉNERO LITERARIO DEL APOCALIPSIS

Apocalipsis y profecía [1]

El término *Apocalipsis* (cf. Ap 1,1) es la transcripción literal de un sustantivo griego derivado de un verbo que significa: descubrir, levantar el velo que cubre una cosa y la oculta a las miradas. Un apocalipsis es, pues, esencialmente una «revelación» hecha por Dios a los hombres, de cosas ocultas que él solo conoce. El género apocalíptico, que precisaremos más adelante, gozó de gran boga en ciertos medios judíos en los alrededores de la era cristiana y todavía se conservan cierto número de estos apocalipsis (libros de Henoc, de los Jubileos, de los Secretos de Henoc, Asunción de Moisés, libro 4 de Esdras, Apocalipsis de Abraham, de Baruc, etc.)[2]. En realidad, todos se hacen pasar por revelaciones de acontecimientos futuros que atañen al destino del pueblo de Dios y al advenimiento de los tiempos escatológicos.

La profecía

Pero es imposible hablar del género apocalíptico sin referirse al género profético del que deriva. Juan, que nos ha transmitido el mensaje apocalíptico de Dios, se presenta a sí mismo como «profeta» (1,3; 10,7; 11,18; 22,6.9.18). En el Antiguo Testamento, el profeta era ante todo un mensajero y un intérprete de la palabra divina. Es cierto que Dios había «dicho» de una vez para siempre su voluntad en la ley transmitida al pueblo por intermedio de Moisés. Pero era necesario mantener todavía al pueblo en la observancia de esta ley, a pesar de sus tendencias demasiado humanas y el peligro de contaminación y de sincretismo religioso que provenía de la promiscuidad de los pueblos vecinos. El profeta es el hombre enviado por Dios para recordar constantemente al pueblo santo sus obligaciones y las exigencias de la alianza. Ésa es su misión esencial. Para llevarla a término puede ser el profeta favorecido con *revelaciones* especiales concernientes a un acontecimiento próximo, que anuncia entonces como signo cuya realización justificará sus palabras y su misión (cf. 1Sam 10,1ss; Is 7,14; Jer 28,15ss; 44,29-30) [3]. De manera más general, el profeta prevé y anuncia anticipadamente los castigos que van a pesar sobre el pueblo de Dios, culpable de habitual transgresión de la ley divina, especialmente la gran catástrofe de 587 en la que naufragará la independencia política de Israel. Una vez sobrevenida la catástrofe, anuncia por el contrario perspectivas de restauración y de renacimiento religioso. En este sentido, el profeta es un «vidente», un hombre que ha recibido de Dios revelación de acontecimientos futuros cuyo conocimiento está normalmente fuera del alcance de sus contemporáneos. Pero, como vemos, tal previsión del porvenir sólo tiene por objeto favorecer la misión presente del profeta: recordar al pueblo santo sus obligaciones morales individuales o colectivas. Este último punto explica por qué tantos profetas ejercieron, con frecuencia, considerable influjo político.

En el cristianismo primitivo, el profetismo conserva una importancia de primer orden. Según la jerarquía de los carismas, ocupa el segundo lugar inmediatamente después del apostolado (1Cor 12,28-29; Ef 4,11). Si bien los profetas están todavía encargados de hablar en nombre de Dios para exhortar y consolar a los fieles (1Cor 14,2), para anunciar, si a mano viene, el porvenir (Act 11,28; 21,11), con todo, «su función principal debió de ser explicar, a la luz del Espíritu, los oráculos de las Escrituras, en particular de los antiguos profetas, 1Pe 1,10-12, y así descubrir el misterio del plan divino, 1Cor 13,2; Ef 3,5; Rom 16,25» [4]. Esta explicación de las Escrituras en función de la coyuntura presente desempeñaba ya gran papel en los medios de Qumrân (*pesher* de Habacuc, de Nahúm, de los Salmos[5]); vino a ser absolutamente necesaria en la polémica de los primeros cristianos contra los judíos, para mostrar que el cristianismo naciente, y sobre todo la vida y muerte de Cristo, se habían desarrollado «conforme a las Escrituras». Ya veremos qué importancia tiene en el Apocalipsis de Juan.

El apocalipsis

Sería, pues, un error oponer género profético y género apocalíptico. El uno aparece más bien como desarrollo del otro; será un género profético que ha evolucionado mediante atrofia de algunas de sus características y desarrollo de algunas otras[6]. Así, apocalipsis y profecía están orientados hacia los misterios del porvenir que ponen al descubierto. Pero esta función que, como hemos visto, era secundaria en la profecía, viene a ser elemento primordial en el apocalipsis y, en cambio, las preocupaciones morales inmediatas se esfuman y pasan a segundo término, caso que no desaparezcan totalmente. En realidad, los apocalipsis se desarrollaron sobre todo en períodos de crisis, cuando el pueblo de Dios era blanco de las persecuciones venidas de los poderes públicos (el libro de Daniel es el primer apocalipsis); entonces se hacía urgente sostener la moral de la fieles explicándoles el sentido sobrenatural de la prueba que los afligía, al mismo tiempo que prometiendo el fin miserable de los perseguidores y la vuelta de una edad de oro una vez recuperadas la paz y la prosperidad, que se describen con complacencia con una profusión de detalles que a nosotros nos parece infantil. Este tema, preludiado ya en los profetas más antiguos, viene a ser aquí preponderante.

Por otra parte, asistimos a una evolución profunda en la presentación literaria del mensaje. Sin duda, desde los orígenes, el profeta presenta sus revelaciones como «visiones» (cf. Am 1,1; Miq 1,1; Nah 1,1; etc. ...), pero aquí hay que entender esta palabra en sentido de «conocimiento» o de «previsión», más bien que en sentido de visión real a la manera de percepción sensible o imaginativa. Aun en el caso en que Isaías se beneficia de una visión real (Is 6,1ss), se trata de hecho de un contacto místico con Dios, pero que no afecta inmediatamente al contenido del mensaje que está encargado de transmitir. Ya en Jeremías, el mensaje profético puede desarrollarse a partir de la visión de un objeto sensible, que viene a ser el soporte de una comparación analógica (Jer 1,11; 18,1-4; 24,1ss). Este procedimiento se desarrolla en los profetas postexílicos (Ageo y Zacarías) para lograr su expansión en Daniel, el último de los profetas y el primero de los «videntes» apocalípticos admitidos en el canon del AT. En este momento, el objeto de la visión no es ya una cosa que sirve de soporte a una comparación analógica, sino toda una escena que se desarrolla y que simboliza la sucesión de los acontecimientos que está encargado de anunciar el profeta.

El simbolismo

Por el hecho mismo, el simbolismo adquiere una importancia y un desarrollo considerables. Entendemos aquí por simbolismo la propiedad que tienen las cosas materiales de evocar, natural o convencionalmente, realidades no materiales o ideas abstractas. En el desarrollo de una visión apocalíptica, los detalles concretos adquieren valor simbólico y son por sí mismos una enseñanza. Este principio de exposición está indicado explícitamente en el Apocalipsis de Juan, que da la equivalencia de ciertos símbolos. Así, una estrella representa a un ángel, un candelabro es la representación de una iglesia particular (1,20); siete lámparas de fuego, o también siete ojos, evocan los siete Espíritus de Dios (4,5; 5,6); las siete cabezas de la Bestia pueden representar siete colinas (¿las de Roma?) o siete reyes (17,9-10), mientras que el lino, de una blancura esplendente, simboliza las buenas acciones de los fieles (19,8).

Acerca de todos estos símbolos, el autor mismo del Apocalipsis (¿o un redactor?) se encargó de guiarnos y de indicarnos su interpretación; pero no siempre sucede así. Incluso hemos de decir que, con mayor frecuencia, el vidente supone que el lector está al corriente del valor simbólico que atribuye a las cosas, por cierto en virtud de un lenguaje convencional que actualmente nos es en parte inaccesible o que debemos descubrir mediante un estudio minucioso, pero que no debía de tener nada de arcano para los círculos de fieles a los que se dirigía el mensaje apocalíptico. Supongamos, por ejemplo, la visión del Hijo del hombre en Ap 1,13-16. Hoy día, para explicar las prerrogativas de este ser misterioso, procederíamos por enumeración de cualidades abstractas: reúne en su persona la dignidad sacerdotal y el poder real, está dotado de una ciencia perfecta, capaz de «sondear las entrañas y los corazones», etc. El autor del Apocalipsis prefiere dar una descripción visual del Hijo del hombre, en la que cada detalle de su indumentaria y de su persona corresponde a una prerrogativa distinta, según un simbolismo que podemos descubrir por comparación con otros textos del Antiguo Testamento o de los apócrifos: su dignidad sacerdotal es evocada por su larga vestidura, su poder real por el cinturón de oro; sus cabellos blancos simbolizan su eternidad, el ardor de sus ojos evoca su conocimiento perfecto (o también su cólera) y sus pies de bronce su estabilidad. Las siete estrellas, ya lo hemos visto, simbolizan los ángeles de las iglesias; pero si el Hijo del hombre las tiene en su mano derecha, significa que las tiene en su poder, puesto que para todo el mundo oriental la mano es símbolo de poder. En fin, la espada afilada que sale de su boca no es otra cosa sino los decretos dictados contra los fieles que se han desviado del camino recto. ¿Quién no reconocerá que, para un espíritu despierto, tal representación con imágenes, sensible, visual, posee un poder de evocación mucho más acusado que una mera enumeración de cualidades abstractas?

Los *colores* mismos tienen valor simbólico, como resulta de la visión de los cuatro jinetes en Ap 6,1-8; el blanco es símbolo de victoria; el rojo, de violencia; el negro, de muerte, y el bayo, de descomposición. El blanco puede también simbolizar la pureza de la vida y el gozo escatológico (19,8); el escarlata, el lujo y el desenfreno (17,4). En cuanto a los números, hay que guardarse de tomarlos por lo que valen. Siete simboliza la totalidad, la plenitud; seis, por el contrario, representa la imperfección (siete menos uno). Doce es la cifra de Israel, el antiguo y el nuevo; cuatro, la del mundo creado (los cuatro elementos, las cuatro «partes» del mundo: tierra, mar, cielo, abismo, los cuatro puntos cardinales); mil representa una cantidad muy grande. Lo que se dice de las cifras se aplica también a su cuadrado (144 y 12) o a la multiplicación de una cifra por otra (144 000).

«Cuando el vidente describe una visión, traduce en símbolos las ideas que Dios le sugiere; entonces procede por acumulación de cosas, de colores, de cifras simbólicas, sin preocuparse del efecto plástico así obtenido. Su objetivo es ante todo traducir las ideas que ha recibido de Dios, no ya describir una visión coherente, una visión *imaginable*. Para seguirle sin arredrarse por el camino que ha trazado, es, pues, necesario entrar en su juego y transcribir en ideas los símbolos que describe, sin preocuparse de su incoherencia. Así, sería un error querer imaginar visualmente el cordero de siete cuernos y de siete ojos (5,6) o la bestia de siete cabezas y diez cuernos (13,1) y preguntarse cómo pueden diez cuernos repartirse en siete cabezas; sería un error extrañarse de la falta total de efecto plástico en estas descripciones. Hay que contentarse con traducir *intelectualmente* los símbolos sin detenerse en sus particularidades más o menos sorprendentes: el cordero posee la plenitud del poder y del conocimiento; la bestia representa el imperio romano con sus emperadores (las cabezas) y sus reyes vasallos (los cuernos). Si no se tienen presentes estos procedimientos que nos desconciertan, no es posible comprender nada del Apocalipsis»[7].

El Apocalipsis y el Antiguo Testamento[8]

Los préstamos del Antiguo Testamento

Como lo ha notado perfectamente E.B. Allo, «la tradición apocalíptica dista mucho de ser la única fuente del simbolismo de Juan. Ni siquiera debe considerarse como la principal, a menos que se quiera englobar en ella las visiones de autores canónicos, como Ezequiel, Zacarías, Daniel. Sobre todo en las últimas profecías del Antiguo Testamento se puede hallar el origen inmediato de los más importantes símbolos joánicos»[9]. Algunos ejemplos, que podrían multiplicarse, bastarán para mostrarlo.

En Ap 8,1, antes del desencadenamiento de la serie de plagas que van a devastar el mundo impío, nota Juan: «Y cuando el Cordero abrió el séptimo sello hubo un silencio en el cielo como de media hora...» ¿Por qué este silencio? En la tradición profética anuncia una teofanía, una espléndida intervención de Dios; cf. Hab 2,20; Zac 2,17 y, sobre todo, Sof

1,7: «Silencio delante del Señor Yahveh, porque está próximo el día de Yahveh.» Igualmente en Ap 8,1 el «silencio» anuncia la aproximación del gran día.

En Ap 10,3 un ángel lanza «un potente clamor semejante al rugido del león». ¿Por qué esta comparación? Porque en la tradición profética se compara a Dios con un león que ruge, cuando se dispone a fulminar sus decretos que van a «devorar» a los enemigos de su pueblo (Am 1,2; Jl 4,16; Jer 25,30). Amós 3,7-8 es particularmente significativo: «Porque no hace nada el Señor, Yahveh, sin revelar su designio a sus siervos, los profetas. Rugiendo el león, ¿quién no temerá? Hablando el Señor, ¿quién no profetizará?»

En Ap 11,19 el arca de la alianza aparece en el templo, mientras que en 15,8 se ve cómo una nube llena el templo. ¿Por qué estas dos escenificaciones? Hacen alusión a 2Mac 2,5-8, donde se dice que Jeremías ocultó en una cueva la tienda, el arca de la alianza y el altar de los perfumes: «Este lugar, dice, quedará desconocido hasta que Dios vuelva a congregar a su pueblo y tenga de él misericordia. Entonces dará a conocer el paradero de estas cosas, aparecerá su gloria, y asimismo la nube, como se manifestó al tiempo de Moisés y cuando Salomón pidió que el templo fuese gloriosamente santificado.» Así la reaparición del arca y la presencia de la nube en el templo significan que ha llegado el tiempo de la restauración escatológica.

En Ap 15,2-3, los que han triunfado de la bestia aparecen al borde de un mar de cristal y cantan el cántico de Moisés. La alusión a Éx 14-15 es palmaria y el vidente quiere mostrar con esta simple evocación que la liberación de los fieles del cordero es el nuevo y último éxodo del pueblo de Dios.

Con la visión de la mujer en medio de los dolores de parto, perseguida por el dragón, la antigua serpiente, que se irá luego a guerrear contra «el resto de su descendencia» (Ap 12,1-17), nos traslada Juan a los orígenes de la humanidad, cuando Eva se dejó seducir por la serpiente.

Así vemos toda la fuerza de evocación de las visiones del Apocalipsis... Con una sola palabra, con una imagen, revive ante nuestros ojos uno u otro de los temas mayores de la historia del pueblo santo o de la enseñanza profética. Y éste es uno de los puntos en que el Apocalipsis de Juan se distingue de los apocalipsis apócrifos. Éstos, para autenticar su mensaje, se ponían bajo el patrocinio de tal o cual gran figura del Antiguo Testamento: Henoc, Elías, Moisés, Esdras, Baruc. Juan, con una intuición maravillosa de la perennidad de la palabra de Dios, reproduce sencillamente los temas y las expresiones bíblicas tradicionales. Por lo demás, lo hace de manera mucho más sistemática de lo que se puede suponer por los pocos ejemplos que acabamos de alegar. Utiliza en particular el Éxodo, Daniel y Ezequiel.

El tema del éxodo es explotado ampliamente, como prototipo de todas las grandes liberaciones del pueblo de Dios: la revelación del nombre divino (Éx 3,14 y Ap 1,4.8; 4,8; 11,17; 16,5), las plagas de Egipto (Éx 7-10 y Ap 9 y 16), el paso del mar Rojo (Éx 14-15 y Ap 15,2-3), el arca de la alianza (Éx 25 y Ap 11,19).

Para describir las persecuciones que tendrán lugar contra la Iglesia, recurre Juan a las *visiones de Daniel* que describen la persecución de Antíoco Epífanes, tipo de todas las grandes persecuciones (Dan 7 y Ap 13,1-8; 12,14; 17,12; 20,4; Dan 3,5-7.15 y Ap 13,15; Dan 8,10 y Ap 12,4). A las mismas visiones de Daniel se refieren la escena del Hijo del hombre que viene sobre las nubes para el gran juicio escatológico (Dan 7,13 y Ap 14,14) y la descripción del juicio final (Dan 7,10.22 y Ap 20,4.12).

Pero la imaginería más abundante la suministra sobre todo *el profeta Ezequiel:* la visión inaugural del trono de Dios (Ez 1 y 10; cf. Ap 4,1-11), el pequeño libro sellado (Ez 2,9 y Ap 5,1; Ez 3,3 y Ap 10,10), las cuatro plagas producidas por la apertura de los sellos (Ez 14,21 y Ap 6,8; cf. Zac 1,8-10 y 6,1-3), los ángeles que están en los cuatro ángulos de la tierra (Ez 7,2 y Ap 7,1), los siervos de Dios marcados en la frente para ser preservados de las plagas (Ez 9,4 y Ap 7,3), el fuego del cielo arrojado sobre la tierra para simbolizar las plagas (Ez 10,2 y Ap 8,5), las desgracias que se desencadenan (Ez 7,5.26 y Ap 8,13), la prostituta (Ez 16 y 23; cf. Ap 17), las lamentaciones por la caída de la ciudad (Ez 27-28 y Ap 18), las aves invitadas al festín de Dios (Ez 39,17-20 y Ap 19,17ss), la resurrección de los muertos (Ez 37 y Ap 20,4), el asalto de Gog y de Magog (Ez 38-39 y Ap 20,7-10), la descripción de la Jerusalén mesiánica (Ez 40-47 y Ap 21,9-22,2). Pero sería muy prolijo hacer un catálogo de todos los préstamos bíblicos en el Apocalipsis; limitémonos a decir que no hay ni un solo profeta que no haya sido puesto a contribución.

La originalidad del Apocalipsis

Así pues, el autor del Apocalipsis ¿no sería más que un vulgar compilador? ¡Ni mucho menos! Por lo pronto, cuando reproduce los temas antiguos, sabe darles una impronta de sobriedad, de sencillez y hasta de poesía, que con frecuencia lo coloca por encima de sus modelos (compárese, por ejemplo, Ez 1 y 10 con Ap 4,1-8). Pero sobre todo no hay que imaginarse a Juan hojeando la Biblia, o desenrollando los volúmenes de la misma, para sacar de acá y de allá los materiales de su construcción, como si los «hallazgos» de sus predecesores le proporcionaran la materia de sus propias visiones. Juan es sencillamente un vidente, es decir, un hombre posesionado por el Espíritu (1,10; cf. 22,6). Su inspiración profética es a la postre la fuerza mayor que organiza el desarrollo de su obra.

Es cierto que Juan conoce la Biblia al dedillo, como muchos de sus contemporáneos judíos o procedentes del judaísmo; por eso, cuando quiere expresar una idea, brotan espontáneamente de su pluma las formas de expresión del profetismo tradicional. Por lo demás, lo hace con plena deliberación, no por falta de imaginación o por carencia de vena poética, sino porque quiere mantenerse en la línea de los profetas del Nuevo Testamento que, como ya lo hemos indicado, tenían como misión la de explicar las profecías antiguas en función de las coyunturas presentes. Cuando quiere confirmar a los fieles en la fe, les muestra Juan que no son imprevistos los sufrimientos que soportan por el nombre de Cristo, sino que, por el contrario, forman parte del plan de Dios, como los sufrimientos de los hebreos esclavizados por los egipcios o los de los judíos, víctimas de las villanías de Antíoco Epífanes. Pero la palabra de Dios permanece eternamente, y las promesas de salud, valederas en los tiempos antiguos, conservan y conservarán siempre su fuerza y su actualidad. En la historia de Israel (el Israel antiguo y el Israel nuevo), no hay una sucesión de profetas que vienen a hablar en su propio nombre, sino hay un solo y mismo espíritu, el del «Señor Dios que inspira a los profetas» (22,6), invistiéndolos de una misión, eternamente la misma (14,6): transmitir el mensaje de salvación.

II

LA COMPOSICIÓN LITERARIA

Antes de preguntar por el mensaje que el vidente estaba encargado por Dios de transmitir a la Iglesia, hay que tratar el problema de la composición literaria del Apocalipsis, pues la inteligencia general del libro está en parte en función de la posición que se adopte en este particular. Este problema, desconocido de los antiguos, fue planteado con mucha agudeza en el siglo pasado. En efecto, se ha insistido en la dificultad de asignar un plan lógico y coherente al conjunto de las visiones del Apocalipsis. A veces se repiten las visiones sin que sea posible descubrir progreso en el pensamiento; otras veces, dos visiones se siguen sin nexo lógico aparente; y otras veces existen ciertas contradicciones entre dos visiones diferentes.

La hipótesis de fuentes distintas

Para explicar estas anomalías se ha recurrido a la hipótesis de fuentes diversas (judías o cristianas) aprovechadas más o menos felizmente por un compilador cristiano. Las diferentes hipótesis sólo se distinguen por el número de fuentes postuladas y la mayor o menor iniciativa otorgada al compilador. No será inútil dar algunas muestras de estas tentativas, de las que E.B. Allo ha compuesto un católogo exhaustivo [10]. Völter (1882-1911) admite dos fuentes, una de Juan-Marcos otra de Cerinto, combinadas y refundidas bajo Trajano y Adriano. Según Weyland (1886), dos fuentes judías fueron combinadas por un redactor cristiano. Igualmente J. Weiss supone dos fuentes, una cristiana, del año 60, y otra judía, del 70, que fundió juntamente un redactor cristiano. Bruston (1888) opina que las dos fuentes postuladas son dos apocalipsis cristianos; uno en hebreo, de la época de Nerón; otro en griego, de tiempos de Domiciano. Spitta propone tres fuentes fundamentales: un Apocalipsis de Juan-Marcos, del año 60, y dos apocalipsis judíos de los tiempos de Pompeyo y de Calígula. Todo habría sido compilado en tiempo de Trajano. Briggs (1895) postula nada menos que seis apocalipsis primitivos. Se podría ampliar la lista de estas hipótesis, que no todas carecen de observaciones interesantes.

La investigación de los procedimientos de composición

A principios de este siglo se reaccionó contra estos procedimientos de disección aplicados al Apocalipsis. Swete y Allo han señalado, por el contrario, la unidad literaria del conjunto, unidad que se manifiesta no sólo en la lengua, tan característica con sus solecismos y semitismos que se ha podido hablar de una «jerga judeocristiana», sino también en sus procedimientos de composición literaria. ¿Cómo podrían tales características, repartidas por todo el libro, atribuirse a autores diferentes o provenir de fuentes diferentes? Si se quiere mantener unas fuentes, hay que reconocer que fueron tan bien asimiladas por Juan, que más bien habría que hablar de temas de inspiración que de fuentes propiamente dichas, mucho menos de fuentes incorporadas sin alteración a un conjunto más o menos coherente.

Si el Apocalipsis parece contener tropiezos y repeticiones, esto se debe al procedimiento de composición adoptado por Juan. Allo expone en su introducción [11] las leyes que habrían regido la composición del conjunto.

La *ley de la inserción:* las inserciones son «anticipaciones hechas *en términos propios,* de alguna escena que ha de seguir, de modo que no cabe la menor duda sobre el nexo intencional; aparecen siempre en lugares análogos, de modo que no se puede dudar de que se trata de un procedimiento constante de composición». Así, 11,1-13 es una anticipación del cap. 13 introducida en el septenario de las trompetas; 14,8 es una anticipación de los cap. 17-19; 14,10 es una anticipación del cap. 16; 16,12-14 es una anticipación de 19,17-21; 19,7-9 es una anticipación de 21-22.

La *ley de las ondulaciones,* destinada a explicar las numerosas «repeticiones» del Apocalipsis. Presupone el principio de la *recapitulación,* expuesta por primera vez por Victorino de Pettau (muerto bajo Diocleciano), según el cual «el Apocalipsis no expone una serie continua de acontecimientos futuros, sino repite las mismas series de acontecimientos en diversas formas» [12]. Las «repeticiones» del Apocalipsis no son «simple *yuxtaposición* de fuentes análogas», sino que se explican porque «*en el interior de una misma serie,* una visión esquemática que contiene ya toda la revelación contemplada, se explicita luego en divisiones más amplias que ella, idénticas a la primera en cuanto al fondo, pero cada una de las cuales aporta una nueva precisión y claridad» [13].

Ley de *perpetuidad de la antítesis* (así: 9,13-21 y 11,1-13; 14,14-20 y 15,2-3; 16,14 y 16,15).

Ley de *periodicidad en la posición de la antítesis:* 1) al final de las visiones preparatorias que preceden a los septenarios; 2) en cada sexto momento de los septenarios (excepto el de las cartas).

La presencia de septenarios caracterizados (7 cartas, 7 sellos, 7 trompetas, 7 copas) ha inducido a cierto número de autores a preguntarse si no se habría construido todo el Apocalipsis con referencia a la cifra siete. Damos aquí, a título de ejemplo, la división propuesta por P. Loenertz [14], que ofrece numerosas analogías con la que había propuesto J. Levie[15], si bien no tenía noticia de ella. Cada septenario propiamente dicho va precedido de una sección preparatoria:

Primer septenario: las cartas a las iglesias (1,9-3,22; sección preparatoria: 1,9-20).

Segundo septenario: los sellos (4,1-7,17; sección preparatoria: 4,1-5,14).

Tercer septenario: las trompetas (8,1-11,14; sección preparatoria: 8,1-6).

Cuarto septenario: los signos en el cielo (11,15-14,20); sección preparatoria: 11,15-19; primer signo: 12,1-2; segundo signo: 12,3-6; tercer signo: 12,7-13,18; cuarto signo: 14,1-5; quinto signo: 16,6-13; sexto signo: 14,14-20.

Quinto septenario: las copas de la ira divina (15,1-16,16; sección preparatoria: 15,1-16,1).

Sexto septenario: las voces del cielo (16,17-19,5); sección preparatoria: 16,17-21; primera voz: 17,1-18; segunda voz: 18,1-3; tercera voz: 18,4-20; cuarta voz: 18,21-24, quinta voz: 19,1-4; sexta voz: 19,5; séptima voz = séptimo septenario.

Séptimo septenario: las visiones del fin (19,6-22,5): sección preparatoria: 19,6-10; primera visión: 19,11-16; segunda visión: 19,17-18; tercera visión: 19,19-21; cuarta visión: 20,1-3; quinta visión: 20,4-10; sexta visión: 20,11-15; séptima visión: 21,1-22,5.

Vuelta a la hipótesis de las fuentes

Estos estudios y otros semejantes no carecen ciertamente de interés, y los resultados que con ellos se obtienen son en parte valederos. Aun en el caso de admitir diferentes documentos reunidos por un redactor último, no hay el menor inconveniente en que este último redactor quisiera disponer según leyes definidas el material que utilizaba. Parece, sin embargo, que la ingeniosa arquitectura elaborada por Allo no puede dar razón de todas las dificultades literarias del Apocalipsis. En particular, es difícil explicar el desorden irremediable del final (22,6-21) y, sobre todo, el hecho de que nos hallamos con dos descripciones de la Jerusalén futura, la primera de las cuales es una Jerusalén escatológica, celestial, que viene después del fin del mundo y del juicio final (21,1-8), y la última descrita es una Jerusalén mesiánica, terrestre, que supone todavía la posibilidad para los paganos de convertirse (21,9-22,5).

Charles y Gächter, renunciando a la hipótesis de documentos

diferentes, proponen la solución siguiente: el conjunto del libro habría de atribuirse al mismo autor, lo cual daría razón de la unidad literaria; pero Juan habría muerto antes de poder dar la última mano a su obra, y ésta habría sido editada por un discípulo que habría trastornado el orden de los textos contenidos en los tres últimos capítulos. Esta hipótesis no basta, sin embargo, para resolver todas las dificultades del Apocalipsis; de ahí que en los últimos años se hayan elaborado nuevas teorías que ponen otra vez sobre el tapete la cuestión de la unidad literaria de la obra.

El problema de las «cartas a las siete iglesias»

El problema se plantea, en primer término, a propósito de las *cartas a las siete iglesias* (2-3). Esta sección se distingue netamente del resto del Apocalipsis tanto por el estilo como por su contenido moralizante. Habría, pues, que considerarla, bien como una unidad literaria distinta, unida al resto del Apocalipsis por un compilador final [16], bien como un escrito redactado y añadido por el compilador mismo junto y a la vez que el comienzo (1,1) y el final (22,20-21) del libro [17]. Hay un indicio literario que confirma el carácter adicional de estas cartas. Están estrechamente vinculadas a los vv. 11-18 del capítulo 1; ahora bien, estos versículos se presentan como una inserción marcada por la «repetición» del tema del v. 10 al v. 19; estos vv. 11-18 habrían sido añadidos, por tanto, al mismo tiempo que las cartas, y como preparación de las mismas [18].

El problema de los duplicados

Pero es preciso ir más lejos en la crítica de las posiciones «tradicionales». Todos admiten que el Apocalipsis ofrece numerosos duplicados; basta, para comprobarlo, comparar 13,1.3.8 con 17, 3.8; 14,8 con 18,2; 12,9.12 con 20,3-4, por citar sólo algunos ejemplos. Según Allo, estos duplicados se explican por la *ley de las ondulaciones:* «Una visión esquemática que contiene ya toda la revelación contemplada, se explicita luego en divisiones más amplias que ella, idénticas a la primera en cuanto al fondo, pero aportando cada una una nueva precisión y claridad»[19]. Vamos a tratar de comprobar la solidez de este principio con ejemplos concretos. Tomemos primero el duplicado constituido por la visión de la bestia, en los cap. 13 y 17:

Cap. 13	Cap. 17
1. *Vi*	3. *Vi*
subir del mar	a una mujer montada
una bestia	sobre *una bestia* roja,
que tenía diez cuernos	llena *de nombres blasfemos*
y siete cabezas	*que tenía siete cabezas*
y sobre los cuernos	*y diez cuernos.*
nombres blasfemos.	
3. Y una de sus cabezas,	8. Y la bestia que vi
como *herida de muerte,*	*era* y *ya no es,*
pero su herida mortal	*y está para subir del abismo.*
se había curado,	
y llena de admiración	... *y se llenarán de admiración*
toda la tierra	
seguía detrás de la bestia...	
8. Y lo adorarán	
todos *los habitantes de la*	*los habitantes de la*
tierra, cuyo nombre no está es-	*tierra, cuyo nombre no está es-*
crito en *el libro de la vida*	*crito* en *el libro de la vida*
del Cordero degollado,	
desde la creación del mundo.	*desde la creación del mundo,*
	cuando vean la bestia,
	pues era, y ya no es,
	y reaparecerá.

Es evidente el paralelismo entre las dos descripciones de la bestia, no obstante algunas divergencias de detalle. Las dos tienen siete cabezas, diez cuernos y nombres blasfemos. La primera sube del mar, la segunda del abismo, que es prácticamente lo mismo. Las dos vuelven misteriosamente a la vida y esta especie de resurrección (caricatura de la resurrección de Cristo) provoca la admiración de los habitantes de la tierra, de aquellos cuyo nombre no está escrito en el libro de la vida desde el principio del mundo.

Hay, sin embargo, diferencia entre las dos descripciones. En la primera, la bestia parecía destinada a perecer porque una de sus cabezas había sido herida de muerte. Aunque se puede discutir sobre los detalles, hay unanimidad sobre la interpretación general:

la bestia simboliza el imperio romano; las cabezas son los emperadores (al que se dio muerte puede ser César o Nerón). Después de la muerte violenta de una de las cabezas, se hubiera podido prever la muerte de la bestia, pero ésta vuelve a la vida. En la segunda descripción, la bestia misma «era, y ya no es, y está para subir del abismo». Como por otra parte se dice que esta bestia ha de volver para devastar a la meretriz (= Roma), 17,16-17, se hace ciertamente alusión a la creencia popular del *Nero redivivus.* La bestia simboliza, pues, a Nerón (que vuelve quizá en la persona de Domiciano [?]). Las dos descripciones utilizan un tema análogo (la «resurrección» de la bestia) según dos modalidades diferentes, y el simbolismo de la bestia es ligeramente diferente. ¿Es, pues, el segundo relato una explicitación del primero? Más bien parece tratarse de dos variaciones diferentes de un solo y mismo tema, de dos tradiciones diferentes.

Esta impresión se refuerza con la observación siguiente. En 17,9 se nos da una *doble* explicación simbólica de las siete cabezas: representan siete colinas y siete reyes. Si la primera explicación se adapta bien a la visión del capítulo 17 (la mujer está montada sobre las siete cabezas de la bestia, es decir, sobre siete colinas: se trata de Roma), la segunda no resulta: ¿cómo puede existir una de las cabezas (= un rey, cf. el v. 10: cinco han pasado, *una es,* la otra no ha venido todavía), si la bestia misma que lleva las cabezas no existe ya actualmente (17,8)? Por el contrario, el simbolismo de las cabezas = reyes (los emperadores romanos) se adapta perfectamente a la primera descripción de la bestia, la del capítulo 13. En definitiva, no sólo nos hallamos ante dos tradiciones paralelas, sino que además la interpretación simbólica de la primera ha sido desplazada y unida a la de la segunda, prescindiendo de toda lógica.

Conclusión

Partiendo, pues, de los duplicados del Apocalipsis, sería posible reconstruir dos textos primitivos, escritos en fechas diferentes y luego fundidos en un solo texto por una mano diferente. Uno de los textos sería el compuesto por los siguientes elementos: 10,1-4. 8-11; 12,7-12; 13-16; 17,10.12-14; 18,4-8.14.22-23; 18,20; 19,11-21; 20,11-12; 21,1-4; 22,3-5; 21,5-8. Habría que atribuir al otro texto:

12,1-6.13-17; 4-9; 10,1.2*b*.5-7; 11,14-18; 17,1-9.15-18; 18,1-3.9-13. 15-19.21.24; 19,1-10; 20,1-10.13-15; 21,9-22,2; 22,6-15. En 11,1-13.19 tendríamos un texto aparte, que haría referencia a los «dos testigos» [20].

Estudios recientes

Pero el problema es, probablemente, más complejo. H. Stierlin, que ha reasumido los análisis anteriores y los ha profundizado, ha visto que sería preciso hablar, en el caso del Apocalipsis, no de «duplicados», sino de «triplicados». La obra contiene tres títulos (1,12; 22,6*c*; 22,16*a*) y tres conclusiones (19,9*c* y 21,6-8; 21,5*c* y 22,12-15; 22,6*a* y 22,16*b*.10-11). En las visiones propiamente dichas, se puede distinguir: tres veces cuatro «plagas» (6,1-8; 8-7-12; 16,1.10-12.3-7), tres descripciones de la «bestia» (17,3-7.9-10.12-14; 13,1-10 y 17,1*c*.2.15-17; 13,11.13-18 y 17,8), etc. Habría que distinguir, pues, además de un núcleo de Apocalipsis arcaico, que se refería a los «dos testigos» (11,3-13, salvo algunas glosas), *tres Apocalipsis paralelos,* compuestos entre el 70 y el 96, y cuya reconstitución es asaz compleja. Al fusionar estos textos diversos, el redactor último habría añadido las «cartas a las siete iglesias».

Los análisis de F. Rousseau le han llevado a resultados netamente diferentes, a pesar de algunos acuerdos de detalle. Según él, el Apocalipsis en su forma actual sería el resultado de una evolución compleja, que se habría realizado en *cinco etapas.* En su origen, habría un texto puramente judío: «el Apocalipsis de los tres ayes» (8,13*a*; 9,1*b*-21, menos dos glosas; 11,1-2.13-14; 15,1; 6,9*b*-11 y casi todo el capítulo 16, cuyos diversos elementos estaban repartidos de forma diferente). Este texto, resumido y ampliado por un autor judío, se habría convertido en el Apocalipsis «de las trompetas y las copas». A su vez, este texto habría sido reasumido y ampliado por un autor cristiano, para obtener lo que podría llamarse «el apocalipsis del Cordero» (1,1-3; 4-11; 15-22 menos un cierto número de glosas). El «apocalipsis de las cartas» habría tenido una existencia diferente 1,4*a*; 1,9-3,22; 21,1*a*.2-4*b*; 22,3-5; 21,5-8). Finalmente, un redactor-compilador habría combinado todos estos textos, armonizándolos y añadiendo además los capítulos 12-14.

La posición de H. Kraft, mucho menos elaborada, es más prudente. El texto actual del Apocalipsis sería el resultado de una evolución bastante larga, por adiciones sucesivas de elementos diversos, a partir de un núcleo primitivo constituido por la visión de los siete sellos (4-6), que debía terminar originalmente con una descripción del fin de los tiempos.

Como se ve, queda todavía pendiente de solución el problema de la composición literaria del Apocalipsis. Aunque es difícil mantener la unidad de composición del libro, queda aún por precisar el proceso de su evolución, ya que ninguna de las soluciones propuestas hasta hoy cuenta con un asentimiento al menos relativamente unánime de los críticos.

CAPÍTULO SEGUNDO

EL MENSAJE Y LAS ENSEÑANZAS DEL APOCALIPSIS

I

EL MENSAJE DEL LIBRO

Las diversas interpretaciones

Ha llegado el momento de preguntarnos por el mensaje que el vidente tenía encargo de transmitir al mundo: ¿cuál es el verdadero sentido del Apocalipsis? Las respuestas dadas a esta cuestión han sido muy diversas. Algunos sólo han visto en el Apocalipsis materia de interpretación espiritual. Otros, con mucho los más numerosos, han comprendido que el libro se refería a hechos históricos. ¿Pero cuáles?

¿Quería el Apocalipsis predecir de antemano el desarrollo de la historia de la Iglesia desde sus orígenes hasta el fin del mundo? Algunos lo han creído, como en la edad media Joaquín de Fiore y Nicolás de Lira, y se han esforzado por interpretar las diversas visiones en función de las etapas principales de la vida de la Iglesia, pasando con frecuencia por encima de toda verosimilitud. Otros, sobre todo a fines del siglo pasado (Renan, H.J. Holtzmann), pensaban que el Apocalipsis sólo hacía alusión a los acontecimientos políticos contemporáneos de Jesús y que el color escatológico de las descripciones provenía de que en los primeros tiempos del cristianismo se creía que estaba próximo el fin del mundo.

Otros, finalmente, por ejemplo Swete, Allo, Bonsirven, sin tratar de hacer concordar el Apocalipsis con fases determinadas de la vida de la Iglesia, estiman que del Apocalipsis hay que retener sobre todo un «espíritu», cierto número de datos que se repiten y se completan, con vigencia para todos los tiempos, puesto que condicionan el drama, que durará hasta el fin del mundo, de la lucha de Satán contra Dios y contra su pueblo.

Ensayo de explicación: designio del autor

El distinto objetivo de las dos partes

Vamos a tratar de examinar de nuevo el problema. En todo caso hay que distinguir las cartas a las siete iglesias (1-3) del resto del Apocalipsis. En efecto, las cartas ofrecen un género literario bastante diferente. Excepto en la introducción (1,9), aquí no se trata de visiones. Por otra parte, si bien varias veces se hace alusión a la nueva venida de Cristo y a las recompensas escatológicas, lo esencial del mensaje está constituido por amonestaciones concernientes a la vida moral de las iglesias y a la necesidad de guardar intacto el depósito de la fe. Nos hallamos, pues, mucho más cerca del género propiamente profético que del género apocalíptico. Como los profetas de otros tiempos, el autor de las cartas a las siete iglesias quiere despertar el fervor religioso de los fieles recordándoles las recompensas o los castigos divinos.

Por el contrario, en la segunda parte (4,22), apenas si se hallan preceptos morales, mientras las visiones propiamente dichas se suceden sin interrupción. Estas visiones afectan esencialmente al porvenir: «Lo que ha de suceder pronto» (1,1; 4,1; 22,6). Este acontecimiento inminente es el cumplimiento del «misterio» de Dios (10,7). A diferencia de las cartas a las siete iglesias, nos hallamos aquí con el género propio de los apocalipsis, impresión que se reforzará todavía en el transcurso de nuestro análisis. Ya dejamos dicho que casi todos los apocalipsis judíos se escribieron en período de grave crisis, de persecución religiosa. La situación es la misma en el Apocalipsis de Juan. En 6,9-11 se trata de mártires «degollados por la palabra de Dios», que piden justicia por su sangre derramada; la voz que les responde del cielo da a entender que la persecución que les afecta continuará todavía en el porvenir. En 7,9-14, la turba «inmensa, imposible de contar», que está delante del trono de Dios, es la muchedumbre de los que han «triunfado de la gran prueba», es decir, de la persecución sangrienta; llevan palmas en las manos para simbolizar la victoria. En el capítulo 13, en forma más precisa, se ven dos bestias, la primera de las cuales ha recibido su poder de Satán y lo pone todo en juego, tanto el poder político como las seducciones engañosas, para imponer a los hombres un culto idolátrico; los que no quieran someterse serán exterminados inexorablemente. En lo que sigue del libro se halla constantemente presente el pensamiento de los mártires de esta persecución, de los que no quisieron «adorar la imagen de la bestia ni dejarse marcar con la cifra de su nombre» (16,6; 17,6; 18,24; 19,2; 20,4; 21,8).

Un mensaje de esperanza para una época de persecuciones

Ahora bien, hoy se reconoce comúnmente que la persecución sangrienta a que hace alusión el Apocalipsis corresponde a la persecución desencadenada por Roma contra los primeros cristianos. La cifra misteriosa de 666 (13,18) designa al imperio romano, sea cual fuere la manera de explicar la cifra a partir del valor de las letras; Roma se oculta con el nombre de Babilonia (17,5), la ciudad de las siete colinas (17,9), que se ha embriagado de la sangre de los mártires y ha querido imponer al mundo el culto idolátrico de sus emperadores divinizados.

Hay, pues, que tener por cierto que el Apocalipsis joánico, como los otros apocalipsis, fue escrito ante todo con referencia a una situación histórica muy concreta y para responder a una crisis de conciencia de los primeros cristianos, cuando las primeras persecuciones desencadenadas por Roma (la de Nerón o la de Domiciano) desconcertaron a los fieles. Piénsese, en efecto, la confusión de los espíritus en aquellas circunstancias... ¿No había llegado el reino de Dios con la resurrección de Cristo y la efusión del Espíritu? Jesús, al triunfar de la muerte, ¿no había vencido al mundo (Jn 16,33) y a todos los poderes del mal? ¿Cómo explicar esta tempestad de odio y de violencia contra los fieles? Así pues, el Apocalipsis se escribió para responder a esta coyuntura histórica muy precisa. Yerra toda interpretación que no parte de este punto.

La respuesta que da el vidente a esta situación trágica está acomodada a la tradición apocalíptica, herencia del profetismo: que los fieles tengan confianza, pues la persecución no será perpetua; el reinado de la bestia y la acción maléfica de Satán tendrán su fin. Juan está encargado ante todo de anunciar este «misterio»: Dios vendrá, en la persona de Cristo, para establecer definitivamente su reino. El retorno de Jesús está próximo (1,3.7; 22,10.12.20). Vendrá a exterminar a los enemigos y perseguidores de su pueblo. Babilonia (Roma) será aniquilada (14,8; 17-18), la bestia será arrojada al estanque de fuego con todos sus ejércitos (19,11-21), Satán mismo irá a reunirse con ella (20,7-10). Entonces se celebrará el juicio solemne de todos los hombres (20,11-15) y se inaugurará una nueva era, toda de paz y de gozo, mientras que los malvados serán a su vez arrojados al estanque de fuego (21,1-8). Se instaurará definitivamente el reino de Dios bajo la égida del cordero (5,10; 11,17; 19,6.16).

Como se ve, el mensaje apocalíptico es ante todo un *mensaje de esperanza:* aun en medio de las peores dificultades, los cristianos deben conservar su confianza en la omnipotencia de Dios, que ha prometido salvar a su pueblo de todo mal.

II

LA ENSEÑANZA ESCATOLÓGICA

Observaciones generales

Es bastante difícil determinar el alcance exacto de la enseñanza escatológica del Apocalipsis. Un ejemplo nos ayudará a percatarnos de las dificultades que suscita este problema. En 6,12-17, cuando el cordero abre el sexto sello, se produce una hecatombre cósmica: temblor de tierra, oscurecimiento del sol y de la luna, caída de las estrellas, movimiento de las montañas y de las islas. Es el «gran día de la ira» y los hombres tratan de huir para preservarse del furor de Dios. ¿Tenemos aquí una descripción de lo que se ha convenido en llamar «el fin del mundo»? Si se tomase a la letra la descripción del trastorno cósmico, habría que responder afirmativamente. Pero tal interpretación literal del Apocalipsis dista mucho de imponerse. Todo lo contrario. Es sabido que los profetas del Antiguo Testamento acostumbraban asociar el mundo entero a las grandes intervenciones divinas en la historia humana, sin hacerse por ello ninguna ilusión sobre la «realidad» de los fenómenos cósmicos que describían. El discurso pronunciado por san Pedro en la mañana de pentecostés es en este sentido altamente significativo. Haciendo alusión a la efusión del Espíritu sobre los apóstoles y al don de lenguas, exclama: «Esto es lo dicho por medio del profeta Joel: Y sucederá en los últimos días, dice Dios, que derramaré mi Espíritu sobre toda carne, y profetizarán vuestros hijos y vuestras hijas, y vuestros jóvenes verán visiones, y vuestros ancianos soñarán sueños... Y haré prodigios arriba en el cielo y señales abajo en la tierra. El sol se convertirá en tinieblas y la luna en sangre, antes que llegue el día del Señor, día grande y esplendoroso» (Act 2,16-20). Ahora bien, nada autoriza a pensar que estos signos cósmicos se produjeran realmente el día de pentecostés; el apóstol Pedro los interpreta, pues, en forma puramente simbólica, como expresiones en imágenes de aquella maravillosa intervención divina que fue el don del Espíritu Santo a la humanidad.

Tal es el caso del Apocalipsis. Los «signos cósmicos» de 6,12-17 no son sino una expresión mediante imágenes, tradicional en el profetismo, de una intervención divina en la historia humana, intervención que puede ser, ora el juicio contra Roma, perseguidora de los cristianos, ora, como piensan algunos, el juicio contra Israel, culpable de haber rechazado al Mesías. De todos modos, sería un error servirse de este texto como argumento para afirmar que «el fin del mundo» tendrá lugar en forma de catástrofe cósmica, entendida en el sentido más material: el momento final sigue oculto en el misterio.

La cuestión del milenarismo [1]

La creencia milenarista en la Iglesia

Mucho más compleja es la cuestión del *milenarismo*. Hela aquí en sus grandes líneas. En 19,11-21 se abre el cielo y he aquí que un jinete montado en un caballo blanco desciende del cielo para combatir y exterminar a la bestia que perseguía a los cristianos (cf. 13,1-10). Este misterioso jinete no es otro que Jesucristo, el Verbo de Dios. Luego un ángel desciende del cielo y arroja a Satán el abismo, donde debe permanecer encadenado por espacio de mil años (20,1-3). Entonces todos los mártires vuelven a la vida y reinan con Cristo durante estos mil años (20,4). Luego Satán, nuevamente desencadenado, emprende un último combate contra el pueblo de Dios, antes de ser a su vez precipitado al estanque de fuego (20,7-10). Después de esto se celebra el juicio final precedido de la resurrección general de todos los muertos (20,11-15). ¿En qué sentido se ha de comprender el retorno de Cristo, seguido de la resurrección de los mártires y del reinado de mil años?

En los primeros siglos del cristianismo, cierto número de padres, probablemente influidos por ideas venidas del judaismo, interpretaron estas visiones en el sentido más estricto: Cristo ha de volver un día a la tierra; su retorno irá acompañado de la resurrección de los mártires, o incluso de todos los justos, que reinarán mil años en la tierra en medio de una prosperidad todavía desconocida hasta entonces. Luego vendrá la resurrección general, el juicio final y el advenimiento del reino celestial. El milenarismo fue sostenido, con matices más o menos marcados, entre otros por Papías, san Justino, san Ireneo, Tertuliano, san Hipólito, san Metodio de Olimpo, Apolinar de Laodicea y otros muchos todavía. En la edad media, Joaquín de Fiore hizo suyas estas ideas, incorporándolas a su teoría del reino del Espíritu.

En nuestros días, han resucitado esta creencia cierto número de autores no católicos, que insisten sobre todo en la doble resurrección, la de los fieles y la de los condenados, que se cree descubrir también en 1Cor 15,23-24. Algunas sectas de tendencias iluministas la han inscrito entre sus afirmaciones fundamentales (por ejemplo los «testigos de Jehová», que presentan los escritos de su fundador como «el evangelio eterno» de que habla Ap 14,6). Durante la segunda guerra mundial (1939-45) la tesis milenarista gozó de un cierto favor incluso entre los católicos, pero un decreto del Santo Oficio, de 21 de julio de 1944, aunque sin condenar formalmente esta doctrina, declaraba que no podía enseñarse sin peligro *(tuto doceri non posse)*[2].

¿Cómo interpretar el «milenio» de Ap 20,1-10?

El mencionado decreto no pretende dictar normas de interpretación de Ap 20,1-10, ni propone tampoco una exégesis precisa del texto. Por otra parte, hay que confesar que las diversas interpretaciones dadas para evitar el milenarismo están lejos de resultar convincentes.

Siguiendo a san Agustín, son muchos los autores que aceptan una explicación espiritualista, basada en Jn 5,24-29. En efecto, en este texto Juan distinguiría una doble resurrección: una espiritual, cuando el hombre recibe y escucha la palabra de Dios; otra corporal, al fin de los tiempos, cuando los muertos saldrán vivos de sus sepulcros. Así también, la primera resurrección de que habla Ap 20,4-5 debe entenderse en sentido espiritual: es la resurrección de todos los que hallan la vida manteniéndose adictos a la doctrina de Cristo. El «reino de los mil años» correspondería entonces a la fase terrestre de la vida de la Iglesia, desde pentecostés hasta el fin de los tiempos. La «segunda resurrección» (Ap 20,12-13) sería la del cuerpo. Pero Jn 5,21-25 y Jn 5,26-29 representan, al parecer, dos tradiciones paralelas en el evangelio de Juan [3]. Sea como fuere, es de todo punto cierto que el segundo texto no habla de la resurrección de sólo *los cuerpos:* dentro de la línea de pensamiento de Dan 12,2, habla de la resurrección del *hombre* entero, dejando de lado la distinción griega entre el «alma» y el «cuerpo». Del mismo modo, es indudable que Ap 20, 12-13 no se refiere a la resurrección de sólo los *cuerpos,* sino de los seres humanos, considerados dentro de su unidad psicosomática. Por consiguiente, apenas es posible concebir la «primera resurrección» (Ap 20,4-5) como referida sólo a las almas, en el sentido griego del término [4].

¿Habría que interpretar entonces Ap 20,4-5 en un sentido puramente simbólico, del mismo modo que en Ez 37,1-14 la visión de los huesos resecos que recobran vida simboliza la renovación del pueblo de Dios después de las pruebas de la cautividad de Babilonia? En Ezequiel, esta visión precede inmediatamente a la que muestra a Gog y Magog lanzándose al asalto de la tierra santa (Ez 38-39), así como en el Apocalipsis la visión de la «primera resurrección» precede inmediatamente a la de la invasión de la tierra santa por Gog y Magog (20,7-10). La «primera resurrección» de 20,4-5 debe, pues, normalmente simbolizar la renovación de la Iglesia después del gran período de las persecuciones sangrientas. El «reino de mil años» correspondería así a la fase terrestre de la Iglesia, desde el cese de las persecuciones fomentadas por Roma hasta el fin de los tiempos (así Allo).

Esta interpretación no es imposible[5]. De todas formas, podría afirmarse que si no se separa Ap 20,1-15 de lo que precede (19, 11-15), el sentido del texto sería acaso el siguiente: después de la «vuelta» de Cristo (19,11-16) se producirá una primera resurrección, de la que se beneficiarían sólo los mártires (20,5); éstos reinarán con Cristo en la tierra (pero, ¿cómo?) durante mil años (cf. el simbolismo del número 1000). Pasados estos mil años, que acaban con una nueva prueba (20,7-10), tendrá lugar la resurrección de todos los muertos y el juicio final (20,11-15). Se trata de una manera *entre otras* a las que recurre el Nuevo Testamento para *representar* las diversas peripecias del fin de los tiempos. La parte de convencionalismo literario es muy acentuada en este tipo de representación, de modo que es preciso evitar todo concordismo en la interpretación del texto.

Los datos ciertos

Lugar de la escatología en el mensaje

En definitiva, contrariamente a lo que muchos imaginan, la enseñanza escatológica del Apocalipsis es bastante sucinta. He aquí los únicos datos ciertos. Dios nos promete un mundo «nuevo», en el que los hombres serán perfectamente felices porque todo mal, comprendida la muerte física, habrá desaparecido. En ese tiempo habitará Dios de manera especial en medio de su pueblo, que estará compuesto únicamente de justos (21,1-8; cf. 7,13-17). Antes de que se establezca tal reino escatológico, todos los muertos resucitarán para ser juzgados «cada uno según sus obras» (20,11-15). La resurrección de los muertos y el advenimiento del reino escatológico irán precedidos de una prueba terrible, una ofensiva generalizada del paganismo renaciente, comparable a la que la Iglesia hubo de sufrir los primeros siglos de su historia (20,7-11). Sólo será salvada por una intervención especial de Dios. Sobre esta «prueba» escatológica anterior al advenimiento definitivo del reino, cf. 2Tes 2,3-12[6].

El valor actual del libro[7]

Algunos se preguntarán: ¿cuál es, pues, el valor actual del Apocalipsis? La respuesta a esta cuestión ha de ser matizada. Parece difícil admitir que el vidente quisiera abarcar en estas visiones el desarrollo total de la vida de la Iglesia. Se interesa especialmente por los dos períodos de crisis durante los cuales la Iglesia está sometida al asalto de Satán: los principios, bajo la persecución romana, y el final, antes de la consumación escatológica. Satán es el gran adversario cuya acción se advierte en el trasfondo en todas las visiones. Pero precisamente durante el reinado de mil años, que corresponde, como lo hemos visto, a la fase terrestre de la vida de la Iglesia (comenzando o bien en pentecostés, o bien con el cese de las persecuciones romanas), Satán está ligado y arrojado al abismo, de modo que no pueda seducir a las naciones durante este lapso de tiempo (20,1-5). El período que se extiende desde los orígenes de la Iglesia hasta la gran prueba escatológica es, pues, un período de paz y de tranquilidad relativa que no interesa especialmente al vidente.

No obstante, hay que notar:

1) Aun cuando el Apocalipsis no contuviera más que esta enseñanza sobre los últimos tiempos, su valor no sería por ello menos actual, ya que de hecho toda nuestra vida presente está dominada por la perspectiva escatológica.

2) Es evidente que Juan esquematizó en exceso las cosas restringiendo la acción de Satán a los dos períodos extremos de la vida de la Iglesia. Tampoco nos dice con precisión cómo se realizará el combate escatológico. Es probable que comience con un avance del paganismo renaciente escalonado en un lapso de tiempo bastante grande, con períodos más o menos virulentos. ¿Quién podrá asegurar que no vivimos ya en ellos? ¿No ha subrayado en todas las épocas el profetismo cristiano más auténtico la dimensión escatológica de los tiempos de la Iglesia?

3) Pero si esto no fuera así, es claro que las promesas de Dios

tocante a la protección que otorga a su Iglesia, deben tener vigencia en todos los tiempos (cf. Mt 28,20). ¿Qué significaría una victoria escatológica, si la Iglesia hubiera de ser aniquilada de antemano? Como ya lo hemos visto, el vidente utiliza ampliamente los oráculos de los antiguos profetas porque tiene conciencia de que la palabra de Dios tiene valor eterno y de que su poder se extiende a todos los instantes del tiempo. Aun en el caso en que hubiera querido esquematizar la perspectiva que da del tiempo de la Iglesia, nos está permitido dar un alcance atemporal a sus visiones, puesto que reasumen las antiguas profecías que forman el patrimonio imperecedero del pueblo de Dios.

Podemos, pues, concluir que, de hecho, el mensaje del Apocalipsis es un mensaje de esperanza que tiene aplicación a todos los tiempos; es un «evangelio eterno» (14,6) [8].

III

LA ENSEÑANZA TEOLÓGICA

La enseñanza sobre Dios

Dios y Padre

El Apocalipsis se abre con una fórmula probablemente *trinitaria:* «Gracia y paz a vosotros de parte de aquel que es, que era y que ha de venir, y de parte de los siete espíritus presentes delante de su trono y de parte de Jesucristo, el testigo fidedigno...» (1,4-5). Por otra parte, el cap. 13 describe a los enemigos del pueblo de Dios bajo la forma de una como caricatura de la Trinidad. El dragón, que se opone a Dios, entrega a la primera bestia potencia y realeza (13,2-4; cf. cap. 12), como Dios Padre entrega al Hijo potencia y realeza (cf. cap. 4 y 5). La primera bestia goza de una especie de resurrección, que es una caricatura de la resurrección de Cristo (13,3). La segunda bestia realiza prodigios y milagros para inducir a los hombres a adorar a la primera bestia (13,12.14), como el Espíritu sostenía la predicación apostólica primitiva por medio de prodigios y de milagros.

Dios es presentado explícitamente como el Padre de Cristo en gloria (1,6; 14,1), que habla de él en los mismos términos que el Cristo joánico en el discurso de después de la Cena (2,27; 3, 5.21). Pero es ante todo el Dios de majestad y de poder. Aparece en su trono de gloria, en el cap. 4, como Yahveh había aparecido al profeta Isaías, rodeado de serafines con seis alas (4,8; cf. Is 6,2). Los cuatro vivientes, que simbolizan el conjunto del mundo creado, repiten su nombre con temor (4,8): «el que era, que es y que ha de venir»; este nombre no es sino el desarrollo del que Dios mismo había revelado a Moisés en la teofanía de la zarza ardiente, «él es», Yahveh. Dios es el ser por excelencia; da el ser a toda criatura (4,11) y por esta razón es el principio y el fin de todas las cosas, el alfa y la omega (21,6), el Señor absoluto del universo (4,8; 1,8).

Dios, pues, tiene en su mano omnipotente los destinos del mundo y de los hombres, que puede conducir a su guisa (cap. 5). Si pide a sus fieles que «tengan paciencia todavía un poco de tiempo» (6,9), éstos pueden tener confianza: Dios tiene poder para intervenir en la historia de los hombres en el momento determinado por él desde toda la eternidad. El poder absoluto de Dios sobre todo el universo garantiza el mensaje de esperanza que el autor del Apocalipsis tiene encargo de transmitir a los hombres.

Cristo y el Espíritu Santo [9]

Cristo aparece ante todo como el *Juez* enviado por Dios para desahogar su ira vengativa contra los enemigos de su pueblo. Es el *Hijo del hombre* al que Daniel había visto venir sobre las nubes del cielo para el juicio escatológico (Dan 7,13; Ap 1,7.13; 14,14). Es también el *Rey mesías*, cuya entronización en Sión, la santa montaña, provoca la desbandada de los reyes de la tierra rebelados contra Dios (Sal 2,9; cf. Ap 12,5; 19,15). Es también la *Palabra* misteriosa que en otros tiempos había bajado del cielo para exterminar a los primogénitos de los egipcios y llevar así a cabo la liberación de Israel (cf. Sab 18,14-16). A él le entrega Dios el libro sellado con los siete sellos, que contiene los decretos exterminadores contra las naciones paganas perseguidoras de los fieles de Dios (5,1ss).

Pero si a Cristo se lo describe así con referencia a las grandes profecías del Antiguo Testamento, se le dan también los rasgos más específicos que se le reconocen en los otros libros del Nuevo. Comparte el trono de Dios (22,3), recibe, como Dios, la adoración del mundo entero (5,12-14; cf. 4,11), da a los hombres, con Dios, la gracia y la paz (1,4-5). Pero es también un hombre capaz de sufrir y morir por los otros hombres. Es el cordero muerto y resucitado (5,6), nuevo cordero pascual que rescató a los hombres y los libró de la servidumbre para hacer de ellos un reino de sacerdotes (5,9-10).

La teología del Espíritu Santo permanece bastante embrionaria [10]. En tres ocasiones se trata de los «siete espíritus que están delante del trono de Dios» (1,4; 3,1; 4,5) sin que los exegetas hayan podido determinar con certeza si se trataba del Espíritu Santo septiforme o de siete ángeles. Por lo demás, el Espíritu aparece sobre todo, conforme a la tradición veterotestamentaria, como el espíritu de profecía (2,7 y passim; cf. 22,6).

Satán y el misterio del mal

Satán y los espíritus demoníacos ocupan gran lugar en el Apocalipsis. A Satán se le describe con los rasgos de un dragón de siete cabezas y diez cuernos (12,3). Es la serpiente que, en otro tiempo, había seducido a la mujer en el paraíso terrenal (12,9; cf. 12,1-2). Va a continuar su obra maléfica de seducción (12,9), suscitando dos bestias (cap. 13), una que simboliza el imperio romano y otra el sacerdocio pagano, encargadas de forzar a los hombres a desviarse del verdadero culto de Dios, para abrazar un culto idolátrico. Con este designio, todo se pondrá en juego, sin excluir la persecución sangrienta (13,15). Satán aparece, pues, como el adversario por excelencia de Dios y de su reino. No obstante, pese a su poder aparente que el vidente no se recata de poner en ridículo (13,4), Satán no puede nada contra la voluntad de Dios (20,1-3). Queda reducido a la impotencia en el día decidido por Dios (20,1-3), hasta que por fin sea arrojado definitivamente al estanque de azufre y de fuego (20,10). Dios es, pues, más fuerte que el poder del mal, y esto es lo que funda la esperanza de los fieles.

Es evidente que ya el mismo género literario del libro implica el recurso sistemático al lenguaje simbólico para evocar el poder del mal y sus obras. Pero este poder queda envuelto en su propio misterio: el autor ha dejado de lado, en este punto, las desenfrenadas especulaciones de la apocalíptica judía, aunque hace entrar en escena a los ángeles ejecutores del designio de Dios, frente a Satán y sus secuaces.

La Iglesia en el Apocalipsis

Del pueblo de Dios a la esposa del Cordero

La Iglesia es el centro de interés de todo el libro. Es el verdadero objetivo de la lucha entablada por Satán contra Dios. El autor del Apocalipsis la presenta de ordinario con referencia al gran acontecimiento del Éxodo y de la alianza en el Sinaí. Rescatada por la sangre del cordero, forma un reino de sacerdotes sobre la tierra (5,9-10; cf. Éx 19,6). Pero mientras la antigua alianza había hecho de Israel la prometida o la esposa de Dios, la nueva alianza hace de la Iglesia la prometida o la esposa del cordero, es decir, de Cristo (14,4-5; cf. Jer 2,2-3; 19,9; 21,2; 21,9). Su papel primordial es alabar a Dios y servirle (22,3-4; cf. 14,1-3; 7,12); de ahí el fuerte color litúrgico de todas las descripciones del Apocalipsis. Los fragmentos de himnos que salpican el libro son un eco de la liturgia cristiana primitiva, incluso cuando sirven para evocar la liturgia del cielo a la que nos une la liturgia de la Iglesia (4,8-11; 5,8-14; 15,2-4; 19,1-8) [11].

La mujer del cap. 12

La interpretación del cap. 12 es muy discutida [12]. ¿Qué simboliza exactamente la mujer que engendra al niño varón y a la que el dragón persigue consagrándole todo su odio? ¿Representa al pueblo de Dios, o a María, o a ambos a la vez? Las pocas observaciones siguientes tienen únicamente por objeto esclarecer la manera como se debe plantear el problema.

1) El niño engendrado por la mujer representa ciertamente al Mesías anunciado por el Sal 2,9 (cf. 12,5). Es más difícil compren-

der por qué este Mesías es trasladado desde su nacimiento cerca del trono de Dios. Quizá haya que ver en 12,3 una alusión, no ya al nacimiento terrestre del Mesías, sino al parto doloroso en que se engendra al nuevo pueblo de Dios, en la línea de las profecías del Antiguo Testamento y de las tradiciones judías (cf. Jn 16,21) [13]

2) Algunos rasgos de la descripción de la mujer se aplican al pueblo de Dios y no a María. Así la mujer, después de haber dado al mundo al Mesías, debe huir al desierto para esquivar los ataques del dragón (12,6.14); el tiempo que ha de durar la persecución del dragón contra la mujer (1260 días, un tiempo, más tiempos, más medio tiempo) corresponde al tiempo de la persecución contra el pueblo de Dios, sea según la profecía de Daniel (7,25; 12,7), sea según el Apocalipsis (11,2-3; 13,5). Asimismo, la alusión al «resto de los hijos» de la mujer (12,17) parece favorecer la interpretación colectiva más que la individual. Hay, pues, que rechazar la opinión de los que sostienen que la mujer representa, ya exclusivamente, ya en sentido primario, a María, la madre personal de Cristo. Según una concepción atestiguada en el Antiguo Testamento, en el judaísmo y en Qumrân, la mujer simboliza en sentido primario al pueblo de Dios que engendra al Mesías y al pueblo mesiánico [14].

Con todo, hay que preguntarse si, en sentido secundario, la mujer no simbolizará *también* a María, la madre personal de Cristo. Para responder afirmativamente no basta decir que, a los ojos de un cristiano, la «mujer que engendra al Mesías» debía *necesariamente* evocar a María, madre de Jesús. Habría, en efecto, que probar que el autor del Apocalipsis *quiso* dar una importancia especial a María en cuanto madre personal de Cristo. Más serio es el argumento tomado de Gén 3,15. En efecto, es cierto que la mujer del Apocalipsis (cap. 12) está descrita con referencia a Eva; ésta fue tentada por Satán, «la antigua serpiente» (12,9; cf. Gén 3,1ss), ésta engendró con dolor (12,2; cf. Gén 3,16), ésta es el blanco de las persecuciones de Satán (12,6.14; cf. Gén 3,15), ella y toda su descendencia (12,17; cf. Gén 3,15). Pero *para el autor del Apocalipsis,* la Eva de Gén 3,15 ¿anunciaba a María o sencillamente al pueblo de Dios, llamado a vengarse de la serpiente que le había seducido?

En definitiva, la Mujer de Ap 12 representa ciertamente, en sentido primario, al pueblo de Dios que engendra al Mesías y los tiempos mesiánicos. ¿Quiso el autor del Apocalipsis representar *también* a María, la madre personal del Mesías? Es posible, pero los argumentos que se hacen valer en este sentido no son quizá suficientes para imponer la convicción [15].

CAPÍTULO TERCERO

AUTOR Y FECHA DE COMPOSICIÓN

El problema del autor

Datos tradicionales

¿Quién es el autor de esta obra tan llena de genio poético como también de selvática grandeza? Él mismo nos ha transmitido su nombre: Juan (1,1.4.9; 22,8). Él mismo se califica de «profeta» (22,9; 1,3; cf. 22,18-19). Ya Justino, hacia 150 *(Diálogo con Trifón,* 71,4), lo identificaba con el apóstol Juan. En el límite entre el siglo II y el III, la misma identificación es aceptada por san Ireneo, heredero de las tradiciones efesinas, por Clemente de Alejandría y por Tertuliano en África, por el canon de Muratori e Hipólito en Roma. Sólo en el siglo III aparecen los primeros ataques contra el origen apostólico del libro. En la misma Roma, el sacerdote Cayo atribuía la obra al hereje Cerinto (cf. Ireneo, *Adv. Haer.* III, 28,2), pero lo hacía para reaccionar contra los abusos que los montanistas hacían de los escritos joánicos. Por su parte, san Dionisio de Alejandría († hacia 265), fundándose en análisis literarios y teológicos, ponía en duda el origen apostólico del Apocalipsis, aunque sin rechazar su canonicidad [1]. Esta opinión nos es referida por Eusebio de Cesarea (HE VII, 25), que parece mirarla con cierta simpatía (cf. HE III, 39,5-6).

De manera más radical, una gran fracción de la tradición oriental, en el siglo IV, rechazó incluso la canonicidad del escrito: Cirilo de Jerusalén, Gregorio de Nacianzo, Juan Crisóstomo, Teodoreto, no cuentan el libro entre los escritos del Nuevo Testamento. La versión siríaca clásica (Peshitta) no la incluye; pero en el siglo VI fue ya incluida en la versión de Filoxeno de Mabbug.

El Apocalipsis y el cuarto evangelio

En Occidente, a comienzos de la Reforma protestante volvió a discutirse de nuevo el problema de la canonicidad, resuelto en sentido positivo por el concilio de Trento. A partir del siglo XVII, las ediciones protestantes vuelven a insertar la obra en el Nuevo Testamento. Pero es distinta la cuestión del autor, que no compromete la fe. Ahora bien, hay que reconocer que la atribución del Apocalipsis al mismo Juan que escribió el evangelio presenta serias dificultades.

Desde luego, no faltan afinidades lingüísticas y doctrinales entre ambos escritos, y la tradición cristiana tuvo razón para agruparlos en el mismo nombre, en cuanto que ambos emanan del mismo medio y pueden apoyarse en la autoridad del apóstol. En ambos escritos[2] se nota el mismo gusto por la alegoría y por el simbolismo, el empleo de las mismas comparaciones: el agua viva, el pastor, el cordero, el maná; temas comunes característicos: el testimonio; Cristo, Verbo de Dios; la cita de Zac 12,10 «verán al que traspasaron» (Ap 1,7; Jn 19,34), en los dos casos con un texto griego próximo a la versión de Teodición.

Sin embargo, las divergencias son quizá todavía más llamativas que las semejanzas. Versan en primer lugar sobre el vocabulario y el estilo. Pero afectan también, y sobre todo, a la teología. En el Apocalipsis faltan la mayoría de las palabras clave del evangelio y de las cartas: *luz, tinieblas, verdad, amor, mundo* en sentido peyorativo; en lugar de esta última expresión, el Apocalipsis conoce, en sentido afín, «los habitantes de la tierra», expresión heredada del Antiguo Testamento y que parece menos evolucionada que la de «mundo». Y si en los dos grupos de escritos se designa a Cristo como «cordero», ¿por qué se utilizan para ello dos palabras griegas distintas? La doctrina del Espíritu Santo aparece apenas esbozada en el Apocalipsis, siendo así que ocupa tanto espacio en los discursos después de la cena.

En forma general, toda la concepción de la escatología es profundamente diferente por ambas partes. En el Apocalipsis se vive en la expectativa del retorno de Cristo; el Hijo del hombre es el Cristo glorioso que vuelve al final de los tiempos para ejecutar su juicio contra los impíos; el Anticristo es una potencia política que se opone al establecimiento del reino. En el evangelio y en las epístolas, Cristo ha vuelto ya a venir en cierto modo, habitando en el corazón de los fieles; el Hijo del hombre es Cristo exaltado por la resurrección, que ha llevado ya a cabo la agrupación de los elegidos y el juicio, es decir, la separación entre los fieles y los otros, entre los que aceptan el plan salvífico de Dios y los que lo rechazan; el Anticristo, o los Anticristos, ejercen su actividad nefasta propagando falsas doctrinas cristológicas; el Espíritu Santo que habita en las almas realiza ya el reino de Dios entre nosotros.

Dificultad de una solución positiva

Una solución del problema del autor o de los autores de los escritos joánicos, debe tener en cuenta todos estos hechos. Nos hallamos ante el siguiente dilema: si se quiere mantener la autenticidad joánica integral del cuarto evangelio, habrá que atribuir la redacción del Apocalipsis a un discípulo del apóstol[3]; si se quisiera mantener la autenticidad joánica del Apocalipsis, ateniéndose principalmente al testimonio de san Justino y de san Ireneo, habría que decir que el evangelio, con darnos sustancialmente el contenido de la predicación joánica, fue redactado por un discípulo del apóstol, o por un grupo de discípulos[4]. Pero, como se verá en el cuarto evangelio, la crítica actual se orienta, con buenas razones, hacia la hipótesis de una escuela joánica implantada en Éfeso después del 70 y muy viva a fines del siglo I[5]. Es muy natural vincular a ella al profeta Juan, cuyo destierro en Patmos sería muy comprensible en la persecución de Domiciano (h. 95)[6]. Este problema continúa a la hora actual sin solución cierta y queda abierta la puerta a ulteriores investigaciones.

La fecha del libro

Sobre la cuestión de la fecha del Apocalipsis, la tradición cristiana antigua no es absolutamente unánime. Según el testimonio de san Ireneo *(Adv. Haer.* V, 30,3), el libro habría sido compuesto hacia fines del reinado de Domiciano; hallamos la misma afirmación en Eusebio de Cesarea, Jerónimo, Victorino de Pettau y los prólogos al Apocalipsis; es la opinión más extendida entre los modernos que admiten la unidad del libro. No obstante, Epifanio, en el siglo IV, prefería el tiempo de Claudio. Según el *canon de Muratori* y los Hechos apócrifos de Juan, el Apocalipsis habría sido compuesto en tiempo de Nerón. Ésta era quizá también la opinión de Tertuliano, pero el tenor de su texto no es seguro.

Esta cuestión de fecha está evidentemente en función del problema literario. Si se sostiene la unidad de la redacción, habrá que optar más bien por una fecha tardía, la de fines del reinado de Domiciano (hacia 95). En particular, las cartas a las siete iglesias corresponderían bastante bien a las condiciones religiosas de Asia Menor hacia los últimos años del siglo I. Si, por el contrario, se admite que el autor utilizó fuentes diferentes o que él mismo redactó diversos Apocalipsis, los estratos más antiguos del libro podrían entonces remontar hasta los tiempos de Nerón. En particular, la presentación de la parusía como próxima, tal como aparece en ciertas secciones del libro podría difícilmente comprenderse en los últimos años del siglo I.

Algunos exegetas (Touilleux, Gelin, Feuillet) distinguen dos fechas: la de la publicación (fines de Domiciano), y una fecha anterior que rige la perspectiva de las visiones (época de Vespasiano); con otras palabras, el Apocalipsis estaría artificialmente antedatado. Este procedimiento de antedatación, corriente en la apocalíptica, no tiene en sí nada contrario a la autoridad del libro. Según algunos, permitiría explicar en parte las repeticiones aparentes sin poner en tela de juicio la unidad literaria del libro [7]. A los ojos de los críticos que distinguen varios estratos redaccionales, la composición de éstos podría escalonarse en las últimas décadas del siglo primero, del reinado de Nerón al de Domiciano [8]. Éste es todavía un problema pendiente de estudio.

SECCIÓN SEGUNDA

LAS CARTAS DE JUAN

por E. Cothenet

Son tres las cartas que han llegado hasta nosotros con el nombre de Juan. Su inserción en el grupo de las cartas «católicas» es un artificio de presentación que deja intacto su carácter propio. Las afinidades entre la primera carta y el IV evangelio saltan a la vista ya desde la primera lectura: en ambos escritos se encuentra, al principio del texto, la designación de Cristo como Verbo de vida (1Jn 1,1 y Jn 1,1). Sólo en una segunda lectura comienzan a percibirse las diferencias. En razón de su mismo género, las cartas dan a conocer de una manera más inmediata el medio joánico en que se enraíza el evangelio mismo. Ya por esta simple causa, es muy indicado comenzar su estudio por las cartas. La primera de ellas, y con mucho la más larga, suscita tres problemas que serán examinados en el capítulo primero: 1) ¿Cómo se presenta, desde el punto de vista literario? 2) ¿Cuáles son sus ideas rectoras? 3) ¿Qué puede decirse de su origen? Las cartas segunda y la tercera son sólo billetes cortos, a los que bastará dedicar un breve análisis en el capítulo segundo.

CAPÍTULO PRIMERO

LA PRIMERA CARTA DE JUAN

I

PRESENTACIÓN LITERARIA

Estructura del escrito

Antes de toda discusión, importa adquirir un conocimiento suficiente del texto de la carta, una de las perlas de la Escritura. Desgraciadamente, el lector, sobre todo si es occidental, está expuesto a chocar con una grave dificultad: en vano busca un desarrollo progresivo y lógico del pensamiento.

Los diversos intentos de plan

De hecho, son múltiples las opiniones sobre el plan de la carta. H. Lohmeyer [1], defensor de su unidad, cree poder justificarla recurriendo a esquemas septenarios (el prólogo comportaría siete elementos distintos y la carta misma se subdividiría también en siete partes). H. Häring [2], seguido por A.E. Brooke, cuenta tres desarrollos (1,5-2,27; 2,28-4,6; 4,7-5,17); cada uno de los dos primeros comportaría una tesis moral y una tesis cristológica y el tercero sería la fusión de las dos tesis. R. Schwertschlager [3] propone: proclamación de la buena nueva de Jesús y de su sangre purificadora (1,5-2,27); Jesús modelo de nuestra filiación divina (2,28-4,6); la revelación del amor divino hecha por Jesús (4,7-5,17).

J. Bonsirven distingue dos grandes secciones: las condiciones de la comunión divina y de la comunión eclesiástica (1,5-2,29); el amor de Dios y los hijos de Dios (3,1-5,4). Con algunas diferencias de matiz, esta división bipartita es compartida por J. Chaine. En favor de un plan tripartito, citemos a F. Prat [4], que propone los títulos siguientes: Dios es luz (1,5-2,17), Dios es Padre (2,18-3,24), Dios es amor (4,1-5,12); R. Schnackenburg subdivide de la misma manera, pero con otros títulos: comunión con Dios como marcha hacia la luz (1,5-2,17); situación presente de la comunidad (2,18-3,24); discernimiento de los verdaderos hijos de Dios (4,1-5,12). Son varios los autores que creen poder descubrir en la carta tres definiciones de Dios que presidirían los desarrollos subsecuentes, a modo de sermón dividido en tres puntos: Dios es luz (1,5-2,28), Dios es justo (2,29-4,6), Dios es amor (4,7-5,19). A la vista de la repetición de las mismas ideas, también F.M. Braun se siente inclinado a establecer dos temas fundamentales (caminar en la luz: 1,5-2,29; vivir como hijos de Dios: 3,1-4,6), desarrollados según un ritmo exactamente similar y completados por una tercera parte, en la que el autor nos conduce sucesivamente a la fuente de la caridad y a la fuente de la fe (4,7-5,12).

Basándose en las notas de I. de la Potterie, E. Malatesta ha propuesto también una división tripartita (Fano, 1966), reproducida en la TOB. El término de *koinônia,* muy acentuado en el prólogo, proporciona la idea directriz de la carta. De lo que se trata es de determinar los criterios de la comunión con Dios. Por su parte, A. Feuillet [5] había propuesto inicialmente un plan tripartito, bastante parecido al de F.M. Braun (BJ). La comparación entre la estructura general de 1Jn y la del IV evangelio le llevó después a preferir una división bipartita [6]: las exigencias de la comunión con Dios, que es luz (1,5-2,28 ó 29); la conducta de los auténticos hijos de Dios (3,1 [ó 2,29]-5,12).

La diversidad de los puntos de vista responde a la diversidad de los criterios fijados por los autores para determinar la estructura: ¿debe darse la preferencia a los indicios puramente literarios, como la repetición de palabras clave y las inclusiones? ¿A los temas doctrinales? ¿A la relación con el IV evangelio? Más aún: ¿es siquiera posible hablar de «plan», en el sentido moderno de la palabra, en una obra como 1Jn? El pensamiento se desarrolla en ondulaciones sucesivas, como las olas del mar, que van a romper, una tras otra, en la arena. Conviene determinar las secciones de carta con ayuda de los criterios literarios. Su reagrupación en partes más amplias es siempre conjetural, y cada uno de los planes propuestos representa un punto de vista diferente, que intenta llamar la atención del lector sobre uno u otro de los aspectos de la obra.

Plan propuesto

Prólogo (1,1-4): de una manera inhabitual en las cartas, 1Jn comienza con un período solemne, que recuerda, por su ritmo y sus ideas (el Verbo de vida, ver, testimoniar), el *prólogo* del IV evangelio. El v. 3 es un paréntesis que prepara el cuerpo de la carta. La palabra κοινωνία, repetida dos veces en el v. 3, indica la intención del autor: asegurar la comunión de los creyentes con el Padre y el Hijo y la comunión de los creyentes entre sí por la fidelidad al testimonio apostólico[7].

1. *Dios es luz:* primera exposición de los criterios de nuestra comunión con Dios (1,5-2,28). Literariamente, esta exposición se caracteriza por una serie de antítesis abruptas (1,6-10; 2,4-11, salvo el paréntesis parenético de los v. 7 y 8).

Hay dos secciones de fácil delimitación: 1,5-2,2, caminar en la luz y romper con el pecado; 2,3-11: observar el mandamiento del amor. La TOB agrupa juntos los v. 12-28 bajo el título: «La fe del creyente frente al mundo y los anticristos». A. Feuillet destaca, con razón, la inclusión de los v. 18 y 28 (última hora, parusía); así pues, hay que considerar este desarrollo como una sección aparte.

Se observa también un «ritmo alternativo» (J. Chaine, A. Feuillet) a través de la primera exposición: aspecto principalmente negativo (romper con el pecado, 1,5-2,2), aspecto positivo (guardar los mandamientos, 2,3-11), y de nuevo aspecto negativo (no amar al mundo, 2,12-17) y después aspecto positivo (permanecer fieles a la doctrina recibida, a pesar de los falsos doctores 2,18-28).

Según Bultmann, el v. 27 podría haber constituido el final de la carta. En realidad, es más bien el v. 28 el que se presenta como una conclusión provisional. La continuación de la carta reasume los temas ya insinuados, pero con particular insistencia en la *agape* (Plummer, Feuillet). El verbo ἀγαπᾶν aparecerá 25 veces (contra tres al principio) y el sustantivo ἀγάπη 16 (frente a 2 al comienzo).

2. *El don de Dios: nosotros somos sus hijos:* segunda exposición de los criterios de nuestra comunión divina con Dios (2,29-4,6). El tema dominante de esta parte es nuestra filiación divina (véase 2,29; 3,1.2.9.19;

4,2.4.6). Secundariamente, se destaca el tema de la justicia (2,19; 3,7.10.12), como asociado al del amor de Dios. Pueden reconocerse, con la TOB, tres secciones [8]:

1) Primer criterio, que permite distinguir a los hijos de Dios de los hijos del diablo (2,29-3,10): practicar la *justicia* y no pecar.

2) Segundo criterio: practicar la *caridad,* a ejemplo del Hijo de Dios (3,11-24). El v. 11, con su referencia al primer homicida (Caín), amplía las perspectivas a la totalidad de la historia humana (cf. las dos ciudades de san Agustín). El v. 16 constituye, bajo la forma de proclamación, el centro de toda esta sección: Jesús ha dado su vida por nosotros. De donde se sigue que el amor fraterno debe traducirse en obras (v. 18-23). La mención del Espíritu (v. 24) prepara la sección siguiente.

3) Tercer criterio: el discernimiento de los espíritus por la *fe* en Jesucristo (4,1-6). Esta sección que, a diferencia de las dos precedentes, se refiere a una situación concreta, es paralela al final de la primera exposición (2,18-28). Aporta una precisión sobre los criterios doctrinales que permiten distinguir a los profetas de la mentira.

3. *Dios es Amor:* tercera exposición de los criterios y condiciones de nuestra comunión con Dios (4,7-5,12). Esta tercera exposición no incluye criterios negativos, como las dos anteriores (huida del pecado), sino que está dominada por la doble proclamación: Dios es amor (4,8.16). Aparecen estrechamente relacionados entre sí los temas del amor y de la fe; pero el vocabulario de la fe y del testimonio confiere a la sección 5,1-12 su carácter específico (cinco veces el verbo πιστεύειν; 4 el verbo μαρτυρεῖν sobre un total de 6 en la carta; 6 veces μαρτυρία, que no aparece utilizado en otros pasajes). Pueden, pues, distinguirse dos secciones:

1) El amor viene de Dios y se enraíza en la fe (4,7-21);

2) En respuesta al testimonio de Dios, la fe en el Hijo de Dios, fe que se despliega en el amor (5,1-12).

Conclusión (5,13): el objetivo de la carta es que los creyentes tengan una mayor conciencia de que poseen la vida eterna (compárese con Jn 20,31).

Epílogo (5,14-21): la reanudación de 5,14ss hace pensar en un *postscriptum,* cuya intención es subrayar las ideas esenciales de la carta. Así ocurre por ejemplo en el pasaje escrito de puño y letra de Pablo en Gál 6,11-17. Después de una recomendación de la oración, especialmente en favor de los pecadores, y de un resumen de la enseñanza antes dada (5,18-20), la recomendación final, inspirada en Ez 11,21, se vincula al tema de la nueva alianza, que se siente aflorar en toda la epístola [9].

Caracteres literarios

La tonalidad general de 1Jn es similar a la de los discursos del IV evangelio; la lengua es correcta, pero sin brillo. La singular fuerza del escrito radica en la densidad doctrinal y en su poder de convicción (por ejemplo, la repetición incesante del verbo «saber»: 2,20.21; 3,2.5.14.15; 5,13.15.18-20), no en los recursos literarios utilizados. A pesar de la afinidad general entre 1Jn y el evangelio, se advierten diferencias de detalle sobre las que volveremos cuando se analicen las relaciones entre ambos escritos. Antes deben abordarse los problemas referentes al género literario y a la unidad de 1Jn.

El género literario: ¿carta u homilía?

A diferencia de las cartas de la antigüedad grecorromana y de las otras cartas del Nuevo Testamento (salvo Heb), 1Jn comienza sin nombre de autor ni de destinatarios y sin saludos de ninguna clase. Tampoco hay conclusión epistolar, ni los acostumbrados deseos [10]. El caso es muy diferente en 2 y 3Jn. Esta particularidad llama la atención tanto más cuanto que, en una época en que florecía la literatura pseudoepigráfica, los redactores reales ponían sumo cuidado en disimularse bajo la autoridad del apóstol cuya pluma tomaban de prestado (Pablo para las pastorales, Pedro para 2Pe, Bernabé, los doce en la *Epistola Apostolorum).*

O. Roller [11] ha intentado solventar esta dificultad afirmando que las costumbres epistolares del Próximo Oriente diferían de las del mundo helenista: el mensajero, portador de la carta, proporcionaba las indicaciones relativas al remitente y comunicaba de viva voz sus deseos y votos. Pero esta tesis carece de pruebas. En particular, no puede aducirse Heb en apoyo de las costumbres orientales: obra de un alejandrino, que escribe según todos los recursos de la retórica helenista, la carta a los Hebreos pertenece, salvo en los últimos versículos, al género homilético [12] (cf. la introducción de la TOB).

Tampoco faltan en 1Jn los rasgos homiléticos. A la manera de un predicador, el autor se dirige a menudo a sus lectores como a hijos (τεκνία: 2,1.12.14.18.28; 3,7.18; 4,4; 5,21), como a amados (ἀγαπητοί, 2,7; 3,2.21; 4,1.7.11). En este punto, 1Jn difiere mucho del IV evangelio, en el que la parenesis ocupa un exiguo lugar, y de los sinópticos, que ponen mucho empeño en presentar la de Jesús. Aquí las exhortaciones morales se siguen de una forma bastante deshilvanada, tal como ocurre en otros escritos de carácter parenético [13]. Subyacen a menudo los temas bautismales, hasta el punto de que ha podido calificarse a 1Jn de homilía bautismal o, mejor, de escrito destinado a recordar a los cristianos los compromisos de su bautismo *(reditus ad baptismum:* tesis de W. Nauck).

Con todo, 1Jn no es una homilía tipo, válida para cualquier comunidad. No faltan los rasgos que sugieren un escrito adaptado a las circunstancias (J. Chaine, A. Feuillet, R. Schnackenburg). El autor está al corriente del estado moral y espiritual de sus destinatarios, de sus penas y de los peligros a que se hallan expuestos (2,12.14.19.26; 3,7.13; 4,4; 5,13). ¿Cómo hay que interpretar el triple «os he escrito» (ἔγραψα) de 2,14, a continuación del doble «os escribo» (γράφω) de 2,12.13? ¿Alude el autor a una carta anterior? ¿O al IV evangelio (Belser, Camerlynck, Vrede, Loisy)? Es más sencillo pensar, con J. Chaine y R. Schnackenburg, en un aoristo epistolar; el autor se sitúa con el pensamiento en el momento en que sus destinatarios leen su escrito.

La ausencia del nombre del autor se explica, en fin, por el relieve dado al testimonio apostólico como regla de la ortodoxia: se subraya de este modo el alcance colegial del «nosotros», opuesto al «vosotros» de los destinatarios. El autor de 1Jn se presenta como portavoz de la tradición apostólica; sobre él recae la misión de defender la actualidad de esta tradición contra las innovaciones de los falsos doctores [14].

En resumen, es casi imposible encuadrar a 1Jn en las categorías ordinarias. Se suceden aquí las proclamaciones kerigmáticas, las parenesis (¿bautismales?), las directrices más precisas, inspiradas por las circunstancias, al servicio de una tesis fundamental: que no hay comunión con el Padre sin reconocimiento de la mediación del propio Hijo de Dios, venido en la carne.

Unidad literaria de 1Jn

Dada la notable diversidad de los puntos de vista de 1Jn, algunos autores se sienten inclinados a explicarla en virtud de una pluralidad de fuentes o distinguiendo varias etapas de redacción. E. von Dobschütz fue el primero que llamó la atención sobre una serie de antítesis (2,29-3,10): ve aquí 8 sentencias lapidarias, en paralelismo antitético, dispuestas con arte[15]. Pero, ¿por qué el segundo redactor, responsable del conjunto parenético, habría destruido el bello orden mediante una serie de glosas desafortunadas? A. Loisy[16] conjetura dos etapas en la composición. Apoyado en razones similares, también H. Windisch admite como verosímil una doble redacción.

El más interesante de los análisis de este tipo es el propuesto por R. Bultmann[17]. También él distingue dos estilos: uno didáctico y otro homilético. Al igual que el autor del evangelio, también el autor de la carta habría utilizado una colección preexistente de discursos de revelación pagano-gnósticos *(Offenbarungsrede)*, enriqueciéndola con glosas homiléticas y comentarios. Como el IV evangelio, también la carta habría pasado por un proceso de refundición para adaptar su teología a la escatología tradicional (cf. 2,28; 3,2; 4,17) y a la doctrina de la Iglesia sobre los sacramentos (cf. 1,7*b*; 2,2; 4,10*b*). Habría que considerar 5,14-21 como un apéndice del mismo género que Jn 21. H. Braun[18] no se contenta con ratificar casi todas las conclusiones de Bultmann, sino que lleva más lejos el análisis y pone en tela de juicio la unidad del pretendido escrito primitivo, que según él sería una mezcla de datos auténticamente cristianos y de elementos dualistas y gnósticos. H. Preisker, en el apéndice que ha añadido a la nueva edición (1951) del comentario de Windisch, formula la hipótesis de dos escritos primitivos: el discurso de revelación de Bultmann y un texto escatológico, al que habría que vincular 3,13-14.19-21; 5,18*b*-20 y, sobre todo, 2,18ss y 4,1ss.

W. Nauck se inscribe en esta misma tradición, pero aporta una importante modificación. Según él, se trataría de un mismo autor que primero escribió las antítesis y luego el conjunto de 1Jn. Se elimina así la objeción levantada contra la disección, en nombre de la unidad estilística de la carta. Queda por explicar esta vuelta de un mismo autor sobre su primera redacción. P. Le Fort ofrece una explicación seductora del problema[19]. La publicación de las antítesis fue «el acto de un responsable de iglesia» (p. 23), que quería despertar el sentido de la fe en la comunidad. La clarificación de las posiciones debería obligar a cada uno a enfrentarse con sus propias responsabilidades. El conjunto de la comunidad supo rehacerse, mientras que los falsos doctores y sus secuaces se excluyeron por sí mismos (2,19: «de nosotros salieron»). Ésta fue la victoria de la comunidad (4,4), victoria de la fe sobre el mundo (5,4). Una vez superada la crisis, el autor volvió de nuevo sobre los acontecimientos, pero ahora bajo una perspectiva más amplia, y más movido por el deseo de destacar los aspectos positivos de la fe cristiana (con sus dos polos: fe y *agape*) que de recordar las fases de la lucha. En este segundo estadio le bastaba con evocar, de vez en cuando, los puntos en torno a los cuales había cristalizado la controversia. Volviendo sobre el tema desde un punto de vista más amplio, proporciona los criterios de la auténtica «comunión» con Dios. Los destinatarios, cercanos a los acontecimientos, no tenían dificultad en reconocer las alusiones a los puntos debatidos y en redescubrir el sentido de las *antítesis* que ahora aparecen dispersas en la carta.

Esta solución ofrece la ventaja de explicar las diferencias que se observan en el interior de 1Jn, sin por ello poner en tela de juicio la unidad final de la redacción. Permite también comprender mejor la complejidad de las relaciones entre 1Jn y el IV evangelio [20]: mientras que, en algunos aspectos, 1Jn da la impresión de ser más primitiva (doctrina menos evolucionada del *Logos*, escatología tradicional), en otros parece ser posterior (H. Conzelmann, P. Bonnard). Al igual que el IV evangelio también 1Jn nos permite adivinar las etapas de la formación de la tradición joánica y de su consignación por escrito.

II

LAS IDEAS RECTORAS DE 1JN

Dadas las estrechas afinidades entre 1Jn y el IV evangelio, podría bastar con remitir a los comentarios de la teología joánica. Aquí nos limitaremos a mencionar los acentos específicos de un escrito en el que, como afirma J. Mouroux, puede reconocerse la exposición más sistemática del Nuevo Testamento sobre la naturaleza de la comunión con Dios: «El problema de la *1.ª Joannis* es el problema de la experiencia cristiana. El tema subyacente en toda la carta es, en efecto, el de la comunión de los cristianos con Dios, y con sus hermanos, en Jesucristo. Comunión, morada, posesión: todos estos términos traducen el mismo misterio: el de la vida eterna, que es Dios mismo, que comunica Dios, y del que vivimos nosotros, como cristianos, en lo más profundo y misterioso de nuestro ser»[21]. La enseñanza espiritual de 1Jn implica, en concreto, una advertencia contra el pecado siempre amenazante, una llamada de la fe en Jesucristo como fundamento de nuestro conocimiento de Dios, una insistencia sobre el hecho evidente de que la *agape* es el único camino de la comunión con Dios.

Incompatibilidad entre la vida cristiana y el pecado[22]

1Jn formula un juicio pesimista sobre el mundo: todo él está sometido al maligno (5,19). En 2,16 se denuncia de manera concreta el triple dominio que despliega la *epithymia* del mundo: concupiscencia de la carne, concupiscencia de los ojos, jactancia de los bienes terrestres[23].

Se establece una distinción entre pecado (ἁμαρτία) e iniquidad (ἀνομία). El pecado puede designar un acto aislado, mientras que Juan ve en la *anomia* «el estado de hostilidad escatológica contra el reino mesiánico, contra Cristo»[24]. Lo que Juan quiere hacer comprender a sus lectores es que el pecado deliberado equivale a rechazar a Dios (3,4). Destacan en la carta dos afirmaciones aparentemente contradictorias: 1) «Quién ha nacido de Dios no peca, porque su germen (σπέρμα) permanece en él; y no puede pecar, porque ha nacido de Dios» (3,9). «Si decimos que no tenemos pecado nos engañamos a nosotros mismos y la verdad no está en nosotros» (1,8).

Juan fustiga a unos adversarios para quienes la salvación consiste en la revelación *(gnosis)*. Para el hombre, descubrir que ha nacido de Dios, que lleva en sí una chispa de *pneuma* divino, es garantía infalible de su elección. ¿Qué puede importar, entonces, el aspecto concreto y práctico de la existencia? Juan se dedica, pues, a despertar en sus lectores la conciencia de las auténticas exigencias del germen *(sperma)* divino, recibido en el bautismo (3,9). Se discute la significación exacta del término. Según Wendland, seguido por Schulz, la noción se derivaría de las religiones mistéricas, a través del judaísmo helenista (Filón); pero Juan modificaría su sentido, y vería en el germen de Dios al Espíritu, que se revela en su Palabra [25]. Tiene razón I. de Potterie cuando establece una relación entre el *sperma* joánico y la parábola del sembrador; según él, el germen sería ante todo la palabra de Dios, considerada también como una unción *(khrisma)* que debe permanecer en nosotros [26]. La palabra divina, principio de regeneración y de santificación, es interiorizada en el creyente por la acción del Espíritu.

El creyente, aunque impecable en la medida en que permanece fiel a los dones recibidos, sigue estando expuesto a las flaquezas de la naturaleza humana. Y aunque es cierto que la *agape* destierra por sí misma el temor (4,18), el cristiano sincero debe reconocer sus debilidades (1,8), abandonándose a la fidelidad y a la justicia de Dios (1,9). «Si nuestro corazón nos reprende, Dios es mayor que nuestro corazón y conoce todas las cosas» (3,20). Lo que está en juego es la fidelidad de Dios a la alianza; ahora bien, la ruptura no viene nunca de Dios. La oración de la comunidad puede alcanzar el perdón de las faltas, a condición de que no se trate del pecado que lleva a la muerte (5,16-17), esto es, el pecado que se parece a la blasfemia contra el Espíritu (Mc 3,29 par.) y que, para 1Jn, es el pecado de incredulidad.

La fe en Jesucristo [27]

El vocabulario de la fe (πιστεύειν, 9 veces; πίστις, 1 vez) no es tan frecuente ni tan insistente como el del conocimiento (εἴδεναι, 15 veces; γινώσκειν, 25 veces) [28]. A diferencia del IV evangelio, que concede una gran atención al inicio de la fe, a sus progresos y a sus obstáculos, 1Jn contempla la fe de los que ya se han adherido al mensaje del Verbo de vida y se preocupa de que «permanezca en ellos la palabra de Dios» (2,14). Aquí, pues, el problema fundamental es el de la perseverancia, pero una perseverancia activa, tal como lo muestra el tema de la victoria.

La fe es considerada, en efecto, de una manera característica, como una victoria: victoria sobre el maligno (2,13-14), victoria sobre los falsos doctores (2,19 y 4,4), victoria sobre el mundo (5,4, que debe relacionarse con Jn 16,33). Por la fe, el creyente ha sido nuevamente engendrado, asimilado al Hijo que permanece en él (5,18). Desde este ángulo, las perspectivas coinciden con las del IV evangelio. Lo que caracteriza a 1Jn es la importancia que da a la confesión de fe. El elemento de adhesión mística contenido en el πιστεύειν εἰς del IV evangelio se expresa mejor en 1Jn con los registros de la *agape*. Se advierte, así, que es preciso creer en el nombre del Hijo (3,23; 5,13), que es preciso creer que (πιστεύειν ὅτι, 5,1.5), que hay que proclamar juntos (ὁμολογεῖν) la verdadera fe.

Esta insistencia se explica por los errores que amenazaban a la comunidad. 1Jn subraya con fuerza el realismo de la encarnación (4,2; cf. Jn 1,14) y el carácter cruento del sacrificio redentor. Se habla dos veces de Cristo como víctima de propiciación (ἱλασμός, 2,2 y 4,10), cuya intercesión se prolonga en favor de los pecadores (2,1: Jesús como otro Paráclito). En oposición a quienes, entregados a una especulación arriesgada (cf. 2Jn 9: ὁ προάγων) llegan incluso a disolver la persona de Cristo (4,3), 1Jn insiste en el carácter concreto de la salvación, manifestada sobre la cruz y vivida sacramentalmente en la Iglesia: «Éste es el que viene por agua y sangre, Jesucristo; no en el agua solamente, sino en el agua y en la sangre. Y el Espíritu es el que da testimonio, porque el Espíritu es la verdad» (5,6). Este texto difícil ha dado pie a numerosas interpretaciones[29]. Algunos autores se limitan a retener el carácter cruento del sacrificio redentor. Creemos que esto es una exégesis minimalista. Si se admiten las correspondencias entre 1Jn y el IV evangelio, este versículo parece ser una condensación de la enseñanza dada en la obertura y en el acorde final de la vida terrestre de Jesús. Al testimonio de Juan Bautista en favor de aquel que bautiza en el Espíritu, porque el Espíritu permanece sobre él (Jn 1,33), responde el testimonio del propio evangelista: cuando Jesús «entregó el espíritu», de su corazón traspasado salió sangre y agua (19,34). La acción del Espíritu se ejerce de manera especial mediante la economía sacramental y, lejos de apartar de la realidad de la encarnación, manifiesta que la acción de Dios discurre en el ámbito concreto de una existencia histórica. «Conoced en esto al espíritu de Dios: todo espíritu que confiesa que Jesús es Cristo venido en carne, es de Dios» (4,2). De ahí que la fe tenga una dimensión visible y eclesial: es la adhesión al Verbo de vida, tal como lo revela el testimonio apostólico (1,1-4). La insistencia —característica de 1Jn— en la unción de la fe (2,20.27), no puede ser interpretada como el manifiesto de una mística individualista (contra E. Schweizer). Se instaura una corriente dialéctica entre el mensaje eclesial y la adhesión de fe. Es típico, a este propósito, el v. 2,21: «No os escribo porque no conocéis la verdad, sino porque la conocéis, y porque ninguna mentira proviene de la verdad.» En última instancia, el objeto de la fe es amor de Dios tal como se revela en Jesucristo (4,9). A su vez, la fe no puede ser auténtica si no se expande en *agape*.

El mandamiento del amor («agape») [30]

Importancia de la «agape»

Al realismo de la encarnación redentora corresponde la seriedad de la vida cristiana. A una concepción demasiado intelectualista de la religión, Juan opone el primado de la *agape* (2,3-11). Insiste una y otra vez en la necesidad de guardar los mandamientos que, según una simplificación muy típica, reduce finalmente a uno solo (ἐντολή). Es preciso comprender bien este término: según N. Lazure, «la *entole* no puede traducirse por "ley" y los imperativos que formula no pueden ser identificados con las prescripciones jurídicas... Es mejor hablar de "camino" y de "mandato"»; la *entole* «confía, en efecto, una obra a realizar en el seno de la historia de la salvación y al mismo tiempo traza un modo de vida» [31]. La imagen tradicional del camino subyace en la exhortación de 2,6 («andar como él anduvo»). Juan no prescribe una imitación de tipo voluntarista, sino una adhesión personal a aquel que ha dado, el primero, su vida (3,11), para que también, por nuestra parte, podamos amar.

Juan afirma con énfasis, que no hay conocimiento de Dios sin amor a los hermanos (4,21 y 5,2) en obras y en verdad (3,18); el amor de Dios sin amor al hermano es sólo ilusión, porque Dios, invisible en sí mismo, se hace accesible en el «sacramento» del hermano (4,20). Y, a la inversa, el amor al hermano, sin amor a Dios, aparece como separado de su fuente íntima (5,2). Juan no se sitúa en el terreno de los valores puramente humanos, sino en el del designio total de Dios. En este plan, la *agape* se presenta como el signo por antonomasia de Dios en el mundo, porque Dios es *agape* (4,8.16) [32].

Esta proclamación, repetida por dos veces, debe compararse con otras fórmulas joánicas: Dios es espíritu (Jn 4,24), Dios es luz (1,5). Cada una de estas fórmulas tiene valor antitético: Dios es espíritu por oposición al mundo carnal, frágil y endeble (Jn 3,6). Dios es luz, por oposición al odio criminal. Así pues, lo que Juan caracteriza en primer término es el modo de actuar Dios en la historia [33]. Al mismo tiempo, nos enseña a reconocer en todo amor verdadero un signo de la acción y de la presencia de Dios, porque de Dios viene el amor (4,7). En términos generales, 1Jn llega incluso a conferir «una función noética» al amor [34]: «Quien ama, ha nacido de Dios y conoce a Dios» (4,7). Por lo que sigue, se advierte que Juan no habla en términos abstractos de la esencia divina, sino que nos hace contemplar la intervención salvífica de las tres personas divinas; el amor de Dios a nosotros se manifiesta por el envío del Hijo único al mundo y por el don de su Espíritu para que nosotros permanezcamos en él y él en nosotros (4,9.12). Sería también conveniente destacar las fórmulas de inmanencia y de reciprocidad que abundan en 1Jn (así 2,24: 3,24; 4,13; 5,20) [35], al igual que en los discursos del IV evangelio (por ejemplo 15,4: «permaneced en mí y yo en vosotros»; 17,21, etc.).

Carácter eclesial de la «agape»

A. Nygren ha llamado la atención sobre el carácter intraeclesial del mandamiento del amor en Juan. El amor al hermano (15 veces en 1Jn) es, ante todo, el amor a aquel que participa de la misma fe. Jamás se hace alusión al mandamiento del amor a los enemigos, como en los sinópticos. La dificultad es real y en el IV evangelio está más acentuada aún que en 1Jn [36].

Se imponen aquí varias observaciones. Con A. Feuillet, deberá insistirse en el carácter dialogal de la *agape*, que se vive en régimen de alianza [37]. Juan no ha escrito un tratado sobre el amor en general, sino que se refiere a «las relaciones de reciprocidad instauradas por la nueva alianza entre los hombres y Dios» y, como consecuencia, a la novedad de las relaciones de los hombres entre sí.

En relación con una corriente del judaísmo, especialmente representada en Qumrân, también el dualismo moral de Juan se explica por la situación de crisis con que se enfrentaba la comunidad cristiana. En modo alguno puede pactarse con los propagadores de una herejía que afecta a la sustancia misma de la fe (2Jn 10). No debe olvidarse que fueron los heréticos quienes tomaron la iniciativa de la ruptura (1Jn 2,19). El autor de 1Jn parece haberse sentido aliviado por su partida, que clarifica la situación. Pero no es ésta la última palabra: si el amor de Dios se caracteriza como una iniciativa de pura gratuidad (4,10) y se manifiesta en la expiación llevada a cabo por Cristo en favor del mundo entero (2,2), el dinamismo de la *agape* no puede limitarse a las fronteras de la Iglesia. En numerosos pasajes, la palabra hermano adquiere un sentido más amplio (2,9-11; 3,15). A diferencia de los escritos de Qumrân, que hablan expresamente del odio respecto de los pecadores [38], Juan proscribe el odio, que sólo puede proceder del maligno. El dinamismo de los principios de Juan debe, pues, permitirnos desbordar las estrecheces de unas directrices momentáneas, debidas a la gravedad de la crisis provocada por la gnosis naciente. Debe retenerse el hecho de que para Juan la *agape* no puede disociarse de la verdad, ya que es el amor a la verdad el que condiciona la verdad del amor.

En conclusión, la primera carta de Juan es el fruto de una auténtica gnosis cristiana, que es a la vez conocimiento y comunión, y hunde sus raíces en el Antiguo Testamento. Enseña una mística que, en el fondo, es similar a la de Pablo, aunque más teocéntrica, ya que se detiene menos en Cristo para ascender hasta al Padre. El ideal ya no es «vivir en Cristo» sino «permanecer en Dios», «en la luz», «en el Padre y el Hijo» (2,6.9.10.24. 28; 3,24; 4,12.13.15...); pero esto, por lo demás, no impide que Juan subraye con tanta fuerza como Pablo la mediación indispensable del Hijo de Dios encarnado, para que los fieles tengan acceso a la vida misma de Dios. Ahora bien, este escrito, fundamentalmente místico, testifica al mismo tiempo el realismo moral más lúcido y exigente: aparece por doquier la afirmación de que la comunión con la vida divina es imposible sin la fidelidad absoluta a los mandamientos. Estas páginas, que muestran el camino de las más elevadas ascensiones espirituales, cierran la puerta a todo iluminismo. No hay otras tan iluminadoras y a la vez tan prácticas. Apreciadas por los espíritus elevados, están también, a pesar del carácter enigmático de algunos textos, al alcance de los cristianos más humildes.

III

PROBLEMAS DE ORIGEN

Destinatarios y circunstancias de la redacción [39]

Los manuscritos latinos traen el título enigmático *Ad Parthos,* del que se ignora la procedencia. Aunque la carta no nos proporciona ninguna indicación precisa sobre la localización de la comunidad, nos permite en cambio reconocer su situación espiritual.

Origen de la comunidad

Esta comunidad tiene un dilatado pasado de vida cristiana y en ella hay tanto ancianos como jóvenes (2,12-14); no se nos dice nada sobre las circunstancias de su evangelización ni sobre su organización. Mientras que en el IV evangelio y en 3Jn aparecen preocupaciones misioneras, 1Jn está enteramente centrada en los problemas intraeclesiales, con un exclusivismo un tanto estrecho en su concepción del amor fraterno [40]. El autor está preocupado ante todo por confirmar en su fe tradicional a los cristianos, solicitados por la propaganda herética. La ausencia de citas directas del Antiguo Testamento ha hecho suponer que la comunidad estaba compuesta por cristianos procedentes de la gentilidad, más expuestos, por consiguiente, a las sugerencias de la gnosis helenista.

El problema básico que se plantea aquí es el de los orígenes de la gnosis y el de las etapas de la formación del gnosticismo propiamente dicho [41]. Por lo que hace a 1Jn, las alusiones se refieren a una gnosis de tipo judío. Antes de presentar la documentación relativa a las afinidades con los escritos de Qumrân, conviene destacar el enraizamiento veterotestamentario de 1Jn. En un artículo fundamental, M.E. Boismard [42] ha demostrado que el conjunto del escrito tenía como telón de fondo el anuncio del conocimiento íntimo de Dios, característico de la nueva alianza según Jeremías (31,31-34) y Ezequiel (36,26s). Ezequiel destaca el papel del espíritu divino en el corazón para el cumplimiento de los mandamientos. La recomendación final (5,21: huir de los ídolos), bastante inesperada en su contexto, tiene su mejor explicación en los textos de Ezequiel (11,19-21; 36,25), según los cuales el don del espíritu viene precedido de la purificación de las manchas y del rechazo de los ídolos. Por lo demás, la alusión a Caín, nacido del maligno (3,12), demuestra que los destinatarios conocían los desarrollos de la *haggada* sobre Caín y Abel [43].

Al igual que con el IV evangelio, el dualismo moral de 1Jn tiene en Qumrân sus mejores correspondencias. W. Nauck ha establecido una relación entre 1Jn 1,6.7 y la parte de la *Regla de la comunidad* relativa a la renovación de la alianza. Así, la repulsa de la hipocresía de 1Jn 1,6 se corresponde con una idéntica condenación de 1QS III,3; la oposición entre la luz y las tinieblas para la conducta del hombre (1Jn 1,6.7) se encuentra también en 1QS III,20s; IV,2,11 [44]. Se observa la misma exigencia de pureza para la comunidad en 1Jn 1,7 y 1QS III,6-9... M.E. Boismard [45] se muestra favorable a esta tesis de Nauck, mientras que H. Braun [46] la somete a una severa crítica. Boismard ha vuelto a analizar la documentación en un punto preciso: la comparación entre el dualismo de Juan y la regla de los dos espíritus (1QS III-IV) [47]. El término de *koinônia*, característico del prólogo de 1Jn, sería el equivalente del título de la comunidad: *yaḥad*. El gran número de alusiones al combate entre el espíritu de verdad y el espíritu de mentira, la repulsa del mundo y de sus concupiscencias (1Jn 2,16) [48], la condenación final de los ídolos del corazón (1Jn 5,21; cf. 1QS II,11-17; IV,5), todos estos rasgos manifiestan que los destinatarios de 1Jn estaban al corriente de las ideas qumranianas. De aquí deduce Boismard que la carta se dirige a una comunidad cristiana, muchos de cuyos miembros habían sido esenios. En este caso, la mejor localización sería Éfeso, si se recuerda que la llamada «carta a los Efesios» (tal vez redactada en Éfeso) es el escrito paulino más rico en alusiones a los textos de Qumrân.

Aunque las afinidades propuestas por Nauck y Boismard son interesantes, no debe dárseles más importancia de la que realmente tienen. Los textos de Qumrân nos revelan un aspecto del judaísmo marginal, cuya extensión desbordaba ampliamente los límites de la comunidad qumraniana. Y, sobre todo, el centro de gravedad de 1Jn es netamente diferente del de la *Regla de la comunidad:* la fe, que en 1Jn es el centro de las perspectivas, desempeña en Qumrân un papel modesto: a la importancia dada a las múltiples prescripciones de la ley en Qumrân, se contrapone la concentración en el mandamiento del amor, como consecuencia de la manifestación del amor de Dios en Jesucristo.

En definitiva, las analogías entre 1Jn, el IV evangelio, las cartas a las siete iglesias (Ap 2-3) amenazadas por la seducción de falsos profetas y las cartas de Ignacio de Antioquía [49] permiten datar la 1Jn a finales del siglo I y situar a sus destinatarios inmediatos en la provincia romana de Asia, cuya capital era Éfeso.

El peligro de los anticristos [50]

1Jn utiliza los términos más diversos para denunciar a los falsos doctores que perturban a la comunidad: seductores (2Jn 7), anticristos (2,18-22; 4,3; cf. 2Jn 7), mentirosos (2,22), venidos del mundo (4,5) por oposición a los que han nacido de Dios, animados por el espíritu del error (4,6). Sus enseñanzas traicionan hasta tal punto la «doctrina de Cristo» (2,9) que Juan ve aquí el signo de que ha llegado la última hora (2,18), y utiliza con insistencia el término tradicional de anticristo para designarlos (cf. 2Tes 2,7: el hijo de la perdición). L. Hartman [51] ha subrayado, con razón, la historización que hace 1Jn de un tema apocalíptico, cuyo origen se sitúa en Daniel e incluso, remontándose más en el pasado, en Ez 38-39 (profecía contra Gog y Magog).

Juan no intenta hacer una síntesis de esta falsa doctrina, sino que se contenta con estigmatizarla mediante una serie de breves proposiciones, que muestran su incompatibilidad con la fe bautismal (de ahí la importancia del verbo ὁμολογεῖν, 5 veces) [52]. Conviene analizar estos textos, antes de ensayar un diagnóstico histórico.

Los falsos doctores niegan que Jesús sea el Cristo, o bien niegan al Hijo (2,22-23), lo que viene a ser lo mismo; en efecto, aquí, como en el evangelio (20,21), aparecen íntimamente unidas las nociones de mesianidad y de filiación divina. La fe ortodoxa consiste en «confesar que Jesús es Cristo venido en carne» (4,2). Por tanto, la herejía debía negar la encarnación: como se dice a continuación (4,3), al menos según una lectura muy antigua, apoyada por varios padres griegos (Ireneo, Clemente de Alejandría, Orígenes) y reasumida por la Vulgata, es una doctrina que «disuelve» (λύει) a Jesús, al afirmar que el Hijo de Dios no se ha hecho hombre ni ha venido por el agua y la sangre (5,6), es decir, que ni recibió el bautismo ni derramó realmente su sangre en la cruz. Se trataba, sin duda, de una herejía según la cual Cristo habitó sólo de forma transitoria, a partir del bautismo, como un huésped de paso, en Jesús, a quien abandonó antes de la pasión para retornar al Padre; esta creencia arruinaba el valor redentor de la obra de Jesús (1,7). Mientras que la fe tradicional, de la que Juan se hace defensor, sostenía la identidad completa entre el Jesús de la historia y el Cristo de la fe, la falsa doctrina tendía a disociarlos [53]. Ésta es, al menos, la interpretación más natural de los datos de la carta.

Podría creerse que los falsos doctores pretendían haber sido favorecidos con manifestaciones excepcionales del Espíritu (4,1-6). Sin embargo, no se afirma expresamente que invoquen en su favor visiones o revelaciones particulares [54]. En nuestra opinión, pues, los falsos profetas de 1Jn están relacionados con los falsos maestros denunciados por 2Pe 2,1 [55]. Pero, a diferencia de 2Pe, Juan no les acusa de libertinaje; lo que les reprocha en su indiferencia frente al pecado (1,8) [56] y su negligencia del amor fraternal, negligencia que es estigmatizada como odio (μισεῖν, 5 veces): los falsos maestros se consideraban por encima del bien y del mal. Lo que, en última instancia, se discute es la naturaleza del conocimiento de Dios (εἴδεναι, 15 veces; γινώσκειν, 25 veces). A una concepción demasiado intelectualista o a un misticismo dudoso, opone Juan la concepción bíblica, según la cual a Dios no le ha visto nadie jamás (4,12) y para la que conocer a Dios significa guardar sus mandamientos (ἐντολή, 14 veces).

Se dividen las opiniones sobre el problema de la etiqueta precisa que debe aplicarse a este grupo de falsos maestros. No puede tratarse de judíos, ni tampoco de judaizantes, porque el centro de su doctrina no es el papel que desempeña la ley, sino la naturaleza del conocimiento de Dios (contra A. Wurm, G. Bardy). Se ha pensado en Cerinto que, a decir de Policarpo, fue denunciado por Juan en Éfeso como «el enemigo de la verdad» (cf. Ireneo, *Adversus haereses* 3,34). De hecho, algunos de los rasgos de la enseñanza de Cerinto corresponden bien a los errores denunciados por 1Jn. Según Ireneo, Cerinto enseñaba «que Jesús no nació de una virgen; esto le parecía imposible y, según él, fue hijo de José y de María, semejante a todos los demás hombres, aunque los superaba por su justicia, su prudencia y su sabiduría. Pero después del bautismo, Cristo vino a él bajo la forma de una paloma, descendiendo de la Soberanía que está por encima de todo; fue entonces cuando anunció al Padre desconocido y realizó prodigios. Al fin, Cristo alzó el vuelo y abandonó a Jesús y éste sufrió la pasión y resucitó, mientras que Cristo, ser espiritual, nunca dejó de ser impasible» (*Adversus haereses* 1,26,1). Por el lado contrario, Cerinto mantenía el sábado y la circuncisión; esperaba, para después de la resurrección, un reino terrestre de Cristo, de carácter muy material, y la restauración del culto en Jerusalén (Eusebio, HE 3,28,2.5). Este aspecto de su enseñanza no encuadra bien con las indicaciones de 1Jn.

Debemos, pues, confesar nuestra ignorancia. De todas formas, no se incurre en error situando a los adversarios de Juan entre los precursores del docetismo, que Ignacio de Antioquía combatió con tanta determinación en sus cartas [57], y del gnosticismo. Debe retener nuestra atención una indicación de 1Jn 2,4: «Yo le conozco» (ἔγνωκα αὐτόν): es el singular de la mística individual e individualista, fuente de orgullo, opuesto a la mística fundada en el nosotros de la tradición eclesial: «Sabemos que lo conocemos si guardamos sus mandamientos» (2,3). Lo cual equivale a decir que 1Jn remite a la tradición apostólica, tal como se expresa de forma especial en el IV evangelio. Conviene, pues, precisar las relaciones entre estos dos escritos.

1Jn y el IV evangelio

La lectura de 1Jn llama la atención por los estrechos parecidos de estilo y pensamiento entre esta carta y el IV evangelio y, al mismo tiempo, por sus apreciables diferencias. Ya Dionisio de Alejandría acentuaba los primeros y contraponía el estilo de Juan el Apóstol a la del autor del Apocalipsis (citado por Eusebio, HE 7,25.21). La crítica moderna ha llevado adelante este examen con mayor precisión. Destacaremos, en primer lugar, las diferencias y analizaremos su alcance, teniendo en cuenta el género literario; a continuación buscaremos los signos de parentesco entre 1Jn y el IV evangelio.

Las diferencias

Siguiendo a J. Réville y a J. Wellhausen, C.H. Dodd ha insistido en las diferencias de vocabulario y de teología[58]. En 1Jn hay 39 palabras que no figuran en el IV evangelio. Más importancia aún tiene el hecho de que hay diversos grupos de palabras, relacionados con el AT, que faltan en 1Jn: escritura (γραφή, 12 veces en Jn) y escribir (γράφειν, 10 veces), ley (νόμος, 14 veces), gloria (δόξα, 18 veces) y glorificar (δοξάζειν, 21 veces), subir y bajar (ἀναβαίνειν, 5 veces y καταβαίνειν, 11 veces), de lo alto (ἄνω y ἄνωθεν, 4 veces), elevar (ὑψοῦν, 5 veces), juzgar (κρίνειν, 19 veces) y juicio (κρίσις, 11 veces). El juicio sólo se evoca una vez en 1Jn 4,17.

En sentido inverso, la carta presenta ciertos vocablos o ciertas fórmulas características que no son utilizadas por el evangelista: unción (χρῖσμα, 3 veces), germen de Dios (σπέρμα, 1 vez), comunión (κοινωνία, 4 veces), parusía (παρουσία, 1 vez), propiciación (ἱλασμός, 2 veces), falso profeta (1 vez), victoria (νίκη, 1 vez), anticristo (ἀντιχριστός, 4 veces), tener al Padre, tener al Hijo, negar al Padre, negar al Hijo, mensaje (ἀγγελία, 2 veces)... El estilo de la carta es, además, más monótono, menos poderoso, mucho menos semítico que el del evangelio. Debe notarse también aquí la escasez de alusiones al Antiguo Testamento, mientras que son abundantes en el evangelio.

En el plano de la teología, la apelación de Paráclito, que el evangelista atribuye al Espíritu, en 1Jn 2,1 se refiere a Cristo. Pero la diferencia no es tan grande como pudiera creerse, porque en 14,16 se presenta al Espíritu como «otro Paráclito», lo que implica que también Cristo cumple esta función. La carta se hace eco de la espera primitiva de la parusía: la presencia de anticristos es prueba de que ha llegado la última hora; el fin puede venir en cualquier instante y esta perspectiva es la que rige el punto de vista moral (2,18-28; 3,2s). Ahora bien, aunque en el evangelio no está ausente la escatología, ha sido transportada y espiritualizada. Pasando a otros aspectos, se afirma que la carta está más cerca del gnosticismo que el evangelio, tal como lo demostrarían la definición: «Dios es luz», y la deificación del hombre por el simple conocimiento de Dios, lugares comunes del sincretismo y del misticismo helenistas. La idea de expiación por la sangre de Cristo (2,2; 4,10) no aparece bajo esta forma en el evangelio.

Estas constataciones deben ser bien ponderadas, teniendo siempre en cuenta la distinta longitud de los dos escritos y, sobre todo, el género literario [59]. Mientras que el evangelio desarrolla extensamente el proceso de Jesús ante los judíos incrédulos y enraíza la discusión, de forma absolutamente normal, en el Antiguo Testamento, la carta se dirige a cristianos ya instruidos y les exhorta a perseverar en la fe. No puede atribuirse una especial significación al hecho de que una palabra sea utilizada una o dos veces en un escrito y ninguna en el otro. La atención debe fijarse más bien en los grupos de términos vinculados a una concepción teológica. En este aspecto, las afinidades preponderan sobre las diferencias.

Las afinidades [60]

La fraseología de la carta es, en su conjunto, muy afín a la del IV evangelio. Se han compuesto listas de palabras o de expresiones comunes a los dos escritos y que no se encuentran, o sólo muy pocas veces, en otros lugares: tener un pecado, hacer la verdad, permanecer en sentido místico (en Dios, en el Hijo, en el Padre, en el amor), testificar, nacer (o ser) de Dios, de la verdad, del mundo, del diablo, guardar los mandamientos, guardar la palabra... El estilo tiene, en los dos escritos, un carácter muy semita: proposiciones que comienza por «todo» o por «y», como en hebreo; inclusión; busca de paralelismos; escasez de partículas ilativas... Más aún, hay frases enteras que se repiten idénticamente en 1Jn y en Jn. Los comentarios de Westcott y de Chaine citan numerosos ejemplos (1Jn 1,6 y Jn 12,35; 1Jn 1,8 y Jn 8,44; 1Jn 2,11 y Jn 12,25; 1Jn 2,15 y Jn 5,42; 1Jn 2,27 y Jn 16,30; 1Jn 3,14 y Jn 5,24; 1Jn 4,16 y Jn 6,69; 1Jn 5,9 y Jn 5,34...).

La misma afinidad se observa en las ideas maestras. En uno y otro escrito a Cristo se le llama Logos, Unigénito, Salvador, se pone el acento en su venida en carne y en el hecho de que quitó el pecado ya con su sola encarnación (cf. 3,5 y Jn 1,29). En uno y otro, la adhesión al cristianismo se caracteriza como un paso de la muerte a la vida, como un nuevo nacimiento, en el que es Dios quien engendra, como una vida de fe y de amor. En uno y otro, se registra la misma oposición entre la luz y las tinieblas, la vida y la muerte, la verdad y la mentira, los hijos de Dios y los hijos del diablo, los discípulos y el mundo. En uno y otro se concede la misma importancia a la función iluminadora del Espíritu Santo y a la caridad fraterna, llamada «mandamiento nuevo», cuyo cumplimiento se encuadra básicamente en el marco de la comunidad. Y nos hemos limitado a los puntos esenciales; sería tarea fácil prolongar la lista.

Autor y fecha

Los datos de la tradición

Es difícil establecer una rigurosa distinción entre los problemas siguientes: difusión de 1Jn, canonicidad y testimonios sobre su origen. 1Jn no figura en el grupo de los escritos que Eusebio de Cesarea (HE 3,25) considera «discutidos», a diferencia de lo que ocurre con el Apocalipsis y las dos cartas menores de Jn. No obstante, no figura en el canon antiguo de la Iglesia siria [61]. Sólo con la Peshitta entraron en este campo las tres principales cartas católicas (Sant, 1Pe y 1Jn). Teodoro de Mopsuesta conservó una actitud negativa [62].

Fuera del mundo siríaco, la difusión de 1Jn está testificada ya desde fechas tempranas en todos los grandes centros. Policarpo, obispo de Esmirna, cita a 1Jn para refutar a los docetas: «Todo el que no confiesa que Jesús es Cristo venido en carne, es anticristo; y todo el que no confiesa el testimonio de la cruz es del diablo, y el que desvía los dichos del Señor según sus propios deseos y niega la resurrección y el juicio, es primogénito de Satán» (Fil 7,1). La primera frase reproduce casi al pie de la letra a 1Jn 4,2-3 y recuerda a 2Jn 7: compárese la singular expresión «el testimonio de la cruz» con los textos en que Jn (Jn 19,30 y 1Jn 5,6-8) subraya el realismo de la muerte de Jesús y sus efectos sacramentales. El título de «primogénito de Satán» recuerda la oposición que establece Juan entre los que han nacido del diablo, pecador desde el principio (1Jn 3,8) y los que han nacido de Dios.

Varios textos de san Justino evocan a 1Jn (así en la *Apología primera* 32,8; *Apología segunda* 6,5). Hay un pasaje del *Diálogo con Trifón* que resume la enseñanza de 1Jn: «A nosotros, por Cristo, que nos ha engendrado a Dios... se nos llama y somos verdaderos hijos de Dios, porque guardamos los mandamientos de Cristo» *(Diálogo* 123,9). La gradación entre la denominación de hijos de Dios y la realidad responde a 1Jn 3,1; el resto del texto resume la afirmación constante de 1Jn de que el origen divino se manifiesta en la observancia de los mandamientos.

San Ireneo afirma formalmente el origen joánico de la carta, ya que en su argumentación contra los gnósticos une los testimonios sacados del IV evangelio a los de 1 y 2Jn *(Adversus haereses* 3,16,5-8 citando a 1Jn 2,18-22; Jn 1,14; 2Jn 7-8; 1Jn 4,1-3; 5,1). Merece notarse el apoyo dado a la lección λύει de 1Jn 4,3: con su doctrina, los gnósticos «despedazan y trocean al Hijo de Dios» *(Adversus haereses* 3,16,8).

En sus *Stromata,* Clemente de Alejandría († entre 211-216) atribuye varias veces la carta al apóstol Juan (2,15,66; 3,4,32 y 5,44). Tertuliano cita en diversas ocasiones a 1Jn bajo el nombre de Juan *(Adversus Praxeam* 15; *Scorp.* 12) o de Juan el apóstol *(Adversus Marcionem* 5,16); lo mismo san Cipriano *(Carta* 69,1; en total 38 citas de 1Jn, según el *Index* de la edición de Viena). Encontraremos más adelante el testimonio de Orígenes a propósito de la pluralidad de las cartas joánicas (en Eusebio, HE 6,25,10). Es interesante la posición de Dionisio de Alejandría, porque se apoya en la afinidad literaria entre el IV evangelio y 1Jn para atribuir los dos escritos a Juan el apóstol, mientras que el Apocalipsis sería, en su opinión, de Juan «el presbítero». No es necesario seguir el examen de la documentación ya que, fuera de la iglesia siríaca, 1Jn ha figurado siempre, y sin discusión, en todas las listas canónicas *(Canon de Muratori,* Jerónimo, *Carta pascual* de Atanasio, lista de los concilios africanos, carta de Inocencio I, etc.).

Conclusión

Los testimonios relativos al origen de 1Jn deben ser ponderados mediante las indicaciones de que disponemos procedentes de otras partes (crítica externa e interna) sobre la existencia de una *escuela joánica*[63]. A pesar de las dificultades que comportan el silencio de Ignacio de Antioquía y la tesis del martirio de Juan, nos parece un hecho bien establecido la función del hijo del Zebedeo como testigo de la tradición apostólica y guía espiritual de las iglesias, y más tarde la implantación de su tradición en Éfeso. Pero no deben exigírseles a los padres de la Iglesia precisiones de historia literaria; lo que les preocupaba era el origen apostólico de una doctrina y no las modalidades de redacción de un escrito. Es casi imposible que el «presbítero» que escribió 2 y 3Jn sea el apóstol mismo: pero fue de todas formas una personalidad bien conocida, cuya autoridad lograba imponerse frente a la mala voluntad de Diotrefes. Parece natural considerarlo como el heredero espiritual del apóstol, responsable de la «escuela joánica» de Éfeso. A diferencia de los dos billetes de circunstancias, que empiezan como verdaderas cartas, 1Jn no hace ninguna mención del presbítero, aunque las afinidades entre 1Jn y 2-3Jn imponen la unidad del autor. En la primera carta, de carácter más general, el autor se difumina frente al mensaje de que es portador. En oposición a los sistemas individuales de los falsos doctores, aquí se deja oír el *nosotros* de la tradición apostólica, a través de los responsables de las iglesias, para guiar a los creyentes en los discernimientos necesarios.

Nota sobre el «comma» joánico

En 5,7-8 la Vulgata clementina trae el texto siguiente: «Quoniam tres sunt qui testimonium dant *in coelo: Pater, Verbum et Spiritus, et hi tres unum sunt. Et tres sunt qui testimonium dant in terra:* Spiritus et acqua et sanguis, et *hi* tres unum sunt.» Las palabras en cursiva han sido objeto de vivas controversias a partir de la primera edición de Erasmo (1516), en la que faltaban, de acuerdo con el testimonio de los manuscritos de que disponía. Conviene recordar aquí los datos más importantes del problema y las fases principales de la controversia.

Desde el punto de vista de la crítica textual es indudable que el *comma joánico* está localizado en la tradición latina, y ni siquiera en ésta son unánimes los testimonios. Salvo cuatro manuscritos muy tardíos, influidos por el texto latino, la tradición griega ignora por completo los tres testimonios del cielo. Lo mismo cabe decir de la tradición siríaca, copta, etiópica y armenia. El *comma* aparece en algunos testigos de la *Vetus Latina,* principalmente de origen hispánico (así en el *Palimpsesto* de León,

s. VII; en el *Toletanus,* s. IX). Lo ignoran los más antiguos manuscritos de la Vulgata *(Fuldensis,* s. VI; *Harleianus,* s. VI; *Amitianus,* s. VIII; *Vallicellianus,* s. IX), así como el leccionario de Luxeuil (s. VII-VIII). Luego, el *comma* se fue introduciendo progresivamente, como ha demostrado la diligente investigación de P. Martin[64] y, en fin, el texto fue en cierto modo oficializado por el IV Concilio de Letrán (1215) y por la edición de la Vulgata clementina.

Según W. Thiele, Cipriano leía ya el *comma,* lo que haría remontar su inserción en África a finales del siglo II. Un texto de san Agustín revela bien la manera cómo pudo surgir esta glosa: comentando 1Jn 5,8, el obispo de Hipona explica que el Espíritu designa a Dios Padre (cf. Jn 4,24), la sangre al Hijo y el agua al Espíritu Santo (cf. Jn 7,39; *Contra Maximianum* 2,22-3; PL 42,794s). Prisciliano, obispo de Ávila († 380), se apoyaba en el *comma,* citándolo en favor de sus doctrinas particulares. Entre otros testimonios antiguos, destacaremos el *Speculum* (atribuido, sin razón, a san Agustín), a Casiodoro, Itario...; pero es preciso señalar que el texto no figura en la documentación relativa a las controversias arrianas. De haber sido auténtico, ¿no habría proporcionado un arma de primera calidad a los defensores de la ortodoxia?

El *comma joánico,* localizado inicialmente en África y en Hispania, fue adquiriendo, pues, poco a poco, carta de naturaleza en toda la Iglesia occidental, pero no puede afirmarse que el concilio de Trento lo haya englobado en su decreto sobre la canonicidad de todas las partes de la Biblia «tal como están contenidas en la Vulgata» (sesión IV: *Enchiridion Biblicum* n.º 60). Inquieto ante los trabajos críticos que parecían poner en peligro la autoridad de la Iglesia, el Santo Oficio (13 de enero de 1897: *Enchiridion Biblicum* n.º 135) se pronunció en favor de la autenticidad. Ante el revuelo provocado por tan categórica respuesta, no tardó en aparecer una interpretación más amplia[65]. En 1927, la Comisión Bíblica reconoció la libertad de los investigadores en esta materia, a condición de que actuaran con prudencia y respeto al magisterio *(Enchiridion Biblicum* n.º 136). Hoy día nadie duda que se trata de una glosa, procedente de una exégesis alegórica (como la hecha por san Agustín), que pasó del margen al cuerpo mismo del texto.

CAPÍTULO SEGUNDO

LAS CARTAS SEGUNDA Y TERCERA

Carácter y finalidad de las dos cartas

Las cartas segunda y tercera de san Juan tienen en común ser simples billetes de circunstancias. Distintas de la primera carta por su brevedad, lo son aún más por su género literario: mientras que la primera carta comporta numerosos elementos homiléticos y parece enderezarse a varias comunidades, las dos últimas son cartas auténticas; comienzan con las fórmulas habituales (autor, destinatarios, saludos) y concluyen con los saludos de rigor.

La segunda carta se dirige a Ἐκλεκτῇ Κυρίᾳ (a la señora Electa) y a sus hijos. ¿Es el nombre propio de una cristiana de elevado rango? La mayoría de los exegetas piensan, con razón, que la señora Electa es más bien una iglesia: así se explica mejor el hecho de que el autor hable unas veces en singular (v. 4,5,13) y otras en plural (v. 6,8,10,12), que todos los fieles amen a los hijos de Electa (v. 1) y que también su hermana (en esta hipótesis otra iglesia local) se llame Electa (v. 13). Más que en Roma (Dom Chapman, debido al paralelismo con 1Pe 5,13), habría que pensar sin duda en una ciudad de Asia Menor. Esta iglesia, fiel en su mayoría, está amenazada desde el exterior por seductores «que no confiesan que Jesús es Cristo venido en carne» (v. 7), «se propasan y no permanecen en la doctrina de Cristo» (v. 9), lo que parece indicar que pretenden desbordarla mediante especulaciones peligrosas. Para prevenir a los cristianos, la carta les recomienda la pureza de la fe, la práctica de la caridad fraterna y la ruptura completa de las relaciones con los innovadores (v. 11). En una palabra, el billete a la dama Electa resume bastante bien la primera carta, sea como un primer croquis, sea como un recuerdo.

La tercera carta, dirigida a Gayo, se refiere a un conflicto entre el «presbítero» y el jefe de una comunidad, llamado Diotrefes. Éste, aferrado a su autoridad, se niega a recibir a los enviados del «presbítero» y expulsa de la comunidad a los cristianos que los reciben. Pero Gayo no se ha dejado arrastrar y por eso recibe grandes elogios del anciano: camina en la verdad, ha atendido a las necesidades de los misioneros de paso y se le pide que persevere en su conducta. Seguramente Demetrio, recomendado al final del billete, es uno de estos misioneros. No es seguro que la insistencia sobre la verdad aluda aquí a las luchas doctrinales de que se habla en 1 y 2Jn, porque el presbítero no reprocha a Diotrefes ninguna doctrina herética, sino sólo su conducta inhospitalaria. Aquí la verdad aparece más bien como la fuente de inspiración del amor cristiano [1].

Autenticidad y canonicidad

Los datos de la tradición eclesiástica antigua

La brevedad de las cartas segunda y tercera de Jn y el carácter personal de esta última no debían favorecer su difusión. Y, sin embargo, salvo en la región antioquena, las dos cartas gozaron de amplia acogida.

En los padres apostólicos no existen indicios seguros. El ya citado texto de Policarpo [2] se inspira en 1Jn 4,2-3 y tal vez también en 2Jn 7. La llamada de atención contra el trato con los herejes de Ignacio de Antioquía (Esm 4,1) recuerda la de 2Jn 10.

Los primeros testimonios seguros son los del *Canon de Muratori*, Clemente de Alejandría e Ireneo. El *Canon de Muratori* habla de cartas de Juan, en plural, sin precisar el número. Según una ingeniosa corrección, propuesta por P. Katz [3], el texto se referiría a dos cartas, junto a la «católica» (es decir a 1Jn). Según Eusebio (HE 6,14,1), Clemente de Alejandría comentó las cartas pequeñas; sin embargo, en las *Adumbrationes* falta la 3Jn. Ireneo de Lyón cita 2 veces la 2Jn, con el mismo título que los restantes escritos del Nuevo Testamento, y la considera obra de Juan, discípulo del Señor *(Adversus Haereses* 1,16,3; 3,16,8).

Ya en el siglo III, Orígenes indica que hay discusiones sobre la 2 y la 3Jn, aunque él las admite en su canon *(In Joh.* 5,3, citado por Eusebio, HE 6,25,7-10). De todas formas, este texto entraña una dificultad, ya que asigna una pequeña extensión a 1Jn (menos de 100 líneas), lo mismo que a las otras dos. Ahora bien, 1Jn tiene 220 líneas según la esticometría del Codex *Claramontanus.*

En África, Tertuliano parece conocer 2Jn 7 *(De carne Christi* 24). En el concilio de Cartago (256), el obispo Aurelio de Chullabi cita 2Jn 10 como autoridad canónica.

Por lo que hace al origen de 2 y 3Jn, puede notarse que Dionisio de Alejandría, que atribuía el Apocalipsis a Juan el presbítero, vincula las tres cartas al apóstol Juan. En cambio, san Jerónimo se hace eco de la tradición que atribuía 2 y 3Jn a Juan el presbítero, cuya tumba dice Eusebio que se hallaba en Éfeso *(De viris iliustribus* 9 y 18 = PL 23,623-625 y 637).

Aunque Eusebio pone 2 y 3Jn en la lista de los «escritos discutidos» (HE 3,25,3), personalmente las admite como obra del apóstol Juan *(Demostración evangélica* 3,5,88). A mediados del siglo IV se reconocía ya la canonicidad de 2 y 3Jn en todas partes, salvo en el ámbito sirio. La Peshitta, que trae 1Jn, ignora todavía la 2 y 3Jn. La versión filoxeniana fue la primera que incorporó estas dos cartas.

Las antiguas vacilaciones provocaron reticencias en los primeros reformadores (Lutero, Ecolampadio, Calvino), y también en Erasmo y Cayetano. El 8 de abril de 1546, el concilio de Trento (tercera sesión) definía la canonicidad de las cartas joánicas, poniendo así fin a las dudas de los católicos. Del lado protestante, volvieron a reintroducirse durante el siglo XVII en todas las ediciones del Nuevo Testamento.

La crítica interna

La crítica interna cuenta con sólidas razones para atribuir las dos cartas a un mismo autor: cf. 2Jn 1 y 3Jn 1; 2Jn 4 y 3Jn 3-4; 2Jn 12 y 3Jn 13-14; 2Jn 15 y 3Jn 15. Este autor escribió también la *1.ª Joannis:* cf. 2Jn 1 y 1Jn 3,18; 2Jn 2 y 1Jn 2,14; 2Jn 5 y 1Jn 2,7; 2Jn 7 y 1Jn 4,12; 2Jn 9 y 1Jn 2,23; 3Jn 3 y 1Jn 1,6.7; 2,11; 2Jn 11 y 1Jn 3,10. Es también el autor del IV evangelio, teniendo en cuenta las reservas hechas antes a propósito de la escuela joánica: cf. 2Jn 2 y Jn 5,38; 6,56; 8,31; 15,4-10...; 2Jn 4 y Jn 8,12; 12,35; 10,18; 2Jn 5 y Jn 13,34; 2Jn 6 y Jn 15,12; 2Jn 12 y Jn 16,24; 3Jn 4 y Jn 15,13; 3Jn 11 y Jn 14,9; 3Jn 12 y Jn 8,14. Por otra parte, es un hecho que el autor de las dos cartas gozaba de considerable autoridad en las iglesias; ejerce el derecho de visita y distribuye elogios, reprensiones, órdenes, recomendaciones, como alguien cuya palabra en general no se discute (Diotrefes, persona orgullosa, constituye a todas luces la excepción). Esta actitud recuerda la manera como Pablo dirigía sus iglesias y como el vidente del Apocalipsis enviaba sus mensajes de aliento y reprensión a las siete iglesias (Ap 2,3). Con todo, esta reflexión no es de por sí suficiente para dirimir la cuestión del autor.

El autor de 2Jn y 3Jn

La opinión tradicional atribuye la 2Jn y 3Jn al apóstol Juan, lo mismo que la primera carta, pero no acierta a dar una explicación satisfactoria para el título de «presbítero» que el propio autor se atribuye. Las afinidades literarias y teológicas entre las tres cartas permiten concluir con seguridad que las tres han salido de un mismo círculo, y sin duda también de un mismo autor, que se presenta a sí mismo como «el presbítero». La autoridad con que se expresa demuestra que gozaba de gran prestigio. Pero, si fue personalmente apóstol, ¿cómo es posible que Diotrefes se permitiera hablar mal de él? La interpretación más verosímil ve en el presbítero a una de las personalidades bien conocidas del círculo joánico, heredero espiritual del apóstol Juan.

La eclesiología de 2Jn y 3Jn

Ya Harnack veía en 2Jn y 3Jn un episodio de la lucha entre la concepción carismática de la Iglesia y la Institución del episcopado monárquico. Con diversos matices, esta tesis ha sido aceptada por numerosos autores. Así, según G. Bornkamm, estas dos cartas representan «el conflicto abierto entre el titular de un ministerio comunitario (Diotrefes), que hay que imaginarse a la manera del episcopado monárquico, y el representante de una autoridad libre, no vinculada a un territorio»[4]. El *presbyteros* autor de las dos cartas no sería un «anciano», miembro del presbiterio local, ni un ministro, sino «un maestro que gozaba de una particular autoridad o un profeta de los tiempos antiguos».

Esta hipótesis ha sido reasumida por E. Schweizer, que opone la eclesiología de estas cartas a la de Pablo. Según 1Jn 2,20.27, cada creyente recibe directamente el Espíritu y no tiene necesidad de ayudas para su vida de fe («todos vosotros sabéis», v. 20). Según esta concepción, no habría lugar para los ministros, ni tampoco para una variedad de carismas; bastaría con el testimonio del Espíritu. El que pretende ser ministro (3Jn 9), es denunciado como opuesto a la voluntad de Dios. Así pues, el *corpus* joánico desempeñaría, en el conjunto del canon, una función de crítica indispensable contra todo peligro de institucionalización de la Iglesia.

Las bases de esta reconstrucción son frágiles, como ha demostrado, entre otros, F.A. Pastor Piñeiro. La interpretación dada al *khrisma* de 1Jn 2,20.27 no tiene en cuenta la corriente dialéctica entre la función de testimonio autorizado de la tradición apostólica y la acción del Maestro interior en el corazón de los creyentes. El presbítero actúa con autoridad, tanto en el plano doctrinal como en el disciplinario, en las comunidades cristianas. Si no siente necesidad de exhibir sus títulos, es porque es bien conocido. En ningún pasaje invoca la autoridad del Espíritu para justificar su intervención. Desde esta perspectiva, las tres cartas de Juan se presentan bajo un ángulo que difiere del de las siete cartas del Apocalipsis, en las que aparece muy acentuado el carácter profético. ¿Cuál era la situación exacta de Diotrefes? El término φιλοπρωτεύων de 3Jn 9 no es un título y puede significar solamente «que le gusta gobernarlo todo» (TOB). Es probable que Diotrefes fuera el jefe de una comunidad local; en cualquier caso, no se le acusa de usurpación del poder, sino de negar su ayuda a los misioneros itinerantes que piden hospitalidad. Se sabe por un documento sensiblemente contemporáneo, la *Didakhe*, que podían darse abusos en este campo (Did 12,1-13,2). ¿Acaso Diotrefes había sido engañado por huéspedes poco escrupulosos? ¿O tal vez se mostraba más preocupado por sus intereses que por los de la evangelización? En cualquier caso, debe notarse la firme actitud del presbítero en favor de los misioneros (9 y 10); mientras que la 1 y 2 de Jn parecen absorbidas por los problemas intraeclesiales, la tercera carta manifiesta la urgencia de dar a conocer el Nombre a los que están fuera de la Iglesia. De este modo, se da la mano con las perspectivas de numerosos pasajes del IV evangelio, y en particular con el episodio de la samaritana (Jn 4)[5].

SECCIÓN TERCERA

EL CUARTO EVANGELIO

Por E. Cothenet

El IV evangelio, el más acabado testimonio sobre la persona de Jesús en sus relaciones con el Padre, llamada apremiante a la fe en aquel que se presentó como el Camino, la Verdad y la Vida (14,6), ha ejercido siempre una singular atracción sobre los cristianos deseosos de profundizar su fe y de conseguir una vida de auténtica unión con Dios. Ya Clemente de Alejandría lo calificaba de *Evangelio espiritual* (HE 9,14,7); en la época moderna, de él ha extraído un Libermann la fuente de su espiritualidad [1]. Y, sin embargo, este evangelio está muy lejos de ser una obra fácil. Aunque el lector se encuentra ante un estilo simple y limpio, la abundancia de símbolos y de alusiones al Antiguo Testamento le obliga a ejercer su sagacidad. Más de una vez, este lector haría suya la sentencia de Tomás: «Señor, no sabemos adónde vas...» (14,5) o, más bien: no sabemos adónde quieres ir con tus declaraciones abruptas, que confunden la inteligencia. Cuanto más se lee este texto, más firme es la convicción de que guarda celosamente sus secretos: de la eternidad al cumplimiento final del designio salvífico (1,1 y 18), quiere dejar entrever cómo en Cristo, *Logos* y Cordero del sacrificio, se forma un pueblo con los hombres «renacidos» del agua y del Espíritu (3,5). Encerrarlo en nuestras categorías literarias, históricas, religiosas, es mutilarlo, porque no pertenece a ninguno de nuestros géneros definidos y limitados, sino que usa indistintamente los recursos de la meditación teológica, del drama histórico, de la discusión rabínica, etc., para tejer un testimonio en favor de Jesús, Mesías e Hijo de Dios (20,31).

Parte VI. Secc. III. El cuarto evangelio

Una mirada a la historia de la interpretación del IV evangelio constituye sin duda la mejor vía de aproximación para descubrir progresivamente sus riquezas y las perplejidades que puede provocar (capítulo primero). Examinaremos a continuación los problemas literarios que suscita (capítulo segundo), la historia de su formación tal como puede rastrearse a partir del texto actual (capítulo tercero), su trasfondo religioso y las consecuencias que de aquí se derivan para la comprensión de su «historicidad» y de su carácter simbólico (capítulo cuarto), los puntos esenciales de su doctrina teológica (capítulo quinto) y, en fin, el problema de su autor (capítulo sexto).

CAPÍTULO PRIMERO

HISTORIA DE LA INTERPRETACIÓN

I

ANTES DE LOS ESTUDIOS CRÍTICOS

En el curso de los dos primeros siglos, la catequesis común se basó principalmente en el evangelio de Mateo. Hasta Ireneo, no fueron muy frecuentes las alusiones a Juan. En cambio, a partir del siglo III, la catequesis bautismal de Roma se apoyaba sobre todo en lecturas joánicas y el prólogo ejerció una influencia dominante en la formulación de la fe cristológica de antes y después de Nicea.

Aunque incompleto, el comentario de Orígenes (PG 14,21-829) ofrece un interés particular, porque incluye amplios extractos del gnóstico Heracleón, con una detallada refutación. Se le ha reprochado a menudo a Orígenes un alegorismo desenfrenado, que haría caso omiso de la historia; pero se impone una apreciación más serena, como ha demostrado entre otros, H. de Lubac [1]. Siguen más de cerca el sentido literal las 88 homilías de san Juan Crisóstomo (PG 59,23-482). Una notable simpatía mística con su modelo hace de san Agustín el más destacado de los intérpretes antiguos, con sus 124 «tratados sobre san Juan» (PL 35,1379-1976). El comentario en 12 libros de Cirilo de Alejandría (PG 73) está muy condicionado por la polémica teológica. Señalemos también a Teodoro de Mopsuesta y a Efrén. En la edad media, Ruperto de Deutz, Tomás de Aquino, Buenaventura; en el siglo XVI,

Cayetano, Toledo y Maldonado. Sería un error menospreciar estos antiguos trabajos: aunque ignoran los problemas críticos planteados por la exégesis moderna, tienen la ventaja de haber sido escritos por teólogos y místicos cuyas profundas intuiciones alcanzaban a menudo una considerable comprensión espiritual de la obra comentada [2].

II

HISTORIA DE LAS INVESTIGACIONES CRÍTICAS

La «cuestión joánica» quedaba planteada desde el momento en que K.G. Bretschneider puso en duda la apostolicidad del IV evangelio y hasta su origen palestino [3]. Este autor llamó la atención sobre la diversidad de estilo y de forma de actuar entre el Cristo de Juan y el Jesús de los sinópticos: concluyó de aquí que Juan no pudo ser testigo ocular; el autor del evangelio habría sido un apologeta enfrentado con los judíos incrédulos de su tiempo. Se planteaba, pues, claramente la cuestión del origen y de la fecha. No podemos trazar aquí todas las etapas de una investigación que presenta múltiples contrastes, tanto en razón de sus métodos como de sus resultados. Es más aconsejable mostrar cómo se fueron planteando los problemas a medida que se afinaban los métodos y se tenía un mejor conocimiento del medio ambiente. Sería, por otra parte, tedioso ir señalando todos los autores que han trabajado en este campo; lo que importa es indicar los jefes de fila.

La cuestión joánica en el siglo XIX y comienzos del siglo XX

La primera crítica liberal

En su síntesis, directamente influida por Hegel, F.C. Baur [4] negó todo valor histórico al IV evangelio y sostuvo que había sido compuesto a partir de «la idea de la grandeza divina y de la gloria de Jesús». Juan aparecía, desde todos los puntos de vista, como una obra de «síntesis»: síntesis en relación con el judeocristianismo de los orígenes (la tesis: Pedro) y el pagano-cristianismo (la antítesis: Pablo); síntesis en relación con el gnosticismo y con la defensa de la tradición (cartas pastorales). Redactado hacia el 170, el IV evangelio representa «la realización absoluta de la salvación» por la «comunicación inmediata» de la esencia divina a la humanidad. El *a priori* hegeliano de Baur ha sido objeto de vivas discusiones. No obstante, fueron muchos los críticos que se atuvieron durante largo tiempo a una fecha tardía para el IV evangelio (mediados del siglo II). El interés se centró al principio en la crítica literaria y el valor histórico de su texto.

Por lo que hace a la *crítica literaria*, y a diferencia de lo ocurrido con los sinópticos, respecto de los cuales se impuso por entonces la teoría de las dos fuentes, nunca se logró un acuerdo sobre las fuentes y las etapas de redacción del IV evangelio. Como representante de la crítica literaria citaremos a J. Wellhausen [5], que aplicó a los evangelios los métodos de disección literaria que habían probado su validez en el análisis del Pentateuco. Bajo las adiciones y deformaciones del redactor *(Bearbeiter)*, Wellhausen quería descubrir el escrito fundamental *(Grundschrift)*, al que se consideraba digno de todo elogio. Sobre la obra final recaía, en cambio, un juicio muy severo: «Del caos informe, monótono, emergen ahora algunas secciones, a modo de jalones *(Schrittsteine)* que, a pesar de las interrupciones, señalan una línea continua.» En este mismo sentido, trazaba E. Schwartz [6] la lista de las «aporías», es decir, de todos los indicios de ruptura en las narraciones o en los discursos. En 1910 publicó F. Spitta [7] una traducción en la que distinguía entre el escrito fundamental (atribuido al apóstol Juan y escrito antes del 44), las adiciones del redactor y las secciones tomadas en préstamo (por ejemplo los relatos de Galilea). Esta argumentación literaria se prolonga hoy día en las investigaciones de M.E. Boismard, R.T. Fortna, H. Thyen, sobre las que volveremos más adelante.

Desde el punto de vista de la *historicidad*, y con la excepción de Renan *(Vida de Jesús*, 1863), que se había sentido impresionado por el valor del marco histórico y geográfico de Juan, la crítica liberal negó todo valor histórico al IV evangelio. M. Goguel ha expresado en los siguientes términos el consenso crítico de comienzos del siglo XX:

1.º La tradición externa sobre el evangelio carece de valor. Es el resultado de un trabajo hecho *a posteriori* para justificar la autoridad del libro.

2.º El evangelio no procede ni directa ni indirectamente de un testigo ocular. Por consiguiente, no se remonta al apóstol Juan.

3.º Las preocupaciones del evangelista y su inspiración no son de orden histórico y biográfico, sino de orden apologético, didáctico y teológico.

4.º El autor ha utilizado la tradición sinóptica, pero usándola de una manera muy libre y adaptándola a sus necesidades.

5.º Las desviaciones que presenta su relato respecto de la tradición sinóptica son el resultado de esta adaptación y no se derivan de la utilización de una o varias fuentes particulares.

6.º Los discursos del Cristo joánico expresan el pensamiento del evangelista.

7.º En consecuencia, el cuarto evangelio no constituye una fuente más de la vida de Jesús, que pueda utilizarse conjuntamente con los sinópticos, y menos aún una fuente a la que pueda otorgarse la preferencia [8].

Llevados de su sentido de la tradición, los exegetas de lengua inglesa han adoptado siempre posturas más moderadas sobre el origen y el valor histórico de Juan, y también una mayor apertura a los problemas teológicos. Modelo de este género es el comentario de B.F. Westcott (1880), reeditado en 1958 con una introducción de A. Fox [9]. Citemos también la obra de W. Sanday, *The Criticism of the Fourth Gospel* (1905).

La crisis modernista en el catolicismo

El mismo año en que W. Wrede [10] presentaba en Alemania el IV evangelio como un escrito teológico influenciado por el gnosticismo y muy alejado del pensamiento propio de Jesús, A. Loisy [11] introducía en Francia las tesis críticas. El IV evangelio sería obra de Juan, el anciano de Éfeso, y estaría animado de una tendencia alegórica en la que el «discípulo amado» representaría al cristiano ideal. Las pocas informaciones históricas que ofrece el escrito se deberían a su dependencia respecto de los sinópticos. En 1921, Loisy volvía sobre estos puntos de vista radicalizándolos y oponiendo el genio del primer autor a las inepcias del redactor final: «El primer autor parece haber sido un místico profundo, nada judío de origen y menos aún de espíritu; era un converso del paganismo, cristiano al modo como lo fueron los maestros de la gnosis, Valentín o Marción por ejemplo... Alimentado en la más pura corriente del misticismo contemporáneo, adepto del monoteísmo judeo-helenista, se había vinculado a la fe de Cristo Señor ya organizada en misterio de salvación, y consiguió coronar con éxito la tarea de definirla por sí mismo en misterio. Es superflua toda conjetura sobre su identidad» [12].

Reaccionando contra estas posiciones críticas, la Comisión Bíblica reafirmaba en 1907 [13] el origen apostólico del IV evangelio y su valor histórico. Siguiendo a M. Lepin [14], M.J. Lagrange puso empeño en destacar en su comentario [15] (1925) los rasgos palestinos del IV evangelio, el valor de la tradición sobre la estancia de Juan en Éfeso y la precisión histórica de su obra. Algunos pasajes de este comentario, condicionado por la controversia con Loisy, han perdido actualidad; es de lamentar en él una reacción demasiado viva contra la profundidad simbólica del texto. Aún así, la obra de Lagrange sigue siendo digna de meditación, por la amplitud de su erudición y por la seguridad de su sentido teológico.

Investigaciones sobre el trasfondo del IV evangelio

Bajo la influencia de la *Religionsgeschichte*, la crítica del siglo XX se ha venido apasionando por la determinación del medio de origen: «Una interpretación rigurosa del IV evangelio pide que se considere esta obra en su verdadero contexto intelectual, con toda la amplitud que sea posible en nuestros días. Si la abordamos sin preocuparnos de este contexto, corremos el peligro de imponerle una interpretación subjetiva, porque entonces la estaríamos situando de hecho en el contexto de nuestras nociones preconcebidas y tal vez incluso alejadas de la intención del evangelista» [16].

En un primer momento, como fascinada por la especulación joánica sobre el *Logos*, la crítica se orientó hacia el helenismo. H. J. Holtzmann [17], de tendencias bastante moderadas, destacó la atmósfera «alejandrina» del IV evangelio y admitía una amplia influencia de Filón. Juan habría ayudado, pues, al espíritu cristiano a dar el paso del mundo judío al mundo griego. Elogio peligroso, si se tiene en cuenta que por aquellos mismos años Harnack veía en la helenización una corrupción de la «esencia del cristianismo». En el campo de los críticos que vinculaban el IV evangelio al helenismo, A. Schweitzer[18] adoptaba una posición personal: para él, la teología joánica representa una forma helenizada de la mística paulina, el autor quiso mostrar que Jesús no había predicado una salvación escatológica, como habían sostenido los sinópticos sino una doctrina mística de la redención.

R. Reitzenstein, jefe de fila de la «escuela de la historia de la religión», buscó primero el trasfondo del IV evangelio en la gnosis egipcia[19]. Luego dedicó su atención al Irán[20]. El mito iranio, fundado en una concepción dualista del universo y del hombre, contempla la caída del hombre celeste primitivo *(Urmensch)* y de las almas en el mundo tenebroso, la misión de un enviado celeste que, atrapado a su vez en los lazos de la materia, se desprende de ella, libera a las almas creyentes y las devuelve al mundo de la luz[21].

La obra de R. Bultmann y su influencia

La publicación progresiva de los escritos mandeos por M. Lidsbarski (entre 1905 y 1925) estaba llamada a polarizar la atención hacia este campo. La iniciativa corrió a cargo sobre todo de R. Bultmann, en un artículo sobre el trasfondo del *prólogo*[22] y de W. Bauer, en la segunda edición refundida de su comentario (1925).

Las proposiciones de R. Bultmann

El trabajo de Bultmann sobre Jn es muy complejo: a la tesis sobre el origen gnóstico (y más específicamente mandeo) de las concepciones joánicas, se añaden una investigación muy profunda sobre las fuentes del IV evangelio y una interpretación original de su teología.

Volveremos más adelante sobre la distinción de fuentes llevada a cabo por Bultmann en su comentario[23], debido a la importancia que tuvo sobre el desarrollo de los estudios joánicos: «discursos de revelación» *(Offenbarungsreden)* que Juan habría tomado del medio baptista, y en los que el Revelador se presenta como Luz, Vida, Verdad; «fuente de las señales» *(Semeiaquelle)*, formada por una colección de milagros [24]; relato de la pasión y de las cristofanías. La aportación del evangelista habría consistido en vincular a la persona de Jesús lo que los discursos atribuían al Revelador y en combinar entre sí las distintas fuentes. Desgraciadamente, un «redactor eclesiástico» habría llevado a cabo numerosas transposiciones y habría armonizado la teología específicamente joánica con la de la gran Iglesia por medio de adiciones relativas a la escatología (por ejemplo 5,28s) o a los sacramentos (por ejemplo 6,51-58; 19,34*b*-35).

En su *Teología del Nuevo Testamento*, publicada por entregas entre 1948 y 1953 [25], Bultmann comienza por situar el *corpus* joánico frente al conjunto del Nuevo Testamento. A pesar de los parecidos con Pablo, que se explican por la terminología del cristianismo común y por la influencia del helenismo, Juan se distingue de Pablo por la ausencia de toda perspectiva histórica de la salvación [26]; se nos muestra como el pensador más original del Nuevo Testamento, inserto en la atmósfera del cristianismo oriental de fines del siglo I de nuestra era. Su estilo, caracterizado por numerosas antítesis (luz-tinieblas, verdad-mentira, de arriba-de-abajo, celeste-terrestre, libertad-esclavitud), sirve de vehículo de expresión a una visión dualista del mundo, cuyo origen gnóstico es innegable [27]. El tema del envío, expresado por los verbos πέμπω y ἀποστέλλω, responde también a una concepción gnóstica de la salvación: al irrumpir en el mundo de abajo, el enviado celeste trae la verdad y la vida y lleva consigo a los creyentes al mundo de arriba.

Con todo, Juan habría aportado algunas importantes correcciones al mito gnóstico. Fiel a la idea judeocristiana de la creación, repudia el dualismo cosmológico y lo sustituye por el «dualismo de la decisión» *(Entscheidung-Dualismus)*, que se desarrolla en el plano antropológico. De otra parte, ha desmitologizado el mito del Redentor, utilizándolo tan sólo para expresar el carácter «escatológico» (en el sentido bultmanniano del término: absoluto en su actualidad) de la Palabra, que incita al hombre a decidirse por una existencia auténtica.

Bajo imágenes distintas, es siempre, en definitiva, un mismo tema el que aparece en todos los discursos de revelación; Juan «se interesa tan sólo por el *que (Dass)* de la revelación, y no por el *qué (Was)*, porque no es posible decir *qué* es Dios, sino tan solo *que* es» [28]. Bultmann no sólo se muestra escéptico sobre la posibilidad de escribir una historia de Jesús, sino que considera teológicamente inaceptable una investigación que intente fundamentar la fe en la historia. La fe, según Bultmann interpreta a Juan, se convierte así en una adhesión pura, desnuda, que niega y trasciende toda concepción creada, para arrancar al hombre de sí mismo y arrojarlo en Dios; es una *Entweltlichung* (desmundanización, arrancar del mundo) que decide contra el mundo y por Dios, supera el escándalo de la revelación, priva al hombre de la falsa seguridad en los valores humanos para situarlo en la seguridad trascendente de la «existencia escatológica» en Dios [29].

En esta visión teológica, que pone en un primer plano la relación del individuo con un Dios «enteramente Otro», apenas hay lugar para la mediación de la Iglesia y de los sacramentos, ni para la escatología (en el sentido corriente de la palabra), como coronación de la historia. Para Juan, la parusía ya ha acontecido; el sentido de su evangelio consiste en que «la revelación se convierte en él en una realidad presente», porque la fe sólo subsiste en la escucha de la Palabra. Consecuencia crítica: hay que atribuir al «redactor eclesiástico» todo cuanto, en el IV evangelio, hace recaer la proyección joánica al nivel de la fe común.

Las reacciones de los críticos

Las discusiones en torno a la obra de Bultmann no han tenido punto de reposo. En los países de lengua alemana, su interpretación sigue siendo el centro de las perspectivas, aunque sea al precio de discusiones y rectificaciones. Se han dejado oír voces dicordantes incluso entre sus discípulos. Así, E. Schweizer, rechazando los argumentos que emplea Bultmann para llevar a cabo una distinción lingüística entre las fuentes del IV evangelio, se niega a admitir la tesis que atribuía un origen gnóstico a las fórmulas *Ego eimi:* para él, estas fórmulas tienen un alcance mesiánico [30]. Conclusiones parecidas ha propuesto E. Kundsinn (1939), mientras que E. Ruckstuhl desarrollaba con vigor argumentos a favor de la unidad literaria del evangelio [31].

O. Cullmann, comprometido a lo largo de toda su obra en una perspectiva inversa, ha protestado contra la anulación de la historia de la salvación y la reducción al mínimo del papel de la Iglesia [32]. A una comprensión puramente existencialista de la fe, tal como Bultmann la entiende, ha opuesto una interpretación sacramentaria del IV evangelio [33]. Siempre atento al enraizamiento del escrito en la tradición palestina, ha sintetizado recientemente sus investigaciones anteriores sobre el medio joánico [34]. Según él, este medio debe buscarse del lado del judaísmo heterodoxo, tal como aparece de forma especial en los escritos qumranianos y como se ha manifestado, en la Iglesia naciente, en el grupo de los helenistas (Act 6).

Pero aun en medio de esta tempestad de réplicas, la obra de Bultmann no ha dejado de dar sus frutos. Muchos exegetas de lengua alemana, tanto católicos como protestantes, aunque rechazando las tesis extremas del sistema de Bultmann, han aceptado algunas de sus intuiciones. Pueden citarse, en este sentido, los estudios de J. Blank sobre el juicio, de W. Thüsing sobre la elevación y la glorificación de Jesús, de F. Mussner sobre el concepto de «vida» en la teología joánica y la visión joánica de Cristo y de la historia [35]. Por este camino, se ha podido arrojar mayor luz sobre aspectos enteros del IV evangelio.

La exégesis anglosajona

Mientras que Bultmann buscaba en la gnosis mandea el trasfondo del IV evangelio, los críticos anglosajones seguían investigando en el helenismo de inpiración platónica y llevaban a cabo una interpretación teológica más tradicional. Se pueden citar, a título de ejemplo, los comentarios de G.H.C. McGregor (1928) y de W.F. Howard (1943) [36]. La obra póstuma de E.C. Hoskyns [37] tuvo una gran resonancia, por su deliberada voluntad de comprender el evangelio como un todo. Según las propias palabras del autor, al crítico le es imposible separar lo que es historia de lo que es interpretación [38]. Por consiguiente, la meta del comentario es cerrar los caminos que llevarían a una dislocación fatal entre historia y teología.

También C.H. Dodd persigue esta perspectiva de conjunto, en

una obra maestra consagrada a la interpretación del IV evangelio [39]. Más preocupado que Hoskyns por situar a Juan en el marco de las corrientes religiosas de su tiempo, analiza con cuidado las afinidades de este evangelio tanto con el mundo griego como con el judío. Aunque sin admitir que Juan haya tenido conocimiento directo de la teoría platónica de las ideas, Dodd le atribuye una filosofía que ve «en el mundo sensible la copia de un mundo de realidades invisibles». Dodd cree que concretamente el hermetismo es el representante de un tipo de pensamiento religioso parecido al joanismo, aunque sin préstamos sustanciales en ninguno de los dos sentidos [40]. El trabajo de reinterpretación de la escatología popular que emprendió Juan, destacando el aspecto de actualidad de la vida eterna, responde a la auténtica enseñanza de Jesús, tal como se encuentra en las parábolas del reino [41] (escatología «realizada»). Tras haber examinado los términos clave del IV evangelio, Dodd emprende un análisis penetrante de su doctrina y de su estructura: nos inspiraremos en él más adelante [42]. La obra concluye con una serie de reflexiones sobre la historicidad de Juan, que ya habían sido extensamente estudiadas en otro libro [43]: Dodd reconoce que tras el IV evangelio existe una tradición antigua, de origen judío, independiente de los sinópticos y de no menor valor.

El comentario de Barrett (1955) ha dado mayor cabida a los datos del Antiguo Testamento y del judaísmo para explicación del texto; pero no tuvo en cuenta los escritos de Qumrân, cuya importancia se venía imponiendo desde hacía ya varios años.

III

LA EXÉGESIS CONTEMPORÁNEA

El «new look» de los estudios joánicos

Ya desde las primeras publicaciones de los textos de la primera cueva de Qumrân, y especialmente de los *Himnos,* y de la *Regla de la Comunidad* empezó a comprenderse que los pares antitéticos: luz-tinieblas, verdad-mentira, etc., no procedían de los lejanos mandeos sino que tenían paralelos en el medio judío de

Qumrân [44]. ¿Fue tal vez el propio Juan Bautista novicio de los esenios (tesis de Brownlee [45])? En tal caso, Juan, discípulo a su vez del Bautista, habría conocido el mensaje escatológico de Qumrân y se habría inspirado en él.

La importancia de estos descubrimientos dio un poderoso impulso al *new look* de los estudios joánicos, según la expresión de J.A.T. Robinson en el congreso de Oxford de 1957 [46]. Se rompía en toda la línea el «consenso crítico» alcanzado a comienzos de siglo. En una conclusión contundente, Robinson relativizaba la cuestión del autor del IV evangelio: «El problema decisivo es el estatuto y el origen de la tradición joánica. ¿Cae acaso como llovida del cielo en los alrededores del año 100 d.C.? ¿O hay tal vez una continuidad real, no sólo en la memoria de un hombre de avanzada edad, sino también en la vida de una comunidad permanente, con los primeros días del cristianismo? Lo que, a mi entender, caracteriza fundamentalmente al *new look* sobre el IV evangelio, es que la respuesta a esta última pregunta es afirmativa» [47].

Desde entonces, una serie de estudios convergentes han demostrado, en efecto, que la tradición joánica se enraíza en suelo palestino y, en parte, en el judaísmo de antes del año 70. Además de los trabajos de Cullmann, pueden citarse, en este sentido, los de M.E. Boismard, F.M. Braun, A. Feuillet, P. Borgen, I. de la Potterie [48]. La situación creada por la *Religionsgeschichtliche Schule* y los trabajos de Bultmann, aunque no completamente superada, ha experimentado una profunda modificación.

Las investigaciones actuales

Resulta difícil hacer una exposición resumida del estado actual de las cuestiones, porque las investigaciones se desarrollan en todos los frentes. Es, con todo, posible, señalar algunas grandes líneas de orientación.

El trasfondo del IV evangelio

La alternativa «judaísmo-helenismo» no presenta ya los tajantes perfiles que le daba la crítica antigua. Se trata más bien de dos polos, entre los que se sitúan los hombres y sus obras [49].

Son muchos los que opinan que el judaísmo «marginal» proporcionó el suelo nutricio del IV evangelio. De todas formas, ha disminuido la «fiebre qumraniana»; aunque se admite que los textos de Qumrân ofrecen el testimonio de una corriente rechazada por los rabinos después del 70, sería abusivo hablar de una «ortodoxia» judía, en fechas muy tempranas. De todas formas, este aspecto debe ser completado con el estudio de la predicación sinagogal, en la medida en que puede determinarse mediante el ciclo de las lecturas festivas [50]. La comparación entre Juan y los *targums* palestinos [51] promete ser muy instructiva para comprender el modo en que Juan utiliza la Escritura.

El desarrollo actual de los estudios sobre la teología de los samaritanos ha inducido a algunos autores anglosajones a analizar los vínculos existentes entre el IV evangelio y Samaría [52] y a preguntarse si Juan no usó tal vez para su cristología la concepción samaritana del Mesías [53] rey y profeta. De todas formas, nuestra ignorancia sobre la antigüedad real de las tradiciones samaritanas hace muy aleatorio este tipo de investigaciones.

En Alemania, ha vuelto a subir la «fiebre mandea». Aunque hoy día se advierte que los textos publicados por M. Lidbarski son de fecha reciente, no es menos cierto que el mandeísmo tiene antiguas vinculaciones con el movimiento baptista de las orillas del Jordán [54]; conviene, pues, volver a evaluar las relaciones entre el IV evangelio y el mandeísmo. La tarea es tanto más necesaria cuanto que la publicación progresiva de los textos de Nag-Hammadi está renovando nuestros conocimientos sobre el origen de la gnosis y sus diversos sistemas. En varias publicaciones [55], L. Schottroff se ha convertido en el campeón de la tesis que hace depender a Juan de la gnosis. En sentido inverso, no puede olvidarse que Valentín y su escuela utilizaron ampliamente tanto a Juan como al resto de Nuevo Testamento [56]: ¿cómo desenmarañar la tupida red de las mutuas influencias?

Los estudios de crítica literaria

La crítica literaria, que se puso en marcha ya a finales del siglo XIX y recibió un poderoso impulso a través de los trabajos de Bultmann, sigue conservando en nuestros días todo su prestigio en Alemania, como lo muestran los trabajos de G. Richter, J. Becker, H. Thyen [57], pero se cultiva también en otros países. En Francia, M.E. Boismard se ha dedicado al examen de los duplicados en el seno de la tradición joánica, para detectar, por este medio, varias capas redaccionales [58]. En los EE.UU., R.T. Fortna ha vuelto sobre la tesis de la *Semeiaquelle* de Bultmann, con el propósito de definir sus contornos [59]. La lectura de las recensiones consagradas a sus trabajos muestra la gran división que existe entre los autores en este punto.

Pero el interés principal de los críticos parece centrarse en las etapas de la formación del IV evangelio; de hecho, se trata de un problema que es la auténtica encrucijada de la historia redaccional y de la historia de las tradiciones conservadas por el evangelio. Además de los trabajos de W. Wilkens (1958) y de O. Merlier (1961), hay que citar en este punto las *Introducciones* de los comentarios recientes, y en concreto los de R. Schnackenburg y R.E. Brown [60]. Reaccionando contra esta tendencia, los exegetas franceses insisten, por el contrario, en la importancia del texto, tal como se presenta en su estado actual. Junto a los análisis de la configuración externa del lenguaje (estructura superficial) según los métodos de la exégesis clásica (A. Vanhoye, I de la Potterie) [61], van apareciendo análisis estructurales llevados a cabo de acuerdo con nuevos procedimientos (P. Geoltrain, que recurre al método de A.J. Greimas) [62]. En este sentido, puede decirse que hoy está en su pleno apogeo el conflicto de los métodos o, al menos, su mutua competencia.

Interpretación teológica

Este mismo enfrentamiento puede también observarse en el plano de la interpretación teológica. Unos piensan en una teología joánica homogénea en el conjunto de la obra (así A. Feuillet, F. M. Braun, N. Lazure, por citar sólo los nombres que aparecerán más adelante). Otros continúan, aunque bajo formas nuevas, la posición adoptada por Bultmann y descubren graves oposiciones entre la teología de tal o cual fuente y la del redactor final [63]. En fechas recientes ha surgido incluso un nuevo problema: ¿desde qué «lugar» habla Juan? Según E. Käsemann [64], Juan pertenecería «a un conventículo de tendencia gnostizante», que desarrolló un docetismo ingenuo. Así pues, su libro habría sido introducido en el canon *errore hominum et providentia Dei.* Una tesis tan atrevida ha provocado, naturalmente, un vivo debate[65], que tiene uno de sus puntos álgidos en el tema de la eclesiología de 2Jn y 3Jn[66].

Conclusión

Ya en 1892 Holtzmann veía en el IV evangelio un «signo de contradicción» para la crítica. En 1930, A. Schweitzer[67] opinaba que su enigma literario es «insoluble». Si se pasa revista a la producción exegética de los últimos años, se observará que la situación apenas ha sufrido modificaciones: en 1970, W.G. Kümmel terminaba su *balance* comprobando que existía un clima de discordancia y de incertidumbre[68]. Y, con todo, sigue siendo estimulante la reflexión sobre la historia de la interpretación. Dada la importancia del medio ambiente para la interpretación de la obra, cada nuevo descubrimiento de textos (mandeísmo, textos de Qumrân, *Targum* palestino del Pentateuco) provoca de algún modo una nueva lectura. La obra de Juan se halla situada en la encrucijada de innumerables caminos y, sin embargo, es irreductible a las explicaciones construidas sobre la observación de su solo medio cultural. Siendo así, ¿no sería aconsejable que el intérprete comience por destacar la originalidad del pensamiento joánico? ¿No hay aquí una invitación a volver sobre el texto en su integridad, sobre un texto portador de un mensaje que remite, por encima de sí mismo, a la Persona de la que el evangelista quiere ser testigo? Sin desconocer los problemas del origen y de las fuentes, parece que ha llegado la hora de dar la prioridad a una lectura «sincrónica» del IV evangelio, para situarle no en oposición con la fe común (E. Käsemann), sino como una componente original de la sinfonía doctrinal del Nuevo Testamento.

CAPÍTULO SEGUNDO

PRESENTACIÓN LITERARIA DEL IV EVANGELIO

Para entrar en el IV evangelio, hay que examinar, ante todo, la manera como se presenta al lector. Dedicaremos algún tiempo a la fijación crítica de su texto (I). Nos detendremos más en el examen de su lengua y de su estilo (II) y luego en los problemas planteados por la búsqueda de su plan (III). A continuación podremos acometer la tarea del análisis de su contenido (IV).

I

FIJACIÓN CRÍTICA DEL TEXTO

La publicación de numerosos testimonios en el curso de los últimos cuarenta años ha modificado profundamente nuestros conocimientos de la transmisión del texto. Se impone una primera observación: desde el punto de vista de la crítica textual, Jn 21 no plantea ningún problema: se encuentra en todos los manuscritos completos. Es, en cambio, muy discutido el caso de Jn 5,3*b*-4: el pasaje, ausente en cierto número de testigos, no figura en los antiguos papiros (P^{66}, P^{75}). Los manuscritos antiguos ignoran el episodio de la mujer adúltera (7,53-8,11), que figura en cambio en algunos manuscritos de Lucas.

Testimonios de reciente publicación

En 1935, C.H. Roberts publicó un fragmento de papiro (P^{52}), escrito en el anverso y el reverso, que corresponde a Jn 18,31-33. 37-38. Los especialistas se muestran unánimes en datar este escrito antes del 150, lo que constituye una prueba de que el IV evangelio tuvo amplia difusión en Egipto ya en aquella tempranísima fecha.

Aquel mismo año, publicaban, por su parte, H. Idris Bell y T.C. Skeat los fragmentos de un *evangelio desconocido*, descubierto también en Egipto y fechado en torno al año 150 (Pap. *Egerton 2*). Este escrito combina elementos tomados de los sinópticos con datos joánicos. Utiliza, en particular, Jn 5,39 según una forma ignorada por los manuscritos griegos, pero atestiguada por algunos padres y por cuatro testigos de la *Vetus latina* (*a e q ff:* «Escudriñáis las Escrituras en las que vosotros pensáis [ἐν αἷς ὑμεῖς δοκεῖτε] tener la vida eterna») [1].

En 1956, V. Martin publicó el papiro *Bodmer 2* (P^{66}), que contenía 1,1-6,11 y 6,35*b*-14,15. A continuación, editó un suplemento que ofrece numerosos fragmentos de los cap. 15 al 21. La escritura es una bella uncial, fechada en torno a los años 175-225.

En 1961 siguió la publicación de otro prestigioso papiro Bodmer: *Bodmer 14-15* (P^{75}), que contiene los evangelios de Lucas y de Juan, escritos uno inmediatamente después del otro, lo que ilustra el principio ireniano del *evangelio tetramorfo*. Por desgracia, falta el final del evangelio de Juan (a partir de 15,8). El tipo de escritura permite fechar el documento en torno al año 200.

Señalemos también la importancia de las investigaciones llevadas a cabo sobre las versiones coptas de Juan, gracias a las publicaciones Bodmer. R. Kasser ha hecho el inventario de las versiones coptas y de las variantes «insólitas» atestiguas en ellas; pero su obra ha sido objeto de vivas críticas por su falta de método [2]

¿Qué importancia tienen las versiones antiguas y las citas de los padres?

En términos generales, los especialistas en crítica textual otorgan la preferencia a los testigos directos frente a los testigos indirectos: versiones antiguas y citas patrísticas. En una serie de artículos, M.E. Boismard ha roto una lanza contra las teorías imperantes. En su opinión, cuando concuerdan las versiones antiguas (especialmente la latina y la etíope) y el testimonio de los padres (en particular Taciano y Crisóstomo) nos permiten a menudo llegar a un texto más conciso, con más nervio, que debería preferirse a la lección de los grandes unciales [3]. Los puntos de vista de Boismard han influido en la *Bible de Jérusalem*, que adopta, por ejemplo, la lectura *qui natus est* para Jn 1,13 [4] y la lección breve de 13,10 («no necesita lavarse»).

La publicación de P^{66} permitió a M.E. Boismard precisar sus puntos de vista en dos importantes artículos [5]. Mientras que otros críticos tenían tendencia a clasificar el P^{66} en el grupo «egipcio», Boismard destaca las afinidades de este papiro con S (contra B) e incluso con D, y llama la atención sobre las numerosas correcciones de P^{66}. Se nos revela así un estado antiguo del texto, anterior al de la recensión egipcia testificada por B.

Pero, por desgracia, Boismard no ha publicado nada sobre el P^{75}, que pone sobre el tapete su sistema, dada la afinidad extraordinaria entre P^{75} y B. Hablar del carácter «recensional» de B estaría fuera de lugar, según C.M. Martini [6], al menos respecto de Lucas. Por lo que hace a Juan, se advierten también grandes afinidades entre P^{75} y B (C.L. Porter). El tipo «egipcio» existía, pues, ya antes del 200 y no es válido invocar el testimonio de antiguas versiones o de los padres, insistiendo en su antigüedad, en contra de los unciales. Cada caso requiere un análisis particular.

Sería preciso, ante todo, ponerse de acuerdo sobre el valor de las citas patrísticas. No siempre disponemos de ediciones críticas suficientes. Incluso cuando las tenemos, hay que distinguir los casos en que un padre cita de memoria y aquellos otros en que testifica que los manuscritos de que dispone están divididos. A menudo, los copistas han rejuvenecido el texto de los «lemas». Pueden ser, en cambio, más originales las citas hechas en el curso de un comentario. En cualquier caso, es muy instructivo el estudio de las citas de los padres para la historia de la interpretación [7]; pero sería temerario intentar una reconstitución del texto a base de algunos testimonios, salvo en el caso de comprobaciones realizadas con sumo rigor.

¿Se puede ir más allá de las recensiones?

Para dirimir esta cuestión, R. Kieffer [8] se ha entregado a un estudio sumamente minucioso de la tradición textual de 20 versículos (Jn 6,52-71). Ha comparado entre sí no sólo los testimonios directos (papiros, unciales, minúsculos y leccionarios), sino también todas las versiones antiguas y 694 citas de 93 autores. Ha clasificado en el tiempo y en el espacio las 223 variantes, ha determinado su relación y ha buscado la variante original. Gracias a la fijación de tablas comparativas, pueden obtenerse las siguientes conclusiones: 1) El texto *alejandrino* presenta, dentro de una unidad real, dos etapas: una antigua, un poco «salvaje» (sobre todo P^{66}, Sin. y a veces D); otra más reciente, que ofrece el carácter de recensión (sobre todo P^{75} y B). 2) el texto *césariense* «se desvanece». 3) El llamado texto *occidental* es heterogéneo; se pueden distinguir en él dos clases principales según las zonas de influencia: la de la tradición de D y la de una parte de las versiones siríacas. Ambas influencias se dejan sentir en los manuscritos de la *Vetus Latina.* 4) Siguiendo a K. Lake, Kieffer piensa poder aislar el texto *antioqueno* de alrededor del 300 (grupo K^{a-c} de Von Soden; familia II de Lake-Geerlings); este texto, retocado en el curso del siglo IV, habría dado origen al texto bizantino y a sus diversas variantes.

Al término de sus investigación, Kieffer invita a ir más allá de estos grandes grupos, mediante la confrontación de D, P^{66}, la versión bohaírica y S: «El estudio en profundidad de estos cuatro manuscritos, comparados con el texto de P^{75}-B, podría proporcionar en el futuro preciosas indicaciones sobre el texto que precedió a la degradación de los manuscritos y a las recensiones que intentaron ponerle remedio. Por este medio contaremos con oportunidades de llegar al texto primitivo» [9]. Kieffer hace notar, con modestia, que sería preciso llevar a cabo otros sondeos de la misma naturaleza sobre el texto de Juan y el resto del Nuevo Testamento, para comprobar si esta hipótesis de trabajo está en el buen camino.

Existe, pues, en la tarea de la fijación del texto, un cierto número de dificultades menores, sobre las que no se ha hecho enteramente la luz. El texto «primitivo» sólo puede «intentarse» con suficiente margen de aproximación a partir de sus diversas recensiones [10]. En algunos casos, las variantes tienen implicaciones teológicas: representan las interpretaciones que acompañaron a la transmisión del texto (por ejemplo en 1,13 ó en 13,10). Pero el conjunto textual está bien asegurado.

II

LENGUA Y ESTILO DEL IV EVANGELIO

Juan es uno de los escritores más personales del Nuevo Testamento: tiene su propia manera de escribir y componer. Antes de pasar al problema de las eventuales fuentes del IV evangelio y de las etapas de su redacción, conviene entrar en contacto con la obra misma a nivel *sincrónico,* con todas sus riquezas y sus dificultades de estructura, que exigirán a continuación un estudio *diacrónico.* En toda esta exposición queda entendido que emplearemos el nombre de Juan para designar al redactor último, pero sin pronunciarnos todavía sobre su identidad.

Examen de la lengua

El vocabulario

El vocabulario de Juan es relativamente pobre (1011 palabras frente a 1691 en Mt, 1345 en Mc y 2055 en Lucas), mucho menos concreto y pintoresco que el de Marcos, menos literario que el de Lucas. Pero dista mucho de ser trivial, en el sentido de que las palabras clave del IV evangelio manifiestan la originalidad de su pensamiento. Para comprobarlo, basta con notar algunas expresiones frecuentes en Juan y raras en los sinópticos [11].

	Mt	Mc	Lc	Jn
ἀγαπᾶν, ἀγάπη,	9	6 (5)	14	44
ἀληθεία, ἀληθής, ἀληθινός	2	4	4	46
γινώσκειν	20	13	28	57 (56)
εἰμι (1.ª pers. sing.)	14	4	16	54
ζωή	7	4	5	35 (36)
Ἰουδαῖοι	5	6	5	67 (66)
κόσμος	8	2	3	78
μαρτυρεῖν, μαρτυρία, μαρτύριον	4	6	5	47
μένειν	3	2	7	40 (39)
πατήρ (referido a Dios)	45 (44)	4	17 (16)	118

Como contraprueba, hay términos frecuentes en los sinópticos que faltan totalmente en Juan: δίκαιος (hablando de los hombres), δύναμις, ἐλέειν y sus derivados, εὐαγγελίζεσθαι y sus derivados, κηρύσσειν, μετανοεῖν-μετανοία, παραβολή, προσεύχεσθαι-προσευχή, τελώνης... Algunas palabras características de los sinópticos aparecen sólo de manera fugaz en Jn: βασιλεία (5), δαιμόνιον (6), λαός (3).

En términos generales, Juan utiliza poco los verbos compuestos, a diferencia de Lucas, lo que indica una cultura menos literaria. G.D. Kilpatrick ha comparado el vocabulario de Juan con el de los Setenta, Flavio Josefo, Filón y los *Hermetica*. Los resultados son interesantes: el vocabulario de Juan es el de los Setenta (tan sólo 24 de las palabras de Juan no están testificadas en los LXX ni en las otras traducciones griegas). Está muy cerca del de Josefo (85 %), menos del de los *Hermetica* y Filón (65 %). Se observa, por ejemplo, que algunas palabras típicas de Filón y del *corpus hermeticum (athanasia, gnosis, mysterion)* faltan en Juan; en cambio, *anastasis* (4) figura en Juan pero no en Filón. Estas observaciones son de un valor precioso para el estudio del trasfondo del IV evangelio.

Hay una serie de expresiones de Juan que tienen su correspondencia en la fraseología qumraniana. Señalemos algunos ejemplos, tomados de la lista fijada por Schnackenburg [12]: «hacer la verdad» (Jn 3,21 y 1QS I,5; V,3, etc.); «la ira de Dios permanece sobre él» (Jn 3,36*b* y 1QS IV,12); «dar testimonio de la verdad» (Jn 5,33; 18,37 y 1QS VIII,6); «caminar en las tinieblas» (Jn 8,12; 12,35 y 1QS III,21; IV,11...); «la luz de la vida» (Jn 8,12 y 1QS

III,7; 1QM XVII,6; 1QH XII,15...); «el espíritu de verdad» (Jn 14,17 y 1QS IV,21); «el hijo de perdición» (Jn 17,12 y CDC VI,15), etc.

Se observa, en fin, un número bastante importante de términos arameos en el cuerpo del evangelio, seguido a menudo de su interpretación griega: *rabbi* (8 veces), *rabbuni* (1 vez), Mesías (2 veces), Kephas, Siloam (9,7, con su interpretación cristológica), Bethesda, Gabbatha, Golgotha. Este vocabulario constituye ya por sí solo una prueba de la inserción del IV evangelio en la tradición palestina.

La sintaxis

En esta cuestión, la obra base sigue siendo el estudio de E.A. Abbott. Después de los trabajos de Burney y de Torrey, se ha centrado la atención sobre todo en la comparación entre la sintaxis de Juan y la sintaxis semítica [13]. Dejando de lado, por el momento, el problema del eventual sustrato arameo, nos limitaremos aquí a señalar algunas particularidades del lenguaje de Juan. Ya Dionisio de Alejandría contraponía la corrección del IV evangelio a los solecismos del Apocalipsis:

> «Estas obras (= Jn y 1Jn) no solamente no pecan contra la lengua griega, sino que están escritas de una manera muy elocuente por lo que hace a las expresiones, los razonamientos, la composición, y cuesta mucho encontrar un término bárbaro o un solecismo o un idiotismo... Cuanto al autor del Apocalipsis,... veo que utiliza idiotismos bárbaros y que a veces incurre incluso en solecismos» [14].

Presionado por las necesidades de su antítesis, Dionisio de Alejandría exagera un tanto las cualidades literarias de Juan. Aunque correcto, el estilo carece de aquel juego de ilaciones a que los griegos eran tan aficionados, gracias al empleo sutil de las partículas; pero no por ello es menos claro.

Por lo que hace a los *verbos*, Juan ignora el uso del participio futuro, del infinitivo futuro, del optativo, que eran las formas que caracterizaban al griego «literario» de aquella época. Emplea, en cambio, de manera juiciosa, los tiempos: en las narraciones, alterna el aoristo con el presente histórico (utilizado 164 veces). En este sentido, se comporta como Marcos, mientras que Lucas, más literario, evita los presentes históricos. Se nota asimismo que la distribución de los presentes históricos es similar en todas las partes de la obra [15].

Juan utiliza con gran frecuencia el perfecto: unas veces con su valor propio (así en 1,32, opone el aoristo ἐμαρτύρησεν tiempo de la narración, al perfecto de la visión, τεθέαμαι) y otras para conferir mayor solemnidad al estilo (por ejemplo 4,38). Puede compararse esta construcción al empleo del participio perifrástico, en el que el giro se justifica más o menos en razón del relieve que el autor quiere dar al participio (Jn 1,9.28; 2,6; 3,23; 18,30).

La relación de las proposiciones entre sí presenta un cierto número de particularidades. En vez de señalar la subordinación, Juan se contenta a veces con yuxtaponer las frases (asíndeton) o unirlas con un simple καί (parataxis). En su estudio sobre la sintaxis del Nuevo Testamento, K. Beyer [16] aduce los siguientes ejemplos: 1,10.11: 7,21.22.26.34.36; 8,52.57; 9,34; 10,12; 11,8; 14,9*a*; 16,22. Para señalar la condición, Juan recurre a menudo al participio, tanto en las proposiciones principales como en las secundarias (así 3,16; 11,26; 12,46, etc.). Emplea con frecuencia ὅτι en los verbos que significan percepción o elocución, mientras que el uso clásico, seguido por Pablo y Lucas, prefiere el infinitivo [17]. Por extensión, ὅτι puede introducir una explicación (Jn 15,25). Es muy frecuente la partícula ἵνα con sentido final y consecutivo y a veces también con sentido epexegético (10 ó 11 veces, según E. Schweizer, por ejemplo: 6,40; 13,34; 15,12).

A diferencia de los escritores clásicos, Juan recurre poco al uso de las *partículas griegas*. El καί, indefinidamente repetido, puede tener tanto sentido aditivo como sentido adversativo (por ejemplo, 1,10.11). La partícula οὖν (200 veces) es una de las características del estilo joánico: junto a utilizaciones correctas, que indican la consecuencia, Juan utiliza constantemente el οὖν como un narrador popular, que siembra sus relatos de «entonces... entonces...».

A tenor de estas diversas observaciones, podría creerse que el nivel literario de Juan es bastante elemental. Kilpatrick lo sitúa a la altura de Marcos, Apocalipsis y las pastorales. Esta apreciación procede del hecho de que la elección de los criterios lingüísticos establecidos es muy restringida. A pesar de la relativa pobreza de sus medios, Juan es un gran escritor, que sabe concentrar la atención de sus lectores sobre lo esencial (A.J. Festugière).

Las características de Juan

Las observaciones precedentes permiten ya fijar la originalidad de Juan como autor. Ahora bien, ¿son homogéneas, se encuentran en todas las secciones de la obra? Bultmann recurrió a criterios lingüísticos para aislar las fuentes de Juan [18]. A. Schweizer intentó verificar esta hipótesis prescindiendo de los términos de contenido teológico y reteniendo sólo las pequeñas particularidades literarias de menor relevancia posible [19]. Con este criterio, aisló 33 particularidades positivas y una serie menor de particularidades negativas (palabras corrientes que faltan en Juan). De esta lista impresionante extrajo la conclusión de que (salvo en el cap. 2), existe una unidad estilística completa en el IV evangelio.

Las investigaciones de A. Schweizer han sido proseguidas por J. Jeremias, Ph.H. Menoud y E. Ruckstuhl. F.M. Braun ha sintetizado los resultados en un cuadro instructivo [20], del que señalamos algunos ejemplos [21] (la primera cifra indica el número de testificaciones en el IV evangelio, la segunda en las cartas joánicas; después del filete vertical, la tercera cifra indica la utilización en los sinópticos y la cuarta en el resto del Nuevo Testamento):

	evangelio		cartas	sinópticos		resto del NT
οὖν (histórico)	138	+	0	8	+	0
ἐάν (μή) τίς	24	+	4	19	+	2
pronombre posesivo con repetición del artículo	29	+	1	0		
ἀπεκρίθη καὶ εἶπεν	33	+	0	2		
ἐκεῖνος como pronombre personal no atributivo	44	+	6	11	+	0
Σίμων Πέτρος	17	+	0	0	+	2
μαρτυρεῖν περὶ τίνος	17	+	2	0		
ἀμὴν, ἀμήν	25	+	0	0		
ὑπάγω (metafórico)	17	+	0	1		
πιστεύω εἰς τίνα	36	+	3	8		
ἐκ (partitivo)	31	+	3	26	+	3

¿Cuál es el alcance de estas características? Ph.H. Menoud, Ruckstuhl y Braun han concluido que se da una unidad estricta de redacción en el IV evangelio y esta conclusión ha sido admitida por cierto número de críticos. Otros insisten en que la unidad de estilo no debe interpretarse en sentido individual, sino sociológico (H. Haenchen, J. Becker). Pero es preciso admitir, como dato mínimo, que el jefe de la escuela tuvo una intervención preponderante. La carga de la prueba no recae sobre los que afirman la unidad redaccional, sino sobre los que la niegan. El mismo Fortna ha tenido que reconocer que no existen indicios literarios con suficiente capacidad demostrativa para aislar la «fuente de las señales». Juan ha sabido «reeditar» tan a la perfección y ha sabido imprimir de tal modo sus propias características que el evangelio presenta una «unidad estilística» [22].

El problema de la lengua primitiva

El problema de la lengua primitiva del IV evangelio es sólo un aspecto de una cuestión más amplia: la del trasfondo de la obra. No tiene nada de extraño el hecho de que unos autores insistan más en el color griego del estilo y otros en la influencia semítica. Por la época en que la crítica explicaba el IV evangelio a partir de la influencia del helenismo, A Schlatter (1902) no tenía inconveniente en relacionar el estilo de Juan con el de los *midrashim* rabínicos más antiguos (*Mekhilta* sobre el Éxodo, *Sifre* sobre el Deuteronomio); y concluía que la lengua y la patria del IV evangelio deben buscarse en Palestina.

C. Burney planteó en 1922 la «cuestión aramea» [23]. Tuvo el mérito de fijar claramente los límites del problema distinguiendo tres casos: el de los arameísmos, el de los hebraísmos y el de los «semitismos» que podrían interpretarse en función de las dos lenguas:

— *Arameísmos:* no se trata de palabras arameas en cuanto tales *(Gabbatha, Golgotha, rabbuni),* sino de construcciones gramaticales que, aunque no usuales en griego, son ordinarias en arameo. Así, el pronombre proléptico (Jn, 9,13: αὐτὸν... τόν ποτε τυφλόν; 9,18: τούς γονεῖς αὐτοῦ τοῦ ἀναβλέψαντος). Se trata de un arameísmo estricto, porque este giro no existe en hebreo.

— *Hebraísmos:* son construcciones inhabituales en griego, pero corrientes en hebreo, por ejemplo el uso del *waw* conversivo. Burney no advierte hebraísmos en Juan.

— *Semitismos:* construcciones poco usuales en griego, pero que cuentan con testimonios en hebreo y arameo. Por ejemplo, mientras que el relativo es declinable en griego, es invariable en las lenguas semíticas, por lo que en éstas se hace necesario añadir al relativo un pronombre para precisar el sentido (Jn 1,27: οὗ... αὐτοῦ τόν ἱμάντα).

Por lo demás, Burney acepta la distinción propuesta por Moulton entre traducción directa y traducción «virtual». Da mucha importancia a los casos de traducciones erróneas *(mistranslation)*, por ejemplo las debidas a la ambigüedad de la partícula *di* (con la que se puede expresar la finalidad, el objetivo, la causa, el tiempo, y que puede también tener valor de relativo, o señalar la pertenencia). En la controversia subsiguiente, se daría una gran importancia al análisis de estos casos [24].

La tesis de Burney se mantenía aún dentro de unos límites bastante moderados; Torrey le dio una forma mucho más afirmativa (1923) y llegó incluso a sostener que los cuatro evangelios fueron escritos en arameo [25] (1937). En el *Comentario* de M.J. Lagrange se encuentra un examen detallado de los argumentos de Burney y Torrey [26]. El estilo de Juan revela un temperamento semita; pero evidencia también un conocimiento bastante profundo de la lengua griega, lo que hace suponer al menos la intervención de un secretario competente.

Por su parte, J. Bonsirven [27] ha señalado en el IV evangelio y en las cartas la existencia de una serie de términos y de giros perfectamente griegos, que no tienen equivalencia estricta en las lenguas semitas y que, por consiguiente, son bastante raros en los Setenta y en las antiguas traducciones sirias de los evangelios.

Así, Juan emplea con conocimiento de causa los verbos εἶναι («ser») y γίνεσθαι («devenir», «convertirse en»): el *ser* del *Logos* (1,1) se contrapone al *devenir* del mundo (1,3); el *devenir* de Abraham contrasta con el *ser* de Jesús (8,58). El vocabulario incluye numerosos adjetivos que no tienen equivalente estricto en las lenguas semitas (ἀληθής, ἀληθινός, ἄπιστος, ἀνθρωποκτόνος, ἀποσυνάγωγος...); la misma observación puede hacerse respecto de algunos verbos (δεῖ, ὀφείλειν, ἀρνεῖσθαι...). En sentido opuesto, no faltan «locuciones semitizantes que se explican por el medio ambiente lingüístico del evangelista»; citemos: λύειν en el sentido de «violar» la ley (5,18); κράζειν, «proclamar abiertamente»; σκηνοῦν, habitar (1,14)....

Bonsirven concluye: «En sus largas meditaciones sobre las palabras del Maestro, (Juan) no pudo sustraerse a una especie de endósmosis mutua: hizo del lenguaje de Cristo el suyo propio, pero al mismo tiempo le prestó sus esquemas mentales y verbales personales, hasta el punto de que resulta a veces poco menos que imposible separar los dos elementos. Sabemos, con todo, que si la forma es a veces joánica, la sustancia sigue siendo la palabra y el pensamiento del Verbo encarnado»[28].

El estudio de Bonsirven, aunque muy rico en observaciones acertadas, pasaba por alto una distinción, muy necesaria: la que se da entre los *logia* de Jesús y los relatos. La cuestión de los arameísmos se plantea sobre todo a propósito de los primeros. También M.E. Boismard llama la atención sobre las variantes de la tradición textual que podrían proceder de traducciones diferentes de un mismo original arameo[29]. Por su parte, M. Black formula, al final de un examen muy metódico, una conclusión que desborda con mucho el problema de la lengua original: «Es posible que Juan haya utilizado una traducción de *logia* en arameo, pero es más probable que dispusiera de una antigua traducción griega... Tal vez esta fuente de *logia* en el IV evangelio fue sólo el núcleo alrededor del cual se compusieron los largos discursos de Jesús[30].

El estilo de Juan

La manera de Juan es tan personal que nadie puede confundir un pasaje del IV evangelio con un texto de los sinópticos. Y, sin embargo, a la hora de definir el estilo joánico, se tropieza con una grave dificultad: cómo situar bajo un mismo denominador secciones tan diferentes como el *prólogo,* la conversación con la samaritana, la polémica con los judíos de Jerusalén (7 y 8), la pasión, etc.

Relatos y discursos

Siguiendo a A.J. Festugière[31], conviene distinguir, a la hora de estudiar el estilo, entre los relatos y los discursos.

Entre los *relatos,* hay algunos que se distinguen por su gran sobriedad, como el de las bodas de Caná y la expulsión de los vendedores del templo: se dan en ellos características análogas a las de los sinópticos. La originalidad de Juan se echa de ver sobre todo en los relatos concebidos como auténticos dramas: diálogo con la samaritana, curación del ciego de nacimiento, resurrección de Lázaro, comparecencia de Jesús ante Pilato. A pesar de la pobreza relativa de medios, Juan posee el arte de hacer hablar a sus personajes, de disponer su materia en escenas (en el sentido teatral, con indicación de las idas y venidas); de mantener vivo el interés hasta el desenlace. El tono varía de un episodio a otro: «El diálogo con la samaritana (cap. 4) tiene, gracias al empleo de partículas y a su aire ágil y suelto, algo de griego y puede comparársele con los mejores períodos de Lucas; lo mismo cabe decir de la resurrección de Lázaro. La curación del ciego de nacimiento presenta un color más semita y está más cerca del tono de Marcos» [32].

Sin que pueda hablarse de poesía en el estricto sentido de la palabra, los *discursos* presentan a menudo un carácter estrófico. Bultmann ha querido ver aquí una marca de los *Offenbarungsreden* y ha propuesto una disposición del texto en estrofas. Su intento fue proseguido por M. Mollat (BJ) y R.E. Brown *(Anchor Bible).* Este último autor ha explicado el carácter conjetural de la empresa [33]: los «versos» de esta prosa rítmica pueden fijarse a partir del ritmo, del juego de oposiciones, de las gradaciones. Pero en ningún caso es lícito invocar las exigencias del ritmo para eliminar tal o cual miembro de la frase (contra Bultmann): en Juan, el pensamiento tiene primacía sobre las leyes estilísticas.

Procedimientos literarios

Siguiendo los usos semitas, Juan recurre con frecuencia al *paralelismo.* En clara oposición a los autores clásicos, que se afanan por variar lo más posible el vocabulario y los giros, Juan opone palabra a palabra, construcción a construcción [34]. Según los casos, unas veces se limita a oponer los términos de la antítesis (ejemplos de paralelismo asindético: 3,31.36; 8,15) o bien los relaciona mediante la partícula δέ (en 3,18; 4,13.14...) o mediante la conjunción ἀλλά (por ejemplo: 4,14; 6,27).

Entre los procedimientos más frecuentes de estructuración señalaremos los *quiasmas* y las *inclusiones.* Hay un ejemplo sencillo de quiasma en 6,36-40: al v. 36 (ver sin creer) corresponde el

v. 40 (ver y creer); al v. 37 (lo que se me ha dado; no echar fuera) corresponde el v. 39 (lo que se me ha dado; no perder). El v. 38 ocupa el centro de la construcción (bajado del cielo). El conjunto puede ser esquematizado en forma de curva parabólica [35]. Esta estructura parabólica permite comprender bien el conjunto del prólogo, en su estado actual [36]. El proceso ante Pilato, construido de forma muy dramática, con una alternancia regular de entradas y salidas, tiene su centro en la coronación de espinas [37] (19,1-9). La correspondencia entre el inicio de una sección y el fin *(inclusión)* tiene sus orígenes en la homilética judía y proporciona por tanto información sobre el *Sitz im Leben* de algunos pasajes del evangelio: han sido compuestos siguiendo el esquema de una predicación [38].

El tono generalmente grave del estilo no excluye los toques de *ironía,* suave en ocasiones, casi feroz en otras [39]. Jesús muestra un amistoso asombro porque un maestro como Nicodemo esté cerrado a la revelación (3,10); Juan estigmatiza los falsos escrúpulos de los judíos, que se niegan a entrar en el pretorio para no contaminarse, mientras que no vacilan en pedir la muerte de un inocente (18,28).

Señalamos también, como una de las características del estilo, de gran alcance teológico, el uso de *palabras de doble significación* [40]: así ἐγείρειν, «levantar» y «resucitar» en 2,20; ἄνωθεν, «de arriba» y «de nuevo» en 3,3; πνεῦμα, «viento» y «Espíritu» en 3,8; ὑψοῦν, «elevar» y «crucificar» en 3,14; 8,28; 12,32.34; στρέφειν, «volverse» y «convertirse» en 20,14.16...

El procedimiento del «equívoco» ha sido objeto de varios estudios. Bernard (ICC) descompone el esquema en cinco elementos: 1) una expresión de Jesús, 2) que suscita una errónea interpretación en los oyentes, 3) porque la entienden en su sentido material; 4) repetición por Jesús de la sentencia mal entendida; 5) explicación final o errónea comprensión final. H. Leroy ha continuado este estudio, de una manera más sistemática [41]. Reserva el término de *Missverständnis* (equívoco, interpretación errónea) a once casos (2,19.22; 3,3; 4,10.31-34; 6,41s.51; 7,33-36; 8,21s. 31-33.51-53.56-58), en los que el oyente se imagina haber entendido bien y plantea una pregunta irónica, para poner de relieve el aparente carácter absurdo de la sentencia de Jesús («¿Cómo puede un hombre volver a nacer si es viejo?»... «Ni siquiera tienes cubo, y el pozo es profundo»...). Leroy relaciona esta técnica con la de los enigmas y busca su *Sitz im Leben:* se trataría, según este autor, de un grupo minoritario que procuraba distanciarse de los no iniciados. Pero, ¿es convincente esta explicación sociológica? El «equívoco» se encuentra también en algunos lugares de la revelación y podría tal vez derivarse del estilo apocalíptico: una visión que pide ser interpretada. Aquí no se encarga de darla un ángel intérprete, sino el mismo Jesús, al menos para aquellos que están dispuestos a adoptar la actitud de discípulos [42].

A estas observaciones habría que añadir la *fuerza dramática* con que compone Juan algunos relatos (por ejemplo la conversación con la samaritana; la curación del ciego de nacimiento; la resurrección de Lázaro; la comparecencia ante Pilato...). Volveremos sobre este punto en el estudio sincrónico del evangelio. Todo lo dicho nos impide suscribir la opinión que formuló Kilpatrick, basándose en el estudio del vocabulario: «...Un hombre pobre, de una provincia pobre... En términos griegos, un hombre sin cultura, carente de contactos con la literatura griega, religiosa y filosófica, de su tiempo» [43]. Juan no era un «hombre de letras», en el sentido en que podía aplicarse esta expresión a la *élite* intelectual del siglo II. No obstante, su obra denota una tal perspicacia en la visión de las cosas, un sentido tal del drama y del símbolo, que es preciso reconocer en él «un escritor consciente de su arte y de sus procedimientos» [44].

III

EL PLAN DEL IV EVANGELIO

La hipótesis de las transposiciones

Antes de presentar el contenido del IV evangelio mediante el análisis de sus principios de estructuración (nivel sincrónico) es preciso señalar las dificultades que han movido a algunos autores a pensar que su orden primitivo está trastocado y a llevar a cabo una serie de transposiciones para redescubrir el plan del redactor último. Se supone o bien que este último no tuvo la posibilidad de dar la última mano a la redacción que dejó bajo la forma de notas desordenadas o bien que se cambió accidentalmente el orden de los pliegos. De ser así, habría que admitir que estas perturbaciones se produjeron en fechas muy tempranas, porque no han dejado ninguna huella en los manuscritos. No debe confundirse este tipo de investigación con las hipótesis sobre las fuentes del IV evangelio y sobre las etapas de su composición, de que hablaremos más adelante[45].

Transposiciones propuestas

J.H. Bernard ofrece un buen ejemplo de este tipo de investigaciones, en boga sobre todo a comienzos del siglo XX[46]. Extrañado por la anomalía de la secuencia actual (4,46-54, en Galilea; 5, en Jerusalén, 6 en Galilea, sin indicación de un desplazamiento de Jerusalén hacia esta última región), propuso invertir el orden de los cap. 5 y 6. Su hipótesis tuvo amplia acogida, ya que así se comprende mejor la relación entre la discusión de 7,15-24 y el milagro de la piscina de Betzatá. Bernard manipula también el orden del cap. 3 y propone la secuencia: 3,1-21 + 31-36 + 22-30. Dado que en el cap. 10 los v. 19-29 están relacionados con el milagro del ciego de nacimiento y no con la alegoría del buen pastor, Bernard establece la secuencia: 9 + 10,19-29 + 10,1-18 + 10,30ss. Cree que también el cap. 12 está desordenado, pues tiene dos finales. Habría que leer, pues: 12,1-36*a* + 44-50 + 36*b*-43. Tampoco, en fin parece ofrecer una buena secuencia el cap. 14, con la orden de partida (v. 31). Bernard propone la siguiente distribución: 13,1-30 + 15-16 + 13,31-38 + 14 + 17.

R. Schnackenburg es más moderado en sus transposiciones. Admite la inversión de los cap. 4 y 5 y vincula directamente 7,15-24 al cap. 5, lo que da: 4 + 6 + 5 + 7,1-14 + 7,25ss. Transpone también la meditación de 3,31-36, que está fuera de su marco, situándola después de 3,1-12, lo que para el cap. 3 da la siguiente secuencia: 3,1-12 + 31-36 + 13-30[47].

Valoración de las hipótesis

A pesar de las razones de verosimilitud histórica (transposición del cap. 5) o de conveniencia doctrinal que se alegan, la teoría de las transposiciones choca con dificultades insuperables [48]. Hay que comenzar por suponer, en efecto, que el autor del IV evangelio escribía en hojas sueltas de papiro, y no en las hojas preparadas para formar un rollo (uso corriente) o un códice (uso cristiano, sólo atestiguado a partir del siglo II). Hay que suponer, además, que sólo escribía en el anverso y que el fin de la página coincidía con el fin de una frase. Las comprobaciones llevadas a cabo con los más antiguos papiros hacen inverosímil esta secuencia de hipótesis, a pesar de la ingeniosidad de que dan prueba los autores para fijar el número de letras por páginas. En consecuencia, sólo podría tomarse en consideración la hipótesis de las transposiciones cuando no exista ninguna otra solución posible, y el orden actual de las perícopas no ofrezca ninguna lectura inteligible. Pero, como escribe muy acertadamente C.H. Dodd, «la obra aparece ante nosotros con un orden que, salvo algunos detalles insignificantes, no ha variado en la tradición textual tal como la podemos seguir hasta fechas muy tempranas. Para nosotros, el trabajo de un intérprete consiste, ante todo, en ver lo que puede sacar de los documentos tal como han llegado hasta nosotros, antes de intentar mejorarlos» [49].

Búsqueda del plan

El interés actual por la determinación de las etapas de redacción del IV evangelio ha llevado a buen número de autores a pensar que ha quedado ya superado el problema del plan. Son significativas, a este propósito, las *Introducciones al Nuevo Testamento* de Feine-Behm-Kümmel y de Wikenhauser-J. Schmid, que se limitan a dividir el texto en dos grandes secciones (1-12 y 13-20) y, para el resto, se contentan con un rápido análisis del contenido. Pero, a despecho de las dificultades de la tarea, la determinación del plan es tan importante como para el fotógrafo la elección de lugar para una perspectiva global de un monumento o de un paisaje. El plan, que es una perspectiva sobre el conjunto, ofrece al mismo tiempo al lector una serie de puntos fijos que le ayudan a reconocer los conjuntos menores y sus relaciones mutuas. El problema esencial es aquí el de los *criterios* a que atenerse.

¿A qué criterios atenerse?

1) Atraídos por el simbolismo de los números, algunos autores dan una importancia considerable a las cifras 7, 3 y 5: así, bajo diversas formas, Albertz, Lohmeyer, Dodd para los cap. 2-12, Hirsch para el *Grundschrift*. Por desgracia, Juan no se ha tomado la molestia de establecer una numeración completa ni siquiera para las «señales». Por lo demás, ¿pudo tener la intención de agrupar los episodios según un simbolismo oculto?

2) Otros autores, movidos por la preocupación de utilizar los evangelios para reconstruir la vida de Jesús, dan mucha importancia a las *indicaciones de orden geográfico y cronológico*. Allo es un buen representante de esta tendencia [50]. Distingue cinco partes principales: 1) Período de preparación, principalmente en Judea (1,19-4,44); 2) parte correspondiente a la duración del ministerio en Galilea (4,45-7,9); 3) declaraciones solemnes de Jesús en Jerusalén (7,10-11,57); 4) la gran semana y la pasión (12-19); 5) resurrección y apariciones (20-21). Pero este punto de vista no responde a las indicaciones de Juan, que no ha escrito su obra como réplica a los sinópticos, sino con un objetivo cristológico que habrá que precisar (cf. 20,30s) [51]. Así, por ejemplo, el episodio de 7,1-9 forma parte de las discusiones en Jerusalén, mientras que el cap. 12 está separado del relato de la pasión por la introducción solemne de 13,1s.

3) D. Mollat, impresionado, y con razón, por la *importancia dada a las fiestas judías*, ha propuesto una división que destaca el tiempo litúrgico de la revelación. Después del *prólogo*, distingue así: 1) la primera pascua (1,19-3,21); 2) viaje a Samaría y Galilea (3,22-4,54); 3) segunda fiesta en Jerusalén (5); 4) la pascua del pan de vida (6); 5) la fiesta de las tiendas (7,1-10,21); 6) la fiesta de la dedicación (10,22-11,54); 7) la última pascua (11, 55-19,42); 8) el día de la resurrección (20+21). Al marcar el

ritmo de la vida de Jesús mediante la mención de las fiestas judías, Juan ha querido sin duda revelarnos un aspecto de su misión (cumplimiento de la antigua alianza e inauguración de la alianza nueva); pero parece difícil admitir que haya sido éste su objetivo principal. ¿Puede admitirse que 11,55-19,42 forman una unidad literaria, «la pascua de la crucifixión», cuando 12,37-43 constituye claramente la conclusión de la vida pública y 13,1 la introducción al drama de la pasión? El punto de vista litúrgico y sacramental está subordinado a la manifestación de la persona de Jesús, tal como ha demostrado, entre otros, H. Van den Bussche.

4) Atento a la importancia del segundo prólogo (13,1-3), Dodd divide el IV evangelio en *dos libros:* el «Libro de los signos» y el «Libro de la pasión». Aunque el título primero es adecuado, el término de «pasión» no concuerda bien con la enseñanza de Juan sobre la muerte de Jesús: no es una muerte padecida, sino el acto voluntario de aquel que sabe que «ha llegado la hora de pasar del mundo a su Padre» (13,1). Para la segunda parte, puede optarse entre el título de «Libro de la hora» o el de «Libro de la gloria» (Brown), elevación del Hijo del hombre sobre la cruz, que señala su entrada en la gloria (17,1).

En el interior del «Libro de los signos», algunos exegetas se limitan a yuxtaponer las escenas (así Brown, Schnackenburg). Dodd, por su parte, distingue siete episodios, desde el cap. 2 al final del cap. 12. Aunque hay ciertamente en estas observaciones muchos aspectos que merecen retenerse, ¿no sería preferible insistir más en la progresión dramática del conjunto? A. Lion [52] subraya, con razón, la importancia del corte formado por el final del cap. 6. Desde este momento, se establece una clara distinción entre el pequeño grupo de los doce y la muchedumbre y además, a partir del cap. 7, el clima cambia y se hace cada vez más hostil. Mientras que en los cap. 1-6 predominaba el vocabulario de la vida (ζωή, ζῆν, ζωοποιοῦν, 42 veces sobre un total de 56), en los cap. 7-12 aparece una y otra vez el vocabulario de la muerte (θάνατος, ἀποθνήσκειν, ἀποκτείνειν, 24 veces sobre un total de 35). Podría, pues, dividirse el «Libro de los signos» en dos partes: el anuncio de la vida (1,19-6,71) y la vida rechazada por el mundo (7-12).

PLAN PROPUESTO

Prólogo (1,1-18)
El «Libro de los signos» (1,19-12,50)

PARTE PRIMERA: EL ANUNCIO DE LA VIDA (1,19-6,71)

Sección primera: El acceso a la fe (1,19-4,42)
1) «¿Quién eres tú?» (1,19-51)
2) La nueva alianza (2,1-25)
— El episodio de Caná (2,1-12)
— La purificación del templo (2,13-25)
3) Dudas y progresos en la fe (3,1-4,42)
— Conversación con Nicodemo (3,1-21)
— El último testimonio de Juan (3,22-36)
— Conversación con la samaritana (4,1-42)
Sección segunda: Jesús, palabra que transmite la vida (4,43-5,47)
1) El segundo milagro de Caná (4,43-54)
2) Curación del paralítico de Betzatá (5,1-47)
— Relato del milagro (5,1-18)
— Discurso de controversia (5,19-47)
Sección tercera: Jesús, pan de vida; crisis de fe y confesión de fe (6,1-71)
1) Relato de la multiplicación de los panes y marcha sobre las aguas (6,1-25)
2) Discurso del pan de vida (6,26-65)
3) Crisis de la fe y confesión de Pedro (6,66-71)

PARTE SEGUNDA: RECHAZO DE LA VIDA Y AMENAZAS DE MUERTE (7,1-12,50)

Sección primera: Controversias en la fiesta de las tiendas (7,1-8,59)
Sección segunda: Jesús, luz del mundo (9,1-10,42)
1) Curación del ciego de nacimiento (9,1-41)
2) Alegorías del pastor y de la puerta (10,1-21)
3) Conflicto durante la fiesta de la dedicación (10,22-39)
Sección tercera: Jesús, vida y resurrección del mundo (11,1-12,36)
1) Resurrección de Lázaro (11,1-45)
2) La deliberación en casa de Caifás (11,46-64)
3) Unción de Betania y entrada en Jerusalén (12,1-19)
4) Episodio de los griegos y última revelación (12,20-36)
Conclusión del «Libro de los signos» (12,37-50)

El «Libro de la hora» (o de la gloria) (13,1-20,31 + 21,1-25)

PARTE PRIMERA: LA CENA DE DESPEDIDA (13,1-17,26)

Sección primera: El lavatorio de los pies y la cena (13,1-30)
1) Relato del lavatorio de los pies (13,1-20)
2) Anuncio de la traición de Judas (13,21-30)
Sección segunda: Discurso de despedida (13,31-16,33)

1) Primer discurso (13,31-14,31)
2) Segundo discurso (15,1-16,33)
Sección tercera: La oración sacerdotal (17,1-26)

PARTE SEGUNDA: EL RELATO DE LA PASIÓN (18,1-19,42)
Sección primera: Arresto de Jesús y negación de Pedro (18,1-27)
Sección segunda: El «proceso romano» de Jesús (18,28-19,16)
Sección tercera: La crucifixión (19,17-42)

PARTE TERCERA: LAS APARICIONES DEL RESUCITADO (20,1-31 + 21,1-25)
Las apariciones en Jerusalén (20,1-31)
1) María de Magdala en el sepulcro (20,1-10)
2) Aparición a María de Magdala (20,11-18)
3) El don del Espíritu y el envío misional (20,19-23)
4) La entrada en el tiempo de la fe (20,24-29)
Conclusión del evangelista (20,30-31)
Apéndice: Las apariciones a orillas del lago (21,1-25)
1) Relato de la pesca milagrosa (21,1-11)
2) Perspectivas de futuro (21,12-23)
Segunda conclusión (21,24-25)

IV

ANÁLISIS DE LA OBRA

En el marco del plan que acabamos de proponer, debemos acometer ahora un examen detallado del contenido de la obra. Ésta será la mejor manera de presentar prácticamente los trabajos consagrados a sus diversas secciones.

El prólogo (1,1-18)

El *prólogo* (1,1-18) ejerce una auténtica fascinación sobre los intérpretes del IV Evangelio, tanto por la hierática solemnidad de su estilo como por la densidad teológica de la expresión. Hasta la época moderna, los autores se interesaron sobre todo por la naturaleza del *Logos,* sus relaciones con el Padre, por su papel en la creación y por el modo de la encarnación. La exégesis actual, por el contrario, investiga principalmente los problemas literarios e históricos del texto: ¿Con qué medio está relacionado? ¿Cuáles son las etapas de su redacción?

La tesis de Bultmann marcó época: según este autor, el himno primitivo, compuesto en arameo por la comunidad baptista, saludaba a Juan Bautista como luz del mundo; el evangelista recurrió a él, aplicándolo a Jesús, con intención polémica. El origen baptista sólo es admitido hoy día por unos pocos autores (por ejemplo E. Stauffer, S. Schulz, H. Thyen). Tampoco ha conseguido muchos partidarios la hipótesis de un himno gnóstico adaptado por un autor cristiano (Schottroff). La gran mayoría de los críticos piensa en un himno cristiano, del mismo género que Flp 2, 6-11, Col 1,15-20, 1Tim 3,16, cantado en la comunidad joánica y adaptado por el evangelista.

G. Richter y H. Thyen, atentos a la diferencia entre la primera parte, en la que el *Logos* es sujeto, y la segunda, en la que interviene el *nosotros* de la comunidad creyente, consideran que los v. 14-18 representan la reinterpretación del texto primitivo a cargo del evangelista. La doble mención de Juan Bautista (v. 6-8 y 15) es, en opinión unánime, una inserción redaccional en el texto primitivo: los v. 6-8 podrían muy bien constituir la introducción primitiva de la parte narrativa, que comienza en 1,19.

En su reseña crítica, H. Thyen formula un excelente principio: «Todos los esfuerzos de reconstrucción deben ser evaluados según lo que aporten para la interpretación del texto que se nos ha transmitido» [53]. En esta presentación global, consagraremos nuestra atención sobre todo al prólogo en cuanto *obertura* de la obra, según la feliz expresión de R. Bultmann.

Problemas de crítica textual

La importancia de la crítica textual para el estudio del prólogo nos obliga a señalar algunos trabajos recientes sobre esta cuestión.

1) El corte que es preciso admitir entre los v. 3 y 4 ha sido objeto de investigaciones patrísticas y de estudios sobre los datos de los manuscritos antiguos [54] (concretamente P^{66} y P^{75}). El resultado de estos estudios es convergente: de acuerdo con la antigua interpretación patrística y con la necesidad del ritmo, conviene dividir así el texto: «Todo llegó a ser por medio de él // y sin él nada se hizo. // Cuanto se hizo en él era la vida // y la vida era la luz de los hombres.»

2) Los v. 12-13 plantean un problema particular. M.E. Boismard ve aquí, dado su carácter redundante, un texto confluente, resultado de la fusión de dos recensiones cortas, una de formulación semítica y otra de formulación griega [55]. Pero, esta conjetura, falta de apoyos suficientes en la tradición textual, debe rechazarse.

3) Sigue, en cambio, abierto el debate sobre la lectura del v. 13. Los mss griegos son unánimes en favor de la lectura en plural: «los que han nacido (ἐγεννήθησαν) de Dios». Pero la lectura en singular de algunos testigos de la versión latina *(qui ex Deo natus est)* está apoyada por Ireneo, Tertuliano, Orígenes latino, etc. Según M.E. Boismard, F.M. Braun, J. Galot [56], esta lección se impondría en razón del sentido. Con todo, en esta hipótesis no se entiende bien la conexión entre v. 13 y 14.

4) Para el v. 18, Boismard ha propuesto un texto muy corto: «A Dios nadie le ha visto jamás, sino el Hijo único; él lo ha comunicado» [57]. Esta atrevida reconstrucción apenas ha tenido partidarios. No obstante, la publicación de P^{66} y de P^{75} apoya el sentido de la lectura (ὁ) μονογενὴς θεός (y no υἱός). ¿Se trataba tal vez de una insinuación contra el culto imperial? [58].

La estructura del prólogo

La estructura del prólogo ha sido objeto de numerosos estudios, a menudo más preocupados por la prehistoria del texto que por el texto en sí. Ya en el punto de partida surgen dos dificultades: una doble inserción referente a Juan Bautista, que rompe en apariencia el hilo de la exposición (v. 6-8 y 15); el primero de estos pasajes constituye una introducción absolutamente natural para la sección narrativa de 1,19ss (Boismard, Fortna). Por otra parte, el estilo no es homogéneo: rimado al principio, se hace prosaico a partir del v. 13. C. Spicq ha orientado a la exégesis por el buen camino al comparar el prólogo de Juan con el elogio de la Sabiduría en el Sirácida [59]. Partiendo de la observación de que el v. 18 volvía sobre el tema del v. 1 (inclusión), Boismard ha descubierto una estructura quiástica, que se encuentra también en otras secciones joánicas [60]. A. Feuillet comparte esta opinión, mientras que P. Lamarche refina la hipótesis hasta el exceso. Partiendo de un modelo análogo, P. Borgen propone, en cambio, un esquema demasiado simplificador[61]. Aun reconociendo las limitaciones de un esquema que no puede agotar todos los finos matices del desarrollo, creemos que el cuadro siguiente permite comprender las articulaciones esenciales del pensamiento.

	↓	↑	
a) El *Logos* vuelto hacia Dios	(1s)	(18)	*a')* El Unigénito es revelador porque está en el seno del Padre
b) Mediación cósmica del *Logos*	(3)	(17)	*b')* Mediación soteriológica
c) Bienes aportados por el *Logos*	(4s)	(16)	*c')* Plenitud de gracia
d) Testimonio del Bautista	(6-8)	(15)	*d')* Testimonio del Bautista
e) Presencia del *Logos* en el mundo	(9)	(14)	*e')* Habitación del *Logos* encarnado
f) Incredulidad del mundo y de Israel	(10s)	(12s)	*f')* Acogida de la fe, que permite llegar a ser hijos de Dios

Sea cual fuere la estructuración adoptada, hay un punto de difícil determinación: ¿en qué momento piensa Juan que acontece la venida histórica del *Logos* al mundo? Para L. Schottroff, por ejemplo, el himno gnóstico primitivo trata de una acción iluminadora del *Logos,* que se ejerce de forma intemporal[62]. En el lado opuesto, K. Aland interpreta todo el prólogo en el marco de la historia de la salvación; para él, los v. 1-4, tras la presentación del *Logos* como preexistente, se refieren al período anterior a la caída: «Los hombres de aquel tiempo poseían *zoe* y *phos*..., porque se hallaban en el estado que debería restablecerse por el envío del *Logos* hecho carne a la humanidad caída»[63].

A. Feuillet, por su parte, llama la atención sobre un procedimiento de la composición joánica: ir «de lo general a lo particular, de una visión muy amplia, pero muy vaga, a otras cada vez más precisas y limitadas»[64]. Así, en el v. 4, la acción vivificadora e iluminadora del *Logos* engloba toda la historia de la humanidad, desde los orígenes hasta el fin de los tiempos. En el v. 5 se produce un primer acortamiento de las perspectivas: la mirada se extiende desde la caída original (cf. la mención de las tinieblas) a los tiempos actuales (el presente: φαίνει = brilla). En un segundo acortamiento (v. 9-10) ya sólo se habla de que los hombres rechazan al *Logos* iluminador, repulsa que culmina en el drama del Calvario. El v. 11 precisa la responsabilidad del pueblo judío (los «suyos») dentro de la responsabilidad global de todos los hombres, que han preferido las tinieblas a la luz, porque sus obras eran malas (3,19). A partir del v. 12, Juan se refiere ya a la acogida dispensada al *Logos* por los creyentes y caracteriza la obra salvífica como concesión de la filiación divina (cf. 3,3.5; 20, 17; 1Jn 3,1s). En el v. 14 se subraya enérgicamente el realismo de la encarnación[65], al tiempo que irrumpe, de forma paradójica, la confesión de fe: «¡Hemos visto su gloria!» Se trata de la gloria del encarnado, que se filtraba ya a través de los signos (2,11; 11,40), pero que no se manifestó plenamente hasta el sacrificio del Calvario y la resurrección (12,23; 17,1s). En esta contemplación de la historia de la salvación, Juan no opone la ley a la gracia, como hace Pablo, sino que ve ya en el don de la ley una primera revelación[66]. Así, pues, a la gracia imperfecta obtenida por Moisés, Juan contrapone la revelación perfecta concedida en la persona del Verbo encarnado. La expresión «gracia y verdad» recuerda, en efecto, la teofanía de Éx 34,6: mientras que Moisés sólo pudo ver a Dios de espaldas, el Unigénito ha podido revelar los secretos del Padre, porque él mismo está «vuelto hacia el seno del Padre»[67].

El puesto del prólogo en el IV evangelio

J.A.T. Robinson ha comparado, con ingeniosidad, el prólogo a un pórtico majestuoso, aunque un tanto desproporcionado, construido en un momento posterior para adornar una vieja morada. Conviene, pues, preguntarse cómo nos lleva el prólogo al conjunto de la obra. La mención del *Logos* muestra que la idea rectora es la de una revelación que salva; pero ya no se volverá sobre el tema de la creación ni sobre el título de *Logos* para designar a Cristo. La preexistencia de Cristo, fuertemente subrayada en el prólogo, sólo reaparece de forma progresiva en el curso del evangelio (1,30; 6,62; 8,58), aunque vuelve a insistirse otra vez en esta idea en la oración sacerdotal, cuya elevación de pensamiento recuerda al prólogo (17,5.24). El esquema de conjunto del prólogo se encuentra en el binomio «bajar-subir» característico del discurso sobre el pan de vida (6,33.38.41.42.50.51.58). Los temas de la vida (ζωή, 36 veces en Jn, 13 veces en 1Jn), de la luz (φῶς,

22 veces en Jn, 4 veces en 1Jn) y de las tinieblas (σκοτία, 8 veces en Jn, 5 veces en 1Jn), del mundo (κοσμός, 74 veces en Jn, 22 veces en 1Jn) son eminentemente joánicos. La oposición entre las tinieblas y la luz se describe con pinceladas dramáticas en el cap. 4 y se explica su alcance teológico en 3,19ss y 12,37-41 (cf. 4,44). La insistencia en el realismo de la encarnación se da la mano con otros muchos textos de intencionalidad antidocetista (6,53ss; 19,35; 20,24-29; cf. 1Jn 4,2; 5,7)[68]. Al Bautista se le presenta como testigo del Verbo preexistente (1,15: cf. v. 30): se une así al grupo apostólico para testificar la «gloria» del Hijo[69]. El título de Unigénito (μονογενής), resume las declaraciones en las que Jesús revela la intimidad de sus relaciones con el Padre.

De todas formas, al tomar al prólogo como clave de lectura de todo el evangelio se corre el riesgo de subestimar algunos importantes aspectos de la teología joánica. Por ejemplo, en el prólogo no figura la *agape*, ni se nombra al Espíritu, siendo así que es quien produce la regeneración, a tenor de 3,3.5. La insistencia en la encarnación (1,14) ha podido hacer creer que Juan desarrollaba una teología diferente de la soteriología de la Iglesia primitiva. Pero no se puede reducir la cruz a ser la simple revelación de la *agape;* aunque es cierto que en Juan predomina este aspecto, no excluye por ello el carácter sacrificial de la muerte del Cordero de Dios (1,29; 19,33-36: cf. 1Jn 2,2; 4,10). Y, en fin, en el prólogo apenas aparece la dimensión eclesial, aunque está implicada en la perspectiva de la historia de la salvación.

Origen del Logos joánico

El origen del *Logos* joánico es una de las cuestiones más vivamente discutidas en la exégesis. Se han desarrollado estudios en todas las direcciones: helenismo filosófico o místico *(Corpus Hermeticum)*, gnosticismo, judaísmo alejandrino (función del *Logos* en Filón)[70].

Sin querer pasar por alto las variadas resonancias que la palabra *Logos* provocaba en los lectores de Juan, según su cultura, conviene subrayar la raíz bíblica de la noción correspondiente. Se admite que el punto de partida está en la experiencia de la palabra profética, que hizo del yahvismo una religión de la historia, en oposición a las religiones naturalistas del Oriente Próximo. Nadie sintió mejor que Jeremías el poder desgarrador de esta palabra (20,9), «que extirpa y destruye, para reconstruir y plantar» (1,10). El profeta anónimo del retorno celebra la permanencia de la Palabra (Is 40,8) y en su parábola (Is 55,10s) esboza ya el movimiento del prólogo de Juan. Otra serie de textos (Gén 1; Sal 33,6-9; Sab 9,1) presenta a la Palabra como creadora, mientras que los sabios prefieren celebrar las intervenciones de la Sabiduría personificada (Prov 8,22-31; Eclo 24). Aunque encargada de una misión universal, la Sabiduría ha elegido a Israel como su lugar de residencia (Eclo 24,8; Bar 3,38) y se manifiesta concretamente en el libro de la *torah* (Eclo 24,23s; Bar 4,1).

La evolución teológica del papel de la *Dabar* desembocó en la noción targúmica de el *Memra* de Yahveh. Durante largo tiempo no se vio aquí sino una simple metonimia del Nombre inefable, de igual rango que otros sustitutivos, como Nombre, Lugar, Presencia *(shekinah)*. Pero estudios recientes han mostrado que el *Targum* palestino emplea de forma plenamente consciente la palabra *Memra* para designar a Dios creador, revelador y salvador. «Es el *Memra* de Yahveh la que crea, la que es luz e ilumina *(Trg Neofiti* sobre Éx 12,42), la que salva exactamente igual que el *Logos* de Juan (1,1-4*a*.4*b*-12.14). Esta triple función es propia del *Memra* de Neofiti, pero no del *Memra* de Onkelos, que no es presentada como creadora, reveladora ni salvadora» [71].

El Libro de los signos (1,19-12,50)

PARTE PRIMERA: EL ANUNCIO DE LA VIDA (1,19-6,71)

Sección primera: El acceso a la fe [72] (1,19-4,42)

A continuación del prólogo, el comienzo de la parte narrativa muestra cómo Juan Bautista envía sus propios discípulos a Jesús: El Bautista manifiesta la novedad de la alianza que trae el Cordero de Dios. Predomina el tema de la fe, como lo indican los diálogos de Jesús con Nicodemo y con la samaritana: en éste la revelación se abre finalmente a las dimensiones del mundo (4,42).

Para el análisis de esta sección, es importante determinar el puesto que ocupan en su estructura las bodas de Caná. Se dan en este punto dos tesis principales: 1) Siguiendo a J.H. Bernard y E.B. Allo, M.E.

Boismard distingue en 1,19 y 2,11 el marco de una semana[73] (triple mención de «al día siguiente» en 1,29.35.43 y el tres días después de 2,1). Según esto, Juan establecería un paralelo entre la nueva creación en Cristo (cf. 1,3.17) y la primera creación en siete días. Por su parte, A. Serra y B. Olsson fijan como trasfondo de esta semana la teofanía del Sinaí. 2) No faltan las objeciones a esta seductora teoría. Para apuntalar su tesis, M.E. Boismard se apoya en una de las lecturas más improbables del v. 41 *(mane,* que sólo se encuentra en 2 mss de la *Vetus latina).* El género literario de 1,19-51 difiere mucho del empleado en el cap. 2. La indicación «tres días después» (2,1), que da el tono a una sección dominada por la noción de la *hora,* evoca para un cristiano el día de la resurrección, en el que se cumpliría plenamente esta hora. Por lo demás, existen múltiples afinidades entre las bodas de Caná y el episodio de los vendedores expulsados del templo. Con Dodd y A. Feuillet, consideramos, pues, que el cap. 1 forma un todo, que concluye con una fórmula de revelación (1,51).

1) «*¿Quién eres tú?*» (1,19-51). Para comenzar, nos hallamos ante un verdadero prólogo cristológico, en el que el evangelista enumera todos los títulos de Jesús. La pregunta hecha al Bautista es de una importancia decisiva: «¿Quién eres tú?» (1,19). Sólo más tarde asoma el problema de su actuación: «¿Por qué bautizas?» (1,25). En la estructura del evangelio, esta doble pregunta lleva a una difuminación del Bautista ante el Cordero de Dios que quita el pecado del mundo. A esta primera proclamación corresponde la presentación de Jesús como cordero pascual en 19,36 (= Éx 12,46). Una serie de títulos va manifestando progresivamente quién es este gran desconocido: cordero de Dios, hijo (o elegido) de Dios, Mesías rey de Israel. En la cumbre de esta serie de revelaciones, Jesús se presenta a sí mismo como el vínculo viviente entre el cielo y la tierra, en cuanto que es el hijo del hombre (1,51; cf. Gén 28,12). Su acción consistirá en comunicar el Espíritu, porque sobre él permanece el Espíritu (S. Lyonnet).

2) *La nueva alianza* (2,1-25). La acción innovadora de Jesús se expresa en dos escenas que se refieren a la nueva alianza, pero en las que se perciben grados de fe muy diferentes: fe de los discípulos que ven la gloria de Jesús (2,11), fe imperfecta de las gentes de Jerusalén, que no saben pasar del aspecto material de los «signos» (2,23-25).

— En razón de su enigmática densidad, el *episodio de Caná* (2,1-12) ha suscitado las más variadas interpretaciones. Es, en este punto, decisiva la búsqueda del trasfondo, si quiere llegarse a una interpretación correcta. La alegría de las bodas evoca el establecimiento de la nueva alianza[74] (cf. Mc 3,19 y par.; Jn 3,29-30; Ap 19,9). El vino caracteriza también el banquete pascual, como anuncio del gozo mesiánico[75]. Así pues, Jesús, prefigurando la hora de su glorificación (13,1; 17,1...) y por discreta invitación de su madre, da una señal de la salvación que trae al mundo de los creyentes: pero este signo sólo podrá ser plenamente comprendido a la luz del «tercer día», esto es, después de su resurrección. — Mientras que, de este modo, Caná anuncia los aspectos gloriosos del misterio pascual, la *purificación del templo* (2,13-25) permite entrever su aspecto doloroso: «Destruid este templo y en tres días lo levantaré» (2,19, que debe compararse con el tercer día del 2,1). La primera escena daba a entender indirectamente que había pasado ya el tiempo de las purificaciones judías[76], porque Jesús las sustituía por el vino de la nueva alianza; la segunda muestra que ha llegado también a su fin el tiempo de los sacrificios de animales (2,14-15, con una significativa insistencia en los animales que Jesús arroja de la casa de su Padre). Finalmente, en respuesta a la espera escatológica, Jesús se presenta como el lugar de la adoración (compárese 2,19 con 1,51 y 4,23).

Si se presta atención al modo como el evangelista enlaza el episodio de Caná con la expulsión de los vendedores, se evitará la tentación de buscar en el texto indicaciones cronológicas para reconstruir la biografía de Jesús: lo que le interesa al evangelista es presentar la *obra* de aquel cuya *identidad* ha revelado en las líneas anteriores.

3) *Dudas y progresos en la fe* (3,1-4,42). La conversación de Jesús con Nicodemo y después con la samaritana forma un díptico. Cada uno de sus interlocutores representa una clase de hombres y un tipo de fe: de un lado el fariseo de buena voluntad; del otro la comunidad samaritana; de un lado la seguridad del que cree que sabe, del otro la disponibilidad de aquella que sabe dejar de lado sus preocupaciones materiales y accede a una fe misional. Entre ambas escenas se sitúa una última alusión a Juan Bautista (3,22-30), como para mostrar que su testimonio constituía la obertura de toda esta sección.

— *La conversación con Nicodemo* (3,1-21) plantea numerosos problemas: ¿Dónde concluye el diálogo propiamente dicho? ¿Dónde comienza la meditación del evangelista, que reflexiona sobre las afirmaciones de Jesús? ¿Qué relación existe entre las afirmaciones de Jesús y la sección errática de 3,31-36? El texto actual permite entrever varias etapas redaccionales, pero no por eso deja de tener una estructura inteligible, que invita a evitar los desplazamientos. Con I. de la Potterie, pueden distinguirse en las palabras de Jesús tres revelaciones, introducidas con el doble *amén* (v. 3,5.11). A estas revelaciones, cada vez más amplificadas, responde el *cómo* de Nicodemo (v. 4.9). Jesús, a su vez, se maravilla de la ignorancia de un docto de Israel (v. 12).

El tema fundamental de la conversación es el *renacimiento que procede del Espíritu*. De este modo, Jn 3 responde al testimonio del Bautista: «él bautiza con el Espíritu Santo» (1,33). De ahí que la alusión bautismal esté bien presente en el texto, aunque se hable más del problema de la función del Espíritu como introductor en el mundo de lo alto. A la revelación del Espíritu como principio de regeneración (v. 3-8), sigue una revelación sobre el «cómo» de esta misteriosa operación: el amor de Dios está actuando en el mundo, y entrega al Hijo como señal de salvación[77], a la que es preciso volverse con fe (v. 11-15). Así pues, la efusión del Espíritu no acontecerá antes de la glorificación del Hijo (7,39;

20,22; cf. 16,7), ni tampoco el renacimiento de lo alto antes del doble movimiento de bajada y nueva subida del Hijo del hombre. En este punto del desarrollo, el evangelista prolonga, con su meditación, los temas del diálogo (v. 16-21): por el don de su Hijo, Dios ha puesto al mundo ante la alternativa entre la salvación y el juicio, según que se crea en la luz o que no se quiera creer en ella.

— Aquí tiene su puesto el *último testimonio de Juan* (3,22-36). Pero las palabras del Bautista, dichoso de desaparecer en un segundo término ante el Esposo de las nupcias escatológicas, se continúan en una meditación del redactor sobre la función de Jesús, revelador de las cosas del cielo y donador de la vida eterna (v. 31-36). Debe mantenerse el marco en que se inserta el testimonio, porque evoca una participación de Jesús y de sus primeros discípulos en el movimiento baptista anterior al arresto de Juan (3,22-26).

— *La conversación con la samaritana* (4,1-42) presenta una notable estructura dramática. La introducción (cf. v. 4) sitúa la escena en el corazón de las tradiciones patriarcales (tierra dada por Jacob a José, v. 12; pozo de Jacob): ya este simple trasfondo evoca los dones y las promesas.

El *primer acto* pone en escena a Jesús solo, con la mujer de Samaría (v. 9-26). Se registra aquí una constante ampliación de las perspectivas: del agua natural, Jesús hace que la mujer pase a desear «el agua que brota para la vida eterna» (v. 13-14): de las tradiciones de los padres (v. 20) a la revelación de la hora, que se caracterizará por la adoración en espíritu y en verdad (v. 21-24). Tras las sibilinas alusiones a la experiencia personal de la mujer (v. 16-18), se adivina en filigrana una valoración de la situación en que se encuentra la comunidad samaritana: el Dios de Israel «no es su esposo», porque «la salvación viene de los judíos» (v. 22*b*). Pero el tiempo de las rivalidades entre Jerusalén y Garizim será superado por los verdaderos adoradores (v. 20-24). Enfrentada con esta revelación, la mujer descubre que el que le está hablando es «más que nuestro padre Jacob» (v. 12), que es un profeta (v. 19); finalmente, acepta en la fe la revelación decisiva: Aquel Mesías que debía venir «soy yo *(ego eimi)*, que hablo contigo» (v. 16).

El *segundo acto* (v. 27-42) comienza con la llegada de los discípulos. El desarrollo aparece más destrabado, pero encierra ciertos paralelismos: el tema del agua tiene ahora su réplica en el de la comida (v. 31-34) y a la revelación de la hora responde la proclamación del tiempo de la cosecha (v. 35-38). Se invita a los discípulos a tener en cuenta el trabajo de los segadores que se han fatigado antes que ellos (¿alusión a Juan Bautista, o tal vez a la primera evangelización de Samaría, en los orígenes del cristianismo?). Sea como fuere, lo cierto es que los «campos que blanquean» se refieren a los samaritanos, que proclaman en el coro final: «Sabemos que él es verdaderamente el *Salvador del mundo*» (4,42).

Sección segunda: Jesús, palabra que transmite la vida (4,43-5,47)

El cap. 5 marca un giro radical. Mientras que hasta ahora la exposición respondía al objeto de subrayar el carácter mesiánico de Jesús y la superioridad de la economía cristiana sobre la antigua alianza, a partir de este momento lo que se discute es la dignidad propia de Jesús. H. van den Bussche destaca a este propósito la diferencia entre *ergon* (obra) y *semeion* (signo), para oponer el «Libro de las obras» (caps. 5-12) al «Libro de los signos» (cap. 1-4). Pero aunque es cierto que la primera palabra posee un sentido más amplio, no es menos cierto que las «obras» se refieren a menudo a la misma realidad que los «signos».

1) *El segundo milagro de Caná.* Cabe preguntarse a qué sección debe vincularse la curación del hijo del funcionario real de Cafarnaúm (4,43-54). Atendido su final, que presenta esta curación como «la segunda señal realizada en Caná» (4,54), parece natural insertar el episodio dentro de la sección que se iniciaba con la señal primera (2,1-11): este procedimiento respondería bien a los usos literarios de Juan (Van den Bussche). Pero el tono del relato es diferente. La triple repetición de la misma fórmula: «Tu hijo vive» (v. 50.51.53) destaca el poder vivificador de la palabra de Jesús. En este sentido, el texto se vincula a la sección siguiente. Se trata, en suma, de un episodio bisagra.

2) *La curación del paralítico de Betzatá* (5,1-47). Esta larga sección incluye dos partes netamente distintas: un relato (v. 1-18) seguido de un discurso de revelación (v. 19-47).

— *Al relato del milagro* propiamente dicho (v. 1-9*a)* le sigue una discusión sobre la observancia del sábado (v. 9*b*-18). El conjunto no carece de analogías con los datos paralelos de los sinópticos. El marco del milagro queda bien especificado: se trata de una piscina de cinco pórticos, levantada en el emplazamiento de un antiguo lugar cúltico, consagrado a los dioses curanderos y más o menos judaizado (cf. la intervención del ángel que viene a agitar el agua, según el texto de v. 3*b*-4 de una parte de la tradición manuscrita). El hecho de que se destaque este trasfondo confiere a la actitud de Jesús un rasgo sorprendente. En un episodio anterior, Jesús había tomado la iniciativa de dirigirse a la samaritana, actuando en contra de una costumbre judía (4,9). Aquí, interviene en favor de un paralítico en un lugar que podía parecer sospechoso a la ortodoxia judía. Se destaca así mejor el alcance misional del relato. Pero la discusión subsiguiente no tendrá como punto de partida esta peculiaridad geográfica.

— El *discurso* que sigue parece ser el comentario de una sentencia tajante (v. 17) y la respuesta a la acusación de «hacerse igual a Dios» (v. 18). La *primera parte* (v. 19-30) está centrada en la comunidad de acción entre el Hijo y el Padre: el primero se comporta como el aprendiz que no hace nada que no haya aprendido de su maestro (v. 19). La obra de vivificación, ilustrada por el milagro precedente se cumple ya desde ahora en favor de los que escuchan la voz del Hijo y llegará a su consumación el día de la resurrección final (v. 28-29). En la *segunda parte* desfilan los testigos en favor del Hijo: Bautista (v. 33-35), las obras que el Padre ha encomendado que el Hijo lleve a cabo (v. 36), el Padre mismo (v. 31-32.37-38), las Escrituras (v. 39-40). En esta perspectiva, aquel

Moisés a quien los judíos invocan como protector se convertirá en su acusador (*kategor,* opuesto a *parakletos*), porque se niegan a creer en aquel de quien él ha dado testimonio (v. 45-47).

Este discurso, de tonalidad jurídica, suministra una indicación sobre el medio en que se formó, al menos en parte, la tradición joánica: la controversia entre los judíos y los cristianos jugaba aquí un importante papel. Introduce, además, en el *proceso* que dominará en adelante todos los desarrollos: un proceso que no es tan sólo el de las autoridades judías contra Jesús, sino también el que sigue desarrollándose a lo largo de la historia en el corazón de cada uno de los hombres.

Sección tercera: Jesús, pan de vida; crisis de fe en el grupo de los discípulos (6,1-71)

El tema fundamental del cap. 6 es una prolongación del cap. 5: se trata de Cristo vivificador. Pero han cambiado los actores del drama: ahora ya no son los judíos hostiles a Jesús, sino los creyentes adictos a él, aunque con fe imperfecta. Esta grave crisis, que se venía incubando ya desde el final del cap. 4 (cf. 4,44; 4,48 y 6,26) provocó una reducción del grupo de los discípulos al pequeño grupo de los doce (6,66-67). La estructura del cap. es análoga a la del cap. anterior: primero dos milagros, luego un discurso que explica y prolonga su significación y un final narrativo como conclusión de la controversia.

1) *El relato de la multiplicación de los panes* (v. 1-15) tiene su paralelo en los tres sinópticos (Mc 6,30-44; Mt 14,13-21; Lc 9,10-17) y prepara el discurso sobre el pan de vida (v. 26-59). La *marcha sobre las aguas* (v. 16-21), de la que sólo los discípulos fueron testigos, aparece en este mismo contexto en Mc (6,45-52) y en Mt (14,22-33). Puede verse en este episodio un anuncio de las apariciones de Cristo resucitado. La escena prepara inmediatamente el final del cap. 6 (v. 60-71), donde Jesús responde a las dificultades de los que se niegan a creer en la doctrina eucarística (Dodd) y Pedro, en nombre de los doce, proclama su adhesión al Maestro (v. 68s).

2) *El discurso del pan de vida* (v. 26-58) tuvo lugar, según el evangelista, en la sinagoga de Cafarnaúm (v. 22-25.59). Los críticos discuten la unidad de esta sección. De hecho, la *primera parte* (v. 26-51*a*) trata de la fe en Cristo, pan de vida bajado del cielo. En ella se dan frecuentes alusiones a los escritos de sabiduría (A. Feuillet). Pero se advierte también, según la sugerencia de P. Borgen, un comentario del texto escriturístico: «Les ha dado a comer un pan que viene del cielo» (Éx 16,15. combinado con Sal 78,24). La *segunda parte* (v. 51*b*-58) se refiere más directamente a la eucaristía y constituye el paralelo joánico de la institución, seguido de un comentario, como en la tradición paulina (cf. 1Cor 11,22-25 + 11,26-29) (J. Jeremias). Sea cual fuere el origen primitivo de este desarrollo, la redacción final del discurso tiene una unidad real, ex-

puesta a la manera de una homilía sinagogal. Su objeto es «el pan bajado del cielo» (1.ª parte), que es preciso comer para tener vida (2.ª parte).
Una vez reconocido el género literario del discurso, no puede oponerse su interpretación simbólica (el pan como símbolo de la Palabra) a su interpretación sacramental (el pan como signo eucarístico): el sentido eucarístico que viene preparándose progresivamente desde la 1.ª parte (X. Léon-Dufour) se afirma con toda claridad en la segunda. La fe en la palabra encarnada en Cristo debe conducir a la unión íntima con él (v. 56) y esta unión queda sellada con la recepción del cuerpo y de la sangre «dados para la vida del mundo».

3) *El final del capítulo* (v. 66-71) no evoca solamente la escisión entre la muchedumbre, decepcionada en sus esperanzas mesiánicas por la retirada de Jesús (cf. v. 15) y los verdaderos discípulos de Jesús, de los que Pedro es el portavoz (v. 67-69). Anticipa ya el drama de la pasión: Jesús sabe quién le va a entregar (v. 64.70). De esta forma, la conclusión del cap. 6 proporciona una transición a la parte segunda del «Libro de los signos», en la que aparecerá con insistencia el tema de la muerte (A. Lion).

PARTE SEGUNDA: RECHAZO DE LA VIDA Y AMENAZAS DE MUERTE (7,1-12,50)

Existen dudas sobre la manera de reagrupar las escenas que se suceden desde el cap. 7 al 12. Dodd se contenta con distribuirlas en una secuencia de episodios: luz y vida, manifestación y repulsa (7-8); juicio por la luz (9,1-10,21, con el apéndice de 10,22-39); victoria sobre la muerte (11,1-53); la vida a través de la muerte: el sentido de la cruz (12,1-36); epílogo del «Libro de los signos» (12,37-50). Brown adopta un punto de vista más centrado en las fiestas judías (cf. D. Mollat): Jesús en la fiesta de las tiendas (7,1-8,59, dividido en seis secciones); Jesús en la fiesta de la dedicación (10,22-39); los caps. 11-12 forman una sección especial: Jesús avanza hacia la hora de la muerte y de la gloria. Schnackenburg, que transpone el cap. 6 y junta 7,15-24 con 5,47, se limita a yuxtaponer las subdivisiones. De todas formas, el *episodio de la mujer adúltera* (7,53-8,11) es un cuerpo extraño, emparentado con la tradición de Lucas, que ha sido insertado secundariamente en el IV evangelio [78].
Con A. Feuillet y A. Lion, puede reagruparse el conjunto de los cap. 7 a 12 bajo el tema de «la vida, rechazada por la muerte». Invita a ello el vocabulario, como se ha dicho en páginas anteriores [79]. En estos capítulos, se respeta la *unidad de lugar:* todo ocurre en Jerusalén y, con frecuencia, en el templo, lugar destacado de la revelación que se convierte trágicamente en el lugar de la incredulidad y de las repetidas tentativas de homicidio. Es difícil determinar una progresión temática de la acción, por ejemplo en función del tema de la luz o del tema de la vida. En 8,12, Jesús se presenta como la luz del mundo, pero trae «la luz de la vida» (τὸ φῶς τῆς ζωῆς); en 7,38 había afirmado ya ser la «fuente de agua viva».

Se da esta misma vinculación entre luz y vida en los cap. 9-10 y más tarde en los cap. 11-12. El epílogo (12,46.50) une, una vez más, los dos temas. La división en tres secciones se limita simplemente a poner de relieve los cortes que se observan en el desarrollo: en 8,50 y 10,42. Pero no debe ocultar la homogeneidad profunda de los cap. 7-12 en los que, en cierto modo, el evangelio procede por yuxtaposición de grandes masas.

Sección primera: Controversias en la fiesta de las tiendas (7,1-8,59)

Este primer desarrollo se introduce con la conminación de los hermanos de Jesús: «Manifiéstate al mundo» (7,4). En estos capítulos dramáticos subyace el tema de la *revelación*

En una serie de controversias, las afirmaciones de Jesús aparecen como destrozadas por las réplicas hostiles o las acusaciones de los judíos (7,19-20; 8,13.19.22.25.33.39.41.52s.57). En ningún otro lugar concede Juan tanta atención a las reacciones encontradas de la muchedumbre (por ejemplo 7,40-52). Está ya en marcha el *proceso de Jesús,* con amenazas de muerte que van aumentando en violencia (7,1.19.25.30.32.44; 8,37.40.59). El conjunto está encerrado por una inclusión («en secreto», 7,4; «se ocultó», 8,59). «Desde esta perspectiva, todo el episodio puede concebirse como una ilustración a gran escala de la manera como el evangelista entiende la primitiva doctrina cristiana del endurecimiento *(porosis)* de Israel, a la que ha otorgado un puesto preponderante en el epílogo del «Libro de los signos» (12,37-41)» [80].

De este conjunto emergen varias *sentencias de revelación,* de gran importancia: el anuncio del agua viva que brotará del corazón de Cristo, en cuanto nuevo templo (7,37-38; cf. 19,34); la proclamación: «Yo soy la luz del mundo» (8,12), seguida de la discusión sobre el origen de Jesús (8,14: «Sé de dónde vengo y a dónde voy»); las afirmaciones referentes a la elevación del Hijo del hombre y a la reivindicación de un *Ego* divino (8,24; 8,58).

Sección segunda: Jesús, luz del mundo (9,1-10,42)

Esta sección se desdobla en tres desarrollos, todos los cuales desembocan en la cuestión fundamental de la fe en Jesús: ceguera de los fariseos, cupo pecado permanece *(9,41b);* escisión entre los judíos a propósito de la curación del ciego de nacimiento (10,19-21); fe de un gran número ante las señales realizadas por Jesús (10,40-42).

1) *La curación del ciego de nacimiento* (9,1-41) traza un paralelo antitético entre el ciego, que se va acercando progresivamente a la plena luz de la fe (v. 17.25.31-33.38), las diferentes categorías de testigos que se cierran a la luz (v. 16.21) y los judíos que se hunden cada vez más en su culpable ceguera (v. 24-34). Así se opera el «juicio» (v. 39). El relato es un buen ejemplo de composición dramática; el simbolismo brota de la

vivacidad del recuerdo y se despliega en la evocación del tiempo de la Iglesia (cf. v. 22 y 34) [81].

2) La conclusión de 9,41: («Si fuerais ciegos, no tendríais pecado...») prepara las *alegorías* del cap. 10,1-18: el pastor verdadero, contrapuesto a los salteadores (10,1-5), la puerta de las ovejas (10,7-10), el pastor valeroso y el mercenario cobarde (10,11-18). El sentido de este conjunto es complejo: Jesús se presenta a la vez como el enviado legítimo cuya voz es bien conocida por sus ovejas y como el pastor que debe hacer salir a los fieles del aprisco de la antigua alianza para formar «un solo rebaño» (I. de la Potterie). La condición de esta obra es su muerte redentora (10,17-18).

3) El punto culminante del conflicto entre Jesús y «los judíos» acontece durante la *fiesta de la dedicación* (10,22-39). Pero no puede hacerse de esta indicación temporal el punto de partida de un desarrollo autónomo (contra Mollat y Brown). La discusión se reanuda en el punto en que se encontraba: a Jesús se le enfrenta con la pregunta de que declare si él es el Cristo (v. 24; cf. 7,4 y 8,25); vuelve sobre la alegoría del buen pastor (v. 27-29); se ve acusado de blasfemia por sus pretensiones de divinidad (v. 33; cf. 5,18). Las hipótesis de dislocación textual que sitúan 10,19-29 entre los cap. 9 y 10 (Bernard) se apoyan en una lectura demasiado historizante. El evangelista no transmite una crónica de los enfrentamientos de Jesús con los judíos, sino que, al hilo de sus exposiciones, va recordando las causas fundamentales de la ruptura.

Sección tercera: Jesús, vida y resurrección del mundo (11,1-12,36)

Esta sección incluye en primer término un relato muy dramático: la resurrección de Lázaro (11,1-45) y luego una secuencia de acciones y discursos que lleva al «Libro de la gloria» (Brown) (11,46-12,36).

1) *La resurrección de Lázaro* (11,1-45) se presenta en cierto modo como la «parábola histórica» de la muerte y resurrección de Jesús: es su confrontación con la muerte, que culmina en su victoria. Tres indicios marcan esta dirección: la reflexión de Tomás («Vamos también nosotros a morir con él», v. 16), la deliberación del sanedrín después del milagro (v. 46-54) y, sobre todo, las repetidas afirmaciones de Jesús: «Yo soy la resurrección y la vida; el que cree en mí, aunque muera, vivirá» (v. 25).

2) *La deliberación en casa de Caifás* (11,46-54) tiene una gran importancia en la obra de Juan (Dodd). Ya antes de comparecer Jesús ante el sanedrín, su causa estaba sentenciada. Por esto, y a diferencia de los sinópticos, Juan apenas se detiene en el proceso religioso (cf. 18,13-14. 19-24). Además, el evangelista comenta la afirmación de Caifás (v. 49-50) poniendo al descubierto el sentido eclesial de la muerte de Jesús: «para reunir en uno a los hijos de Dios que estaban dispersos» (v. 52).

3) *La unción de Betania* (12,1-11), situada por Juan antes de la entrada de Jesús en Jerusalén y no «dos días antes de la pascua» (Mc 14, 1-9; cf. Mt 26,1-13), aparece como el preludio de la sepultura de Jesús (Jn 12,7 = Mc 14,8 = Mt 26,12), mientras que su *entrada en Jerusalén* (12,12-19) destaca su dignidad real.

4) *El episodio de los griegos* (12,20-36) lleva esta revelación a su punto culminante, al descubrir el alcance universal de la elevación del Hijo del hombre (v. 31-32): la elevación en cruz se superpone a la elevación en gloria. Nótese la anticipación de la agonía (v. 27-29; cf. 18,11*b*).

Conclusión

El «Libro de los signos» concluye con un doble epílogo: primero una reflexión sobre la incredulidad de los judíos (12,37-43), y luego un resumen de la predicación de Jesús (12,44-50), aparentemente situado fuera de contexto.

El Libro de la hora, o de la gloria (13,1-20,31 + 21,1-25)

El segundo libro se abre con un período impregnado de gravedad, que le confiere su carácter específico (13,1-2): es el «Libro de la hora», en cuanto paso de este mundo al Padre, hora del amor sin límites, que desemboca en la entrada de Cristo en la gloria. Jesús consagra sus últimas conversaciones sólo a sus discípulos (cf. 13,1); aparece ya la figura del «discípulo a quien Jesús amaba», con su papel específico en la hora de las confidencias (13,23-26; 19,26s; 20,2-10; 21,7.20). Estos capítulos se hallan bajo el signo del amor (31 veces ἀγάπη y el verbo ἀγαπᾶν en los cap. 13 a 17, sobre un total de 40 en el evangelio). La estructuración del «Libro de la hora» no plantea problemas difíciles. El relato del lavatorio de los pies y de la última cena (13,1-30) ocupa el mismo lugar, respecto de los discursos que siguen, que los relatos de milagros antes de los discursos explicativos del «Libro de los signos». A partir del arresto (18,1-12), el relato de la pasión sigue una trama análoga a la de los sinópticos, aunque con algunas notables particularidades de detalle. Los relatos de apariciones se sitúan «en el primer día de la semana» (20,1.19. 26) y finalizan con una conclusión en la que el evangelista precisa su designio (20,30s). El cap. 21 se presenta como un apéndice, con su propia conclusión (21,24s).

PARTE PRIMERA: LA CENA DE DESPEDIDA (13,1-17,26)

Sección primera: El lavatorio de los pies y la cena (13,1-30)

1) *El lavatorio de los pies* (13,1-20) debe ser considerado como un todo, que introduce el «Libro de la hora», a pesar de que se advierten en él varias capas redaccionales (M.E. Boismard, G. Richter). A la ma-

nera de los profetas, Jesús realiza un acto simbólico que presagia a la vez su pasión, ya muy cercana, y la purificación que ésta llevará a cabo durante el tiempo de la Iglesia. De ahí que la conducta de Jesús siga siendo el único punto de referencia, tanto para el culto eclesial como para la vida diaria de los cristianos.

2) *El anuncio de la traición de Judas* está inserto, en Juan, en el marco de la cena de despedida (13,21-30, cf. v. 18), exactamente igual que en los sinópticos: Judas, poseído por Satán (13,2), se hunde en la noche (13,30).

Sección segunda: Los discursos de despedida (13,31-16,33)

El estudio de J. Munck sobre los discursos de despedida en el AT y en el judaísmo han orientado a la exégesis por el buen camino para comprender el género literario de estos capítulos. Un personaje venerado se despide de los que le rodean, sea en el momento de su muerte (los patriarcas) o antes de ser arrebatado al cielo (Henoc, Baruc, Esdras). Reuniendo en torno a sí a su familia o sus discípulos, les imparte su enseñanza suprema: exhortación a la fidelidad, anuncio de las calamidades que les sobrevendrán en caso de desobediencia. En los *Testamentos de los doce patriarcas* [82], éstos evocan el curso de sus vidas y extraen de él lecciones de moral práctica. A veces, los textos traen una descripción muy sombría de los «últimos tiempos» (*Test. de Moisés* 7; Jub 45,14). En el Nuevo Testamento hay un buen ejemplo en el discurso de Pablo a los ancianos de Éfeso (Act 20,18-35); la 2Pe adapta el género al marco de una carta.

Ya Lucas había desarrollado un tanto las conversaciones de Jesús después de la Cena (Lc 22,24-38). Pero Juan les da una amplitud sin igual. La composición de los discursos es compleja. El lector se siente sorprendido por la falta de lógica y por las múltiples repeticiones: así, hay cinco *logia* sobre el Paráclito, dispersos en 14,16-17.26; 15,26-27, 16,7-11.13-15. En 14,31 termina un discurso, cuya secuencia lógica debe buscarse en 18,1, que inicia el relato del arresto. Pero en 15,1 se abre un nuevo discurso, con la alegoría de la viña (15,1-8) y su aplicación (15,9-17). El anuncio de la persecución (15,18-16,4) ofrece numerosos paralelos con Mt 10 y Mc 13. Un nuevo anuncio de la venida del Espíritu (16,4*b*-15) es seguido de un último diálogo de despedida (16,16-33).

Las numerosas repeticiones de este conjunto inclinan a pensar que el redactor final ha reunido dos discursos paralelos. Las enseñanzas pueden reducirse a tres temas fundamentales:

a) *El amor* (ἀγάπη). El mandamiento del amor, varias veces repetido, aparece como el mandamiento único (ἐντολή), característico de la nueva alianza (13,34). A diferencia de los sinópticos, que en este punto toman la fórmula de Dt 6,4-5, Juan destaca la referencia cristológica que caracteriza al amor cristiano: «como yo os he amado, os debéis amar los unos a los otros» (13,34). De este modo, el amor de Jesús a su Padre (15,9-10) debe pasar a los discípulos, para que su unión aparezca ante el mundo como el signo de la presencia divina (cf. 17,23). Hay aquí, pues, una considerable profundización en la doctrina de la *agape*.

b) *El consuelo*. El consuelo prometido a los discípulos es doble: 1) *el retorno de Jesús,* cuya formulación imprecisa puede aplicarse tanto a las apariciones pascuales como a la parusía o a la presencia misteriosa de Cristo durante el tiempo de la Iglesia; 2) *el envío del Paráclito,* cuya misión se va descubriendo poco a poco (14,14-16.25s; 15,26; 16,7.11. 13-15). Bajo una forma parcialmente nueva, en la que se mezclan la escatología «realizada» (14,9; 17,3) y la escatología «final» (16,4*b*-33, que debe cotejarse con los sinópticos [83]), Juan formula la esperanza cristiana segura de la victoria de Cristo sobre el mundo (16,33).

c) *La unión.* Hay unión de Jesús y de los creyentes en la alegoría de la viña (15,1-10), unión de los discípulos entre sí en la «oración de la hora» (cap. 17), en la que Jesús intercede para pedir la santificación de los suyos (cf. Heb 10,10; 13,12). Este tema no permite las mismas aproximaciones con los sinópticos.

Sección tercera: La oración sacerdotal (cap. 17)

Entre los discursos de despedida y el relato del arresto, Juan sitúa una perícopa única en su género: la oración del Hijo al Padre cuando llega su hora (17,1). Esta «oración de la hora» (A. George) ha recibido, desde el siglo XVI, el nombre de «oración sacerdotal», ya que es la oración de intercesión de Cristo, mediador de la alianza.

Aunque por la elevación del pensamiento recuerda el *prólogo,* el estilo se acerca más bien a los *Hôdayôth* de Qumrân (1QH) y a la bendición con que se abre la carta a los Efesios (Ef 1,3-14). La alternancia de tiempos (pasado, presente y futuro) muestra que a la última oración de Cristo por los suyos aquí abajo el evangelista superpone la oración que sigue haciendo en favor de los creyentes después de su exaltación (16,26s; 1Jn 2,1; cf. Heb 7,25; 9,24): la «oración de la hora» es a la vez la de la cruz y la de la gloria. En razón del lugar en que el evangelista la ha situado, expresa la significación del drama que va a abrirse con la pasión y los frutos que de ella se derivarán para la Iglesia. La glorificación de Jesús ante el Padre es la consecuencia de la glorificación del Padre por la cruz de Jesús (17,4), obra del amor supremo, porque es la obra de la obediencia sin límites (cf. 14,31).

Los críticos discuten la *estructura literaria* de la perícopa. A grandes rasgos, se distinguen tres «movimientos» sucesivos: 1) Cristo ora para obtener su glorificación al término de su obra aquí abajo (v. 1*b*-8, donde el v. 3 constituye una glosa teológica); 2) ora en favor de los discípulos que el Padre le ha dado (v. 9-19); 3) ora, en fin, por todos cuantos creerán en él gracias a la palabra de los discípulos (v. 20-26). Pero los temas no se encadenan según las leyes de nuestra lógica, sino que se desarrollan los unos en torno a los otros, desde un extremo al otro de la sección.

Al final (v. 20-23) se vuelve con insistencia sobre el tema de la unidad: la unidad entre los que creen en Cristo es la señal de la unidad entre el Hijo y el Padre. Aquí se expresa de forma tajante el dualismo joánico: «Ruego por ellos, no por el mundo» (v. 9*a*). Con todo, al mundo no se le condena sin apelación: si cree en la palabra de los discípulos, entrará a su vez en el designio salvífico de unidad que lleva a cabo la redención (v. 21). La profunda elaboración teológica de este capítulo invita a considerarlo como una de las últimas producciones del evangelista, destinada al principio a un grupo de cristianos formados desde mucho tiempo atrás en la fe (B. Rigaux).

PARTE SEGUNDA: EL RELATO DE LA PASIÓN (18,1-19,42)

El relato de la pasión ofrece rasgos peculiares. Pero de aquí no cabe deducir que concuerde mal con las intenciones teológicas de Juan ni que lo haya insertado en su evangelio sólo bajo la presión de la tradición (E. Käsemann [84]): la progresión constante de los relatos anteriores, en los que la oposición a Jesús lleva hacia la hora final, muestra con suficiente claridad que el evangelio ha sido compuesto en la perspectiva de la «cruz pascual». Las relaciones con los sinópticos son aquí relativamente estrechas, en concreto con el evangelio de Lucas [85]. Pero el relato tiene su propia originalidad, que indica la presencia de una tradición particular.

1) *La estructura literaria* ha sido bien analizada por A. Janssens de Varebeke y R. Brown [86]. Se distinguen en ella tres secciones, de muy parecida extensión (27 v., 29 v., 26 v.). La *primera sección* narra el arresto de Jesús en Getsemaní y su interrogatorio ante Anás y Caifás, con la negación de Pedro (18,1-27). La *segunda sección* cuenta el interrogatorio de Jesús por Pilatos (18,28-19,16); se despliega en siete escenas dispuestas según un plan parabólico, con la proclamación de la realidad de Jesús en el centro de las perspectivas (cf. 19,1-3). La *tercera sección* (19,17-42) narra la crucifixión, en siete episodios cargados de significación teológica: el acto mismo de la crucifixión, la túnica inconsútil, la madre y el discípulo, «tengo sed», la lanzada, la unción del cuerpo, la sepultura.

2) *Desde el punto de vista cristológico,* Juan subraya el carácter voluntario de la pasión, epifanía paradójica de Cristo como rey y como juez. Esto es lo que muestra el doble *Ego eimi* (18,5.8) que provoca la caída de los soldados, la coronación de espinas en el centro del proceso romano (19,1-3), la instalación de Jesús sobre el estrado del tribunal (19,13, según la interpretación de I. de la Potterie), la prodigalidad de los perfumes, que convierte el enterramiento de Jesús en sepultura real (19,39). Así, el triunfo aparente de las tinieblas sobre la luz provoca su derrota (cf. 12,31s).

3) *La orientación hacia el tiempo de la Iglesia y de la economía sacramentaria* se abre paso a través de un buen número de detalles. La túnica inconsútil que los soldados no rompieron representa simbólicamente la unidad de la Iglesia, que debe salvaguardarse por encima de la diversi-

dad de sus miembros (19,23s, que debe explicarse según 1Re 11,29-31). La escena de despedida del crucificado (19,25-27) sugiere las relaciones de amor filial que deben establecerse entre los creyentes (de los que es tipo «el discípulo al que Jesús amaba») y la Madre Iglesia (representada por la madre de Jesús). El episodio del agua y la sangre que brotaron del costado abierto se convierte en objeto de una solemne testificación (19,31-37): el cotejo de Jn 7,37s con 1Jn 5,6-8, permite interpretar la escena desde una perspectiva sacramental [87]. Dos citas de la Escritura (19,36 = Éx 12,46 combinado con Sal 34,21; 19,37 = Zac 12,10) invitan a contemplar al crucificado a la luz de la fe, para beneficiarse de la purificación y de la vida que brotan de su corazón traspasado. Se advierte, pues, que una lectura puramente historizante pasaría por alto las intenciones teológicas que presiden la composición del texto.

PARTE TERCERA: LAS APARICIONES DEL RESUCITADO (20,1-31 + + 21,1-25)

Las apariciones en Jerusalén (20,1-31)

Las afinidades con Lucas, ya notables en el relato de la pasión, se continúan en el de las apariciones de Cristo resucitado: como Lucas, Juan sólo refiere aquí las tradiciones centradas en Jerusalén. El relato se desarrolla en cuatro episodios:

1) La visita de *María de Magdala a la tumba* provoca la de Pedro y el discípulo «a quien Jesús amaba»: éste ve, e inmediatamente cree (20,1-10).

2) Sigue una *aparición de reconocimiento* de que es beneficiaria María (20,11-18): Jesús se presenta a ella como aquel que restablece la alianza entre Dios y los discípulos (v. 17).

3) Cristo resucitado se manifiesta a los apóstoles para comunicarles el Espíritu regenerador (v. 22): se trata de una *escena de envío misional* (20,19-23) paralela a las de Mt 28,15-20; Lc 24,35-51 y Act 1,6-9; Mc 16, 14-19.

4) Finalmente, la cristofanía de reconocimiento, de la que Tomás es el héroe (20,24-29), consuma el relato introduciendo en él la *confesión de fe* más explícita del nuevo Testamento: «¡Señor mío y Dios mío!» (v. 28). Pero la respuesta de Jesús testifica la *bienaventuranza del tiempo de la fe* que sucede, en la Iglesia, al tiempo de las apariciones (v. 29).

La conclusión del evangelista (20,30s) enuncia la intención que le ha movido en la selección de los «signos» que ha conservado [88].

Apéndice: Las apariciones a orillas del lago (21,1-25)

El cap. 21 es a todas luces adicional. Encierra un cierto número de características literarias propias y su orientación teológica es directamente eclesial.

1) *El relato de la pesca milagrosa* (21,1-11) tiene su paralelo en Lucas, en el contexto de la vocación de los discípulos (Lc 5,1-11). Pero aquí el evangelista insiste en que la red no se rompió a pesar de los 153 grandes peces (v. 11), número simbólico, cuya secreto resulta difícil adivinar[89].

2) *Perspectivas de futuro* (21,12-23). El reconocimiento de Cristo resucitado por los discípulos concluye con una comida que recuerda la de Emaús (v. 12-14). Pero la continuación fija la tarea de Pedro («Apacienta mis corderos», v. 15-17), evoca su muerte futura (v. 18s) y el destino del «discípulo a quien Jesús amaba» (v. 20-23).

La segunda conclusión (v. 24-25) muestra la actividad de la comunidad joánica para conservar los recuerdos y la edición del evangelio (*«nosotros sabemos...»*): ya este sólo hecho basta para introducir el problema de la historia redaccional.

CAPÍTULO TERCERO

DEL IV EVANGELIO A LA TRADICIÓN JOÁNICA

Hasta aquí hemos examinado el IV evangelio tal como se presenta hoy ante nosotros. Ahora debemos llevar más adelante su estudio. A partir del contenido del libro evangélico, en su forma final, nos plantearemos en primer término la cuestión de su finalidad y sus destinatarios (I). Pero su complejidad interna suscita inevitablemente el problema de sus fuentes, como ocurre en el caso paralelo de los sinópticos (II). Al tomar posición frente a las hipótesis de los críticos, nos interrogaremos, en fin, sobre las etapas redaccionales que permiten entrever el desarrollo de la tradición joánica (III).

I

EL LIBRO EVANGÉLICO: FINALIDAD Y DESTINATARIOS

Existe entre los críticos una enorme diversidad de opiniones sobre la finalidad y los destinatarios del IV evangelio. En el siglo XIX y en la primera mitad del XX, los autores destacaban las vinculaciones de Juan con el mundo helenista y le prestaban a menudo la intención de llevar a la fe al mundo de la *intelligentzia* grecorromana. «Al revelar que este *Logos* (Palabra de Dios, según la Sabiduría) es el Cristo viviente y personal, mediador y revelador único y perfecto, da una respuesta a los deseos de las almas griegas a las que la teoría de un *Logos* impersonal, intermediario más que mediador, sombra de Dios más que imagen imperfecta, no podía satisfacer plenamente» [1].

Pero, desde aquellas fechas, C.H. Dodd ha revelado las afinidades entre el hermetismo y la mística joánica, de donde ha concluido que Juan está animado por un impulso misionero: «El evangelista se dirige a un público no cristiano, con el deseo de despertar su atención... Este evangelio podía ser entendido por un lector que no tuviera en el momento de partida otro conocimiento del cristianismo que aquel mínimo que podía razonablemente esperarse de un hombre bien informado de las preocupaciones religiosas públicas de finales del siglo I: en él las ideas cristianas se van destilando gota a gota, hasta la divulgación completa del misterio»[2].

La *new look* de los estudios joánicos[3] se caracteriza, en nuestros días, por la atención concedida al trasfondo judío y por una nueva sensibilidad respecto del carácter misional del libro. Según W.C. Van Unnik, «la finalidad del IV evangelio era inducir a los visitantes de una sinagoga de la diáspora (judíos y prosélitos) a creer en Jesús como Mesías de Israel»[4]. En este mismo sentido, J.A.T. Robinson distingue entre el IV evangelio, al que atribuye un alcance misional, y 1Jn, que se propone confirmar a los cristianos en su fe y prevenirles contra la herejía. J.L. Martyn se interesa por los problemas de la comunidad joánica, enfrentada a la oposición y a la persecución de las autoridades judías: el propósito del evangelista sería, pues, confirmar a los cristianos de origen judío.

Este panorama muy incompleto dejaba ya entrever la complejidad de la cuestión. El IV evangelio se sitúa en la encrucijada de múltiples corrientes espirituales. Según se preste atención a uno u otro dato, puede determinarse en un sentido o en otro su finalidad y sus destinatarios. Por lo demás, no es posible interrogar directamente el texto sin anticipar algo el estudio de sus etapas redaccionales. En efecto, es bien fácil advertir que el prólogo (1,1-18) o la oración sacerdotal (cap. 17) tienen una coloración que difiere de la de las discusiones de Jesús con los judíos en el templo. Una solución rígida y simplista mutilaría, pues, la realidad. Pero contamos con al menos un texto que proporciona un punto de partida objetivo: la conclusión, en la que el evangelista declara sus propias intenciones (20,30s). Tras analizar este texto, destacaremos los indicios que muestran que el evangelio es una obra dirigida a lectores judíos, y luego aquellos otros que le confieren una nota de universalismo misional. Nos preguntaremos, en fin, por el puesto que tiene en esta obra el elemento polémico.

Las intenciones de Juan según 20,30-31

Ya hemos visto [5] que, antes del apéndice del cap. 21, el evangelista ha precisado, al final de su obra (20,30s), la finalidad que le movió a escribirla. Esta conclusión tiene una cierta analogía con el preámbulo de Lucas (Lc 1,1-4) y presenta también algunas afinidades de estilo con el III evangelio, lo que, por lo demás, no es argumento suficiente para atribuir la paternidad a Lucas [6].

Hipótesis redaccionales

Para los partidarios de la *Semeiaquelle* (R. Bultmann, R.T. Fortna, W. Nicol) este pasaje constituye el final de la colección de los «signos» y manifiesta su objetivo apologético: se trataría de presentar a Jesús como dotado de poderes divinos (al estilo de los *theioi andres* griegos) y de habilitarle así como Mesías. Pero hay otros pasajes muy claros del evangelista que se oponen a una teología tan simplista del milagro (cf. 4,48; 12,37, etc.). H. Thyen [7] tiene razón cuando protesta contra una contradicción tan flagrante entre la redacción final del evangelista y el contenido de su fuente: si el evangelista no hubiera ratificado el librito ya en uso en su comunidad, habría tenido que escribir una obra totalmente diferente; pero si afirmaba la contrario de su fuente, ¿no habría provocado las protestas de sus lectores? De una manera más matizada, G. Richter [8] estima que 20,31 permite caracterizar el «escrito fundamental» como obra que perseguía un fin estrictamente cristológico (cf. W. Nicol). Por consiguiente, todos los pasajes que presentan otras características (parenéticas, como en 13,12-17, o antidocetistas, como en 1,14-18 y 6,51-58) deberían ponerse en la cuenta de un redactor posterior.

Estas hipótesis redaccionales no tienen lo bastante en cuenta el hecho siguiente: 20,30s estaba tan sólidamente incorporado al conjunto del evangelio que, cuando un discípulo quiso añadir el cap. 21, no se atrevió a modificar el texto anterior: se limitó pura y simplemente a añadir su capítulo después de la conclusión. Conviene, pues, ver cuál es el alcance exacto de estos v. 30 y 31 en relación con los 20 primeros capítulos.

La conclusión y el conjunto del libro

El «Libro de los signos» (1,19-12,43 [ó 50]), se halla encuadrado entre dos fórmulas que manifiestan la relación entre signo y fe (2,11 y 12,37). El «Libro de la hora» (13,1-20,29) está consagrado al signo por excelencia, a la crucifixión [9]; las cristofanías pueden ser consideradas como invitaciones a creer en la glorificación del crucificado y en su señorío sobre la Iglesia (cf. 20,17: fórmula de la nueva alianza) [10]. La profesión de fe de Tomás marca el punto culminante de todo el itinerario espiritual de los discípulos y prepara la conclusión de 20,31.

Ya el mismo tenor literal del v. 31 se presta a discusión, porque los manuscritos están divididos. La gran mayoría trae un subjuntivo aoristo (ἵνα πιστεύσητε) lección adoptada por la edición de las *Sociedades bíblicas*). Dado que este subjuntivo tiene de ordinario un sentido ingresivo, podría traducirse: «para que adquiráis la fe», lo que implicaría un auditorio no cristiano. Pero el subjuntivo presente (ἵνα πιστεύητε) aparece en algunos antiguos testigos alejandrinos y concuerda mejor con los hábitos literarios de Juan, que de ordinario construye ἵνα con el subjuntivo presente (3,15.16; 6,40, etc.) [11]. En tal caso, se trataría de una continuidad y de un progreso en la fe: el evangelio se dirigiría a cristianos ya iniciados. El empleo tan característico en Juan del verbo μένειν (permanecer) apoya este sentido. Las palabras de Jesús deben permanecer en los creyentes (8,31; 15,7), para que participen de la libertad del Hijo (8,35) y den fruto abundante. La alegoría de la viña invita con insistencia a permanecer en Cristo, como él en los fieles (15,4-10).

La fe se caracteriza como el reconocimiento de que Jesús es Cristo, Hijo de Dios (cf. 11,27). ¿Conviene dar un alcance especial a cada uno de los términos? Van Unnik seguido por S. Sabugal, concede la preferencia al primero. R. Schnackenburg opina, por el contrario, que sólo el título de Hijo de Dios responde plenamente a la teología de Juan [12]. En realidad, estos dos puntos de vista no se excluyen entre sí. En el capítulo de presentación, Juan multiplica los títulos de alcance mesiánico de Jesús: Cordero de Dios, Hijo (o Elegido) de Dios, Mesías, Rey de Israel, Hijo del hombre (1,29-51). La naturaleza de la realeza de Cristo aparece bajo forma paradójica en la pasión (cf. 19,1-3: la coronación de espinas) y el título de la cruz viene a proclamar al universo entero que Jesús es rey (19,20: el escrito redactado en tres lenguas). Así pues, Jesús cumple de un modo universal y trascendente la larga espera de Israel.

Sin la precisión de «Hijo de Dios», la expresión de fe no sería completa. Nadie se ha esforzado tanto como Juan en destacar las estrechas relaciones entre el Hijo y el Padre. Las acciones del Hijo revelan las intenciones del Padre (5,17s), porque el Padre está presente en su Hijo (14,9s). 1Jn extrae las oportunas consecuencias: no se puede negar al Hijo sin renegar del Padre; confesar al Hijo es tener al Padre (1Jn 2,23). La obra joánica se ordena a la manifestación de este misterio del Padre y del Hijo y a la refutación de las objeciones según las cuales esta proclamación atentaría contra el monoteísmo (5,18; 10,33).

Para Juan, la fe no tiene nada de abstracto: es condición de vida. «Todo el que cree en él tiene vida eterna» (3,15). Los análisis anteriores han mostrado cómo el concepto de vida se encontraba al fondo de todos los símbolos bajo los que se revela Jesús (pan, luz, camino...) o expresa los dones que propone (agua viva). Lo que caracteriza al IV evangelio es la convergencia de todas las señales y símbolos hacia la persona misma de Jesús. De la aceptación o la repulsa de su palabra dependen la vida o la muerte (8,12.24, etc.). El evangelista se propone, pues, despertar por todos los medios una fe más ilustrada, que es la que obtiene la vida. Es típico, en este sentido, el relato del ciego de nacimiento que, de etapa en etapa, llega hasta la adoración: «Creo Señor; y se postró ante él» (9,38). Así pues, Juan desarrolla una teología existencial en la que no pueden disociarse fe y vida. X. Léon-Dufour habla, con muy buenas razones, de la actualidad del IV evangelio [13]. Juan no se interesa por la vida de Jesús como algo que ya ha pasado a la historia, sino como un presente verdadero, que da sentido a la existencia de los creyentes y les permite llegar a ser hijos de Dios (1,12). O también, según una perspectiva vigorosamente acentuada por O. Cullmann, Juan ha querido mostrar la identidad completa del Señor presente en la comunidad y del Jesús histórico; para ello, ha descrito los hechos y milagros de Jesús como los preludios de los actos que sigue realizando cuando se celebran el bautismo y la eucaristía. Más adelante señalaremos algunas matizaciones a esta tesis [14], pero, en el fondo, expresa bien importantes intuiciones del evangelista.

La conclusión del cap. 20 tiene, de todas formas, un complemento en la adición del final del cap. 21 (21,24s), a cargo de los discípulos del evangelista. Se comprueba aquí la existencia de una «escuela joánica», depositaria de la tradición y de la obra dejada por «el discípulo a quien Jesús amaba». Ahora ya no se trata de un autor individual, sino de una comunidad que, lejos de limitarse a transmitir un testimonio histórico, testifica aquí una experiencia espiritual: «Sabemos que su testimonio es verdadero» (v. 24). Bajo una forma hiperbólica, el v. 25 insiste no tanto en el número de obras y milagros realizados por Jesús, cuanto en la profundidad insondable de la revelación que aportó.

En el trasfondo: destinatarios judíos

Numerosos estudios han contribuido a poner bien en claro el trasfondo palestino del IV evangelio, aunque existen dudas sobre la actitud de Juan respecto de los «judíos». Si bien proclama que «la salvación viene de los judíos» (4,22), no es menos cierto que pinta muy a menudo a los judíos como hostiles e incluso se ha denunciado la responsabilidad de Juan en el desarrollo del antisemitismo cristiano (Jules Isaac).

Se impone una solución matizada, que tenga en cuenta el gusto de Juan por las antítesis dramáticas y la fecha de la redacción última. Los «judíos» hacen con frecuencia oficio de representantes del «mundo» cerrado a la revelación de lo alto. No obstante, los verdaderos hijos de Israel reconocen en Jesús al Mesías (1,47,49) y se les invita a descubrir su mediación universal entre el cielo y la tierra (1,50s). La manera profundamente personal con que Juan relee «las grandes tradiciones de Israel», según una expresión de F.M. Braun [15], para hacerlas converger en la persona de Jesús, muestra que escribe para un público nutrido en las Escrituras. De ahí que en las tempestuosas discusiones de 7,27.41.52 (cf. 10,24) reaparezca una y otra vez la cuestión mesiánica.

De todas formas, la tonalidad general del libro indica que Juan adopta frente al judaísmo una actitud que tiene más de polémica que de misionera. C.H. Dodd [16] ha llamado justamente la atención sobre el trasfondo de la invitación enunciada en 8,31: «Si permanecéis en mi palabra...» Frente a las objeciones y los múltiples ataques del judaísmo oficial, algunos judeocristianos vacilaban. Juan colecciona, con destino a estos hombres, un conjunto de pruebas que agrupa todos los testimonios en favor de Jesús (5,31-47), y desarrolla con particular cuidado el dado por Juan Bautista. En el trasfondo de la narración actual de la curación del ciego de nacimiento puede percibirse la turbación que provocó entre los judeocristianos la *Birkat-ha-Mînîm* [17].

Cabría, en fin, preguntarse si tal vez Juan no intentó, a la manera de Heb, dar una respuesta a la nostalgia del culto judío, mostrando que Jesús reemplaza en su persona las fiestas y las instituciones del judaísmo [18]. Desde ahora hay que adorar al Padre bajo el impulso del Espíritu de verdad que brotó del corazón de Jesús.

A pesar de los numerosos pasajes en que Juan presenta a los judíos como decididamente hostiles, no se le puede acusar de antisemitismo. Denuncia la posición tomada por las autoridades judías (11,49ss), su oportunismo político (19,16: «no tenemos otro rey que el César»), la búsqueda de gloria humana de los notables (12,43), pero no acusa de hipocresías a los responsables de la persecución [19]. La ceguera de los judíos incrédulos (12,40), está relacionada con sus más profundas decisiones morales (3,20s). Pero obedece también a una comprensión estrecha de la unidad de Dios (5,18; 10,33) y a su adhesión a la letra de la ley (5,39; 8,33ss), actitud que cuenta con circunstancias atenuantes: el diálogo entre Jesús y sus adversarios se entabla sobre la base de una total incomprensión.

La intención misionera de Juan

El determinismo moral del IV evangelio, podría poner en duda su carácter misional: «Yo no ruego por el mundo» declara Jesús (17,9): aparentemente, los dados están ya echados desde toda la eternidad (cf. 3,20; 10,26). Pero estas expresiones de perfil «determinista» se explican por el medio cultural en que ha madurado el pensamiento de Juan[20]. No se las debe endurecer. De ser así, ¿qué sentido podrían tener las repetidas llamadas del Revelador (4,10; 6,35; 7,37, etc.)?

Además del prólogo, que insiste en el universalismo de la acción del *Logos,* hay numerosos episodios que manifiestan el interés de Juan por la misión. Con Lucas, es el único que da tanta importancia a Samaría: en esta primera parte, centrada sobre el anuncio de la vida, la mujer de Sicar no representa tan sólo a las gentes de su aldea, sino a todos cuantos el Padre busca (4,23), para hacerlos adoradores en espíritu y en verdad. La conversación con los discípulos (4,34-38) es la réplica joánica al discurso de envío de los sinópticos (Mt 10 y par.). El episodio se cierra significativamente con la proclamación del coro de los samaritanos: «Sabemos que él es verdaderamente el salvador del mundo» (4,42; cf. 3,16). La escena siguiente hace intervenir a un funcionario real (4,46-54), cuya fe se propagará a toda su casa (4,53; cf. Act 10,44-48; 16,15.31s, etc.). La ausencia de Jesús durante la fiesta de las tiendas hace suponer a las gentes que tal vez se marchó a enseñar a los griegos (7,35). Estos mismos griegos reaparecen en las proximidades de la pascua y su conducta manifiesta que ha llegado la hora (12,20.23). Así se cumple ya el anuncio hecho en la alegoría del buen pastor: la unificación de las ovejas dispersas para formar un solo rebaño (10,16; cf. 11,52).

Atento a los datos que pueden esclarecer el sentido de la pasión, Juan subraya con complacencia que el *titulus* de la cruz está redactado en tres lenguas: hebreo, latín y griego (19,20). Los judíos se ofuscan al leerlo. Pero, para Juan, es el signo de la universalidad de la redención. Así, con pinceladas discretas pero repetidas, fundamenta en la historia de Jesús la vocación misionera de la Iglesia. El mismo Jesús ruega por todos los que creerán por intermedio de los discípulos (17,20), para que su unidad sea el signo de la voluntad de salvación revelada por la cruz (3,16).

¿Tiene el evangelio una finalidad polémica?

Contra los baptistas

Baldensperger ha sido el primer autor que ha llamado la atención sobre las polémicas del IV evangelio contra el grupo de los baptistas, discípulos rezagados de Juan, cuya presencia se detecta precisamente en Éfeso (Act 18,25; 19,2-4), lugar en que la tradición fija la composición del evangelio. Las dos inserciones relativas a Juan en el prólogo (1,6-8.15) rompen la línea de la exposición y combaten una falsa idea de la persona y de la misión del precursor. Con todo, no debe atribuirse excesiva importancia a este elemento polémico. Aunque el evangelista subraya la distancia entre el Bautista y Jesús (1,6-8.15.20; 10,41) y habla de la rivalidad entre sus respectivos discípulos (3,25; 4,2), no hace responsable de ello a Juan y más bien destaca, al contrario, su heroico desprendimiento: «Él tiene que crecer y yo tengo que disminuir» (3,30). Como ha notado finamente W. Winck, el Bautista del IV evangelio es el modelo del misionero cristiano. De este modo, el evangelista hace una llamada a los partidarios de Juan, para que permanezcan fieles a las intenciones profundas de su maestro. La polémica reaparecerá bajo un signo muy diferente en los escritos pseudoclementinos.

Contra las herejías judeocristianas

Según Ireneo (*Adversus haereses* 3,11,1) Juan escribió su evangelio contra Cerinto, un asiático de tendencias gnostizantes. Jerónimo añade que lo dirigió también contra los ebionitas (*In Matthaeum,* prol., PL 26,19). La historia de las sectas surgidas del judeocristianismo es muy insegura. Ireneo atribuye a Cerinto una distinción entre el Jesús de Nazaret y el Cristo de lo alto, que descendió sobre el primero en el bautismo y volvió a subir al cielo antes de la pasión, aparte otras concepciones típicamente judías, como la importancia dada a la circuncisión y a Jerusalén[21]. Los ebionitas, por su parte, profesaban una cristología muy imperfecta, en la que Jesús era el profeta supremo, pero no el Hijo de Dios[22]; los ebionitas seguían practicando la ley, salvo en lo concerniente al culto sacrificial, vigorosamente denunciado.

Numerosos pasajes del IV evangelio adquieren un relieve nuevo si se les opone a las enseñanzas de Cerinto o bien a las tendencias ebionitas. Las controversias sobre el sábado, la expulsión de los vendedores del templo a una con todos los animales destinados al sacrificio, la insistencia en el culto en espíritu y en verdad, la proclamación repetida de que Jesús es mucho más que el profeta parecido a Moisés cuyo retorno se esperaba[23] (por ejemplo 6,14; 7,40.52): todo esto son otros tantos datos que tienen su mejor encuadramiento en una polémica contra los ebionitas. Pero sería temerario intentar bajar a mayores precisiones, dada nuestra ignorancia de la evolución de estos grupos después de la ruina de Jerusalén.

Contra los docetas

Se ha emitido con frecuencia la opinión de que Juan se enfrentaba con los docetas, que reducían la encarnación a una simple «apariencia» (de donde deriva su nombre). Según Ignacio de Antioquía, negaban la realidad de la pasión, el carácter físico de la resurrección (Esm 2; 3,2), la presencia real de Cristo en la eucaristía (Esm 7,1). En este caso, se comprendería bien la insistencia de Juan sobre el carácter paradójico de la encarnación (1,14; cf. 1Jn 4,2) y sobre el realismo eucarístico (6,51-58). Ésta es la interpretación obvia. Pero recientemente esta opinión ha sido combatida por E. Käsemann[24], según el cual Juan profesaría un «docetismo ingenuo». La declaración del prólogo (ὁ Λόγος σὰρξ ἐγένετο, 1,14) pondría el acento principal en el *Logos* y sólo pretendería afirmar que el *Logos* ha entrado en contacto con los hombres. Así pues, el IV evangelio intentaría presentar a «Dios en su paso por la tierra», nimbado de gloria («hemos visto su gloria», 1,14), pero no a un hombre verdadero.

G. Richter ha demostrado bien[25] la imposibilidad gramatical de esta explicación. En 1,14 se pone de relieve el atributo σάρξ, mientras que el verbo γίνεσθαι indica, como por lo demás ocurre siempre en la literatura griega y también en Juan (5,6; 9,22, 27.39, etc.), un cambio auténtico. Debe admitirse también, con

Richter, que es el antidocetismo lo que caracteriza las secciones más recientes del IV evangelio. Pero nos parece arriesgado atribuirlas a un redactor distinto del evangelista. El realismo de la encarnación se inscribe directamente en el sentido de la teología joánica, como se verá mejor cuando se estudie la historicidad de Juan[26]. El Salvador no es tangencial a la historia humana; se inserta en la vida concreta de los hombres, para salvarlos desde dentro.

Habría que investigar también a qué errores se opone Juan en el campo de la pneumatología. Su objetivo es mostrar que no puede concebirse una acción del Espíritu paralela e independiente de la de Jesús de Nazaret, el resucitado[27]. Juan es el autor del Nuevo Testamento que con mayor precisión manifiesta la relación entre el Espíritu Santo, Espíritu de verdad y Espíritu de testimonio, y la persona histórica de Jesús. No puede esperarse, pues, otra revelación sino la de Cristo (14,26; 15,26s).

Conclusión

A pesar de la opinión de Dodd, es difícil considerar el IV evangelio como un escrito «protréptico», destinado a que un lector poco instruido vaya progresando cada vez más en los misterios de la fe cristiana. Juan se dirige a cristianos ya formados, capacitados para captar las numerosas alusiones al Antiguo Testamento y las indicaciones relativas a la vida actual de la Iglesia.

El «evangelio espiritual» quiere hacer crecer en la fe a los cristianos, tanto a los que proceden del judaísmo como a los salidos del mundo grecorromano. A los unos y a los otros descubre Juan el puesto central de Cristo en la historia de la salvación y la actualidad perenne de su palabra gracias al don del Espíritu. No hay otra verdad que buscar sino Cristo, ningún otro camino hacia el Padre. De este modo responde Juan indirectamente a las aspiraciones de la *gnosis* y previene a sus lectores contra los peligros de un sistema que diluiría la realidad de Cristo en un mito atemporal. De ahí su insistencia en la seriedad del testimonio que transmite: no existe ninguna otra comunicación de la vida fuera del encuentro con el Verbo que se ha hecho carne y ha revelado su gloria a los testigos elegidos por él.

II

EL PROBLEMA DE LAS FUENTES

Planteamiento del problema

La fecha relativamente tardía de la composición del evangelio hace más urgente la búsqueda de sus fuentes eventuales. Desde el punto de vista histórico, éste es el mejor medio para acercarse al «acontecimiento» de Jesús y para comprobar cómo concibe Juan la historia. Desde el punto de vista doctrinal, la comparación entre el evangelio y sus fuentes debería ayudar a captar las orientaciones propias de la teología joánica. Pero aquí la tarea es mucho más ardua que en el caso de los sinópticos. En estos últimos la comparación de los lugares paralelos y la estadística de las omisiones o transposiciones sirven de puntos de orientación. ¿Pueden aplicarse estos mismos procedimientos a los pasajes del IV evangelio paralelos a los de los sinópticos? Debe tenerse en cuenta esta posibilidad, pero muy pronto saltan a la vista sus limitaciones. En conjunto, sólo es posible remontarse a niveles anteriores a partir del estudio mismo del texto de Juan.

Los datos a examen

1) *Las aporías.* E. Schwartz ha sido el primer autor que ha trazado un cuadro sistemático de las «aporías» del IV evangelio: inconsecuencias, contradicciones, disyunciones, vinculaciones difíciles o inhábiles. ¿No es todo esto indicio de que el autor dependía de unos textos preexistentes, que amalgamó entre sí con mejor o peor fortuna? He aquí algunos ejemplos: Después del primer milagro de Caná (2,11), Jesús realizó otras señales en Jerusalén (2,23); sin embargo, de su nueva intervención en Caná se dice que fue «la segunda señal» (4,54). ¿Hubo una colección primitiva que agrupaba juntos los dos *sęmeia* de Caná? La conversación teológica de Jesús con Nicodemo (cap. 3) parece interrumpida por un episodio narrativo centrado en los ritos de purificación (3,22-25). La queja de los discípulos del Bautista hace pen-

sar que éstos no oyeron el testimonio dado por su maestro (1,29. 34). En este mismo pasaje, se dice que Jesús bautizaba (3,22); pero el capítulo siguiente rectifica esta indicación (4,2). En 7,3-5 los hermanos de Jesús hablan como si no hubiera realizado milagros en Judea; sin embargo, en el cap. 5 se ha narrado ya la curación del paralítico de Betzatá.

Estas colisiones, fáciles de detectar en las secciones narrativas, se dan también en los discursos. Así, después de haber presentado la resurrección como actual (5,25), Cristo la anuncia para el último día (5,28). La declaración de que «la carne de nada sirve» (6,63), ¿no se contradice con la homilía sobre la necesidad de comer la carne de Cristo y beber su sangre (6,53-58)?

En su discurso de despedida, Jesús se queja de que los discípulos no le preguntan adónde va (16,5), siendo así que se lo han preguntado ya por dos veces (13,36; 14,5). La orden: «¡Levantaos! ¡Vámonos de aquí!» (14,31) no se cumple hasta 18,1, al cabo de tres capítulos de discursos y oración.

2) *Las anotaciones del evangelista.* Junto a las aporías propiamente dichas, hay que destacar también las numerosas notas explicativas o actualizadoras, diseminadas a lo largo de la obra (M.C. Tenney). Todo ocurre como si un editor hubiera querido actualizar un texto anterior mediante explicaciones adecuadas. Así, por ejemplo, 4,9*b* es una aclaración de la exclamación de la samaritana. En 7,39 el evangelista interpreta una sentencia misteriosa de Jesús. De igual modo, da la traducción de un cierto número de términos arameos que sus lectores no habrían podido comprender sin esta anotación: *Rabbi*-Maestro (1,38); *Mesías*-Cristo (1,41); *Siloé*-Enviado (9,7); *Rabbuni*-Maestro (20,16). En otros pasajes explica la afirmación de Caifás o la actitud de los judíos (11,51; 18,28*b*). A menudo marca la distancia entre el tiempo de Jesús y el de la comprensión eclesial (2,21s; 12,16).

Los sistemas propuestos

Estas observaciones, que pueden multiplicarse sin dificultad, admiten múltiples explicaciones. Dejaremos aquí de lado, por el momento, el proceso de redacción que, según todas las probabilidades[28], se escalonó durante un cierto tiempo. Por lo que hace a las fuentes del IV evangelio, hay que examinar ante todo su dependencia respecto de los sinópticos. Aparte este problema, debemos abordar dos tipos de explicación. Una primera hipótesis se interesa por el «escrito fundamental» *(Grundschrift)* considerado como joánico; esta hipótesis destaca las adiciones y deformaciones que el (o los) redactor(es) aportaron a dicho escrito (hipótesis de Wellhausen, Loisy, etc.)[29]. En la otra perspectiva, el evangelista habría compilado libremente algunos documentos preexistentes, imprimiéndoles su sello personal. El epíteto de «joánico» se aplica al conjunto de la obra (posición de Bultmann y de sus discípulos).

Juan y los sinópticos

El problema de las relaciones entre Juan y los sinópticos se planteó ya en la antigüedad cristiana, concretamente para defender la verdad histórica de los evangelios contra los críticos paganos (Celso, Porfirio), que ponían de relieve las discordancias entre los evangelistas (así en el *De consensu evangelistarum* de san Agustín). Desde otra perspectiva, el *Canon de Muratori* tuvo que defender el orden específico de Juan contra los «álogos», que rechazaban este evangelio. Eusebio de Cesarea estimaba, como historiador, que Juan quiso suplir algunos aspectos que faltaban en los otros evangelios, por ejemplo lo relativo a los inicios del ministerio de Jesús *(Historia eclesiástica* 3,24,27). Pero hasta el siglo XIX, con su florecimiento de la crítica bíblica, no se abordó directamente el estudio de los problemas literarios. Los investigadores han mezclado con frecuencia las consideraciones propiamente literarias con las reflexiones sobre el valor histórico del evangelio. Nosotros distinguiremos estas dos series de problemas.

Estado de la cuestión

En conjunto, el evangelio de Juan sigue su propia senda. Rompiendo deliberadamente con el esquema tradicional (bautismo de Jesús, predicación en Galilea, subida a Jerusalén, última semana), pasa a desarrollar un plan original, que da mayor importancia a las numerosas peregrinaciones de Jesús a Jerusalén. En consecuencia, el ministerio judío tiene mucha mayor importancia que la estancia en Galilea. Faltan en Juan algunos elementos de capital importancia para la catequesis sinóptica: así, la llamada a la penitencia en razón de la venida del reino de Dios, el sermón del monte, el discurso en parábolas, el envío misional de los doce, el *paternoster*, la transfiguración, etc. En Juan, Jesús no se encuentra con publicanos, ni leprosos, ni poseídos, mientras que en los sinópticos todos estos acontecimientos tienen una destacada significación.

No faltan, con todo, secciones narrativas en las que Juan hace camino común con los sinópticos: expulsión de los vendedores del templo (con otra cronología), curación del hijo del funcionario real de Cafarnaúm (4,46*b*-53), que debe cotejarse con la curación del siervo del centurión (Mt 8,5-15 = Lc 7,1-10), multiplicación de los panes, a la que sigue inmediatamente la marcha sobre las aguas. Los contactos se hacen más estrechos a partir de la última semana: unción en Betania (con una diferencia de cronología), entrada en Jerusalén y se acentúan aún más en la pasión. Pero se notan dos omisiones de importancia: la institución de la eucaristía, anunciada por anticipación en Jn 6,51*d* y la agonía, también anticipada en Jn 12,27.

Se han propuesto diversas teorías para explicar esta independencia de Juan así como sus contactos con los sinópticos. Para Baur, Juan quiso interpretar a sus predecesores; para W. Sanday, Zahn y Goguel, quiso complementarlos; Windisch ha lanzado la audaz idea de que Juan pretendía suplantarlos, mientras que Bacon y Colwell se inclinan más por una voluntad de rectificación [30]. Bernard (ICC, 1928) es un buen representante de las tesis prevalentes en su tiempo. Según él, Juan supone que sus lectores conocen lo esencial de la tradición sinóptica; en algunos puntos, manifiesta su voluntad de corregir su presentación tradicional (por ejemplo, la fecha de la comida de Betania, la fecha de la muerte de Jesús). Juan habría utilizado casi con seguridad a Marcos, muy probablemente a Lucas o más bien Q, pero no a Mateo.

La obra de P. Gardner-Smith (1938) provocó un cambio radical de la situación. Insistiendo en las diferencias entre Juan y los sinópticos, que son mucho más considerables que los puntos de contacto, el autor invitaba a investigar lo específico de la tradición joánica. En esta perspectiva se inspiró la obra de Dodd [31]. M.E. Boismard, acorde con su teoría sobre el problema sinóptico, ha situado la cuestión sobre bases enteramente nuevas [32]. Para que sea fructífera, la discusión debe tener en cuenta la diversa situación del ministerio público y de los relatos sobre la pasión y la resurrección. Los contactos son esporádicos en el primer punto, mientras que a partir de Jn 12 se hacen cada vez más frecuentes y seguidos [33]: este hecho plantea el problema de una fuente específica de la pasión joánica.

Juan y Marcos

Barrett (1955) y Kümmel [34] se siguen mostrando partidarios de una dependencia de Juan respecto de Marcos, a pesar de la opinión en contra de la mayoría de los comentaristas recientes. Para apoyar su tesis, Barrett destaca, en primer término, el orden similar en que se sucede cierto número de episodios en Mc y Jn:

			Marcos	*Juan*
a)	Obra y testimonio del Bautista		1,4-8	1,19-36
b)	Partida para Galilea		1,14s	4,3
c)	Multiplicación de los panes		6,34-44	6,1-13
d)	Marcha sobre el mar		6,45-52	6,16-21
e)	Confesión de Pedro		8,29	6,68s
f)	Partida para Jerusalén		{ 9,30s 10,1.32.46 }	7,10-14
g)	Entrada en Jerusalén	(transpuestos	11,1-10	12,12-15
h)	Unción en Betania	en Juan)	14,3-9	12,1-8
	Última cena y pasión	....	....	....

La semejanza en la secuencia de los episodios sólo es significativa en *c)* y *d)*; la confesión de Pedro en Cesarea se parece a la de Pedro a continuación del discurso sobre el pan de vida, pero está formulada en términos diferentes («Cristo» en Mc; «el Santo de Dios» en Jn) y después de secuencias diferentes (episodios narrativos en Mc; discursos en Jn). En el relato mismo de la multiplicación de los panes, el marco es análogo y se corresponden un buen número de detalles (5000 hombres, 200 denarios de pan, 5 panes y dos peces), aunque existen también pequeñas diferencias (en Juan, panes de cebada). Pero lo que caracteriza a Juan es sobre todo su insistencia en que la iniciativa parte siempre de Jesús, la tonalidad pascual del relato, la importancia concedida a la significación de los doce canastos de las sobras. Para una justa valoración de los posibles contactos, deberá tenerse en cuenta el lugar de la perícopa en la catequesis eucarística de la Iglesia primitiva [35].

Barrett destaca también diversas expresiones comunes a Mc y Jn. La más típica es la referente a la unción de Betania (Mc 14, 5 y Jn 12,3: *nardou pistikes):* el adjetivo *pistikos* es utilizado en un sentido que no está atestiguado en ninguna otra parte. Pero, aparte este detalle, el relato joánico de la unción parece independiente del de Marcos [36]. Son escasos los *logia* en los que la formulación de Juan se corresponda exactamente con la de Marcos (compárese Mc 1,7 y Jn 1,27; Mc 6,50 y Jn 6,20).

Los parecidos esporádicos pesan poco en el balance, frente a las múltiples diferencias. Es indudable que Juan supone conocidos de sus lectores algunos datos básicos de la catequesis sinóptica: así por ejemplo, se limita a mencionar de pasada el bautismo de Jesús (1,32), el encarcelamiento del precursor (3,24), la institución del grupo de los doce (6,67), el papel de Barrabás (18, 40). Pero, aunque a veces aporta alguna precisión de orden cronológico, lo que le interesa ante todo es llevar adelante su propósito teológico, basado en una tradición que le es propia.

Juan y Lucas

El estudio de las relaciones entre Jn y Lc abre un campo de observación mucho más vasto. Sólo estos dos evangelistas se interesan por un cierto número de personajes: la madre de Jesús [37], Marta y María (Lc 10,38-42 y Jn 12,2s; cf. Jn 11), Judas —no el Iscariote (Lc 6,16 y Jn 14,22)—, el sumo sacerdote Anás (Lc 3,2 y Act 4,6; Jn 18,13).

Por lo que hace al marco de la vida de Jesús, Lc es el único de los sinópticos que permite entrever que Jesús hizo varios viajes a Jerusalén (10,38ss; 13,34), cosa que Juan afirma explícitamente. Tanto en Lc como en Jn se da una gran importancia al templo, como lugar en que enseñaba Jesús (Lc 2,46ss; 19,47; Jn 7,14.37; 8,20.59; 10,23; 18,20). En fin, los dos evangelistas se interesan por Samaría (Lc 9,52ss; 10,29-37; 17,11ss; cf. Act 1,8; 8; Jn 4,1-42).

Hasta aquí, las convergencias podrían explicarse por la dependencia de unas mismas tradiciones. Hay otros casos que plantean el problema de un contacto literario: Lc y Jn son los únicos que traen la pregunta de si el Bautista no será el Mesías (Lc 3,15; Jn 1,19s; 3,28), relatan una pesca milagrosa en la que Pedro ocupa un lugar destacado (Lc 5,1-11; Jn 21,1-11), relacionan la multiplicación de los panes con la confesión de Pedro (Lc 9,10-17 y 18-20; Jn 6,1-15 y 66-71). El relato joánico de la unción de Betania parece suponer como conocido Lc 7,36-50.

Todos estos contactos plantean al menos problemas y exigen una explicación crítica. Pero, ¿es la dependencia directa la única explicación que cabe imaginar? La respuesta se verá bajo más clara luz una vez analizado el relato de la pasión.

El relato de la pasión

En el relato de la pasión, la secuencia de los episodios parece a primera vista tan constante en los cuatro evangelios que podría pensarse en un croquis muy antiguo. Resulta sorprendente el hecho de que no pueda decirse lo mismo de las apariciones de Cristo resucitado.

Barret ha querido mantener la dependencia de Jn respecto de la pasión de Mc. Y así, subraya la correspondencia entre el anuncio de la traición de Judas (Jn 13,21 y Mc 14,18) y de la negación de Pedro (Jn 13,38 y Mc 14,30). La demostración no es convincente. En términos generales, las sentencias del Señor se han transmitido con mayor constancia que los datos narrativos o el tejido conjuntivo que vincula los diversos episodios entre sí. La impresión de conjunto que se desprende del relato de Jn es muy diferente de la que deja Mc. Éste subraya la espantosa soledad de Jesús, abandonado al parecer hasta por su Padre (Mc 15,34). Jn está interesado en mostrar que la pasión es la hora de la glorificación de Jesús, en la que se manifiesta a los ojos de la fe la unidad perfecta del Padre y del Hijo (16,32).

Los contactos entre el relato de Jn y el Lc merecen un estudio atento y pueden dar pie a diversas apreciaciones. Destaquemos primero algunos datos. De los cuatro evangelistas, sólo Lc y Jn atribuyen la traición de Judas a la acción directa de Satán (Lc 22,3 y Jn 13,2.27). Los diálogos de después de la Cena preludian en Lucas (22,15-38) los discursos de despedida de Jn. El *logion:* «Yo estoy en medio de vosotros como quien sirve» (Lc 22,27) sólo puede ser bien comprendido por quien conozca el relato del lavatorio de los pies (Jn 13,2-17). En el episodio del arresto, Lc y Jn subrayan más que Mt y Mc la iniciativa de Jesús, que se entrega voluntariamente. A diferencia de los dos primeros evangelistas, Lc y Jn sólo conocen una sesión del sanedrín, pero desarrollan en cambio con mucha amplitud el proceso romano. Pilato reconoce por tres veces la inocencia de Jesús (Lc 23,4.14.22; Jn 18,38; 19,4.6). En Lc 23,16-22 y Jn 19,1-5, la flagelación es anterior a la sentencia de muerte y su finalidad era despertar la compasión de la muchedumbre, mientras que en Mc-Mt forma parte de la pena que debe sufrir el condenado a muerte. Desde el punto de vista teológico, Lc y Jn subrayan la gloria pascual de Jesús (Lc 24,26 y Jn 17) y establecen una conexión entre la pascua y el don del Espíritu (Lc 24,49; Act 2 y Jn 7,39 y 20,22).

En conjunto, E. Osty [38] enumera unos cuarenta contactos, que clasifica bajo las rúbricas de afinidades teológicas, reverencia religiosa, razones históricas o contactos literarios. Según este autor, Lucas tuvo acceso a las tradiciones joánicas antes de la redacción del IV evangelio. En sentido contrario, J.A. Bailey opina que Juan leyó el evangelio de Lucas y se inspiró en él. Pero esta hipótesis no explica bien la originalidad de la pasión joánica y su armonización con el conjunto del IV evangelio. Lucas es sólo un eco, como ha demostrado bien E. Osty. Así, el *logion* de Lc 22,53 («ésta es vuestra hora, el poder de las tinieblas»), en Lucas no pasa de ser una pincelada pasajera, mientras que expresa admirablemente la concepción joánica de la pasión como victoria aparente de las tinieblas, cuando el príncipe de este mundo es arrojado fuera (Jn 12,31; 14,30s). Frente a un drama compuesto con tal cuidado, parece tarea bastante vana la búsqueda de las fuentes literarias (como hacen Fortna y A. Dauer): el problema se plantea a nivel de la historia de las tradiciones.

El sistema de las relaciones múltiples

M.E. Boismard ha ideado un sistema ingenioso que multiplica las relaciones en los diversos estadios de la redacción, guiado por la idea de explicar la complejidad del problema sinóptico y el de las relaciones entre la tradición joánica y la de los restantes evangelios. Para los relatos de la pasión y de las apariciones del resucitado, la fuente principal de Jn habría sido Proto-Lucas. Aparte esta sección, Juan dependería del Proto-Lucas para los siguientes pasajes: entrada en escena de Juan Bautista, pesca milagrosa, curación del hijo del funcionario real de Cafarnaúm, enseñanza de Jesús en el templo, la noche pasada en el monte de los Olivos. El Proto-Lucas debía encerrar también ciertos relatos joánicos, ausentes en Lucas, pero de fuerte coloración lucana, que fueron abandonados por el último redactor del actual III evangelio: episodio de la mujer adúltera (Jn 8,3-11), reunión del sanedrín (Jn 11,47-53), comparecencia ante Anás (Jn 18,19-24). Habría que subrayar también, según este autor, las dependencias de Juan respecto del documento C, del documento B y también su relación con la última redacción de Mateo. Finalmente, el último redactor joánico habría sido el propio Lucas [39].

Para el examen general de esta audaz teoría del problema sinóptico nos remitimos al volumen en que se expone y discute esta cuestión [40]. Por nuestra parte, sentimos algún escepticismo acerca del valor del axioma que preside toda esta elaboración, a saber, que toda relación de afinidad o de diferencia entre textos análogos *debe* explicarse mediante un recurso sistemático a la historia redaccional. ¿No equivale esto a transformar a los evangelistas en hombres de biblioteca, siendo así que vivían en un medio oral en el que se daba la máxima importancia al testimonio y a la tradición? Es verosímil, ya *a priori*, que la evolución de la tradición evangélica pueda explicarse por una interacción constante entre las primeras formulaciones escritas y la interpretación oral (N.A. Dahl, X. Léon-Dufour). Partiendo de un primer escrito, los evangelistas vuelven a decir la tradición y la actualizan, teniendo en cuenta las necesidades de la comunidad, al modo como procedían los targumistas o los homiliastas en la sinagoga.

Concluyendo, el problema de las relaciones entre Juan y los sinópticos se sitúa más en el nivel del origen de las tradiciones y de su mutua interferencia que en el de la redacción última de los textos. Ph.H. Menoud veía en Juan y en los sinópticos «dos fórmulas de la tradición, más o menos paralelas y contemporáneas, concebidas y redactadas con mutua independencia»[41]. Los trabajos de M.E. Boismard nos obligan a tener en cuenta la posibilidad de ciertas interferencias. Pero no parecen ser convincentes cuando pretenden determinar la existencia de auténticos documentos escritos como fuentes intermedias entre los sinópticos y Juan.

Proposiciones de los críticos modernos

Prolongando la crítica de las fuentes llevada a cabo en el siglo XIX, algunos exegetas siguen opinando que es posible identificar o incluso reconstruir y aislar un cierto número de documentos de que se habría servido el redactor del evangelio. Examinaremos aquí las proposiciones de R. Bultmann y de R.T. Fortna.

Las fuentes de Juan según R. Bultmann

Ya se han expuesto en páginas anteriores[42] los puntos de vista generales de Bultmann sobre el IV evangelio. Precisaremos ahora el sistema de fuentes que este autor reconstruye al precio de numerosos desplazamientos. Para comenzar, aísla las aportaciones del «redactor eclesiástico», que habría acometido la tarea de insertar el IV evangelio en el marco de la enseñanza tradicional (por ejemplo: 5,28-29; 6,52-58; 19,34*b*-35). Eliminados estos elementos, Bultmann distingue en el evangelio cuatro estratos (en el sentido geológico de la palabra):

1) Comenzando su análisis por el prólogo, reconstruye una *Vorlage* de estilo poético y de pensamiento emparentado con la gnosis mandea. Este texto habría formado parte de una vasta colección de discursos de revelación *(Offenbarungsreden)*, hoy dispersos en todo el conjunto del libro. Las numerosas declara-

ciones en *Ego eimi*, a través de las cuales el Revelador se presenta como el pan verdadero, la vida, el pastor, la verdad, etc., dependerían de esta fuente. Ésta habría proporcionado el «texto» a partir del cual el evangelista habría desarrollado su propia predicación; pero, mediante un artificio literario, se pone a menudo esta predicación en los labios mismos de Jesús.

2) Las secciones narrativas de los cap. 1-12, y en especial los relatos de milagros, habrían sido extraídas de una «colección de signos» *(Semeiaquelle)*, que terminaría en la conclusión de 20, 30-31. De esta fuente, más que de los sinópticos, habría extraído el evangelista la mayor parte de sus datos narrativos.

3) Una tercera fuente importante estaría formada por el relato de la pasión y de las apariciones de Cristo resucitado. Aunque esta sección está más cerca de los sinópticos, Bultmann mantiene su originalidad.

4) El último elemento, y el más típico del IV evangelio, sería la *obra personal del evangelista*. Para Bultmann, se trata de un antiguo adepto de la secta baptista. Convertido al cristianismo, conservó no obstante los *Offenbarungsreden* y otras tradiciones procedentes de su medio original, y las adaptó a su nueva fe. Más que un simple editor, Juan es, pues, un autor verdadero, cuya intervención literaria y puntos de vista teológicos se pueden reconocer no sólo en las partes que ha compuesto por sí mismo, sino también en la manera en que ha transformado sus fuentes. Cuando Bultmann estudia la teología joánica, lo que tiene a la vista en realidad es la obra de este evangelista, en tensión con sus fuentes.

El estudio de los *Offenbarungsreden* de Bultmann ha sido continuado por H. Becker. Examinando la literatura mandea, las *Odas de Salomón*, los escritos pseudoclementinos, este autor cree descubrir en ellos el mismo esquema de «discursos de revelación» que en el IV evangelio. La existencia de este esquema es, según Becker, un indicio en favor de la fuente n.º 1 aislada por Bultmann, a la que también Becker atribuye un carácter gnóstico. En sentido contrario, poco antes B. Noack supo poner de relieve la importancia de la tradición oral para la composición del IV evangelio. El sistema crítico elaborado por Bultmann mezcla las hipótesis de crítica literaria con los puntos de vista sobre la historia de los orígenes del cristianismo, considerados como el resultado de un fenómeno sincretista: los dos aspectos se prestan mutuo apoyo.

El «evangelio de los signos» según R.T. Fortna

El estudio de E. Ruckstuhl y E. Schweizer sobre la unidad literaria del IV evangelio dejaron durante algún tiempo en un segundo plano las investigaciones de sus fuentes. Pero R.T. Fortna ha renovado la cuestión, al esforzarse por reconstruir en su integridad el *evangelio de los signos* (1970). Para su análisis, parte de las perícopas que afirman expresamente relatar *semeia* (2,1-11; 4,46-54; 21,1-14!). Añade luego los relatos afines y concluye que la colección de siete señales había estado precedida de una introducción general y seguida de un relato de la pasión. A grandes rasgos, Fortna atribuye a esta fuente todos los elementos puramente narrativos del IV evangelio. Para obtener un plan lógico, no duda en llevar a cabo las transposiciones más osadas. Así, por ejemplo, el primer grupo de *semeia* tiene por teatro Galilea y abarca los dos milagros de Caná, la pesca milagrosa, la multiplicación de los panes y la marcha sobre las aguas (considerada como el mismo *semeion).* El segundo grupo abarca tres *semeia* y se desarrolla en Judea: al recibir la noticia de la enfermedad de Lázaro, Jesús parte para Betania; en el camino, se encuentra con la samaritana; la resurrección de Lázaro es seguida de la curación del ciego de nacimiento y del paralítico de Betzatá. La expulsión de los vendedores del templo introduce el ciclo de la pasión. Dado que la finalidad de este «evangelio de los signos» era puramente cristológico, los signos se presentaban como la legitimación del mesianismo de Jesús. La fuente no tenía alcance ni soteriológico ni escatológico.

La argumentación de Fortna recuerda un fuego de paja, que lanza hermosas chispas, pero es fugaz. Él mismo se ve obligado a confesar que faltan indicios literarios que permitan fijar los límites de la fuente. De suyo, esta sola objeción no sería determinante (J. Murphy-O'Connor), siempre que la tentativa se limitara a determinar el contenido de la *Semeiaquelle* basándose principalmente en las «aporías» del texto. Pero es que Fortna no duda en reconstruir este texto palabra por palabra [43], a diferencia de

W. Nicol, que se contenta en este punto con observaciones generales.

Mencionemos algunas objeciones relativas a la extensión y el contenido del evangelio de los signos. Ya Dodd había llamado la atención sobre el estrecho vínculo entre milagros y discursos: ¿No es esto indicio de que los dos dependen de la misma tradición? Además, Fortna sitúa en su escrito primitivo el relato de la pesca milagrosa, testificado solamente por el cap. 21, que todos los críticos consideran como un *apéndice* de la obra joánica. Cierto que la tradición subyacente es muy antigua (cf. Lc 5,4-11); pero, ¿hay que hablar, ya por ello, de *fuente* escrita? Habría que admitir que este relato, rechazado primero por el evangelista, habría sido al fin recogido por uno de sus discípulos. Además, ¿cómo justificar la dislocación de capítulos a que se entrega Fortna para descubrir una colección armoniosa (4 señales en Galilea, 3 en Judea)? En fin, la objeción más grave procede del carácter híbrido de la fuente así reconstruida. Puede admitirse (con Schnackenburg) que el evangelista haya utilizado una colección de milagros como hicieron al parecer Marcos y Mateo. Pero que la fuente exclusivamente narrativa así reconstruida sea un «evangelio» *(The «Gospel» of Signs)* constituye un caso sin precedentes en toda la literatura cristiana. Se conocen colecciones de *Logia* (la hipotética Q de los críticos, el *Evangelio de Tomás*, que es un producto más tardío). Pero el género «evangelio» está formado por la vinculación indisoluble entre los hechos y las palabras de Jesús, como lo muestra ya el evangelio de Marcos. Privado de toda palabra de Jesús, el «evangelio de los signos» es un esqueleto sin vida. Aquí, toda la investigación está determinada por un postulado gratuito: que el evangelista Juan y el evangelio de los signos tendrían dos teologías diferentes y que, sobre esta base, sería posible reconstruir íntegramente el contenido de la «fuente», determinando sus tendencias y su tenor.

Conclusión

Las investigaciones sobre las fuentes de Jn no nos parecen concluyentes, si lo que con ellas se pretende es determinar su tenor preciso [44]. Juan es un escritor dotado de gran personalidad, que ha reelaborado profundamente los documentos de que disponía. La mejor prueba es su modo de utilizar el Antiguo Testamento. Apenas si retiene los textos que figuran en la tradición sinóptica, pero utiliza otros para fundamentar su testimonio [45]. Cuando cita la Escritura, lo hace de una forma original, sin considerarse obligado a la letra del texto hebreo o de la Setenta [46]. ¿Habría tenido acaso mayores escrúpulos a la hora de utilizar fuentes no canónicas?

Al comparar Bultmann la utilización que hace Juan de los *Offenbarungsreden* con la manera como un predicador expone un texto, tuvo sin duda una intuición acertada. El desarrollo de la tradición joánica sólo puede comprenderse en el marco de una predicación, que vuelve sobre unos mismos temas pero los desarrolla, en el curso de los años, según las necesidades de la comunidad (cf. B. Lindars). Lo que el análisis puede redescubrir es la función genética desempeñada por una palabra o una sentencia tajante, como el *logion* de 5,17: «Mi Padre sigue todavía trabajando y yo sigo trabajando también», o la parábola del hijo aprendiz (5,19-20). El discurso que sigue se presenta como el desarrollo, en oleadas sucesivas, de esta sentencia y de esta parábola, cuyo sello palestino y arcaico ha puesto bien de relieve Dodd. Idénticas observaciones habría que hacer a propósito de las declaraciones en *Ego eimi*, bien ancladas en el simbolismo veterotestamentario (E. Schweizer). Tal como demuestra el estudio del discurso del pan de vida, estas declaraciones dan lugar a desarrollos comparables a las homilías rabínicas (P. Borgen). El punto esencial consiste en destacar, en la medida de lo posible, estos factores de desarrollo y los indicios de desdoblamiento, para escribir la historia de la composición del IV evangelio. B. Lindars ha emprendido una serie de investigaciones en este sentido. Así, a propósito de Jn 8,31-58, ha mostrado que Juan se apodera sucesivamente de los diversos elementos contenidos en una declaración básica, y luego los va entretejiendo, teniendo en cuenta cada una de las explicaciones ofrecidas a continuación. Es el método de un predicador [47]. Así pues, más allá del problema de las fuentes, hay que orientarse a la historia de la tradición fijada en el IV evangelio, examinando las etapas de su redacción.

III

LAS ETAPAS DE LA REDACCIÓN EN LA TRADICIÓN JOÁNICA

Los autores que fijan su atención sobre todo en la disparidad de datos incluidos en el IV evangelio intentan a veces explicarla por la pluralidad de las fuentes que habría amalgamado el redactor final. Pero acabamos de comprobar las dificultades del sistema. Hay otros, por el contrario, que se muestran sensibles ante todo a la coherencia y al vigor del designio teológico que recorre la totalidad de la obra: también este punto requiere una explicación. Apoyarse en el principio de la unidad del autor puede entrañar el peligro de limar ciertas asperezas que reclaman la atención de toda crítica, a no ser que se esté dispuesto a admitir que este autor publicó varias ediciones de su obra. Pero cabe pensar también en la unidad de una tradición dentro de la cual habría trabajado el evangelista: ¿es posible discernir las etapas redaccionales que han intervenido en su desarrollo literario? Esta orientación de la crítica, que se da la mano con las preocupaciones actuales sobre la cuestión sinóptica, merece un atento análisis.

Algunas proposiciones de la crítica reciente

Proposición de W. Wilkens

Partiendo de una tesis de su padre no publicada, W. Wilkens distingue tres etapas en la obra del evangelista. 1) *En un primer momento,* Juan compuso un relato análogo al de los sinópticos, el *evangelio de los signos* (en el que se inspira Fortna para su propia tesis [48]). La parte primera, los «signos de Jesús», incluía una presentación de la actividad de Jesús en Galilea (elementos de los cap. 1,2 y 6) y luego un relato de un único viaje de Jesús a Jerusalén (elementos de los cap. 5,7,9-12). La purificación del templo introducía la parte segunda: «el signo de Jesús», que englobaba la unción en Betania, la cena y el anuncio de la traición. El tema de la parte tercera era «el verdadero rey de Israel» (elementos de los cap. 18-20). 2) *En un segundo momento*, el evangelista desarrolló los signos de Jesús mediante una serie de discursos (7 en total) cuyos temas eran el pan de vida, el juicio, la verdadera luz del mundo, la resurrección y la vida, el discurso a los griegos y el discurso de despedida (14) más el prólogo. 3) *En la tercera etapa*, el evangelista introdujo profundos cambios en su obra. La triple mención de la pascua (2,13; 6,4; 11,55) corresponde a otra distribución de los datos, ya que la expulsión de los mercaderes del templo se anticipa al cap. 2. Pero, sobre todo, ahora se situaba todo el conjunto de la vida de Jesús bajo el signo de la pasión.

Esta atrevida tesis ha provocado numerosas reacciones [49]. Parece *a priori* poco verosímil que un autor introduzca tan radicales modificaciones en su propio plan. Que añada algunas adiciones es cosa del todo natural. Pero si las innovaciones no son ya compatibles con su primer ensayo, ¿no es más sencillo escribir un nuevo libro que no triturar el primero? H. Thyen se ha mostrado particularmente severo respecto de la tesis de Wilkens [50]. Le acusa de haber puesto las cosas en completo desorden: las fórmulas pascuales no pretenden, dice Thyen, orientar con mayor firmeza hacia Jerusalén un evangelio de tipo sinóptico, que daba la prioridad a Galilea: al contrario, se trata de un evangelio centrado en Jerusalén como capital del «mundo» opuesto a Dios, que luego secundariamente, ha sido adaptado a la tradición galilea. H. Thyen tiene razón cuando subraya así el puesto de Jerusalén en el designio teológico de Juan; pero olvida su aspecto positivo: el templo es ante todo el lugar de la revelación; es aquí donde hace oír Jesús su testimonio. Sólo que el apego de los hombres a sus propias tradiciones y a su gloria personal ha convertido a la ciudad de la luz en ciudad de las tinieblas, hasta que, de la oscuridad de la cruz, brote la luz de pascua.

Proposición de R. Schnackenburg

Schnackenburg, muy sensible a los problemas de crítica literaria, ha rechazado no menos categóricamente los puntos de vista de Wilkens y presenta una síntesis más clásica. Para él, el primer estadio redaccional corresponde al de las tradiciones «prejoánicas»: relatos cuyo valor es igual que el de los sinópticos; colección de signos, sin duda ya escrito; *logia* de Jesús transmitidos por vía oral o ya incorporados a composiciones litúrgicas. En el tomo 1 de su comentario (1967) admitía que el apóstol Juan era el fiador de estos datos tradicionales. Pero en el tomo 3 (1975) presenta otra solución, que será examinada junto con la cuestión del autor [51]. El estadio esencial de la redacción está representado por la obra del evangelista, discípulo del apóstol según la primera explicación. Este evangelista marcó con su impronta personal todos los materiales por él utilizados. De ahí la unidad literaria y teológica del IV evangelio. Sin embargo, el autor no pudo dar la última mano a su obra: algunas composiciones no fueron incorporadas (por ejemplo: 3,13-21.31-36; 12,44-50; 15-17). El editor final, al que habría que atribuir también el cap. 21, quiso insertar estas secciones desprendidas y alteró un poco el orden primitivo (así se explica la inversión de los cap. 5 y 6).

Proposición de R.E. Brown

Siguiendo la orientación de los trabajos de Wilkens, Parker y Boismard, R.E. Brown ha presentado una teoría más compleja, que se apoya en concreto en la detección de los pasajes paralelos del IV evangelio. Mientras que Parker admitía dos ediciones de Jn [52], Brown distingue *cinco etapas* en su formación. 1) Como punto de partida, la *predicación oral de Juan,* hijo del Zebedeo. 2) En una segunda etapa, los *discípulos de Juan* elaboraron los recuerdos de su maestro. A este estadio de la formación, sobre el que B. Noack ha aportado algunas importantes observaciones, responden las composiciones dramáticas de los relatos y los grandes discursos. Estos elementos diversos fueron redactados por varias manos, lo que explica una cierta diversidad de estilo, en concreto en el cap. 21. 3) A los predicadores-teólogos sucedió el *evangelista,* el discípulo más prestigioso del círculo joánico. Escribió en griego y compuso un conjunto que unía el ministerio de Galilea con el de Judea; pero omitió un cierto número de elementos pertenecientes a la tradición «joánica». 4) Algunos de estos elementos reaparecieron en una segunda edición, marcada también por los acentos polémicos, sea contra los discípulos rezagados de Juan Bautista, sea contra los judíos que, por aquel entonces, expulsaban ya de la sinagoga a sus correligionarios favorables a la fe cristiana (9,22s; 16,2). 5) Finalmente, el último redactor recuperó los elementos de la segunda etapa omitidos por el evangelista en las dos primeras ediciones de su obra.

La distinción entre la etapa 4.ª y la 5.ª es sumamente tenue, como advierte con razón X. Léon-Dufour [53], que propone por su parte el siguiente esquema:

Etapa 0: El apóstol Juan, hijo del Zebedeo: esta primera etapa no es «joánica» [54].
Etapa 1: La escuela joánica: teólogos y predicadores.
Etapa 2: El evangelista escritor.
Etapa 3: El redactor compilador.

Conclusión

Un esquema de este tipo permite dar una explicación suficiente de la larga elaboración de la obra joánica y, al mismo tiempo, de las relaciones complejas existentes entre Jn y 1Jn. Permite también comprender el hecho de que el IV evangelio esté, de una parte, impregnado de recuerdos palestinos y se dirija a lectores judíos y, de otra, que sea una obra abierta al mundo griego. Si se admite esta hipótesis, se explica bien que se haya podido añadir el prólogo a un texto que comenzaba al principio con la evocación de la actividad de Juan Bautista en un estilo veterotestamentario (1,6-8). Lleno de respeto por la obra del evangelista, el redactor compilador dejó en su lugar la conclusión de 14,31, añadiendo a continuación el segundo discurso de despedida. Procedió del mismo modo al mantener la conclusión de 20,30-31, cuando añadió el cap. 21. Pudo también situar algunas perícopas adicionales, que rompen nítidamente el contexto, sin dañar por ello el tejido del conjunto: así, las reflexiones teológicas de 3,16-21 y 3,31-36, el discurso, sin vinculación al contexto, de 12,44-50, la meditación del cap. 17, situada ya en cierto sentido fuera de los límites del tiempo, pues Cristo expresa aquí el sentido de su hora y de su misión en favor de la Iglesia. Esta forma de proceder manifiesta un respeto profundo al texto de base, al que se añadieron algunos suplementos.

De estas observaciones puede extraerse una conclusión importante: que la *estructura de conjunto* del IV evangelio fue proyectada y se impuso desde fechas muy tempranas; de no haber sido así, el redactor final habría tenido más libertad de acción para manipular en la obra recibida del evangelista. Esta estructura, en cuanto marco global de los materiales joánicos, pudo existir ya virtualmente desde el estadio de las tradiciones sobre las que trabajó el evangelista. Conviene, con todo, mantener abierta la posibilidad de ciertos desplazamientos en el curso del trabajo redaccional que llevó a cabo. Citemos, a título de ejemplo, el episodio de los mercaderes arrojados del templo, que los sinópticos vinculan directamente a los sucesos de la «última semana» (Mc 11,15-19 par.), mientras que Jn lo sitúa al comienzo del ministerio, mencionando en este contexto los «muchos signos» (2,23), dato que contradice las indicaciones de 2,11 y 4,54. De todas formas, el desarrollo redaccional propuesto deja intacta la *unidad fundamental de la teología joánica,* frente a los autores que oponen la cristología del evangelista a la de la fuente de los signos (R. Bultmann, R.T. Fortna, J. Becker [55] de manera muy radical, W. Nicol con mayores matizaciones).

Como contraprueba, puede aducirse, por ejemplo, la dificultad con que se tropieza cuando se intenta situar cronológicamente la composición de dos perícopas paralelas. En su estudio sobre «la evolución del tema escatológico en las tradiciones joánicas» (1961), M.E. Boismard [56] opinaba que la perícopa de 5,26-30, cuya enseñanza repite la de 1Jn, era anterior a la de 5,19-25. Algo más tarde [57] (1965), al insertar estos textos en el marco general de la escatología individual propia de Juan, concluía que 5,26-30 sería una reinterpretación de 5,19-25, destinada a reintroducir en el evangelio la escatología heredada de Daniel. Estas vacilaciones muestran cuán difícil es hablar de la anterioridad de una perícopa sobre otra. Aunque es cierto que la teología joánica pone el acento en la escatología «realizada» (o actualizada), no por eso abandona las perspectivas más clásicas: el conjunto de 5,19-30, lejos de ser un ensamblaje artificial de dos perícopas heterogéneas, ha sido construido y compuesto de propósito y con habilidad [58].

Así pues, el estudio del IV evangelio debe prestar atención a la intensa actividad literaria que reinó en el medio joánico. Pero no debe perder de vista ni la coherencia profunda de la obra, ni la continuidad de la tradición en el interior de la cual se desarrolló esta actividad. Queda por precisar quién fue este «Juan» en quien se apoya la mencionada tradición: este punto será examinado más adelante (capítulo sexto).

CAPÍTULO CUARTO

EL TRASFONDO RELIGIOSO DEL LIBRO Y SU MENSAJE

La originalidad del IV evangelio, tanto respecto de los sinópticos como del Nuevo Testamento, invita a plantearse un importante problema: el del origen de las concepciones propias de este escrito. No puede acometerse esta cuestión sin darle, como *trasfondo,* las diversas corrientes religiosas que se entrecruzaban en el mundo en que tomó forma. A partir de aquí, es ya posible examinar dos de los puntos que le caracterizan: de un lado, su *horizonte histórico,* que orienta la mirada hacia Jesús de Nazaret, interpretando su existencia y su mensaje; del otro, su *horizonte eclesial,* en función del cual se elaboró aquella interpretación y que confiere una coloración particular a sus elementos simbólicos, especialmente en el orden sacramentario.

I

EL TRASFONDO RELIGIOSO DEL IV EVANGELIO

La historia de la interpretación nos ha mostrado que, a partir del siglo XIX, han sido numerosos los esfuerzos desplegados por situar a Juan en relación con las corrientes filosóficas y religiosas de su mundo ambiental [1]. Durante largo tiempo, los críticos se dividieron en dos bandos: los que vinculaban a Juan con el judaísmo palestino y los que lo relacionaban con el helenismo. Las investigaciones recientes han evidenciado que debe evitarse esta oposición simplista. El judaísmo palestino anterior al 70 se nos aparece como mucho más permeable a las influencias extranjeras de lo que se había creído durante mucho tiempo. Por otro lado, el judaísmo helenista nunca estuvo separado del judaísmo palestino, ni siquiera en Filón, que le dio su más acentuado perfil filosófico. Filón mismo fue un creyente sincero, apologista a su manera, que intentaba salvaguardar la herencia espiritual de su pueblo y que no ignoraba la exégesis tradicional de la Escritura [2]. Y, en fin, después de los descubrimientos de Qumrân y Nag Hammadi, la historia de las religiones ha experimentado una profunda renovación en su conocimiento tanto de ciertas corrientes judías marginales como de la evolución antigua de la corriente gnóstica. En estas condiciones, sigue siendo tal vez difícil determinar con precisión el puesto del IV evangelio en el ambiente de las corrientes religiosas de su tiempo, pero, de todas formas, pueden señalarse algunos jalones suficientemente indicativos.

Juan y el gnosticismo antiguo

Estado de la cuestión

En oposición a la corriente estoica, que enseñaba la coherencia del universo penetrado por el *Logos* divino, e invitaba a los hombres a conducirse como ciudadanos del mundo [3], la corriente gnóstica nació de una visión pesimista del universo [4]; el hombre se siente extranjero en el cosmos y experimenta dolorosamente en sí mismo la división entre la materia y el espíritu. El problema fundamental que se le plantea es el de su existencia personal: como no espera encontrar un sentido a esta existencia, intenta evadirse de un mundo dominado por poderes malvados y ciegos. Un extracto de Teodoto, conservado por Clemente de Alejandría, plantea la cuestión en estos términos: «¿Qué éramos? ¿Qué hemos venido a ser? ¿Dónde estábamos? ¿Dónde hemos sido arrojados? ¿Hacia qué fin (ποῦ) nos precipitamos? ¿De dónde (ποθέν) hemos sido rescatados? ¿Qué es la generación y la regeneración (ἀναγέννησις)?» [5] ¿No evoca el término regeneración la conversación de Jesús con Nicodemo (Jn 3,3.5)? Por lo que hace a las preguntas «de dónde» (ποθέν) y «a dónde» (ποῦ) aparecen constantemente en los discursos de Jesús o en las reflexiones sobre ellos (por ejemplo 7,11.27s.35; 8,14; 9,29s; 13,36; 14,5; 16,5). De igual modo, el *Evangelio de la verdad* descubierto en Nag Hammadi muestra que «el que está en lo alto» responde a la llamada del Salvador: «Si alguno tiene la gnosis, es un ser de lo alto. Si se le llama, escucha, responde y se vuelve hacia el que lo llama para subir hacia él. Y sabe cómo se le llama. Poseyendo la gnosis, ejecuta la voluntad de aquel que lo ha llamado. Desea complacerle, recibe el descanso» [6]. Este pasaje presenta notables analogías con aquellos en los que Jesús se presenta como cumpliendo la voluntad del Padre (4,34; 8,29, etc.) y con la alegoría del buen pastor (10,3s.16.26-28).

Sobre la base de estas semejanzas de vocabulario y de temas, algunos críticos han propuesto relacionar a Juan con el gnosticismo de su tiempo. Esta hipótesis ha sido aceptada en concreto por Bultmann [7] que ha recurrido, para apuntalarla, a los escritos mandeos. «Es en el evangelio de Juan donde se ha caracterizado de forma más consecuente la función redentora de Jesús, con ayuda de conceptos gnósticos: Jesús es el Hijo preexistente de Dios, la Palabra que existe antes de todo tiempo»... «Con la revelación trae la vida y la verdad y llama a sí a los "suyos", a los que son "por la verdad". Tras haber cumplido la tarea asignada por su Padre, será de nuevo levantado de la tierra y así abrirá a los suyos el camino que conduce a las moradas celestes (14,6)». Según esto, la gnosis habría permitido a Juan comprender la verdadera naturaleza de la liberación, a saber, reconocer «como presente la salvación concedida en la persona y en la obra de Jesús y, por consiguiente, comprender que la historia escatológica comienza en el presente» [8].

Discusión de la tesis

Esta interpretación de Juan presupone que existió ya antes un mito gnóstico del Salvador, enviado de lo alto para avivar las chispas de luz que se habían refugiado en el alma de los «pneumáticos». Pero esta tesis no puede probarse con los dos textos mencionados antes, ya que son ciertamente posteriores a los orígenes cristianos. Se supone, de todas formas, que representan una corriente de pensamiento y espiritualidad anterior. Ahora bien, los estudios de C. Colpe y H.M. Schenke han puesto sobre el tapete este procedimiento de amalgama que, con ayuda de textos diversos y con frecuencia tardíos, pretende reconstruir un solo y mismo mito del *Urmensch*, que desempeñaría el papel de Salvador. Según C. Colpe, hay que distinguir, en realidad, tres tipos diferentes en el mito gnóstico. En el primero, «sólo se requiere un profeta, llamado o "enviado" de diversas maneras, para proclamar y revelar el "conocimiento" *(gnosis)* que aporta la redención». En el segundo, «el Salvador gnóstico (en sentido propio) desciende a través del firmamento y penetra en el reino de los "poderes", pero sin llegar a la tierra (así, Manvahmed)». En el tercero, «situado entre los dos anteriores, se encuentra el Salvador, que recorre la tierra bajo mera apariencia, revestido de un cuerpo irreal (sobre todo en los sistemas gnósticos cristianos)» [9].

No es la distinción de estos sistemas el único factor a tener en cuenta: es que, además, su evolución se escalona a lo largo de un notable período de tiempo. Las conclusiones del congreso de Mesina (1966) dedicado al estudio de la gnosis, invitaban a los críticos a distinguir cuidadosamente entre el gnosticismo propiamente dicho y la gnosis en sentido amplio (o pregnosis) [10]. Esta última se limita a poner el acento en el «conocimiento» como principio de salvación; en este sentido, se advierten ya ciertos rasgos gnósticos en algunas corrientes judías. Pero el gnosticismo propiamente dicho se caracteriza por un dualismo metafísico que toma la forma de mito, multiplica los intermediarios entre el Dios incognoscible y el mundo y cuenta la historia del «Salvador salvado», cuyo conocimiento aporta la salvación. Este gnosticismo así constituido no se desarrolla sino a partir del siglo II de nuestra era, aunque con formas tan exhuberantes que sigue sin resolver la cuestión de sus fuentes: ¿se trataba de una herejía cristiana, o de un sincretismo pagano que asimiló algunos elementos cristianos para ampliar su clientela [11]?

Estas conclusiones ponen en tela de juicio el método mismo de Bultmann, que admitía como un postulado el carácter sincretista del cristianismo en sí. Con todo, no han sido admitidas por cierto número de críticos, que siguen hablando de la gnosis como de un fenómeno unitario. También sigue teniendo sus partidarios el origen gnóstico del IV evangelio (entre ellos J. Becker,

E. Käsemann, L. Schottroff), a pesar de los trabajos de Colpe y Schenke. Para Käsemann, por ejemplo, Juan se imaginaría a Cristo como un Dios extraño a este mundo, que se limita a cruzarlo para reunir a los suyos y conducirlos al mundo de lo alto [12]. Esta interpretación ignora por completo el realismo con que Juan concibe la realidad de la encarnación (1,14), el papel de la muerte redentora, la importancia de la *agape*, etc. No hay que negar, por supuesto, que Juan era sensible a ciertas aspiraciones religiosas de su tiempo, que se encuentran efectivamente en la pregnosis. Es también cierto que insiste más que ningún otro en la actualidad de la salvación traída por Cristo. Pero su mensaje original se sitúa en la línea de la escatología veterotestamentaria: Dios ha ordenado toda la historia de la salvación a la manifestación final de su Hijo, hecho hombre y muerto en cruz para dar la vida al mundo. De este mensaje se apoderaron los doctores gnósticos del siglo II para incorporarlo a sus especulaciones, comentando en más de una ocasión ciertos textos escogidos del evangelio de Juan (así Valentín y Heracleón).

Juan y el pensamiento helenista

Relaciones del IV evangelio con el hermetismo

Ha sido C.H. Dodd el autor que más ha insistido en destacar las afinidades entre el IV evangelio y el hermetismo, en el que este autor ve la corriente religiosa de las *élites* cultivadas de la civilización helenista [13]. Reconoce que los escritos agrupados en el *Corpus hermeticum* son posteriores a la obra de Juan, pero estima que representan un tipo de pensamiento religioso que se remonta a una fecha más antigua. Dodd recurre sobre todo al *Poimandres* y al tratado *Sobre la regeneración (Corpus hermeticum* 13).

El profeta del *Poimandres* tiene acentos poco menos que evangélicos para invitar a los hombres a la conversión: «¡Oh terrenales!, ¿por qué os habéis entregado a la muerte, cuando tenéis el poder de participar en la inmortalidad (ἀθανασία)? ¡Arrepentíos, los que habéis hecho del error vuestro compañero de camino y de la ignorancia (ἄγνοια) vuestra asociada! ¡Abandonad esta luz que es tiniebla! ¡Abandonad la corrupción (φθορά) para tener parte en la inmortalidad!» (ibid. 1,28). Pero este vocabulario, que tiene afinidades con el de la Sabiduría, no es exactamente el de Juan, que ignora estas palabras clave: *athanasia, agnoia, phthora.* Por lo demás, la invitación a volver a sí está acompañada de una cosmogonía complicada para explicar cómo pudo el espíritu perder su rango en la materia [14]. Aunque el *Poimandres* se inspira en parte en el Génesis, su Dios supremo es un principio bisexual, del que procede el mundo por generación: «El Dios-*Nous*, que era macho y hembra, y existía como vida y luz, engendró de una palabra un segundo Demiurgo-*Nous* que, siendo dios del fuego y del soplo, moldeó gobernadores, en número de siete, los cuales desarrollan en sus círculos el mundo sensible (= los siete círculos del sol, de la luna y de los planetas); y su gobierno se llama el Destino (εἱμαρμένη)» (ibid. 1,9). Se multiplican los intermediarios entre el Dios supremo y el mundo: estamos muy lejos del prólogo de Juan, según el cual todo ha sido hecho exclusivamente por el *Logos.*

Se ha relacionado a menudo el tratado de la *Regeneración* con los textos de Juan sobre la regeneración bautismal (Jn 3,3-8). Pero en realidad la inspiración es muy diferente. El tratado desarrolla su tesis con gran aparato de precisiones naturalistas: el nuevo nacimiento implica una madre, la Sabiduría, una simiente *(spora),* el verdadero bien. Quien siembra es el Querer divino (loc. cit. 13,2), que actúa por intermedio de Hermes, el mensajero divino. Esta regeneración da la gnosis salvífica y conduce al éxtasis por medio de técnicas que recuerdan los yoguis hindúes. Se trata de una mística por introversión, que consiste en un retorno al Sí más profundo, a una pérdida de sí en el Todo. Nos hallamos aquí en el polo opuesto de la mística joánica que, en la línea tradicional del judaísmo, carga el acento en el carácter personal de la unión entre el creyente y Dios (cf. las fórmulas de reciprocidad, como Jn 15,4.5.7). La *agape,* que es fundamental en Juan, falta en el hermetismo y en el gnosticismo. Cabe, además, preguntarse con F.M. Braun [15], si no ocurre que ciertos escritos herméticos dependen parcialmente de los escritos de Juan, aunque en menor grado que las obras gnósticas de los siglos II y III. De la profunda investigación de Dodd, los únicos elementos utilizables son aquellos que hacen luz sobre las aspiraciones religiosas de la *intelligentzia* helenista: y la única respuesta de Juan es invitarles a llevar a cabo una transformación radical.

Juan y Filón de Alejandría

Con Filón, la comparación se asienta sobre un suelo más firme, ya que sus obras son contemporáneas de la predicación de Jesús [16]. De ser cierto que el alejandrino Apolo (Act 18,24) o incluso el autor de la carta a los Hebreos llevaron acaso un eco del pensamiento de Filón hasta los medios cristianos, tendríamos aquí un jalón entre el pensador judío y la comunidad joánica. De todas formas, son muchos los críticos que se muestran reservados frente a estas hipótesis.

Los estudios se han centrado en la noción de *Logos*, de capital importancia en el prólogo de Juan (y en 1Jn 1,1-3). A comienzos de siglo, eran muchos los críticos que admitían una dependencia de Juan en este punto. Siguiendo la línea de Holtzmann, escribía J. Lebreton: «Se puede atribuir con la máxima probabilidad un origen alejandrino al término *Logos*» [17]. Sin rechazar las vinculaciones del prólogo con el Antiguo Testamento, también Dodd daba mucha mayor importancia a los paralelos entre el prólogo y las especulaciones de Filón sobre el *Logos*, idea original, ejemplar de todos los seres creados, poder supremo, que ejerce una función mediadora entre la sabiduría y la bondad de Dios, representadas por los dos querubines del arca de la alianza (*De Cherubim* 27,28). Dodd compara asimismo [18] la afirmación «Al principio existía el Verbo», con el texto de Filón: «Puede decirse que el mundo inteligible no es otra cosa que el *Logos* de Dios, ya en el acto de crear» (*De Opificio mundi*, 24). Haciendo suya la distinción platónica entre el mundo inteligible o mundo de las ideas, y el mundo sensible, Filón considera que el *Logos* es el hijo primogénito de Dios, mientras que el *Cosmos* es el hijo menor (*Quod Deus sit immutabilis* 31). Pero nada de esto se encuentra en el Nuevo Testamento. Dodd relaciona la proclamación: «El *Logos* era Dios» (θεός, Jn 1,1*c*) con la distinción establecida por Filón entre *ho Theos*, el Dios único, y *theos* como atributo del *Logos* (*De Somniis* 229-230).

Aunque Filón utiliza profusamente la palabra *Logos* (1300 veces) no ofrece en cambio una doctrina unitaria del mismo. El hecho se debe a que depende a la vez de la tradición bíblica sobre la palabra de Dios (y, en esta perspectiva, el *Logos* actúa como revelador) y de la filosofía griega, especialmente de la estoica, que ve en el *Logos* el poder unificador del universo. Ahora bien, en Juan las perspectivas cosmológicas se evocan con la misma sobriedad que en Gén 1,1. El interés se sitúa inmediatamente en la historia de la salvación, con la función profética del *Logos*, que desemboca en su encarnación. En estas condiciones, apenas si es necesario hacer intervenir a Filón en la meditación joánica, que se vincula sobre todo a los desarrollos del Antiguo Testamento sobre la palabra (o la sabiduría) de Dios y a la doctrina targúmica del *Memra* de Yahveh.

La comparación entre Juan y Filón debe llevarse adelante también en otros campos. Así, por ejemplo, la apelación de «verdadero israelita» de Jn 1,47 supone una etimología de la palabra Israel («el que ve a Dios») muy estimada por Filón [19]. La homilía sobre el maná, que subyace en Jn 6, se inspira en un modelo testificado a la vez en el judaísmo palestino y en Filón [20]. La oposición que establece Juan entre Cristo y Moisés presupone una exaltación de la persona de este último tal como se encuentra en la *Vida de Moisés* de Filón [21].

Pero, en realidad, todos estos casos invitan a plantearse el problema de las fuentes de la exégesis filoniana. Los trabajos recientes han revalorizado los contactos de Filón con la interpretación tradicional de la Escritura. Por consiguiente, la comparación entre Juan y Filón puede remitirnos en última instancia a la predicación sinagogal, en la medida en que ésta nutrió el pensamiento joánico. Pero, dicho esto, no puede minimizarse la considerable diferencia que separa al evangelista de Filón. Este último practica a menudo, a la manera de los filósofos griegos, una exégesis alegórica, con objetivos a la vez místicos y antropológicos: detrás de la letra de la Escritura, busca indicaciones para la vida del alma y su itinerario hacia Dios. Más fiel a las perspectivas tradicionales, Juan cultiva una exégesis *tipológica*, que deja a los acontecimientos su consistencia propia, para mostrar cómo encuentran en la persona y la obra de Cristo su cumplimiento y su convergencia. Esta referencia a la dimensión histórica de la Escritura para fundamentar la interpretación simbólica no aparece en Filón, que depende directamente del ejemplarismo platónico.

Juan y sus raíces judías

El empleo de la Escritura

Son relativamente poco numerosas las citas explícitas del Antiguo Testamento: se han contado 19 casos, en los que un lema hace referencia a la Escritura[22]. Con todo, hay que distinguir las citas propiamente dichas (1,23; 2,17; 6,31.45; 7,38; 10,34; 12,15. 38.39s; 13,18; 15,25; 19,24.28.36s) y los remites generales (1,45; 7,42; 8,17; 17,12). Si se hacen entrar en la cuenta las alusiones claras a textos bíblicos, se llega a un total de 27, frente a 70 en Marcos, 109 en Lucas, 124 en Mateo (Wescott-Hort). Esta comprobación parece confirmar la apreciación de Bultmann, según el cual el Antiguo Testamento apenas tiene cabida en el pensamiento joánico y elimina, por tanto, de él toda perspectiva de historia de la salvación. Pero habrá que examinar la cuestión con mayor detalle.

Comparando las citas comunes a Juan y a los sinópticos, se advierte la gran independencia de Juan: Is 40,3-5 es puesto en labios del Bautista (1,23), mientras que los sinópticos hacen del pasaje una «cita de cumplimiento» (Mc 1,2-3 par.); en la entrada triunfal de Jesús en Jerusalén (Jn 12,13 = Mc 11,9 par.) se pone en labios de la muchedumbre el Sal 118,26, con el mismo valor en una y otra parte; en el mismo contexto, Jn 12,15 cita a Zac 9,9 bajo una forma abreviada, Mt 21,5 *in extenso* (Mc y Lc lo omiten, aunque el texto está en el trasfondo de su relato): Is 6, 9-10 figura en Mc 4,12 par. puesto en labios de Jesús a propósito de la predicación en parábolas, mientras que Jn 12,39s lo inserta al final del «Libro de los signos» como explicación global del endurecimiento de Israel. Así pues, muy raras veces sale Juan al encuentro de la catequesis común y casi siempre de una manera muy personal.

Por lo que hace al texto literal de las citas, las opiniones de los críticos se dividen. Schlatter admitía que, al igual que Mt, Jn tenía en cuenta a la vez el texto hebreo y los Setenta, lo que haría luz sobre el origen palestino de los dos evangelios. Pero F.M. Braun y otros muchos (por ejemplo B. Noack) subrayan que las citas responden a los Setenta. Se daría una excepción en Zac 12, 10, citado en Jn 19,37: aquí Juan se aproxima al hebreo, pero tal vez a través de la versión griega de Teodoción, cuyo origen palestino ha sido puesto en claro en trabajos recientes (D. Barthélemy)[23]. Podrían parecer sorprendentes estas divergencias de opinión, pero se explican por el hecho de que Juan se muestra más atento al sentido global de un texto que al tenor literal de la cita. A veces utiliza incluso las llamadas citas «confluyentes»: Jn 6,31 remite a la vez a Éx 16,15*b* y Sal 78,24: Jn 6,45 es una paráfrasis de Is 54,13 y se adivina además la influencia de Jer 31,33s; 7,38 tiene el aire de un texto targúmico[24], en el que el Sal 78,16 estaría combinado con reminiscencias de Ez 47,1-12 y Zac 14,8; Jn 19,36 combina el Sal 34,21 y una reminiscencia de Éx 12,46. En todos estos casos, el evangelista parece leer la Escritura a partir de la tradición judía o al menos siguiendo un método similar al de las homilías sinagogales: la unidad de la Escritura le permite explicar unos textos por otros, tomando como clave de lectura la persona de Jesús, en quien se cumple la Escritura.

La Biblia de Juan

Las investigaciones complementarias de F.M. Braun y G. Reim han puesto en claro cuáles son los libros preferidos de Juan: el Pentateuco (con predominio de Éx y Dt), Isaías (sobre todo en su parte segunda), y los Salmos. Se da aquí un notable paralelismo con Qumrân. Pero debe tenerse en cuenta que no todas las sinagogas poseían el conjunto de rollos necesarios para la lectura de la Biblia entera. Es indudable que el Pentateuco, Isaías y los Salmos fueron los libros más difundidos.

1) *El Pentateuco* es «la ley de Moisés» (1,45). Aunque sin oponer, al modo de Pablo, el régimen de la ley al de la fe, Juan mantiene sus distancias respecto de la *torah* como *institución de salvación:* «la ley fue dada por medio de Moisés, por Jesucristo vino la gracia y la verdad» (1,17*b*)[25]. Las controversias sobre el sábado (cap. 5 y 9) tienen paralelos en los sinópticos (Mc 2,23-28 par.; 3,1-6 par.; Lc 13,10-17; 14,1-6). En este sentido, la reacción de Jesús contra el nomismo de los escribas es la misma en las dos partes. Pero en ningún lugar de los sinópticos habla Jesús de «vuestra ley» (8,17; 10,34) o de «su ley» (15,25), expresiones que, por

otra parte, remiten por dos veces al conjunto de la Escritura, ya que introducen citas de Salmos (Jn 10,34 = Sal 82,6; Jn 15,25 = Sal 35,19 ó 69,5). Se ha consumado la ruptura entre la comunidad joánica y el judaísmo, ya que el mismo Jesús no parece hablar como un judío. En cambio, la ley conserva una gran importancia como *testimonio* anticipado en favor de Jesús, en cuanto revelación que encamina hacia la luz total. Jesús es «aquel de quien escribieron Moisés, en la ley y los profetas» (1,45): «Si creyerais en Moisés, creeríais en mí, porque de mí escribió él» (5,46; cf. Dt 18,15). En este aspecto hay que examinar, pues, la Escritura para hacer de ella una lectura cristiana. Al hilo de los textos, pueden destacarse los principales ejemplos:

Los textos relativos a los orígenes dejan varias huellas a modo de alusiones. El principio del prólogo alude a Gén 1,1 comentado por Sal 8,22 (donde figura la misma palabra *reshit* = gr. ἀρχή). La palabra de Dios, que se identifica con su sabiduría (cf. Eclo 24,3*a*), ha levantado ahora su tienda aquí abajo, en la carne de Jesús (1,14 con alusión probable a Eclo 24,8). El soplo del Espíritu por Cristo resucitado de Jn 20,22 corresponde al soplo de un hálito de vida por el creador en Gén 2,7 (con el mismo verbo raro ἐνεφύσησεν). También se explica por una alusión a Gén 2,23 la apelación de «mujer» dada a la madre de Jesús (2,4 y 19,26) y por una referencia a Eva, madre de los vivientes (Gén 4,1) el *logion* enigmático sobre la hora de la mujer (Jn 16,21)[26].

En el transcurso de una tempestuosa discusión se evoca el ciclo de Abraham (8,31-59). A la descendencia carnal de que se glorían los judíos (8,33.39) opone Jesús las obras de Abraham (8,39*b*-40), que deben llevar a la fe en él, al contrario que las obras del diablo, homicida desde el principio (8,44, con alusión probable al Trg de Gén 4,3-16); porque, efectivamente, Abraham había deseado ver el día de Jesús (8,56, con alusiones a las tradiciones targúmicas sobre el nacimiento de Isaac, Gén 17,17, o sobre la visión de Abraham, Gén 15,12-21). Por otra parte, el recuerdo del sacrificio de Isaac (*Aqedah*[27]: Gén 22,1-19, con notables ampliaciones en el Trg palestino) aparece en el trasfondo de la doctrina de la redención, ya sea en el gesto de Dios que «da a su único Hijo» (3,16) o en el título de Cordero de Dios, que recuerda a Isaac, «cordero del holocausto» (Gén 22,8; TrgPal). El sueño de Betel (Gén 28,12) es evocado en 1,51: a partir de ahora la comunicación entre el cielo y la tierra no se circunscribe a un lugar determinado (cf. 4,23), sino que acontece en la persona del Hijo del hombre. En el trasfondo del diálogo con la samaritana se reconoce la importancia dada a las tradiciones patriarcales (4, 5.6.12): Jesús se manifiesta como superior a «nuestro padre Jacob».

El ciclo del éxodo (Éx, Núm, Dt) tiene en Juan una tal importancia que J.J. Enz ha querido ver aquí un hilo conductor para determinar el plan del evangelio [28]. Puede añadirse que Juan vuelve a leer los acontecimientos con la misma óptica que Sab 10-19; pero lleva a cabo las transposiciones necesarias para pasar de los sucesos preparatorios y figurativos a la realidad que anunciaban simbólicamente. La enseñanza de Moisés sólo se evoca de forma global, a propósito de los judíos que se declaran sus discípulos (9,28): Juan opone a aquella enseñanza el testimonio del Hijo, el único que ha visto al Padre (6,46) y puede revelar el nombre del Padre (17,6). Los signos *(semeia)* y prodigios realizados por Moisés durante el éxodo y en el desierto (Dt 34,11) permiten comprender el sentido que atribuye Juan a los signos *(semeia)* realizados por Jesús: ellas demuestran que él es no solamente un profeta sin par (Dt 34,10), sino el enviado único y definitivo. Se subraya en más de una ocasión el paralelismo de sus respectivas situaciones: al maná responde el pan bajado del cielo (6,30-33); al milagro del agua, la promesa del agua viva (4,10; 7,37s); a la elevación de la serpiente de bronce, la elevación del Hijo del hombre (3,14). Pero, en cada uno de estos casos, el *semeion* es la persona misma de Jesús: él es el pan de vida (6,51); el agua brota de su costado (19,34); es levantado en la cruz (compárese 3,14s y 12,32s) para atraer hacia sí la mirada de fe (19,35).

2) *La lectura cristológica de Isaías* es el presupuesto de las dos citas de Jn 12,38-40, en las que se dice expresamente que Isaías hablaba de Jesús porque tuvo la visión de su gloria (12,41). Esta lectura subyace en todos los textos que remiten al mesianismo real, desde el título de Rey de Israel (1,49) y la reminiscencia de la escena del bautismo, en la que el Espíritu descansa sobre Jesús (1,32; cf. Is 11,1), hasta las múltiples alusiones a la pasión [29]. Pero es sobre todo la parte segunda del libro (Is 40-55) la que proporciona al evangelista los materiales con que dar a su doctrina

un perfil dramático. Aquí se encuentran la revelación de la gloria de Dios (Is 40,5), el proceso de Dios contra sus rivales paganos o contra su pueblo incrédulo (41,21-24), su llamada al testimonio (43,12; 44,8): temas todos ellos de los que Juan hace amplio uso.

Aunque es cierto que la lectura judía vinculaba los cantos del Siervo a su contexto inmediato y no les daba una interpretación mesiánica, no es menos indudable que Juan los aplica a Jesús, sin citarlos de forma explícita. G. Reim [30] tiene razón cuando relaciona la declaración: «Yo soy la luz del mundo» (8,12) con la misión del Siervo, «luz de las naciones» (Is 42,6; 49,6). La fórmula que abre Is 52,13-53,12 (ὑψωθήσεται καὶ δοξασθήσεται) se refleja en el uso de los verbos *hypsoun* y *doxazein* para hablar de la muerte-exaltación-glorificación de Jesús (*hypsoun:* 3,14; 8,28; 12,32.34; *doxazein:* 7,39; 8,54; 12,16.23.28; 13,31s; 17,1.5.10). La revelación de la gloria de Dios (Is 40,5) acontece cuando los hombres ven la gloria del Verbo hecho carne (Jn 1,14): esta gloria se filtra a través de los signos que realiza (2,11; 11,4.40) y sobre todo a través de su obra suprema (17,4). Pero, en este punto, Juan transforma el mensaje del profeta al introducir el tema del amor *(agape):* amor de Dios al mundo (3,16) y del Hijo al Padre (14,31). Y así, lo prolonga infinitamente, ya que Dios, que no quería comunicar su gloria a nadie (Is 42,8; 48,11) la comunica de tal modo a su Hijo que éste puede asumir la fórmula misma de la revelación divina: *Ego eimi* (8,24.28.58; 13,19) [31]. En su cuadro de la cruz Juan une, por lo demás, la contemplación del Siervo inmolado como cordero que no ofrece resistencia (Is 53,7) a la del Hijo único traspasado (Jn 19,37: cf. Ap 1,7), según la profecía de Zac 12,10 [32].

3) *La lectura cristológica de los Salmos* cuenta también con excelentes testimonios. Se cita el Sal 22,19 a propósito del reparto de los vestidos de Jesús (19,24). El Sal 41,10 proporciona un punto de partida para el anuncio de la traición de Judas (13,8; cf. 17,12). El Sal 69,10 explicita el motivo profundo del sacrificio de Jesús (2,17); el v. 5 de este mismo Salmo traduce el odio de los judíos contra Jesús (15,25) y el v. 22 está probablemente citado en el grito de Jesús en la cruz (19,28). Y, en fin, la cita compleja del Sal 34,21, combinado con Éx 12,46 asocia la imagen del Justo doliente y la del Cordero pascual (19,36).

Habría que continuar esta investigación poniendo de relieve las alusiones a Dn 7 en los pasajes relativos al Hijo del hombre y las alusiones a los textos sapienciales que se perciben en el trasfondo del prólogo y del discurso sobre el pan de vida: «El que viene a mí, jamás tendrá hambre; el que cree en mí, no tendrá sed jamás» (6,35; cf. Prov 9,1-6; Eclo 24,19-22). Así se cumplía la promesa hecha por los profetas: «Todos serán instruidos por Dios» (6,45, citando a Is 54,13). Ya se ve que la opinión de Bultmann sobre el puesto mínimo reservado al Antiguo Testamento en el IV evangelio tiene muy poco que ver con la realidad. Es cierto, de todas formas, que el autor incorpora los textos a su teología personal de una manera original.

Exégesis joánica y exégesis judía

Hay que comparar también las interpretaciones joánicas de la Escritura con las que estaban en curso en los diversos medios del judaísmo. Los estudios actuales sobre los *targums* palestinos han dado nuevo impulso a esta investigación, pero la tarea es a veces ingrata.

En el transcurso del ministerio de Jesús, las discusiones entre él y sus adversarios recuerdan más de una vez las discusiones rabínicas. La llamada al testimonio de las Escrituras (5,39) entra muy bien en este marco, aunque no se trata de probar una tesis, sino de reconocer a aquel que el Padre ha enviado. Al testimonio mismo del Padre, testificado por las obras del Hijo (5,36.37*a*), se añade el testimonio del Hijo (8,17) para fundamentar una argumentación de tipo rabínico apoyada en Dt 17,6 y 19,15 [33]. Para legitimar una curación llevada a cabo en sábado, Jesús razona también según un procedimiento *a minori ad majus,* corriente entre los doctores judíos (7,21-23). Razona del mismo modo para rechazar la acusación de blasfemo lanzada contra él (10,33-38, cf. Sal 82,6) [34]. Si, pues, Jesús aparece enraizado en el judaísmo palestino más clásico, no lo está menos el evangelista que da forma a sus palabras.

Una tesis de A. Guilding ha intentado explicar la estructura del IV evangelio mediante el ciclo trienal de las lecturas sinagogales [35]. Por desgracia, en el siglo I de nuestra era aún no existía un orden fijo; todo lo más, había algunas fiestas que tenían ya asignadas sus lecturas, pero hoy día resulta difícil determinarlas [36]. Existen, con todo, algunas posibilidades de exploración en esta línea. El discurso del pan de vida (6,26-51*a)* se ilumina parcialmente en función de probables lecturas del tiempo pascual. P. Borgen explica su género literario relacionándolo con las homilías sobre el maná, tanto en el judaísmo palestino como en Filón [37]. ¿No remite también la cita de Sal 78,24 a Éx 16 y Núm 11, que se leía más tarde por aquella época del año, en los años 2.º y 3.º del ciclo trienal? El conjunto de los cap. 7-10 vuelve sobre los temas vinculados a la fiesta de las tiendas (el agua, la luz, la realeza de Yahveh). El texto de Is 12,3, previsto para la liturgia de este día según el Talmud [38], durante la procesión que partía de Siloé, constituye el mejor telón de fondo de la promesa de Jesús (7,37s).

De todas formas, más que de la jurisprudencia rabínica, orientada hacia la *halakha,* Juan ha extraído su exégesis de los desarrollos haggádicos, a los que se concedía un amplio espacio en la interpretación targúmica. La doctrina del *Logos* responde en parte a la doctrina del *Memra* de YHWH en el Trg palestino [39]. La escena junto al pozo de Jacob no se comprende bien si se ignoran los desarrollos targúmicos sobre el pozo de Miryam [40], que han pasado también a los *midrashim* y al *Liber antiquitatum biblicarum* del pseudo-Filón (cf. 20,8). La *haggada* sobre el maná era inagotable: en el Trg del *Codex Neofiti* sobre Éx 16,15 parece ser la figura de Moisés [41]; pero, de ordinario, el maná se atribuye a sus méritos (cf. LAB 20,8).

Estas aproximaciones no explican, evidentemente, toda la exégesis de Juan, pero permiten situarla en un ambiente preciso, sin por eso desconocer su originalidad. Juan lleva a cabo una lectura carismática de la Escritura, para mostrar cómo desemboca en Jesús: al actuar así, se comporta del mismo modo que los restantes autores del Nuevo Testamento. Recurre a veces a «fórmulas de cumplimiento» (12,38; 13,18; 19,24), pero con menos insistencia que Mateo. De ordinario, se contenta con ligeras pinceladas, que suponen un auditorio o unos lectores iniciados en esta forma de lectura. Pero indica bien cuál es la fuente última: sólo el Paráclito, principio del recuerdo eclesial (14,26) puede descubrir las correspondencias secretas entre la Escritura y lo que Jesús dijo e hizo durante su vida terrestre. Este descubrimiento sólo es posible después de su resurrección (2,22; 12,16): Jesús en gloria ha proyectado su luz sobre la Escritura, y la Escritura, a su vez, ha permitido comprender mejor y expresar en un lenguaje adecuado el misterio de Jesús.

Juan y la tradición de Qumrân

La publicación de los textos de Qumrân ha aportado una considerable contribución al *new look* de los estudios joánicos: de hecho han quedado anticuados los comentarios joánicos anteriores a esta publicación [42]. En un primer momento, los críticos se sintieron atraídos sobre todo por las semejanzas de vocabulario entre Juan y Qumrân. Luego, ya superada la etapa del «panqumranismo», vino un período de reflexión más crítica. Se impone, en efecto, una distinción entre «las ideas de Qumrân verdaderamente específicas de la secta y aquellas otras debidas a tendencias más genéricas, compartidas por otros movimientos. En el estado actual de nuestros conocimientos no siempre es en la práctica tarea fácil trazar los límites de esta distinción. Pero esto no impide que la distinción se imponga y debería disuadirnos de calificar con excesiva precipitación de "esenismo" lo que, a menudo, no merece tal calificativo» [43]. H. Braun ha llevado a cabo un cuidadoso análisis de este punto.

1) *El dualismo* que se advierte en Juan y en Qumrân (1QS, 1QM) fue el primer punto de comparación (G. Baumbach, O. Böcher, J.H. Charlesworth, H.W. Huppenbauer). No fue difícil establecer una conexión entre el pasaje de la *Regla de la comunidad* que opone los hijos de las tinieblas a los hijos de la luz [44] (IQS III,18-21) y el prólogo: «Esta luz resplandece en las tinieblas, pero las tinieblas no la recibieron» (1,4; cf. 3,19s; 8,12; 12,35s.46; 1Jn 1,5s; 2,8-11). Se encuentran también en los dos lugares palabras antitéticas características: verdad-mentira, espíritu-carne, etc. La expresión joánica «hacer la verdad» (Jn 3,21) no tiene correspondencia ni en la literatura helenista ni en la gnosis. Pero el ideal de la comunidad qumraniana consiste en «odiar lo que Dios ha rechazado, abstenerse de todo mal y proseguir todas las obras buenas, *hacer la verdad*, la justicia y el

derecho en el país» (1QS I,4-5; cf. V,3; VIII,2). La palabra «verdad» *(emeth* = gr. *aletheia)* recibe así un sentido muy extensivo: designa en algunos textos el conjunto de la revelación divina, resume en otros todo el ideal del grupo. En Juan, hay que «hacer la verdad» para llegar a la luz (3,19-21), hay que «ser de la verdad» para escuchar el mensaje revelado (18,37) [45].

Sería, con todo, abusivo hablar de determinismo o de predestinación. J.H. Charlesworth ha llamado la atención sobre las diversas formas posibles de dualismo [46]. Ni en Qumrân ni en Juan se trata de un dualismo metafísico: Dios es el único señor soberano; el ángel de las tinieblas (Belial en Qumrân, Satán o el príncipe de este mundo en Juan) está sujeto a su autoridad. En Qumrân, y a pesar de la repetición frecuente de la palabra *goral* (= suerte, parte), nada está fijado de antemano: la *Regla de la comunidad* insiste, al contrario, en el combate que se libra en el corazón de cada hombre (1QS IV,15-18). Tampoco en Juan está ya la suerte echada: «ser de Dios», «ser de la verdad», «ser del mundo», «ser de abajo», son situaciones que manifiestan una elección personal. En la historia del ciego de nacimiento, Juan muestra cómo hay algunos que se hunden voluntariamente en las tinieblas (9,41; cf. 15,22). Pero ni en un lado ni en el otro se ha elaborado una doctrina para conciliar la soberanía de Dios y la responsabilidad del hombre: sencillamente, se afirman los dos principios. En ambas partes se contempla al mundo actual como sujeto a la influencia del ángel malo: Belial o Satán o el príncipe de este mundo (cf. Jn 12,31; 14,30; 16,11; 1Jn 5,19). Con todo, el principio de la esperanza es radicalmente diferente: el Maestro de justicia predica el retorno a la ley de Moisés entendida con rigor, mientras que Juan invita a creer en el Hijo de Dios; en él, la fe es la obra de Dios por excelencia (Jn 6,28s).

2) *Las tradiciones sobre Juan Bautista* han recibido una interesante luz gracias a los textos qumranianos. Aunque sin llegar a hacer del Bautista un novicio esenio (Brownlee), parece razonable pensar que tuvo contactos con Qumrân, que participó de su misma convicción del juicio inminente y que concedió la mayor importancia a la «preparación del camino del Señor» (Jn 1,23; 1QS VIII,13s; IX,19s). Pero el movimiento de Qumrân estaba animado por un arisco exclusivismo, mientras que Juan pre-

dicaba a cuantos se le acercaban. Envió a Jesús muchos de sus discípulos, entre los que hay que contar, en nuestra opinión, al «discípulo al que amaba Jesús» (1,35-39)[47]. Se ha querido establecer una relación entre la triple pregunta de los judíos al Bautista («¿Eres tú el Mesías? ¿Elías? ¿El profeta?») y la forma particular de la espera mesiánica de Qumrân: un profeta precursor y los dos consagrados de Aarón y de Israel (1QS IX,11; CDC XIX,34s). Pero la respuesta de Juan muestra que no compartía aquellos puntos de vista[48]. Además, en el IV evangelio «el profeta» parece ser una designación del Mesías (Jn 7,40.52; cf. 6,14). Mayor precisión requiere la comparación a propósito del bautismo en el Espíritu. Prolongando la línea de Ez 36,25-28, la *Regla de la comunidad* anuncia la efusión del espíritu de verdad para quitar todas las impurezas de los penitentes de Israel y asegurar su marcha en la santidad (1QS IV,8-13)[49]. El Bautista, por su parte, distingue entre el bautismo de agua, que él administra para preparar a sus discípulos para la era de la salvación, y el bautismo de Espíritu, que sólo el Mesías concederá (Jn 1,33). Por consiguiente, la relación entre el agua y el espíritu del IV evangelio prolonga un tema que procedía del Bautista (así 3,5; 7,37s), pero lo modifica profundamente al vincular el don del Espíritu a la persona del Mesías. Para calificar al Espíritu de Dios, Juan habla del «Espíritu de verdad», lo mismo que en Qumrân (14,16-18; 16,13; cf. 1Jn 4,6; 5,6). Pero sólo Jn emplea el título de Paráclito y sólo él hace depender el envío del Espíritu de la persona de Cristo. Así pues, la prudencia pide que no se exagere el alcance de los paralelos[50].

3) *La oposición al templo de Jerusalén*, ¿fue una actitud común al medio esenio y al grupo joánico? O. Cullmann, que fue quien lanzó esta idea, reconoce en su última obra que es preciso matizar los parecidos[51]. La oposición de Qumrân, vinculada a la ilegitimidad de los sumos sacerdotes en funciones, era temporal: el grupo esperaba poder volver a participar en el culto, en el templo purificado y transformado (cf. el *Rollo del Templo)*[52]. Juan, en cambio, muestra que Jesús funda «el culto en espíritu y en verdad» (4,23s)[53], porque él mismo es el Templo verdadero (2,20s) del que brota en fuente viva el Espíritu de verdad (7,37s).

Conclusión

No puede superarse la alternativa: «O judaísmo o helenismo» diciendo, con Barrett, que Juan representa una síntesis de los dos[54]. El IV evangelio enraíza en primer término en el judaísmo palestino: define la persona y la misión de Jesús a partir de la Escritura tal como era leída y comentada en las sinagogas; pero el contacto con corrientes marginales, como el esenismo, han dejado en él su huella (concepción «dualista» del mundo, urgencia de la «decisión», espíritu de comunidad). En la larga maduración que supone la obra joánica, se ve aparecer también una sensibilidad cada vez más acentuada por las necesidades de la misión y los anhelos del mundo griego, al que había que abrir el evangelio. En este sentido, puede reconocerse en él «un agudo sentido de las necesidades del mundo helenista, no solamente en la elección de los símbolos, sino también en la respuesta dada a la sed de revelación y a su deseo de un Salvador que libre de la infuencia del mundo»[55]. No se trata de un sincretismo irracionalizado, sino de una adaptación práctica a las condiciones de la evangelización, a partir del momento en que ésta franqueó los límites del mundo judío, sujeto a los exclusivismos de su ley y de su cultura propia, incluso en las comunidades de la diáspora. Bajo este aspecto, Juan y Pablo representan dos tentativas paralelas, efectuadas en dos épocas diferentes y con diferentes medios de expresión: de este modo, el lenguaje de la fe cristiana se fue enriqueciendo progresivamente al contacto con la experiencia.

II

EL HORIZONTE HISTÓRICO DEL MENSAJE: JESÚS DE NAZARET

Desde el advenimiento de la era crítica, se ha negado muy a menudo el valor histórico del IV evangelio. Aparte su fecha relativamente tardía, se ha insistido en que Juan persigue un objetivo teológico y místico más que histórico, que su recurso a los símbolos desvía la mirada de las realidades terrestres para llevar a la contemplación de las realidades celestes, que sus narraciones poseen tan intenso dramatismo que por fuerza tiene que resentirse su objetividad, etc. La diferencia, de todo punto innegable, entre el Cristo joánico y el de los sinópticos es el telón de fondo de todas estas reservas. ¿No constituye ya esto solo la señal de que se ha acentuado la distancia entre el Jesús de la historia y el Cristo de la fe? «Puede decirse que lo humano ha desaparecido, se ha esfumado ante lo divino, que la doctrina del Verbo transforma el evangelio en un teorema que a duras penas conserva una apariencia de historia» [56].

Las investigaciones actuales sobre el enraizamiento palestino de la obra y de la tradición que Juan recoge permiten plantear con mayor serenidad el problema de su horizonte histórico, garantía de su valor como documento, a condición de que se interprete correctamente. Pero hay que comenzar por disipar dos ilusiones, a las que se ha entregado con excesiva facilidad la crítica hasta fechas bastante recientes. 1) Por lo que hace a la noción de *hecho histórico,* cabe esperar que se haya superado ya la concepción «positivista» que reinó durante largo tiempo en el campo de la historia: la naturaleza misma de la ciencia histórica obliga a reconocer que no hay evocación del pasado sin interpretación, que no hay historiador que aborde su tarea sin una ideología previa, que no hay crítica de las fuentes sin una «precomprensión» ligada a una filosofía general y a una actitud religiosa personal [57]. No puede, pues, juzgarse a Juan en función de una supuesta «objetividad histórica» que llevó en otro tiempo a las «vidas de Jesús» al borde del desastre [58]. 2) En sentido inverso, por el rodeo de las ciencias humanas (lingüística, psicología y etnología) y de la reflexión filosófica (cf. los trabajos de P. Ricoeur) estamos a punto de redescubrir la *necesidad y el valor del símbolo y del mito* como traducción concreta de los datos existenciales en los que se transparenta el sentido de la vida humana; sea cual fuere, por lo demás, la «verdad» que posean los sistemas que los utilizan: no puede descalificarse a Juan sólo porque recurra al símbolo.

Este doble cambio acontecido en el seno de nuestra cultura invita a examinar la *posible vinculación entre historia y símbolo* [59]. Cuando un narrador se esfuerza por mostrar, según su propia comprensión, la significación de un hecho o de una serie de hechos acontecidos en una experiencia individual o social, actúa a la manera de un fotógrafo artista, que elige un ángulo para destacar un rasgo o un aspecto del paisaje. El símbolo brota entonces del seno de la realidad examinada, aunque la trasciende, y luego se orienta de nuevo hacia ella iluminando otras escenas análogas. Esta ley es válida *a fortiori* para la historia religiosa, en la que la realidad de la relación con Dios debe transparentarse a través de los humildes detalles de la experiencia humana. El autor del IV evangelio ha puesto buen cuidado en darnos a conocer el propósito que le movía (20,30s): quiere que, por medio de su relato, sus lectores accedan a una fe más profunda en Jesús, Mesías e Hijo de Dios [60]. Así pues, la comprensión de Cristo en gloria es el objetivo a que tiende a lo largo de toda su obra. Pero no podría alcanzarse este objetivo si no se hubiera descubierto al Cristo en gloria bajo los rasgos de Jesús de Nazaret, inserto en la historia por el drama que vivió en el corazón del mundo judío, aunque era trascendente a la historia por sus relaciones únicas con el Padre. El crítico que toma en serio el objetivo teológico del evangelista, debe manifestar la coherencia de esta doble orientación y debe dar cuenta de ella en el detalle de los textos. Aquí analizaremos con mayor detenimiento dos puntos: la evocación de la existencia de Jesús, tejida de señales reveladoras de su misterio y la transmisión de su mensaje en razón de la actualidad que conserva en la Iglesia. Una vez finalizada esta doble investigación, podremos intentar definir el género literario de Juan en relación con el horizonte histórico que quiere descubrir.

La evocación de la existencia de Jesús

Las anotaciones históricas

La comparación entre Juan y los sinópticos nos ha mostrado, ya de antemano, el carácter peculiar del primero: en conjunto, se apoya en una tradición independiente que, en algunos puntos importantes, coincide con los datos comunes del *kerygma* [61], aunque los desarrolla de forma original y les añade un material considerable. Destaquemos en primer lugar los indicios históricos que pueden descubrirse en esta tradición.

Juan parece suponer que sus lectores están al tanto de la predicación escatológica del Bautista; luego pasa a centrar su atención en el testimonio que dio de Jesús: testimonio negativo ante los judíos («No soy el Cristo»: 1,21), testimonio positivo ante sus discípulos («Éste es el Cordero de Dios»: 1,29). Es evidente que esta referencia al pasado sólo puede comprenderse en razón de su alcance actual: el Bautista sigue testificando en favor de Jesús. Juan no narra el bautismo de Jesús, pero lo integra, en una forma alusiva, en el testimonio del Bautista, bajo el signo del Espíritu (1,32-34); en él la catequesis bautismal se desarrolla de otra forma (3,3-10). Mientras que en los sinópticos el ministerio de Jesús comienza en Galilea, tras el encarcelamiento del Bautista (Mc 1,14), Juan deja entrever un período intermedio en el que Jesús lleva a cabo una actividad paralela a la del Bautista (3,22-26), después de haber reunido a su alrededor algunos discípulos galileos (1,35-51). Es bastante conciso sobre el ministerio en Galilea (2,1-12; 4,43-54; 6,1-7,1), pero da en cambio informaciones muy personales sobre el paso de Jesús por Samaría (4,1-42; cf. Lc 9,51-56). Al anotar los numerosos viajes de Jesús a Jerusalén con ocasión de las fiestas litúrgicas (2,13; 5,1; 7,10; 10,22; 11,55-12,1) sitúa en el primer plano de sus narraciones las discusiones de Jesús con sus adversarios en la ciudad santa, y más especialmente en el templo. Aunque en su relato de la pasión sigue la trama común, es fácil cosechar en él algunas indicaciones específicas: la fecha de la muerte de Jesús (18,26), más verosímil que la que indican los sinópticos; la intervención de la cohorte romana después del arresto de Jesús (18,3), mientras que los relatos de la pasión tendían más bien a descargar de responsabilidad a los romanos; la importancia del proceso ante Pilato (18,28-19,16), muy coherente con el suplicio romano de la crucifixión. Aunque siempre es necesaria una confrontación precisa con los sinópticos, los historiadores deben tener en cuenta estas indicaciones.

De igual modo, el estudio de los topónimos es tanto más revelador cuanto que no siempre los historiadores antiguos gustaban del detalle preciso, verificable a través de las investigaciones arqueológicas: ¡incluso los *Comentarios* de César sobre la guerra de las Galias suscitan controversias para la localización de determinados emplazamientos! Pues bien, Juan ofrece notas toponímicas más abundantes que en los sinópticos. Conoce Betania al otro lado del Jordán (1,28), Caná de Galilea (2,1.11; 4,46), las fuentes de Enón (3,23) [62], Sicar de Samaría (4,5), con el pozo de Jacob (4,11), la aldea de Efraím donde se ocultó Jesús (11,54). Muestra un excelente conocimiento de la topografía de Jerusalén: no sólo conoce la piscina de Siloé (9,7), sino también la piscina de los cinco pórticos de Betzatá [63] (o Betesda), sacada a luz por las excavaciones modernas (5,1-2); menciona el torrente Cedrón (18,1), el lugar del Litóstrotos [64] o en hebreo (es decir, en arameo) Gabbatá (19,13); es más preciso que los sinópticos para nombrar el Calvario, llamado el lugar de la Calavera o en hebreo (= en arameo) Gólgota (19,17; compárese con Mc 15,22; Mt 27,33; Lc 23,33). Evoca, con Lucas, el pórtico de Salomón en el templo (10,23; cf. Act 3,11), y el lugar llamado del tesoro (8,20; cf. Lc 20,21). Tiene razón Lagrange cuando destaca este realismo histórico [65], mucho más sorprendente si se tiene en cuenta que la ruina de Jerusalén, el año 70, transformó por completo la topografía de la ciudad. Pero este realismo de la topografía puede acompañarse de anotaciones simbólicas, explícitas en el caso de la piscina de Siloé (9,7), más fluidas para las localizaciones samaritanas, donde el Garizim juega su papel *a contrario* (4,20-24), implícitas para Betzatá, Gabbatá y Gólgota, que no serían mencionadas con tanta solemnidad sin una intención secreta [66].

Este recurso al símbolo puede hasta cierto punto generalizarse a las anotaciones de tiempo y lugar. Era de noche cuando Judas salió del Cenáculo (13,30): la hora del poder de las tinieblas (cf. Lc 22,53; Jn 12,35). La hora décima en que los discípulos buscaban a Jesús (1,39) no puede carecer de una significación especial; es casi inevitable la tentación de oponer la noche en que Nicodemo vino al encuentro de Jesús (3,2) a la hora sexta en que se desarrolló su diálogo con la samaritana (4,6): ¿es tal vez la hora de la plena revelación (4,23)? D. Mollat ha estudiado con precisión el simbolismo espacial del IV evangelio: «Nazaret, y en general Galilea, no proporcionan tan sólo un dato topográfico. Nazaret es el *scandalon* de la encarnación» (1,45s; 6,38.42; 7,41. 52). «En el Calvario, el *titulus crucis* expone ante los ojos del universo el *scandalon* del «nazareno rey de los judíos» (19,19s) [67]. Mientras Samaría representa en Juan el país de los no judíos, Judea es el país en el que la vida de Jesús está en peligro y adonde sube cuando llega su hora (3,22; 4,3; 7,1.3; 11,7-16), aquella hora que no depende de la cronología sino que se inscribe en el tiempo de la realización del designio de Dios[68]. Este designio se cumple en Jerusalén, por la revelación que de sí mismo hace en ella Jesús (de aquí la importancia de sus discusiones con las autoridades judías en el recinto mismo del templo) y por su condena a muerte, decidida a consecuencia de estas discusiones (11, 45-52), de tal modo que la comparecencia ante Anás y Caifás fue una simple sesión dedicada a preparar la acusación ante Pilato.

Los milagros joánicos

La vinculación entre historia y símbolo aparece especialmente marcada en los relatos de milagros. A diferencia de los sinópticos, Juan no utiliza la palabra *dynamis* (= acto de poder) para designarlos. Prefiere la voz *semeion*[69], pero no bajo la influencia del helenismo, sino con la intención de lanzar un puente entre «los signos» realizados por Jesús y los «signos y prodigios» del tiempo del éxodo[70]. Aunque sabe bien que Jesús fue considerado un taumaturgo que realizó numerosos milagros (2,23; 6,2; 10,41), Juan sólo ha conservado un pequeño número de «signos», particularmente aptos para manifestar la misión de Jesús y su actividad salvadora en la Iglesia. En estos dos puntos, los milagros son una revelación en hechos que posee una doble dimensión: cristológica y sacramental[71]. Si dejamos aparte la pesca milagrosa, que pertenece al apéndice del evangelio (cap. 21), hay un total de 7 signos, lo que sin duda no es producto del azar.

Varios de ellos tienen su paralelo en los sinópticos: la multiplicación de los panes y la marcha sobre las aguas (6,5-21; cf. Mc 6,32-52 par.), la pesca milagrosa (21,2-8.11; cf. Lc 5,4-7) y tal vez la curación del hijo del funcionario real (4,46-54; cf. Mt 8,5-13 y Lc 7,1-10). Otras dos son análogas: la curación de un paralítico (5,1-18) y de un ciego (9,1-7). Otras dos son únicas en su género: el agua cambiada en vino (2,1-11) y la resurrección de Lázaro (11,1-44), que llevaba ya enterrado más de tres días (11,39), a diferencia de los otros dos casos de resurrecciones mencionadas por los sinópticos (Mc 5,22-24.35-43 par.; Lc 6,11-17). A pesar de sus múltiples alusiones al Príncipe de este mundo,

Juan no narra escenas de exorcismos. Desde el punto de vista literario, los relatos de milagros no han sido construidos sobre un mismo modelo, lo que hace aún más dudosa la existencia de una «fuente de los signos». Algunos de ellos responden, con poca diferencia, al género de los relatos paralelos de los sinópticos (incluida la curación del paralítico, Jn 5, y las bodas de Caná, Jn 2,1-11). Pero dos de ellos se desarrollan como composiciones dramáticas en las que las peripecias de la acción mantienen vivo el interés del lector (9,1-41 y 11,1-44). Algunos relatos se bastan por sí solos: las bodas de Caná manifiestan simbólicamente la abundancia de bienes de salvación que trae la nueva alianza. Pero otros están estrechamente ligados al discurso o a la discusión que les sigue (5,1-18 a 5,19-47; 6,1-15 a 6,22-65). En el primer caso, su función reveladora debe extraerse a partir de los indicios literarios incluidos en el relato; en el segundo, el evangelista se cuida de destacarla. De todas formas, donde mejor se manifiesta el genio literario y teológico de Juan es en los dos relatos dramáticos del ciego de nacimiento y de Lázaro (cap. 9 y 11).

En el primero, la concisión del relato del milagro en sí (9,6-7) contrasta con la gran amplitud del drama que se desarrolla en ausencia de Jesús (9,8-34), hasta que entra de nuevo en escena para cerrar el episodio (9,35-41). Juan no se interesa tanto por la curación en sí, cuanto por el camino hacia la fe o la incredulidad seguido por el ciego curado y por los fariseos (9,13.40). La importancia dada al problema de la excomunión (9,22.35) muestra que el drama ha sido escrito en función de acontecimientos dolorosos que sembraron la turbación en la comunidad joánica[72]: frente a las defecciones que la amenaza de expulsión puede provocar entre los fieles de origen judío, el evangelista quiere confirmar su fe en Cristo (8,31; cf. 16,2). Esta observación no pone en tela de juicio la existencia de una tradición fundamental que contaba con bastantes paralelos en los sinópticos. Pero, al sobreponer de esta forma el horizonte histórico de Jesús y el horizonte eclesial de su tiempo, el evangelista construye su relato con una libertad comparable a la del dramaturgo respecto de la historia de los acontecimientos.

Lo mismo cabe decir de la resurrección de Lázaro (11,1-44). En cierto sentido, es la parábola en acto de la próxima pasión de Jesús. Al subir a Betania, se enfrenta con la muerte (11,8) y los discípulos reaccionan del mismo modo que en la Cena (11,16 y 13,37). Sus gemidos ante la tumba abierta (11,33.38) son iguales que frente a la llegada de su hora (12,27). La resurrección de Lázaro es el anuncio velado de su propia resurrección, porque él es «la resurrección y la vida» (11,25), pero es también esta resurrección la que precipita su condenación (11,46; 12,10). ¿Hay que atribuir también un valor bautismal a este relato, atendido el hecho de que en la Iglesia primitiva se presentaba de ordinario al bautismo, en cuanto sacramento de la fe, como resurrección e iluminación (Col 3,1; Ef 5,8.14*b*)? La hipótesis nos parece poco probable, porque el acento carga solamente sobre el poder de la palabra de Jesús, que da la vida (11,43; cf. 4,50.53; 5,27-29). Es tan acusado su vigor dramático que algunos críticos han llegado a considerar el relato de Lázaro como una narración ficticia, que representaría, bajo forma imaginada, la actividad salvadora de Cristo en su Iglesia [73]. Esta reconstrucción figurada del drama que conduce a la pasión constituiría, en la perspectiva evangélica de Juan, un caso límite, que autorizaría, por lo demás, la respuesta de Jesús a los enviados del Bautista (Mt 11,4-6 y Lc 7,22-23): «los ciegos ven, los cojos andan, los leprosos quedan limpios, los sordos oyen, *los muertos resucitan...*» Pero ya Renan hacía notar que si se suprime en su totalidad el episodio, se elimina su eslabón esencial para la secuencia de las peripecias que preparan la decisión del gran consejo y el drama de la pasión: por lo demás, este autor se desentendía del asunto, considerándolo mera superchería [74]. Pero, en el orden de los milagros y los signos ¿es la verosimilitud la auténtica y necesaria medida de lo verdadero? Habría que citar aquí la respuesta mencionada antes: «...y bienaventurado aquel que en mí no encuentra ocasión de tropiezo» (Mt 11,6 y Lc 7,23): los actos de Jesús pueden ser el *scandalon* de los historiadores, como ya lo fueron de las autoridades judías. Pero no es menos evidente que la construcción dramática del relato desafía las transposiciones en términos de historia crítica en la que la atención prestada al símbolo se embota hasta desaparecer. Bajo este aspecto, a los historiadores modernos les resulta más difícil utilizar a Juan que a los sinópticos. Hay que acomodarse a esta situación.

La transmisión del mensaje de Jesús

Las diferencias entre Juan y los sinópticos

En el ámbito de las sentencias de Jesús, se advierte esta misma diferencia de transcripción entre los sinópticos y Juan. Desde el punto de vista literario, estas sentencias se insertan en *diálogos* perfectamente construidos (1,38-51; 3,1-9; 4,7-26.31-38; 6,25-60; 7,14-30; 8,12-20.21-59; 10,24-39; 13,31-14,31; 16,16-33), interrumpidos por *discursos de revelación* que a veces se desarrollan sin interrupción (5,19-47; 10,1-18; 12,23-36; 15,1-16,15). El lenguaje muestra profundas diferencias respecto del que testifican los sinópticos en el marco de una catequesis más estereotípica: Jesús habla el lenguaje de Juan y se plega a su estilo personal. Faltan casi totalmente algunos temas corrientes en la catequesis común: el reino de los cielos sólo es mencionado en 3,3.5; las llamadas a la penitencia están remplazadas por invitaciones a la fe: las exhortaciones prácticas a la pobreza, a la humildad, a la vida comunitaria, etc., ceden el puesto al mandamiento único de la *agape*. Las diferencias se ahondan en el modo de la revelación de Jesús. En Jn, los discípulos reconocen ya desde el primer instante a Jesús como Mesías (1,41.45.49) y él, de su parte, multiplica las declaraciones sobre su persona (así 4,25s; 8,58; 10,36-38). A la pedagogía progresiva, que Mc ha sistematizado mediante el mandato del «secreto», se opone la clara revelación de la persona del Señor, según el objetivo que Juan se había asignado (20,30s).

Las afinidades

Es preciso, con todo, señalar la presencia de ciertas intersecciones entre los dos canales tradicionales. Es cierto que Juan no trae parábolas: en él, la palabra *parabole* tiene su réplica en la de *paroimia* (10,6; 16,25.29) y los discursos de revelación se desarrollan más bien bajo la forma de alegorías cuidadosamente construidas: alegoría del pastor verdadero (10,1-5), de la puerta del rebaño (10,7-10), del buen pastor que da su vida por sus ovejas a diferencia del mercenario (10,11-18), de la viña (15,1-8).

Hay, con todo, tres hechos que es preciso tomar en consideración. En primer lugar, se dan en Juan cortas comparaciones que se asemejan a las parábolas tradicionales (Dodd): así, la actitud del amigo del esposo (3,29), el hijo que aprende en el taller de su padre (5,19-20*a)*, el viajero que cae en la oscuridad (11,9s), el grano de trigo arrojado en tierra (12,24), la mujer en parto (16,21). Hay que advertir, en segundo lugar, que la *mashal* semítica es un género mixto en el que no existe una frontera diáfana entre parábola y alegoría, contrariamente a una opinión de Jülicher, que se apoya demasiado en la definición griega de los géneros [75]. Y, en tercer lugar, las parábolas sinópticas presentan en sí mismas más afinidades con el género apocalíptico en cuanto literatura de «revelación» de cuanto pudiera parecer a primera vista. No le faltaba razón, en este punto, a L. Cerfaux [76] cuando relacionaba el tema literario parabólico de Juan con los discursos sinópticos en los que la proposición de los secretos del reino va seguida de una interpretación reservada a los discípulos (cf. Mc 4,10.13-20 par.). Es cierto que de ordinario los críticos atribuyen a la catequesis eclesial estas interpretaciones sobreañadidas a las parábolas, con la intención de facilitar su comprensión en un marco nuevo. Pero es justamente este desarrollo textual de materiales primitivos el que proporciona una indicación preciosa: los discursos joánicos de revelación han conocido un desarrollo paralelo, en el marco de una enseñanza y una predicación que no pudieron partir de cero. La dificultad esencial está en circunscribir su punto de partida, cuando se adopta la perspectiva de los historiadores exclusivamente orientados al problema del «origen». Ahora bien, ¿se reduce sólo a este origen la revelación venida de Jesús?

Debe advertirse también que en el marco de los discursos de revelación o de los diálogos, Juan ha conservado una serie de *logia* en los que se reconoce la misma factura que en los de los sinópticos: así, la orden dada a Felipe: «Sígueme» (1,43: cf. los relatos de vocación en los sinópticos), la sentencia sobre el templo, reconstruido en tres días (2,19; cf. Mc 14,58 par., donde los «falsos testigos» refieren una sentencia verdadera), la declaración sobre la «carne dada» (6,51; cf. 1Cor 11,24), la oposición entre amar y odiar (12,25; cf. Mt 10,39 par.), la relación entre el señor y el esclavo (13,16; cf. Mt 10,24), la sentencia sobre la acogida dispensada a los enviados de Jesús (13,20; cf. Mt 10,40). La conversación con los discípulos en 4,34-38 es una especie de paralelo del discurso de envío misional (Mt 10 par.). De una manera más general, las controversias sobre el sábado (7,23s) deben relacionarse con las controversias sobre el mismo tema en los sinópticos. La promesa del Paráclito amplifica y generaliza la seguridad dada a los apóstoles en previsión de las persecuciones (compárese Jn 16,13s con Mt 10,20; Mc 13,11). Incluso en una perícopa tan original como la oración sacerdotal se perciben ciertos ecos del *padrenuestro* [77] (compárese Jn 17,6 con Mt 6,9; Jn 17,4-5 con Mt 6,10; Jn 17,12 con Mt 6,13*a;* Jn 17,15 con Mt 6,13*b*). Estas observaciones permiten entrever cómo se fue desarrollando la reflexión del evangelista sobre las enseñanzas de Jesús.

La fidelidad global

Dado que las sentencias puestas en labios de Jesús intentan ante todo revelar el misterio de su persona, debe apreciarse su tenor literal desde el ángulo cristológico. Es de todo punto indudable que la cristología de Juan es el resultado de una elaboración que sobrepasa con mucho la de los sinópticos. Pero no se da una fosa infranqueable entre ambas. La reserva de Jesús frente al mesianismo real interpretado en un sentido político (6,15) y su respuesta evasiva a una pregunta directa sobre este punto (10,24ss) recuerdan el tema del «secreto mesiánico» de los sinópticos. En este sentido, su declaración a la samaritana (4,25) es única en su género y su probabilidad de pertenecer a las tradiciones originales es tanto menor cuanto que los samaritanos no esperaban a un mesías como los judíos, sino más bien a un Moisés *redivivus* (el *Taheb* de las tradiciones más tardías [78]).

En cambio Juan es el único autor del Nuevo Testamento que comparte con los sinópticos el título de Hijo del hombre (13 veces), siempre puesto en labios de Jesús (la excepción de Ap 1,13 y 14,14 se debe al género literario del libro y la de Act 7,56, situada en un relato palestino, es tal vez testimonio de una cristología arcaica). Cierto que el uso del título aparece en Juan más unificado, porque no se encuentran en él declaraciones generales e impersonales, como las de Mc 13,26s par. o Mt 13,41s (que parece ser un desarrollo teológico de segunda mano). Juan es también el único que insiste en la preexistencia del Hijo del hombre descendido del cielo para volver a subir al cielo (3,13). Pero se da la mano con la tradición de los sinópticos, y especialmente con Mateo, cuando pone el título en relación directa con la pasión (3,14) y con el ejercicio del poder judicial (5,27; cf. Mt 25,31-46). Este título alterna en Juan constantemente con el de «Hijo», que es una evidente connotación de la relación entre Jesús y Dios. Pero el título de «Hijo» no es ignorado por los sinópticos, ni siquiera por Marcos, que lo utiliza en un contexto difícilmente discutible (Mc 13,32 = Mt 24,31). La tradición recogida paralelamente en Mt 11,25-27 y Lc 10,21-22 tiene un tono y un aire tan joánicos que a veces se ha discutido su origen [79]: la relación de intimidad entre el Hijo y el Padre no está desbordada por las declaraciones paralelas del IV evangelio (Jn 10,25-30; cf. 14,11). Sobre esta base, cabe pensar que Juan desarrolla y generaliza un tema del que los sinópticos sólo conservaron testimonios esporádicos. Por lo demás, es un tema correlativo con la expresión más original y menos impugnable de la oración de Jesús: «¡Abba! ¡Padre!» (Mc 14,36); en Juan todas las oraciones de Jesús se abren con esta palabra (Jn 11,41; 12,27-28; 17,1ss). Es cierto que en las dos partes debe tenerse en cuenta la reflexión teológica de los evangelistas: sólo a través de ellas se percibe el eco de la conciencia filial de Jesús. Pero sigue siendo verdad que la conjunción de las dos tradiciones, tan diversificadas por otra parte, permite alcanzar al menos el nivel más arcaico de la tradición: A este fondo común pertenece «la imagen que (la tradición) ha conservado de Jesús y de su conciencia filial respecto de su Padre. Pero, ¿de dónde procede esta imagen, si no se enraíza en lo que los discípulos percibieron de la conciencia misma de Jesús?» [80].

Puede, pues, aceptarse la conclusión enunciada por Dodd al término de un estudio muy minucioso [81]: detrás del IV evangelio existe una antigua tradición, independiente de la de los otros evangelios, que merece ser tomada muy en serio para autentificar el conocimiento histórico de Jesús. Esta tradición llegó hasta el evangelista por vía oral, aunque tal vez algunos de sus elementos pudieron haber sido consignados por escrito a modo de prontuario. Esta tradición manifiesta su forma aramea a través del lenguaje que emplea. Las indicaciones que pueden sacarse de ella corresponden a la situación de antes del año 66. El predominio de los recuerdos relativos a Jerusalén permite calificarla de «judía», a diferencia de la de los sinópticos, que es esencialmente «galilea». De todos modos, este resultado deja aún sin resolver una cuestión, tanto a propósito de los relatos que han sido evidentemente construidos con intencionalidad teológica, como a propósito de los discursos, puestos bajo una forma que no responde apenas en nada a un «registro» de las sentencias de Jesús tomadas palabra por palabra. Es, pues, importante llegar a comprender cómo, en Juan, ha podido engranarse el recuerdo histórico de Jesús en la interpretación teológica de sus hechos y de sus palabras, para hacer que el Cristo en gloria se transparente a través de Jesús de Nazaret. Porque ésta fue, en efecto, la meta final del testimonio dado por el evangelista.

El género literario del evangelio: un testimonio actualizante

Resulta curioso advertir que en el IV evangelio faltan los términos consagrados del *kerygma* apostólico (evangelio-evangelizar; proclamar = κηρύσσειν). Aparecen, en cambio, con abundancia las palabras de la raíz «testificar» (μαρτυρεῖν, 33 veces; μαρτυρία, 14 veces). ¿No habrá que recurrir a ellos para definir la obra joánica? Así parece sugerirlo la conclusión comunitaria que pone fin al escrito: «Éste es el discípulo que da fe (μαρτυρῶν) de estas cosas y sabemos que su testimonio (μαρτυρία) es verdadero.

Los apocalipsis judíos no ignoraban estas palabras: el libro de Henoc las emplea para designar el testimonio «profético» del patriarca que le presta el nombre [82]. Pero figuran también en el lenguaje judicial y, por este camino, se dan la mano con una serie de términos perfectamente joánica: juzgar (κρίνειν) y juicio (κρίσις) (31 veces las palabras de esta raíz), acusar (κατηγορεῖν,) convencer de una falta, etc. (ἐλέγχειν), asistente o abogado (παράκλητος) [83]. Los testigos desempeñan un importante papel en los procedimientos judiciales de todos los países. Su responsabilidad era aún mayor en el mundo antiguo, que ignoraba la institución del ministerio fiscal para los procesos criminales. A su cargo corría perseguir al culpable ante el tribunal o defender a un hombre injustamente acusado. De ellos se esperaba no sólo la objetividad, siempre tan difícil, sino también el valor de promover el justo derecho y de defender la verdad. En el Antiguo Testamento, el segundo Isaías recurre a este término en el marco del proceso entablado por Dios contra los ídolos, convictos de impotencia y de impostura (Is 43,9-13; 44,7-11, etc.): a Israel se le llama a declarar como testigo, para atestiguar, ante las naciones, la verdad del Dios que descubre el sentido de los acontecimientos y en el que tiene depositada su fe (ἵνα γνῶτε καὶ πιστεύσητε καὶ συνῆτε ὅτι ἐγώ εἰμι: Is 43,10 LXX).

El IV evangelio puede ser presentado en su conjunto como un proceso entre Dios y el mundo, en el que los judíos desempeñan el papel de *kosmos* cerrado a la llamada divina. Jesús está en el centro del proceso, que se desarrolla sobre dos planos contradictorios: de un lado, el proceso que el mundo abre contra Jesús, para acusarle y, al fin, condenarle a muerte; del otro, el proceso que Dios se ve obligado a entablar contra el mundo, para pronunciar finalmente una sentencia de condenación. Los dos hilos conductores se entrecruzan de continuo. Puede seguirse con facilidad el que se desarrolla sobre el plano de la historia, a través de las repulsas opuestas al testimonio de Jesús, las acusaciones lanzadas contra él, las tentativas de condenarle a muerte por flagrante delito (7,30.44; 8,59; 10,31.39), la decisión judicial del sanedrín (11,47-50), el arresto de Jesús y su entrega a las autoridades romanas. Es también fácil determinar aquí quiénes juegan el papel de acusadores y de jueces. La base esencial de la acusación está resumida en la declaración de los judíos a Pilato: según la ley, Jesús debe morir, porque se ha hecho Hijo de Dios (19,7). La acusación de que pretendía ser rey no tenía otro objeto que arrancar la sentencia al gobernador romano, pero Jesús la desmonta situando su realeza en un plano completamente diferente (18,36-37): «Para esto he nacido y para esto he venido al mundo: para ser testigo de la verdad» (18,37*c*). Jesús muere, pues, víctima de su propio testimonio.

Este testimonio es una pieza clave en el proceso de Dios contra el mundo, personificado por los judíos que no reciben a Jesús. Se contempla el desfile de los testigos favorables a Jesús: después de la deposición oficial de Juan Bautista ante las autoridades venidas de Jerusalén (1,19-28; cf. 5,33s), están las Escrituras (5,39) y, sobre todo, las obras que el Padre ha encomendado al Hijo llevar a término (5,36); en una y otra parte, es Dios mismo quien da testimonio en favor de Jesús (5,37-38, situado en la articulación de los otros dos testimonios). Los judíos acusadores de Jesús ven cómo se alza contra ellos, en calidad de acusador, el propio Moisés (5,45-47). El proceso terrestre de Jesús tiene, por otra parte, un trasfondo supraterrestre: es el diablo o Satán quien inspira a Judas el proyecto de entregar a Jesús (13,2.27). Pero, al inspirárselo, caía en su propia trampa, porque la muerte de Jesús acontece en «su hora» (7,30; 8,20; 12,23.27; 13,1; 17,1). Y esta hora, en que Jesús será elevado (en la cruz y en la gloria) marca el fin del proceso de Dios contra el mundo: «Éste es el momento de la condenación del mundo; ahora el príncipe de este mundo será arrojado fuera» (12,31). En el momento en que Jesús se va, «el príncipe de este mundo ha sido y está ya condenado (κέκριται)» (16,11). Jesús puede, pues, declarar: «Tened buen ánimo: yo he vencido al mundo» (16,33*b*). Se advierte bien que el tema del testimonio se sitúa en el núcleo del drama que interpreta las palabras, los hechos y el destino terrestre de Jesús.

Este tema se halla estrechamente vinculado con el de la percepción sensible que expresan los numerosos verbos empleados por Juan para traducir el acto de ver (ὁρᾶν, θεωρεῖν, θεᾶσθαι, βλέπειν). «Yo lo he visto y testifico que éste es el Hijo de Dios», declara el Bautista (1,34). Pero, ¿cómo puede ser objeto de la vista sensible la calidad del Hijo de Dios? Juan sólo ha podido ver una señal (cf. 1,32), que ha interpretado al abrirse a la fe. Este mismo problema se plantea en todos los casos en que aparecen los mismos verbos con un sentido idéntico: «En cada uno de estos casos, el objeto de la visión corporal es... muy diferente del objeto del testimonio: gracias a la realidad que ve, el testigo alcanza otra realidad, esta vez invisible, y de ésta rinde testimonio; en san Juan, el testigo no es tanto testigo de unos hechos cuanto testigo de la fe» [34]. Sería, pues, erróneo, reducir el objeto del evangelio al plano del simple testimonio histórico tal como lo entienden los modernos: se dejaría a un lado justamente el factor esencial.

Así pues, la historicidad de Juan debe ser juzgada en función de esta concepción del testimonio. Su horizonte está constituido por Jesús de Nazaret, pero a Jesús se le alcanza al nivel de la historia concreta y dentro de unos acontecimientos históricos sólo para convertirse en objeto de un testimonio que da fe de su calidad de Cristo, de Hijo de Dios, que ha entrado en la gloria y ha llegado a ser Señor de la Iglesia. Toda obra histórica supone un distanciamiento entre el acontecimiento y la percepción que del mismo tiene el narrador. Juan tiene una clara conciencia, más acentuada que los sinópticos, de esta distancia en el caso del testimonio que da sobre Jesús. En términos generales «hay un intervalo entre la objetividad que da el distanciamiento y que tiene un sentido histórico y la pertenencia a una tradición. En este intervalo tiene su propio y verdadero lugar la hermenéutica» [85]. Una similar situación se da en el plano del conocimiento de fe: el evangelista, anclado en la tradición cristiana y midiendo la distancia que le separa de Jesús, le *evoca* en el plano histórico y en la medida que sus medios se lo permiten únicamente para proporcionar una *interpretación* auténtica de su mensaje y de su existencia. Por este medio puede transparentarse a los ojos de la fe su realidad actual. Debe respetarse la originalidad del testimonio de Juan cuando integra los materiales de su libro en el trabajo histórico tal como nosotros lo entendemos. Su evangelio pide ser utilizado de manera distinta a la de los sinópticos, en los que la evocación y la interpretación de Jesús se presentan bajo otra forma y recurren a medios literarios diferentes. Tal vez sea simple cuestión de sentido común, pero no por eso requiere menor fineza de espíritu.

Juan, por su parte, nos indica claramente de quién procede esta profundización del testimonio evangélico. El Paráclito, Espíritu de verdad (14,17) permite remontar desde la actualidad eclesial a los tiempos de Jesús. Asiste, en el juicio, a los que deben, a su vez, rendir testimonio (15,27), les trae el recuerdo de Jesús (14,26), da testimonio de él (13,26), guía a sus discípulos a la verdad plena (16,13) [86]. Jesús se presenta como testigo de la verdad (18,37); él mismo es la verdad (14,6). Pero su testimonio sólo se percibe bajo la acción del Espíritu enviado por el Padre en nombre del Hijo (14,26). Bajo esta luz se relee la historia de Jesús, para convertirse en objeto del testimonio evangélico.

Este testimonio del Espíritu no hace sombra al del Hijo, sino que lo hace fructificar en el corazón de los discípulos. Nada más lejos del pensamiento de Juan que un tiempo del Espíritu que borraría la memoria del tiempo de Jesús, o de una revelación del Espíritu que hiciera caduca la de Jesús de Nazaret. Por eso, la humilde realidad de la vida del Verbo hecho carne no es sustituida por la contemplación de Cristo en gloria, sino que esta contemplación brota de la historia misma [87], cuando se la ve desde la adecuada perspectiva. Desde este punto de vista, el trasfondo de las Escrituras resulta indispensable para la comprensión del mensaje y de la obra de Jesús y para la manifestación de sus dimensiones eclesiales: este trasfondo escriturístico ha desempeñado un papel esencial en la maduración del pensamiento teológico de Juan [88]. La lectura individualista de Bultmann procede en parte del desconocimiento de este hecho, que Cullmann ha sabido revalorizar dentro de la perspectiva de la historia de la salvación: «Haber comprendido, gracias al espíritu de la Verdad, que en los hechos referidos (por Juan) toda la historia pasada está recapitulada y cumplida y que todo cuanto acontecerá es el despliegue de la misma, es lo que constituye la "conciencia de evangelista" de nuestro autor, que no encontramos con esta intensidad en cualquier otro evangelista» [89].

III

EL HORIZONTE ECLESIAL DEL MENSAJE: LA ACCIÓN PRESENTE DE CRISTO EN GLORIA

Al llevar a cabo la fusión de los dos horizontes para transparentar al Cristo en gloria bajo los rasgos de Jesús de Nazaret, Juan vincula la dimensión *histórica* de su mensaje (orientado hacia el pasado) a la *actualidad* cristiana en la que se anuncia el evangelio. Debemos examinar ahora esta dimensión eclesial, que es la que con mayor frecuencia se percibe en el texto. Juan no narra sentencias de Jesús como sentencias *pasadas*, sino más bien como declaraciones que el resucitado dirige todavía *hoy* a su Iglesia y, por encima incluso de los límites de ésta, a todos los hombres que buscan la verdadera vida. Sin perder sus rasgos individuales, a menudo muy bien perfilados, muchos de los interlocutores de Jesús representan un tipo de hombre o un grupo social. Así Nicodemo, la samaritana, el ciego de nacimiento, Tomás, Judas... Pero esta observación no puede convertirse en regla absoluta; el paralítico de Betzatá, Lázaro, Marta y María no se presentan como portavoces de un grupo. Según los casos, el evangelista pone buen cuidado en distinguir entre el tiempo de la acción que narra y el tiempo del recuerdo eclesial (así en 2,17.22; 12,16; 13,7) o bien superpone a la narración una alusión a los problemas de su tiempo. Por ejemplo, el relato de la multiplicación de los panes evoca la celebración eucarística y la historia del ciego de nacimiento refleja la situación en que se encuentran los judíos que, al convertirse, son excluidos de la sinagoga (9,22.34). Retenemos aquí, a título de ejemplo, dos aspectos principales: se entrevé ya la comunidad creyente, a través del grupo de discípulos, y los ritos sacramentales, al fondo de las palabras que los anuncian y de los hechos que los representan simbólicamente.

Del grupo de discípulos a la comunidad creyente

Sin pretender examinar aquí la eclesiología de Juan, sobre la que volveremos más adelante [90], veamos cómo, al hilo de su obra, Juan invita a sus lectores a reconocerse tras los «discípulos» inmediatos de Jesús. Juan es, en efecto, el evangelista que más utiliza el término μαθητής «discípulo»: 78 veces (de ellas 10 en el cap. 21), frente a 73 veces en Mt (+ 3 veces el verbo μαθητεύω), 46 veces en Mc, 37 veces en Lc (+ 28 veces en los Hechos, en los que aparece una vez el verbo μαθητεύω). Este vocabulario remite evidentemente al medio original judío [91], en el que Jesús se comportó como un maestro (ῥαββεί, 8 veces; διδάσκαλος, 8 veces), rodeado de discípulos, a la manera de los doctores judíos y del Bautista (Jn 1,35; 3,25; cf. 4,1). *La relación de Jesús con su grupo de discípulos es el prototipo y el modelo de la que se establece actualmente entre Cristo en gloria y los creyentes.* Así pues, cada vez que aparecen en escena los discípulos, aparecen también, en sobreimpresión, los creyentes y hay que preguntarse qué es lo que el relato permite entrever respecto de éstos.

Jesús y sus discípulos en el «Libro de los signos»

La escena de los primeros contactos, vinculada a las primeras profesiones de fe (1,35-51), muestra que en esta fe hay algo más que una creencia en verdades especulativas, a saber, una relación personal que entraña consecuencias prácticas (los discípulos acompañan a Jesús). En las bodas de Caná, a la que son invitados los discípulos junto con Jesús (2,2), éste «manifiesta su gloria y sus discípulos (creen) en él» (2,11*b*): la fe actual de los creyentes entraña un similar reconocimiento de su gloria. El episodio de los mercaderes expulsados del templo hace que sus discípulos —y los creyentes— recuerden una sentencia de la Escritura que define la actitud religiosa de Jesús (2,17); luego, su afirmación sobre el templo destruido y reconstruido orienta el espíritu hacia su resurrección (2,22). Sus discípulos le acompañan a Samaría (4,8); y en esta ocasión les permite entrever la misión evangelizadora que les está reservada y que tiene perenne actualidad en la Iglesia (4,34-38). Desempeñan un papel activo en la multiplicación de los panes (6,5-10*a*.12-13) y experimentan el milagro simbólico de la marcha sobre el mar, en la que la palabra de Jesús pone fin a sus temores (6,16-21).

La crisis subsiguiente actúa como una criba entre los que se decían sus discípulos: algunos dejan de creer en él, ante un lenguaje que les parecía demasiado fuerte (6,60-66) y el grupo queda reducido a los doce (v. 67), cuya confesión de fe es enunciada por Simón Pedro (v. 68s). Tras la crisis de Galilea, se produce otra similar en Judea, donde Jesús cuenta ya también con discípulos (cf. 7,3). Jesús explica las condiciones que debe cumplir un verdadero discípulo a hombres que ya *habían creído* en él (8,31s); pero el asunto acaba mal. ¿No invitan estas dos crisis a reflexionar sobre la dificultad permanente de la fe? En adelante, y aunque el evangelista menciona que fueron muchos los que creyeron en él (10,41; 11,45), reserva el nombre de discípulos al pequeño grupo cercano a Jesús (11,16ss), un grupo que probablemente se identifica con los doce (6,67), y del que forma parte Tomás (11,16). Éste fue el grupo que le acompañó durante la unción de Betania, escena en la que Juan hace notar expresamente la presencia de Judas (12,4-6): entre los que tienen apariencia de discípulo (y de creyente), puede haber, pues, siempre traidores. Pero los discípulos tienen también una función frente a los demás hombres: Andrés y Felipe sirven de intermediarios para que los griegos entren en contacto con Jesús (12,21-22). De esta misma manera se sigue planteando el problema del acceso a la fe durante el tiempo de la Iglesia.

Jesús y sus discípulos en el «Libro de la hora»

A partir del cap. 13, se va cerrando el cerco en torno a Jesús. La partida de Judas no tiene lugar hasta después del lavatorio de los pies (13,27-30). Aunque no se nombra explícitamente a los doce, todos los discípulos citados por su nombre forman parte de este grupo: Simón Pedro (13,6ss.36-38), Tomás (14,5), Felipe (14,9), Judas (14,22), que intervienen en el marco del primer discurso de despedida (13,31-14,31). El segundo discurso sólo menciona el grupo de discípulos, sin dar nombres (16,17.29). De él forma parte el «discípulo al que Jesús amaba» (13,23). El grupo entero tiene una función representativa, tras la que se perciben todos los futuros creyentes. Por esta razón se dan dos consignas que se refieren a las relaciones fraternas entre los creyentes: deben «lavarse los pies los unos a los otros», tal como Jesús ha hecho con ellos (13,12-15) y «amarse los unos a los otros como él los ha amado» (13,34-35). Con esta condición, producirán muchos frutos y podrán ser reconocidos como sus discípulos (15,8.10). Esta consigna de vida comunitaria está estrechamente ligada a la *fe* que los discípulos deben tener en Jesús, como en Dios (14,1; cf. 16,27.30): es patente su alcance universal. Pero, como contrapartida, los creyentes tendrán que superar las pruebas que les aguardan, incluida la expulsión de las sinagogas y la muerte (16,2-4): en ninguna otra parte tiene tan claramente presentes el evangelista las dificultades con que se enfrenta la Iglesia de su tiempo.

La «oración sacerdotal» (cap. 17) añade a las consignas una preocupación por la unidad que se convierte en objeto de una súplica de Jesús al Padre (17,20-23): desbordando el grupo restringido de los discípulos envueltos en los sucesos de la pasión (17,6-19), esta plegaria afecta a todos cuantos, a través de la palabra de los discípulos, lleguen a creer en Jesús (17,20ss). Por lo demás, en esta ocasión es cuando se menciona la *misión* de los primeros discípulos (17,18), en el contexto de la hora que comienza aquí abajo pero que engloba la secuencia de los tiempos, puesto que desemboca en la eternidad.

El tiempo de la pasión constituye la prueba suprema de los discípulos. Solamente dos de ellos siguen de lejos a Jesús tras su arresto (18,15); y uno, Simón Pedro, llega a negar su pertenencia al grupo (18,17s.25-27), de acuerdo con la sentencia de Jesús (13,38), que abría ya la perspectiva del futuro martirio de Pedro (13,36s). Queda tan sólo el «discípulo al que Jesús amaba»[92] para representar a los verdaderos creyentes al pie de la cruz y recibir de Jesús el don supremo de su madre, que personifica la comunidad eclesial (19,25-27). Con todo, no es menos cierto que le acompañan tres mujeres, también en calidad de discípulos (aunque no se les aplique esta palabra).

Todavía después de la resurrección, el evangelista pone en escena tres personajes representativos: en primer lugar Simón Pedro y «el discípulo al que Jesús amaba»: el primero sólo cree después de haber visto al Señor, mientras que el segundo cree desde el instante mismo en que ve la tumba vacía (20,2-8); este discípulo innominado representa, pues, la fe perfecta a que son invitados los creyentes actuales. Esto es lo que pretende recordar el episodio de Tomás (20,24-28). Por su parte, María de Magdala recibe la misión de anunciar a los «hermanos» que Jesús sube a su Padre (20,17): Juan, que insinúa así el posible papel de las mujeres en la comunidad, introduce discretamente en el texto el término que en adelante designará la *fraternidad* de los creyentes. Ya sólo le queda presentar dos hechos esenciales que constituyen el fundamento histórico de la Iglesia: la misión de los discípulos, ahora ya efectiva (20,21) y el don del Espíritu prometido (cf. 14,16s.25s; 16,7-15), gracias al cual podrán ya perdonarse los pecados (20,22s). El contexto permite deducir que el grupo reunido se ha reducido ahora a los doce (20,24). Se entrevé así una cierta estructura dentro de los «hermanos» (20,17), que pueden ser más numerosos. La adición del cap. 21 permite colegir con mayor precisión el papel de Pedro y del «discípulo al que Jesús amaba», como comprobaremos más adelante. De este modo, el evangelio desemboca en la historia futura de la Iglesia.

Intentar extraer de estos textos una reflexión teológica completa sobre la Iglesia sería salirse del propósito del evangelista. Pero el género a que recurre para construir su relato invita a una lectura «existencial», en la que los creyentes de todos los tiempos redescubren su propia vocación, las condiciones que deben cumplir para ser fieles a ella, las pruebas que inevitablemente entraña, las promesas de presencia y de asistencia que Jesús les ha hecho para fundamentar su esperanza. Ahora es preciso analizar cómo los hechos de Jesús permiten entrever también los medios por los que les concede su gracia en el momento actual.

De los «signos» evangélicos a los sacramentos de la Iglesia

Un universo de signos

A. Jaubert ha caracterizado el IV evangelio como «un universo de signos», en el que las diversas escenas tienen entre sí relaciones múltiples y complejas: «El relato joánico forma un tejido en el que resulta difícil aislar las fibras; hay que tomarlo como un todo. De ahí la dificultad de explicar un episodio separado de su contexto global» [93]. Aunque sin desconocer la importancia de esta observación, conviene con todo investigar cómo los «signos» que trae el IV evangelio pueden adquirir una dimensión sacramental. C.H. Dodd [94] se ha esforzado por discernir las influencias a que pudo estar sometido Juan en este punto: judaísmo helenista de Filón (dependiente en parte del platonismo), hermetismo, herencia procedente del Antiguo Testamento. Ésta es la perspectiva primordial para comprender las intenciones teológicas de Juan.

1) *La diversidad de los simbolismos.* Resulta imposible estudiar aquí con detalle esta cuestión. Hemos mencionado ya las palabras de doble sentido, el simbolismo espacial y el vinculado a las referencias temporales [95]. El simbolismo de los números des-

empeña sin duda una función, pero hay que guardarse de extenderla más allá de sus justos límites. Los 153 peces grandes de la pesca milagrosa (21,11) son un símbolo de universalidad. Las seis tinajas de piedra de las bodas de Caná (2,6) pueden insinuar el carácter imperfecto de los ritos de purificación. Pero se pasa de la raya cuando se especula, como hace Loisy, sobre los cinco pórticos de la piscina de Betzatá (o Betesda), que significarían los cinco libros de la *torah,* o, con san Agustín, sobre los 38 años del paralítico curado (5,5)[96]. La importancia del número siete en el Apocalipsis ha podido sugerir que tiene también una función estructuradora en el evangelio. Pero ya vimos que resultaba muy dudosa[97] la hipótesis de la semana inaugural (1,19-2,11) y que resultaba también más que hipotético el libro construido sobre los 7 signos[98].

Un estudio sistemático de los símbolos debería analizar a fondo aquellos que aparecen de forma constante: el soplo (o el Espíritu), el agua, el pan, la viña, el vino, etc. G. Stemberger ha presentado con visión profunda los que se ordenan por pares antitéticos para representar la oposición entre el bien y el mal[99]: luz // tinieblas, vida // muerte, arriba // abajo, pastor // ladrón o mercenario, etc. Juan se apoya, pues, en los datos de la experiencia para abrir un camino hacia el Absoluto, esquivando una concepción demasiado nocional de la verdad. E. Schweizer ha consagrado un estudio a las fórmulas en *Ego eimi*[100], en las que Jesús afirma ser pastor (10,1-30), pan de vida (6,27-58), viña verdadera (15,1-6), agua viva (4,4-26), luz del mundo (8,12; 9,4s; 12, 35s.46; cf. 11,9s, donde el símbolo aparece más velado; 1,4.9 y 3,19-21, donde es utilizado por el evangelista). En estas fórmulas, el *Ego* tiene valor de predicado: Jesús reclama para sí lo que significan la luz, el agua, el pan, la viña... Por lo demás, en algunos casos la interpretación debe respetar la plasticidad de los símbolos: el agua puede significar la palabra de Dios (4,10ss), pero también el Espíritu (7,38) y el rito bautismal (3,5). No es preciso buscar en cada caso la totalidad de las significaciones posibles, incluso cuando la fluidez de los símbolos introduce cierta comunicación entre ellas.

Junto a los símbolos tomados de las realidades de la naturaleza, hay otros más complejos, que surgen del corazón de la experiencia histórica y se despliegan en la construcción misma de los relatos.

La marcha sobre las aguas (6,16-21), que pone fin a las fatigas de los discípulos que reman en la noche, sugiere el poder del resucitado, que quita todo temor a sus fieles. La unción de Betania (12,1-8) anuncia la futura sepultura de Jesús (12,7) como ocurría ya en los sinópticos. El lavatorio de los pies es un gesto profético y a la vez una parábola en acto de la pasión inminente, cuyo resultado sería dar a los fieles la pureza necesaria. La coronación de espinas se convierte en Juan en un rito de coronación que prepara la investidura real de Jesús, instalado por Pilato sobre la tribuna (19,13) [101]: de ahí su fórmula de presentación: «¡Aquí tenéis al hombre!» (19,5). Todos los hechos sucesivos de la pasión deberían analizarse desde esta perspectiva, a la vez cristológica y eclesiológica [102].

2) *Las obras y los signos.* Hay que detenerse, sobre todo en los hechos de Jesús que el evangelista designa alternativamente como *erga* y como *semeia.* Sería sin duda exagerado querer establecer una distinción tajante entre estas dos categorías: «Los signos les revelan al pueblo judío que Jesús es el Mesías; las obras manifiestan que el Hijo del hombre es un ser celeste, el ejecutor de las obras del Padre, el enviado escatológico» [103]. En realidad, las *obras* mencionadas en 7,3 tienen el mismo sentido y la misma función que las señales de 2,23. El vocabulario de las obras predomina en los cap. 5-10; pero está ya presente en 4,34 y reaparece en el «Libro de la hora» (14,10-12; 15,24; 17,4). Y, a la inversa, predomina el vocabulario de los signos en los cap. 1-4, pero se encuentra también en 6,2.14.26.30; 7,31; 9,16; 11,47; 12, 18.37; 20,30. Las obras corresponden en cierto modo a los «actos de poder» (δυνάμεις) de los sinópticos. Pero la utilización de la palabra σημεῖον es tanto más característica cuanto que, en los sinópticos, Jesús se niega a dar el *semeion* que se le pide (Mt 12, 38s), de una manera que recuerda la pregunta planteada en Jn 6,30, y presenta además los signos y prodigios (σημεῖα καὶ τέρατα) como una característica de los falsos profetas (Mt 24,24; cf. 2Tes 2,9: δυνάμεις, σημεῖα καὶ τέρατα). Al igual que los Hechos, el IV evangelio da a *semeion* un sentido primitivo, que tendremos que precisar.

Dodd ha señalado que Filón emplea el verbo *semainein* «para expresar la significación simbólica que él descubre en diversos pasajes del Antiguo Testamento»: *semeion* y *symbolon* designarían así «un sentido oculto al nivel de la abstracción intelectual» [104]. Pero Juan desborda inmediatamente este alcance del *semeion* para darse la mano con el que se encuentra en ciertos textos del Pentateuco y de los profetas. Igualmente, R. Formesyn ha mostrado bien que el *semeion* joánico no tiene nada que ver con el *semeion* helenista [105]. Como hemos visto antes, el *semeion* joánico remite ante todo al paralelismo entre Jesús y Moisés [106], dentro de la perspectiva abierta por Dt 34,10 LXX. Los *semeia* del desierto (nube que guiaba al pueblo, paso del mar Rojo, don del maná, aguas del pozo de Myriam) anunciaban los de Jesús [107]. El *semeion* de la serpiente de bronce *(nes)* preludiaba la elevación del Hijo del hombre [108]. Estos *semeia*, manifestación de la gloria de Dios, estaban ordenados a la fe, aunque los israelitas de aquel tiempo desconocieron su sentido (Núm 14,10.21-23 LXX): y lo mismo cabe decir de los *semeia* de Jesús. Puede señalarse también que los signos de la alianza dados por Dios a los hombres *(othoth = semeia)* —el arco iris en el cielo (Gén 9,12), la circuncisión (Gén 17,11), el cordero pascual (Éx 12,13), el sábado (Éx 31,12-18)— tenían un valor de memorial *(mnemosynon:* Éx 12,13s; 13,9): preludiaban así los sacramentos cristianos, memoriales en el sentido fuerte de la palabra (cf. Lc 22,19; 1Cor 11,24-25, con *anamnesis*).

Hay, en fin, dos textos de los Setenta que pueden ayudar a comprender por qué razón la cruz es en sí misma un signo: no sólo Moisés elevó la serpiente de bronce como un *semeion* de salvación (Núm 21,8s LXX), sino que, según Is 11,10.12, también el estandarte *(semeion)* de Jessé se alza como un signo de reunión para todas las naciones: «Y cuando a mí me levanten de la tierra en alto (cf. 3,14), atraeré a todos hacia mí. Esto lo decía para indicar (σημαίνων) de qué muerte iba a morir» (12,32s). Así pues, la cruz es el *semeion* por excelencia: «Los signos manifiestan la obra común del Padre y del Hijo (5,19ss). La gloria del Padre y la del Hijo aparecen aquí indisolublemente unidas (11,4.40). El *semeion* del Hijo del hombre "levantado" reviste a Jesús de la misma gloria del "Yo soy" del éxodo. En este signo de la obediencia del Hijo se manifiesta la presencia del Padre en él y de él en el Padre (8,28s)» [109]. Se advierte, pues, que el juego de los *semeia* forma en el IV evangelio una trama cerrada, en la que destaca un cierto número de gestos y de hechos cuya interpretación sacramental completa la perspectiva eclesial que ya hemos advertido en páginas anteriores.

La interpretación sacramental del IV evangelio

Dos tesis opuestas se enfrentan en este campo. Para Bultmann [110], el Cristo joánico es el Revelador, cuya palabra obliga a interrogarse sobre la existencia y a optar entre la vida y la muerte: Cristo purifica mediante esta palabra (15,3; 17,17). El evangelista tuvo por fuerza que desconfiar de los signos exteriores, como el bautismo o la cena, que podrían engendrar una falsa confianza y desviar de la adoración «en espíritu y en verdad» (4,23s). Así pues, todas las alusiones sacramentales que pueden detectarse en el texto actual deben imputarse a un «redactor eclesiástico» (3,5; 6,52-58; 19,34*b*-35; cf. 1Jn 5,6-8). En sentido inverso, Cullmann opina que Juan ha querido vincular el tiempo de la Iglesia al de Jesús, estableciendo «una relación entre el culto cristiano de su tiempo y los sucesos de la vida histórica de Jesús» [111]. Aunque esta perspectiva no es la única válida, ofrece ciertamente una clave de lectura mucho más seria que el principio *a priori* fijado por Bultmann y utilizado como indicio para reconocer las «adiciones» de un «redactor eclesiástico». Con todo, la proliferación de alusiones sacramentales descubiertas por Cullmann no deja de provocar ciertas dudas: es preciso encontrar criterios para llevar a cabo un discernimiento objetivo.

R.E. Brown [112] ha propuesto primero un *criterio negativo:* no deben buscarse significaciones sacramentales en los episodios en los que no las han visto los padres de la Iglesia. Así, por ejemplo, la unción hecha por María (12,7), no podría prefigurar la unción de los enfermos, ni el lavatorio de los pies podría tener un sentido eucarístico, a pesar de la opinión de Cullmann, que descubre aquí la huella de una relación entre el bautismo (no repetible) y la cena, sacramento de la comunión en el amor [113]. De todas formas, las interpretaciones patrísticas no son criterio suficiente para garantizar una interpretación sacramental sólida. Así por ejemplo, los padres se apoyaron en las bodas de Caná para legitimar el matrimonio contra sus detractores; pero no era ésta la perspectiva abierta por Juan: lo que éste intentaba, prolongando el simbolismo nupcial del Antiguo Testamento, era invitar a reconocer en Cristo al Esposo (cf. 3,29) y a la Esposa en la comunidad de los creyentes. Así pues, perspectiva cristológica y eclesial, pero no directamente sacramental.

Los *criterios positivos* no pueden fijarse tan sólo a partir del vocabulario o del valor tradicional de un símbolo: *hace falta una convergencia de indicios* para obtener una prueba convincente. Por ejemplo, no basta que se mencione el agua para hacer de la curación del paralítico de Betzatá un símbolo bautismal, aunque los padres hayan interpretado a menudo el texto en este sentido: el agua no juega ningún papel en el relato y es sólo la palabra de Jesús la que cura al enfermo (cf. 4,50). El discurso explicativo (5,19-47) no entraña ningún indicio bautismal, sino que se propone tan sólo poner de relieve la unión entre el Padre y el Hijo en la obra de vivificación y detalla los testimonios en favor de Cristo. Son múltiples, en cambio, los indicios bautismales en el relato del ciego de nacimiento: Juan insiste en los gestos de Jesús, descubre el sentido del nombre de Siloé (= enviado), recurre varias veces al verbo νίπτειν (9,7 [dos veces].11 [dos veces].15). Se interesa, pues, por el rito de la ablución practicado por orden de Jesús. Igualmente, en el relato del lavatorio de los pies, son varios los términos que evocan el bautismo: λούειν (13,10; cf. Heb 10,22 y el empleo de λουτρόν en Ef. 5,26 y Tit 3,5), νίπτειν (13,5. 6.8 [dos veces], 10.12.14 [dos veces]), καθαρός, con el doble sentido de «limpio» y «puro» (13,10[dos veces].11). ¿Habría que buscar además un sentido penitencial en el texto, en razón del v. 10 («más que los pies», omitido en la recensión corta)? Así lo han hecho los padres, y, por otra parte, es cierto que Juan se preocupa por las faltas cometidas en la comunidad cristiana después del bautismo (1Jn 5,16; cf. Jn 20,23) [114]. Pero este aspecto es menos seguro. Lo importante es reconocer que los creyentes son puros gracias a la palabra de Cristo (15,3) y al agua purificadora que brota de su costado (19,34). El relato de la resurrección de Lázaro tiene, ante todo, alcance cristológico, como drama anunciador de la pasión y de la resurrección; pero podría además sugerir el valor vivificador del bautismo [115]. ¿No se le invitaba acaso al catecúmeno, en un himno arcaico, a «levantarse de entre los muertos» para recibir la iluminación de Cristo (Ef 5,14)? Pero es sobre todo en la conversación con Nicodemo donde Juan expone su catequesis bautismal. Aquí se define la entrada en la vida cristiana como un nuevo nacimiento de agua y de Espíritu (3,3-8): así se cumplen en plenitud, en la Iglesia, los «signos» hechos por Jesús (3,9).

La catequesis eucarística se desarrolla al final del discurso sobre el pan de vida (6,51*b*-58). Este sentido presta retrospectivamente su coloración a la primera parte del discurso [116], ya que el final explica cómo Jesús es «el pan vivo bajado del cielo» (6,51*a*). De este modo se subraya también, evidentemente, el alcance eucarístico de la multiplicación de los panes. Pero no es menos cierto que esta interpretación del milagro subyacía ya en la catequesis antigua, tal como se refleja en los relatos paralelos de los sinópticos (cf. el vocabulario de Mc 6,41*a*; Mt 14,19*b*). ¿Debe extenderse esta misma interpretación al relato de las bodas de Caná (2,1-11)? Así lo piensa O. Cullmann: «El vino de que aquí se habla representa la sangre de Cristo, ofrecida en la santa cena» [117]. La mención de la hora de Jesús (2,4) invita de hecho a relacionarlo con el episodio de la cruz en el que se cumplirá la hora. Pero, ¿basta esto para asegurar el alcance eucarístico *del vino?* Habría que combinar la narración de Caná con la de la multiplicación de los panes para redescubrir el doble significado del pan y del vino. De hecho, no es imposible. Sin embargo, Juan no ha narrado directamente la institución de la eucaristía con ocasión de la última cena, sino que ha limitado toda su enseñanza eucarística al cap. 6, en el discurso subsiguiente a la multiplicación de los panes. Lo que predomina en Caná es el simbolismo tradicional del vino en el mundo judío, en el que era señal del gozo mesiánico y de la abundancia y recordaba la bendición de las cuatro copas pascuales [118]. Jesús da el vino con abundancia, como el Esposo mesiánico (cf. 3,29), y el vino de la nueva alianza sustituye al agua de las purificaciones judías.

El horizonte eclesial del IV evangelio determina la estructura de su lenguaje simbólico. Este lenguaje, enraizado en la historia figurativa del Antiguo Testamento, emerge de la historia de Jesús de Nazaret, que da cumplimiento a las figuras, para desembocar en la historia «sacramental» de la Iglesia, en la que Cristo en gloria sigue su acción de revelador y de santificador. Nos hallamos en el polo opuesto de la alegoría filoniana, que busca detrás de la letra de la Escritura una enseñanza intelectual, moral y mística. Aquí, en Juan, es el Verbo hecho carne el que ilumina a los hombres y les trae la luz de la vida.

CAPÍTULO QUINTO

JUAN EL TEÓLOGO

Ya desde la antigüedad cristiana, a Juan se le viene considerando como *el Teólogo* por antonomasia y se le ha comparado con el águila, cuya mirada penetrante escudriña el sol. En la época de las grandes controversias trinitarias, los padres fijaron su atención sobre todo en el prólogo. Habría que estudiar también la influencia de la obra joánica sobre el desarrollo de la exégesis alejandrina. También los modernos se muestran acordes en saludar el genio teológico de Juan, aunque por razones muy diferentes: su centro de interés se fija sobre todo en la manera personal con que Juan ha sabido repensar la tradición primitiva relativa a Jesús y en el puesto de su síntesis teológica en el conjunto del Nuevo Testamento. La historia de la interpretación (capítulo primero) nos mostró la variedad de soluciones propuestas acerca de este punto, desde los tiempos de Baur. Aquí tenemos que limitarnos a remitir a aquella exposición histórica. Sin pretender pasar revista a los diversos capítulos de una teología joánica, señalaremos los aspectos nuevos del IV evangelio en relación con otros escritos del Nuevo Testamento y definiremos de forma esquemática la cristología y pneumatología de Juan, así como la perspectiva eclesial de su obra.

I

ASPECTOS NUEVOS DE LA TEOLOGÍA JOÁNICA

C.H. Dodd ha destacado, y con razón, la poderosa originalidad de Juan: «No existe ni en el Nuevo Testamento ni fuera de él una obra que sea verdaderamente parecida al IV evangelio» [1]. Sólo en las cartas joánicas se percibe un aire de familia con este escrito, a pesar de que no contienen apenas ningún dato sobre la vida concreta de Jesús.

Juan y los sinópticos

Comparando a Juan con los sinópticos, se advierte un desplazamiento del centro de gravedad. Para los sinópticos, el núcleo del mensaje de Jesús se halla en la predicación del reino de Dios, con su llamada al arrepentimiento y sus perspectivas escatológicas. En Juan, la llamada a la conversión cede el puesto a las reiteradas invitaciones a creer en la persona de Jesús, Cristo, el Hijo de Dios. La primera conclusión del libro (20,30s) muestra que éste fue el propósito del evangelista: no vacila en hacer una selección en la tradición, en beneficio de la única perspectiva que pretendía destacar.

Modificación de la perspectiva escatológica

La predicación sinóptica de Jesús se inscribe en el marco de la distinción, familiar en el judaísmo, entre «este siglo» y «el siglo futuro». Así, las parábolas ilustran la manera súbita con que Dios pondrá fin a las miserias del tiempo presente para establecer su reino eterno. En el marco de la perspectiva abierta por Daniel, Jesús anuncia en repetidas ocasiones la venida gloriosa del Hijo del hombre sobre las nubes del cielo, para llevar a cabo el juicio. Promete a los elegidos la «vida eterna»: para llegar a ella, no deben escatimar ningún sacrificio (Mc 9,43-45 par.; 10,17-30 par.). En el cuarto evangelio aparece otra forma de dualismo: la oposición entre el mundo de arriba y el mundo de abajo, entre el espíritu y la carne. Las categorías espaciales predominan sobre la representación temporal. Hay una reflexión del evangelista que tiene aire de tesis: «El que viene de lo alto está por encima de todos. El que es de la tierra terreno es y como terreno habla» (3,31). Según esta visión de las cosas, la misión del Revelador consiste en bajar a este mundo (3,13; 6,33.38.41.42.50.51.58) para iluminar a los ciegos, y subir luego de nuevo al cielo (6,62; 16,28; 20,17), desde donde llamará a sí a los creyentes (12,32). El retorno de Jesús, anunciado varias veces en los discursos de despedida, no se lleva a cabo en el fulgurante resplandor de la parusía, sino en la intimidad de una vida de fe y de amor (14,18s.23).

Fue mérito de Bultmann haber puesto de relieve el valor decisivo que tiene para Juan el instante presente. Para el evangelista, «la resurrección de los muertos y el último juicio coinciden con la venida de Jesús. Es evidente que, de este modo, se opone a la escatología apocalíptica tradicional» (3,19) [2]. El juicio es la separación que se opera cuando los hombres oyen la palabra de Jesús (9,39). El creyente ya ha sido juzgado y el no creyente condenado (3,18); el creyente ya ha resucitado de entre los muertos (5,24s; 11,23-26). Los pocos versículos que siguen (5,28s; 6,51*b*-58), y que insisten en la doctrina apocalíptica del último juicio, se deberían al último «redactor eclesiástico» y estarían en contradicción con la teología específica del evangelista. La mayoría de los críticos, aun reconociendo que la observación fundamental de Bultmann es acertada, dudan que esta amputación esté bien fundada. Antes de eliminar los versículos sujetos a discusión, hay que comprobar si verdaderamente son incompatibles con la teología de conjunto del IV evangelio. La oposición radical que Bultmann cree descubrir, ¿no procedería más bien de una lectura individualista que desconoce el enraizamiento veterotestamentario del libro y su horizonte eclesial? Para quien admite estas perspectivas y advierte la insistencia con que Juan acentúa el realismo de la encarnación, las indicaciones relativas a la escatología futura no son elementos extraños a su teología.

El puesto central del acto de fe

La insistencia en el tiempo presente como tiempo de la decisión está acompañada de una concentración doctrinal en el acto de fe. Ya los sinópticos traían más de una declaración de Jesús sobre el valor salvífico de la fe-confianza: «Vete, tu fe te ha salvado» (Lc 7,50; 8,48; 17,19). Juan, por su parte, evita el término abstracto de *pistis* y emplea constantemente el verbo *pisteuein,* que subraya mejor el carácter activo de «creer». Por lo demás, construye a menudo con la preposición de movimiento *eis,* que indica también el movimiento interior de la persona que cree *hacia* Cristo, la salida de sí para llegar a la adhesión íntima. Ésta es la actitud de los discípulos que, después de haber descubierto la gloria de Jesús en Caná, «creyeron en él» (2,11), es decir, se vincularon definitivamente a él. Como escribe D. Mollat [3], «la fe es para Juan el principio y el corazón de la existencia cristiana. Creer resume, según él, la participación del hombre en la obra de Dios (6,29.40). A los creyentes se les prometen los "ríos de agua viva", figura del Espíritu (7,37-39), que brotan del costado de Cristo en la hora de su glorificación. Con esta bienaventuranza de los creyentes concluye el relato de las apariciones pascuales (20,29). La fe lleva a la vida (20,31)».

La fe se expansiona en conocimiento de Dios (4,22s; 8,28; 14,7), tal como se revela en su enviado, Jesucristo (17,3). En este sentido, se impone la comparación con 1Jn, centrado también en el conocimiento de Dios como distintivo de la nueva alianza [4]. Para Juan, la fe no puede vivirse sin *agape,* que es la característica de la alianza instaurada por Cristo y su sacrificio pascual (13,34). Los discursos de despedida vuelven una y otra vez sobre este tema (14,15.21.23s.28.31; 15,9.10.12.17; 17,23.24.26). Mientras que los sinópticos detallaban diversos aspectos de la vida del creyente e insistían en el amor a los enemigos y el perdón de las ofensas, Juan se limita a prescribir: «Amaos los unos a los otros *como* yo os he amado.» Se diría incluso que la exhortación se limita a los miembros de la comunidad; A. Nygren considera que se da aquí un recortamiento de la enseñanza de Jesús [5]. En realidad, Juan no olvida el carácter universal del amor de Dios al mundo (3,16), amor que es la norma de conducta prescrita a los discípulos. Pero no es menos cierto que quiere poner de relieve el carácter íntimo y recíproco de la *agape*, que se desarrolla en un clima de alianza [6].

Juan y Pablo

Cuando se compara a Juan con Pablo, el otro gran teólogo del Nuevo Testamento, se advierten notables parecidos y diferencias no menos notables. Los dos quieren manifestar la novedad radical de Cristo y de su mensaje, pero lo hacen con registros diferentes, Pablo con la fogosidad del polemista, Juan con el ardor contenido del contemplativo. El uno ve en la obra de Cristo una nueva creación, el otro concede la prioridad a la iluminación aportada por la luz verdadera que entra en nuestro mundo (1,9) [7]. Uno y otro son los grandes teólogos de la fe, pero con apreciables diferencias de matiz: el uno habla más de la fe como principio de vida *(pistis)*, mientras que el otro se centra en el acto de creer *(pisteuein)* como adhesión a la persona. Pablo, dialéctico, insiste en la ruptura con el sistema de la ley y a la justificación por las obras opone la justicia de la fe. Juan no ignora, ni mucho menos, el vocabulario jurídico; pero lo utiliza para caracterizar el proceso del mundo contra Jesús, testigo de la verdad, y el proceso de Dios contra el mundo incrédulo [8]. Mientras que, como moralista, Pablo enumera varias veces las categorías de pecados que se precipitan sobre el mundo, Juan centra su atención en el pecado por excelencia, a saber, en la negativa a creer (3,36; 9,41; 12,48). La fe permite renacer de lo alto (3,3.5) y hace del creyente hijo de Dios (1,12; cf. 1Jn 3,1-2), llamado a vivir bajo el impulso del Espíritu (3,8). En este punto, la enseñanza de Juan se da la mano con la de Pablo (Rom 8,14).

Donde la comparación entre los dos grandes teólogos resulta más fecunda es en el plano de la cristología. Los dos se caracterizan, frente a los sinópticos, por el relieve dado al título de «Hijo» para designar a Cristo y sus relaciones con el Padre. En ningún otro libro del Nuevo Testamento se enseña con tanta fuerza la preexistencia de Cristo. Para sus meditaciones, Juan y Pablo se apoyan en los mismos textos sapienciales (Prov 8,22ss; Eclo 24; Sab 7,24s). Pero mientras que Pablo se detiene en la aplicación del término *sophia* a Cristo, Juan identifica la Sabiduría creadora de Dios con el *Logos* profético, hecho carne para comunicar la revelación última de Dios a los hombres. En sus controversias, Pablo traza una dura oposición entre Cristo y Moisés (por ejemplo 2Cor 3,6-18), mientras que Juan, por su parte, ve en el mensaje del Verbo la culminación de la gracia ya dada bajo la alianza antigua (1,17). El uno insiste en la vida del creyente en Cristo, el otro prefiere hablar de la inhabitación del Padre y del Hijo en los fieles.

Estas diferentes perspectivas deben ponerse en el haber de la diversidad de las experiencias iniciales: mientras que el IV evangelio nos permite entrever la progresiva iluminación de los discípulos, Pablo estuvo siempre marcado por el brusco descubrimiento de Cristo en el camino de Damasco. De aquí se deriva la más importante de las diferencias entre estos dos teólogos: forzando las cosas hasta el límite, podría decirse que Pablo sólo se interesa por la encarnación en cuanto que es la etapa necesaria para que se cumpla el sacrificio redentor que constituye el centro de su teología. Juan, por el contrario, se esfuerza por descubrir en la vida de Jesús de Nazaret los reflejos que anticipan la gloria del resucitado (cf. la oposición entre Jn 1,14 y 2Cor 4,4).

II

MISIÓN DEL HIJO Y MISIÓN DEL ESPÍRITU

La cristología de Juan

Como ya hemos indicado al presentar el prólogo [9], esta célebre página entraña el riesgo de desorientar al lector, que tal vez ya no preste atención a la segunda introducción, de tipo histórico (1,19-51). Si sólo se retienen las dimensiones eternas y cósmicas de la acción del *Logos,* se corre el peligro, como le ha ocurrido a Käsemann, de no ver en el Cristo joánico más que «un Dios que camina sobre la tierra» y de etiquetar esta cristología como «docetismo ingenuo» [10]. Pero hay que mantener bien firmes los dos extremos de la cadena para respetar la paradoja de la encarnación (1,14). Cuando se intenta construir una cristología sobre un puñado de fórmulas, se traiciona el movimiento de un libro que está atento al carácter progresivo de la fe y a la presencia, discreta y luminosa, de aquel que viene para llamar a cada uno de sus oyentes a la elección decisiva.

Los títulos de Jesús

De acuerdo con la intención indicada en la conclusión (20,30s), es preciso notar con el mayor cuidado los múltiples títulos que el IV evangelio acumula para designar a aquel que está siempre más allá de cuanto nosotros podemos decir: Cordero de Dios (1,29,36), Elegido o Hijo de Dios (1,34), Rabbí (1,38), *Messias Khristos* (1,41), Jesús, hijo de José, de Nazaret (1,49), Hijo del hombre (1,51), el Hijo (3,16), el Esposo (3,29), el Mesías que ha de venir (4,25), el Salvador del mundo (4,42), el Profeta que debe venir (6,14), el Enviado (6,29ss; 9,7), el Santo de Dios (6,69), *Ego Eimi* (8,24.28.58; 13,19), el Señor (20,13,18). A estos títulos propiamente dichos pueden añadirse numerosos términos simbólicos que Jesús reclama para sí: pan, luz, pastor, viña... Él es el pan verdadero, la luz verdadera que trae a los hombres todo cuanto éstos esperan bajo estas realidades [11]. Los títulos y los símbolos no son intercambiables, sino que se cargan de valores específicos según el trasfondo veterotestamentario y el contexto. Por otra parte, Juan reasume las confesiones de fe de la comunidad y las enraíza, si así puede decirse, en la vida de Jesús (1,49; 4,42; 11,27; 20,28).

Yendo más allá de los títulos propiamente dichos, debe prestarse también atención a la tipología subyacente en numerosos desarrollos. Así, por ejemplo, Juan proyecta los signos realizados por Jesús sobre el telón de fondo del Éxodo [12]. Oponiéndose a las pretensiones de los judíos, para quienes Moisés era el profeta insuperable, el evangelista proclama que sólo Jesús ha podido comunicar el conocimiento verdadero del Padre, porque sólo él viene de lo alto (6,46; cf. 1,18).

Jesús y el Padre

Juan va describiendo en pinceladas sucesivas la relación de intimidad entre Jesús y su Padre, tan profunda que hay que hablar de una verdadera unidad (10,30). La señal inaugural de Caná permite ya entrever en Jesús «la gloria» (2,11), atributo propio de Dios, cuya manifestación esperaban los judíos como señal de salvación (por ejemplo Is 4,5; 40,5; 60). El episodio que sigue, localizado en el templo, testifica por otra parte que Jesús está totalmente consumido por el celo de la casa de su Padre, que equivale a decir por el celo de la gloria divina (2,16s). El radical desinterés que empuja a Jesús a no buscar sino la gloria de aquel que le ha enviado (5,41, 44; 7,18; 8,50.54) es la señal de la autenticidad de su misión. En este mismo sentido deben interpretarse todas las fórmulas de humilde dependencia, que contrastan con aquellas otras en las que Jesús proclama su *Ego* divino. Como hijo atento, no hace sino lo que ve hacer al Padre (5,19). Su doctrina no es suya, sino la del Padre (7,16). Los discípulos que tiene son los que el Padre le ha dado y él los acoge con solicitud para comunicarles la vida eterna (6,37). No anticipa su tiempo (7,6-8), pero cuando llega la hora, se encamina hacia su pasión por amor al Padre (14,30). Esta voluntad divina nunca aparece en el IV evangelio como una cosa procedente del exterior: es el alimento de que el Hijo se nutre (4,38). Es el Padre mismo quien lleva a cabo en él (14,10) la obra que le *encomienda* hacer y le *permite* hacer (5,36; 17,4) [13].

A esto se debe que, al mismo tiempo que Cristo hace suyas las declaraciones en *Ego eimi* por las que Dios se había manifestado como el Dios salvador (compárese Jn 8,24.28.58; 13,19 con Éx 3,14; Is 43,10), declare que el Padre es mayor que él (14,28). No puede explicarse esta fórmula diciendo, como hace a menudo la teología clásica, que Jesús se expresa aquí «en cuanto hombre». El IV evangelio no distribuye las acciones de Cristo en actos divinos y actos humanos; tiene siempre en cuenta a Cristo en su situación histórica de Verbo encarnado [14]. Aunque no emplea el término de *kenosis*, tiene sobre este punto una doctrina similar a la de Pablo: en su vida terrestre Cristo está como privado de la gloria esencial que le pertenece y que no volverá a encontrar hasta la hora de su exaltación [15]: éste es el tema de su «oración sacerdotal» (17,1.2.5.24). ¿Quiere esto decir que, por su ascensión al Padre, Cristo vuelve a encontrarse pura y simplemente en la situación que tenía antes de su encarnación? Juan no especula sobre esta cuestión, sino que contempla bajo términos concretos el despliegue de la misión salvífica de Jesús. La elevación en cruz, que es al mismo tiempo glorificación, da al Hijo la posibilidad de cumplir las mayores obras (cf. 5,20; 14,12), desbordando los límites de tiempo y lugar. La oración del cap. 17 permite entrever la naturaleza de esta acción: manifestación progresiva del Nombre del Padre (17,6.26), preservación de los discípulos frente al peligro del mundo (17,15s) y mantenimiento de los creyentes en la unidad (17,20. 23). El cap. 17 manifiesta en su conjunto el carácter «teocéntrico» de la teología de Juan, oportunamente recordado por C.K. Barrett [16]: contrariamente a la acusación de los judíos, Jesús no se revela jamás como un Dios junto a Dios (5,18; 10,33), sino como aquel en quien Dios se da a conocer (8,19), porque está en él (14,10s).

La soteriología de Juan

La importancia que Juan da al tema de la revelación no disminuye un ápice el contenido soteriológico de su enseñanza [17]. Es cierto que el título de *Salvador* sólo figura una vez (4,43; cf. 1Jn 4,14), pero no debe olvidarse que tan sólo los documentos relativamente tardíos del Nuevo Testamento aplican a Jesús este título, reservado a Dios en el Antiguo. En cambio, Juan utiliza en repetidas ocasiones el verbo *sozein* para calificar la obra de Jesús en favor del mundo pecador (3,17; 5,34; 10,9; 12,47). En este punto, hay que destacar la importancia decisiva del testimonio de Juan Bautista: «Éste es el Cordero de Dios que quita el pecado del mundo» (1,29,36). Jesús viene a liberar al hombre de su pecado (8,33-36), que es lo que le separa de Dios (8,42.44.47) y le hace esclavo (8,43). Para Juan, el pecado es ante todo el replegamiento del hombre sobre sí mismo, la búsqueda de la propia gloria, el cerrarse a la llamada de lo alto, para decirlo con una sola palabra, incredulidad [18]. Este pecado que encierra al mundo en sí mismo viene de más alto: se remonta a aquel que es mentiroso desde el principio y padre de la mentira (8,44). Jesús se presenta como el que viene a enfrentarse con el poder tiránico del príncipe de este mundo (12,31; 14,30; 16,11). La cruz, derrota aparente, es una victoria (16,33). Nadie lo ha sabido mostrar mejor que Juan, que utiliza los verbos ὑψοῦν y δοξάζειν, tomados de Is 52,13, para designar la pasión-glorificación del Hijo del hombre en la hora señalada por el Padre [19]. El *titulus* de la cruz, redactado en tres lenguas (19,20) proclama ante todos los que pasan que Cristo es el *semeion* que es preciso contemplar para obtener la vida (3,14-16; 19,37). La sangre y el agua que fluyen del costado traspasado manifiestan que los sacramentos del bautismo y de la eucaristía extraen su virtud del sacrificio redentor (cf. 1Jn 5,6-8).

La originalidad de Juan consiste en hacer de la cruz la revelación paradójica de la *agape* divina [20]: amor de Dios que entrega a su Hijo para la salvación del mundo (3,16; cf. 1Jn 4,9), amor del Hijo que se entrega por fidelidad a la misión recibida del Padre (14,30s) y por amor a «los suyos» (13,1; 15,13). La alegoría del buen pastor resume admirablemente toda esta doctrina: el conocimiento del Padre empuja al Hijo a dar voluntariamente su vida (10,15.17) para que las ovejas tengan vida en abundancia (10,10) y formen un solo rebaño (10,16; cf. 12,24).

De esta suerte, se encuentran concentradas en la persona de Cristo todas las instituciones salvíficas conocidas en el antiguo Israel: cumple a la vez el oficio real, el profético y el sacerdotal. De todas formas, apenas si era posible utilizar este último título, dada la actitud asumida por los sumos sacerdotes de entonces; pero la manera como el IV evangelio presenta la acción salvífica de Cristo en su conjunto, permite afirmar que en su persona y por el don de su vida la adoración perfecta sustituye a toda la economía sacrificial de la ley antigua (cf. 2,15).

Más allá de la cristología funcional

La cristología de Juan, anclada en la historia de la salvación y expresada al mismo tiempo en términos comprensibles para todos los hombres (luz, verdad, vida...), nos enseña lo que es Cristo esencialmente para nosotros. Las múltiples menciones de su envío por el Padre se refieren sin excepción a su misión temporal, aun cuando en las formas con el verbo πέμπειν se observa una nota de intimidad que hace del enviado una pura «transparencia del que le envía» e invita por lo tanto a remontarse hasta el misterio de su filiación divina [21]. J. Dupont, atento a la significación para nuestra salvación de los títulos del Cristo joánico, ha hablado de cristología funcional: «Palabra, luz y vida, Cristo es todo esto respecto de los hombres: es la palabra que Dios dirige al mundo, la luz que ilumina el mundo, la vida eterna de que los elegidos disfrutarán en el siglo futuro. Pero estas denominaciones no nos dan informes directos sobre la naturaleza propia de Cristo, sobre su ser intrínseco, sobre su divinidad» [22]. Éste es también el punto de vista de O. Cullmann [23].

Es indudable que Juan ha querido, ante todo, dar una respuesta al anhelo de los hombres que buscan la Vida [24]. Pero, ¿se sigue de aquí que se limite a este punto de vista? Al dar sus preferencias al título de «Hijo» para caracterizar la relación de Jesús con su Padre, no hace sino recoger el grito «*¡Abba!*» por el que Jesús traducía su impulso íntimo hacia el Padre, en el marco del reconocimiento y agradecimiento por la vida y la misión recibidas de él (cf. Mt 11,25-27 par.) y de la sumisión amorosa a su voluntad (Mc 14,36 par.). Si es cierto que esta revelación es de la máxima importancia para fundamentar nuestra propia relación filial con Dios (1,12), no lo es menos que tiene valor por sí misma, en cuanto indicación de lo que el Padre es para el Hijo y el Hijo para el Padre.

Éste es también el alcance del título de *Logos*, que sólo Juan atribuye a Cristo (1,1ss; cf. 1Jn 1,1; Ap 19,13) [25]. Las múltiples investigaciones sobre el origen de la doctrina del *Logos* en el IV evangelio han contribuido a manifestar la originalidad de Juan que, en unas pocas palabras, abre a la meditación profundidades insondables. En el Antiguo Testamento y en Filón la palabra de Dios aparece como intermediaria entre Dios y el mundo, sea para la creación o para la transmisión de un mensaje. Al personificar al *Logos* e identificarlo con el Hijo Unigénito (1,1.18) Juan nos orienta hacia una relación ἐν ἀρχῇ que no está ya vinculada a la creación, sino que encuentra en Dios, y sólo en él, su razón suficiente. Ésta es la tesis defendida, con suma penetración, por I. de la Potterie: las dos proposiciones de movimiento (πρός y εἰς) construidas con el verbo εἶναι en 1,1.18, conservan todo su sentido propio de movimiento «hacia», de dirección. El texto de cierre (1,18) trae también una preciosa anotación: El *Logos* no es otro sino el Hijo único «vuelto» hacia el Padre o, mejor, «hacia el seno» del Padre en el que ha sido engendrado. Queda así marcada la clara distinción de las personas del Hijo y del

Padre, ya que el Hijo es presentado en cierto modo en un «frente a frente» respecto del Padre; por otra parte, el Padre y el Hijo no son simplemente coexistentes, porque la orientación constante del Hijo hacia el Padre «lo describe en el acto eterno de recibir del Padre la vida divina» [26].

La misión del Paráclito

Juan es el evangelista que más amplio espacio concede al Espíritu en su presentación del mensaje de Jesús. Sólo Lucas puede compararse con él, aunque sin aquella profundidad que hace de Juan el profeta del Paráclito. Los textos se reparten en dos series, que responden a las grandes divisiones del IV evangelio: el «Libro de los signos» contiene, en primer lugar, una serie de promesas relativas al don futuro del Espíritu, promesas que llegan a su cumplimiento en el Cenáculo (20,22). En el discurso de después de la cena, se registran cinco *logia* que caracterizan la función del Paráclito en la vida de la Iglesia. Tras una breve presentación de los textos, destacaremos la orientación específica de la pneumatología joánica.

En el «Libro de los signos»

Al igual que en los sinópticos, también en el IV evangelio se encuentra el anuncio hecho por el Bautista del bautismo en el Espíritu (Jn 1,33). Al dejar de lado todo el resto de la predicación de Juan Bautista, el evangelista da un relieve aún mayor a esta promesa. El lazo entre el Espíritu y la persona de Jesús queda así más explicitado, ya que es la permanencia del Espíritu sobre Jesús lo que hace que Juan Bautista le reconozca (1,32). El Cordero de Dios, designado como el Mesías prometido por Isaías (11,1.2; 42,1; 62,1), quitará el pecado del mundo al comunicar el espíritu de santidad [27]. El tema bautismal reaparece en el cap. 3, en la conversación con Nicodemo. El Espíritu, fuente del nuevo nacimiento (3,3.5), es también el que debe conducir al cristiano en todo el decurso de su vida (3,8) [28]. La reflexión joánica que cierra el capítulo asocia íntimamente la comunicación de la palabra y el don del Espíritu: ésta es la misión del enviado del Padre (3,34) [29].

A la samaritana Jesús le promete el agua viva: se trata en primer término de la palabra de la revelación, pero también del Espíritu, gracias al cual la palabra puede penetrar en los corazones y fructificar (4,13s). En este mismo contexto, la adoración «en espíritu y en verdad» es la consecuencia de la venida del Espíritu, que permite al creyente descubrir la paternidad de Dios y consagrarle su vida (4,21-24) [30]. En el día más solemne de la fiesta de las tiendas, Jesús se presenta como el templo del que brotan los ríos de agua viva (7,37s) [31]. Por otra parte, el evangelista tiene buen cuidado de descifrar la sentencia misteriosa de Cristo: «Esto lo dijo refiriéndose al Espíritu que habían de recibir los que creyeran en él.» La donación del Espíritu está vinculada a la glorificación de Jesús (7,39*b*). Como la elevación en cruz está ya contemplada desde una perspectiva de gloria, habría que dar, al parecer, un sentido fuerte a la expresión que emplea el evangelista para describir la muerte de Jesús: «transmitió el Espíritu» (παρέδωκεν τὸ πνεῦμα 19,30) [32]. Es la invitación a reconocer que el Espíritu actúa en la sangre y el agua que brotan del corazón traspasado (19,34; cf. 1Jn 5,6-8), y se comunican por los sacramentos de la Iglesia. El resucitado da a los discípulos reunidos en el cenáculo el Espíritu de la nueva creación, convirtiéndolos en punto de partida de la humanidad rescatada. La colación del poder de perdonar los pecados que sigue inmediatamente (20,23) ilustra el modo cómo el Cordero, inmolado y victorioso, cumple su misión de quitar el pecado del mundo.

En los discursos de despedida

Los cinco *logia* sobre el Paráclito, dispersos en los discursos de despedida, forman un conjunto aparte (14,5-17.25-26; 15,26s; 16,7-11.13-15). Ya el empleo mismo de la palabra παράκλητος, que sólo se encuentra en otro pasaje en todo el Nuevo Testamento para designar a Cristo como intercesor (1Jn 2,1), testifica la originalidad de esta enseñanza. Asistimos aquí a uno de los desarrollos joánicos en los que se presenta con mayor agudeza el problema de las relaciones con los textos de Qumrân. Partiendo, al parecer, de representaciones variadas sobre los intermediarios entre Dios y el mundo y sobre los espíritus que actúan en el corazón del hombre, el evangelista muestra que el Espíritu Santo actúa como Paráclito y que no es otro sino el Espíritu de Dios, enviado en nombre de Cristo.

Los numerosos verbos que caracterizan la actividad del Espíritu se refieren a una actividad de conocimiento y de testimonio[33]: enseñar (14,26), hacer recordar (14,26), guiar a la verdad (16,13), anunciar o repetir (ἀναγγέλλειν 16,13-15) de una parte; testificar (15,26s), convencer (16,8) de otra. El recuerdo que despierta el Espíritu no se reduce a un retorno al pasado sino que, a tenor de la noción bíblica de memorial, *hace revivir* los acontecimientos de la salvación e introduce en un conocimiento más profundo (2,22; 7,39; 12,16). Del mismo modo que el Espíritu hace penetrar en la inteligencia de las Escrituras para manifestar su alcance cristológico, también descubre progresivamente todas las implicaciones de la palabra de Jesús. En el tiempo del recuerdo eclesial, el Espíritu permite al creyente descubrir la unidad del plan divino, anunciado por la Escritura y cumplido en Jesucristo (2,22). Su intervención es particularmente necesaria para sostener a los fieles en el proceso entablado entre el mundo y Cristo (15,26s; 16,8-11, que deben cotejarse con los *logia* sinópticos sobre la asistencia del Espíritu durante las persecuciones: Mt 10,20; Mc 13,11 par.). El Espíritu manifiesta a los fieles, turbados por la victoria aparente del mundo, el triunfo de Cristo, que ha subido al Padre (16,8-11).

¿Hay que atribuir también al Espíritu la revelación de los acontecimientos futuros, según uno de los posibles sentidos del verbo *anaggellein* (16,13)? De ser así, se alcanzarían las perspectivas del Apocalipsis. Dado que el IV evangelio pone el acento sobre todo en el tiempo presente, parece mejor pensar, con Brown, que la declaración de las cosas futuras consiste en interpretar para cada generación la acción y la palabra de Jesús.

Al dar primacía a la función del Espíritu para el «conocimiento» de Dios, Juan interpreta de forma original las profecías de Jeremías y Ezequiel sobre la nueva alianza (Jer 31,31-34; Ez 36,26-28). Esta misma influencia puede detectarse en la teología de 1Jn[34]. Es obvio que no se trata de un conocimiento puramente intelectual, sino de un conocimiento-fidelidad, tal como se vive en el clima de la alianza. A diferencia de Pablo, Juan no presenta expresamente la *agape* como fruto del Espíritu. Esta diferencia procede, al parecer, de la «concentración» cristológica del IV evangelio: la fuente y la medida de la *agape* residen en Cristo mismo (13,1.34; 15,10). Al iluminar la palabra de Cristo, el Paráclito la hace activa y operante, y así es como asciende la savia de la cepa para producir frutos de caridad (15,9.10).

Juan es el más explícito de todos los autores del Nuevo Testamento en lo referente al origen del Espíritu y a su misión. En el interior de los discursos de despedida aparecen diversos puntos de vista. Como en el Antiguo Testamento, el Espíritu es un don de Dios (14,16s), porque procede del Padre (15,26). Su misión está condicionada, si así puede decirse, por la oración de Cristo (14,16), el gran intercesor (cf. 1Jn 2,1s) y por su glorificación (16,7; cf. 7,39). El Padre envía al Espíritu «en nombre de Cristo» (14,26), lo que subraya la continuidad entre las dos misiones de Cristo y del Espíritu. Cristo mismo participa en el envío (16,7) y la comunicación que hará el Paráclito será tomada del Hijo que tiene, a su vez, del Padre cuanto posee (cf. 17,7s). Estos desarrollos ofrecen un precioso punto de partida a la teología en orden a la investigación de las relaciones entre el Padre, el Hijo y el Espíritu. Por su parte, el IV evangelio permanece centrado en la misión eclesial del Espíritu, que provoca la glorificación de Cristo (16,14). No puede, pues, admitirse una «edad del Espíritu» superior a la del Hijo, ni tampoco una revelación «espiritual» que deje atrás la economía de la encarnación: es en el *Logos* hecho carne donde el cristiano debe descubrir siempre la paternidad de Dios.

III

LA VIDA EN IGLESIA

Al estudiar el doble horizonte del evangelio joánico, el histórico referido a la vida de Jesús de Nazaret y el eclesial relacionado con el alcance actual de sus hechos y de sus enseñanzas, indicábamos ya la importancia que Juan concedía a la comunidad eclesial, a sus confesiones de fe y a sus sacramentos [35]. Nos queda por precisar la concepción de la Iglesia que nos ofrece el IV evangelio.

Estructura de la Iglesia

Una primera lectura podría dar la impresión de que Juan se desinteresa totalmente de los aspectos institucionales. Aunque la ausencia del término *ekklesia* no prueba nada, ya que sólo Mateo anticipa el uso de esta palabra en tiempo de Jesús (16,18; 18,18), es curioso comprobar que faltan también casi todos los otros términos que designan a la Iglesia: edificio, cuerpo de Cristo, templo de Dios. La palabra *laos* figura dos veces (11,50; 18,14); esposa (3,29) y rebaño (10,16) una sola vez. Tampoco aparece *apostolos* en el sentido técnico de la palabra. Juan no habla ni de elección (salvo 15,16) ni del resto de Israel, ni de alianza. ¿Debe concluirse de aquí, con Bultmann, que rechazó la concepción tradicional y que su teología se vincula al mito gnóstico, según el cual el Enviado celeste atrae hacia sí las chispas de luz preexistentes y ocultas en las almas de los hombres [36]? ¿O hay que sostener al menos, con E. Schweizer, que Juan se opone a la institucionalización de la Iglesia y acentúa sólo el acto de fe personal y la adhesión directa del creyente a Cristo [37]?

El personalismo de Juan es innegable [38]. Se interesa por la decisión que cada individuo debe tomar en su alma y en su conciencia. El temor al grupo constituye a menudo un gran obstáculo para la fe (12,42s); así, Nicodemo visita a Jesús sólo de noche, ya que, por el momento, no se atreve a desafiar la opinión de su clase. Jesús dirige a la samaritana un llamamiento sumamente personal; y aunque luego lleva a cabo una verdadera misión entre las gentes de su aldea, no es menos cierto que, a fin de cuentas, sus paisanos no creyeron por la sola palabra de la mujer, sino porque oyeron al Maestro mismo (4,42). El ciego de nacimiento debe avanzar en solitario por el camino de la fe, a pesar de la defección de sus padres, y haciendo frente a la oposición cada vez más viva de los judíos. En la alegoría del buen pastor, el acento no recae sobre el rebaño (mencionado una vez, en el v. 16), sino sobre las ovejas (15 veces), cada una de las cuales es llamada por su nombre (10,3) y debe afrontar individualmente el riesgo de salir del aprisco de Israel [39]. Así es como llegará a formarse un solo rebaño (10,16).

Esta insistencia en el carácter personal de la fe, ¿implica la negación del carácter visible de la Iglesia? Se plantea aquí una cuestión de método: ¿cuánto vale el argumento de silencio en que se basan R. Bultmann y E. Schweizer? Es, en realidad, el argumento de más difícil manejo, porque hay que demostrar previamente que un autor *habría debido* hablar de esta o aquella cosa, si hubiera existido o hubiera tenido importancia para él. Por lo que hace al IV evangelio, su conclusión muestra que perseguía esencialmente una meta cristológica (20,30s). Lo que le interesa al evangelista es manifestar el puesto de Cristo en la comunidad de los fieles, no dar informes sobre la vida concreta del grupo. No puede, con todo, afirmarse que este último aspecto carezca de importancia: el cap. 21, que recoge algunas tradiciones joánicas, tiene un alcance directamente eclesial. Las cartas joánicas muestran la necesidad de mantener la unidad en las comunidades mediante la fidelidad a la tradición apostólica y al desarrollo de una *agape* misionera (3Jn) [40]. Finalmente, el Apocalipsis, que pertenece a la misma escuela, multiplica las visiones que evocan el destino de la Iglesia universal [41]. No es, por tanto, posible atribuir los escritos joánicos a conventículos más o menos teñidos de gnosticismo y marginales a la gran Iglesia.

Como ha subrayado con acierto J.L. d'Aragon [42], Juan obliga a superar una visión sociológica de la Iglesia para descubrir cómo Cristo la agrupa, la santifica y la guía hacia la verdad plena por su Espíritu. El reino de Dios, de que se habla tan a menudo en los sinópticos, se centra en Juan en la persona del rey mesiánico (βασιλεύς, sobre todo en el relato de la pasión: Χριστός y κύριος). Él mismo es el templo de Dios, reconstruido en su resurrección (2,21), desde el que asciende hacia el Padre el culto inspirado por el Espíritu de verdad (4,23). Las promesas hechas a la viña de Israel no encuentran su cumplimiento sino en aquel que envía la savia a los que se adhieren a él por la fe (15,1-10) y fructifican en la *agape* [43].

La importancia dada a la unidad de la Iglesia muestra bien que para Juan la comunidad de los fieles no puede permanecer invisible. La alegoría del buen pastor contempla explícitamente la agrupación de los fieles venidos del judaísmo y de los procedentes del paganismo, para formar un solo rebaño (10,16). La «profecía» de Caifás proporciona al evangelista la oportunidad para explicar en términos claros el objetivo mismo de la redención: reunir en la unidad a los hijos de Dios dispersos (11,52). A la espera veterotestamentaria todavía limitada al retorno de los exiliados a la tierra de Israel (Is 11,12; Miq 2,12; 4,6; 7,11s; Jer 23,3; Ez 11,17; 20,34, etc.), sucede aquí una visión auténticamente universalista. Al rechazar a su Mesías, el pueblo de Israel pierde su cualidad religiosa de *laos:* el nuevo *laos* de Dios son los creyentes que se vuelven con fe hacia el Rey exaltado en la cruz [44]. En la oración sacerdotal (Jn 17) es donde con mayor extensión se desarrolla el tema de la unión, a la que se le da valor de revelación teológica: «Yo en ellos y tú en mí, para que lleguen a ser consumados en uno, y así el mundo conozca que tú me enviaste y que los has amado como tú me has amado a mí» (17,23). Juan contempla de manera explícita la unidad de los creyentes de una generación a otra (17,20) [45]: ésta es una de las dimensiones de la *koinonia,* de la que 1Jn enumera los criterios.

Los ministerios en la Iglesia

Esta visión «cristológica» de la Iglesia deja poco espacio (salvo en el cap. 21) a los desarrollos concretos sobre la organización de la comunidad. Ya hemos visto antes [46] que Juan otorga sus preferencias a la palabra «discípulos» para sugerir un vínculo entre el grupo que seguía a Jesús por los caminos de Palestina y el grupo actual de los creyentes.

Con todo, ya en aquel grupo de discípulos se percibe una cierta estructuración [47]. El cap. 1 presenta los testigos que garantizan la tradición sobre Jesús; su contenido corresponde, en los sinópticos, a la vocación de los apóstoles y a la constitución del grupo de los doce. Por lo demás, Juan no ignora la existencia de este núcleo (6,67.70.71; 20,24): al hilo de su narración, menciona numerosos nombres: Andrés y Simón, Pedro, Felipe y Natanael, Judas el traidor, Tomás, otro Judas...

Como en los sinópticos, también en Juan es Pedro la figura destacada, con sus arranques de generosidad y la cobardía de su negación. En el cap. 1, donde presenta los testigos de Jesús, el evangelista alude al título de *Kephas* (1,42), destinado a Pedro, aunque no explica su sentido, como lo hace Mateo (16,16-18). Hay que esperar hasta el suplemento eclesial del cap. 21 para saber cuál es la delegación que el resucitado confiere a su apóstol sobre todo el rebaño (21,15-17, que debe cotejarse con 1Cor 15,5 y Lc 24,34). Es cierto que las ovejas siguen perteneciendo al Señor (*mis* corderos, *mis* ovejas); pero no por eso deja de recaer sobre Pedro la tarea de conducirlas a los pastos donde encontrarán vida en abundancia (10,10). La profesión de fidelidad de Pedro, en la tarde del discurso de Cafarnaúm, cuando la mayoría de los discípulos se alejaba (6,69), ilustra la misión que le incumbe en la comunidad eclesial.

Existe, con todo, en la tradición joánica, una especie de rivalidad entre Pedro y «el discípulo al que Jesús amaba». Volveremos más tarde sobre los problemas que plantea la identificación de este discípulo [48]. En el cap. 13 aparece como el confidente de Jesús, de modo que Pedro recurre a él para averiguar el nombre del traidor (13,24-26). Mientras Pedro reniega de su Maestro, el discípulo está al pie de la cruz y recibe a María por madre (19, 25-27). En la mañana de pascua, el discípulo se adelanta a Pedro, aunque deja que sea el primero en entrar en la tumba vacía (20,5s). Se hace constancia expresa (20,8) de la perspicacia del discípulo, como se hará también en el cap. 21 (v. 7). ¿Hay que atribuir al evangelista una intención polémica, como supone A. Kragerud [49]? En este caso, no se comprende por qué en otros lugares el IV evangelio atribuye a Pedro el primer plano que ya le daba la tradición de los sinópticos. En el cap. 21, directamente eclesial, es Pedro quien toma la iniciativa de la pesca apostólica y quien recibe la autoridad sobre el rebaño. El conjunto de los textos intenta, pues, demostrar que las tradiciones propias de la comunidad joánica se remontan a un testigo tan prestigioso como el mismo Pedro, pero este último sigue siendo el garante de la tradición común [50].

Una vez que se ha reconocido el horizonte eclesial del IV evangelio y su interés por los sacramentos del bautismo y la eucaristía, es ya posible evocar su modo de contemplar la vida de la Iglesia. Prevalece el aspecto comunitario: Jesús es el gran agrupador, por medio de su palabra. Los doce, testigos de su vida y de su enseñanza, prefiguran a los que, siguiendo su propio ejemplo, cumplen una misión de evangelización y de santificación (20,21s) bajo la guía especial del Paráclito (15,26s)[51]. El gobierno de la Iglesia, a que se alude en 21,15-17, no tiene otro objetivo que el de permitir a cada creyente entrar en relación personal con Cristo (cf. 4,42) y vivir en comunión de amor con los demás creyentes. La autoridad de la Iglesia sólo puede ejercerse, en fin, en espíritu de humilde servicio (13,13-16) y de entrega hasta la muerte, siguiendo el ejemplo del buen pastor (10,11-18; cf. 1Pe 5,1-4).

CAPÍTULO SEXTO

EL AUTOR DEL EVANGELIO

La presentación de la «cuestión joánica» (capítulo primero) ha mostrado que ya desde las primeras dudas enunciadas por Bretschneider (1820) se ha registrado en esta cuestión una mezcla constante de problemas, de muy diversa índole: el del *medio religioso* en que se enraizaba el IV evangelio (capítulo cuarto, sección I), el de su *valor histórico* (capítulo cuarto, sección II), el de la autoridad que debe concederse a su *mensaje doctrinal* (capítulo cuarto, sección III y capítulo quinto). Todas estas cuestiones tienen una relación más o menos estrecha con el problema de su origen apostólico. En este punto, adversarios y defensores de los datos tradicionales han razonado muchas veces como si la solución adoptada entrañara *ipso facto* el reconocimiento o la negación de su valor histórico y teológico. Pero es importante distinguir dos planos: la obra puede transmitir una tradición válida y enunciar un mensaje esencial para la fe cristiana, aunque no haya sido redactada por un apóstol. Como en el caso de los sinópticos, la identificación del autor tiene menos importancia que la solidez de la tradición recogida y la manera como ha sido redactada. Por esta razón, hay que tener bien en cuenta las conclusiones alcanzadas en el capítulo tercero, sobre la base de la crítica interna, si se quiere plantear correctamente el problema del autor. Como dice R.E. Brown [1], hay que saber distinguir entre el *auctor* (el que garantiza el contenido del texto) y el *scriptor* (redactor o autor en el sentido moderno de la palabra). Ya hemos visto que en el seno de la tradición joánica, que destaca por su originalidad entre todas las del Nuevo Testamento, ha habido indudablemente varias etapas, señaladas por un desarrollo literario y teológico[2]: la etapa de la tradición fundamental, que remonta con toda seguridad a una fecha muy antigua (al menos antes del 66), la de las redacciones parciales, que pudieron escalonarse a lo largo de un cierto tiempo, la de la síntesis evangélica que hemos analizado globalmente bajo el nombre de Juan, y la de la última edición, debida con seguridad a los discípulos del evangelista. Este es el problema sobre el que ahora tenemos que volver, confrontando los datos de la crítica interna con los de la antigua tradición cristiana. Tras presentar estos datos (I) y analizar las dificultades que suscitan (II), intentaremos levantar el velo tras el que se oculta «el discípulo a quien Jesús amaba» (III), designación del evangelista en el *apéndice* de la obra (21,20-24).

I

LA DOCUMENTACIÓN TRADICIONAL

No podemos separar aquí la documentación relativa al IV evangelio de la referente a las cartas joánicas[3], ya que estos textos muestran una gran afinidad y tienen un origen conjunto. Puede, en cambio, separarse la cuestión del Apocalipsis[4], porque las dificultades que surgen en este último caso no son del mismo orden.

La difusión del IV evangelio

Según J.N. Sanders (1943) y C.K. Barrett (1955), los primeros que utilizaron el IV evangelio fueron los gnósticos. De aquí a la hipótesis de su origen gnóstico sólo había un paso: y efectivamente, E. Käsemann hizo del evangelista el animador de una comunidad gnóstica (aunque de tipo antiguo): su libro habría sido introducido en el canon, previos algunos retoques, *errore hominum et providentia Dei*[5]. Hasta san Ireneo no habría adquirido pleno derecho de ciudadanía en la Iglesia.

Pero el hecho es que los descubrimientos de papiros (P^{52} de antes del 150, P^{66} entre el 175 y el 225 y P^{75} hacia el 200) han demostrado que la obra se propagó con una gran rapidez en Egipto[6]. De aquí no pueden extraerse datos precisos sobre su medio de origen. Pero si hubiera procedido de una *ecclesiola* gnóstica, se comprendería mal este éxito, en una época en la que la gran Iglesia estaba luchando justamente contra las diversas corrientes de la gnosis ya constituida. El hecho de que el «evangelio desconocido» testificado por el papiro *Egerton 2* (hacia 140-160) hubiera realizado, ya con anterioridad a Taciano, una especie de armonía evangélica en la que se mezclaban los datos de Juan con los de los sinópticos, da fe de que unos y otros gozaban de idéntica acogida[7].

Entre los padres apostólicos, la primera huella cierta de las ideas joánicas se encuentra en Ignacio de Antioquía. Su carta a los Filipenses se inspira en Jn 3,8 (Fil 7,1) y recuerda, por lo demás, a Jn 10,7.9 y 14,6 (Fil 9,1). En su carta a los Magnesios, la expresión «el Verbo salido del silencio» (Magn 8,2) evoca el prólogo del evangelio. Hay un pasaje de la carta a los Romanos que está tejido de reminiscencias:

> «Mi amor está crucificado y no queda ya en mí fuego que busque alimentarse de materia; sí, en cambio, un agua viva (Jn 4,10; 7,38; cf. Ap 14,25) que murmura dentro de mí y desde lo íntimo me está diciendo: "¡Ven al padre!" (Jn 14,12, etc.). No siento placer por la comida corruptible ni me atraen los deleites de esta vida. El pan de Dios quiero, que es la carne de Jesucristo (Jn 6,33.51), del linaje de David; su sangre quiero por bebida (Jn 6,55) que es amor incorruptible» (Rom VII,2-3)[8].

La familiaridad de Ignacio con los temas joánicos permite suponer que la tradición del evangelista se había impuesto en Antioquía y que su obra era conocida aquí, o al menos que eran conocidos algunos materiales hoy incorporados al evangelio.

Las *Odas de Salomón* presentan parecidas afinidades literarias. Pero, en este caso, se discute el origen del libro, aunque todos los críticos se orientan a un medio sirio. ¿Fueron compuestas en griego o en siríaco? Y ¿cómo situar al autor respecto de los diversos ambientes religiosos de su tiempo? Bultmann se basó en el texto de las *Odas* para reconstruir el *Offenbarungsrede* gnóstico del que dependería el prólogo y los discursos del IV evangelio. F.M. Braun ve en cambio en el autor a un judío de la diáspora siria, abierta a las corrientes del misticismo de su tiempo[9]. El autor, que da testimonio de un giro en su propio itinerario espiritual *(Oda* 25,4), se habría adherido al Salvador de una manera ortodoxa en contacto con los escritos joánicos. H. Charlesworth hace de él un qumraniano convertido [10], que pertenecería al mismo medio y tal vez incluso a la misma comunidad que el autor del IV evangelio.

Hacia mediados del siglo II, Policarpo de Esmirna, aunque sin utilizar el evangelio, emplea las expresiones de 1Jn 4,2-3 (y 2Jn 7) para denunciar a los docetas. En Justino se encuentran alusiones a algunos datos típicamente joánicos: renacimiento necesario para entrar en el reino de los cielos *(1.ª Apología* 61; cf. Jn 3,3.5), tipología de la serpiente de bronce *(Diálogo con Trifón* 91,4; cf. Jn 3,15s). Análogas observaciones pueden hacerse a propósito de la *Carta de los apóstoles* [11] (entre 130 y 150) y de la *Carta a Diogneto* (de fecha discutida). Así pues, la obra de Juan se hallaba firmemente anclada en la gran Iglesia [12] ya antes de la difusión de los grandes sistemas gnósticos.

Pero no es menos cierto que el gnosticismo recurrió ampliamente al IV evangelio. Los *logia* coleccionados en el *Evangelio de Tomás* [13] tienen más afinidades con la tradición sinóptica (a excepción de algunos que manifiestan claras vinculaciones gnósticas en la obra). Pero el *logion* n.º 28 sobre «la revelación venida en carne» tiene una evidente afinidad joánica. Lo mismo cabe decir del n.º 38, que menciona los días en que se buscará a Jesús sin encontrarle (cf. Jn 7,34); el n.º 40, que supone conocida la alegoría de la viña. De todas formas, algunos paralelismos de las obras gnósticas son más aparentes que reales. Así, por ejemplo, el diálogo entre el alma que asciende al cielo, su patria, con los arcontes que quieren cerrarle el paso [14], utiliza algunos temas evangélicos (la luz, la filiación divina asegurada a los «elegidos del Rey») en un sentido que supone el mito de la preexistencia de las almas (cf. San Ireneo, *Adversus Haereses* 1,21,5). Las afinidades del *Evangelio de la verdad* [15] con Juan se explican por su dependencia directa. Las alusiones son más raras en el *Evangelio de Felipe* [16]. Pero se sabe por Orígenes que un gnóstico de la escuela de Valentín, llamado Heracleón, había comentado el IV evangelio [17]: Orígenes tomó el asunto tan a pecho que se dedicó a refutarlo punto por punto en su propia obra.

A partir del siglo III, la influencia del evangelio y de la primera carta son hechos bien comprobados y resulta innecesario detallar aquí las pruebas, recopiladas por los comentadores modernos.

Los testimonios sobre el autor

El hecho de que los padres utilizaran el texto es un reconocimiento de su autoridad. Pero no resuelve el problema aquí abordado: el del autor. Es preciso hacer el inventario de los testimonios, para pasar después a su análisis crítico. Comenzaremos por Asia menor, donde se fijó la tradición de Juan, y pasaremos a continuación a Egipto y Roma.

En Asia menor

1) El testimonio más antiguo es el de Papías de Hierápolis, conservado por Eusebio de Cesarea. El texto referente a Juan es particularmente oscuro. Eusebio comienza por mencionar una opinión de Ireneo, que hacía de Papías un oyente directo de Juan y compañero de Policarpo (HE 3,39,1, citando *Adversus Haereses*, 5,33,4). Para demostrar que Ireneo erró al defender el milenarismo apoyándose en la autoridad de Papías, Eusebio pretende probar que este Papías no fue oyente del apóstol Juan, sino de Juan el presbítero. A este fin, cita un largo pasaje de Papías, del que da una interpretación opuesta a la de Ireneo:

«Si venía del algún lugar alguien que había estado en compañía de los presbíteros, me informaba de las palabras de los presbíteros: lo que dijeron (εἶπεν) Andrés o Pedro, o Felipe, o Tomás, o Santiago, o Juan, o Mateo o cualquier otro discípulo del Señor; y lo que dicen (λέγουσιν) Aristión y el presbítero Juan, discípulos del Señor. Porque no pensaba yo que las cosas que proceden de los libros sean tan útiles como las que proceden de una palabra viva y permanente» (HE 3,39,4).

De este texto, deduce Eusebio que hay que distinguir dos Juanes, uno el apóstol y otro el presbítero, dato que estaría corroborado por la existencia de dos tumbas en Éfeso, tal como afirmaba ya Dionisio de Alejandría. Para Eusebio, el evangelio procede del apóstol y el Apocalipsis del presbítero. Al final de su noticia sobre Papías, añade un detalle curioso relacionado con el episodio de la mujer adúltera:

«El mismo Papías se sirve de testimonios (sacados) de la 1.ª carta de Juan y de la 1.ª carta de Pedro. Presenta también otra historia a propósito de la mujer acusada ante el Señor de numerosos pecados, contenida en el *Evangelio según los Hebreos*» (HE 3,39,17).

El episodio conservado en el *Textus receptus* de Jn 7,53-8,11 (pero testificado también en algunos manuscritos de Lucas) habría figurado, pues, en un evangelio apócrifo citado por Clemente de Alejandría y Orígenes y procedería de círculos judeocristianos.

Se habla también de Papías en un *prólogo latino*, llamado «antimarcionita». El origen es muy controvertido. J. Donavan y F.M. Braun [18] se inclinan por una fecha relativamente antigua de su original griego (finales del siglo II), que procedería de Oriente. Este texto es un testimonio interesante de la estancia de Juan en Asia menor. En él se dice, además, que el apóstol utilizó los servicios de Papías como secretario y que excomulgó personalmente a Marción. Pero estos rasgos legendarios han inducido a la mayoría de los críticos a rechazar todos los datos del *prólogo* como tardíos y sin valor [19].

2) El mejor testigo de la tradición efesina es, sin duda, Ireneo de Lyón, discípulo de Policarpo de Esmirna. Da fe, contra los gnósticos, de que la única tradición auténtica es la contenida en los cuatro evangelios, cuyo origen detalla. A propósito del IV, escribe: «Juan, el discípulo del Señor, el que se reclinó sobre su pecho, publicó también el evangelio durante su estancia en Éfeso de Asia» *(Ad. Haer.* 3,1,1) [20]. Y apoya sus afirmaciones en el testimonio de los presbíteros (2,32,3). En su carta a Florino, un amigo de la infancia que había caído en el gnosticismo, da detalles suplementarios:

«Puedo señalar el lugar en que se sentaba el bienaventurado Policarpo para hablar, cómo entraba y salía, su manera de vivir, su aspecto físico, las conversaciones que tenía ante la muchedumbre; cómo hablaba de sus relaciones con Juan y con los otros que habían conocido al Señor, cómo recordaba sus palabras y las cosas que había oído decir sobre el Señor, sus milagros y sus enseñanzas; cómo Policarpo, después de recibir todo esto de los testigos oculares de la vida del Verbo, lo narraba de acuerdo con las Escrituras... Puedo testificar en presencia de Dios que si este presbítero bienaventurado y apostólico (= Policarpo) hubiera oído algo parecido (a lo que tú dices), se habría puesto a gritar y se hubiera tapado los oídos» (citado en HE 5,20,4-7).

También en su lucha contra las teorías de Cerinto apela Ireneo a la viva oposición de Juan contra este herético. «Yendo cierta vez a los baños de Éfeso, vio en el interior a Cerinto. Entonces, sin bañarse, saltó fuera del establecimiento: "Pongámonos a salvo, dijo, no sea que el edificio se desplome, ya que Cerinto, el enemigo de la verdad, está dentro"» (*Adv. Haer.* 3,3,4).

3) Las tradiciones conservadas por Ireneo están corroboradas por Polícrates de Éfeso, en la época de la querella pascual con el papa Víctor (h. 190). Para legitimar la práctica los cuatordecimanos, seguida en su iglesia, Polícrates enumera sus garantes:

«Nosotros celebramos escrupulosamente este día, sin añadir ni quitar nada. Porque en Asia, en efecto, descansan los grandes astros... Felipe, uno de los doce apóstoles..., y también Juan, que reposó sobre el pecho del Señor, que fue sacerdote *(hiereus)* y llevó la lámina de oro *(petalon)*, mártir y maestro; éste descansa en Éfeso» (HE 5,24,2-3).

Esta noticia exige evidentemente un examen crítico. Pero testifica al menos la implantación efesina de la tradición de Juan y confirma lo que se ha dicho antes a propósito de su tumba. La veneración de los «grandes astros» recuerda la veneración de las comunidades judeocristianas hacia las «columnas de la Iglesia» (Gál 2,9). Por otra parte, parece bien atestiguada la llegada de judeocristianos a la provincia de Asia después del 70, que es la que mejor explica la forma literaria del Apocalipsis, localizado en la isla de Patmos, cerca de la costa asiática (Ap 1,10). Eusebio, que cita dos veces la carta de Polícrates al papa Víctor, se muestra personalmente convencido de que el apóstol Juan murió en Éfeso. Los *Acta Joannis,* redactados entre el 150 y el 180, sitúan la actividad apostólica de Juan en Asia menor y dicen que murió, de muerte apacible, en Éfeso; pero le atribuyen una enseñanza docetista sobre el cuerpo de Cristo y su pasión que está en evidente contradicción con los escritos joánicos [21].

En Egipto

Ya vimos que el IV evangelio conoció una temprana difusión en Egipto. Sería extraño que la transferencia del texto no estuviera acompañada de elementos tradicionales, siquiera legendarios. De hecho, Clemente de Alejandría menciona una actividad pastoral del apóstol Juan en Asia menor y narra a este propósito la anécdota de la conversión de un joven jefe de salteadores *(Quis dives salvabitur* 42,1). Califica acertadamente el carácter propio del IV evangelio: «En cuanto a Juan, el último, al ver que en los evangelios se habían expuesto las cosas corporales, instado por sus discípulos y divinamente inspirado por el Espíritu, hizo un evangelio espiritual» (πνεύματι θεοφορηθέντα πνευματικόν ποιῆσαι εὐαγγέλιον: HE 6,14,7). En Alejandría nunca causó dificultades el origen de Jn, como tampoco el de la 1Jn. Pero no puede decirse lo mismo del Apocalipsis, que el obispo Dionisio atribuía a Juan el presbítero[22] (HE 7,25,7-8).

En Roma

1) Hay que comenzar por mencionar a Justino, originario de Samaría, pero instalado en Roma. Justino atribuye formalmente el Apocalipsis a Juan el apóstol *(Diálogo con Trifón* 81,4). No es menos preciso a propósito de los evangelios que él llama *Memorias de los apóstoles,* señalando su lectura litúrgica en el curso de la asamblea dominical *(1.ª Apología* 66,3). Dado que utiliza algunos datos del IV evangelio, es posible que lo considerara como una de estas «Memorias de los apóstoles».

2) En Roma se registra la *única impugnación referente al IV evangelio.* Corrió a cargo de los adversarios del montanismo, cuya cortedad de miras fue estigmatizada por Ireneo:

> «Hay otros que, para suprimir el don del Espíritu que en los últimos tiempos, y según ha placido al Padre, se ha difundido sobre el género humano, no admiten esta forma de Evangelio que es según Juan y según la cual el Señor ha prometido que enviaría al Paráclito; pero éstos rechazan a la vez el Evangelio y el Espíritu profético» *(Adv. Haer.* 3,11,9).

Este pequeño grupo, reunido en torno al sacerdote Cayo, es calificado por Epifanio con el nombre de «álogos» (*a-logos* = «sin Verbo», o «sin razón»).

Se encuentra también un eco de esta misma controversia en el *Canon de Muratori*, que puede fecharse hacia el 165-185[23]:

«El IV evangelio es de Juan, uno de los discípulos. Como sus condiscípulos y sus epíscopos le exhortaban, les dijo: "Ayunad conmigo a partir de hoy durante tres días y nos contaremos unos a otros lo que se nos revele." Aquella misma noche, le fue revelado a Andrés, uno de los apóstoles, que Juan debía escribirlo todo en su propio nombre con el visto bueno de todos» (líneas 9,16).

A continuación habla de las cartas de Juan, sin precisar su número. Se cita explícitamente el principio de la primera para mostrar el carácter de testigo ocular de su autor:

«Qué hay de extraño en que Juan afirme con tanta firmeza cada cosa, también sus cartas, puesto que dice, hablando de él: "Lo que hemos visto con nuestros ojos y oído con nuestros oídos y lo que hemos palpado, esto es lo que os escribimos" (1Jn 1,1...4). Porque de esta manera, no sólo se presenta como quien ha visto y también oído, sino que además ha escrito todos los hechos admirables del Señor, según su orden» (líneas 26-34).

El *canon* menciona también el Apocalipsis como un libro «recibido», mientras que se discute el *Apocalipsis de Pedro*.

Así pues, fuera del pequeño grupo de los «álogos», nadie discutió en la Iglesia antigua el origen apostólico del IV evangelio. Lo mismo cabe decir de la 1.ª carta, a diferencia de las cartas menores[24] y del Apocalipsis[25], que plantearon problemas especiales. Aunque esta documentación aportada por la tradición no tiene un peso tan considerable como pensaba la exégesis conservadora del siglo XIX y comienzos del XX, es indudable que se la debe tener en cuenta. Ireneo aparece aquí como un testigo importante, pero no es el único, ni los demás se limitan a repetir su eco. Hay que explicar por lo menos el origen de las tradiciones así recibidas, sin perjuicio de conservar la adecuada distancia para interpretar su contenido. Y esto no puede hacerse sin un examen crítico: no debe confundirse una tradición *literaria* con la tradición *dogmática* de la Iglesia.

II

LAS DIFICULTADES CRÍTICAS

Crítica de los testimonios[26]

La documentación tradicional tiene evidentemente algunos puntos débiles. La proliferación de los rasgos legendarios recuerda lo que se cuenta en los *Hechos de Juan*, elaborados entre el 150 y el 180, aunque el contenido de las leyendas no es el mismo. En este aspecto, tanto el *Canon de Muratori* (entre 165 y 185) como el texto de Polícrates de Éfeso (h. 190) exigen una decantación, al final de la cual tal vez lo único sólido sea la implantación en Éfeso de la tradición joánica.

Hay que tener también en cuenta las confusiones padecidas por algunos autores entre personajes de un mismo nombre. Polícrates, que confunde al apóstol Felipe con su homónimo mencionado en los Hechos, ¿es testimonio seguro cuando habla del apóstol Juan? Ni siquiera Ireneo está por encima de toda sospecha. Apela a fuentes asiáticas: Papías de Hierápolis y Policarpo de Esmirna. Pero es seguro que se equivoca sobre el primer punto al hacer de Papías un discípulo del apóstol Juan, como ya observaba Eusebio de Cesarea: Papías sólo dice que conoció a Juan el presbítero y que se informó de los presbíteros sobre lo que éstos habían oído decir a varios apóstoles, entre ellos a Juan. El hecho de que Ireneo compartiera las concepciones milenaristas de Papías podría explicar tal vez que haya realzado, más o menos conscientemente, su autoridad, convirtiéndolo en discípulo del apóstol Juan. A lo cual también cabe objetar que Eusebio no es juez imparcial en este punto, porque si él distingue los dos Juanes es sólo para poner entre los *Antilegomena* el Apocalipsis que él atribuye al presbítero.

Tampoco los recuerdos de Ireneo sobre Policarpo son de una solidez a toda prueba. Son recuerdos de la infancia, en los que sobrenadan con claridad ciertos rasgos relativos a las relaciones de Policarpo con un cierto Juan y «los otros que habían conocido al Señor». Pero, *¿qué* Juan, exactamente? La identidad de este Juan con el responsable de la 1Jn y del IV evangelio se deriva de la alusión que hace Ireneo a «los testigos oculares de la vida del Verbo» (cf. 1Jn 1,1-4; Jn 1,1-18). Pero ¿no es aquí víctima Ireneo de la misma confusión entre el apóstol y el prebítero del mismo nombre que él atribuía a Papías? Por lo que hace a la tradición sobre las relaciones entre Juan y Cerinto, es evidente su carácter popular: todo lo más que se puede retener es que Jn y 1Jn fueron dirigidos, hasta cierto punto, contra la gnosis asiática atribuida a Cerinto[27].

¿Hay que ir más lejos y poner en duda la existencia de una tradición efesina vinculada al nombre de Juan? Algunos críticos destacan en este sentido el silencio de Ignacio de Antioquía en su carta a los Efesios. De hecho, en ella sólo menciona al apóstol Pablo (Ef 12,2). Pero el examen del contexto debilita el argumento. En efecto, camino del martirio, Ignacio evoca espontáneamente el recuerdo de Pablo, cuando conversaba sobre su próximo martirio con los presbíteros de Éfeso: no puede exigírsele en esta ocasión información sobre la vida, el origen y la organización de la comunidad efesina. Su conocimiento del evangelio de Juan muestra al menos que había recibido algo de la tradición joánica. La implantación de esta tradición en Éfeso queda bastante asegurada por el recuerdo que de ella se guardó en este mismo lugar (Polícrates), en Esmirna (Policarpo e Ireneo), en Alejandría (Dionisio y Clemente), en Oriente y en Roma. Pero hay que contar también con las imprecisiones de este recuerdo, en el que la dualidad de Juan el apóstol y Juan el presbítero (sin contar a Juan el profeta, autor del Apocalipsis) se resolvió finalmente en la presentación de una figura compuesta. Ésta es, sin duda, la dirección en la que se debe investigar para resolver el problema crítico planteado en torno al evangelio, las cartas y el Apocalipsis.

La cuestión del martirio de Juan

A principios de siglo, E. Schwartz sostuvo que Juan había sufrido el martirio al mismo tiempo que su hermano Santiago, el año 44 (Act 12,2). Así se desprendería del texto de Mc 10,35-40 (= Mt 20,20-23), en el que Jesús anuncia a los hijos del Zebedeo que beberían su copa y serían bautizados con su bautismo; se trataría, pues, de un oráculo *ex eventu*, que dejaba entrever el acontecimiento ya sucedido. Según otros autores, el martirio de Juan no puede fecharse en torno a los sucesos del 44, ya que Pablo vio a Juan en Jerusalén cuando llegó a la ciudad «al cabo de 14 años» (Gál 2,9), es decir, probablemente en el año 49; pero sí pudo morir en Palestina entre el 64 y 70. En realidad, la interpretación que Schwartz propone de Mc 10,35-40 par. no respeta bien el claroscuro del texto, formulado bajo modo interrogativo [28]: la alusión al martirio de Pedro en Jn 21,18-19 ofrece una redacción diferente.

Quedan dos argumentos, sacados de martirologios antiguos y de dos cronógrafos griegos: Felipe de Side y Jorge Hamartolos [29]. Un martirologio siríaco del 411 dice, en la fecha del 27 de diciembre: «Juan y Santiago, apóstoles, en Jerusalén.» Este dato parece implicar que habrían sido mártires. Pero el martirologio de Cartago da, para el mismo día: «San Juan Bautista y Santiago el apóstol, matado por Herodes.» El paralelismo muestra que los dos textos proceden de una fuente común, pero que se ha producido la sustitución de un Juan por otro: ¿en qué sentido se llevó a cabo? Lo más probable es que el apóstol haya sustituido al Bautista, para juntar en un mismo memorial a los dos hijos del Zebedeo. Por lo demás, aunque es cierto que al principio los martirologios se consagraban a la memoria de los que habían dado su vida por Cristo, poco a poco fueron dando también acogida a otros santos: ¿cómo no hacer figurar en ellos a los doce apóstoles? El movimiento fue tan fuerte que provocó la elaboración de una leyenda consagrada al «martirio» de Juan en una época en que ya se había impuesto la tradición de su longevidad: el episodio de la caldera de aceite hirviendo, en la que se le habría sumergido, en Roma, por orden de Domiciano, no figura aún en sus *Hechos* apócrifos (h. 150-180), pero está ya relatado por Tertuliano *(De praescriptione haereticorum* 36,3). Esta leyenda fue el resultado de la misma necesidad hagiográfica que produjo, en los medios judíos, la leyenda del martirio de Isaías y los relatos parecidos conservados en las *Vitae prophetarum* [30]: una muerte violenta es como el sello de la misión de un profeta [31]. El hecho de que la tradición antigua hable sólo de un destierro en Patmos [32], y no de una condena a muerte, marcha a contracorriente de la veneración popular.

Respecto de las indicaciones dadas por Felipe de Side y Jorge

Hamartolos, su fecha tardía y la mediocre calidad de sus transmisores hace que apenas merezcan crédito. Sería también sorprendente que Eusebio de Cesarea, tan gran buceador de textos, no se hubiera hecho eco de ninguna tradición del martirio del apóstol, si hubiera existido alguna en su tiempo.

Conclusión

La tradición del apóstol Juan está rodeada de una espesa bruma. Hay que rechazar con decisión sus embellecimientos legendarios: dignidad de sumo sacerdote portador del *petalon* (Polícrates), martirio sin llegar a la muerte (Tertuliano), etc. Pero sigue siendo suficientemente sólida la implantación de la tradición de Juan en Éfeso, atestiguada desde varios puntos.

Debe advertirse, no obstante, con R.E. Brown [33], que los testimonios antiguos asocian siempre un grupo de discípulos a la obra del apóstol Juan. Papías habla ya del presbítero del mismo nombre, cuya huella vuelve a encontrarse en Dionisio de Alejandría (que afirma la existencia en Éfeso de dos tumbas, una para cada Juan) y en Eusebio de Cesarea. Clemente de Alejandría declara que Juan escribió su Evangelio espiritual «a instancias de sus discípulos» (HE 6,14,7). El *Canon de Muratori*, deseoso de justificar las divergencias entre Jn y los sinópticos, pone en escena a los condiscípulos de Juan y a los epíscopos: aunque Juan escribió «en su propio nombre» *(suo nomine describeret)*, lo hizo con la aprobación o visto bueno de todos *(recognoscentibus cunctis*, expresión que tal vez aluda a Jn 21,24). El prefacio latino de la Vulgata dice que Juan reunió a sus discípulos en Éfeso antes de morir. Algunos textos legendarios dan incluso el nombre de su secretario: Papías, según los prólogos antimarcionistas, o Prócoro, según los *Hechos de Juan*. «Estas atribuciones son legendarias; pero, tomadas en su conjunto, constituyen una testificación antigua según la cual los discípulos de Juan contribuyeron al evangelio en calidad de escribas o como editores» [34].

Y así, incluso a través de las imprecisiones de una tradición que se desentendía de nuestras cuestiones de crítica literaria, se comprueba que *nunca se presenta al evangelista como un solitario.* ¿No podría esta evocación de la «comunidad joánica» convertirse, mediante las precisiones necesarias, en una puerta abierta hacia las perspectivas modernas, que hablan de la «tradición joánica», escalonando la actividad de la «comunidad» a lo largo de un cierto período de tiempo? De suyo, nada impide que la tradición original haya podido vincularse efectivamente a Juan el apóstol, aun conociendo un desarrollo, una transmisión primero oral y después escrita, de los trabajos redaccionales y una actividad literaria para darles forma que habrían desembocado en nuestro evangelio actual [35]. Pero no puede darse una respuesta definitiva a esta cuestión sin examinar antes el último enigma del evangelio: el del «discípulo al que Jesús amaba».

III

IDENTIFICACIÓN DEL «DISCÍPULO AL QUE JESÚS AMABA»

Como ocurre en los sinópticos, tampoco el IV evangelio trae un nombre de autor: los títulos que figuran en los manuscritos proceden de los copistas y reflejan la tradición del siglo II. De todas formas, la suscripción de Jn 21,24 atribuye al «discípulo al que Jesús amaba» la responsabilidad del testimonio consignado allí por escrito. Se comprende bien que los críticos hayan derrochado tesoros de ingenio para solucionar este «enigma» (J. Colson).

Los datos de los textos

El «discípulo al que Jesús amaba» es mencionado en pocas circunstancias, pero todas ellas de gran alcance. Aparece, ante todo, como el confidente de Jesús inmediatamente después del lavatorio de los pies, cuando Jesús denunció la presencia del traidor (13,23, con el verbo ἀγαπᾶν). Se le encuentra luego al pie de la cruz (19,26, con ἀγαπᾶν) y Jesús le confía su madre. En la mañana del primer día de la semana, el «discípulo al que Jesús amaba» (con φιλεῖν [36]) corre al sepulcro con Pedro (20,2) y es el primero en creer (20,8: «vio y creyó»). Ocupa un lugar importante sobre todo en el capítulo eclesial añadido en la edición final del evangelio (cap. 21, siempre con φιλεῖν). Se dirige a Pedro para indicarle que es el Señor (21,7). Una vez que Pedro ha recibido el encargo del rebaño y el anuncio de su martirio (21,15-19), pregunta a Jesús por la suerte futura del discípulo (21,20). La respuesta enigmática de Jesús (v. 22) fue interpretada por los «hermanos» como la garantía de que este discípulo no moriría antes de que Jesús volviera (alusión a la espera de la parusía). Pero los editores del evangelio («nosotros», v. 24) hacen una puntualización (v. 23), que probablemente respondía a la conmoción causada en la comunidad por la muerte del discípulo. Además de la posición privilegiada de este discípulo durante la cena, en el sitio de honor (21,20; cf. 13,25), se caracteriza por su «testimonio», que los editores saben que es «verdadero» (21,24): aquí, desbordando los límites del testimonio relativo a la escena del calvario (19,35), hay que pensar en el conjunto de los hechos y los gestos de Jesús (cf. 21,25).

Aparte estos textos explícitos, hay dos pasajes controvertidos. En 1,15 se habla de dos discípulos: uno de ellos es Andrés, pero no se da el nombre del otro (1,40). Si se observa la correspondencia entre los capítulos de obertura y el relato de la pasión, es probable que este discípulo no fuera otro que el que testifica al pie de la cruz. En 18,15 se habla de «otro discípulo» (sin artículo definido en los mejores testigos del texto)[37], que introduce a Pedro en el palacio de Anás, porque era «conocido del sumo sacerdote». Son muchos los autores que, apoyándose en las relaciones entre el discípulo y Pedro (cf. 13,23-25) piensan que se trata del «discípulo al que Jesús amaba». Pero el texto no da pie para tal precisión. Se sabe, por otra parte, que Jesús tenía partidarios secretos en Jerusalén, incluso entre los miembros del sanedrín, como José de Arimatea y Nicodemo (19,38-39; cf. 3,1; 7,50): alguno de ellos pudo intervenir en esta circunstancia. Por lo demás, el evangelista no concede importancia especial a esta intervención: se limita simplemente a preparar la negación de Pedro en el curso de la comparecencia de Jesús ante Anás y Caifás (18,12-14.19-24), que en Juan no tiene el mismo relieve que en los sinópticos. La actitud del evangelista respecto de Simón Pedro no invita a buscar aquí una polémica indirecta, que opondría la actitud de Simón a la del discípulo que más tarde hallamos al pie de la cruz. Es mejor dejar al discípulo innominado en su anonimato.

Intento de identificación

Identificaciones propuestas [38]

La ingeniosidad de los críticos ha navegado aquí a velas desplegadas. Entre los candidatos figura *Lázaro* (Filson, Sanders), porque en 11,31.36 se dice que Jesús le amaba *(philein).* Como, por otra parte, Lázaro era de Betania, estaría en buena posición para ser testigo de los recuerdos referentes al ministerio de Jesús en Judea y en Jerusalén. Pero estos dos argumentos son de escaso valor. Aunque se habla expresamente de la amistad de Jesús, el nombre de Lázaro no aparece entre los discípulos que asistieron a la última cena. Si figura en 12,1.9 es porque la comida tuvo lugar en Betania. Por otra parte, el evangelio trae también recuerdos de Galilea y Samaría donde nunca se menciona a Lázaro, mientras que se mencionan otros muchos nombres, pertenecientes al grupo de los doce (salvo Natanael). Por otra parte, no existe el menor indicio de una actividad apostólica de Lázaro, con predicación y fundación de comunidades, como la que se supone en la formación progresiva de la tradición recogida en el IV evangelio.

Más seria es la candidatura de *Juan Marcos.* Se trata de un hombre que tuvo un papel efectivo en la comunidad primitiva (opinión de Parker y Sanders; este último distingue entre el evangelista Juan Marcos y el «discípulo al que Jesús amaba», Lázaro). Como Marcos es el segundo nombre (grecorromano) de un hombre llamado Juan (Act 12,12.25; 13,5.13; 15,37-39), pudieron surgir confusiones. Pero los Hechos lo describen como un hombre joven, que participa tardíamente en la misión y sólo como auxiliar (ὑπηρέτης: Act 13,5), mientras que el discípulo pertenecía al reducido círculo de los íntimos de Jesús durante su vida pública. Por otra parte, ¿cómo podrían deberse a un mismo autor evangelios tan diferentes como Mc y Jn? Decididamente, Marcos no responde a las características del discípulo.

J. Colson, haciendo hincapié en la noticia de Polícrates de que el evangelista era sacerdote, ve en el discípulo a quien amaba Jesús a un *sacerdote de Jerusalén,* que habría acogido en su casa a Jesús y los doce para la cena. Así se explicaría la mentalidad sacerdotal que habría que atribuir al IV evangelio y los múltiples informes que proporciona sobre la actividad de Jesús en Jerusalén, sobre las reacciones de las autoridades, la decisión del sanedrín (11,47-50), la introducción de Pedro en el patio del sumo sacerdote, etc. La hipótesis es ingeniosa, pero otorga a un hombre totalmente desconocido la profunda influencia teológica ejercida por el evangelio. Su única ventaja es que atribuye la obra a un testigo directo.

R. Schnackenburg defendió al principio la tesis que vinculaba a Juan, hijo del Zebedeo, las tradiciones propias del IV evangelio. Posteriormente, se ha inclinado a ver en el discípulo a un *habitante de Jerusalén, íntimo de Jesús,* pero no perteneciente al círculo de los doce. Una posición análoga asume O. Cullmann, aunque insistiendo en que el discípulo pertenecía al judaísmo «heterodoxo» y que estuvo en relación con el Bautista. Sin pretender realizar un concordismo demasiado estricto entre Juan y los sinópticos, cabe siempre preguntar si estos últimos, al no mencionar en la última cena de Jesús más que a los doce (Mc 14,17 = Mt 26,20; Lc 22, 14), no nos están ofreciendo una preciosa información sobre el grupo de discípulos que Juan evoca en los cap. 13-16: todos los que aquí aparecen mencionados por sus nombres (Simón Pedro, Felipe, Tomás, Judas, Judas Iscariote) son del círculo de los doce. ¿Habría que introducir a un desconocido del que los sinópticos no ofrecen el menor rastro?

Algunos autores opinan, en fin, que el discípulo es una *figura puramente simbólica:* representaría al grupo ideal de los creyentes que penetraron más a fondo en las enseñanzas del Maestro (Loisy). Para Bultmann, representaría a la Iglesia pagano-cristiana, invitada a unirse a la comunidad madre (a propósito de Jn 19,26); en cambio, el cap. 21 aludiría a una figura histórica: la del garante de la tradición utilizada en el libro, según el redactor final. A. Kragerud, interesado por la rivalidad que parece existir entre el discípulo y Simón Pedro (cf. 20,3-8), ve en él al representante de los grupos carismáticos, que se opondrían a la Iglesia institucional. Pero esta tesis peca de falta de lógica: si Pedro es una figura individual, cuya historicidad en nada empaña su carácter representativo, ¿no estaría el discípulo en la misma situación? En términos generales, *es abusivo oponer en Juan simbolismo e historia:* aunque el simbolismo influye en la manera con que Juan construye sus relatos, no por eso está menos enraizado en la historia real.

El discípulo y el apóstol Juan

El apóstol Juan es, en definitiva, quien mejor responde a los datos del problema. Los textos indican su asociación con Simón Pedro en múltiples circunstancias (13,23-26; 20,3-10; 21,20-23). En los Hechos esta asociación es constante (Act 3,1-4.11; 4,13.19; 8,15-20). Pablo enumera entre las «columnas de la Iglesia» a Santiago, Cefas y Juan (Gál 2,9). A este indicio positivo se le añade una comprobación negativa: los hijos del Zebedeo, que desempeñaron un importante papel en la historia evangélica y en la vida de la Iglesia naciente según los sinópticos y los Hechos, no figuran en Jn 1-20 [39]: la omisión se comprendería mejor si el discípulo al que Jesús amaba fue uno de los hijos del Zebedeo. Cabría pensar en él en la escena de Jn 1,35-39, donde se habla de dos discípulos de Juan Bautista, uno llamado Andrés y el otro de quien no se dice el nombre. Andrés lleva a su hermano Simón hasta Jesús (1,40-42): la escena tiene una cierta afinidad con la llamada de Simón y Andrés y de los hijos del Zebedeo en Mc 1,16-20 par. Jn 21 permite precisar un poco más: el v. 2 enumera siete discípulos, entre ellos los dos hijos del Zebedeo: en este grupo habría que buscar al discípulo al que amaba Jesús. Ahora bien, la escena se desarrolla a orillas del lago, donde Simón Pedro y sus compañeros están pescando. El argumento no es decisivo, pero marcha en la misma dirección que los indicios precedentes: Juan, hijo del Zebedeo, es el que cuenta con mejores datos para identificarse con el discípulo al que Jesús amaba. Por supuesto, todos los pasajes en que se habla de él *proceden de una redacción llevada a cabo por otro,* porque siempre se le menciona en tercera persona [40].

Las *objeciones* presentadas contra esta opinión tradicional no son decisivas. Examinemos las principales.

1) Se argumenta que un simple pescador de lago no podía tener el *alto nivel intelectual* que requiere el IV evangelio. Pero en este argumento se deslizan varias confusiones. Para empezar, el pescador del lago pertenecía, según Mc 1,20, a una especie de «clase media» de pescadores patronos, con hombres a sueldo. Según Lc 5,7.10, hubo dos grupos de estos pescadores patronos que se habían asociado para sus actividades: Simón Pedro y Andrés,

Zebedeo y sus dos hijos. Esta clase comerciante no era iletrada. En segundo lugar, no debe confundirse la profundidad de la reflexión mística, tal como aparece en el evangelio, con la especulación intelectual en el sentido griego de la palabra: la objeción confunde estas dos perspectivas. La historia de la mística conoce otros casos en los que algunos hombres han sabido expresar en términos simples pero profundos las intuiciones de la vida espiritual, sirviéndose para ello del lenguaje del medio en que vivían. Y, finalmente, todo lo que se ha venido diciendo hasta ahora permite concluir que debe establecerse una distinción entre las sucesivas etapas de la tradición, que se fue desarrollando a partir de la personalidad que identificamos aquí con Juan, hijo del Zebedeo: pero a éste no debe confundírsele con los responsables de los estadios redaccionales subsiguientes. Ahora bien, la objeción contempla en bloque la totalidad de los textos englobados en la obra joánica, sin tener en cuenta estas distinciones.

2) Se objeta que *la importancia dada a las tradiciones de Jerusalén* exige que el autor sea un habitante de esta ciudad. Pero el razonamiento es gratuito. El conocimiento de Jerusalén y de Judea que revela el texto no va más allá de lo que podía saber un peregrino galileo cuando se dirigía a la ciudad santa durante las fiestas de peregrinación, sea por la ruta de Perea o por la que cruzaba Samaría (cap. 4). Y los sinópticos nos dicen que durante su ministerio Jesús estuvo constantemente acompañado por un grupo de íntimos. El evangelista sólo se interesa por Jerusalén en función de Jesús. La ciudad, lugar del culto antiguo que debía «cumplirse» y a la vez ser sustituido por el sacrificio de Jesús, se convierte ahora en el lugar del drama en el curso del cual el Hijo del hombre fue «levantado» para atraerlo todo a sí (3,13s.; 8,28; 12,32). Juan centra su atención en las fases de este drama: por esta razón, y a diferencia de los sinópticos, cuenta por extenso las peregrinaciones de Jesús con ocasión de las fiestas y sus discusiones con las autoridades judías en «la casa de (su) Padre» (2,16).

3) Se objeta, en fin, que al «discípulo al que Jesús amaba» *no se le menciona hasta muy tarde:* a partir del relato de la última cena. Pero aquí se olvida que, probablemente, aparece ya bajo la figura del discípulo innominado de 1,35.39. Además, es la distribución de la materia la que determina el papel atribuido a los

personajes. En el «Libro de los signos» (1,19-12,50) Jesús se enfrenta con la multitud, ya hostil ya favorable, con hombres y mujeres representativos, a los que plantea el problema de la fe, con las autoridades, cuya oposición va en aumento hasta llegar a la decisión última (11,45-50): como «habla abiertamente al mundo» (18,20), no tiene necesidad de acudir a un testigo especial para apoyar sus palabras. Pero, a partir del cap. 13, en el «Libro de la hora», comienza otro tipo de revelación, reservada a los íntimos (ἴδιοι: 13,1): y entonces es cuando aparece el testigo por excelencia, que debe asegurar la perpetuidad de su enseñanza. A. Jaubert ha sabido destacar bien el sentido de la observación que muestra al discípulo recostado sobre el pecho de su maestro[41]: sobre el telón de fondo judío, en el que las comidas de despedida son también el lugar de los «testamentos», este gesto de intimidad constituye el preludio de los discursos en los que Jesús dará sus últimas instrucciones para el tiempo de la Iglesia. El testigo de estos discursos será también el testigo de la cruz (19,35).

Conclusión: del apóstol Juan a la tradición joánica

Esta referencia al apóstol Juan deja intacto *el desarrollo literario de la tradición,* que fue evolucionando a partir de él. No se trata de oponer en este punto los datos de la época patrística a los de la crítica interna, para sacrificar unos u otros. *Baste recordar que la tradición joánica ha dado forma al testimonio fundamental del que el apóstol era el fiador.* Desde esta perspectiva, puede contemplarse desde diversas formas, todas ellas aceptables, la determinación de las etapas redaccionales y la participación de los discípulos en la realización del texto actual, sin que por ello sufra menoscabo alguno la autoridad del evangelio. F.M. Braun[42] piensa en un secretario, del que se habría servido el evangelista para confiar a la posteridad los datos de su predicación, aparte la edición última, debida al grupo de sus discípulos. R.E. Brown[43] distingue el estadio de las tradiciones legadas por él, el estadio de las redacciones parciales, el estadio en que el evangelista las sintetizó y, finalmente, las adiciones del editor último.

Es difícil llegar a una certeza total. Pero es preciso subrayar, en todo caso, la *unidad profunda de la obra*, a pesar de ciertos saltos en la narración y de algunas apreciables matizaciones en la doctrina. Para dar respuesta a las necesidades de la comunidad, el testimonio de Juan adquiere ya un aire catequético, ya litúrgico o polémico. Pero en todo momento pretendía hacer sentir la actualidad de la vida y de las palabras de Jesús, siempre activo por su Espíritu en la Iglesia: esto es lo que se puede deducir a partir del movimiento general que recorre todas las secciones reunidas en el texto y les confiere su carácter original. De esta enseñanza fundamental han salido los materiales escritos ya elaborados. Un discípulo los reunió y los ordenó en un conjunto estructural. Este evangelista —¿tal vez aquel Juan el presbítero cuyo nombre han conservado los padres?— prefirió mantener las desigualdades entre los textos antes que hacer profundos retoques en las composiciones en las que él descubría el testimonio del «discípulo al que Jesús amaba». Se le puede atribuir, sin duda, una fuerte personalidad literaria y teológica, que imprimió su sello en las tradiciones recibidas, exactamente igual que hizo Lucas en su obra: dentro de la línea del apóstol, y prolongando su predicación, respetó la raíz palestina del evangelio, al tiempo que lo abría al universalismo y a las aspiraciones del mundo griego. Los discípulos del evangelista acabaron el trabajo.

Como *lugar* de este trabajo, es la comunidad de Éfeso la que parece ofrecer la hipótesis más verosímil. Pero la influencia de las ideas joánicas en Antioquía permite suponer que el apóstol, o eventualmente el redactor del evangelio, permanecieron durante un tiempo bastante prolongado en esta última ciudad. No es fácil aventurar fechas precisas. Si se admite que después del 66 (o del 70) algunos judeocristianos abandonaron el suelo palestino, para instalarse en Antioquía o en Éfeso [44], podría pensarse que éste fue el camino seguido por la tradición joánica. Las redacciones parciales pudieron tal vez llevarse a cabo en torno a la década del 80, lo que las haría contemporáneas de la edición de Lucas y Mateo. Pero es sabido que el evangelio de Lucas presenta contactos con algunas tradiciones joánicas *anteriores* a la fijación de estas últimas [45]. A continuación, por la época de la ruptura definitiva entre el judaísmo reorganizado y la Iglesia, llevó a cabo el evangelista su trabajo de conjunto. Llegaríamos así a finales de siglo. Una tradición recogida por Eusebio de Cesarea (HE 3,23,3) prolonga la vida de *Juan* hasta el reinado de Trajano (98-117): ésta sería la fecha en que apareció la edición completa de la obra, con los complementos y adiciones de los discípulos después de muerto el evangelista, es decir, a comienzos del siglo II [46].

De no haber estado esta obra puesta bajo el legítimo amparo y la garantía de un testigo apostólico de primer orden, su misma originalidad habría amenazado con impedir su difusión, en una época en que la catequesis común se estaba ya fundiendo en el molde de la tradición sinóptica, y especialmente en la de Mateo [47]. El abuso que de ella hacían los gnósticos aumentaba aún más este peligro. Y, sin embargo, la Iglesia del siglo II acogió esta obra, porque veía en ella una participación necesaria en la sinfonía del testimonio apostólico. Al igual que las cartas de Pablo, aunque bajo otra forma y con otros medios, el «evangelio espiritual» se ha convertido en una de las obras teológicas de mayor importancia del Nuevo Testamento.

PARTE SÉPTIMA

LA FORMACIÓN DEL NUEVO TESTAMENTO

por Pierre Grelot

INTRODUCCIÓN

El estudio genético del Nuevo Testamento

En nuestra *Introducción crítica al Nuevo Testamento* hemos reagrupado hasta ahora los libros por grandes clases literarias, respetando casi siempre la clasificación legada por la antigüedad cristiana: evangelios, Hechos de los apóstoles, cartas, Apocalipsis. Las excepciones obedecían a razones críticas, como por ejemplo la colocación de la carta a los Hebreos fuera del *corpus* paulino, o a exigencias prácticas de reagrupación, como la necesidad de reunir el IV evangelio, las cartas de Juan y el Apocalipsis. Cabría imaginar una presentación diferente, que tuviera más en cuenta la fecha y el carácter de las obras: así, el Nuevo Testamento se abriría con las cartas de san Pablo y todas sus secuencias literarias; se pasaría luego al evangelio de Marcos; habría un intermedio para algunas cartas de fecha discutida (Heb, 1Pe, Sant, Judas); vendrían después las obras de los dos evangelistas, Mateo y Lucas; la tradición joánica conservaría el mismo orden que se ha dado en la parte sexta: Ap, cartas, evangelio; con la *II.ª Petri* se cerraría el Nuevo Testamento.

Pero este procedimiento no sería sino un corte de cuentas mal hecho, a medio camino entre la presentación clásica de los libros en todas las Biblias y la que ha sugerido la primera crítica bíblica, preocupada por la datación de cada escrito en la historia de la Iglesia primitiva. Ahora bien, cuando se presta una simultánea atención a la génesis de las iglesias y a la de los escritos, se advierte la necesidad de analizar con mayor rigor la evolución de la literatura «apostólica» (en el sentido amplio de la palabra). Para ello, hay que desbordar la historia literaria de los libros canónicos en una doble dirección: 1) Hacia su origen, esto es, hacia la época en que comenzaban a emerger de la tradición oral los primeros documentos, para delimitar la producción de los textos más antiguos en la vida concreta de las iglesias; 2) hacia su final, es decir, hacia la época en que comenzaba a desarrollarse la literatura extrabíblica, para ver cómo se planteaba la cuestión de un «canon» normativo de la fe. Éste será el objeto de la síntesis final que aquí nos proponemos. Intentaremos tejer los lazos que unen las diversas partes precedentes, para poner de relieve la unidad interna del Nuevo Testamento dentro de su diversidad literaria y teológica.

Ya hemos llevado a cabo una operación similar al final de la *Introducción crítica al Antiguo Testamento* [1]. En aquella ocasión, hubo que hacer frente a una doble dificultad: el tiempo transcurrido entre el período de la civilización oral en que los textos bíblicos antiguos hunden sus raíces y el último siglo precristiano, y luego la masa y la complejidad de los documentos a los que había que asignar su puesto en esta larga historia literaria. Ahora el tiempo a recorrer es mucho menor (desde la década de los treinta d.C. hasta el primer cuarto del siglo II). Para hacer una comparación con el Antiguo Testamento o con la literatura judía, equivaldría apenas a analizar la producción literaria entre la reforma de Josías (622) y la construcción del segundo templo (520-515); es un lapso de tiempo mucho menor que el recorrido por la historia de la literatura descubierta en Qumrân (a grandes rasgos, desde la época asmonea a la época herodiana, dejando aparte los apócrifos más antiguos, como el 1Hen). El medio en que surgieron los textos neotestamentarios es también mucho más homogéneo, en la medida en que su centro de gravedad es el anuncio del evangelio. Pero, aunque el *corpus* es limitado, no hay que dejarse engañar por las apariencias. En efecto, apenas se abandona la superficie y se intenta llevar a cabo un atento análisis de los textos, se advierte la complejidad relativa del terreno que cubren: el de los orígenes cristianos. Sin pretender suplir las lagunas de la documentación con conjeturas gratuitas, se puede intentar exponer un cuadro dotado de suficiente precisión. Esta tarea incluye, como es obvio, una dosis de hipótesis: ninguna investigación histórica puede prescindir enteramente de ellas. Es incluso posible que, en ciertos casos, haya que tener en cuenta varias eventualidades para colocar en su sitio los datos de los textos: por ejemplo, cuando se trata de asignar a tal libro o tal fragmento de un libro una fecha, un autor, un lugar y un ambiente de edición o de composición. En tales casos, es mejor presentar un abanico de soluciones que no dar como verdad establecida lo que es todavía objeto de una investigación que avanza a tientas. La experiencia irá enseñando que aquí no pierde ni un átomo de su valor la lectura «creyente» de los textos.

Notas metodológicas

Esta aproximación a los textos supone ya adquiridos ciertos elementos metodológicos que no es necesario describir aquí con detalle. Hasta el siglo XIX, la crítica literaria e histórica aplicada a los libros del Nuevo Testamento apenas se preocupó por trazar su «génesis»; por lo demás, tampoco contaba con medios para hacerlo. Su apostolicidad directa o indirecta, admitida como un hecho global, bastaba para asegurar su autoridad en materia de fe y de vida cristiana. Las discusiones se centraban en puntos menores, que atañían a su fecha y lugar de composición, alguna vez a sus destinatarios y en muy contadas ocasiones a sus autores o redactores. La historia de la Iglesia primitiva en que aparecieron estos libros se construía sobre la base de los datos proporcionados por Eusebio de Cesarea: documentación preciosa, pero más erudita que crítica.

En el curso del siglo XIX, el florecimiento de la crítica «clásica» sometió a debate estas concepciones simplificadas. Los críticos, guiados por la intención de reconstruir con pleno rigor científico la historia del cristianismo primitivo y, al fondo de ella, la historia de Jesús, introdujeron la «duda metódica» en el estudio de los datos tradicionales y plantearon el problema de las fuentes de los libros del Nuevo Testamento, despertando el interés de los lectores por la datación de los documentos, por sus dependencias mutuas, por la diferenciación de las partes de que se componían, etc. Como ha podido verse en las partes precedentes, estas preocupaciones no han perdido su actualidad, aunque en términos generales la crítica se muestra mucho más ponderada en sus juicios. Además, ya desde comienzos del siglo XX, el esfuerzo desplegado por el estudio de las religiones comparadas ha ido sacando poco a poco al Nuevo Testamento de su aislamiento, descubriendo conexiones entre sus libros y los textos religiosos sensiblemente contemporáneos, tanto en el judaísmo palestino y helenístico como en las diversas corrientes por las que fluía el paganismo greco-oriental de aquel tiempo. Nuestra parte primera, *En el umbral de la era cristiana,* ha mostrado que este esfuerzo era provechoso, a condición de no acentuar demasiado los parecidos reduciendo violentamente el cristianismo y su fundador a una especie de denominador común sobre el que se inscribirían algunas variaciones secundarias. Los descubrimientos de Qumrân y Nag Hammadi, al igual que las actuales investigaciones sobre el judaísmo rabínico, han reavivado el interés en este campo.

Con todo, no hubiera sido posible llevar a cabo la operación que nos proponemos de no haberse registrado, desde hace ya medio siglo, una renovación de los métodos de la crítica bíblica. El advenimiento de la *Formgeschichte,* nacida en el seno de la crítica alemana subsiguiente a la primera guerra mundial, transformó desde el interior una crítica que estaba demasiado unilateralmente condicionada por el estudio de las literaturas escritas, griega, latina o moderna. La *Formgeschichte* fijó, en efecto, su atención, en la «historia de la forma que fueron adoptando los textos» (que a esto equivale la concisa expresión alemana *Formgeschichte)* dentro de la tradición viva en que fueron compuestos, tomando —y en caso de necesidad creando— los géneros literarios que mejor se adaptaban a sus objetivos, sus funciones y sus contextos culturales y sociales. Al poner de relieve, a partir de la documentación analizada, la vida comunitaria de los grupos cristianos durante varias generaciones, este método ha obligado a los críticos a examinar de cerca la *historia de las tradiciones* transmitidas oralmente o por escrito en aquellos grupos, en función de sus necesidades prácticas, de sus centros de interés, de sus implantaciones culturales. Coincidiendo así, hasta cierto punto, con los intentos emprendidos por los etnólogos a partir de los datos conservados en las civilizaciones no escritas, la *Traditionsgeschichte* ha hecho posible la exploración de ciertos sectores de la Iglesia primitiva por los que la crítica clásica apenas podía aventurarse. Y, en fin, desde aproximadamente el año 1955, la exégesis se ha orientado hacia la *historia redaccional* de los textos, en la medida en que su fijación final conserva los indicios de aquella historia y permite reconstruirla: operación difícil, a menudo aleatoria, pero indispensable para una explicación integral de los libros, tal como se presentan ante nosotros en sus más mínimos detalles. Mientras que la *Formgeschichte* y la *Traditionsgeschichte* se consagran sobre todo al aspecto social de los textos, considerados como los «productos» de las comunidades en las que dichos textos se enraizaban, la *Redaktionsgeschichte* se orienta, al igual que la crítica de las fuentes y el análisis literarios del tipo clásico, en la dirección de los redactores y de los autores que los han compuesto. ¿No exige, en realidad, el estudio íntegro de los libros, el análisis de estos dos polos?

Las transformaciones experimentadas por la exégesis bíblica, que ha ido integrando progresivamente todos estos métodos a los procedimientos que usa de ordinario, han hecho posible, hasta cierto punto, una visión interna de la vida concreta de la Iglesia primitiva. A todo ello habría que añadir en nuestros días un recurso más metódico a los análisis de tipo sociológico que hoy preocupan, con razón, a los historiadores. Estos análisis deberían unirse, por lo demás, orgánicamente a los de la *Formgeschichte* y la *Traditionsgeschichte* cuya dimensión sociológica es evidente. Habría que guardarse, con todo, de un defecto demasiado frecuente: la introducción subrepticia de postulados filosóficos inconfesados en los análisis teóricamente científicos, en vez de iluminar objetivamente los textos y los hechos de la Biblia, proyectaría sobre ellos interpretaciones que les serían, en realidad, heterogéneas; tiene aquí gran importancia el examen crítico de los presupuestos utilizados en el análisis, en orden a la comprensión de la originalidad y la autenticidad del hecho cristiano [2]. Por lo demás, la exégesis bíblica puede recurrir también a los servicios de otras ciencias humanas: análisis psicológico, análisis estructural de los textos, crítica del lenguaje simbólico, etc. Pero éstas desembocan directamente en la *hermenéutica* de tipo teológico, sin ofrecer una gran aportación al estudio de la génesis *histórica* del Nuevo Testamento. Por esta razón aquí prescindiremos de ellos.

Plan de estudio

Nuestro estudio se desarrollará en cuatro etapas. Para comenzar, estableceremos algunos principios generales sobre la «literatura funcional» de la Iglesia primitiva, cuya historia esbozaremos en sus grandes líneas (capítulo primero). Presentaremos a continuación el desarrollo literario del Nuevo Testamento antes del año 70, primero en el medio judeocristiano (capítulo segundo) y luego en el medio helenista (capítulo tercero). Finalmente, examinaremos este desarrollo en la diáspora cristiana posterior al año 70, hasta el momento en que la literatura eclesiástica se engrana sobre la de la «tradición apostólica», representada por sus testigos cualificados (capítulo cuarto).

CAPÍTULO PRIMERO

LOS TEXTOS DEL NUEVO TESTAMENTO EN LA VIDA COMUNITARIA

Un examen global del Nuevo Testamento descubre en él dos polos: uno textual, otro histórico. 1) El lector se encuentra, de entrada, ante un *corpus* de textos que es preciso considerar como tales, aplicándoles todos los medios de análisis de que dispone. La operación no es nueva: ya los comentaristas de la época patrística recurrían a todas las técnicas utilizadas en su tiempo para destacar las más pequeñas particularidades de estos textos, sea por medio de la retórica o por la alegoría. Nuestra cultura dispone de otros medios: la crítica literaria y el análisis estructural han sustituido, por dos caminos diferentes, las operaciones de la retórica antigua; la hermenéutica de los símbolos, hacia la que convergen varias ciencias humanas y que constituye una de las preocupaciones de la reflexión filosófica, ha ocupado el puesto de la alegoría de épocas pasadas. Pero, hoy como entonces, de lo que se trata es de hacer brotar *de los textos* un sentido (o varios) que presente(n) algún interés para el lector. 2) No obstante, estos textos remiten, por medio del lenguaje, a otra cosa distinta de ellos mismos. Proceden de un medio determinado, se enraízan en su experiencia histórica, han tomado forma gracias a unos autores que se hallaban inmersos en aquel medio. Por consiguiente, traen hasta nosotros los ecos de una época «fundadora», que nos interesa precisamente porque gracias a ellos se establece una comunicación entre la Iglesia primitiva y la actual. Esta segunda dimensión es tan determinante para su valor que, si se la pasara por alto, los textos perderían la mayor parte del interés que encontramos en ellos: ¿por qué adherirnos a ellos más que, por ejemplo, a los textos védicos o a los mitos indios analizados por Cl. Lévi-Strauss[1]? Ahora bien, su dimensión histórica no se limita a iluminar su estructura literaria, al darnos a conocer sus raíces culturales; es que, además, es la única que permite comprender sus funciones en las primeras comunidades cristianas, funciones que se encuentran también en la Iglesia actual, por encima de los cambios sociológicos y culturales que se han ido produciendo en el tiempo transcurrido. Comenzaremos aquí por contemplar desde un ángulo muy general estos dos aspectos —literario e histórico— de los textos recogidos en el Nuevo Testamento.

I

LA LITERATURA FUNCIONAL DE LA IGLESIA PRIMITIVA

El Nuevo Testamento conserva, no en su totalidad, pero sí en una colección de escritos ocasionales, la literatura «funcional» de la Iglesia primitiva. Tres puntos piden aquí una aclaración. 1) Debe precisarse la noción de *Iglesia* bajo el ángulo de la sociología religiosa, de modo que las tareas y las actividades vinculadas a su fe permitan entrever las posibles funciones de los textos que fueron compuestos en ella ya desde los orígenes. 2) Al examinar más de cerca su funcionamiento, hay que determinar a continuación los «lugares de producción» en que vieron la luz estos textos. 3) Finalmente, ya que la Iglesia se ha desarrollado en un espacio cultural bastante diversificado, hay que examinar la posible influencia de este mundo circundante sobre sus producciones literarias.

La Iglesia y su literatura funcional

Las diversas funciones de los textos literarios

La palabra «funcional» es de tal amplitud que puede ser aplicada a toda literatura, de la índole que sea. En una sociedad dada, todo texto, oral o escrito, popular o erudito, cumple una función específica y ocupa un puesto determinado en el seno de la vida colectiva, ya sea para proporcionar solaz o para expresar bajo formas artísticas los ideales comunes: así, la poesía lírica, la canción, el teatro, la novela en nuestra propia civilización. Este principio es válido no sólo respecto de las obras clasificadas como «literarias», sino también respecto de los textos de carácter práctico, como los inventarios, los contratos, las leyes y decretos, etc. Desde esta perspectiva, la relación entre la *función* de un texto y la *forma* de que se reviste, teniendo siempre en cuenta los condicionamientos culturales a que está sometido, constituye una ley fundamental de su composición.

Sin salir del medio bíblico, la formación del Antiguo Testamento proporciona un ejemplo muy claro [2]. En Israel, la integración total de la sociedad política y de la sociedad religiosa, en el marco de una evolución cultural que hizo pasar a los hombres de la civilización oral (tradiciones consignadas en el Pentateuco) a una civilización escrita relativamente avanzada (historia deuteronómica y profetas del exilio), guió y condicionó la composición de la literatura nacional. Con todo, se llevó a cabo una selección en función de criterios religiosos atentos a la consolidación de la fe. La parte de esta literatura antigua conservada en el judaísmo postexílico sólo fue retenida en orden a su utilización práctica en la vida religiosa de la nación dispersa: ésta fue la condición indispensable para su supervivencia, en una época en la que la nación había perdido su independencia política. A partir de esta época, esta misma ley presidió la composición de los escritos que fueron finalmente recogidos en la Biblia judía. Pero también aquí se llevó a cabo una selección. Sin entrar en los detalles de la formación del «canon» de la Escritura, puede establecerse como regla segura que la colección final engloba exclusivamente textos «funcionales» destinados a desempeñar —ya desde el momento de su composición o al menos desde el estadio de su utilización— unas funciones precisas en la vida religiosa comunitaria.

De esta misma manera, las primeras comunidades cristianas, al hacer girar su existencia colectiva sobre el eje de una forma de vida religiosa original, produjeron los textos que les eran necesarios para expresar y estructurar aquella existencia, manteniendo fielmente su espíritu, para evocar mediante fragmentos sus orígenes y su historia, etc. Literatura, pues, «funcional», cuyo análisis descubre, a su manera, todos los aspectos de la experiencia eclesial. Para hacer hablar a los textos del Nuevo Testamento no basta, por tanto, con hacer el inventario de las ideas o con evaluar el sentimiento religioso que traducen; es preciso, además, redescubrir su dimensión social, íntimamente ligada a su medio ambiente cultural.

La Iglesia y el evangelio

Deben tenerse en cuenta dos conceptos para esclarecer el conjunto de la cuestión: el de *Iglesia* y el de *evangelio*. En todos los libros del Nuevo Testamento, los grupos cristianos se definen como «iglesia(s)». Con este término intentan expresar su originalidad. En el judaísmo contemporáneo de lengua griega, Israel se definía como «pueblo» (λαός) de Dios; las asambleas reunidas para escuchar la palabra de Dios, su comentario y la respuesta que se le daba por la oración, recibían el nombre de συναγωγή, palabra que al principio designaba las reuniones en los lugares de oración (προσευχή: Act 16,13), y que después se aplicó a los lugares mismos (= sinagogas). El Nuevo Testamento emplea una sola vez el término συναγωγή para designar a la asamblea cristiana (Sant 2,2) y también una vez su compuesto ἐπισυναγωγή (Heb 10,25). En todos los demás pasajes, la comunidad se reúne «en iglesia» (ἐν ἐκκλησίᾳ: 1Cor 11,18)[3]. En la Biblia griega, con esta palabra se designaba la convocatoria sagrada de Israel en asamblea cúltica, especialmente en el marco del desierto (Dt 4,10), expresión repetida una vez en el Nuevo Testamento (Act 7,38). La utilización del mismo término para la reunión de los fieles cristianos demuestra, pues, que ésta es la asamblea convocada (cf. el verbo καλέ-ω) por Dios en torno a Cristo glorificado para escuchar su palabra, participar en su salvación, celebrar su memorial y esperar su nueva venida.

Así pues, antes que designación del grupo sociológico de los creyentes dispersos en tal o cual lugar en el seno de la masa judía o pagana, y antes incluso que el conjunto de estos grupos que tenían conciencia viva de su unidad, la iglesia era la asamblea concreta en que adquirían conciencia de su llamada común y se vinculaban por la fe a todos los que habían oído esta misma llamada. Es indudable que «la iglesia que está en Corinto» (1Cor 1,2) o en Tesalónica, o en Galacia, o en cualquier otro lugar, no reducía su existencia a estas reuniones cultuales de índole original, lo que las habría reducido al patrón común de las *thiasos* helenísticos o de los cultos mistéricos, que gozaban por entonces de gran popularidad. La «iglesia» abarcaba en principio toda la vida de los fieles que se adherían a las comunidades locales. Pero las «reuniones en iglesia» eran el lugar por excelencia en que su existencia se manifestaba en su dimensión social. ¿No habrá que buscar aquí el principal *Sitz im Leben* en el que tomó forma o fue compuesta una parte notable (y tal vez la mayor parte) de la primera literatura cristiana?

Esta observación de índole sociológica lleva a interrogarnos sobre el elemento determinante que caracterizaba la vida propia de los grupos cristianos, en cuanto distintos tanto del judaísmo como de las diversas corrientes en que se distribuía el paganismo. En estas últimas, los cultos tradicionales, vinculados a la vida de las ciudades o de los Estados, se yuxtaponían a los nuevos cultos, a menudo procedentes de Oriente; los mitos y los ritos vinculados a ellos daban una razón de ser y un sentido a las reuniones cúlticas [4]. El judaísmo, que conservaba su culto sacrificial en el templo de Jerusalén, presentaba por doquier un carácter fuera de serie: sus comunidades sólo conocían reuniones sinagogales cuyo centro de interés era la palabra de Dios [5]. Aunque transmitida de forma viva en la tradición oral, esta Palabra revestía ahora la forma *escrita* de una colección en torno a la cual se organizaban las reuniones: en ellas se comentaba la lectura de la *torah*, iluminada por la de los profetas y otros escritos (Eclo, *prol.* 7-9. 24-25), mediante una predicación que ponía de relieve su permanente actualidad. La predicación se acompañaba de plegarias, a través de las cuales la palabra humana daba su respuesta a la palabra divina.

El cristianismo naciente recibió del judaísmo, sobre el que se injertaba, esta colección de libros convertida en Biblia. Pero la lectura que hacía de ella estaba regida por un nuevo principio de interpretación, ajeno a las diversas corrientes del judaísmo: aquellas palabras y, en definitiva, la persona misma de Jesús, constituían a sus ojos una nueva palabra de Dios, la última, pronunciada «al final de los tiempos»; de aquí extraían su sentido definitivo la Escritura y toda la historia precedente. La proclamación de esta novedad es lo que constituye el *evangelio*, objeto de la fe y centro de la predicación cristiana. Para comprender la originalidad de la Iglesia, tanto respecto de las corrientes paganas como respecto del judaísmo, *hay que referirse ante todo al evangelio*[6], *que cubre a su manera el conjunto de actividades y de actos cúlticos efectuados «en Iglesia»*.

La palabra εὐαγγέλιον designa la predicación fundamental que funda las comunidades (cf. 1Cor 15,3ss); aparece a menudo en las cartas paulinas (unas cincuenta veces, con más de veinte utilizaciones del verbo correspondiente); da el título al libro de Marcos (Mc 1,1), se encuentra en labios de Jesús en Marcos (6 veces) y Mateo (4 veces); figura en los Hechos de los apóstoles (15 veces «evangelizar», 2 veces «evangelio»), en las cartas tardías (Ef 1,13; 2,17; 3,6.8; 6,15.19; 1Tim 1,11; 2Tim 1,8.10; 2,8; 1Pe 1,12-25; 4,17; Heb 4,2) y hasta en el Apocalipsis (cf. Ap 10,7; 14,6). Esta estadística es elocuente ya de por sí; llama la atención sobre el dato que confiere un sentido nuevo al tema de la *palabra* portadora de salvación (cf. Sant 1,21, etc.: el tema está testificado, con diversas connotaciones, en todos los libros del Nuevo Testamento, a excepción de 2-3 Jn y Judas), esta palabra que «se ha hecho carne» en Jesús de Nazaret (Jn 1,14; cf. 1Jn 1,1).

El evangelio define la fe de la Iglesia y enuncia su contenido. La antigua tradición de 1Cor 15,3s permite ver claramente las referencias esenciales en torno a las cuales se articula este contenido: «Cristo murió por nuestros pecados según las Escrituras... y al tercer día fue resucitado según las Escrituras.» Referencia a la *historia* de Jesús de Nazaret, que concluye en una muerte inscrita en el tiempo; referencia a la *actualidad* de Jesús como «Cristo» en gloria, que asegura a los creyentes el perdón de los pecados; referencia a las *Escrituras* como libro de la revelación y de las promesas divinas. Encuadrada en estas coordenadas, la existencia cristiana pasa a ser la heredera de la existencia judía; pero se halla a su vez polarizada por una *esperanza* que engloba todo el futuro, hasta el retorno del Señor (véase 1Cor 11,26*b*). *Así, el conjunto de la economía de la salvación queda virtualmente incluido en todo anuncio del evangelio,* aunque no se diga de forma explícita. Toda la literatura cristiana se desarrolla a partir de este basamento que da sentido a la diversidad de sus producciones literarias; todos sus géneros se refieren bajo distintas formas, al evangelio y así es cómo se afirma su originalidad.

Los lugares de producción de los textos

Cuando hablamos de *textos* a propósito de la primera literatura cristiana, no pensamos solamente en las composiciones escritas, destinadas a ser recopiadas, publicadas, difundidas entre un público de cierta amplitud. Deben entrar también en el cómputo las composiciones orales, sean frecuentes u ocasionales, eventualmente memorizadas y conservadas en esta forma más flexible, adaptadas a las necesidades de una comunidad particular o de un grupo de comunidades. Por lo demás, en un medio en el que la memoria jugaba todavía un papel importante, era bastante fluida la frontera entre estas dos categorías, aunque el paso a la composición escrita entrañaba algunas modificaciones en la «gramática» de los textos, al someter a nuevas leyes los esquemas orales legados por la tradición anterior. Justamente el Nuevo Testamento ofrece un excelente ejemplo de este paso de lo oral a lo escrito. Bajo este aspecto, habría un paralelo exacto en el judaísmo contemporáneo: no el de los medios apocalípticos, cuyas tendencias esotéricas se manifestaban a través de composiciones escritas, ni tampoco en el de Qumrân, que también se dedicó desde fechas muy tempranas a la actividad escrita, sino en el de los medios rabínicos. Se sabe, en efecto, que muchos de los materiales recopilados en la Mishna, la Tosefta, los *midrashim tannaítas* e incluso en el Talmud, fueron primero formulados y durante mucho tiempo conservados en el marco de la tradición oral[7]. Ahora bien, el cristianismo naciente tenía estrechas relaciones con la institución judía. Así pues, este paralelismo sirve para iluminar el nacimiento de la literatura cristiana.

Es preciso, con todo, distinguir varios y diferentes «lugares» en la producción de estos «textos», según las actividades de iglesia a que estaban destinados. En su punto de partida el grupo cristiano se formó en el marco de la vida judía: fue aquí donde proclamó, explicó, fundamentó, defendió el evangelio de Jesús, Mesías e Hijo de Dios, que constituía el objeto de su propia fe. Es, pues, natural que los lugares privilegiados de este anuncio, que se apoyaba en las Escrituras, fueran los de la vida judía, ya en las reuniones de sinagoga, en la medida en que permitían una intervención de los predicadores cristianos, ya las discusiones públicas en las cercanías de los lugares de oración, o en los pórticos del templo de Jerusalén. Los Hechos de los apóstoles conservan en este sentido recuerdos suficientemente precisos: nos hacen asistir a la predicación evangélica en los pórticos del templo (Act 3,11; 5,12*b*.21; 21,30-22,4), en las sinagogas (9,20; 13, 14-42; 14,1, etc.), en otros lugares públicos (2,4-40), ante los tribunales judíos a los que fueron llevados algunos predicadores cristianos (4,1-12; 5,27-33; 6,12-7,54; 22,30-23,10). Cierto que no debe historizarse precipitadamente la evocación lucana de los orígenes cristianos: se trata de un relato «construido», que no responde a nuestra manera de concebir la historia ni tampoco (en parte) a la de los historiadores griegos contemporáneos. Pero si Lucas arcaíza, no es por puro azar: se hace eco de la realidad primitiva cuando recoge elementos tradicionales que sabe situar en su lugar debido [8].

Hay una segunda categoría de textos que debe localizarse en un marco específicamente cristiano, incluso sin salirnos fuera de la primera iglesia, fundada en Jerusalén. Ya desde el comienzo, los fieles tuvieron sus reuniones particulares, en las que se juntaban no en los lugares de culto, sino «en sus casas» (Act 2,46), de acuerdo con el principio de la hospitalidad oriental. «Se mantenían adheridos a la enseñanza de los apóstoles y a la comunión fraterna, a la fracción del pan y a las oraciones», dice también Lucas (Act 2,42). La fracción del pan —sobre la que volveremos más tarde— no se refiere a una simple comida fraterna, ni al estilo de las reuniones de grupos conocidas también en el judaísmo, ni al de las *thiasos* helenísticos [9]. Existe, sin duda, algún parecido sociológico entre ellas. Pero, en la perspectiva de la fe cristiana, la fracción del pan es la comida común de los creyentes en la mesa del Señor resucitado, como por lo demás lo da a entender claramente Lucas (Lc 24,30.35). De todas formas la breve nota de los Hechos permite entrever varias actividades, que entrañaban una creación de textos, aunque no fuera más que para responder a las necesidades de la enseñanza y de las oraciones. Habrá que volver sobre este punto, para averiguar si tal vez pudieron tener aquí su primer origen algunas «pequeñas unidades», conservadas actualmente en conjuntos más vastos.

Hay que pensar, en fin, en la misión organizada para anunciar el Evangelio a muchedumbres cada vez más numerosas, judías primero, samaritanas después (Act 8,5-25) y finalmente paganas. Esta misión exigía una adaptación a las posibilidades prácticas que ofrecían los diferentes países. También aquí han conservado los Hechos más de un recuerdo concreto; la predicación se hace en las casas privadas (Act 10,17-47; 16,29-33; 18,7-11), en la plaza pública (14,11-18; 17,19-34), en una escuela de filosofía, a la manera de los *rhetores* griegos de aquel tiempo (19,9-10). Esta predicación recurría espontáneamente a todos los medios que podían serle útiles, según los diversos marcos culturales en que tenía lugar: discusión a partir de las Escrituras con los judíos, a partir de las filosofías populares con los paganos; reflexión sobre los problemas del comportamiento práctico (o *halakha)* de un lado, sobre los problemas de sabiduría moral del otro. Cuando ya se había constituido un grupo local de cristianos, las «reuniones en iglesia» se organizaban sobre el modelo proporcionado por la comunidad de Jerusalén, que incluía una instrucción a los convertidos para consolidar e iluminar su fe, oraciones comunes y una celebración de la cena del Señor.

Éstos son los marcos generales en que hay que situar la eclosión de la primera literatura «funcional» de la Iglesia, adaptada a los objetivos de su acción evangelizadora, diversificada en función de las circunstancias.

Influencia del medio ambiente cultural

El problema de las lenguas en los orígenes cristianos

El cristianismo naciente se formó en el punto de intersección de dos culturas: la del Oriente semítico bajo su forma judía y con las lenguas hebrea y aramea, y la que se servía del vehículo de la lengua griega en todo el mundo helenizado, oriental y occidental. Las lenguas locales se mantenían vivas bajo este barniz griego, sobre todo en los medios populares: Act 14,11 alude a la lengua licaonia y el relato de pentecostés enumera toda una serie de lenguas locales (Act 2,6-11). De hecho, por aquella época existían creaciones literarias y una literatura de traducción en arameo, en el demótico egipcio que evolucionaba hacia el copto, en fenicio y en púnico, en latín, en las lenguas iraníes, etc. Pero el griego era la lengua común de los intercambios y de la cultura internacional. El judaísmo alejandrino la había adoptado hacía ya tres siglos para sus reuniones sinagogales y su literatura, y esta costumbre se difundió por todas las comunidades de la diáspora, salvo en las regiones del interior de Siria, donde predominaba el arameo. Entre los judíos de Palestina (también entre los samaritanos), el hebreo conservaba su rango de lengua oficial para el culto del templo y las reuniones sinagogales; pero el uso del arameo estaba ya tan extendido entre las capas populares que se hacía necesario el *Targum*, sin contar con la predicación en lengua vulgar. Las producciones literarias vinculadas al funcionamiento de las instituciones oficiales oscilaban entre estas dos lenguas, estrechamente emparentadas. En este aspecto, la situación tenía paralelos en los cultos de Fenicia, Siria y Mesopotamia, aunque los textos correspondientes sólo se han conservado en mínima parte, en algunas inscripciones.

La iglesia cristiana fue bilingüe casi desde sus mismos orígenes, incluso en Jerusalén, al igual que el medio judío en el que nació, ya que los judíos de lengua griega tenían sus propias sinagogas en la ciudad (cf. Act 6,1.8-10). A veces se quiere aducir el uso de la palabra «hebreo» de la documentación antigua (Act 6,1; 21,40; Jn 19,20; Flp 3,5) para argumentar que la lengua hebrea era de uso corriente y, por así decir, oficial, en las comunidades cristianas de Palestina. Pero esto es olvidar que en textos como Jn 5,2; 19,13 y 19,17 la palabra se refiere claramente a términos arameos; la plegaria de Jesús en la cruz aparece en Mc 15,33 en arameo (el pasaje paralelo de Mt 27,46 mezcla las dos lenguas). Esto demuestra que el «hebreo» se contradistingue del «griego» para designar las lenguas semitas, integrando en el mismo sistema al hebreo y al arameo. La situación lingüística de Judea y Galilea presentaba sin duda una cierta complejidad, pero es probable que predominara el arameo sobre el hebreo en las capas populares, sobre todo en Galilea [10]. Sea como fuere, el carácter bilingüe de la primera comunidad cristiana permite afirmar que el paso del sistema semita al sistema griego no causó más problemas que los que tuvo que afrontar el judaísmo; éste disfrutaba de una experiencia de tres siglos, ya que en él la Biblia se leía tanto en su forma hebrea (con la ayuda eventual del *Targum* arameo) como en su forma o su adaptación griega. El evangelio se encontró muy pronto en la misma situación.

La influencia del medio judío

Cabe preguntarse cuáles fueron las influencias culturales a que estuvieron sometidas las iglesias locales para la creación de los textos literarios de que tenían necesidad. En Jerusalén, debió ser restringida la del templo, dado que la vida religiosa de los grupos cristianos giraba sobre un eje totalmente distinto del que entrañaba el culto sacrificial, los ritos de la purificación, etc. Tan sólo los formularios de oración y los cantos comunes podían proporcionar un material utilizable, y éste se tomaba en muy amplia medida de la Escritura. Es gratuito suponer que tuvo una influencia decisiva la influencia lateral de un grupo marginal como el de Qumrân. Qumrân vivía separado del resto del judaísmo, en cuanto comunidad de «puros», mientras que Jesús y sus discípulos, y más tarde también la Iglesia primitiva, franquearon este tipo de barreras y admitían el trato con los publicanos y los pecadores públicos (Mc 2,15-16: cf. Act 9,43), aunque sin romper por ello con los que practicaban la observancia estricta (Lc 7,36; 11,37; 14,1; cf. Act 2,46*a*; 5,12-13; 6,7; 21,20). Los paralelismos qumranianos que se han podido detectar en el Nuevo Testamento [11] son menos numerosos en las tradiciones arcaicas que en los textos más tardíos, como 2Cor 6,14-18, Ef o la 2Jn. Sin embargo, es seguro que la corriente apocalíptica, que se manifestaba con fuerza en Qumrân, pero que desbordaba con mucho el ámbito de esta comunidad, proporcionó materiales para la expresión literaria de la fe cristiana, como se lo había proporcionado ya al mismo Jesús. Esta influencia era tanto más fácil cuanto que por aquella época la hostilidad del rabinato fariseo no había proscrito todavía su empleo en el judaísmo corriente.

Fuera de esto, existieron dos tipos de experiencias que ofrecían modelos fácilmente adaptables a las «reuniones en iglesia». Había, de una parte, reuniones sinagogales, con todo cuanto entrañaban o cuanto giraba en torno a ellas: formularios de oración, literatura targúmica, esquemas de predicación sobre la Escritura, etc. De otro lado, existían también reuniones de grupos pietistas que, fuera del de Qumrân, son difíciles de precisar: esenios de Palestina mencionados por Josefo, terapeutas de Alejandría descritos por Filón, baptistas que prolongaban el movimiento inaugurado por Juan, hermandades fariseas, de las que sólo tenemos noticias claras a partir de la reorganización del judaísmo rabínico[12]. Estos grupos funcionaban tanto en Palestina como en la diáspora, con una frecuencia muy variable. En ellos se desarrolló una literatura que giraba en torno a la Biblia: oraciones y cánticos, relatos edificantes, comentarios de la Escritura, reglas de vida práctica... Las iglesias locales, en Palestina lo mismo que en la diáspora, pudieron muy bien reclutar entre estos grupos algunos de sus miembros y sufrir su influencia cultural, en una medida que será preciso determinar.

Las relaciones con la cultura pagana

¿Puede afirmarse lo mismo respecto de los ambientes paganos con los que se vieron confrontadas las iglesias, cuando los predicadores anunciaron entre ellos el evangelio, sin obligar a sus fieles a convertirse primero en judíos mediante la sumisión a la ley? Sería gratuito suponer que cuando las iglesias locales o los predicadores que las fundaron se embarcaron en la corriente del movimiento sincretista que arrastraba por aquel entonces a los cultos y a las civilizaciones, tomaron sin reserva de las religiones greco-orientales o de las culturas helenizadas sus mitos, sus hábitos mentales, su lenguaje cúltico, sus formas literarias y hasta sus rituales, para expresar las nuevas creencias, en las que el legado judío no era sino una componente entre otras[13]. De hecho, la situación es mucho más compleja. Por un lado, el acceso a la fe entrañaba un cambio radical de *creencias* y de vida, que era precisamente lo que constituía la conversión (1Tes 1,9s; cf. Act 14,15): la fidelidad al mensaje evangélico exigía en la tradición de las iglesias, esta ruptura, ante la cual el sincretismo se presentaba como la peor de las tentaciones. Pero, de otro, las iglesias y sus responsables, liberados de los elementos demasiado onerosos que implicaba la tradición judía, supieron adaptarse a las circunstancias de tiempo y lugar para asumir, llegada la ocasión y mediante las filtraciones necesarias, el *lenguaje* de las culturas paganas hasta en los ámbitos de la filosofía y la religión.

No puede excluirse, pues, la posibilidad de que el viejo fondo judío, ya helenizado en las comunidades de la diáspora, y luego transformado para adaptarse a la fe cristiana, pudiera enriquecerse de nuevo mediante aportaciones extrañas al judaísmo mismo. Este problema no afecta en nada a las creencias y a los ritos fundamentales vinculados a la fe, sino su expresión cultural, normalmente variable. Pero aquí sólo puede emitirse un juicio sobre fragmentos aislados, analizando los casos particulares ya sea en materia de discursos teológicos o de formulación de reglas éticas, de liturgia o de himnología. Es cierto, de todas formas, que *la Biblia heredada del judaísmo constituyó para los cristianos el texto fundamental de la cultura religiosa.* Los contactos con el helenismo, testificados en algunos puntos concretos ya desde las primeras cartas de san Pablo, plantean cuestiones más precisas en los libros tardíos, en los que se defiende la tradición auténtica frente a las infiltraciones paganas o las deformaciones heréticas. Pero esta vez se trataba ya de una reacción consciente contra el sincretismo religioso.

II

LA EVOLUCIÓN HISTÓRICA DE LA IGLESIA PRIMITIVA

La formación literaria del Nuevo Testamento está estrechamente relacionada con las grandes etapas de la evolución de la Iglesia primitiva. En este aspecto, pueden distinguirse dos sectores, cada uno de ellos con experiencias muy distintas: el de las comunidades judeocristianas y el de las iglesias nacidas en la gentilidad. En ambos resulta difícil la tarea de resolver los problemas de cronología absoluta: los puntos de referencia son escasos. Por tanto, en un buen número de casos las fechas adoptadas aquí no pasan de ser hipótesis probables. Fuera del Nuevo Testamento, únicamente disponemos de algunas tradiciones recogidas por Eusebio de Cesarea, que no pueden utilizarse sin someterlas antes a un examen crítico que disminuye considerablemente su valor.

Las iglesias judeocristianas [14]

En el sector judeocristiano se distinguen dos cortes históricos. El primero es la ruina de Jerusalén (70) que afectó a los judeocristianos al igual que a todo el resto de la institución judía. El segundo es su exclusión de la vida sinagogal, consumada cuando los doctores fariseos introdujeron en la oración de las *Dieciocho bendiciones* la maldición contra los herejes y los nazarenos (entre el 80 y el 95) [15]. Sería importante conocer los lugares en que se implantaron comunidades de este tipo; pero resulta difícil seguir las huellas de la misión entre los circuncisos que, según Gál 2,7-8, estaba dirigida por el apóstol Pedro, mientras que Santiago, «hermano del Señor», presidía la comunidad local de Jerusalén [16].

Hasta el año 70, los Hechos y las cartas nos proporcionan un puñado de datos. El primero que conviene destacar es la extensión de la iglesia de Jerusalén a los helenistas [17]. Según los Hechos (6,1-8,40), este grupo dio rápidamente muestras de una originalidad que le hizo chocar muy pronto con las autoridades del judaísmo local: la muerte de Esteban (6,8-7,60) fue seguida de una persecución que obligó a sus otros miembros a dispersarse por Judea, Samaría (8,1), Fenicia y Chipre, hasta Antioquía de Siria (11,19). Aquel estallido tuvo, pues, como consecuencia, una inesperada irradiación misionera. Pero la difusión de las iglesias se produjo en dos áreas lingüísticas diferentes: la semita y la helenista. Del lado semita se pueden situar con certeza las iglesias de Judea (cf. Gál 1,21) y de Galilea (cf. Act 9,31), donde habían jugado un papel decisivo las apariciones de Cristo resucitado, aunque resulta difícil su localización [18]. Es probable que a partir de Galilea se difundieran las iglesias en Damasco y Siria meridional, donde Pablo encontró cristianos ya antes incluso de su primera actividad apostólica, inmediatamente después de su conversión (Act 9,1.10-22; cf. 2Cor 11,32s), y luego en la Arabia nabatea, donde Pablo afirma haber pasado un cierto tiempo, antes de volver a Damasco (Gál 1,7); al término de esta segunda estancia en la ciudad tuvo que huir para escapar del etnarca del rey Aretas (2Cor 11,32). La propagación del evangelio en Fenicia, Chipre, y Siria del norte fue obra de cristianos helenistas

(Act 11,19); aquí fundaron la primera comunidad mixta, en la que se admitía a los fieles de origen pagano sin el trámite previo de su incorporación al judaísmo (Act 11,19-21). Los Hechos señalan la presencia de comunidades judeocristianas en Judea (en Lidda: 9,32; en Yoppe: 10,36). Pero en la costa el ambiente era ya filisteo o griego.

Fuera de Palestina, se supone que las iglesias fundadas en las ciudades helenizadas eran de lengua griega, lo mismo que el conjunto del judaísmo de la diáspora. Pero no debe olvidarse que la diáspora oriental estaba radicada en territorios en los que se utilizaba de ordinario el arameo: en las regiones interiores de Siria, en Adiabena, Babilonia y otros lugares vinculados al imperio parto. En este sentido, también el judeocristianismo oriental debió ser arameoparlante. Es cierto que todas las ciudades importantes contaban con colonias de lengua griega, de modo que las iglesias de estos territorios podían ser bilingües. En ambiente griego es probable la existencia de comunidades de origen judeocristiano en aquellas ciudades que contaban con numerosa población judía, como era el caso de Alejandría y Roma. Pero el Nuevo Testamento se limita a algunas alusiones a la comunidad de Roma (Act 28,14*b*.15), sin precisar su origen [19], lo mismo que respecto de la comunidad de Putéolos (28,13*b*.14*a*). Nada se dice sobre la comunidad de Alejandría. En ambos casos, las tradiciones conservadas por Eusebio de Cesarea son poco seguras. Más sólida es la tradición que el mismo Eusebio proporciona sobre la muerte de Santiago en Jerusalén el año 62 (HE 2,23, que reproduce textos de Hegesipo y de Flavio Josefo). También por él sabemos que los cristianos de Jerusalén se refugiaron en Pella [20], en la Decápolis de población pagana, desde los comienzos de la guerra judía (67) (HE 3,5,3). Este autor subraya, en fin, el papel de los *desposynoi* (miembros de la familia «del Señor», HE 1,7,14) en aquella iglesia, hasta el reinado de Trajano (3,11; 3,20,1-6, según Hegesipo). Pero tenemos que contentarnos con registrar estas indicaciones esporádicas.

Después del 70 es probable que aún subsistieran algunas iglesias judeocristianas en Galilea, Decápolis, Siria meridional (Damasco) y septentrional (Antioquía) y tal vez también en Adiabena y Egipto. Entra también dentro de lo probable una emigración de judeocristianos procedentes de Palestina hasta Asia menor

(Éfeso): en tal caso, con ella se habría implantado la tradición de Juan[21]. Pero la conmoción que destruyó el hogar nacional de Judea no puso fin al estatuto legal de los judíos, que dio a la *torah* un valor oficial en el imperio romano, aplicable a todos los miembros de la nación. Sólo que justamente este estatuto colocaba a los judeocristianos en una posición delicada en el seno de las comunidades en las que la mayoría de los miembros era de origen pagano, a pesar de las normas prácticas cuya huella los Hechos de los apóstoles conservan en el ámbito de las iglesias de Siria y de Cilicia (Act 15,19-20.28-29; cf. 21,25). La excomunión de los judeocristianos por el judaísmo oficial de la que hay un eco en el IV evangelio (Jn 9,22.34; 16,2) hizo precaria su situación jurídica ante la misma administración imperial porque, con la excomunión, perdían su protección «nacional».

Sea como fuere, una parte notable de los materiales primitivos utilizados en la literatura cristiana posterior debe proceder del judeocristianismo antiguo: este punto exigirá una cuidadosa exploración. Es posible que algunos libros del Nuevo Testamento fueran redactados con destino a iglesias de esta índole, hasta finales del siglo I. Pero se abandona ya la época creadora de la Iglesia primitiva cuando se buscan sus huellas en testimonios de segunda mano o en escritos más tardíos que pudieran atribuirse a aquella iglesia. Hasta el siglo III subsistió una teología de estilo judeocristiano (cf. el *Pastor de Hermas*, la *Ascensión de Isaías* y numerosos apocalipsis atribuidos a personajes del Antiguo Testamento[22]). Todavía a finales del siglo IV, san Jerónimo encontró comunidades judeocristianas en Siria: tenían su evangelio propio y conservaban una teología y un estilo de vida arcaizantes antes de desaparecer como corriente autónoma hacia el siglo VI. Ciertos grupos judeocristianos iniciaron ya en el siglo II la evolución hacia posiciones sectarias: se trata de los docetas y los ebionitas[23], cuyas huellas se conservan en la literatura apócrifa.

En los confines del judaísmo hay que señalar la fundación de iglesias locales en Samaría[24] (Act 8,4-25): a ellas alude, al parecer, el cuarto evangelio (Jn 4,35-42). Pero en este marco sólo es posible localizar unas pocas tradiciones esporádicas (Lc 9,51s; 17, 11-16). Algunas de ellas se refieren al origen de una corriente sincretista vinculada al nombre del samaritano Simón el mago (cf.

Act 8,9-13.18-23), que los escritores eclesiásticos posteriores presentaron como padre del gnosticismo [25].

Las iglesias de la gentilidad

Los lugares de implantación

En los Hechos de los apóstoles, Lucas presenta de una manera muy fragmentaria la penetración del Evangelio en los medios paganos. Después de la muerte de Esteban, Felipe va de Samaría a Azoto (= Ashdod), ya en tierra prácticamente filistea, y luego a Cesarea, que era una ciudad helenística (Act 8,40). Pero allí había comunidades judías. A continuación, Lucas anticipa probablemente la conversión del centurión romano Cornelio, de guarnición en Cesarea (Act 10), de modo que la autoridad de Pedro respalde la entrada de los paganos en la Iglesia sin previa incorporación a la nación judía (cf. 11,3). De hecho, esta innovación se produjo en Antioquía de Siria (Act 11,20-21), algunos años después de la muerte de Esteban y de la conversión de Saulo de Tarso (¿hacia el 35-37?).

Lucas sigue las huellas de la evangelización de las «naciones» no judías a partir de este nuevo centro cristiano: primero con la misión de Bernabé y Saulo a Chipre (Act 13,4-12), Panfilia, Pisidia y Licaonia (13,13-14,26); luego con los viajes de Pablo y de sus compañeros por Siria y Cilicia, por diversas provincias de Asia menor, por Macedonia y Grecia (15,36-20,38), en espera del viaje de Pablo prisionero a Malta, Italia y Roma, donde la evangelización fue, evidentemente, más limitada (27,1-28,31). Se asiste ahora a una modificación radical en el reclutamiento de creyentes: son pocos los judíos de la diáspora judía que se adhieren al evangelio, mientras que entran en las comunidades numerosos miembros no judíos, que muy pronto pasan a ser mayoría. Lucas interpreta este hecho como un signo del endurecimiento de la masa judía, de modo que la salvación de Dios pasa a los miembros de las naciones extranjeras (Act 13,46-48; 18,6; 28,25-28). Esta perspectiva es parcial, ya que sólo tiene en cuenta los resultados del apostolado de Pablo (y secundariamente de Bernabé) entre los incircuncisos (cf. Gál 2,7-9). Pero refleja con exactitud la situación que se entrevé a través de las grandes cartas paulinas: el año 57, Pablo toma nota de ello y lo interpreta de esta misma manera en su carta a los Romanos (cf. Rom 9-11).

Los lugares de evangelización recorridos por Pablo y su equipo de misioneros se circunscriben a los centros urbanos situados sobre las grandes rutas de tráfico y los trayectos marítimos importantes, sobre todo en Asia menor, Grecia e Iliria (Rom 15,19). La mención de Creta en Tit 1,5 y de Dalmacia en 2Tim 4,10 muestra que había en estas dos regiones iglesias vinculadas a la tradición paulina, por la época en que fueron redactadas estas dos cartas pastorales. Pero la documentación no dice nada sobre las restantes regiones del imperio. Las «cartas a las siete iglesias» (Ap 2-3) remiten a la provincia romana de Asia. La *I.ª Petri* menciona en su encabezamiento varias provincias de Asia menor (1Pe 1,1) y, en su final, la iglesia de Roma (5,13). El final de la carta a los Hebreos muestra que el horizonte de su autor va desde Italia (Heb 13,24) a unos fieles de origen judío de difícil localización (acaso en Siria). ¿Llegó a convertirse en realidad el proyectado viaje de Pablo a España (cf. Rom 15,23)? La alusión de la *I.ª Clementis* (1Clem 5,7), ¿es algo más que una reminiscencia literaria de la carta a los Romanos? Es imposible dar una respuesta, pero puede admitirse como dato seguro que la prisión de Pablo perturbó sus proyectos futuros. Basándonos en Act 2,9-11 [26], cabe suponer que en tiempos de Lucas la fe se había extendido, por Oriente, hasta el imperio parto (Mesopotamia, Elam, Media) y por Occidente hasta Egipto, Cirenaica y Roma. La documentación del siglo II confirma, en términos generales, esta concepción. Eusebio de Cesarea sólo añade algunas tradiciones inciertas, que exigen una valoración crítica.

Las capas sociales evangelizadas

¿Cuáles fueron las capas sociales de la población a las que llegó el Evangelio en los cinco o seis decenios subsiguientes a la fundación de la Iglesia [27]? Sería erróneo pensar que el cristianismo naciente fue exclusivamente una religión de las clases pobres: la religión que algunos críticos paganos vinculados a la aristocracia dirigente habrían de estigmatizar algo después como la «religión de los esclavos». De hecho, las notas ocasionales de las cartas y de los Hechos de los apóstoles convergen en hacer entrever que hubo, en todas las etapas del desarrollo, un reclutamiento abierto a todas las capas de la sociedad [28]. Según 1Cor 1,26, en la iglesia de Corinto había «pocos sabios según la carne (alusión a los niveles culturales), no muchos poderosos, ni muchos de noble cuna»: la expresión muestra, pues, que había algunos. Según 1Cor 7,21-22, junto a los esclavos había hombres libres. Algunos intérpretes opinan que en este texto Pablo se mostraría favorable a todas las posibilidades legales de manumisión, lo que se daría la mano con la tendencia manifestada por la corriente estoica en aquella época, pero esto no es seguro [29]. Sea como fuere, y según el testimonio formal de Gál 3,28; 1Cor 12,13; Col 3,11 (cf. Rom 1,14) en las asambleas en iglesia se mezclaban, con igualdad de derechos, judíos e incircuncisos, esclavos y libres, hombres y mujeres, griegos y bárbaros. Más que una mezcla de población, lo que estos textos permiten entrever es un cambio de mentalidad en todos los participantes, una ruptura con las conveniencias sociales y las actitudes psicológicas prevalentes en la época, una ruptura mucho más marcada que en el ideal preconizado por algunos filósofos estoicos (concretamente Epicteto [30]). Con todo, debe añadirse que los *thiasos* griegos presentaban un fenómeno bastante similar.

No puede pasarse en silencio el aspecto económico de esta situación. La piedad judía ponía gran insistencia en la importancia de la limosna para resaltar la solidaridad concreta entre todos los miembros de Israel. En tiempo de san Pablo, la colecta hecha en favor de los pobres de la iglesia madre de Jerusalén (1Cor 16,1-2; cf. Gál 2,10) llevaba al plano real la generosidad de los fieles (2Cor 8,7) para promover la igualdad práctica entre ricos y pobres (2Cor 8,13): a falta de legislación social, se trataba de una medida cuya intención es evidente. Pero para que puedan reunirse grandes sumas (2Cor 8,20) en comunidades donde junto a gentes acomodadas había otras que vivían en la indigencia (1Cor 11,22), era preciso que la media de los fieles dispusiera de recursos suficientes.

En la iglesia, y más concretamente en sus reuniones «el primer día de la semana» (1Cor 16,2), se había instaurado, pues, una fraternidad real entre gentes venidas de todos los horizontes sociales, políticos, culturales, económicos, religiosos (judíos y no judíos). Contemplada desde el exterior, esta situación debía antojársele por fuerza extraña a todo el mundo. Vista desde el interior, mostraba la participación de todos en la nueva humanidad, recreada en Cristo: todas las barreras entre los hombres son la consecuencia del pecado en la humanidad antigua, pero Cristo ha muerto para que estas barreras desaparezcan (cf. Col 3,9-10). Con todo, en nada se modificaban las condiciones jurídicas de hombres y mujeres: las iglesias, que constituían una minoría ínfima en el interior del imperio, no tenían ningún poder en este ámbito. Por otra parte, era importante que a los ojos de las autoridades responsables los cristianos aparecieran como ciudadanos leales (Rom 13,1-7; 1Tim 2,1-2; Tit 3,1; 1Pe 2,13-15). En este punto, las instrucciones impartidas a los fieles, de origen judío o pagano, prolongaban las que las Escrituras dieron a los judíos desde la dominación persa y debieron tener una particular resonancia en una época en que Judea era considerada como provincia levantisca y no quedaba aún lejos el recuerdo de la guerra de los esclavos (Espartaco murió el 71 a.C.). Se advierte, pues, el proceso de diferenciación entre la comunidad de iglesia, en la que desaparecen todas las barreras, y una sociedad civil ante la que la iglesia debe rendir testimonio práctico de la novedad evangélica [31]. Desde la perspectiva de las instituciones civiles, todavía había en las iglesias amos y esclavos (cf. Col 3,22-4,1; Ef 6,5-9; Tit 2,9-10; 1Pe 2,18). Pero ha cambiado la índole de la relación: Filemón, que era al parecer un gran propietario, debe acoger a su esclavo fugitivo, Onésimo, «como a un hermano querido» (Flm 16): queda, pues, muy lejos la legislación sobre la fuga de esclavos [32].

El mismo Filemón goza de tan buena situación económica que puede dar hospitalidad a la iglesia de Colosas (Flm 1-2). Y no es el único caso: lo mismo hacía Ninfas en Laodicea (Col 4,15), Gayo en Corinto (Rom 16,23), Prisca y Aquilas en Éfeso (1Cor 16,19; cf. Rom 16,3-5). En este punto, los Hechos de los apóstoles completan las alusiones de las cartas paulinas. Prisca y Aquilas eran fabricantes de tiendas y tenían un comercio internacional que les permitía ir de Roma a Corinto y de aquí a Éfeso (Act 18,1-3.18.26): pertenecían evidentemente a la burguesía mercantil de origen judío. En Filipos, Lidia, negociante en púrpura, acogió en su casa a la iglesia recientemente fundada: trabajaba en la «alta confección» de la época (Act 16,14-15). Sabemos también que Erastes era el tesorero de la ciudad de Corinto (Rom 16,23); que Estéfanas, el primer convertido, se hizo cristiano con «toda su casa» (1Cor 1,16; 16,15), lo que supone una posición social bastante holgada. Por el tiempo de las cartas pastorales, hubo cristianos ricos que tenían que aprender a repartir sus bienes, para hacerse con un sólido capital en el cielo (1Tim 6,17-19; cf. Mt 6,20). A esta misma clase social parece haber pertenecido la familia de Timoteo (Act 16,1-3): su madre y su abuela, originarias de Listra (2Tim 1,5) eran probablemente «señoras distinguidas», de rango similar al de aquellas damas que en Antioquía de Pisidia se opusieron a san Pablo (Act 13,50). De ahí que el retrato de buenas cristianas que bosquejan estas cartas muestre que algunas de estas mujeres tienen una cierta alcurnia (Tit 2,3-5). ¿Debe concluirse de aquí que la Iglesia naciente reclutó una parte importante de sus fieles entre las «clases medias» de la época [33]? Afirmarlo sería ir más allá de lo que permiten los límites de la documentación. Pero hay que insistir, de todos modos, en la fusión operada: las iglesias locales eran grupos abiertos tanto a las clases superiores de la población como a los esclavos [34]. En este punto, los apóstoles no hacían sino imitar la conducta del mismo Jesús: la bienaventuranza de los pobres (Lc 6,20; Mt 5,3) y la denuncia de los males causados por la riqueza (Lc 6,24; cf. 18,18-23 y par.) no le impidieron enrolar al publicano Leví-Mateo (Mc 2,13-15), acoger a Zaqueo (Lc 19,1-9), aceptar los donativos de las mujeres ricas que le seguían (Lc 8,2-3) y entre las que se señala en concreto a la mujer de un intendente de Herodes Antipas [35]. Llegará un tiempo en que incluso algunos patricios romanos entrarán en la Iglesia. Este problema se plantea a partir de finales de la era «apostólica» (en el sentido amplio de la palabra), cuando el emperador Domiciano hizo ejecutar a su primo Flavio Clemente y desterró a Flavia Domitila a la isla de Pandateria. Eusebio afirma que Flavia, sobrina de Flavio Clemente, era cristiana (HE 3,18,4). Es posible, de todas formas, que fuera sólo sospechosa de judaísmo [36].

La situación de las iglesias en el imperio romano

Éste es el marco en que debe situarse la composición de los escritos cuyos destinatarios no eran judeocristianos. Sus límites se sitúan entre el 51 (fecha probable de 1Tes) y acaso el 120 (si se retrasa hasta entonces la *II.ª Petri*). Durante esta época, la vida de las iglesias de reclutamiento paganocristiano estuvo marcada por algunos incidentes importantes. Para ellas, las consecuencias de la guerra judía fueron de secundaria importancia, ya que no pertenecían a la «nación» judía. Pero otras tormentas más graves amenazaron su existencia. Entre el 64 y el 67, la persecución de Nerón, testificada por Tácito en sus *Annales*[37], tuvo carácter local y afectó casi exclusivamente a la comunidad romana; aun así, costó la vida a Pedro y Pablo, según una tradición sólida testificada por Ignacio de Antioquía en su carta a los Romanos, por san Ireneo y por otros autores, tal vez incluso por la *I.ª Clementis*[38]. El cambio de dinastía que se produjo en el momento de la guerra judía tuvo, por el contrario, un influjo beneficioso: el tiempo de los Flavios supuso para las iglesias una época de paz que aprovecharon para consolidarse y organizarse, a partir de los núcleos de las comunidades urbanas. Al fin del reinado de Domiciano (95), se produjo una violenta sacudida. Por desgracia, son poco claras las circunstancias de la persecución: es posible que englobara a cristianos y judíos, a propósito del *Fiscus judaicus;* pero el Apocalipsis de Juan le da un motivo específicamente religioso, centrado en el Evangelio[39]. De hecho, por aquella época se había consumado ya la ruptura entre el judaísmo y el cristianismo. La situación legal de los cristianos era muy precaria: sólo los que pertenecían a la nación «judía» podían acogerse al privilegio de *Religio licita*

Ya casi había desaparecido la generación de los apóstoles, aun tomando la palabra en su sentido más amplio: Santiago, hermano de Juan, murió el 44[40] (Act 12,3), Pedro y Pablo durante la persecución de Nerón (entre el 64 y el 67), los otros en fechas desconocidas; Santiago, hermano del Señor, fue muerto en Jerusalén el año 62 (HE 2,23,1-24, citando a Hegesipo y a Flavio Josefo). Una tradición recogida por Ireneo (*Adversus haereses* 5,30,3) y seguida por Eusebio (HE 3,18,1-3) indica que Juan el apóstol fue desterrado a Patmos durante la persecución de Domiciano, aunque sobrevivió hasta la época de Trajano (*Adv. haer.* 2,22,5 y 3,3,4, citado por Eusebio, HE 3,23,1-4), tal como lo confirmaría también Clemente de Alejandría. Pero la valoración crítica de este dato está vinculada a la cuestión planteada por la composición de los escritos joánicos, perspectiva sobre la que se volverá más adelante [41]. Bajo Trajano (98-117) desaparecieron, a su vez, los discípulos inmediatos de los apóstoles (los «presbíteros» a los que interrogaba Papías: HE 3,39,3-5). Por esta época se dejaban sentir ya en algunas iglesias las infiltraciones heréticas: encontramos sus huellas en los últimos escritos del Nuevo Testamento (Act 20, 29-31; 1 y 2Tim; Ap 2,6.14-16.20-23; 1 y 2Jn; 2Pe). A pesar de todo, el cristianismo iba ganando terreno, sobre todo en Asia menor, donde nos informa sobre este particular la correspondencia entre Plinio el Joven y Trajano: hacia el 110, el gobernador de Bitinia se ve obligado a actuar contra los fieles, que son numerosos en su provincia (*Cartas* 10,96,7-8) [42]. Un poco más tarde era arrestado Ignacio de Antioquía, como jefe de la comunidad, y trasladado a Roma; pero incluso prisionero vemos cómo escribe a las iglesias de Asia, Macedonia y Roma, siguiendo una costumbre firmemente establecida [43].

En esta exposición de la vida de las iglesias y de la literatura vinculada a ella, es difícil distinguir con nitidez las diferentes etapas, aparte la fecha del 70, cuando la ruina de Jerusalén provocó reacciones en cadena en el mundo judío. Repartiremos, pues, los textos bajo una perspectiva pragmática en tres grupos: 1) la literatura de ambiente judeocristiano anterior al 70; 2) los libros procedentes de las «tierras de misión» de antes del 70; 3) los libros escritos con destino a la «diáspora cristiana» después del 70. El propósito esencial es proporcionar un cuadro coherente de conjunto hasta el momento en que se cierra la colección del Nuevo Testamento [44].

CAPÍTULO SEGUNDO

LA LITERATURA DEL MEDIO JUDEOCRISTIANO ANTES DEL 70

Dado que la Iglesia nació en un medio judeocristiano, por aquí debe comenzar la investigación sobre la formación de su primera literatura. Examinaremos sucesivamente tres puntos: 1) ¿Cómo organizar esta investigación de modo que nos permita entrever los ambientes en que los textos tomaron forma? 2) ¿Es posible aislar estos textos, clasificándolos según las funciones que desempeñaron en las comunidades? 3) ¿Hubo ya en aquella época colecciones escritas cuyas huellas puedan descubrirse o incluso libros que se hayan conservado en el Nuevo Testamento?

I

LA INVESTIGACIÓN SOBRE LA PRIMERA LITERATURA CRISTIANA

De los libros a las tradiciones antiguas

Ha llegado ya el momento de aplicar los procedimientos metodológicos mencionados en páginas anteriores [1]. A primera vista, la documentación neotestamentaria nos pone ante autores o redactores que dieron a las obras su forma actual. Pero esta misma forma muestra en su tejido huellas de materiales anteriores incorporados a sus exposiciones, de modo que puede intentarse un estudio «estratigráfico» de los textos cuya superficie describía la crítica clásica. No todos los libros se prestan de la misma manera a esta operación: cuanto más personal es una obra y más vinculada a unas circunstancias concretas, menor cabida tiene el intento. Así por ejemplo, los problemas de la *Formgeschichte* y de la *Redaktionsgeschichte* apenas tienen aplicación en el billete a Filemón, salvo en lo referente al formulario de las cartas. De igual modo, la tercera carta de Juan, aunque centrada en la vida de las iglesias, apenas permite entrever una documentación anterior. Pero en la mayoría de los casos nos hallamos en presencia de una literatura «eclesial» cuyo análisis descubre, según las diferentes modalidades, indicios que remiten a la prehistoria del texto. En algunos escritos, las repeticiones, los desacuerdos en la redacción, las diferencias de vocabulario, etc., permiten advertir la presencia de varias capas redaccionales; por ejemplo, la composición del IV evangelio, y *a fortiori* la de los sinópticos, ha pasado por varias etapas que es preciso relacionar con unos tiempos y unos ambientes determinados [2]. Otras veces, el análisis de las fuentes utilizadas por el autor saca a la luz tradiciones antiguas enraizadas en la tradición oral mucho antes de la fijación escrita llevada a cabo por el autor o por sus fuentes inmediatas; cabe preguntarse, por ejemplo, de dónde ha tomado Lucas los materiales utilizados en los Hechos para evocar el recuerdo de la primera comunidad palestina, y en qué medida estos materiales reflejan su vida concreta o reproducen textos que estaban ya en circulación [3]. Otras veces, se distinguen en los conjuntos construidos algunos formularios o secciones prefabricadas, que pueden fácilmente ponerse aparte y que tienen su género propio: al remitir a diferentes lugares, en los que cumplieron unas funciones especializadas, poseen una originalidad que las convierte ya en «obras», a pesar de su eventual brevedad.

Así pues, la crítica de las formas literarias, la historia redaccional y la historia de las tradiciones permiten extraer de los evangelios, de los Hechos, de las cartas y del Apocalipsis una documentación de primera mano. La dificultad comienza cuando se quiere determinar su medio original y valorar su antigüedad. Dado que aquí nuestra investigación se refiere sólo al medio judeocristiano anterior al año 70, es preciso, como mínimo, que *pueda establecerse* una relación entre este ambiente y las secciones consideradas, ya sea desde el punto de vista del contenido, de las formas literarias o de los problemas tratados de paso. Deben darse, además, *indicios positivos* que orienten en esta dirección. El episodio, por ejemplo, de los dos dracmas del templo, conservado en Mt 17,24-27, no tenía ningún interés fuera del medio judeocristiano en el que se planteaba necesariamente la cuestión y es muy probable que este interés desapareciera también después del 70, tras la destrucción del templo. El problema se complica cuando se pasa a la literatura epistolar dirigida a las iglesias con predominio del elemento no judío. ¿Pueden buscarse huellas de tradiciones judeocristianas en las cartas de san Pablo? En el pasado, más de un crítico lo puso en duda, como si Pablo hubiera sido el creador de un cristianismo nuevo, en el que los datos judeocristianos habrían sufrido una radical transformación. Pero, de hecho, la *Formgeschichte* de las cartas descubre en ellas formularios prepaulinos e incluso referencias a tradiciones evangélicas. Aunque es muy difícil penetrar en este dominio arcaico, la empresa no es desesperada.

Las funciones comunitarias creadoras de textos

Si los textos de esta literatura «funcional» desempeñaron unos papeles determinados en el medio vital en que fueron producidos, es porque este medio se articulaba sobre funciones comunitarias que hacían de ella algo muy distinto de una masa amorfa, entregada a las fantasías de sus miembros. Así pues, la investigación sobre las estructuras de la Iglesia primitiva corre paralela a la de la historia literaria. Es cierto que choca con algunos obstáculos: ¿dónde encontrar testimonios decisivos sobre la organización de las primeras iglesias en medio judeocristiano? Los Hechos de los apóstoles parecen ofrecer una descripción arcaica. Pero, ¿hasta qué punto se preocupó Lucas por presentar en este punto informes materialmente exactos, y en qué medida pretendía demostrar la unidad y la continuidad de la tradición cristiana, proponiendo un modelo a las iglesias de su tiempo? Los dos objetivos se entrecruzan de forma tan inextricable que los críticos oscilan entre dos opiniones bastante divergentes [4]. Más reservados aún se muestran a la hora de enjuiciar los datos proporcionados por las cartas pastorales, ya que en general existen muy graves dudas sobre su autenticidad paulina [5]. Quedan los otros textos del *corpus* paulino y de las cartas católicas, en la medida en que son anteriores al año 70. Pero la designación de las funciones comunitarias en las diferentes iglesias no está unificada y es, a menudo, imprecisa. En algunos casos parece incluso que se la ha tomado prestada de títulos griegos, (como la mención de los *episcopos* en Flp 1,1). Sólo la confrontación atenta de los textos permite llegar a entrever una solución probable, aplicable al medio judeocristiano anterior al 70.

Apóstoles, profetas y doctores

El análisis comparativo de los Hechos y de las cartas paulinas testifica la existencia de una tríada de funciones, independiente de los doce (1Cor 15,5), que tiene ciertamente un origen judeocristiano: los apóstoles, los profetas y los doctores (1Cor 12,28). Pablo se refiere a ellas como los tres primeros «carismas» del Espíritu [6]. Ahora bien, el apóstol mantuvo un contacto ininterrumpido con las iglesias judeocristianas: en Damasco (2Cor 11,32; cf. Act 9,10-20); luego en Jerusalén, donde vio a Cefas y a Santiago (Gál 1,18-20), que aparece asociado al grupo de los apóstoles (1Cor 15,7); más tarde en Antioquía, donde permaneció largo tiempo (Gál 1,21; 2,1.11; cf. Act 11,25s y 14,26s); finalmente, en Jerusalén, para la asamblea apostólica en la que se encontraban Santiago, Cefas y Juan (Gál 2,1-10; cf. Act 15). El hecho de que la comunidad de Antioquía, fundada por judeocristianos helenistas, aportara la innovación de abrir su puertas a los fieles de origen no judío, no le impidió sin duda conservar unas estructuras y una organización práctica análogas a las de la iglesia madre de Jerusalén y las restantes iglesias de Judea: Lucas subraya esta continuidad en Act 11,22-24. Ahora bien, en Act 13,1 se menciona expresamente la presencia de profetas y doctores en Antioquía; si en este pasaje no se menciona a los apóstoles, se debe probablemente a que se reserva este nombre para los doce.

El grupo de los doce, cuya función esencial consistía en demostrar que la Iglesia es el nuevo Israel (Lc 22,30 = Mt 19,28; cf. Ap 21,12-14) se remonta hasta el mismo Jesús. La antiquísima tradición de 1Cor 15,5, una serie de textos evangélicos (Mc 3,13-18 par.; Lc 22,31s; Mt 16,17-19; Jn 6,67-69 y 21,15-17) y los relatos de los Hechos (Act 1-15) certifican que a su cabeza estaba Pedro. El grupo como tal es citado por última vez en Act 6,2; tal vez Act 8,1 y 11,1 aluda a él cuando habla de los apóstoles, pero desde luego ya no aparece en el momento de la muerte de Santiago, hermano de Juan (Act 12,1-19), cuando Pedro figura en primer plano, mientras que Santiago, hermano del Señor, aparece al frente del grupo «hebreo» de los judeocristianos locales. Podría, con todo, postularse, sobre la base de Act 1,21-22, un papel esencial para este grupo en la configuración de la primera predicación evangélica. La conjunción de Mc

16,7; Mt 28,16-20 y Jn 21, confrontada con los relatos de Act 1-12, lleva a pensar que Galilea siguió siendo el lugar de implantación en el que se establecieron algunos miembros del grupo. Pero las fiestas de peregrinación debieron llevarlos hasta Jerusalén; fuera como fuere, es seguro que la persecución del 44 tuvo lugar durante los días de los Ázimos (Act 12,4). Por otro lado, también es seguro que ya desde los orígenes los doce contaron con el concurso de otras personas para su función de testigos.

Los *apóstoles* formaban un grupo más amplio que el de los doce; entre ellos se encontraba Santiago (1Cor 15,7) y también Pablo (1Cor 15,9). Debían su nombre a la misión directamente recibida de Cristo resucitado (1Cor 15,8-9, cf. 9,1). Más tarde, el título se habría extendido también a los delegados de las iglesias (2Cor 8,23); pero es posible que los dos nombres citados en Rom 16,7 se refieran a apóstoles de la primera hora, a pesar de sus nombres griegos, porque también Andrés y Felipe son nombres griegos. De todas formas, el testimonio dado en favor de Cristo resucitado por «Santiago y todos los apóstoles» supone una cierta participación en la formación de los primeros textos evangélicos.

El nombre de *profetas* traslada a la organización de las iglesias un servicio de la Palabra que había sido moldeado por la tradición judía: este servicio resurge bajo plena luz después del don del Espíritu a la Iglesia de Cristo (Act 2,17-19). El título de *doctor* (διδάσκαλος) reasume un título judío a base de hacer pasar la función correspondiente de explicación de la *torah* a la enseñanza evangélica. Se trata, pues, de dos funciones que, por su propia naturaleza, son creadoras de textos.

Ya casi desde sus orígenes, la Iglesia de Jerusalén acogió a fieles grecoparlantes. Para encuadrar a estos «helenistas», la comunidad madre eligió un *grupo de siete*, al que Lucas no da ningún título especial (Act 6,1-6). Aunque el problema que se intentaba resolver era el del servicio de las mesas, porque se corría el riesgo de que no fueran bien atendidas las viudas del grupo helenista (Act 6,1) en las reuniones que recordaban las de las hermandades en las que la comida en común tenía un puesto importante, no puede argumentarse a partir de Act 6,2 para reducir la actividad de los siete a las preocupaciones de tipo material, porque se ve inmediatamente que Esteban y Felipe ejercen la función de predicadores, sea por medio de discursos (Act 7,1-53, que supone predicaciones y discusiones anteriores con los judíos helenistas, Act 6,9-10), sea mediante la enseñanza (Act 8,6) y la explicación de las Escrituras (Act 8,30-35): todo esto muestra una participación de los siete en el servicio de la Palabra entre los judíos de lengua griega (y, en el caso de Felipe, entre los samaritanos y algunos prosélitos).

Al mismo Felipe se le da más tarde el título de *evangelista* (Act 21,8). Este título reaparece en textos más tardíos: la carta a los Efesios (Ef 4,11) y las cartas pastorales (2Tim 4,5), lo que demuestra que una de las tareas primordiales de la Iglesia primitiva se había convertido poco a poco en una función especializada, aunque derivada de una terminología judeocristiana enraizada en los Setenta (cf. Is 40,9; 52,7; 61,1 LXX, textos a los que se refiere el Nuevo Testamento para justificar por la Escritura la noción de evangelio). El título, testificado en el griego profano en una sola inscripción de Rodas, que alude a un proclamador de oráculos (IG t. 12, 1,75) pudo aparecer en fechas bastante tempranas en las iglesias de Palestina, y desde luego mucho antes de que Lucas o el *corpus* paulino señalaran su existencia; pero habrá que precisar sus relaciones con los textos evangélicos. Según Act 21,8, el evangelista Felipe residió en Cesarea de Palestina, ciudad griega evangelizada a partir de Judea: es seguro que la estructura de la iglesia local era idéntica a la de las restantes comunidades judeocristianas de la región. Ahora bien, el pasaje pertenece a los fragmentos «nosotros» de los Hechos: podría, pues, reflejar la situación existente hacia el 58. Felipe tenía cuatro hijas que «profetizaban» (21,9), aunque sin tener el título de profetisas (conocido por Éx 15,20; Jue 4,4; 2Re 22,14 e Is 8,3 en los Setenta, reasumido más tarde en Ap 2,20): se trataba de un don particular del Espíritu, como en 1Cor 11,4-5; 14,3-5.22.24-25.32. Pero en este mismo lugar Lucas habla del profeta Ágabo, que había bajado de Judea (Act 21,10; cf. 11,27-28) y aquí se trata del mismo servicio de la Palabra que en 1Cor 12,28-29 y Act 13,1. En resumen, nunca se insistirá demasiado en la importancia de los apóstoles, profetas, doctores y evangelistas: entre ellos hay que buscar a los primeros autores de los textos cristianos.

Los ancianos o presbíteros

¿Puede decirse lo mismo de los *ancianos* o *presbíteros?* Su título [7] no aparece en ningún lugar del *corpus* paulino anterior a las cartas pastorales. Réplica cristiana de los ancianos que administraban las comunidades locales del judaísmo, son mencionados por Lucas en Jerusalén (Act 11,30; 15,6.22-23), en las iglesias de Licaonia y Pisidia evangelizadas a partir de Antioquía de Siria (Act 14,23) y finalmente en Éfeso (Act 20, 17), donde se dice que habían sido establecidos como «vigilantes» (ἐπίσκοποι) para «apacentar la Iglesia de Dios» (Act 20,28). En este lugar, Lucas concentra en ellos las funciones de *episcopos* y de *pastores.* El título de *episcopo,* testificado desde Flp 1,1, es de origen discutido [8]. El de pastor, que vuelve a encontrarse en Ef 4,11 y 1Pe 5,2-3 (cf. 2,25, donde a Cristo se le llama ποιμήν y ἐπίσκοπος de los fieles) es probablemente de origen judeocristiano. Es posible que Lucas incurra en un anacronismo al mencionar a los presbíteros en la comunidad de Éfeso, para mostrar la continuidad de la estructura de las iglesias paulinas y las de su tiempo. Pero no es seguro que ocurra así respecto de las iglesias fundadas a partir de Antioquía (Act 14,23), ya que el título era judeocristiano y, en cierta manera, arcaico.

Cabe, con todo, preguntarse cuál era la función primitiva de estos ancianos, en cuanto distinta de la de los profetas y doctores. A tenor de su modelo judío, se trataba probablemente de una tarea de responsabilidad relativa a la administración práctica de una comunidad local, tal como lo deja entrever Act 11,30, mientras que los profetas y doctores eran ante todo servidores de la Palabra, que podían, al igual que los apóstoles, ir de iglesia en iglesia para desempeñar su ministerio (Act 13,2-4). Pero tampoco existen motivos para reducir su actividad a cuestiones materiales. Según Act 15,4.23, los apóstoles estaban asistidos por los ancianos de Jerusalén, encabezados por Santiago (Act 15,13; cf. Gál 1,19; 2,9; 1Cor 15,7), para presidir la reunión de la iglesia local en la que tomaron parte Pablo y Bernabé: el poder de decisión recaía sobre el grupo entero. En suma, el consejo de los presbíteros velaba por el bien común de la comunidad, por el buen orden de las reuniones, por el mantenimiento de la tradición recibida de los fundadores. En un primer momento, este consejo no desempeñó un papel directo en el servicio de la Palabra. Pero su tarea de vigilancia pudo llevarle a desempeñar una función de este tipo, cuando las iglesias se vieron expuestas a la amenaza de «lobos crueles» (Act 20,29-31): Lucas testifica indirectamente esta evolución de su función. Tanto en el ámbito de la institución como en el de la formación de los textos literarios, el papel de los presbíteros fue más de conservación que de creación. Pero, ¿dónde comienza el uno y acaba el otro?

Éste es el telón de fondo sobre el que se sitúan los primeros textos elaborados en las comunidades judeocristianas. Por lo que hace a los lugares de su creación, tenemos que limitarnos a remitir a lo que se ha dicho en páginas anteriores a propósito de la predicación en las sinagogas[9], así como a los diversos pasajes relativos a las asambleas «en iglesia».

II

INTENTO DE CLASIFICACIÓN DE LOS PRIMEROS TEXTOS

Está aquí fuera de lugar pretender enumerar una lista exhaustiva de los primeros textos judeocristianos: son demasiadas las incertidumbres cuando se desciende a los detalles. Pero, gracias a la *Formgeschichte*, se puede intentar una clasificación de tipo pragmático, que permite situar con cierta comodidad las secciones consideradas como más antiguas. Distinguiremos: el anuncio del evangelio, la explicación de la Escritura, la apologética y la controversia, la instrucción de los fieles en las asambleas, la reglamentación de los actos litúrgicos, la oración y los cantos.

El anuncio del evangelio

El evangelio se caracteriza, en cuanto género literario, por su triple referencia al acontecimiento de Cristo muerto y resucitado, al cumplimiento de las Escrituras y a la actualidad cristiana [10]. Antes de llegar a su compleja presentación bajo la forma de libritos, hay que contar seguramente con algunas síntesis más sencillas, que daban alguna idea de su proclamación ante los auditorios judíos, sea en las reuniones sinagogales o en cualquier otra circunstancia.

Tradiciones prepaulinas

La *Formgeschichte* de las cartas paulinas proporciona en este punto los materiales más antiguos. En 1Cor 15,3-8, se presenta el evangelio (15,1) como «tradición» recibida y transmitida (15,3), de acuerdo con el vocabulario empleado en el judaísmo para designar la tradición rabínica. Pueden distinguirse dos capas en este texto: el anuncio del doble misterio, cuyo contenido constituye el evangelio, y luego la lista de los testigos oficiales de Cristo resucitado, a la que Pablo añade su propio nombre. Está fuera de toda duda el origen palestino de las dos secciones. No es necesario esperar hasta la estancia de Pablo en Antioquía para fijar el momento en que «recibió» estas tradiciones [11]. Tal vez tenía ya incluso alguna idea de ellas por la época en que «perseguía a la Iglesia de Dios» (1Cor 15,9). Es casi inimaginable que durante su estancia de tres años en Damasco y en Arabia desconociera las tradiciones de la iglesia local fundada ya con anterioridad (según Act 9,10-20 y par.). En todo caso, la estancia en Jerusalén, en el curso de la cual vio a Cefas y a Santiago (Gál 1,18-19), fue una ocasión favorable para la recepción de un esquema de *Credo* y una lista de testigos en la que se nombra precisamente a Cefas y Santiago (1Cor 15,5.7). Aquí todo está centrado en la muerte y resurrección de Jesús. Pero de este hecho no debe concluirse que el anuncio del evangelio no se interesara por su vida y su predicación, bien conocidas por todos los judíos del medio palestino. Pablo sólo ha retenido en 1Cor 15 los aspectos de su muerte y resurrección porque en este pasaje aborda el problema de la resurrección de los muertos, planteado en la comunidad de Corinto (cf. el engranaje del v. 11 y del desarrollo de los v. 12-58).

Para completar este dato, se le puede relacionar con el formulario judeocristiano utilizado en Rom 1,1*b*-4; en este pasaje se encuentra la proclamación de Jesús como Hijo de Dios, la promesa de su venida hecha por los profetas, su nacimiento del linaje de David (que implica a la vez su dignidad mesiánica y el conjunto de su vida, concluida en su muerte), su resurrección de entre los muertos, que le ha constituido «Hijo de Dios en poder» y poseedor del Espíritu. La filiación davídica de Jesús no figura en ninguna otra parte de la obra de Pablo: su mención remite a un texto fijado con anterioridad al apóstol.

Los datos de los Hechos

El mismo esquema evangélico primitivo se encuentra en los textos en que Lucas presenta la proclamación del evangelio en medio judío, en los primeros días de la Iglesia, ya sea en Jerusalén (Act 2,22-36; 3,12-26; 4,8-12; 5,30-32), ante un auditorio de «temerosos de Dios» en Cesarea (10,34-43) o en una sinagoga de la diáspora (Act 13,6-41). Estos textos no son históricamente auténticos en el sentido moderno de la palabra, ni siquiera admitiendo que Lucas haya resumido su contenido general. Pero arcaíza a ciencia y conciencia, en función de una seria documentación, que remite al medio judeocristiano de Jerusalén o de Palestina y a las informaciones extraídas de la tradición de Antioquía. Puede, pues, aceptarse que el primer anuncio del evangelio daba testimonio sobre Jesús «comenzando por el bautismo de Juan hasta el día en que fue arrebatado» (Act 1,22). Este testimonio fue llevado a conocimiento de los judíos por aquellos que habían vivido con Jesús en la tierra (1,21) y habían «comido y bebido con él después de su resurrección de entre los muertos» (10,41). Respecto de los detalles de su vida pública, todos podían verificar la verdad del contenido del testimonio, al menos respecto de los acontecimientos que eran del dominio público (10,37). No obstante, cuando Lucas anuncia el evangelio a un pagano temeroso de Dios, siente la necesidad de precisar este esquema general detallando los aspectos esenciales del ministerio de Jesús, y en concreto su predicación y sus milagros, considerados bajo una perspectiva global (10,36-43).

Así pues, el anuncio del evangelio no es un mosaico de piezas destrabadas. Cabe pensar que se llegó a reagruparlo con bastante rapidez en torno a dos polos: de un lado, el de la vida pública, desde el bautismo hasta la muerte en cruz, escandalosa para los judíos, junto con las palabras que enunciaban su mensaje y los milagros que demostraban que «Dios estaba con él» (10,38; cf. 2,22); del otro, la enumeración de las apariciones a los testigos, y los aspectos esenciales de los hechos que habían determinado su misión (cf. Act 1,2). Pero hay que contar también con la capacidad de adaptación de la tradición oral para la transmisión de todos estos materiales.

La explicación cristiana de las Escrituras

La referencia a las Escrituras era un factor esencial del anuncio del evangelio, ya que la vida, la predicación, la muerte y la resurrección de Jesús sólo manifiestan su sentido mediante su confrontación con los textos que eran promesa de aquellos hechos y preparaban su cumplimiento, bosquejando la realidad bajo el velo más o menos transparente de los símbolos. Hay que descartar aquí la idea de «predicción realizada», ya utilizada por los apologetas de la antigüedad patrística y aún más acentuada por los de la época moderna, para volver a la concepción judía de la conformidad con las Escrituras: la eficacia de la palabra divina hace que pase a los acontecimientos el designio de la salvación cuyos rasgos esenciales marcó, ya por adelantado, aquella Palabra. La lectura judía de los textos daba una «pre-comprensión», que luego la predicación cristiana se proponía conducir hasta su plenitud, mostrando que Cristo es la clave de las Escrituras.

La lista de los libros santos

La Iglesia primitiva recibió su Biblia del judaísmo. Sería, pues, interesante saber cuál era la lista de libros que incluía por aquella época el *corpus* de los textos sagrados, qué autoridad se concedía a cada uno de ellos, cómo se organizaba su lectura en el marco litúrgico de las reuniones sinagogales. Pero son preguntas de difícil respuesta.

Reina la incertidumbre más total sobre la lectura de la Biblia en la sinagoga [12]. Es cierto, o cuando menos verosímil, que había ciertas lecturas fijas asignadas a las grandes fiestas (Éx 12, al menos por pascua, Éx 19-20 por pentecostés); pero no se sabe si había una lectura seguida de la *torah* o de algunos pasajes elegidos, si había un ciclo sabático de uno o de tres años, etc., si existía alguna libertad en la elección, al menos para las *haftaroth* unidas al texto de la *torah*. Por consiguiente, es preciso guardarse en este punto de especulaciones aventuradas.

En cuanto al *corpus* bíblico, la única cosa clara es su división en tres partes, testificada desde el *prólogo* del Sirácida hasta el evangelio de Lucas (Lc 24,44). Por otra parte, Lucas vivió aproximadamente por la época en que los doctores de Jamnia fijaron la lista de 22 (ó 24) libros y excluyeron los restantes de la lectura oficial en el marco de la sinagoga (entre el 80 y el 95). Para el judeocristianismo anterior al año 70, debemos contentarnos con remitirnos a aquella costumbre todavía fluctuante [13]. Sería exagerado afirmar que los saduceos de Jerusalén no admitían otros libros sagrados que la *torah*, pero es cierto que daban la preferencia a ésta y que a los otros sólo les concedían una autoridad muy relativa; es muy dudoso que concedieran algún crédito al libro de Daniel, ciertamente admitido por los fariseos y los esenios. Es probable que en Palestina se utilizaran a veces libros como Tobías y el Eclesiástico con igual rango que las restantes Escrituras, aunque acabaron por ser excluidos de su lista: se han descubierto varios ejemplares de Tobías en Qumrân y el Eclesiástico figuraba incluso en la sinagoga de Massada. A la inversa, Ezequiel y el Cantar de los cantares debieron contar con la oposición de algunos doctores, porque fue preciso defenderlos en Jamnia [14]. En el judaísmo de lengua griega, algunas de cuyas comunidades locales tenían sinagogas en la misma ciudad de Jerusalén, pero cuyo centro principal se encontraba en Alejandría, algunos libros tardíos, traducidos al griego o compuestos en esta lengua, debieron gozar sin duda de un crédito real: éste es el caso de Bar, Jdt, 1 y 2Mac, Est griego. En caso contrario, ¿cómo podría explicarse que fueran recibidos y utilizados como Escritura en el cristianismo antiguo a veces ya desde la época del Nuevo Testamento? Es probable, por ejemplo, que Pablo conociera el libro de la Sabiduría y es casi seguro que lo conoció el autor de la carta a los Hebreos. En el judaísmo helenista la versión griega corriente gozaba de igual autoridad que el texto hebreo; así pues, los cristianos pudieron recurrir a ella como Escritura. Para un libro, al menos, se utilizaban dos versiones: el Nuevo Testamento conoce Daniel en su vieja adaptación griega (llamada «de los Setenta») y en la versión atribuida más tarde a Teodoción [15]. Pero hay que tener en cuenta además la pluralidad de recensiones y las revisiones del texto. En la lectura judía, la *torah* gozaba de autoridad predominante que, aunque no eclipsaba la de los profetas y los Salmos, relegaba tal vez a un segundo plano la de los otros hagiógrafos.

Los judeocristianos siguieron las costumbres de los lugares en que se hallaban establecidas sus comunidades, es decir, unas costumbres que eran más amplias en la diáspora que en Palestina. Para sus reuniones, celebradas fuera del marco de la sinagoga, necesitaban el texto de la Biblia. Y, en este aspecto, tenían que contar con el precio de los libros. En el judaísmo palestino, el culto sinagogal exigía volúmenes en piel, aunque para el uso privado se admitían las copias en papiro; pero, ¿quién contaba con medios materiales para poseer una biblioteca de cierta importancia? Es probable que el judaísmo helenista recurriera con mayor frecuencia al papiro, y el pergamino estaba bastante difundido; pero no puede afirmarse nada con seguridad respecto de las reglas aplicables a los lugares de oración. Las reuniones cristianas en casas particulares entraban en el ámbito de los usos privados, lo que facilitaba sin duda la multiplicación de copias en papiro y, más raras veces, en pergamino: los libros de este tipo eran entonces corrientes en los ambientes de elevada y media cultura (cf. Act 19,19, donde se habla de libros de magia). Hacia finales de siglo las iglesias los usaban ya con profusión (cf. la alusión de 2Tim 4,13). Es, pues, posible que las comunidades cristianas estuvieran mucho mejor provistas que algunas sinagogas de la campiña, que poseían una *torah* y un rollo con salmos y libros proféticos en número indeterminado (con predominio de Isaías y de los profetas menores) y un número aún más reducido de escritos [16]. Pero no existe ningún indicio que permita afirmar que cada iglesia poseyera una colección de textos que abarcara toda la Biblia, en hebreo o en griego Es posible que se supliera esta ausencia con colecciones escogidas, análogas a aquellas de que se han encontrado fragmentos en Qumrân: colecciones de cantos y de oraciones, colecciones de lecturas litúrgicas o de fragmentos elegidos con finalidades prácticas. Es evidente que, en sus desplazamientos, los predicadores no incluían una Biblia entre sus pertenencias, aunque podían llevar consigo hojas sueltas con textos seleccionados (cf. 2Tim 4,13).

Los objetivos y los métodos de la utilización de la Biblia

1) *Del midrash judío al midrash cristiano.* En el judaísmo se utilizaba la Biblia para satisfacer diversas necesidades [17]: la *halakha* para extraer de ella, con ayuda de procedimientos exegéticos a menudo sutiles, la justificación del enunciado de sus reglas de conducta; la *haggada* encontraba en sus páginas una base para despertar la piedad, la esperanza, etc., o incluso ampliaba los textos con ayuda de diversos desarrollos; la apocalíptica especulaba sobre ellos, para convertirlos en vehículo de sus sueños de futuro. A la lectura simple, o *peshat*, se añadían todos los medios de «investigación» (o *derash)* que han dado su nombre al *midrash.* En Qumrân, existía una cierta forma de comentario erudito (el *pesher*), que intentaba descubrir sus secretos al modo como se explicaban los sueños o los escritos enigmáticos [18]. En cierto modo, el judeocristianismo heredó todas estas operaciones, adaptándolas a sus propios fines. En el ambiente helenístico se añadía la *alegoría,* en la medida en que había penetrado en el uso sinagogal sin anular los procedimientos más tradicionales [19]. Los Hechos permiten entrever un contacto entre algunos

predicadores judeocristianos y la cultura alejandrina (caso de Apolo en Act 18,24-26); san Pablo recurrió al menos en una ocasión a la alegoría (Gál 4,21-31); la carta a los Hebreos muestra, en fin, una cierta utilización de las categorías y del lenguaje de la filosofía alejandrina, aunque su dialéctica sigue siendo muy rabínica (pero tal vez este escrito sea posterior al año 70). ¿Pueden descubrirse en el Nuevo Testamento las huellas del primer *midrash* cristiano? La dificultad procede de que muy pocas veces puede determinarse con certeza la fecha exacta de las fuentes que se perciben detrás de los libros. El velo se levanta un poco cuando la exégesis cristiana de un determinado pasaje se encuentra en varios libros: en tal caso, su aplicación al anuncio del evangelio podría, por lo demás, tener sus antecedentes en las palabras mismas de Jesús.

He aquí algunos ejemplos. El Sal 110,1 aparece [20] en la tradición de los sinópticos (Mc 12,35-37 par.; cf. 15,62 par.; reasumido tardíamente en Mc 16,19), en algunas alusiones de las cartas paulinas (1Cor 15,25; Rom 8,34; Col 3,1; Ef 1,20), en los discursos de los Hechos (Act 2,33s; 5,31; 7,56), en la carta a los Hebreos (Heb 1,3.13; 8,1; 10,12; 12,2), en la *Prima Petri* (1Pe 3,22). El Sal 118,22-23 ha dejado su huella [21] en los sinópticos (Mc 11,9; 12,10 par.), en los Hechos (Act 4,11, cf. 2,33; 5,31), en la carta a los Hebreos (Heb 13,6) en la *Prima Petri* (1Pe 2,7), en el evangelio de Juan (Jn 12,13). Nos hallamos, pues, ante dos textos aplicados desde fechas muy tempranas a la exaltación de Cristo resucitado. Este mismo papel tiene la profecía del Siervo doliente (Is 52, 13-53,12) para la interpretación de la pasión [22]: sin contar las alusiones bastante nítidas de algunas sentencias de Jesús (Mc 10,45 par.; Mt 26, 28*b*; Lc 22,37), se encuentra su huella en las cartas paulinas (Rom 4,25 y 10,16, formularios prepaulinos; 15,21), en los materiales de los Hechos (Act 8,32s; cf. 3,13.26; 4,27.30), en la *Prima Petri* (1Pe 2,22-25), en la carta a los Hebreos (Heb 9,28), en el Apocalipsis (Ap 5,6.12; 13,8; 14,5), en los evangelios de Mateo (Mt 8,17) y de Juan (Jn 12,38). De igual modo, la presentación de Cristo en gloria recurre a Dan 7,13-14 [23] en los sinópticos (Mc 13,26 par.; 14,62 par.), en los Hechos (Act 1,11*b*; 7,56), en el Apocalipsis (Ap 17,13; 14,14), sin contar con otras posibles alusiones (en concreto Mt 28,18*b*). Podría prolongarse la enumeración de estos «lugares teológicos», que nos remiten a la lectura de la Biblia tal como se practicaba desde los orígenes, aunque luego fuera recibiendo nuevos desarrollos a medida que avanzaban los tiempos.

2) *Los objetivos del midrash cristiano.* Los objetivos de esta operación no coincidían exactamente con los que perseguía el ju-

daísmo contemporáneo. La *halakha* aparece poco representada, al menos bajo su forma estrictamente jurídica, aunque se dan algunos ejemplos. Así, la regla de Dt 19,15 es reasumida en su sentido más directo en Mt 18,16; 2Cor 13,1 y 1Tim 5,19; pero Heb 10,28 lo cita sólo a título de ejemplo y Jn 8,16-18 se sirve de este pasaje en un sentido esencialmente cristológico. La ruptura de Jesús con el juridicismo de los doctores de la ley entrañó un tal desplazamiento de las cuestiones que la exégesis halakhita, muchas veces elaborada con la intención de justificar una solución recibida de la «tradición de los antiguos» no tenía ya apenas aplicación para el anuncio del evangelio. Así puede deducirse de los relatos de controversias que enfrentaban a Jesús con los doctores judíos.

Interrogado sobre la cuestión del divorcio (Mc 10,1-12 par.) bajo una forma que recuerda la casuística rabínica (Mt 19,3), Jesús remite al Génesis, entendido en su sentido más directo *(peshat),* para fundar su razonamiento (Mc 10,8-9, citando a Gén 1,27 y 2,24) y negar la validez de una norma jurídica extraída del Deuteronomio (Dt 24,1). Cuando se le pregunta cuál es el mayor de los mandamientos, entendido en el sentido de una obligación formal, remite a la profesión de fe de los judíos (Dt 6,4-5), añadiendo un precepto (Lev 19,18) que figuraba en la *torah,* pero que no tenía nada de jurídico (Mc 12,28-30 par., con la ampliación dada en Lc 10,29-37). Desde el punto de vista judío, este modo de lectura es propio del *peshat,* no del *midrash.* Sin embargo, Mc 2,25s presenta un razonamiento por analogía que adopta las formas del *midrash* rabínico.

De hecho, en labios de Jesús y luego en la enseñanza apostólica, el Evangelio invierte la posición respectiva de la *halakha* y de la *haggada* en la tradición de los doctores judíos. La manera de vivir de los fieles entrañaba con toda seguridad normas exigentes: era un «camino» (Act 9,2; 18,26: término judío), es decir, una práctica. En este sentido, Pablo hablará incluso de «la ley de Cristo» (Gál 6,2; cf. 1Cor 9,21), engranada sobre el precepto del amor al prójimo (cf. Gál 5,14): así llega la *torah* a su plenitud (Rom 13,8-10 y Mc 5,17), es decir, al punto final de su dinamismo interior. Pero la buena nueva anunciada, el acceso al reino de Dios o su espera, el reconocimiento de que Jesús es Mesías de Israel, la fe en el sentido redentor de su muerte y su resurrección, pertenecen al dominio de la *haggada.* Toda la vida se estructura en función de estos elementos constitutivos del evangelio: a ellos se subordina necesariamente la *halakha* cristiana.

Así pues, éstos son los elementos que hay que buscar, en primer término, en los textos de la Biblia: la muerte y resurrección de Jesús han acontecido «según las Escrituras» (1Cor 15,3-4), principio que se puede generalizar para aplicarlo a su envío a la tierra, a los hechos y gestos de su vida, a sus palabras en lo que tienen de más innovador (cf. Mt 9,13 y 12,7, donde se pone en labios del mismo Jesús la cita de Os 6,6). Resulta de aquí una transformación de la exégesis haggádica, fundada ahora sobre el principio del cumplimiento de las Escrituras. Para demostrar este cumplimiento, la hermenéutica cristiana recurre a procedimientos prácticos que recuerdan los del *pesher* qumraniano, aunque evitando sus sutilidades y sus aplicaciones artificiosas, centradas en los conflictos históricos experimentados por un grupo replegado sobre sí mismo. Lucas nos ofrece alguna idea de esto. En los cuadros, bastante convencionales, de Act 1-15, las exégesis que se van insertando en el curso de la exposición hunden sus raíces en la práctica exegética del judeocristianismo, primero en Jerusalén, luego en Judea y finalmente en Antioquía. Este mismo método de lectura se encuentra, con algunos matices, en las cartas y en el Apocalipsis: nos hallamos aquí ante una tradición cristiana fundamental.

3) *La corriente apocalíptica.* En función de este nuevo espíritu deben valorarse las relaciones entre el cristianismo naciente y la apocalíptica judía. Dado que Jesús habló y actuó como profeta cuando descubría el futuro a quienes creían en el evangelio, es normal que las perspectivas del juicio y de la salvación ocuparan un puesto en su mensaje, sea cual fuere la opinión que se defienda sobre el carácter primitivo de algunos de sus *logia.* Y como por este camino se daba la mano con las preocupaciones de los círculos apocalípticos, podía recurrir con libertad a sus procedimientos literarios. Pero cuando su muerte y su resurrección abrieron de nuevo el futuro hacia «los tiempos de la restauración de todas las cosas» (Act 3,21), fue necesario utilizar los recursos del lenguaje apocalíptico para traducir esta esperanza, ya que era el único capacitado para ello en el medio cultural del judaísmo palestino y ofrecía además la ventaja de tomar de

continuo sus imágenes y sus fórmulas de la Escritura. La actualización, desde esta perspectiva, de aquellas imágenes y fórmulas dio nacimiento a producciones nuevas, que prolongaban todo un aspecto de la predicación de Jesús. El contenido de esta predicación fue transmitido con las reinterpretaciones necesarias, hasta el punto de que a veces hay que interrogarse sobre la extensión exacta de los textos originarios y la de las amplificaciones añadidas con el correr del tiempo. El discurso de Mc 13,5-32 (amplificado en Mt 24,4-44, desdoblado en Lc 21,8-36 y 17,7-37), constituye un ejemplo clásico: las palabras «proféticas» de Jesús han sido reasumidas y sintetizadas para formar un pequeño apocalipsis cristiano anterior al 70 en Marcos, un poco posterior en Mateo y Lucas [24].

¿Debe extenderse este principio a un número importante de otros textos, como sugiere Käsemann [25], haciendo de la apocalíptica «la madre de la teología cristiana»? ¿Debe admitirse que algunas sentencias de Cristo resucitado dirigidas a su Iglesia por mediación de los profetas, fueron luego aplicadas al tiempo en que vivió en la tierra [26]? Hay aquí cierta exageración, a juzgar por el modo como Pablo distingue netamente entre las palabras del Señor (1Cor 7,12), incluso en materia apocalíptica (1Tes 4,15) y las palabras de los profetas (1Cor 14,3.5.24). Además, a los profetas hay que añadir los doctores cristianos, a quienes el conocimiento de la Escritura confería una competencia teológica particular, para comprender cómo se fueron tejiendo poco a poco los lazos entre el anuncio del evangelio y los textos bíblicos. Pero hecha esta salvedad, es preciso reconocer que la apocalíptica ocupó un puesto normal en la primera teología cristiana, ya sea para hablar de Cristo en gloria o para traducir la esperanza fundada en su resurrección. La visión de Esteban en Act 7,56 proporciona un ejemplo clásico, de sabor todavía arcaico [27]. Con todo, debe advertirse que la revelación recibida por el vidente fue fundida en un molde prefabricado proporcionado por Dan 7,14 y el Sal 110,1 (cf. Mc 14,62 par.).

El principio fundamental de la interpretación

Aunque no analizaremos aquí con detalle los procedimientos prácticos empleados en la exégesis, es preciso recordar sus principios esenciales [28]. En el judaísmo contemporáneo, esta operación estaba sujeta a dos imperativos: de un lado, a la coherencia de sus resultados con el conjunto de la Escritura, centrada en la *torah;* del otro, a su sumisión a una cierta tradición interpretativa que se bifurcaba, por lo demás, en numerosas corrientes, y en concreto en las de los grandes partidos religiosos (saduceos, fariseos, esenios, con sus prolongaciones o sus adaptaciones en la diáspora grecoparlante). Jesús desbordó este marco, aunque a riesgo de entrar en conflicto con todos los partidos a la vez en algunos puntos cruciales. En materia de *halakha* sustituyó la «tradición de los antiguos» por la autoridad de su palabra y el ejemplo de su conducta, dando, con autoridad, una enseñanza nueva (Mc 1,27). En materia de *haggada,* es decir, de piedad y de esperanza, expuso un mensaje original que él sabía ser conforme con el dinamismo profundo de las Escrituras, aunque no lo podía demostrar por ellas. Fueron estas innovaciones las que abrieron la crisis que le condujo finalmente a la muerte.

Aquí podría haberse detenido la historia. Pero la experiencia de las apariciones dio un nuevo giro al «caso de Jesús» entre sus discípulos. En virtud de la resurrección, la autoridad de sus palabras y de sus hechos, unida a su nueva autoridad como Señor de la Iglesia, pasó a convertirse en el único principio de interpretación «evangélica» de las Escrituras. Éste es el punto central de la mutación que puede observarse en las exégesis cristianas de la época apostólica: «Como el Señor ha venido y ha realizado la encarnación del evangelio, ha hecho, por el evangelio, de todo (= de la ley y de los profetas) como un evangelio» (Orígenes, *In Johannem* 1,6,33) [29]. Ésta es la dialéctica que se encuentra al fondo de los textos nuevos en los que se alegan las Escrituras o se las reasume bajo las más diversas modalidades. Pero se advierte bien que implica un recurso consciente a «lo que Jesús hizo y enseñó» (Act 1,1): volveremos más adelante sobre este punto.

Apologética y controversia

El anuncio del evangelio «según las Escrituras» hizo que la Iglesia naciente entrara en conflicto con las autoridades judías, aunque la nueva fe había ganado adeptos incluso entre las filas de los sacerdotes (Act 6,7) y entre los fariseos (Act 15,5). Esta situación implicó la producción de textos cuya huella puede percibirse en nuestros días.

La demostración cristiana [30]

Hallamos, en primer lugar, algunos textos que se refieren a lo que podría llamarse la «demostración cristiana» dirigida a los judíos. Demostración no en el sentido de prueba apodíctica que suprimiría la libertad en la decisión de fe, sino bajo la forma de una exposición que muestra la conformidad del evangelio con las promesas contenidas en las Escrituras, para invitar a la fe a seguir avanzando, hasta llegar a su término final. No existe una frontera clara y definida entre este modo de presentación y la elaboración de la reflexión teológica en la que se desarrolla el contenido del evangelio: la lectura está guiada en los dos casos por una exégesis estrictamente cristológica. Pero esta reflexión teológica está destinada a los creyentes, mientras que la finalidad de los discursos apologéticos es jalonar la ruta hacia la fe. Aunque los materiales empleados en Act 1-15 deben a Lucas su forma final, se puede recurrir a ellos, con circunspección, para hacerse una idea de esta primera apologética.

De los discursos de Act 2,22-36.38-39; 3,13-24; 4,11-12; 5,30-32; 10,36-43 y 13,17-39 se puede extraer un *dossier* de textos utilizados con este objetivo: los Salmos 2, 16, 89, 110, 118; Dt 18,15-19; varias citas de Isaías. La relectura cristiana supone conocida la lectura judía. ¿Emplearon tal vez los predicadores algunas colecciones de *Testimonia* para anunciar y defender el Evangelio [31]? La existencia de una colección de esta índole en Qumrân (4QTest), que agrupa citas de Éx 20,21 (= Dt 5,28-29 + 18,18-19 en la recensión samaritana), de Núm 24,15-17 y Dt 33,8-11, además de un salmo apócrifo de Josué, muestra que, efectivamente, este género literario es precristiano [32]. La literatura rabínica ofrece ejemplos similares, con sus series de textos que se evocan entre sí: cabe mencionar en este sentido las citas sobre el tema de la piedra en 1Pe 2,4-8 (= Is 28,6 + Sal 118,22 + Is 8,14; el Sal 118,22 sirve de punto de referencia de otras muchas citas). Se puede, pues, esperar algún fruto de las investigaciones hechas en esta dirección, desde el Nuevo Testamento hasta los escritores del siglo II, como la *Carta de Bernabé* [33] o san Justino [34].

La polémica contra el judaísmo incrédulo

La denuncia de la incredulidad judía tiene ya antecedentes en los *logia* de Jesús, pero los Hechos proporcionan además ejemplos muy típicos. El discurso de Antioquía de Pisidia concluye con una cita amenazadora de Hab 1,5 (cf. Act 13,40s). Se encuentra la misma cita de Is 6,9-10 en los sinópticos (Mc 4,12 par.), en el final de los Hechos (Act 28,26s, discurso que cierra el apostolado de Pablo) y en el evangelio de Juan (Jn 12,40): la tradición sinóptica muestra que la utilización del texto se remonta al menos a la antigua comunidad palestina. Lo mismo cabe decir de la cita de Is 29,13 en Mc 7,6s y Mt 15,8s, aunque sigue el texto de los Setenta. El largo discurso de Esteban (Act 7,2-53) es a la vez apologético, por su recurso a la historia sagrada, con interpretación tipológica de Abraham, José y Moisés, y polémico, por su empleo final de textos proféticos. Aunque ha habido una recomposición lucana del texto, la presentación del jefe de los «helenistas» y de su hostilidad al templo (7,40-50) contrasta tan enérgicamente con la actitud de los cristianos «hebreos» (2,46; 3,1; 5,12-13.43; 21,20-26) que puede suponerse la explotación de una documentación que se remontaba a los helenistas [35], después de su dispersión por Judea (Act 8,1) y Antioquía (11,19). La antigüedad y la permanencia de esta polémica permite plantearse una pregunta a propósito de Rom 9-11; ¿recurrió tal vez Pablo, en este lugar, a otros documentos, que habrían existido con anterioridad a él, si es que no los amplió para introducirlos en su reflexión sobre el destino de Israel? Esto tendería un puente de unión con los judeocristianos. Pero esta hipótesis suscita dudas, debido a que se registra un amplio uso de la Escritura tanto en Rom 1,17-4,25 como en 9,6-11,36, salvando la sección de 5,1-8,25, donde el procedimiento es diferente: es más probable que nos hallemos ante una reflexión típicamente paulina.

La instrucción de los fieles

Tras haber mencionado las discusiones con los judíos en los pórticos del templo, en los lugares de oración o en cualquier otro lugar público, pasemos ya a las «asambleas en iglesia». En los textos de los Hechos y en el *corpus* paulino se emplea la misma serie de términos para describir el «servicio de la palabra» (Act 6,4; cf. Lc 1,2) confiado a los diversos ministerios antes enumerados.

Dejando aquí aparte la proclamación del evangelio, los términos se reagrupan alrededor de las dos funciones esenciales de profeta (con el verbo προφητεύειν y el sustantivo προφητεία) y de doctor (con el verbo διδάσκω y los sustantivos διδαχή y διδασκαλία empleados sin notable diferencia de sentido). La lectura de la Escritura puede dar lugar tanto a la profecía como a la enseñanza y se registran intersecciones entre las dos: según 1Cor 14,31, los resultados de la profecía son la instrucción (μανθάνω en pasivo) y la exhortación (παρακαλέ-ω en pasivo) de los fieles. Lucas asegura que ya desde los comienzos los fieles «se mantenían adheridos a la enseñanza (διδαχή) de los apóstoles» (Act 2,42), y nos muestra cómo los participantes de una asamblea «hablaban (ἐλάλουν) valientemente la palabra de Dios» (4,31), con un entusiasmo similar al de pentecostés. Al fijar aquí la atención sobre la instrucción de los fieles, se contempla, pues, una cierta parte de la actividad profética y la totalidad de la «didascalía». Esta instrucción, en cuanto explicación del evangelio y matriz de la teología cristiana, se desplegó alrededor de tres elementos: la atestiguación de la resurrección de Jesús, el recuerdo de los hechos de su vida terrestre y la tradición de sus palabras.

La atestiguación de la resurrección como «tradición evangélica»

No resulta fácil trazar una frontera entre los textos relativos a la resurrección de Jesús en el anuncio del evangelio como fundadora de la fe y la repetición de este anuncio como instrucción cristiana. Todo lo más, puede distinguirse entre los formularios generales y los relatos más desarrollados. Los primeros reasumen las fórmulas kerigmáticas de la predicación en el marco de las confesiones de fe, cuyo uso en las asambleas desbordaba con mucho la liturgia bautismal. Los segundos adquirieron su forma en los libros evangélicos.

Aparte 1Cor 15,3-7, ya analizado, se encuentran las huellas de diversos formularios que representan el misterio bajo variados aspectos[36]: ya como un arrancar del poder de la muerte a Cristo («Dios lo resucitó», Act 2,24.32; 3,15.26; 4,10; 5,30; 10,26; 13,30ss; 1Tes 1,10; Rom 10,9; «Cristo ha resucitado», 1Tes 4,14; 1Cor 15,4; Mc 16,6; Mt 28,6-7; Lc 24,5s.34; con alternancia de los verbos ἐγείρω «despertar-despertarse» y ἀνίστημι «levantarse-hacer levantar»), ya como exaltación (con ὑψό-ω, Act 2,23; 5,31; Jn 3,14; 8,28; 12,32-34; cf. Heb 1,3; 7,26, etc.; o ὑπερυψόω Flp 2,9); ya como glorificación (Act 3,13; Jn 13,31; 16,14; 17,1.5) sentado a la derecha de Dios (Act 2,35s; 5,31; 7,55s; Rom 8,34; Col 3,1; Ef 1,20; Heb 1,3.13; 8,1; 10,12; 12,2; 1Pe 3,22; Ap 5,1), o como vida (Rom 6,10; Ap 1,18, etc.). La fecha de los textos en que figuran estas fórmulas deja intacta su formación en la comunidad palestina.

La tradición narrativa sobre el sepulcro vacío y las apariciones es uno de los elementos más flotantes del Nuevo Testamento, como si hubiera permanecido en el estadio oral hasta la época de las redacciones evangélicas[37]. Sólo cabe registrar la existencia de un esquema «canónico» de la aparición a los doce (o a los once) para enviarlos a misionar[38], pero se advierten diferencias de detalle de un testigo al otro (Mt 28,16-20; Lc 24,36-49 = Act 1,4-8; Jn 20,19-23; Mc 16,14-18). Es indudable que la tradición antigua era más rica que lo que los textos finales permiten ver: de la aparición a Pedro sólo quedan algunos vestigios (1Cor 15,5; Lc 24,34) y no queda ninguno de la aparición a quinientos hermanos (1Cor 15,6) y luego a Santiago y a los apóstoles (1Cor 15,7). Los elementos originarios que han llegado hasta nosotros se refieren más a rasgos generales que a datos concretos y detallados. Ninguna de las sentencias puestas en labios de Cristo resucitado puede ser considerada «primitiva» con el mismo título que los *logia* del ministerio público: lo que no deja de ser bastante natural, ya que tenían por marco una experiencia metahistórica vivida por testigos todavía inmersos en la historia. Pero cabe, con todo, preguntarse, si algunos relatos insertos en el curso de la vida pública no se referían originariamente a las apariciones de Cristo resucitado: esta hipótesis es posible para la marcha sobre la aguas[39] (Mc 6,47-50 y par.) y la pesca milagrosa[40] (Lc 5,4-10; cf. Jn 21), muy probable para el *logion* de Mt 16,16*b*-19[41], pero poco plausible para el episodio de la transfiguración[42].

Los hechos del Señor

Las tradiciones referentes a los hechos de Jesús se remontan, según Lucas, a los relatos de «testigos oculares» (Lc 1,2). Pero esta referencia a los recuerdos primitivos deja intactos los problemas relativos a la «formación» de los relatos mismos, a las intenciones didácticas que la determinaron y a la función de los textos en la Iglesia apostólica: éste es el dominio propio de la *Formgeschichte*. Más allá de las fuentes escritas, la *Formgeschichte* remite a la «literatura funcional» del judeocristianismo en Jerusalén, en el resto de Palestina y, en menor grado, en la diáspora. Para el detalle de los análisis y para los géneros literarios en que pueden clasificarse los relatos, tenemos que contentarnos con remitir al estudio de los sinópticos y del IV evangelio.

Estos relatos presentan, por lo demás, una gran variedad en su manera de abordar la persona de Jesús. Los unos hablan de hechos *reveladores* de su «misterio», ya se trate de sus milagros o de su muerte en cruz, de la teofanía bautismal o de la transfiguración. Es obvio que, en este caso, interpretan los sucesos narrados. Otros refieren hechos *ejemplares,* en los que los cristianos pueden tener una luz para dirigir su vida, ya se trate de pagar el tributo del templo (Mt 17,24-27) o de hacer frente a la tentación (Mt 4,1-11 = Lc 4,1-13). Hay algunos que tienen una sola intención, como la llamada de los discípulos (Mc 1,16-20) o la curación del leproso (Mc 1,40-45); pero otros en cambio tienen varias, como los relatos del bautismo de Jesús o el de la multiplicación de los panes. Algunos suponen una elaboración previa en la predicación cristiana, como el de la tentación de Jesús según Mateo y Lucas, que tiene como telón de fondo la lectura cristiana de Dt 6 y 8 [43]. Sólo hay uno que se desarrolla con bastante extensión y encadena distintos episodios: el de la pasión [44], volcado sobre uno de los dos polos del evangelio: «Cristo murió por nuestros pecados según las Escrituras» (1Cor 15,3). Pero tal vez haya que buscar en él el anuncio de la muerte del Señor, vinculado a la celebración de su cena (1Cor 11,26), a no ser que la celebración anual de la pascua (1Cor 5,7*b*-8) invitara ya a renovar la memoria de esta muerte. Dejando de lado, por el momento, el problema de las reagrupaciones redaccionales, pueden destacarse dos puntos en el estudio de esta literatura arcaica.

1) *La fecha de los relatos.* En primer lugar, ¿en qué fecha(s) se dio forma a cada uno de los relatos en la tradición oral, antes de ser recogidos por escrito? No se puede determinar a priori: hay que examinar los casos uno por uno. Ya desde sus orígenes, la Iglesia fue un medio propicio a la conservación de una tradición narrativa vinculada a los recuerdos de los testigos oculares: de una parte, estaba interesada en ello la misma fe, en la medida en que era la persona de Jesús la que constituía su objeto; de otra, las comunidades, fundadas en primer término por estos testigos oculares, estaban estructuradas según ministerios que velaban por la Palabra [45]. Con todo, es preciso admitir que la fijación literaria de los recuerdos pudo escalonarse a lo largo de varios decenios: así, Lucas recogió de la misma tradición oral el material que utiliza para el episodio de los discípulos de Emaús (Lc 24,13-35) y Mateo el episodio de la guardia del sepulcro (Mt 27,62-66; 28,2-4.11-15), lo que introduce en la transmisión del material un período de unos cincuenta años de distanciamiento. Así pues, no pueden considerarse, ya de entrada, como primitivos todos los relatos yuxtapuestos en las síntesis evangélicas.

2) *El desarrollo de las tradiciones.* En estas condiciones, hay que tener en cuenta el desarrollo que afecta a toda creación literaria llevada a cabo en el marco de la tradición oral a lo largo de un lapso de tiempo de cierta duración: la conservación de los recuerdos originales registra en tales casos una cierta elasticidad y los flotamientos que son de esperar en tales circunstancias. Existen ciertos casos en los que la comparación de los textos paralelos nos proporciona una idea bastante clara de este proceso, por ejemplo a propósito de la muerte de Judas (Mt 27,3-10 y Act 1,18-19). Para valorar el contenido de los relatos, deben conjurarse dos peligros. 1) Sería abusivo imaginar una especie de *repetición* mecánica de los testimonios primitivos, aun admitiendo algunas variaciones secundarias: hubo una auténtica *creación literaria,* en la que todos los «servidores de la Palabra», es decir, los predicadores del evangelio, pudieron tener un papel activo. 2) Pero sería también erróneo hablar, como se hace a menudo, de la *comunidad creadora* a la que se deberían los relatos, como si esta comunidad anónima hubiera producido con una libertad incontrolada una floración de perícopas cuyos detalles — si no ya el fondo mismo — habrían podido ser inventados sin el menor

enraizamiento en una tradición sólida. Es mejor hablar de una *comunidad formadora,* en la que la producción de los textos corrió a cargo de los hombres responsables del evangelio, bajo el control de una Iglesia que se mantenía sólidamente aferrada a su tradición. Este trabajo se adaptaba, como es obvio, a las necesidades prácticas de los grupos a los que había que dar una enseñanza (διδαχή) para mantener, profundizar y expresar la fe.

Al servicio de esta operación se pusieron la memoria, la inteligencia y la imaginación, alimentadas en la doble fuente de los recuerdos procedentes de Jesús y de las Escrituras que iluminaban su existencia. Uno de los aspectos esenciales de esta tarea fue la utilización de géneros literarios bastante diversos, anclados en los esquemas generales pero abiertos a numerosas adaptaciones [46]. ¿Hasta dónde se extendieron las posibilidades inventivas en la presentación de los episodios evangélicos? La respuesta a esta pregunta es delicada [47]. La fijación de los relatos se acomodó sin duda a numerosas transformaciones en sus detalles, a esquematizaciones o ampliaciones debidas a las necesidades de la pedagogía evangélica en un medio más popular que cultivado. ¿Pudo llegar tan lejos que construyera todas las piezas de un relato, para ilustrar una determinada enseñanza? ¿Puede ser Mc 11,12-14 (la higuera seca) la transformación de una antigua parábola (cf. Lc 13,6-9)? ¿Pudo introducir en algún caso rasgos folklóricos en algunas tradiciones (como la moneda en la boca del pez: Mt 17, 27), o elementos legendarios (como la piara de cerdos ahogada en Gerasa: Mc 5,11-14 par.)? En tal caso, nos hallaríamos en la periferia de la historia evangélica. Aunque no puede desecharse a priori una posibilidad de este tipo, es preciso ser comedido a la hora de enjuiciar los casos particulares en que tal vez pudo ocurrir [48]. Son demasiados los historiadores que juzgan las cosas según el dictado de sus gustos personales y de su concepción de las probabilidades. Debe rechazarse toda generalización indebida, porque la adhesión de las iglesias a la tradición procedente de Jesús actuaba como contrapeso en este punto, frente a la flexibilidad de adaptación concedida a los narradores.

Las sentencias del Señor

Las sentencias de Jesús fueron objeto de memorización y de transmisión oral ya desde la época de su vida pública (Mt 10,7, etc.): se trataba de una práctica corriente en el judaísmo palestino, en el que los discípulos recogían las lecciones de sus maestros, cuya vida habían compartido. Esta «santa tradición de Jesús» [49] acrecentó su valor cuando la resurrección convirtió a Jesús en el Señor en gloria: el recuerdo de sus palabras entró por sí mismo en la instrucción dada a los fieles, aunque la perspectiva abierta por la resurrección invitaba, por supuesto, a hacer de ellas una relectura interpretativa. De este fondo original procede sustancialmente la masa de los *logia* y de las parábolas conservadas en los sinópticos. Pero los materiales se conservaban bajo diversas formas: a veces, las sentencias aparecen desconectadas de todo contexto histórico, otras, los relatos que las encuadran conservan un recuerdo concreto del contexto primitivo, otras, en fin, se hallan insertas en contextos (e incluso en relatos) totalmente convencionales. Aquí es preciso examinar los casos uno por uno.

Pueden plantearse dos preguntas sobre este tema.

1) Los retoques literarios, las recomposiciones, las inserciones en las colecciones o en contextos artificiales, muestran que la tradición salida de Jesús, siempre tratada con respeto en cuanto regla de fe y de vida, tomó forma gracias a los predicadores que instruían a las comunidades. Incluso en las secciones narrativas de estilo oral, en las que abundan los semitismos, hay que contar con la actividad de estos predicadores, sin atribuir con excesiva precipitación a los textos una autenticidad literaria muy estricta: la de las *ipsissima verba Jesu* [50]. La adhesión a las enseñanzas de Jesús era una fidelidad viva, que no debe confundirse con la simple repetición mecánica. Pero, ¿hasta dónde pudo llegar esta recreación literaria? No existe una ley general que nos permita dar una respuesta válida para todos los casos. Puede admitirse globalmente el testimonio evangélico de la comunidad primitiva como procedente de Jesús, sin prejuzgar por ello la situación de muchos detalles.

2) ¿Debe admitirse, siguiendo a Käsemann [51], que los profetas cristianos desempeñaron un importante papel en este trabajo, en el sentido de que las sentencias enunciadas por ellos en nombre de Cristo resucitado (por ejemplo, los formularios de derecho sacro, como Mt 5,19; 6,14s; 16,27, etc.) fueron luego incorporados a las colecciones de sentencias procedentes del mismo Jesús? No puede excluirse a priori esta posibilidad, pero la circunspección se impone. Más que pensar en creaciones

«carismáticas» atribuidas a continuación, y por error, a Jesús de Nazaret, es mejor contemplar con realismo el trabajo razonado de los «profetas, sabios y escribas» (Mt 23,34), que adaptaron la tradición recibida a las necesidades prácticas de la *halakha* y de la teología cristianas.

El IV evangelio transmitió y dio forma a los materiales de una manera harto diferente. Su presentación como «discursos de revelación» apenas puede atribuirse a los primeros estadios de la tradición joánica, aunque abunden los semitismos. No puede negarse que los textos se enraízan en la Palestina anterior al año 70, pero esto no nos permite remontarnos más allá de la primera comunidad cristiana. En este caso se impone, pues, un estudio crítico, con mayor razón aún que en los sinópticos [52]. Es muy posible que en el curso de este estudio se descubran algunos *logia* de Jesús tan primitivos como los de los sinópticos: también aquí deben examinarse los casos uno por uno. Además, y dado que el recuerdo (y la reinterpretación) de las palabras del Señor se mezclaba normalmente con la lectura y la explicación de la Escritura, hay que tener también en cuenta la posible interacción de estas dos operaciones en la fijación final de los textos evangélicos (véase, por ejemplo, la inserción de Is, 5,2*b* en Mc 12,1 y Mt 21,33, ignorada en el texto paralelo de Lc 20,10). Sea como fuere, hay que descartar la idea de una pura repetición mecánica tanto respecto de las sentencias de Jesús como del recuerdo de sus hechos y sus gestos: ya desde los orígenes de la Iglesia, los responsables de la Palabra llevaron a cabo un trabajo positivo para dar forma y para situar los hechos y las palabras del Señor.

Los textos litúrgicos

Según los Hechos de los apóstoles, los judeocristianos de Jerusalén permanecieron fieles al culto del templo hasta el comienzo de la guerra judía [53]; ¿siguieron los fieles de Judea y Galilea participando en las fiestas de peregrinación, aunque algunas de ellas, como la pascua y pentecostés, tenían ya un sentido completamente diferente para su fe? Puede admitirse, pero advirtiendo que Lucas subraya más las continuidades tradicionales que las rupturas. Siguen, con todo, en pie, algunos problemas: los cristianos, que reconocían en la muerte de Jesús el sacrificio de la nueva alianza (1Cor 11,25 par.), ¿seguían tomando parte en los sacrificios judíos? Es difícil dar una respuesta. En todo caso, es seguro que sus comunidades estaban fuertemente marcadas por los ritmos de la liturgia judía: observancia del sábado, horas de la oración, celebraciones anuales, etc. Más aún que por la liturgia del templo, estaban marcados por su participación en las reuniones sinagogales, tanto en Jerusalén como en Palestina y en toda la diáspora: y esta participación se mantuvo mientras las autoridades locales no se opusieron a ello, como aconteció ya en vida de Pablo (Act 17,5-9.13; 18,6-8; 19,9). Ya por este simple hecho, las modalidades prácticas de la oración cristiana sufrieron la influencia de la experiencia sinagogal: lectura y comentario de la Escritura, canto de salmos y oraciones, etc. La liturgia propiamente cristiana adquirió su forma en «las casas» (Act 2,46) en que se celebraban las reuniones particulares, cuando se hallaban «congregados en iglesia». Acabamos de analizar todo lo que, en estas asambleas, se refería al anuncio y a la explicación de la Palabra. Quedan ahora por examinar los grandes ritos litúrgicos y los textos elaborados en función de los mismos [54].

El bautismo «en nombre de Jesús» y el don del Espíritu

La adhesión al Evangelio, marcada por el arrepentimiento (Act 2,38; 3,19; 5,31; 26,20) y por la fe en Cristo Jesús (Act 10, 43; 13,39, etc.), se traduce en la recepción del bautismo, que tiene una doble significación: remisión de los pecados y don del Espíritu Santo (Act 2,38; 10,43). El rito en sí asume el del bautismo de Juan, pero transformando su sentido: ya no es tan sólo un bautismo de agua como señal de arrepentimiento, sino un bautismo en Espíritu santo, don escatológico (cf. Act 1,15). En la tradición de los Hechos no se indican lugares privilegiados: el bautismo se administra donde hay agua (Act 8,36; 16,13-15), a veces en las casas particulares (16,33 y probablemente 10,48). A partir del momento en que existieron ya «asambleas en iglesia», reunidas en las casas, es probable que la inserción en la comunidad se hiciera en estas ocasiones, lo que presupone que existían pilones de agua en las cercanías. Se ha conservado una fórmula primitiva vinculada al rito: los fieles se bautizaban «en nombre de Jesús» (Act 2,38; 8,16; 10,48; 19,5), es decir, con la invocación de este nombre (cf. 2,21; 22,16; 1Cor 1,13-15; 6,11).

Más difíciles de detectar son los otros vestigios del rito, aunque han influido en todos los relatos de bautismo conservados en los Hechos. La confesión de fe cristiana [55] tiene aquí ciertamente su origen. San Pablo ha conservado varios vestigios: «Jesús es Señor» (Rom 10,9; cf. 1Cor 12,3; Flp 2,11). «Jesús ha muerto y resucitado» (1Tes 4,14). «Cristo Jesús... murió, resucitó y está a la diestra de Dios... aboga en favor nuestro» (Rom 8,34). «Fue entregado por causa de nuestras faltas y fue resucitado por causa de nuestra justificación» (Rom 4,25). «Dios le ha resucitado de entre los muertos» (Rom 10,9). Todos estos formularios se encuadran perfectamente en el marco bautismal [56].

En el medio palestino de habla aramea puede también vincularse a este marco el formulario de oración filial conservado por Pablo en textos plenos de alusiones bautismales: «¡Abba! ¡Padre!» (Gál 4,6; Rom 8,15). En ellos se encuentra no solamente un eco directo de la oración de Jesús en Getsemaní (Mc 14,26), sino también el inicio del *paternoster* en su recensión lucana (Lc 11,2-4); es lícito deducir de aquí que el rito de iniciación cristiana entrañaba la recitación de esta plegaria.

La *Formgeschichte* de los evangelios permite también vincular a este marco varias tradiciones ligadas al mismo tema, y en concreto el recuerdo de la predicación de Juan y el relato del bautismo de Jesús. Dado que el bautismo cristiano es heredero del de Juan en cuanto rito penitencial (cf. Mc 1,14 par.), se explica bien la conservación de las palabras del Bautista que mantenían su actualidad en la preparación al rito (Mc 1,4-8, ampliado en Mt 3,4-12, Lc 3,7-18 e incluso en Jn 1,19-28). Por otra parte, el relato del bautismo de Jesús no tiene sólo intención cristológica: muestra en filigrana el contenido de la experiencia bautismal, en la que los fieles participan de la experiencia de Jesús, ya que reciben el Espíritu y se convierten en hijos de Dios. Por lo demás, la forma apocalíptica del relato sugiere una composición arcaica de origen palestino. Pueden buscarse otras huellas de la preparación al bautismo en las colecciones de *logia* relativas al arrepentimiento; pero Jn 3,1-9 supone una teología muy elaborada que no puede considerarse primitiva [57]. Por lo que hace a la promesa del Espíritu, muy poco desarrollada en las tradiciones de los sinópticos (Mt 10,19s; Lc 12,11s; Mc 13,11 = Lc 21,14s) no se relaciona con la iniciación cristiana, sino con el testimonio que es preciso dar ante los perseguidores (cf. Jn 14,16-17.26-27): el rito heredado de Juan Bautista sólo se comprendió desde esta nueva perspectiva a partir del «bautismo en el Espíritu Santo» (Act 1,5).

La cena del Señor

La asamblea en iglesia incluía una comida en común, a la que aluden Pablo y Lucas (Act 2,46; 1Cor 11,21s). Filón ha señalado esta misma conjunción de comida y lectura de la Escritura entre los terapeutas de Alejandría *(De vita contemplativa,* 64-89). Este paralelismo no implica dependencia, pero muestra la existencia de un esquema común que explica la relación entre el servicio de la Palabra y la cena eucarística. Esta última culmina en una celebración ritual de un nuevo tipo: repitiendo la experiencia de los primeros testigos (cf. Act 10,41; Lc 24,30.41-43; Mc 16,14), la asamblea entera es admitida a la mesa del Señor resucitado para comulgar con su cuerpo y su sangre (1Cor 10,16). Pablo habla a este propósito de «cena del Señor» (1Cor 11,20) y Lucas de «fracción del pan» (Act 2,42; 20,7.11; cf. Lc 24,30.35; 1Cor 10,30). La primera expresión subraya la novedad de un rito que asume la forma de las comidas judías, pero que recibe su sentido de la presencia del mismo Señor resucitado; la segunda se refiere al gesto mismo. Pablo depende estrictamente del judeocristianismo cuando alude al pan partido y a la bendición recitada sobre la copa de vino (1Cor 10,16).

¿Cómo se significaba en la práctica la presencia del Señor cenando con los suyos (cf. Ap 3,20)? Nos lo explica una tradición muy sólida, que se remonta hasta el mismo Señor, recibida y transmitida por Pablo. Según ella, la cena de la asamblea se relacionaba con la última cena de Jesús con los suyos «la noche en que iba a ser entregado» (1Cor 11,23-25). Este relato de la Cena [58], comida pascual aligerada en la tradición sinóptica de todo elemento no relacionado con «la comida del Señor», no se limitaba a proporcionar un modelo que reproducir. Al recordar la identidad entre el Señor que recibe a los fieles en su mesa y Jesús de Nazaret, que presidió aquella cena en la que anunció el sentido de su muerte, el texto «recibido y transmitido» estaba probablemente destinado, en cuanto relato, a ser leído en el momento de la «fracción del pan», para traer el recuerdo de la significación de este gesto ritual: mediante esta lectura, el presidente de la asamblea cristiana desaparecía en un segundo plano, ante el Señor muerto y resucitado. Al orientarse hacia esta comprensión del relato, la *Formgeschichte* del texto permite comprender la relación existente entre dicho relato y la celebración eucarística, tanto en Pablo, que desliga al texto de todo contexto pascual más amplio, como en los sinópticos, que lo convierten en una pieza clave del relato de la pasión inaugurado por Mc 14,1; Mt 26,1 y Lc 22,1. La diversidad redaccional de las cuatro recensiones —donde 1Cor 11,23*b*-25 se asocia a Lc 22,15-19 y Mc 14,22-25 a Mt 26,26-29— deja intacto el punto esencial. Así pues, el esquema fundamental del relato pertenece a la primera capa literaria de la tradición judeocristiana, que puede situarse en el tiempo inmediatamente posterior a su fundación: se comprende así el papel normativo del esquema en relación con la cena del Señor y la fracción del pan.

En la órbita de este texto han tomado forma dos clases de materiales evangélicos. Los primeros son *relatos de comidas* hechas por Jesús durante su ministerio, y en especial los de la multiplicación de los panes [59] (Mc 6,30-43 y par. en Mt, Lc y Jn; Mc 8,1-9 y par. en Mt); pero la tradición joánica de las bodas de Caná (Jn 2,1-11) supone una elaboración más compleja de un recuerdo primitivo. Los segundos son los *logia*, parábolas o discursos en los que el *tema de la comida* desempeña un importante papel; aquí, con todo, la resonancia eucarística se introdujo en un segundo tiempo, por ejemplo en Mt 22,1-14 que desarrolla Lc 14,16-24, más directamente vinculado al contexto primitivo y a la experiencia de las comidas fraternas entre los cristianos. Por su parte, la catequesis eucarística de Jn 6,24-59, presentada como una enseñanza de sinagoga (6,59), tiene como telón de fondo la discusión entre judíos y cristianos, pero hace hablar a Cristo resucitado, que descubre el sentido del rito eucarístico (concretamente en 6,53-58): por tanto, su enraizamiento en la tradición primitiva sólo puede percibirse a través de las redacciones más tardías de la tradición joánica.

El envío misional

Como hemos visto antes [60], la organización de la misión cristiana, vinculada a la expansión de la Iglesia en Palestina y en la diáspora (Act 8,1; 11,19) fue obra de apóstoles, profetas y doctores. Su partida misionera no era asunto privado, independiente de su iglesia de origen. Lucas habla de envíos en misión de inspección (Act 8,14; 11,22; cf. 15,22.30): se advierte la intervención pública de la asamblea comunitaria. En el caso de Bernabé y de Pablo, el envío tuvo lugar en el curso de una celebración cúltica (λειτουργούντων αὐτῶν: Act 13,2): se hace notar la imposición de las manos (13,3), que más tarde pasaría a convertirse en el gesto de ordenación para el ministerio (1Tim 4,14; 5,22; 2Tim 1,6). Este gesto, de origen judeocristiano, pudo estar en uso desde fechas bastante tempranas [61].

Respecto de la organización práctica de la misión, Pablo alude a una regla dada por el Señor a propósito de los que anuncian el evangelio (1Cor 9,14, remitiendo a Mt 10,10 y Lc 10,7). Esta alusión muestra que los discursos de envío en misión reproducidos en los sinópticos recibieron su última forma literaria en función del envío de los misioneros cristianos (Mc 6,7-12; Mt 10; Lc 9,1-6 y 10,1-16, donde los 72 discípulos, grupo distinto del de los doce, pueden evocar a estos misioneros). Sería lógico concluir de aquí que las colecciones de *logia* relativas a este tema se formaron para ser leídas en asamblea con ocasión de la partida de los enviados, sea a nivel de los evangelistas, sea al de sus fuentes. Podrían tal vez añadirse algunas sentencias de Jesús dirigidas sólo a sus discípulos, como Lc 12,1-12, que tiene paralelos en Lc 21,12-19, Mc 13,9-13; Mt 10,17-32 y Jn 15,18-16,4. La promesa del Espíritu está relacionada con las dificultades a que tenían que hacer frente los misioneros (Mc 13,11; Mt 10,20; Lc 12,12; cf. 21,15; Jn 15,18-27). Pero en Juan estas instrucciones aparecen en función de la expulsión de los judeocristianos determinada por el judaísmo oficial entre el 80 y el 95 (cf. Jn 16,2). Sería imprudente llevar más adelante la hipótesis, reconstruyendo todo un ritual de ordenación: no es éste el sentido de Act 13,1-3, ni siquiera al nivel de la teología de Lucas [62].

Oraciones y cánticos

En las obras más elaboradas, como las cartas y el Apocalipsis, pueden ponerse aparte los materiales litúrgicos muy arcaicos, convertidos en bien común de las iglesias, como *Alleluia*, *Amen* (frecuentes) y *Maranatha* [63] (1Cor 16,22, traducido en Ap 22,20). A ellos pueden añadirse las aclamaciones y formularios hímnicos reasumidos o adaptados en algunas cartas (1Tim 1,17; 3,16; 1Pe 2,22-24) y en el Apocalipsis (Ap 4,8.11; 5,13s; 7,12; 15,3s; 19, 1*b*-2*a*.5*b*.6*b*-7*a*) [64]. Los deseos con que se abren o concluyen de ordinario las cartas deben reproducir los que abrían las asambleas litúrgicas (cf. 1Tes 4,28; 2Tes 1,2 y 3,18; Flp 1,3.25 y 4,23; Gál 6,18; 1Cor 1,3 y 16,23; 2Cor 1,2 y 13,13; Rom 1,7*b*; 7,25*a*; 11, 36*b* y 16,27; 1Tim 6,15*b*-16; Heb 13,25). Pero la doxología de Rom 16,25-27 es probablemente más tardía. La oración inserta en Act 4,24*b*-30 es una redacción lucana que sitúa en buen lugar el *pesher* cristiano del salmo 2,1-2. De todas formas, la operación realizada en este lugar recuerda que el salterio leído en la sinagoga proporcionaba a la oración hecha en iglesia sus materiales fundamentales, mediante las oportunas reinterpretaciones. Este pasaje nos da un ejemplo concreto que puede extenderse a todos los salmos cristológicos.

Lucas ha conservado también dos salmos cristianos muy arcaicos, que proceden probablemente de la comunidad palestina. El cántico de María (Lc 1,46*b*-55), vinculado a su contexto narrativo por unas pinceladas mínimas (1,48), es un centón de fórmulas bíblicas que expresan la acción de gracias comunitaria en una época en que la teología de la salvación recurría a expresiones todavía rudimentarias, sobre la posible base de un cántico judío más antiguo [65]. Su atribución a la madre de Jesús puede estar relacionada con el hecho de que Lucas la muestra asociada a la oración de la Iglesia después de la resurrección (Act 1,14). En un estilo muy diferente, el cántico de Zacarías [66] (Lc 1,68-79) adapta al contexto del nacimiento de Juan Bautista (gracias a la inserción de los v. 76-77) una «bendición» cuya inspiración bíblica es evidente y cuya teología es un poco más elaborada que la del *Magnificat* (cf. v. 78-79). Su construcción literaria, en forma de frase seguida, recuerda la de los *Himnos* de Qumrân. La fórmula de Lc 2,14 transfiere a la liturgia angélica un texto que estaría en buen lugar en la liturgia comunitaria. Este procedimiento es idéntico al del Apocalipsis y supone una interpretación de la liturgia terrestre que tendría antecedentes en la apocalíptica judía y que reasume equivalentemente la alusión de Heb 12,22-24. Se ve, pues, que el balance de las investigaciones no es desdeñable.

III

LAS PRIMERAS COLECCIONES ESCRITAS

Colecciones evangélicas

El estudio de la formación de los textos al nivel de la tradición oral o de la primera conservación escrita, en una época en que estaban reducidos a un puñado de fragmentos, es un trabajo sumamente arduo. No es, pues, extraño que surjan diferencias de valoración entre los críticos. El terreno es algo menos movedizo cuando se pasa de la *Formgeschichte* a la historia redaccional que la completa, concentrando la atención sobre las agrupaciones de perícopas. Se ha hablado a menudo, en este aspecto, de memoriales de catequistas, coleccionados en función de las necesidades prácticas, por analogía de contenido (como los cinco conflictos de Mc 2,1-3,6) o por afinidades temáticas (como el discurso en parábolas de Mc 4,1-34, ampliado en Mt 13). De hecho, la actividad de la catequesis está atestiguada en Gál 6,6; Act 8,27-38 da un ejemplo de instrucción individual; pero hay que evitar la reconstrucción de una representación anacrónica de las catequesis cristianas. Los apóstoles, profetas y doctores que formaban el personal de la misión evangélica, dejaban en los diversos lugares evangelizados comunidades organizadas, del tipo de las que se evocan en Act 14,21-23; 16,40; 17,14; 18,7-11.26; 20,6-12. ¿Es que los responsables de las iglesias locales no tenían necesidad de una documentación evangélica *escrita*, además de la Biblia judía, que seguía siendo la base de su cultura religiosa? Sería muy extraño que las diversas iglesias no hubieran conservado, y se hubieran comunicado unas a otras, colecciones parciales, que contendrían numerosas variantes en los detalles. La crítica tiene aquí amplia tarea para redescubrir su huella en nuestros evangelios actuales. Es incluso posible que algunas colecciones de *logia*, ya hoy desaparecidas, hayan acarreado materiales de este género hasta la época patrística: ¿no habría que buscar por este flanco el origen de los *agrapha*[67] y de algunas perícopas del *Evangelio según Tomás*[68] que pueden considerarse arcaicas? El comentario de Papías sobre los *logia* del Señor (hacia 125), ¿se refería a nuestros evangelios o a una colección de esta índole? El problema sigue pendiente de respuesta.

En este mismo marco hay que situar las primeras composiciones de conjunto, a las que alude claramente Lucas (Lc 1,1). Al parecer, estas composiciones nos remiten a un segundo momento de la misión. Pero, ¿no habla Lucas por vez primera de un *evangelista*, en el marco palestino (Act 21,8; cf. algo más tarde Ef 4,11), precisamente a propósito de esta época? ¿No fue la misión de estos evangelistas conservar, coleccionar, poner en forma los materiales tradicionales entregados a las comunidades? Tal vez iniciaron su trabajo en épocas relativamente tempranas, en el medio judeocristiano, a medida que progresaba la misión, para proseguirlo después en las iglesias de origen mixto. De todas formas, la crítica vacila a la hora de dar mayores precisiones. Aquí es donde se sitúan las diversas hipótesis relativas a la composición de los evangelios[69]. Que se admita o no, según el testimonio de Papías, la existencia de un evangelio de Mateo «en lengua hebrea» (es decir, no griega, y más probablemente aramea); que se lo prefiera o no a la fuente Q de los críticos, entidad de fácil manejo pero evanescente; que se desdoble esta fuente para poner aparte la fuente particular de Lc 9,51-18,4, o que se recurra al sistema de cuatro documentos y de redacciones intermedias propuesto por M.E. Boismard; que se dejen de lado las fuentes fijas para recurrir a la documentación múltiple o a cualquier otra hipótesis: en cualquier caso, nos vemos remitidos a un medio judeocristiano anterior al 70, de lengua aramea o de lengua griega, abierto a la evangelización del mundo pagano. No es necesario intentar zanjar aquí las cuestiones de detalle: lo esencial es situar las proposiciones de los críticos en un marco que explique el contenido y la forma de estas composiciones.

El problema de las cartas antiguas

Dejamos aquí de lado las cartas de san Pablo y la *Prima Petri*, que tienen un contexto diferente. Un buen número de críticos piden una fecha anterior al 70 para Sant y Heb. Si la carta de Santiago[70] es un escrito auténtico, compuesto antes de su muerte (62), sería contemporánea de las cartas paulinas; hay autores que quieren incluso hacerla remontar a la década de los años 50. Pero su contenido no es tanto el propio de una carta cuanto una colección en la que se yuxtaponen algunos esquemas de predicación. Su lengua, que ofrece un buen griego, se compagina mal con la hipótesis de la autenticidad literaria. Su moralismo prolonga el de la corriente sapiencial. La estructura eclesial que presupone, con su mención de los presbíteros (Sant 5,14), es efectivamente judeocristiana. Con todo, las «doce tribus de la dispersión» (Sant 1,1), saludadas según un formulario griego, designan convencionalmente al conjunto del judeocristianismo helenista donde Santiago conservó, de hecho, un sólido prestigio después de su muerte. Con independencia de la antigüedad de las perícopas coleccionadas, preferimos ver en esta carta un escrito más tardío, que volveremos a encontrar más adelante.

Análogo problema plantea la carta a los Hebreos[71]. Enviada desde Italia (Heb 13,24), por un autor imbuido de cultura alejandrina, dirigida a judeocristianos que conservan la nostalgia del culto judío, no encierra ninguna alusión clara a la ruina de Jerusalén y del templo, lo que constituye un argumento positivo en favor de una datación antigua. Pero su evocación del culto judío no responde tanto al funcionamiento institucional cuyo recuerdo conserva la Mishna cuanto a los textos del Levítico: este indicio apunta en sentido contrario. Por lo que hace a la discusión teológica que desvaloriza el culto judío apoyándose en las Escrituras, puede invocar en su favor las polémicas iniciadas por Esteban y los helenistas (Act 7,44-50) pero puede asimismo situarse en la época en que la Iglesia se alejaba del judaísmo restaurado. Esta incertidumbre crítica invita a reemprender el examen de la carta en un contexto más tardío.

Los otros textos judeocristianos

¿Existió otra literatura judeocristiana que haya dejado algunas huellas tras de sí? Así se ha sugerido, a propósito de la *Didakhe*[72], de probable origen sirio y cuyo núcleo primitivo se remontaría, según algunos críticos, a la década de los 50 o los 60. La organización de los ministerios que este escrito supone y las secciones litúrgicas que se encuentran en él tienen, en efecto, un sabor arcaico. La *Instrucción sobre los dos caminos* (Did 1-6) recoge probablemente una documentación de origen judío que cuenta con un paralelo en Qumrân y que pudo servir para la formación de los prosélitos [73]. Pero la fórmula bautismal de Mateo (Did 7,1 = Mt 28,19), la mención del «día del Señor» como día litúrgico (Did 14,1; cf. Ap 1,10), la libre utilización de textos evangélicos con predominio de Mateo, remiten más bien a finales del siglo I. No existe ningún otro libro judeocristiano que podamos situar antes del 70: las sugerencias hechas sobre este punto en favor del *Evangelio según Tomás* pertenecen al ámbito de la pura fantasía.

CAPÍTULO TERCERO

LA PRODUCCIÓN LITERARIA EN TIERRA DE MISIÓN HASTA EL AÑO 70

Es cómodo, pero bastante arbitrario, distinguir, antes del 70, entre un medio judeocristiano y las tierras *de misión.* Ya desde sus mismos orígenes la Iglesia fue misionera por su propia vocación y virtualmente universal. Con todo, la actitud que tomó la misión respecto de la institución judía, a la vez nacional y religiosa, tanto en la diáspora como en Palestina, fue sacando a la luz, con creciente claridad, dos tipos de comunidades locales [1]. La una, que funcionaba en el marco mismo del judaísmo, se abría a los paganos «temerosos de Dios» siguiendo una práctica judía (cf. Lc 7,4-5; Act 10,1-2; 16,14; 18,4.7), pero respetando al mismo tiempo las restricciones impuestas por la ley para reglamentar las relaciones entre cristianos judíos y no judíos (Act 15,23-29, eco probable de una práctica propia de las iglesias de Siria y Cilicia). La otra, prolongando el antilegalismo de Esteban y de los helenistas (Act 6,9-14), abría la Iglesia a los griegos sin imponerles ningún tipo de formalidades legales para participar en las asambleas comunitarias (Act 11,20-26). El primer grupo podía apoyarse en Santiago de Jerusalén (Act 12,17; 15,13-21, donde a los paganos «convertidos a Dios» se les considera como «oyentes de la ley» en las reuniones sinagogales: 21,17-25). El segundo grupo se había diseminado, a partir de Antioquía, por la diáspora judía; pero la misión especial de Bernabé y Pablo entre los paganos y su concepción de la libertad evangélica habían sido reconocidas como auténticas en Jerusalén por las «columnas» de la Iglesia (Gál 2, 6-10).

Es cierto que los judeocristianos del entorno de Santiago endurecieron la posición de este último e intentaron obligar a los paganos a la circuncisión y a la observancia de la ley (cf. Gál 2, 11-13; Act 15,1-2.5). Llegaron incluso a organizar una contramisión que seguía los pasos de Pablo [2] (Gál 1,6-7; 5,12; 2Cor 11,4): en las cartas del apóstol resuenan sus toques de alerta contra estos «archiapóstoles» (2Cor 11,5), «falsos apóstoles y obreros engañosos» (2Cor 11,13), «malos obreros y falsos circuncisos» (Flp 3,2*b*). La política de Pablo respecto de la institución judía era clara y muy abierta: a sus ojos, el evangelio trae la salvación a todo hombre que cree, *a los judíos primero,* a los griegos después (Rom 1,16; 2,9-10). Según los Hechos, cuando llegaba a una ciudad, comenzaba siempre por anunciar el evangelio en el seno de la comunidad judía y en el curso de su reunión sinagogal. Aquí era donde se implantaba primero la Iglesia y nunca se llegaba a la ruptura si no era por iniciativa de las autoridades judías locales (Act 17,5-9.13-14; 18,6-7; 19,8-9; 20,3; 28,25-28; cf. 1Tes 2,14*b*-16). Lejos de distanciarse de «las iglesias de Dios en Cristo que están en Judea», felicita a las iglesias por él fundadas porque imitan el fervor de las primeras (1Tes 2,12*a*), hace colectas en su beneficio (1Cor 16,1; 2Cor 8-9; Rom 15,26-28; Act 24,17), de acuerdo con el compromiso que adquirió en Jerusalén (Gál 2,10); conservó incluso las costumbres de aquellas iglesias siempre que no pusieran en juego la libertad cristiana frente a la ley judía (1Cor 11,16; cf. 14,33*b*-34).

No puede afirmarse que esta valerosa actitud fuera imitada por todos los misioneros, pero sí lo fue, con seguridad, en el caso de Bernabé (Act 11,22ss; 1Cor 9,6), Apolo (1Cor 16,12) y sin duda en otros muchos. Es, de todas formas, probable que los «hermanos» que Pablo y sus compañeros encontraron al llegar a Italia (Act 28,13-14) y a Roma (Act 28,14*b*-15) fueran, si no en su totalidad sí al menos en una parte importante, judeocristianos organizados a la manera de las iglesias de Judea [3]. A los ojos de Pablo, en las iglesias no había «ni griegos ni judíos» (Gál 3,28; 1Cor 12,13; Col 3,11). Pero, como escribe a los cristianos de Roma, sobre los que pudo obtener informes a través de Prisca y Aquilas (Act 18,2; cf. Rom 13,3, texto enviado desde Corinto), a los fieles les estaba permitido cumplir las observancias legales a condición de no convertirlas en cuestión de principio (Rom 14,1-6.14-21). Esta matizada posición impide aceptar las viejas tesis de la escuela de Tubinga, que hablaba de un paganocristianismo radicalmente diferente del judeocristianismo. El estudio que hemos hecho en las páginas anteriores sobre el judeocristianismo y las tradiciones literarias formadas en su marco y luego legadas por él, desbordó ampliamente las fronteras de Palestina. Al examinar ahora la producción literaria «en tierra de misión», tendremos en cuenta ante todo las iglesias que se difundieron siguiendo las huellas de san Pablo o que adoptaron normas de vida análogas a aquellas de que fue promotor. El monumento más importante para esta tarea es la colección de sus cartas, que permite someter a comprobación los pasajes paralelos de los Hechos. Pero habrá que preguntarse también si no existen otros testimonios laterales en las cartas o en las colecciones evangélicas escritas antes del año 70.

I

LAS CARTAS DE SAN PABLO

Todo examen de las cartas de san Pablo obliga a tener en cuenta sus antecedentes judíos para comprender las subestructuras de su pensamiento, las formas de sus razonamientos, las modalidades de su teología [4].

La imagen del judío de Tarso helenizado, y por tanto sincretizado, es una construcción arbitraria [5] que está en contradicción con los textos más formales de las cartas y de los Hechos de los apóstoles. Pablo es «de la tribu de Benjamín, hebreo hijo de hebreos, en cuanto a la ley, fariseo» (Flp 3,5). Esta indicación ocasional confirma los datos más explícitos de los Hechos. Nacido en Tarso de Cilicia (Act 21,39; 22,3*a*; cf. 9,11), se educó en Jerusalén, «a los pies de Gamaliel» (Act 22,3*b*), es decir, en un ambiente «hebreo» en el que se sentía gran veneración por la tradición de los padres y donde la liturgia judía se celebraba en hebreo, recurriendo al arameo en la medida en que esta lengua hablada era necesaria para el *Targum*, la predicación e incluso la plegaria (cf. el formulario antiguo del *Qaddish)* [6]. Incluso después de su conversión, que le distanció de la *halakha* farisea, Pablo conservó las prácticas exegéticas adquiridas en el medio en que se había formado. Desde el punto de vista social, Pablo era ciudadano de Tarso (Act 21,39) y podía acogerse a los derechos de ciudadanía romana, que tenía por nacimiento (Act

22,25-28; cf. 16,37; 25,10-12). Pertenecía, al parecer, a la burguesía comerciante dedicada al comercio de tiendas (Act 18,3). En el momento de ser arrestado en Jerusalén, todavía se quedó en esta ciudad un sobrino suyo, hijo de su hermana (Act 23,16). Nada demuestra que volviera a Tarso antes de que la oposición de los judíos le obligara a abandonar Judea (Act 9,30). Por lo demás, los judíos helenizados que vemos intervenir en la controversia ocasionada por Esteban no estaban en modo alguno paganizados: al contrario, eran muy estrictos en lo referente a la ley (Act 6,9-12). No se distinguía de ellos Pablo cuando «perseguía a la Iglesia de Dios» (1Cor 15,9; cf. Flp 3,6; Act 8,3; 9,1-2.4) y aprobaba el asesinato de Esteban (Act 7,58; 8,1)[7]. Todo lo que se ha escrito sobre la preparación psicológica inconsciente de su conversión, utilizando en especial Rom 7,7-25[8], pertenece al campo de la fantasía. Todos los indicios convergen para hacer de él un representante típico del medio fariseo sólidamente implantado en Judea, que contaba con seguidores también en la diáspora. No obstante, el origen tarsiota de su familia le permitió sin duda adquirir desde joven el dominio corriente de la lengua griega, indispensable en los medios comerciales. Así puede deducirse del hecho de que participó de cerca en las discusiones de los judíos helenistas con Esteban (Act 6,9-10). Su bilingüismo le habría de servir de mucho en sus años de apostolado. Pero entre su conversión y su primera carta hay que poner un lapso de tiempo de 15 a 18 años al menos, durante los cuales estuvo en contacto constante — aunque contradictorio — con el judaísmo helenista: hay aquí un factor importante de su personalidad.

Las fuentes de las cartas paulinas

El término «fuentes» no se entiende aquí en el sentido de documentos escritos, sino en el de las «pequeñas unidades» que la *Formgeschichte* y la historia redaccional permiten aislar en los textos, en razón de sus formas literarias y sus funciones. En las cartas de Pablo aparecen huellas evidentes de estas unidades. Estas cartas son escritos de circunstancias, que abordan los problemas concretos que se le plantearon al apóstol entre el 50-51 (primera estancia en Corinto) y su cautiverio romano (59/60-62/63)[9]. Para explicar su contenido, es poco realista recurrir a una especie de sistema teológico que Pablo habría tenido en la cabeza ya desde el primer día de su conversión. Es mejor comenzar por tener en cuenta las formas prácticas que revistió su acción en las iglesias: anuncio del evangelio a los judíos y los paganos, lectura de las Escrituras en la asamblea cristiana, instrucción de los fieles, celebraciones litúrgicas acompañadas de oraciones y cánticos. Todos estos elementos, que constituyen «constantes» en la actividad de Pablo, se corresponden exactamente con aquellos otros que el estudio del judeocristianismo nos ha permitido descubrir ya desde el primer momento [10]. No es, pues, necesario, volver aquí sobre el problema del puesto que ocupan en la vida del apóstol, misionero del evangelio, ni en el de las iglesias fundadas por él. Pero no puede excluirse la posibilidad de que una investigación de este tipo permita conocer más cosas sobre los *textos* cristianos transmitidos a las iglesias paulinas, producidos para atender a sus necesidades y conservados en su marco, que lo que ha sido posible conseguir respecto de las antiguas iglesias de Judea: ha habido menos intermediarios entre estos textos (primitivamente orales en gran parte) y nosotros. Aunque su creación — si se tiene en cuenta su origen oral — ha podido escalonarse a lo largo de 25 a 30 años, y por consiguiente sus formas y sus contenidos han podido tener una evolución paralela a la del pensamiento de Pablo, se les puede agrupar en grandes categorías, según el método que se ha adoptado para los antiguos textos judeocristianos.

Pablo y la tradición prepaulina

El enraizamiento primitivo de Pablo en el judeocristianismo de Damasco (Gál 1-17; 2Cor 11,32s; cf. Act 9,10-25), injertado sobre el de Jerusalén o el de Galilea, luego su contacto de quince días con Pedro (y también Santiago) en Jerusalén (Gál 1,18s; Act 9,26-29), su estancia en Cilicia, en un medio posiblemente judío (Gál 1,20; Act 9,30) y más tarde en la iglesia de Antioquía fundada por judeocristianos helenistas (Gál 2,11-13; Act 11,25-26) tuvieron una consecuencia bien segura: que ni la originalidad de su conversión personal ni su propia lectura cristiana de las Escrituras le impidieron insertarse profundamente en la tradición ya existente y extraer de ellas numerosos elementos. Por esta razón hemos podido recurrir a sus cartas para investigar la literatura cristiana más arcaica [11]. Con todo, las investigaciones sobre la tradición prepaulina son difíciles, cuando lo que se pretende buscar son las sentencias de Jesús o los relatos referentes a sus hechos y sus gestos. En efecto, el objetivo práctico de las cartas hace que raras veces recuerde Pablo o cite sus elementos fundamentales, entregados a las iglesias cuando fueron fundadas. Con todo, existen algunos indicios [12]. Así, 1Tes 4,15 recurre a una sentencia del Señor para disipar una duda en materia de esperanza; pero 1Tes 5,1-2 procede mediante alusión, remitiendo a textos conocidos de todos. De igual modo, 1Cor 7,10 cita una prescripción que corresponde a Mc 10,7-9; pero 1Cor 7,25 demuestra que no siempre puede apoyarse Pablo en instrucciones explícitas de Jesús. Estos testimonios ocasionales, insertos en la correspondencia, abren una perspectiva interesante a propósito de la transmisión de la tradición evangélica. Al igual que los misioneros judeocristianos [13], Pablo debió dejar en las iglesias no sólo instrucciones orales, sino también un mínimo de textos esenciales, ya fueran textos de la Escritura respecto de los cuales su predicación era sólo un comentario cristiano [14], ya algunos otros que precisaban el contenido del evangelio. Pero, salvo algunas notables excepciones, se nos escapan los detalles.

El anuncio del evangelio

Ya nos hemos referido, en el marco de las tradiciones prepaulinas, a los resúmenes de evangelio que servían de punto de partida a la predicación [15]. A ellos hay que añadir ahora varios pasajes que constituyen un eco de la actividad de Pablo, cuando entregó «el evangelio de Dios» (1Tes 2,8), o «el evangelio de Cristo» (Gál 1,7), «palabra de verdad» (Col 1,5), «acogida con el gozo del Espíritu Santo» (1Tes 1,6). A los fieles de origen judío les bastaba confesar la fe en el Señor Jesús (Rom 10,9), muerto por nuestros pecados y resucitado al tercer día «según las Escrituras» (1Cor 15,3). Pero los fieles de origen pagano tuvieron que llegar a una conversión mucho más radical. Al evocarla rápidamente en 1Tes 1,9-10, Pablo ofrece el esquema de la predicación que dirigía a esta categoría de hombres: abandono de los ídolos y servicio de Dios vivo, muerte y resurrección de su Hijo Jesús, cuya vuelta es esperada para que libre a sus fieles de la ira que está por venir. La primera parte de este esquema coincide con la predicación a los paganos tal como la presenta Lucas en el discurso de Pablo en Listra (Act 14,15-17), mientras que su final es paralelo a su discurso ante el Areópago (Act 17,30-31): así pues, Lucas recuerda con exactitud los temas fundamentales de la predicación paulina. Ésta, dejando de lado las demandas espontáneas de judíos y griegos, fue una proclamación del Cristo (título de gloria dado al resucitado) crucificado (recuerdo paradójico de su destino terrestre) (1Cor 1,22-23). Basándonos en estos textos, es lícito suponer que más de una fórmula ocasional, en la que se mencionaban estos temas muy generales, tuvo su origen en el anuncio del evangelio tal como lo hacía Pablo ante auditorios judíos o paganos. Pero dado que las cartas se dirigen a gentes ya convertidas, es inútil buscar en ellas huellas más nítidas de este género literario.

La instrucción dada a los fieles

Resulta lógico situar aquí los fragmentos de predicación que tienen relación directa con el bautismo, ya que éste sella el acceso a la fe. Es cierto que Pablo evangeliza más que bautiza, encomendando al parecer esta segunda tarea a los auxiliares que le acompañan en la misión (cf. 1Cor 1,14-17*a*). Pero hay que destacar las alusiones bautismales de las cartas, sobre todo cuando se repiten en diversas ocasiones, siguiendo esquemas análogos: estos textos constituyen entonces un eco de la predicación que acompañaba al bautismo «en nombre de Cristo»; al repetirla, se remite a los creyentes a la experiencia que fundamentó su «vida nueva». Pueden distinguirse varios registros en esta predicación. De un lado, Pablo explica la naturaleza de la vida dada a los que, bautizados en Cristo (Rom 6,3), se revisten de Cristo (Gál 3,27): participan de su muerte y resurrección (Rom 6,1-11), reciben en Espíritu (1Cor 12,13), forman ya un solo cuerpo, a pesar de sus diversos orígenes (Gál 3,27-28; 1Cor 12,13; Col 3,11). Por otra parte, Pablo da una regla de vida que debe regir en adelante la conducta de los bautizados: es la «regla de doctrina» a la que éstos se someten (Rom 6,17). Es bastante fácil reconstruir sus grandes líneas.

Cuando venga el día del Señor, se negará la entrada en el reino de Dios a todos cuantos acomodaron su conducta a las costumbres de los paganos y practicaron sus vicios: hay varios catálogos de vicios (1Cor 6,9-10; Gál 5,19-21; cf. Ef 5,5), que no hacen sino remitir a una catequesis bien conocida («¿no sabéis...?», 1Cor 6,9*a*), cuya referencia bautismal queda explícitamente indicada (1Cor 6,11). Por consiguiente, la exhortación a luchar contra el pecado se engrana lógicamente en la explicación de la experiencia bautismal (tema desarrollado en Rom 6,12-23). También puede relacionarse con este marco la instrucción sobre el precepto que incluye a todos los demás y que determina las actitudes que deben adoptarse respecto del prójimo (Gál 5,14 = Rom 13,8-10, que remite implícitamente a Mc 12,31 y par.). Las instrucciones particulares dadas a las diversas categorías sociales sobre los deberes de su estado encuentran así en este contexto una situación muy iluminadora: 1Cor 7,17-24 vuelve ocho veces sobre el tema de la condición en que se encontraban en el momento de la *llamada* de Dios, con aplicaciones a los circuncisos y a los incircuncisos, a los esclavos y a los libres; se trata de una regla establecida en todas las iglesias (7,17*b*). A partir de aquí, un texto como Col 3,18-4,1, que contempla los deberes respectivos de los maridos y de las esposas, de los hijos y de los padres, de los esclavos y de los amos, puede encuadrarse dentro de la instrucción a los futuros bautizados [16], y lo mismo cabe decir de todos los textos paralelos: Rom 13,1-7, que orienta el pensamiento hacia los deberes cívicos; Ef 5,21-6,11, que amplía el texto de Col; cf. también 1Pe 2,11-3,7, que vuelve sobre todo este conjunto en una exposición global.

El recuerdo de las instrucciones bautismales que se percibe en las cartas se adapta en cada ocasión a la situación de los destinatarios. Pueden advertirse, de una carta a la otra, ciertos progresos en la exposición doctrinal. Pero resulta bastante lógico buscar en cada caso el eco directo de las predicaciones pronunciadas por Pablo en la iglesia en que se encontraba en el momento en que remitía su carta: 1Cor refleja su predicación en Éfeso hacia el año 55, y Rom su predicación en Corinto durante el invierno del 56/57. Si esta perspectiva es exacta, la acogida de nuevos bautizados durante la última estancia en Corinto proporcionó la preparación oratoria de un esquema de discurso bautismal cuyas huellas se encuentran probablemente en varios pasajes de Rom 5-8 y 12,1-13,14. Por consiguiente, el análisis crítico de los textos debería poner de relieve estos materiales primitivos.

La lectura y explicación de la Escritura

1) *El servicio de la palabra de Dios en las iglesias.* Cabe pensar que, a partir de un cierto momento, y dentro del funciona-

miento normal de las iglesias, se organizó ya con cuidado la preparación al bautismo (cf. Gál 6,6) y que el rito se celebraba en el curso de la asamblea, que tenía lugar «el primer día de la semana» (según 1Cor 16,1-2). En estas asambleas, el anuncio de la Palabra tenía el mismo puesto esencial que en el judeocristianismo. De ahí que al enumerar los dones del Espíritu (1Cor 12,28), Pablo mencione en primer lugar las tres funciones de que se ha hablado en páginas anteriores[17]: «primeramente apóstoles; en segundo lugar, profetas; en tercer lugar, maestros». Como ya hemos visto, los hombres que desempeñaban estas funciones no estaban necesariamente ligados a comunidades particulares: podían ir de una iglesia a otra, como Pablo y sus compañeros o como Apolo (1Cor 3,5-6; 16,12). También en la asamblea se ejercían los dones particulares enumerados al principio del mismo capítulo (12,8-10). Entre ellos, los discursos de ciencia y sabiduría —que podían concederse a todos los miembros— pertenecen al ámbito del servicio de la Palabra. Junto a los profetas funcionales (1Cor 12,28), existía también un ejercicio de la profecía de más amplia difusión (11,4-5): bajo la inspiración del Espíritu (14,37), el profeta «edifica, consuela y anima» (14,3), «instruye y exhorta» (14,31). Todos los fieles pueden tener «un cántico, una enseñanza (διδαχή), una revelación, un discurso en lenguas, una interpretación» (14, 26). Si se requiere un control (14,32) es para que todo transcurra en orden (14,40) y para edificación de la iglesia (14,26*b*).

Esta última exigencia quedaría insatisfecha si la asamblea estuviera abandonada a la sola espontaneidad de las iniciativas particulares. No sólo los profetas se controlan entre sí (14,32), sino que existen en las iglesias responsables bajo los que deben «situarse» los fieles (1Cor 6,1)[18]. En 1Cor no se da ninguna designación particular de su función, a menos que no aluda a ello el «gobierno» (κυβέρνησις) mencionado en 12,28. Pero 1Tes, que no ignora los dones de profecía (1Tes 5,19), menciona explícitamente a los que presiden la asamblea (οἱ προϊστάμενοι: 5,12): se esfuerzan por ella, reprenden a los fieles, cumplen un «trabajo» (5,12-13) que prolonga el del apóstol fundador. La carta a los Romanos, que refleja probablemente la estructura de la iglesia de Corinto desde donde fue expedida, sitúa esta función de presidencia entre los dones del Espíritu (Rom 12,8*c*), al lado de la profecía, del servicio, de la enseñanza (διδασκαλία), de la exhortación, de las actividades de «don» y de misericordia (12,6-8). El cuidado por el buen orden y por la unidad en la asamblea puede distinguirse, pues, del servicio de la Palabra bajo todas sus formas. En efecto, este último exige aptitudes especiales, no sólo para tomar la palabra en público, sino sobre todo para conocer y explicar esta Palabra, en la que se entrecruzan dos elementos: la Escritura y el anuncio del evangelio.

2) *Los ecos de la predicación paulina.* Pablo no menciona nunca la lectura de la Escritura en la asamblea ni la manera en que se recuerda en ella el evangelio. Pero tampoco tenía por qué hacerlo, ya que estos dos elementos esenciales no constituían ningún problema y todas sus cartas suponen una y otra cosa. Su manera de recurrir ocasionalmente a la Escritura es tal que los destinatarios de sus cartas no le hubieran podido entender sin una cultura bíblica bastante avanzada. La lectura y la explicación cristiana de los libros santos, trasladados de la sinagoga judía a la asamblea en Iglesia, constituían, pues, uno de los pilares de la enseñanza (διδαχή o διδασκαλία) dada a los fieles. El análisis de las cartas descubre con facilidad pequeñas unidades en las que se perciben otros tantos ecos de la predicación de Pablo, discípulo de un doctor judío y ahora convertido en doctor cristiano. En algunos casos, el apóstol mismo alude a la enseñanza que los fieles han recibido de él con anterioridad: así en 1Tes 4,1-8, a propósito de la conducta cristiana en materia sexual, con múltiples alusiones a la Escritura que suponen citas y explicaciones de textos bíblicos. O también en 1Tes 4,9-12, donde la alusión al amor mutuo implica una referencia al texto citado en Rom 13,8-10. En ambos casos se trata de una *halakha* cristiana, cuya presencia en varias cartas permite entrever algunos de los temas fijos y habituales de la predicación (compárese 1Tes 4,4-8 con 1Cor 6,19-20, que se introduce con la fórmula: «¿no sabéis...?»). De igual modo, los temas de la predicación bautismal reaparecen normalmente en el marco de la asamblea cristiana, «ya que la salvación está ahora más cerca de nosotros que cuando abrazamos la fe» (Rom 13,11*b*). Sería extraño que estos elementos fundamentales de la enseñanza apostólica no se hubieran conservado en las iglesias (¿oralmente o por escrito?), para ser recordados a los cristianos y transmitidos a los nuevos convertidos.

Se descubren también, en el curso de las cartas, algunos esquemas de predicación que presuponen una lectura de los textos bíblicos bastante precisa [19]. Sobre este punto, la *Formgeschichte* tiene todavía ante sí un amplio campo de investigación.

Es probable, por ejemplo, que 1Cor 5,7-8 sea el esquema de la predicación de Pablo en Éfeso, con ocasión de la celebración de la fiesta de pascua del 57, a continuación de la lectura del texto tomado de la liturgia judía: Éx 12,1-20 (cf. las alusiones a 12,6.8.15). También 1Cor 10,1-13 supone lecturas del Éxodo y de los Números, acompañadas de aplicaciones cristianas: estas alusiones serían incomprensibles sin una predicación muy detallada. Ahora bien, una predicación similar, sobre el puesto de la tentación en la vida de los fieles, aparece en otros muchos pasajes del Nuevo Testamento: en Heb 3,7-4,11 se injerta sobre el Sal 95,7-11; el trasfondo del relato de las tentaciones de Cristo según Mt 4,1-11 y Lc 4,1-13 supone el comentario de varios textos del Deuteronomio y del Sal 91,11-12. El texto de Gál 3,6-18, en el que el desarrollo paulino está encuadrado por dos citas de Gén 12,3 y Gén 12,7 (en v. 8 y 16) puede ser el eco de una predicación sobre Gén 12,1-9, que figuraba sin duda entre las lecturas sinagogales. Es más seguro aún que Gál 4,22-31 es un esquema de sermón sobre Gén 16 ó sobre 21,1-21, acompañado de Is 54,1-10, como podía ocurrir acaso también en la lectura sinagogal [20]. El desarrollo de Rom 4,1-24, enmarcado por dos citas de Gén 15,6 (en los v. 3 y 22), tiene mucho parecido con una predicación sobre Gén 15, en la que se multiplican las citas escriturísticas al estilo rabínico: ¿no es esto un indicio indirecto de una predicación de Pablo en Corinto sobre este texto, leído en asamblea? Un análisis atento de Rom 9-11, que incluye una documentación escriturística de extraordinaria riqueza, ¿no podría tal vez redescubrir las huellas de otras predicaciones corintias sobre algunos de los textos citados? La densidad de las citas bíblicas en estos capítulos es un argumento irrefutable en favor de una lectura de la Escritura, que iba desde la *torah* a los profetas y a los salmos, en la iglesia de Corinto, donde se encontraba Pablo cuando dictó la carta. Otros fragmentos de esta misma carta, como 12,16*b*-21 ó 15,8-12 plantean un problema similar. En la segunda carta a los Corintios, en la que los capítulos 1-9 podrían tal vez contener varias cartas originariamente distintas [21], los desarrollos están construidos con tal solidez que no es posible sucumbir a la tentación de desmenuzarlos en perícopas inconexas. No obstante, 2Cor 6,14-7,1, que según opinión unánime de los críticos es una pieza trasladada de otra parte [22], tiene todo el aire de un esquema de sermón sobre un tema preciso. Puede también reconocerse en 2Cor 9,6-10 un movimiento oratorio con unidad propia.

Estos ejemplos dan suficiente idea de la predicación que ha proporcionado materiales a las cartas: las instrucciones escritas han sido precedidas y preparadas por las instrucciones predicadas.

En torno a la liturgia eucarística

1) *La cena eucarística.* Por la época en que se sitúan las cartas de san Pablo, la proporción entre judíos y griegos que participaban en pie de igualdad en las «reuniones en iglesia» (Gál 3,28; 1Cor 12,13) daba seguramente mayoría al elemento griego, es decir, a los fieles de origen pagano. El judaísmo oficial manifestó abiertamente su hostilidad al anuncio del evangelio, sobre todo desde el momento en que Pablo se dirigía indistintamente a los paganos y a los judíos (cf. 1Tes 2,13-16). Poco a poco, las reuniones se fueron reestructurando para dar a los fieles la conciencia de su unidad y de su originalidad, tanto frente a los cultos paganos como frente al judaísmo. Pero aun así, la lectura de la Escritura explicada en una predicación «evangélica», la oración y el canto en común tomaron sin duda muchos elementos de la liturgia sinagogal, mediante las indispensables selecciones y reinterpretaciones.

Los elementos específicamente cristianos que daban sentido a todos los restantes eran el anuncio del evangelio y la cena del Señor, inseparables el uno del otro, como ha demostrado el estudio del judeocristianismo primitivo. Es difícil trazar la marcha del desarrollo de las reuniones y asignar su lugar exacto a la «copa de bendición» y a la «fracción del pan» (1Cor 10,16) en el marco de la comida fraterna que constituía uno de los elementos esenciales de la asamblea. En 1Cor 11,20-21, δεῖπνον designa la comida de la tarde o cena (cf. 10,27, mss D y G): esta circunstancia es perfectamente comprensible, ya que los cristianos sólo podían reunirse una vez acabada la jornada laboral. Lecturas e instrucciones, profecía y oración (1Cor 11,4s), cánticos, enseñanzas, revelaciones y discursos en lenguas (1Cor 14,26) podían repartirse a lo largo de una reunión que se prolongaba sin duda hasta bastante avanzada la noche, si tenemos en cuenta Act 20,7-11.

2) *La oración común.* Pablo no menciona en ningún lugar las reglas por que se regía la oración común, sujeta, sin duda, a los imperativos del bien común (1Cor 12,7), de la dignidad y del orden (14,40): y es que los problemas que tenía que resolver no venían de este lado, porque la «tradición» dejada en cada igle-

sia ponía, ya de entrada, las cosas en su punto. Pablo menciona las oraciones pronunciadas en alta voz por hombres y mujeres (1Cor 11,4-5), lo que supone una costumbre bastante diferente de la de las sinagogas, en las que las mujeres ocupaban un lugar aparte. Prevé también el caso de que los fieles puedan hacer oír «cánticos inspirados» (1Cor 14,26 y Col 3,16*b)*. Se trata de la expresión carismática del sentimiento religioso, a veces de difícil reglamentación. Como ha ocurrido con la palabra profética anunciada en estas mismas circunstancias, tampoco estas oraciones improvisadas por los fieles han llegado hasta nosotros.

3) *Himnos y cánticos.* La alusión de Col 3,16 a los «salmos, himnos y cánticos» permite entrever un gusto por el canto religioso tan acentuado como en la liturgia judía o en los cultos mistéricos. Puede, pues, admitirse que hubo cánticos cristianos compuesto para el uso común, incluso después de que el evangelio hubiera pasado de un medio específicamente judío al medio helenista, más impregnado de cultura pagana. Los salmos y los cánticos sacados de la Escritura proporcionaban ya una primera serie de formularios, desde los orígenes mismos de la Iglesia. Cuando se evocó, en páginas anteriores, la existencia de estas composiciones cristianas en las iglesias de Judea [23], pudo comprobarse la dependencia de Pablo respecto del cristianismo más antiguo. Queda ahora por examinar el problema de los cánticos y de los himnos que cita ocasionalmente. Aunque los casos no son muy numerosos, esto no quiere decir que las iglesias no tuvieran a su disposición muchos textos: sencillamente, Pablo no tuvo necesidad de recurrir a ellos para sus exposiciones. Queda siempre, de todas formas, la duda de su origen exacto: estos textos, ¿son prepaulinos o son composiciones paulinas? Desde la perspectiva de este estudio, el problema carece de importancia y, por lo demás, algunos textos insertos en el *corpus* de las cartas pueden ser más tardíos. Es también posible que al citar algunos textos ya conocidos de sus lectores, Pablo los haya adaptado al contexto de sus cartas, mediante retoques o glosas: esta posibilidad está sujeta a la discusión de los críticos.

Una serie de estudios convergentes invita a considerar los textos siguientes: los dos himnos a Cristo conservados en Flp 2,6-11 y Col 1,15-20, un fragmento del himno bautismal citado en Ef 5,14, un fragmento doxológico situado de ordinario en Rom 16,

25-27 (pero desplazado en algunos manuscritos y omitido en otros), algunos fragmentos arcaicos conservados en cartas más tardías (1Tim 3,16; 6,15-16 y 2Tim 2,11-13). No puede decirse nada seguro sobre la fecha de los tres últimos textos: a tenor de su contenido y su vocabulario, pueden proceder tanto de la década de los cincuenta como de la de los ochenta y, además, nada hay que garantice su origen paulino. Volveremos sobre Ef 5,4 a propósito de la carta a los Efesios y a su relación con la liturgia bautismal. El final de la carta a los Romanos pudo introducirse en este lugar por un editor, pero su tonalidad es enteramente paulina: se trata de una doxología que vuelve sobre temas esenciales de la carta [24]. Los dos himnos, por el contrario, permiten medir la evolución del estilo de la oración entre la carta a los Filipenses (contemporánea de las grandes cartas) y la carta a los Colosenses (de la época de la cautividad romana). El trasfondo bíblico es más acentuado en Flp 2,6-11, pero el movimiento general de la sección sigue el trazado de las confesiones de fe evangélicas y la proclamación de «Jesucristo es Señor» (2,11) transforma el sentido de los textos escriturísticos utilizados como fuentes [25]. El contacto con el lenguaje griego y con la especulación oriental está más acentuado en Col 1,15-20, pero este nuevo modo de expresión ha sido puesto al servicio de una cristología que prolonga la de las grandes epístolas [26]. Además, es posible que esta perícopa esté relacionada con la liturgia bautismal, como ocurre con otros muchos pasajes de esta misma carta [27]. De todas formas, la formulación de la fe y de la oración ha salido del molde típicamente judío en que se fundieron también los cánticos arcaicos utilizados por Lucas (Lc 1,46-55.68-79). Pero todo esto no son sino jalones demasiado escasos, en el proceso de una creación de textos que con toda seguridad marchó paralelo al proceso de penetración del Evangelio en los medios de cultura griega [28].

Las cartas en la actividad pastoral de san Pablo

La función de las cartas

Es de importancia secundaria discutir por saber si los escritos paulinos son simples *cartas*, acordes con las normas seguidas por la correspondencia epistolar de la antigüedad griega, o *epístolas* en el sentido oficial y más solemne de la palabra [29]. Pablo no componía piezas literarias destinadas a la publicidad. Pero, de todas formas, escribía para resolver problemas pastorales que eran del dominio público, al menos en el interior de las iglesias, y sus cartas estaban concebidas para ser leídas en asamblea (1Tes 5,27) e incluso para la comunicación con otras iglesias de modo que sirvieran para la edificación de todos (Col 4,16). Hasta el billete a Filemón, que acompañaba a la carta a los Colosenses, incluía entre sus destinatarios los nombres de Filemón, de Apfia (probablemente su esposa), de Arquipo, que había recibido un ministerio (Col 4,17) y de la iglesia que se reunía en casa de Filemón: se trata, pues, de un acto público, y por esto justamente se ha conservado su texto. Todas las observaciones que pueden hacerse sobre el género epistolar en la antigüedad tienen su interés, a condición de orientar la investigación hacia las cartas oficiales que se intercambiaban en el judaísmo helenista de aquella época (cf. ya 2Mac 1,1-10). Los parecidos y diferencias que pueden observarse en los formularios empleados en una y otra parte ponen de relieve la originalidad cristiana del epistolario de Pablo. Pero ya hemos notado antes la fuerte dependencia de algunos desarrollos respecto de las actividades *orales* del apóstol en las asambleas en iglesia. Por lo demás, los temas que trata están determinados por preocupaciones ministeriales: son tan diversos como las circunstancias lo exigían.

Pablo sólo escribió de su puño y letra algunas breves frases al final de sus cartas (2Tes 3,17s; 1Cor 16,21-24; Gál 6,11-18; Col 4,18). Dictaba el cuerpo del escrito a un secretario cuyo nombre (Tercio) se ha conservado en un caso particular (Rom 12,16, insertado entre los v. 21 y 23, que tal vez podría proceder de la mano de Pablo). Es posible, por supuesto, hacer cábalas sobre el tiempo necesario para el dictado de una carta, la cantidad de papiros necesarios, las copias que podrían eventualmente sacarse del original — sea para enviarlas a otras iglesias o para guardarlas en la comunidad en la que Pablo se hallaba cuando escribía — el grado de libertad que el apóstol podía, en determinadas circunstancias, conceder a sus secretarios para dar forma a los escritos o para corregir, llegado el caso, sus errores de estilo, al pasar el escrito en limpio, etc. Es posible que estas consideraciones expliquen algunas particularidades o que resuelvan algunas dificultades de detalle. Pero el esfuerzo principal de la crítica debe encaminarse a un punto esencial: dada la función de las cartas, ¿hasta qué punto su relación con la actividad pastoral del apóstol permite reconstruir el orden de su composición y las fechas de su envío?

Orden y fechas de las cartas

Ya hemos descrito en otro lugar [30] la actividad apostólica de Pablo en función de dos fuentes de información: las cartas mismas, debidamente pasadas por la criba, y el relato de los Hechos de los apóstoles (Act 16-28). Son muchos los puntos sujetos a discusión: los iremos indicando aquí de paso, al enunciar con prudencia nuestras propias opciones. Señalemos de entrada un hecho literario importante: en numerosos casos, y aun dejando de lado las conjeturas abusivas, es problemática la unidad interior de las cartas. El hecho no tiene nada de extraño, porque al coleccionar estas reliquias del apóstol, las iglesias locales se preocuparon ante todo por conservar lo que hacía referencia a sus necesidades vitales, sin plegarse a las reglas que habrían de preocupar mucho más tarde a los editores modernos. Podría pues, admitirse eventualmente una *Redaktionsgeschichte* de las cartas que distinguiría entre su *autor* y los *editores,* a quienes se debe su presentación actual. Más, aún, se ha planteado el problema de la autenticidad literaria de varias cartas. Incluso teniendo en cuenta la diversidad de las cuestiones tratadas y la evolución de estilo y de vocabulario que puede darse en un autor a lo largo de una quincena de años, las dificultades son bastante considerables, de modo que es preciso enfrentarse con ellas.

1) *Pablo y Tesalónica.* Hacia el 50/51, la primera carta a los Tesalonicenses permite situar a Pablo en Corinto, poco tiempo después de la fundación de la iglesia local (cf. Act 18,1-18). Es lógico buscar en esta carta no sólo algunas fórmulas prepaulinas y alguna información sobre la iglesia de Tesalónica, sino también y sobre todo un eco de la primera predicación de Pablo en Corinto. La segunda carta presenta algunas dificultades, en concreto en razón de sus perícopas apocalípticas y de su nueva

posición sobre el problema de la parusía. Algunos críticos ven en esta carta una composición postpaulina que supondría una evolución doctrinal importante; pero la mayoría se inclina más bien en favor de la autenticidad literaria del escrito [31], que sería algunos meses posterior a la primera carta.

El viaje de Pablo a Jerusalén, pasando por Éfeso y Cesarea y testificado en Act 18,19-22, forma un hiato en la secuencia de las cartas. De Jerusalén, Pablo se trasladó a Antioquía, cruzando el territorio gálata y Frigia, mientras que en Éfeso sus antiguos compañeros de apostolado llevaban al judío Apolo al pleno conocimiento del evangelio y le animaban a trasladarse a Corinto, en Acaya (Act 18,23-28; cf. 1Cor 3,5-6). Fue entonces cuando Pablo llegó a Éfeso, donde se detuvo dos años y tres meses, del 54 al 57 (Act 19,1-20,1). Pasó a continuación a Macedonia y luego a Grecia, donde permaneció tres meses en Corinto (Act 20,1-3*a*). En este punto, el relato de Lucas es muy lacónico, hecho tanto más de lamentar cuanto que precisamente entre el año 55 y el invierno del 56/57 se desarrolló una importante correspondencia: las dos cartas a los Corintios, la carta a los Filipenses y la carta a los Gálatas.

2) *Pablo y los Gálatas.* La carta a los Gálatas no plantea problemas de historia redaccional, porque está construida de una pieza. Vinculada al paso de Pablo por Galacia (Act 18,23), pudo ser escrita hacia el final de la estancia en Éfeso, cuando llegó a oídos del apóstol la noticia de la contramisión organizada por los judaizantes. Podría también pensarse en los meses siguientes, durante la estancia en Macedonia o en Corinto.

3) *Los inicios de la correspondencia con Corinto.* En la correspondencia con la iglesia de Corinto es seguro que se ha perdido una carta (cf. 1Cor 5,9). El resto se presenta hoy bajo la forma de dos cartas, de extensión casi igual; pero el análisis descubre perícopas yuxtapuestas y piezas de acarreo [32]. En la primera carta este desmenuzamiento no se impone con el mismo rigor. Son bastante numerosos los cambios de tema: en 5,1; 6,1 y 6,12; en 7,1 que esboza un nuevo desarrollo, debido a una carta recibida de Corinto; en 8,1, que supone otra pregunta de los corintios; en 15,1, que abre el desarrollo de la resurrección; en 16,1, que formula instrucciones prácticas y proyectos para el futuro. No es seguro que deba descomponerse este conjunto en car-

tas independientes; pero sus diversas secciones pudieron dictarse con interrupciones más o menos prolongadas, mientras se esperaba la oportunidad de que hubiera alguien que pudiera llevar todo el escrito a Corinto. Pablo dispuso de al menos tres fuentes de información: el informe oficioso de «los de Cloe» (1Cor 1,11), la carta que le escribieron para hacerle algunas preguntas (7,1) y la visita de Estéfanas y de algunos compañeros, responsables de la iglesia local (16,15-18). Cabría, por tanto, pensar en una composición escalonada durante un cierto tiempo: capítulos 1-6, luego 7,1-11,1 y finalmente 11,2-16,24. Pero es una división incierta. En todo caso Estéfanas y sus compañeros partieron hacia Corinto llevando consigo al menos 11,1-16,24 (donde, a pesar de todo, el cap. 15 sigue dando la impresión de una pieza acarreada de otra parte y situada entre 14,40 y 16,1). Según la cronología general que hemos adoptado [33], Pablo concluyó este dictado antes de pentecostés del año 55 (16,8). Los problemas tratados en este escrito se refieren a la vida propia de la comunidad corintia, pero sus desarrollos oratorios o doctrinales se hacen naturalmente eco de su predicación en Éfeso. Algunos indicios del final permiten entrever una oposición a la predicación del evangelio en esta última ciudad (15,32*a* y 16,9). Estos indicios coinciden con el informe de Act 19,23-20,1, pero los Hechos no hablan de un peligro de muerte que la carta siguiente evoca con toda claridad (2Cor 1,8-10).

4) *Pablo y los filipenses.* Pablo no llevó a cabo sus primitivos proyectos. La hipótesis de un arresto y de un encarcelamiento en Éfeso [34] cuenta con dos testimonios directos, que coinciden entre sí: el de la segunda carta a los Corintios (2Cor 1,8-10) y el de Flp 1,14, escrita en prisión en un momento en que Pablo se enfrenta con la posibilidad de ser condenado a muerte (1,20-24). La afinidad de estas dos cartas quedó aún más acentuada por sus alusiones paralelas a adversarios judeocristianos, contra los que Pablo pone en guardia a sus destinatarios (2Cor 11,13-23 y Flp 3,2-6). Al parecer, se trata de los mismos adversarios mencionados en la carta a los Gálatas, que habrían llevado adelante su ofensiva en Macedonia y Acaya. Esta convergencia de indicios lleva a situar en Éfeso, y antes de fines del 57, la correspondencia con los filipenses [35]. Pero en su estado actual la carta plantea un problema particular de historia redaccional. Es probable que

se agrupen en ella tres secciones: un billete de agradecimiento por la ayuda financiera que recibió en la prisión (Flp 4,10-23), una carta escrita bajo la perspectiva de una posible condena a muerte (Flp 1,1-3,1*a* + 4,4-7) y una tercera carta, posterior a la ofensiva de los judeocristianos en Filipos (Flp 3,1*b*-4,3 + 4,8-9). Puede atribuirse a la comunidad de Filipos la agrupación de las tres secciones. Por supuesto, si aparece en el escrito la cita de un himno o algunas reminiscencias de predicación, su origen debe buscarse en la actividad de Pablo en Éfeso. Pero tampoco puede excluirse la posibilidad de que el himno a Cristo fuera ya conocido por sus destinatarios.

5) *La continuación de la correspondencia con Corinto.* Muy similares son los problemas redaccionales que plantea la segunda carta a los Corintios. Una vez puesto aparte el bloque errático de 2Cor 6,14-7,1 que interrumpe una exposición[36], quedan al menos cuatro secciones dispares[37]. Las de más fácil separación son los dos billetes, probablemente distintos, que recomiendan la colecta en favor de la iglesia de Jerusalén: el primero está dirigido a la comunidad de Corinto (2Cor 8) y el segundo a todas las iglesias de la provincia de Acaya (2Cor 9). La exposición que los precede (2Cor 1,1-6,13 + 7,2-16), relativamente unificada a pesar de sus disgresiones, viene al término de una grave crisis, ahora ya en vías de solución. Pero en ella se alude a una carta anterior, escrita con lágrimas (2,3s.9; 8,8), después de una rápida visita en el curso de la cual estalló la crisis (cf. 12,14; 13,1-2). El tono de 2Cor 10,11-13,10 respondería bien a estas circunstancias. Esta sección, en la que pueden faltar el encabezamiento y el fin, sería entonces sencillamente contemporánea de la carta a los Gálatas y de Flp 3,1-4,3. Enviada desde Éfeso después de la «visita intermedia» y antes del encarcelamiento de Pablo, habría sido añadida poco después al resto del *dossier* corintio. En esta hipótesis, después de escrita esta sección habría tenido lugar la partida de Éfeso, el paso por Tróade (2Cor 2,12) y el viaje a Macedonia (2,13), seguido de la estancia en Filipos, desde donde habría enviado la última carta (2Cor 1,1-7,16, que terminaría en 13,11-13, menos 6,14-7,1)[38]. Esta hipótesis de conjunto es coherente, aunque no es admitida por todos los críticos. Sea como fuere, es preciso retener la certeza de una historia redaccional compleja que

nos ofrece un poco de información sobre cómo las comunidades conservaban las cartas.

6) *La carta a los Romanos.* De regreso a Corinto, donde pasó el invierno del 56-57, Pablo escribió y envió su carta a los Romanos [39]. Cuidadosamente compuesta, se hacía eco de la segunda predicación corintia. Pero también aquí se plantea un problema redaccional. Su doxología (16,25-27) es un trozo flotante, que puede ser de origen paulino, pero que los colectores de la carta han omitido a veces y otras muchas han desplazado a diversos lugares (después de 14,23 ó de 15,33). La existencia de dos finales (15,33 y 16,20) sitúa al cap. 16 en una posición particular. El gran número de personas a quienes se envían saludos hace pensar más en Éfeso que en Roma, ciudad en la que Pablo no había estado nunca. Entre estas personas se encuentran Prisca y Áquilas, instalados en Éfeso según 1Cor 16,19 y Act 18,18-26. La hipótesis más sencilla es admitir que la carta tuvo dos versiones [40]: una de ellas fue remitida a Roma para preparar un futuro viaje (cf. Rom 15,22-29), mientras que la otra fue enviada a Éfeso, por medio de Febe, con el billete de saludos con que termina actualmente (cf. 16,1). La conservación de la recensión larga demuestra que se debe a la iglesia de Éfeso el texto actual; pero en algunos manuscritos figura una recensión corta, que procedería de Roma o de Corinto. Se advierte así que las cartas podían estar destinadas a la instrucción pastoral de varias comunidades (cf. Col 4,16).

7) *La correspondencia con Colosas.* Sabemos por los Hechos (Act 21-28) que los acontecimientos se sucedieron de tal modo que echaron por tierra los proyectos formulados en la carta a los Romanos (Rom 15,23-32). Arrestado en Jerusalén en pentecostés del 57 ó del 58, y luego encarcelado en Cesarea del 57 al 59 (o del 58 al 60), Pablo partió para Roma en calidad de prisionero en el otoño del 59 ó del 60. Según Act 28,30, estuvo allí dos años en *custodia libera.* En algún momento de este período debe situarse el billete a Filemón [41] enviado por el «prisionero de Jesucristo» (Flm 1.9). Pablo había llegado ya a una edad en que podía calificarse de «anciano» (Flm 9), es decir, a los sesenta años, ateniéndonos a las reglas antiguas. La carta a los Colosenses, acompañada de una carta a los laodicenses (Col 4,16; cf. 2,1) fue enviada al mismo tiempo que la de Filemón [42]. Los encarga-

dos de llevarlas fueron Tíquico, un asiático mencionado en Act 20,4, y Onésimo (Col 4,7-9).

Algunos críticos niegan la autenticidad de la carta, en razón de los temas tratados y del vocabulario, más cercano a la religiosidad griega y a una «filosofía» que el texto combate (Col 2,8). Pero esto es olvidar las condiciones en que Pablo escribía sus cartas. No son tratados teológicos, sino ejercicios de pastoral, cuyos temas y lenguaje estaban determinados por los problemas a los que el apóstol debía hacer frente. Después de la segunda estancia en Corinto, señalada por la síntesis de la carta a los Romanos, su acción pastoral debió tomar un nuevo sesgo, en razón de los peligros que amenazaban a la fe en las comunidades de las regiones interiores asiáticas (cf. Col 2,8.16-18.21-23). Pablo fue advertido de este hecho por una visita de Epafras (Col 1,7-9; cf. Flm 23), su compañero de trabajo en Colosas. Por lo demás, los temas nuevos se entremezclan con secciones totalmente tradicionales (3,1-4,6). Algunos críticos sugieren que el conjunto pudo ser remitido desde Cesarea (entre el 58 y el 60), cuyas comunicaciones con Asia menor eran más fáciles que desde Roma; pero otros —aparte los que afirman que el texto es inauténtico— optan por la cautividad romana (del 59 al 61, ó del 60 al 62)[43]. Este problema tiene aquí escasa importancia: sea como fuere, fueron las iglesias asiáticas las que conservaron el texto.

8) *El problema de la carta a los Efesios*[44], que tal vez en su origen no traía el nombre de los destinatarios, es mucho más complejo. Su dependencia respecto de la carta a los Colosenses es muy estrecha; pero se dan también en ella temas y expresiones que figuran en las grandes cartas. Además, tiene el aire de un discurso construido, de estilo redundante, y a veces complicado. Se han ideado varias hipótesis para explicar estas particularidades. O bien Pablo cambió de estilo, ya que era el único capaz de imitarse a sí mismo en este punto (L. Cerfaux), o bien confió la redacción a un discípulo bien imbuido de sus ideas, que escribió en el entorno inmediato del apóstol (P. Benoit). Cabe imaginar también que un discípulo excelente conocedor de la carta a los Colosenses y de las grandes epístolas, redactara esta síntesis de teología paulina para conservar la tradición del apóstol en la región asiática evangelizada por él: habría escrito algunos años después de la muerte de Pablo, en una época en que tendía a evo-

lucionar la estructura de las iglesias y se alejaban en el pasado los «apóstoles y profetas» (Ef 3,10) (J. Gnilka). Esta última opinión, aunque no impone el asentimiento, tiene la ventaja de hacer de la carta el eslabón complementario de la transmisión de la tradición paulina: en función de esta hipótesis volveremos más adelante sobre la presentación de su contenido [45].

9) *Las cartas pastorales* (1-2Tim y Tit) plantean problemas de autenticidad totalmente diferentes. Su origen paulino está en entredicho, y los críticos sostienen opiniones diversas sobre el valor de las indicaciones que dan acerca de las últimas actividades misioneras de san Pablo. Recientemente se han hecho algunas tentativas por situar estos datos, y las cartas pastorales mismas, en el marco de los viajes apostólicos de san Pablo (B. Reicke para 2Tim; J.A.T. Robinson y S. de Lestapis para las tres cartas) [46]. Pero los paralelismos alegados no bastan para fundamentar reconstrucciones que apenas prestan atención a las estructuras y a la vida de las iglesias tal como pueden entreverse a través de estos textos, literariamente distintos de las otras cartas: su confrontación con los datos de otras cartas (incluidas Col, Flm y la misma Ef) revela un cambio de clima, de problemática y hasta de orientación teológica en el seno de la tradición paulina. Volveremos, pues, sobre ellas en la época que les corresponde [47]. Está, en cambio, firmemente anclado en la tradición del siglo II el recuerdo del martirio de Pablo en Roma, aunque es incierta la fecha del suceso.

10) *Hacia el Corpus paulino.* En el momento de la muerte de Pablo aparece relativamente clara la situación de los textos procedentes de él. Las iglesias locales conservaban el legado escrito que servía de apoyo y de punto de referencia de la tradición práctica surgida de su acción. ¿Se conservó en Roma la carta a los Romanos, a pesar de la persecución de Nerón (después de julio del 64, fecha del incendio de Roma)? No es seguro, a menos que la recensión textual en la que 16,25-27 figura a continuación de 15,33 (J^{46}) no represente esta versión romana. Pero la doxología de este pasaje aparece en toda una serie de manuscritos a continuación de 14,23 [48]. Es, pues, difícil, sacar una conclusión segura. Es cierto, en cambio, que en Oriente existían archivos paulinos en Tesalónica, Filipos, Corinto, Éfeso, Galacia, Colosas y en las iglesias vecinas; los de Éfeso incluían la carta

a los Romanos. Las cartas compuestas (2Cor, Flp y muy probablemente Rom) recibieron su forma actual a través de las comunidades que las conservaban. Las cartas restantes dejan además entrever las relaciones establecidas ya en vida del apóstol entre las diversas iglesias por él fundadas: entre Corinto y Tesalónica (1-2Tes), entre Éfeso y Filipos (Flp), entre Éfeso y Corinto (2Cor), entre Éfeso y Galacia (Gál) y probablemente entre Éfeso y Colosas (en la línea lógica de Act 18,23 y 19,1). Cabe, pues, pensar, sin gran margen de error, que las cartas existentes circulaban entre esta red de Iglesias, de las que Éfeso parece constituir el centro: esta circunstancia permitiría tal vez explicar la posición particular de la carta a los Efesios. Ésta sería la situación del *corpus* paulino antes del 70.

II

LOS OTROS LIBROS ANTERIORES AL 70

El problema de los evangelios

La documentación evangélica

Cuando mencionamos, en páginas anteriores, la formación de las tradiciones evangélicas, pudimos ver que este trabajo tuvo por marco esencial el judeocristianismo de Jerusalén, de Judea, de Galilea, e incluso de Siria [49]. La comunicación de la documentación a todas las iglesias por el intermedio de los misioneros ambulantes era un hecho normal. Su difusión en las iglesias en que predominaban los fieles de origen pagano no planteaba problemas especiales. Debe, con todo, tenerse siempre en cuenta la posibilidad de trabajos redaccionales realizados en estas iglesias para adaptar los textos a sus costumbres prácticas (cf. el documento B, en la hipótesis redaccional de M.E. Boismard [50]).

El evangelio de Marcos

La ruina de Jerusalén constituye el punto de referencia para la fecha de redacción y de edición de los tres sinópticos. Hoy día ha sido generalmente abandonada la opinión antigua que, en general, fechaba los tres sinópticos antes del 70 [51]. Ya hemos visto que tal vez existió en una fecha antigua, una redacción aramea de Mateo [52], pero, si existió, su texto no ha llegado hasta nosotros. El problema planteado por el evangelio de Marcos es de otra índole [53]. Marcos, auxiliar (ὑπηρέτης) de Pedro según Act 13,5, colaborador de Pablo según Flm 24 y Col 4,10, saludado por Pedro como hijo en 1Pe 5,13, mencionado en 2Tim 4,11 como «muy útil para el ministerio» (2Tim 4,11), intérprete de Pedro según la tradición conservada por Papías, gozaba de excelente situación para conservar y cotejar los materiales evangélicos útiles para la predicación básica. La relación de su librito con la tradición de Pedro, unánimemente atestiguada en la tradición antigua, se da la mano con los datos de la crítica interna. Según Ireneo, Marcos habría recogido esta predicación después de la muerte del apóstol, y en vida de éste según Clemente de Alejandría. El objetivo esencialmente práctico de la obra admite la posibilidad de una composición por etapas y de ediciones sucesivas. Desde esta perspectiva, tal vez las dos tradiciones de Ireneo y de Clemente se hagan eco de dos aspectos de la realidad. En cualquier caso, Marcos era un personaje de segunda fila y no se explica que se hubiera querido recurrir a su nombre para dar autoridad a la obra: su calidad de autor está, pues, fuera de duda. Los destinatarios de la obra eran cristianos procedentes del paganismo, a los que era preciso explicar las costumbres judías (cf. Mc 7,3-4). Algunos latinismos que aparecen en el vocabulario hacen pensar en una comunidad instalada en Italia. La tradición antigua, que relaciona la obra con la iglesia local de Roma, donde llegó Pedro como misionero en una fecha incierta y donde padeció el martirio hacia el 64-65 [54], responde bien a este contenido.

Hay que contar, de todas formas, con la historia del texto. Algunas huellas de retoques y de adiciones, concretamente en el relato de la pasión, pueden explicarse por la edición ampliada de un librito primitivo, sin tener que recurrir a un sistema de fuentes, demasiado complicado (como el de M.E. Boismard) [55]. De ser así, el papel de Marcos en la misión podría apoyar la hipótesis de la anterioridad de este libro respecto de la muerte de Pedro (Clemente de Alejandría), mientras que su edición final sería posterior a dicha muerte (san Ireneo). En la redacción de las sentencias de Jesús y en el relato de sus hechos y milagros, no existe ninguna alusión clara a la ruina de Jerusalén, mientras que el inciso de Mc 13,14*b* remite probablemente a la guerra judía, ya iniciada. Esto nos situaría, pues, entre el 67 y el 70, más que en el 71, como proponen algunos críticos [56]. La muerte de Nerón (junio del 68) habría supuesto un respiro para los cristianos de Roma: la reanudación del esfuerzo misionero en esta capital se explicaría bien tanto en la época de la lucha por el poder (abril 68-julio 69), como bajo Vespasiano (69-79). ¿Puede pensarse en una edición final del evangelio de Marcos a cargo de Lucas o de la escuela lucana (Boismard)? Los indicios que orientan en esta dirección parecen sólidos. Pero la reunión ulterior de los sinópticos pudo acarrear contaminaciones laterales de sus textos y esta operación debe integrarse en el proceso de formación de los evangelios tal como la Iglesia antigua los recibió, con independencia de retoques recensionales en la tradición manuscrita. El final (Mc 16,9-20) es, por el contrario, una sección tardía, sobre la que volveremos más adelante [57]. Por lo que hace a los evangelios de Mateo y Lucas, son, en nuestra opinión, posteriores al 70.

El problema de las cartas y del Apocalipsis joánico

La «I.ª Petri»

Aparte Sant y Heb, que se vinculan al judeocristianismo [58], y del *corpus* paulino, también la *Iª Petri* puede reclamar para sí un origen antiguo. Desde el punto de vista crítico, se contrapesan entre sí, hasta cierto punto, las razones esgrimidas en favor de su autenticidad literaria y las que se aducen en favor de una composición pseudoepigráfica [59]. Los que admiten su autenticidad literaria, de acuerdo con el testimonio obvio de su encabezamiento (1Pe 1,1), sitúan su composición en el 64-65: Pedro está en Roma (= Babilonia, 5,13) y la persecución de Nerón estaría ya en marcha, a tenor de la alusión de 4,12 (cf. 3,14). De todas formas, la indicación de 5,12 permite entrever una actividad redaccional de Silvano, el Silas de Act 15,22. Silas fue un compañero de Pablo, cuyas huellas pueden seguirse en los Hechos y en las cartas paulinas, desde el primer paso del apóstol por Macedonia (Act 17,14), y por Corinto (1Tes 1,1; Act 18,5), hasta su viaje siguiente, en el curso de la tercera misión (2Cor 1,19), es decir, desde el 50 al 57. En el relato en «nosotros» de los Hechos no existen indicios que demuestren que no estuviera con Pablo durante el viaje de éste a Roma y durante su estancia en la ciudad como prisionero (61-63). ¿Se habría quedado en la capital, después de esta fecha, junto a Pedro? Es posible. De todas formas, los datos de la carta demuestran que los nombres de Pedro y Silvano estaban unidos en la tradición romana, lo mismo que los de Pedro y Marcos (1Pe 5,13).

Aun en el caso de que se ponga en duda esta perspectiva tradicional, la *Formgeschichte* deja entrever una prehistoria del texto que resulta muy instructiva [60]. En efecto, la carta reasume y adapta muchas perícopas antiguas, cuyos géneros y funciones se pueden establecer con facilidad, ya se piense en la liturgia pascual (F.L. Cross) o se prefiera la liturgia bautismal [61]. A medida que se avanza en la lectura se van descubriendo algunos fragmentos de himnos (seguros en 2,22-24, probables en 3,18.22, más dudosos en 1,3-5, que es una bendición en prosa, improbables en 5,5-9, que es una exhortación), temas de predicación en los que aparecen múltiples alusiones bautismales (1,3-9; 1,13-21; 1,22-2,10), esquemas de exhortación que cuentan con paralelos en san Pablo y que podrían tal vez seguir el rito del bautismo (2,11-17; 3,1-7; 3,8-12; 4,1-6), una instrucción comunitaria que tiene en cuenta los carismas recibidos en la asamblea (4,7-11), otra que alude a las estructuras de la comunidad (5,1-11). Estas dos últimas perícopas concluyen con sus propias cláusulas oratorias, que permiten entrever una dualidad en la carta. Desde esta perspectiva, hay que considerar aparte el problema planteado por 4,12-5,11: esta sección puede constituir una carta particular que, al vincularse al encabezamiento inicial, testifica la persistencia de la tradición romana de Pedro después del 70. De ahí que tengamos que volver sobre este escrito más adelante [62]. Pero a las pequeñas unidades enumeradas en las líneas precedentes se les puede asignar una fecha antigua, en razón de su estilo y de sus paralelos paulinos.

El Apocalipsis joánico

Aparte la *Iª Petri*, hay que mencionar también, en opinión de algunos críticos, varios fragmentos del Apocalipsis joánico, que podrían referirse a la época en que Roma (= Babilonia) se hizo responsable de la ruina de Jerusalén. Estos fragmentos entrarían en la historia redaccional del libro, que puede ser muy compleja [63]. Pero volveremos más tarde sobre el conjunto de la obra, que no es ciertamente anterior al 70 [64].

CAPÍTULO CUARTO

LA DIÁSPORA CRISTIANA DESPUÉS DEL 70

La ruina del Jerusalén en el año 70 acarreó una convulsión política, social y religiosa en Palestina: la restauración que se llevó a cabo en los decenios siguientes alineó a la nación judía bajo la enseña de la tradición farisea [1]. Una vez el templo arruinado, disminuyó el número de peregrinos de la dispersión a Tierra Santa. Subsistieron, sin embargo, estrechas relaciones entre sus grupos locales diseminados en el imperio romano y el imperio parto, que tenían fronteras comunes a lo largo del Éufrates. Esta situación repercutió sobre las iglesias judeocristianas de Judea, Galilea y Siria. Las iglesias de carácter mixto no sufrieron el impacto directo de este golpe, pero se enfrentaron con un acontecimiento que imprimía un sesgo decisivo al designio de Dios. La iglesia madre de Jerusalén, a la que el mismo Pablo había honrado y sostenido (1Cor 16,1; 2Cor 8-9; Rom 15,26-28; cf. Act 21; 24,17-18) había perdido ya su razón de ser. Pero entonces, y mediante una imprevisible concurrencia de circunstancias, la diáspora cristiana adquirió un nuevo centro de gravedad, cuya importancia se iría revelando con el correr del tiempo: bajo el reinado de Nerón, Pedro y Pablo murieron sucesivamente en Roma, sellando con el martirio su testimonio apostólico. A tenor de Gál 2,7-8, su doble misión expresaría en síntesis la *unidad* de los judíos evangelizados por Pedro y de las naciones paganas evangelizadas por Pablo en una Iglesia desvinculada de la nacionalidad y de la institución judías. La iglesia local de Roma, en cuanto guardiana de las tumbas de los dos apóstoles y de la tradición cuya unidad se concretaba en estas dos figuras, adquiría, por este hecho, una situación y una función particular en el conjunto de las demás iglesias[2], que los escritores del siglo II definirían como «presidencia de la caridad» (Ignacio de Antioquía) o *principalis potestas* (Ireneo de Lyón).

Se advierte, pues, que el último tercio del siglo I y el primer cuarto del siglo II constituyen una época de transición entre el tiempo de los apóstoles, que fueron desapareciendo uno tras otro, y el de la organización eclesiástica que iba surgiendo poco a poco y estabilizando sus estructuras. En este marco pueden seguirse las huellas de los últimos escritos del Nuevo Testamento, hasta la época en que se hizo ya urgente la tarea de fijar la colección de estos escritos. En función de criterios pragmáticos, los subdividiremos aquí en las categorías siguientes: 1) los libros relativos al anuncio del evangelio; 2) los que conservan la tradición de los apóstoles bajo la forma de cartas; 3) los que testimonian los enfrentamientos en que se vieron envueltas las iglesias de la época; 4) los que dan forma escrita a la tradición joánica; 5) los que, en el punto de unión del Nuevo Testamento y de los padres apostólicos, muestran los primeros indicios de un *corpus* ya existente.

I

EL ANUNCIO DEL EVANGELIO

Hacia el año 70 existía la tradición evangélica en forma escrita no sólo en el librito de Marcos, sino también en una pluralidad de colecciones explícitamente mencionadas por Lucas (Lc 1,1). Es sin embargo difícil precisar su contenido y su número. El tiempo de paz civil que coincidió con la dinastía de los Flavios (entre el 69 y el 95) permitió la expansión de la acción misionera. En este lapso temporal se sitúan las obras de Mateo y Lucas, centradas en el anuncio del evangelio.

La obra de Mateo

Para que el primer evangelio haya podido atribuirse a Mateo — a quien Papías de Hierápolis adjudica una colección de *logia* del Señor «en lengua hebrea» (es decir, no griega) —, es necesario que haya existido alguna relación entre los dos [3]. El libro actual utiliza también probablemente la obra de Marcos, una o dos fuentes escritas y algunas tradiciones todavía en estadio oral. Se trata de una obra compuesta con cuidado. Podemos representarnos a su autor como un «escriba convertido en discípulo del reino de los cielos... que saca de su almacén lo nuevo y lo viejo» (Mt 13, 52) [4]. Es el único que aplica a los misioneros cristianos la terminología usual en la literatura rabínica: hay entre ellos «escribas y sabios» junto a los profetas (Mt 23,34). Estos escribas y sabios cristianos son los responsables de la tradición evangélica como los escribas y *ḥakâmîm* judíos lo eran de la «tradición de los antiguos».

Dos indicios importantes se pronuncian en este mismo sentido. En primer lugar, la frecuente mención del cumplimiento de las Escrituras (Mt 1,22s; 2,15.17.23; 8,17; 12,17; 13,35; 21,4; 26,54. 56; 27,9; cf. 3,3; 11,10) muestra una preocupación apologética de cara a los judíos, lectores de estas Escrituras [5]. En segundo lugar, la reasunción y ordenación de los materiales evangélicos indica una preocupación constante por la *halakha* cristiana, que no rompe con la ley y los profetas, sino que es su cumplimiento (5,17): es esencial para los fieles practicar una «justicia» que vaya más allá de la de los escribas y fariseos (5,20), en seguimiento de Jesús, que también «cumplió toda justicia» (3,15). No hay aquí una rejudaización del evangelio: sencillamente se ha convertido en el vocabulario rabínico un contenido nuevo, como se vierte el vino nuevo en odres viejos (9,18). Pero el medio a que se dirige el autor es, a todas luces, judeocristiano: un judeocristianismo abierto, que intenta «hacer discípulos» a todos los pueblos (28, 19). ¿Es preciso situar el enraizamiento geográfico de la comunidad mateana en Galilea (cf. 4,14-16; 28,16ss) o en Siria? El problema está abierto a la discusión. ¿Hay que suponer en esta comunidad la existencia de una «escuela de Mateo», vinculada a aquel de los doce a quien Marcos y Lucas llaman Leví (Mc 2,14; Lc 5,27; compárese con Mt 9,9)? ¿Habría que atribuir a esta escuela la responsabilidad literaria y el evangelio [6]? No deja de ser interesante esta hipótesis, que se concilia fácilmente con la imagen de los escribas y los sabios cristianos, pero no existen pruebas irrefutables que la avalen.

El autor griego que echa mano de la aportación de los *logia* reunidos por Mateo sabe reelaborar armoniosamente los materiales tradicionales. Los retoca con tacto, para adaptarlos a sus preocupaciones pedagógicas y teológicas. Recurriendo a sentencias de Jesús, y en un marco que se toma a menudo del II evangelio, construye varios discursos que son otras tantas síntesis en las que se advierte la intervención de un *didascalos* prudente [7]: la *halakha* cristiana (Mt 5-7), las reglas dadas a los misioneros que parten para anunciar el evangelio (Mt 10), la reflexión sobre el reino de Dios (Mt 13), las normas de comportamiento comunitario (Mt 18), la instrucción ante la nueva venida de Cristo (Mt 24,4-25,46) proporcionan pautas de conducta práctica a los fieles y a los servidores de la Palabra. La insistencia con que se habla del conflicto entre Jesús y los fariseos (cf. 21,41-42, comparado con Mc 12,9-11; 23) permite comprender que era por entonces un tema de candente actualidad el rechazo de las iglesias cristianas por el judaísmo restaurado (cf. 10,17-39; 23,34; 24,9-13). Los retoques introducidos en algunas sentencias de Jesús muestran que su «cargo» contra Jerusalén y el templo [8] se habían cumplido ya (22,6-7, pero no 24,15); se establece una relación entre la apertura universal de la misión y su cumplimiento real (24,14). En cambio, no parece que exista oposición por parte de las autoridades paganas. La situación respondería a la imperante en la década de los 80. De ahí que el autor gozara de una gran libertad literaria respecto de los materiales que llegaban hasta él por el canal de la tradición oral [9]: dado que es él quien los fija, los utiliza a menudo para traducir su propia reflexión teológica, sea en el curso de la vida de Jesús, sea en el relato de la pasión y de la resurrección (27,3-9.43.52s.63-66; 28,9-14) y, sobre todo, en los relatos de la infancia (1-2).

En este preludio del evangelio hay un sobrio despliegue de la *haggada* cristiana [10] que quiere proporcionar una expresión a la cristología [11]. La genealogía de Jesús fundamenta su derecho mesiánico a la herencia de las promesas hechas a Abraham y a David (1,1-17). Su concepción «por obra del Espíritu Santo» no aparece vinculada en este lugar a su título de Hijo de Dios, frecuente en Mateo: este dato, recibido de la tradición no escrita, pero que es un cumplimiento de la Escritura (1,22), ha sido hábilmente situado en el relato de la vocación de José (1,18-25), a través del cual hereda Jesús las promesas (1,16). La narración de la visita de los magos (2,1-12), que supone una precedente elaboración midráshica sobre varios pasajes de la Escritura (cf. Núm 24,17; Is 60,1-6; Miq 5,1) confiere a su realeza mesiánica una amplitud universal. La persecución de Herodes y la huida a Egipto (2,13-21), cuyo relato convencional imita conscientemente modelos bíblicos (compárese 2,19-21 con Éx 4,19-20), anuncia el destino futuro de Jesús: desconocido por los sacerdotes y los escribas (2,3-6), es perseguido por el odio del poder político (2,16). Todo se encadena, en fin, para llevarnos hacia Nazaret, donde se iniciará el drama de la vida pública (2,22s). La densidad histórica de esta narración, entendida en el sentido moderno de la palabra, se reduce tal vez a los elementos que coinciden con la de Lucas. Pero es en el plano teológico donde el autor revaloriza de forma admirable los datos de una tradición de contornos muy imprecisos, recurriendo a una interpretación de la Escritura muy similar a la del *pesher* qumraniano. La tradición pudo tener sus lejanos orígenes en la misma familia de Jesús, que entró en la Iglesia después de su resurrección (Act 1,14*d*); de todas formas, se trata de una hipótesis de trabajo de la que no deben abusar los historiadores [12].

Así pues, el anuncio de la buena nueva engloba ya toda la existencia terrestre de Jesús, desde su concepción y nacimiento, a diferencia del esquema primitivo todavía seguido por Marcos, que comenzaba con la predicación y el bautismo de Juan. Pero termina con una perspectiva indefinida, que insiste en la presencia actual de Cristo resucitado en su Iglesia y que engloba todos los tiempos (28,18-20) [13].

La obra de Lucas

El evangelio y los Hechos de los apóstoles

Lucas, «el médico querido» (Col 4,14; cf. Flm 24), es conocido como compañero de Pablo (véase también 2Tim 4,11). Es probable que los relatos en «nosotros» de los Hechos permitan seguir sus huellas [14]. Originario de Antioquía según una tradición antigua, poseía una cultura griega bastante considerable, que le permitía construir, cuando se lo proponía, excelentes relatos. Pero sabe también variar su estilo, ya sea para reproducir el de sus fuentes, con retoques mínimos, ya para imitar conscientemente la Biblia griega o para adaptarse a las circunstancias evocadas, prestando a sus personajes discursos adecuados a su condición [15]. Todo esto tiene perfecta cabida en su finalidad de historiador griego, que pone su arte al servicio de la Palabra para permitir a sus lectores comprobar la solidez de las enseñanzas recibidas (Lc 1,3-4). Su obra, dedicada a un griego convertido llamado Teófilo (¿dedicatoria real o ficticia?), se desarrolla a lo largo de dos libros, que describen los dos tiempos en los que la Palabra ha iniciado su expansión: un librito evangélico [16], que se apoya en varios ensayos anteriores (cf. 1,1-2) y un relato que traza los «hechos de los apóstoles» [17] para mostrar la extensión progresiva del testimonio dado en favor de Cristo. Aunque compuestos con suma maestría, que revela por doquier la mano de Lucas, los Hechos descansan sobre una documentación que proporciona una idea suficiente de la Iglesia primitiva con sus estructuras, su vida interna e incluso los diversos aspectos de su literatura oral.

¿En qué medio y época debe situarse la composición de estos dos libros? Se han propuesto Grecia, Siria, Asia menor, pero sin pruebas decisivas. Lucas se hallaba en algún lugar de una iglesia del Oriente mediterráneo. Por entonces, era ya tan intensa la circulación de los primeros escritos cristianos entre las iglesias que pudo recurrir a ellos. Las secciones «nosotros» de los Hechos permiten suponer que conoció personalmente varias iglesias paulinas, así como la Judea anterior al 70; de ahí su preocupación por el colorido local. Pero conocía también algunas cartas de Pablo [18] y su obra presenta además contactos con la tradición joánica [19]. Escribía en una época en la que la misión cristiana podía trabajar en profundidad en los ambientes paganos. La visión que nos da de ella en los Hechos —subrayando constantemente la *aequitas romana* [20]— así como su manera de presentar a Pilato proclamando la inocencia de Jesús (Lc 23,13-24; Act 3,13; 13,28), son tal vez indicios de una apologética indirecta: en el momento en que se consumaba la ruptura entre judíos y cristianos, podía ser útil conquistarse la benevolencia de las autoridades respecto de los grupos de fieles que se hallaban en una situación insegura frente a la legalidad romana. Y así, en sus relatos las autoridades competentes reconocen siempre la inocencia de Jesús y de los apóstoles. Pero esta apología se mantiene en un plano discreto, integrado en el seno de una obra que, por primera vez, puede ser calificada de «literaria» (en sentido griego), aunque su objetivo es la edificación de la fe en las iglesias en que el libro habría de difundirse.

La estructura de las iglesias se hallaba en proceso de consolidación y Lucas intentaba poner de relieve la continuidad que las ligaba con la época de los apóstoles [21]. Retrocediendo más allá de los diversos títulos que se entrecruzan en las cartas paulinas, en Lucas vuelven a un primer plano las antiguas funciones judeocristianas: presbíteros (o ancianos) en las iglesias locales, que cumplen una misión de inspección y de pastoral (Act 20,28; cf. 14,23); profetas y doctores (Act 13,1-3), que prolongan la actividad misionera de los apóstoles; dirigentes (ἡγούμενος: Lc 2,26; cf. Heb 13,7.17), para quienes los doce constituían un modelo de servicio reglamentado por la palabra de Jesús. Los 72 discípulos enviados por Jesús de dos en dos (Lc 10,1) anunciaban la multiplicidad de los misioneros cristianos [22]. Pero en las iglesias hay también «evangelistas» (Act 21,8; cf. Ef 4,11 y 2Tim 4,5, donde se trata más bien de tareas prácticas). ¿Se vincularía acaso la obra de Lucas al ejercicio de esta función, de la que proporcionaría un ejemplo acabado? Es muy posible. Por lo que hace a la fecha de su composición, una serie de indicios convergentes invita a situarla hacia los años 80 [23]. En efecto, al narrar los discursos de Jesús sobre Jerusalén y el templo, Lucas retoca los textos y los actualiza, para tomar nota del desastre del 70 (Lc 19,43s; 21,20-22): para él, aquí se inicia el «tiempo de las naciones», mientras se espera la llegada del fin (21,25-28).

Lucas teólogo

Hay dos clases de materiales que invitan a ver en Lucas un teólogo [24]. De un lado, la historia redaccional de su evangelio, comparada con la de Mc y Mt, pone de relieve los retoques que introduce en los materiales tradicionales, la forma en que moldea las sentencias de Jesús (por ejemplo, Lc 10,29-37; 15,1-32; 16, 19-31), la composición de las escenas que ha recibido de la tradición oral (por ejemplo, Lc 7,36-50; 10,38-42; 24,13-35). Ahora bien, en estas perícopas se transparenta la intención teológica. Del otro lado, la *Formgeschichte* de los Hechos muestra la persistencia de los antiguos géneros literarios cultivados en la comunidad más antigua, hasta el momento en que el evangelista hace pasar, a través de ellos, su propio mensaje. Al hacer hablar a

Pedro, Esteban, Pablo, Santiago o a ciertos grupos cristianos —no sin adaptar sus discursos a la personalidad de quienes los pronuncian— Lucas utiliza también el discurso kerigmático dirigido a los judíos (Act 2,22-36; 10,34-43; 13,16-41) y a los paganos (Act 14,15-17; 17,22-31), la meditación sobre la historia sagrada (Act 7,1-50), el *midrash* cristológico de los salmos (Act 4,25-28) o de los profetas (15,14-18; 28,25-28), la advertencia dada a los ancianos de las iglesias (20,18-35), la apología del apostolado paulino (22,1-21; 24,10-21; 26,2-23), etc. De este modo, al tiempo que reasume los materiales antiguos, los integra en una teología bastante elaborada, toda ella surcada por un tema capital: el de la salvación traída por Cristo a todas las naciones (Lc 2,31-32 y Act 28,28) [25].

Como en el evangelio de Mateo, pero basándose en tradiciones probablemente más precisas, también Lucas introduce en el relato de la infancia de Jesús los elementos esenciales de su cristología [26]. Si subraya el paralelismo entre Jesús y Juan Bautista, es tal vez porque existían todavía en Oriente algunos grupos de discípulos adictos a Juan (cf. Act 19,1-7): por este camino, Lucas intentaría conducirlos a Cristo, de quien Juan sólo fue el precursor. A los cánticos cristianos que asume en este lugar con algunos retoques [27] (Lc 1,46-55.68-79; 2,14) añade algunos datos de su propia cosecha (2,29-32). Aunque en los relatos, Lucas muestra indudablemente sus preocupaciones de historiador (Lc 2,2; 3, 1-2) los compone al estilo de las antiguas historias sagradas, más atento a la edificación de la fe que a la satisfacción de la curiosidad. Una doble referencia a los recuerdos de María (2,19.51) permite suponer que existía un hilo indirecto entre ella y el narrador, tal vez por el intermedio de los medios joánicos [28] (si es cierto que debe relacionarse Lc 2,35 con Jn 19,25-27 [29]). De hecho, existen ciertos paralelismos entre Lucas y la tradición evangélica de Juan [30]. ¿Hay que hablar, en los relatos de la infancia, de *haggada* cristiana, como en Mateo? Podría darse una respuesta afirmativa, a lo sumo, en el caso de que se considere *haggada* todo relato de intención teológica o edificante. Pero entonces el término tendría una significación bastante diferente de la que tiene en Mateo. Sea como fuere, la utilización de la Escritura no es de la misma índole en los dos evangelistas. Hay que reconocer, sobre todo, que la densidad doctrinal y el enraizamiento histórico de los relatos están mucho más acentuados en Lucas que en Mateo. Pero, evidentemente, no nos hallamos ante un trabajo histórico entendido según las categorías modernas: el relato de Lucas es a la vez más simple y más profundo, más convencional en su forma narrativa y más teológico en su intención, menos erudito y más rico.

Lucas ocupa una posición tan destacada en el Nuevo Testamento que algunos críticos se inclinan a creer que fue él quien prestó su pluma para la última edición de los otros evangelios, a no ser que se atribuya esta labor a una escuela lucana (M.E. Boismard)[31]. Pero tal vez esto sea acumular demasiadas conjeturas sobre la base harto frágil de las hipótesis críticas. Otros autores han llegado a atribuir también a Lucas la redacción de las cartas pastorales o de la carta a los Hebreos[32]: ¡verdaderamente demasiado! Con todo, teniendo en cuenta que conocía a Marcos, y que el *corpus* de las cartas paulinas se formó en aquellas regiones en que el evangelista vivía en sus años de plena actividad, no puede excluirse la posibilidad de que haya podido eventualmente jugar algún papel en la formación de ciertas colecciones parciales, que hoy día están ya integradas en el Nuevo Testamento.

II

LAS CARTAS DEPOSITARIAS DE LA TRADICIÓN APOSTÓLICA

Paralelamente a los evangelios de Mateo y de Lucas, podemos acometer aquí el examen de algunas cartas «apostólicas», a propósito de las cuales se plantean problemas de origen o de fecha: Sant, Heb, Ef y 1Pe. Reservamos para la sección siguiente las cartas pastorales.

La carta de Santiago y la tradición judeocristiana

En la antigua tradición de 1Cor 15,5-7, Santiago estaba en el centro del grupo de los apóstoles, como Pedro en el centro del grupo de los doce. La carta que lleva su nombre está dirigida «a las doce tribus de la diáspora fuera de Palestina». Ya antes [33] hemos manifestado que es dudoso poder ver en ella un escrito arcaico anterior a la muerte de Santiago (62), aun teniendo en cuenta el trabajo redaccional del traductor-adaptador que la escribía en un griego elegante. Por lo demás, el encabezamiento es el único pasaje que remite a la persona de Santiago. Fuera de este lugar, el conjunto del texto ofrece más bien la apariencia de una colección de diversas exhortaciones relativas a problemas propios de la *halakha* cristiana. Esta orientación práctica, que no excluye una alusión bautismal en un pasaje (1,16-18), muestra las preocupaciones de las iglesias judeocristianas de la época, afanosas por conseguir que la Palabra se tradujera en hechos (1,22) y por observar fielmente una ley (4,11s) convertida en «la ley perfecta de la libertad» (1,25). Se deriva de aquí una reacción estricta contra el abuso que podría hacerse de algunos principios establecidos por san Pablo (2,14-26): esta postura se comprende mejor si situamos la composición en la época en que se estaban organizando las iglesias y circulaban las cartas paulinas. Puede pensarse en un medio sirio, en el que la asamblea cristiana llevaba todavía, al igual que la judía, el nombre de «sinagoga» (2,2). Al frente de cada iglesia local hay ancianos o presbíteros (5,14) y los doctores o *didascalos* desempeñan en ellas una importante función (3,1ss).

La *Formgeschichte* de la carta permite descomponerla fácilmente en secciones independientes, que constituyen otros tantos esquemas de predicación, evidentemente destinados a las asambleas en iglesia. Las citas o alusiones a las Escrituras son lo bastante numerosas como para hacer suponer una lectura asidua de su texto en versión griega (cf. 4,6 y Prov 3,34 LXX), pero también puede percibirse, de vez en cuando, la influencia de la técnica del *midrash* judío [34]. Las alusiones a sentencias evangélicas muestran que el autor disponía al menos de una colección de las mismas y que sobre ellas fundamentaba su predicación [35]. ¿Hubo, como base de partida de la obrita, una colección de carácter sapiencial, que sería eco de las predicaciones de Santiago en Jerusalén? Queda abierta esta posibilidad, que justificaría el encabezamiento del escrito (1,1) y que respondería bien al moralismo austero y exigente del personaje, tal como le evocan los Hechos. La fecha de redacción podría ser la misma que para el evangelio de Mateo, nacido también del mismo medio judeocristiano. Nos hallaríamos, pues, en torno a los años 80.

La carta a los Hebreos y la crítica del judaísmo

Ya se ha mencionado antes la carta a los Hebreos, al abordar el tema de las discusiones relativas a su fecha [36]. Si es anterior al 70, habría que buscar a sus destinatarios en la misma Palestina. ¿Se trataría de aquellos numerosos sacerdotes que «abrazaban la fe» (Act 6,7)? Pero, en este caso, se habría esperado del autor una evocación más precisa del templo. Su pertenencia al grupo qumraniano, sugerida por algunos críticos, se basa en indicios muy tenues [37]. Si se sitúa la carta después del 70, pero antes del 95 (cf. 1Clem 36), nos orientamos hacia una iglesia judeocristiana de Palestina (¿Cesarea?) o de Siria (¿Antioquía?). Sea como fuere, el esplendor del culto judío y su recuerdo están todavía lo bastante cercanos para ejercer sobre los cristianos que han recibido la iniciación bautismal (6,1-5; 10,32) una atracción o una nostalgia que amenazaba devaluar el culto cristiano, tan diferente y a primera vista tan pobre. Este hecho es muy revelador, si se tiene en cuenta la psicología religiosa de los antiguos.

El autor acomete, pues, una operación apologética que, sobre la base de la Escritura, desarrolla una auténtica crítica del judaísmo en cuanto institución cultual. Este autor, perteneciente al círculo de Timoteo (13,23), no da su nombre, pero habla con evidente autoridad. El hecho más claro es que tiene una formación alejandrina, lo que ha impulsado a algunos críticos a identificarle con Apolo, conocido por los Hechos y por las cartas paulinas (así C. Spicq); pero no existe ni un solo argumento decisivo. Se trata sin duda de un doctor cristiano, versado en las Escrituras, a quien el estilo, la refinada dialéctica, el método exegético, la forma de pensamiento emparentada con la de Filón y la orientación teológica conceden un puesto señero en el Nuevo Testamento. Son sumarias sus alusiones a la estructura de las iglesias: a sus «jefes» (ἡγούμενοι) se les designa con un título muy genérico (Lc 22,26; Act 15,22), que será aplicado más tarde a los presbíteros de Corinto (1Clem 1,3).

Si nos atenemos al final (13,22-25), el escrito fue remitido bajo la forma de carta. Pero se presenta a sí mismo como un discurso de exhortación (παράκλησις: 13,22), con exordio (1,1-4) y peroración (13,20-21). Estaría en su lugar en una asamblea litúrgica y probablemente fue compuesto para ser leído en ella [38]. La *Formgeschichte* permite descubrir en este escrito abundantes huellas de la exégesis cristiana en que se apoyaba la predicación: recurso a los *Testimonia* que fundamentan los razonamientos (1, 5-14; 2,5-17); esquemas de sermones sobre el Sal 95 (3,7-4,11), sobre Gén 14,17-20 y el Sal 110,4 (cap. 7), sobre Jer 31,31-34 (8,6-9,18, encuadrado por dos citas del texto), sobre Éx 19,16-19 y Ag 2,6 (12,18-29). Así pues, antes de la redacción del discurso tomado en bloque, hay que situar otras homilías sobre la Escritura, como ocurría ya en las cartas paulinas. El autor deja aquí de lado la instrucción elemental (6,1) para pasar a cosas «de difícil exposición». Se percibe en él la tradición de un judeocristianismo helenista bastante diferente de la que presenta la carta de Santiago y no menos crítica frente al culto que la de Esteban (Act 7). Se trata en definitiva de otra corriente de pensamiento que, esta vez, no pretende apoyarse en la autoridad de algún apóstol, pero que no por eso tiene menos derecho de ciudadanía en la Iglesia.

La carta a los Efesios y la tradición paulina

Ya vimos antes que el origen de la carta a los Efesios ha dado pie a diversas hipótesis [39]. Subrayemos ante todo su fuerte enraizamiento paulino. Depende estrechamente de Col, no sólo en razón de las ideas que desarrolla y de las alusiones a la cautividad de Pablo (3,1; 4,1), sino también en razón de paralelismos literarios netos y complejos. También ella vuelve sobre temas tomados de las grandes epístolas, con algunos desplazamientos de sentido que muestran una cierta evolución en la expresión de la teología. Pablo apela a su vocación particular respecto de las naciones no judías (3,8; cf. Gál 2,7; Rom 15,15-19), para dirigirse a interlocutores de origen pagano: como han creído en el evangelio, Dios ha hecho de ellos, por la muerte de Cristo, «conciudadanos de los santos», es decir, de los judíos miembros del pueblo santo (2,11-22). Ya sea que la carta fuera dirigida a la sola iglesia de Éfeso o a todo el grupo de iglesias de Asia —punto discutido sobre la base de la crítica textual— se advierte una modificación en el reclutamiento de estas comunidades. En la época de la fundación, tenían un carácter mixto. Pero ahora parece haberse paralizado el reclutamiento judío. Este hecho pudo producirse poco tiempo después del paso del apóstol: desde esta perspectiva, el texto podría remontarse a su cautividad romana en Cesarea (57-59 ó 58-60) o en Roma (59-60 ó 60-62).

No obstante, hay indicios serios que nos encaminan hacia otra hipótesis. La evolución del lenguaje teológico va mucho más allá de la que ya se advertía en Col. El texto habla de «apóstoles y profetas» (2,20; 3,5) de una manera que suscita la impresión de que su época se remonta ya al pasado. Las precisiones proporcionadas sobre la estructura ministerial de las iglesias (3, 11s) desbordan los datos de 1Cor y Rom, como si en el tiempo transcurrido se hubiera llevado a cabo un esfuerzo de organización [40]. Son, en cambio, muy someras las alusiones a la situación personal del apóstol (3,1; 4,1; 6,21, dependiente de Col 4,7s). Los rasgos nuevos que enriquecen la contemplación de Cristo y la presentación de su Iglesia sugieren, pues, que la doctrina paulina, directamente inspirada en un *corpus* de cartas ya existente, recibió su forma a través de un discípulo de Pablo, en el curso de la generación subsiguiente a su muerte (entre el 70 y el 80). Esta hipótesis de lectura [41], que va más allá de la labor de un discípulo-secretario, no cuenta con argumentos apodícticos a su favor. Pero tiene una ventaja indiscutible: muestra la vitalidad y la influencia de la tradición paulina en el medio asiático después de la ruina de Jerusalén. ¿Hay que hablar de pseudoepigrafía? El término suena mal, porque evoca una especie de superchería literaria análoga a la que emplearían más tarde los herejes del siglo II para amparar sus enseñanzas secretas bajo la autoridad de nombres prestigiosos. Aquí, en cambio, lo que se intenta es *mantener firmemente la tradición dejada por Pablo*, a pesar de la evolución que está a punto de producirse en la situación. El autor no es un innovador, sino un hombre de la tradición. Es cierto que su tradicionalismo es inteligente y no le impide recurrir a un lenguaje bastante nuevo para traducir el mensaje que ha recibido bajo su forma paulina [42]. Pero, ¿no es ésta justamente la función de los teólogos de peso, en una tradición viva que no es pura repetición?

¿Se trata, estrictamente hablando, de una *carta* de finalidad teológica? La *Formgeschichte* suministra indicaciones que orientan hacia una hipótesis un poco diferente. Aun admitiendo la autenticidad paulina, debido a las alusiones a la vocación propia del apóstol (3,1.7s), a su cautividad (3,1; 4,1), o al envío de un portador (6,21s), se van advirtiendo, a medida que se avanza en la lectura, numerosos géneros literarios que estaban en curso desde hacía largo tiempo en las asambleas en iglesia: bendición litúrgica [43] de 1,3-14, que concluye con una sección en la que es innegable la resonancia bautismal (1,13s) [44]; exhortación bautismal dirigida a los convertidos después de la recepción del sacramento (cap. 2), *midrash* del Sal 69,8 (4,1-13), inserto en una exhortación a la vida nueva en Cristo (4,1-6,18); fragmento de himno bautismal, que evoca el rito apenas terminado (5,14) y que muestra el lugar litúrgico de esta misma exhortación. Se trata, pues, de un conjunto muy unificado, en el que todos los elementos apuntan en la misma dirección: *la de un discurso-tipo compuesto con miras a la iniciación bautismal en la que los paganos convertidos son incorporados a la Iglesia.* Esto explica su carácter enteramente oratorio y sus paralelismos con las instrucciones bautismales de la *I.ª Petri* [45].

Una vez admitido este punto, apenas si tiene ya importancia la fecha exacta del escrito. La tradición de las asambleas litúrgicas, cuya influencia hemos señalado ya en la época de las grandes cartas, se despliega aquí en el ambiente asiático confiado a los discípulos del apóstol, después del paso de éste por Éfeso. Puede verse en su autor (o en su redactor, si se admite la autenticidad mediata del texto) a un «pastor y doctor» (3,11*c*), que desempeña una función esencial en la «organización de los ministerios» (3,12). Pero, si se admite que la primera colección de cartas de Pablo se llevó a cabo efectivamente en Éfeso, como hemos visto antes [46], ¿no habría que buscar aquí el lugar de composición de un texto que fue la primera síntesis de teología paulina (después de Rom), y que podría ser, por consiguiente, el broche de cierre del *corpus?*

La «I.ª Petri» y la tradición romana de Pedro

Cuando analizamos en páginas anteriores la *I.ª Petri,* señalábamos ya la estrecha relación de algunas de sus perícopas con la liturgia bautismal[47]. Lo que se acaba de decir a propósito de Ef nos permite ahora ir más lejos en la valoración de su contenido, a base de destacar sus paralelismos de estructura: la misma bendición inicial (1Pe 1,3-5 y Ef 1,3-12), que desemboca en un discurso en segunda persona del plural (1Pe 1,6ss y Ef 1,13ss): las mismas alusiones bautismales, más numerosas aún, incluyendo una evocación de la Iglesia, expresada en términos muy diferentes (1Pe 1,6-2,10 y Ef 1,15-3,21); las mismas exhortaciones a una conducta digna de la vocación cristiana (1Pe 2,11-4,11 y Ef 4,1-6,18), con un enunciado de los deberes propios de cada estado (1Pe 3,13-4,7 y Ef 5,21-6,9). Pero la conclusión del discurso en Ef 6,10-18 (con el empalme paulino de 6,19s) encuentra su paralelo en una segunda exhortación de la *I.ª Petri* (1Pe 5,8-9). Estas observaciones objetivas llevan a pensar que el cuerpo de la obra (1Pe 1,3-4,11) es, como Ef, un *discurso-tipo, compuesto con miras a la liturgia bautismal:* es a la tradición petrina lo que la carta a los Efesios es a la tradición paulina, aunque estas dos obras no sean exactamente de la misma época.

De todas formas, 1Pe 4,12-5,11 es una sección independiente, que ha conservado su inicio («Queridos hermanos...») y su cláusula final (5,11). La sección se halla enmarcada en un tiempo de persecución: ha estallado un «incendio» entre los fieles y tal vez tengan que sufrir «como cristianos» (4,12.16). En las exhortaciones de este billete es donde más claramente aparece la estructura interna de las iglesias: figuran a su cabeza los ancianos (o presbíteros) que cumplen una función pastoral (5,1-4): la situación es paralela a la que supone Lucas en los Hechos (Act 20,17.28-31) y vuelve a encontrarse en la *I.ª Clementis.* El autor, que se presenta como «presbítero entre ellos» (5,1), ¿es el mismo que el del discurso litúrgico precedente? En cualquier caso, los dos textos han sido unidos gracias al artificio literario del encabezamiento (1,1-2). El conjunto está encuadrado por un encabezamiento epistolar (1,1-2) y un final que atribuyen el escrito a Pedro, residente en Roma (= Babilonia). El discurso bautismal estaba dirigido a paganos convertidos (1,14.18; 4,3). Pero el conjunto del texto se destina, de una manera más general, a los miembros de la diáspora cristiana que residen como extranjeros (para esta expresión, cf. Heb 11,13; Gén 23,4, = 1Pe 2,11) en las provincias centrales y septentrionales de Asia menor (1,1). No era imposible esta expansión del cristianismo por aquellas regiones ya antes del 65. Pero se comprendería mejor en la época subapostólica: entonces sería completo el paralelismo entre 1Pe y Ef. Con todo, es de difícil identificación la persecución mencionada en el billete final. La de Nerón estuvo localizada en Roma. La de Domiciano parece tardía (95), aunque se sabe por el Apocalipsis de Juan que se propagó hasta Asia menor (cf. 1Pe 1,1). También bajo Trajano tuvieron que sufrir los fieles «como cristianos», en Bitinia, siendo gobernador Plinio el Joven (hacia el 110). Pero, ¿hay que descender hasta una fecha tan tardía? Sea como fuere, la *I.ª Petri* muestra la persistencia de la tradición de Pedro en Roma por el tiempo de su redacción final [48], sea bajo Nerón, bajo Domiciano (hacia la época de la *I.ª Clementis)* o, eventualmente, a comienzos del siglo II. Y así, las dificultades críticas del texto, que dejan intactos los datos proporcionados por la *Formgeschichte,* contribuyen más bien a realzar su valor como testimonio de la *tradición* petrina.

III

EL TIEMPO DE LOS ENFRENTAMIENTOS

Los enfrentamientos doctrinales

Durante un decenio, Pablo tuvo que luchar contra la fracción radical del judeocristianismo (cf. Gál, Flp 3, 2Cor 10-13). Esta corriente debió conservar una vitalidad real en ciertas iglesias locales, porque reaparecerá en la superficie en el siglo II. Luego Pablo tuvo que poner en guardia a los fieles de las iglesias de Asia, en las que los convertidos de origen pagano tenían tal vez una fe más frágil, contra la tendencia sincretista a que alude la carta a los Colosenses (Col 2,4.16-23). También en la carta a los Efesios (Ef 5,6) se encuentra un eco debilitado de esta situación. Los Hechos han conservado el recuerdo de la inquietud de Pablo en el discurso que el apóstol pronunció ante los ancianos de Éfeso (20,29-30): les pone en guardia contra los «lobos crueles» que a no tardar invadirían el rebaño. Pero en este lugar Lucas actualiza las intenciones del apóstol para referirlas a los problemas de su tiempo (hacia el 85). Efectivamente, la crisis comenzó a tomar cuerpo en el último cuarto de siglo, cuando falsos doctores propagaron sus ideas en las comunidades orientales. Varias cartas muestran la reacción de la ortodoxia cristiana contra un pregnosticismo todavía no bien definido.

La carta de Judas

No es tarea fácil situar este brevísimo escrito en el tiempo y en el espacio[49]. El nombre de Judas, hermano de Santiago (cf. acaso Lc 6,16*a*, pero no Mc 3,18 ni Mt 10,3, donde se encuentran los nombres de Tadeo y Lebbeo), ¿es el del autor o bien es un pseudónimo, que intentaría acercar la carta a la de Santiago? ¿Dónde deben buscarse sus destinatarios, ya que la carta no hace ninguna alusión concreta a una comunidad particular? ¿Se precisa un poco la fecha cuando el autor remite a los fieles, «a la fe transmitida de una vez para siempre al pueblo santo» (v. 3) y cuando más tarde se refiere a los apóstoles como a personajes del pasado, que predijeron las dificultades del presente (v.17-19)? De aquí podría deducirse que el autor no pertenece a su grupo. Su visión de los problemas presentes recuerda bastante la de Lucas en los Hechos. Podría, pues, pensarse en una fecha cualquiera situada entre el 80 y el 95, es decir, antes de que aparecieran en el horizonte los peligros procedentes del poder público. No se define de una manera precisa a los «blasfemos» (v. 8), a los «impíos» (v. 4), «que convierten en libertinaje la gracia de nuestro Dios» y «niegan a Jesucristo» (v. 4), pero es evidente que su doctrina implicaba desórdenes morales. Mezclados con los fieles, seguían tomando parte en los «ágapes» de las iglesias (v. 12): indicio interesante para la historia de la liturgia. Para estigmatizarlos, el autor desarrolla algunos lugares comunes tomados de la Escritura (v. 7.11) o recurre a la retórica griega (v. 12*b*-13). Utiliza también una tradición legendaria, que puede proceder de la *Asunción de Moisés* o de un escrito similar (v. 9) y cita expresamente el libro de Henoc (v. 14-16 = 1Hen 1,9): aparece, pues, relacionado con el judaísmo apocalíptico, que poseía tal vez una lista ampliada de libros sagrados; pero esto permite comprobar, al mismo tiempo, que en algunas iglesias eran imprecisos los límites del canon de las Escrituras o, más bien, que se recurría libremente a ciertos libros judíos del sector apocalíptico. Como conclusión, el autor imparte algunas consignas para reglamentar la conducta de los fieles (v. 20-23). Aunque sin aportar elementos muy nuevos, la carta nos informa sobre varios aspectos interesantes de la situación de algunas iglesias de Oriente.

Las cartas pastorales

El final del *corpus* paulino incluye tres cartas dirigidas a Timoteo y Tito. Como ya se ha visto antes, su autenticidad literaria es objeto de numerosas discusiones, fundadas en indicios parcialmente contradictorios [50].

El estilo exigiría, por lo menos, un redactor dotado de gran libertad de composición. Los temas tratados se refieren a problemas nuevos, incluso teniendo en cuenta los problemas particulares con que tendrían que enfrentarse los enviados de Pablo para el cumplimiento de su misión. Las expresiones teológicas tienen escaso parecido con las de las grandes epístolas o las cartas de la cautividad (Col-Ef), aun admitiendo una evolución en el pensamiento del apóstol. La organización práctica de las iglesias y la designación de los ministerios difieren de las de las grandes cartas y Ef. El contenido de las instrucciones de vida cristiana supone un contexto social bastante diferente. Los problemas disciplinares y sociales, relativos a la actualidad, apenas si tienen parecido con los del resto del *corpus.* En sentido contrario, se llama la atención sobre las alusiones a la carrera apostólica de Pablo: su vocación (1Tim 1,12-14), sus sufrimientos (2Tim 3,10-12), sus decepciones con ciertos fieles (1Tim 1,20) e incluso con algunos de sus colaboradores (2Tim 1,15; 4,9-10.14. 16), en contraste con la fidelidad de otros (2Tim 1,16s; 2Tim 4,10-13.19-22), la organización de su trabajo apostólico (1Tim 1,3; Tit 1,5; 3,12s; 2Tim 4,9) y la misma educación de su discípulo Timoteo (2Tim 1,5; 3,14s). Su confrontación con la perspectiva de la muerte en el curso de un proceso que no pudo tener lugar sino en Roma, se expresa en términos tan conmovedores en 2Tim 4,6-18, que algunos adversarios de la autenticidad se han visto en la precisión de emitir la hipótesis de billetes auténticos, insertos después en una composición de segunda mano.

Ponderados todos los factores, parece preferible la hipótesis de la pseudoepigrafía por ser la que mejor explica todos los datos, siempre que se tengan en cuenta las observaciones hechas a propósito de Ef [51]: lejos de ser un falsario, el autor no perseguía otro objetivo que el de inducir a las iglesias a «guardar el depósito» (1Tim 6,20; 2Tim 1,14; 2,2; 3,14), tal como el apóstol lo legó primero a sus discípulos Timoteo y Tito y luego a los responsables de las comunidades locales, que lo transmiten a su vez y lo custodian. Pero, mientras tanto, el «depósito» ha ido recibiendo algunas adaptaciones prácticas con miras a una situación modificada. Los pasajes teológicos suponen por lo demás un conocimiento de la documentación de las cartas, probablemente de 1Tes a Ef, y una lectura asidua de las Escrituras (cf. 2Tim 3,14-16). En este aspecto, las cartas marcan una etapa en la constitución del canon cristiano [52]. Las alusiones biográficas pueden referirse a algunas tradiciones orales cuya valoración histórica presenta por desgracia, muchas dificultades [53].

El contexto histórico de la composición explica el contenido de las tres cartas. De acuerdo con lo que ya permitían entrever las Escrituras (1Tim 4,1), las comunidades tienen que soportar la propaganda de falsos doctores (1Tim 1,3-6; 4,1-7; 6,3-5.9-10; Tit 1,10-16; 2Tim 2,14-18; 3,1-9.13; 4,3s), a los que deben hacer frente los responsables de las iglesias. Timoteo y Tito, enviados especiales de Pablo durante sus misiones, son el prototipo de estos jefes de iglesias. Es necesario que, en cada comunidad local, se encomiende la responsabilidad de la fe, de las asambleas, del culto cristiano, a hombres seguros, a quienes se les dan aquí consignas precisas (1Tim 3,1-13; 5,17-22; Tit 1,5-9). La estructura ministerial, cercana a la de los Hechos, prolonga, igual que esta última, la del judeocristianismo [54], con la presencia de los ancianos o presbíteros (1Tim 5,17-22; Tit 1,5-6); pero reasume también algunos títulos testificados en las cartas paulinas (cf. Flp 1,1), con el *episcopos* siempre mencionado en singular (1Tim 3,1-7; Tit 1, 7-9) y los diáconos (1Tim 3,8-13), que tienen tal vez una función más restringida y más precisa, pero que incluye también a las mujeres (1Tim 3,11; aunque véase ya Rom 16,1). El apoyo y sostén mutuo en las comunidades se subraya a través de la existencia de un grupo de viudas [55], que consagran su vida a la oración y la beneficencia (1Tim 5,3-16). Con todo, se advierte un retroceso de la función de las mujeres en las asambleas litúrgicas respecto de lo establecido en 1Cor 11,3-4: la regla de disciplina de 1Tim 2,11-15, que reasume la de 1Cor 14,33*b*-34 (pasaje de origen discutido), es, al parecer, el resultado de una experiencia bastante prolongada, que orientó la práctica en la dirección del modelo judío. Por lo que hace a las instrucciones dadas a las diversas categorías de fieles, carecen ya del aire de exhortación bautismal del pasado (cf. 1Tim 6,1-2.17-19: Tit 1,1-10): tienen a la vista comunidades organizadas, en las que todo debe discurrir en orden, mientras que la asamblea sigue siendo el lugar de la instrucción, de la lectura de la Escritura con miras a su explicación, de la plegaria. Ahora la presiden los presbíteros, algunos de los cuales trabajan en la palabra y en la enseñanza (1Tim 5,17).

A través de estas cartas se entrevé, pues, la vida práctica de las iglesias locales pertenecientes a un área geográfica que comprendía varias provincias orientales de Europa y Asia (incluida Creta: Tit 1,5). Son pocas las secciones litúrgicas citadas (himnos, bendiciones o esquemas de sermones). En cambio, algunas instrucciones se remiten a la autoridad apostólica para fundar un derecho positivo, del que se perfilan ya las primeras líneas, con el objetivo de asegurar el bien común: hay aquí otro aspecto de la tradición que las comunidades deben conservar. Se reanuda, pues, aquí la antigua forma literaria de la carta apostólica encaminada a regular la liturgia bautismal de acuerdo con la tradición de Pedro (1Pe) y Pablo (Ef), esta vez para precisar varios puntos importantes de la *halakha* cristiana.

El enfrentamiento con el imperio pagano perseguidor: El Apocalipsis

Antes del 70, y luego también bajo la dinastía de los Flavios, la actitud de las iglesias frente a los poderes políticos estuvo marcado por una lealtad sin reticencias, que prolongaba a su manera la del judaísmo oficial, aunque sin beneficiarse del reconocimiento legal de que disfrutaba este último. Dicha actitud está testificada en la carta a los Romanos (Rom 13,1-7), en la *Prima Petri* (1Pe 2,13-17), en los Hechos de los apóstoles, en las cartas pastorales (1Tim 2,1-2, donde se menciona la oración en favor de la autoridad civil; Tit 3,1). Esta postura, tomada fuera del contexto judío, iba mucho más allá de lo que pedía la respuesta a propósito del tributo debido al César, en la que Jesús elevó el debate para desbordar el plano político en que pretendía acantonarse el nacionalismo judío (Mc 12,13-17 par.). No existe ningún pasaje de las cartas que indique que se produjeran cambios de actitud como consecuencia de la persecución de Nerón, de que fueron víctimas los cristianos de Roma. Pero bajo Domiciano (95/96), el conjunto de las iglesias chocó de pronto con el poder pagano totalitario [56]. El Apocalipsis joánico [57] muestra la reacción cristiana ante este nuevo problema que enlazaba, tras un paréntesis de dos siglos y medio, con la política perseguidora de Epífanes respecto del judaísmo.

El género y el mensaje

La apocalíptica [58] es uno de los lugares en que nació la teología cristiana. Íntimamente vinculada a la tradición profética, pero obedeciendo a normas literarias originales, ha dejado huellas netas en algunos discursos de Jesús recogidos en las colecciones evangélicas (Mc 13 y par.), en algunos pasajes epistolares [59] relativos al Día del Señor, al juicio y a la resurrección final (1Tes 4,13-18; 2Tes 1,6-10; 2,3-8; 1Cor 15,20-28.51-53), en la expresión de la esperanza cristiana (Rom 8,18-22) o también de la cristología (Col 2,15). Pero la «Revelación de Jesucristo» concedida al profeta Juan (Ap 1,1) es la única «palabra profética» (22,18) que recurre sistemáticamente a este género eminentemente judío para dirigir a las iglesias un mensaje de esperanza, en un período de prueba en el que todos los fieles corren peligro de muerte «por el testimonio de Jesús y la palabra de Dios» (6,9; 20,4). La motivación del mensaje es clara: el dragón (= Satán) ha entablado una lucha a muerte contra la mujer adornada de doce estrellas (= la nueva humanidad), madre del hijo varón (= el Mesías Jesús) y contra el resto de sus hijos (= los cristianos) (Ap 12,5-5. 13-17). Con esta finalidad, ha entregado su poder a la bestia del mar (= el poder político de Roma: 13,1-10), al servicio de la cual, la bestia de la tierra (= el paganismo totalitario) juega el papel de falso profeta (13,11-18). Enmarcada en este cuadro, Roma ya no es la detentadora del poder legítimo descrito en la época anterior por las cartas, sino la gran ramera, la Babilonia de las Escrituras (Ap 17-18), destinada al juicio de Dios con todos sus secuaces (Ap 19; 20,7-12). La cifra de la bestia (13,18) corresponde probablemente al nombre de «Nerón César» referido a Domiciano, Nerón *redivivus*. Así, pues, la Iglesia se encuentra en lucha en la tierra. Pero el martirio de sus hijos muestra que participa desde ahora en la gloria del Cordero inmolado, que es Cristo resucitado (Ap 4-5): gracias a ellos puede esperar participar finalmente en las bodas del Cordero en un nuevo universo (Ap 18,6-9; 21-22).

A este mensaje de esperanza, que recorre la totalidad del libro, se le añaden las siete cartas del principio. Dirigidas a las iglesias de Asia por el profeta desterrado en la isla de Patmos (Ap 1,4-3,22), todas ellas expresan, bajo una forma individual, el mismo mensaje de esperanza. Pero añaden también urgentes advertencias que aluden a las dificultades concretas de las diferentes iglesias. Entre estas dificultades hay que destacar la actividad de falsos doctores «nicolaítas», que recuerdan los de la carta de Judas y de las pastorales (Ap 2,6.14-16.20-25): a todo este conjunto se añaden la hostilidad de los judíos (2,9; 3,9) y la caída en la tibieza (2,4-5; 3,2-3.15-17). Tal era la situación de las iglesias de Asia hacia el año 95.

La(s) fecha(s) de composición

Aunque la edición final del libro esté relacionada con la persecución de Domiciano (hacia el 95), es legítimo someterla a dos operaciones. En primer lugar, un análisis según los métodos de la *Formgeschichte* pone en evidencia, a medida que avanza la lectura, la existencia de materiales particulares pertenecientes al ámbito de la liturgia [60] (los himnos y los formularios de aclamación), de la predicación (las advertencias contenidas en las cartas a las iglesias), de explicación de las Escrituras, cuyas citas literales suponen una previa lectura cristiana (sobre todo respecto de Ezequiel y Daniel [61], pero también respecto de toda una serie de textos particulares, ya que el estilo está tejido a base de ellos). Como en el caso de las cartas, estos elementos proporcionan numerosos informes indirectos sobre las asambleas en iglesia que se celebran, como en 1Cor 16,2 y Act 20,7, en el día del Señor (1,10): aquí es donde tienen su puesto todos estos géneros literarios. En segundo lugar, bajo la superficie de una composición de conjunto bastante unificada, el análisis redaccional permite percibir capas diferentes, que no tienen forzosamente la misma fecha y que pudieron constituir, al principio, verdaderas fuentes escritas. Desgraciadamente, aunque son múltiples las teorías elaboradas para explicar los duplicados (o triplicados), las repeticiones de temas, la diferencia de perspectivas que se advierte entre ciertas secciones, ninguna de ellas se impone por el momento [62]. Es muy poco probable que un autor cristiano haya reelaborado un texto primitivo puramente judío, a la espera de ulteriores enriquecimientos. Es posible, en cambio, que la profecía dirigida contra la Roma imperial en tiempos de Diocleciano haya recogido textos elaborados ya desde la época de Vespasiano, pues la ruina de Jerusalén señaló una etapa importante en la escatología judeocristiana. Finalmente, corrió a cargo del editor del libro la inserción al comienzo de la obra de las cartas a las siete iglesias, en las que se percibe un eco de las luchas doctrinales contra las judíos (2,9; 3,9), los nicolaítas (2,6.14s) y el falso profetismo que derivaba hacia el gnosticismo (2,20-25).

La *Formgeschichte* deja, pues, percibir detrás del libro un contexto litúrgico que explica su final (22,20s), tras haber dejado su huella en una alusión eucarística (3,20) y en varios cuadros de la liturgia celeste (4-5; 6,9-11; 7,9-12; 14,1-3; 15,2-4; 19,1-4). Pero la historia redaccional y la investigación de las fuentes recuerdan que la apocalíptica no es asunto de predicación, de lirismo religioso o de celebración litúrgica: producía mensajes *escritos*, propuestos a la reflexión de los lectores (1,3; 22,18s). Con todo, el libro pudo leerse en pública asamblea, como ocurría con las cartas apostólicas: tal vez las cartas a las siete iglesias (2-3) constituyan un indicio de estas lecturas.

Su autor es un profeta llamado Juan (1,1s), al que la tradición del siglo II identificó con el evangelista, reconociendo en él a Juan, hijo del Zebedeo. De hecho, existen algunos contactos entre el Apocalipsis y el IV evangelio: en las dos obras, Cristo es el Cordero inmolado, el Verbo de Dios, etc. [63]. Pero las diferencias literarias son tan considerables que difícilmente pueden atribuirse a un mismo autor. La atención que se concede a Israel (7, 1-8), a Jerusalén y a su templo (11,1-13), al igual que las citas sistemáticas de numerosos textos bíblicos (especialmente de Dan y Ez), muestran que el autor es un judeocristiano, que está en abierta confrontación con el judaísmo ortodoxo (2,9; 3,9) y tiene una concepción universalista de la Iglesia (7,4-17; 21,24). Su griego bárbaro ha inducido a algunos a suponer una composición original en arameo (C.C. Torrey). La mejor hipótesis es pensar en una «escuela joánica», a la que se vincularían todos los libros puestos por la tradición bajo el patrocinio de Juan: de ella formaría parte Juan el profeta.

IV

LA TRADICIÓN DE JUAN

El cuarto evangelio[64]

Evangelio y testimonio

Desde el siglo II, la tradición antigua ha situado en Asia menor el medio ambiental en que fue escrito el IV evangelio, a comienzos del reinado de Trajano (97-117), tras el restablecimiento de la paz religiosa decretada por Nerva (96-98). No existen razones definitivas que obliguen a modificar esta concepción en nombre de la crítica interna. Pero es preciso dejar en suspenso el problema de la tradición que precedió al evangelio y que sirvió de marco tanto para su historia redaccional como para dar forma a sus materiales primitivos[65].

También debe dejarse por ahora sin respuesta el problema de las relaciones entre el librito evangélico y los diversos componentes del medio cultural en que fue escrito: tradición judía a cargo ahora del rabinismo fariseo, tradición alejandrina de sello filoniano, contactos posibles con el hermetismo egipcio o con el naciente gnosticismo. También aquí es la crítica interna la que permite avanzar en el estudio de estos arduos problemas[66].

En todo caso, el libro, en su estado actual y en razón de su génesis literaria, pertenece al *género literario evangélico*, cuyas principales coordenadas se han visto antes[67]: referencia histórica a Jesús; referencia a las Escrituras que dan a Jesús todo su relieve; referencia a la actualidad cristiana, en la que Cristo resucitado actúa en su Iglesia manifestándole el sentido de su actividad redentora. Pero este Evangelio se define a sí mismo como un *testimonio* (Jn 21,24). Aquí, más aún que en los sinópticos, se contemplan los hechos de Jesús y se escuchan sus palabras a partir de la actualidad cristiana: en la trama de los relatos y los discursos, es Cristo resucitado quien realiza, bajo el velo simbólico de la historia ya cumplida en otro tiempo, la salvación presente de los hombres fieles a su Palabra; es él quien se dirige a su Iglesia para revelarle el misterio de su ser y de sus actos. Por consiguiente, la verdad de los relatos y de los discursos no debe buscarse tan sólo en la evocación «histórica» de lo que ocurrió durante la vida terrestre de Jesús y en la restitución de las *ipsissima verba* que pronunció. Esta verdad se encuentra en el testimonio dado por el evangelista sobre el sentido profundo de aquellos acontecimientos y sobre el alcance total de aquellas palabras para los creyentes, que por este camino se ven enfrentados con su Señor. En consecuencia, la lectura de los relatos y de los discursos joánicos debe discurrir a dos niveles: primero, en el *hoy* de la fe, en el que se percibe la presencia viva de Cristo gracias a la acción del Espíritu (Jn 14,26; 16,13-14); y luego en el enraizamiento histórico, sin el cual el Cristo viviente carece de rostro real, al modo de aquellos salvadores mitológicos hacia los que se volvían los cultos mistéricos. La fusión de estos dos horizontes [68] confiere al libro una originalidad literaria sin par, que afecta en primer término a su estado final, pero que domina también todas las capas redaccionales que el estudio crítico puede percibir en el proceso de su formación.

La formación del evangelio

Ya se ha señalado antes [69] el enraizamiento de la tradición joánica en la Judea anterior al año 70. Se ha destacado también el hecho de que Mateo y Lucas (esto es, hacia los años 80) conocían algunos de sus materiales [70]. Estos indicios hacen entrever un traslado de la tradición vinculada al «discípulo al que Jesús amaba» (Jn 21,24) de Judea a Siria y después al Asia menor, donde fue finalmente elaborada. *Predicada* antes de ser consignada por escrito, se trataba de una tradición íntimamente ligada, por este mismo hecho, a las *asambleas cristianas*, donde tuvo lugar la predicación del discípulo, como recuerdo del tiempo en que se realizó el envío del Hijo de Dios en carne y a la vez como anuncio de su presencia actual en la Palabra *proclamada* y en la recepción de su carne y de su sangre. Así se explica el entrelazamiento constante de la trama narrativa, donde se ve hablar y actuar a Jesús, y de los temas sacramentales que transfiguran esta trama al vincularla a la experiencia bautismal y eucarística [71]. Por lo que hace a la historia de la tradición, es posible que hacia los años 80 se consignaran ya por escrito las primeras redacciones de algunos materiales y que haya existido un «Libro de los signos» subyacente a los cap. 1-12 (salvo el poema del *prólogo)* y un «Libro de la gloria» subyacente a los cap. 13-20. Pero hay que contar también con adiciones y con reelaboraciones, en el curso de las cuales algunos textos pudieron ser desplazados de un lugar a otro [72].

Este complicado proceso redaccional desembocó en una edición global, que concluía en 20,30. Es posible que esta edición comenzara, como en los evangelios sinópticos, con el testimonio de Juan Bautista (1,6-8.19ss). Pero a continuación, una última edición, a cargo de los discípulos del evangelista y posterior a la muerte de éste (cf. 21,23), ha dejado huellas seguras en el capítulo final (Jn 21). Al parecer, también debe atribuírseles la adición del prólogo actual, formado por un himno al Verbo (1,1-5. 9-14.16-18, salvo posibles retoques). Ya es menos probable que deba atribuírseles también la inserción de otras secciones en las que se reconocen composiciones joánicas más antiguas: así, algunos duplicados (Jn 14, paralelo a Jn 16,16-31), algunos textos que presentan paralelismos con los sinópticos (por ejemplo, 15,18-16, 4). Es más verosímil que esto haya ocurrido en adiciones como 3,16-21; 3,31-36; 17,3, o en un bloque errático sin contexto definido, como 12,44-50. Los especialistas discuten hoy día todas estas cuestiones. Pero, de todas formas, existe una gran unidad de inspiración teológica entre las diversas capas redaccionales, aunque a veces se perciben algunos cambios de perspectiva [73].

Hay razones para insistir sobre el papel de la asamblea litúrgica como lugar de formación de todos los textos joánicos, orales o escritos. No que sea preciso vincular artificialmente el libro con un ciclo trienal de lecturas bíblicas, muy problemático por lo demás, de la liturgia judía de aquel tiempo [74]. Pero si se tiene en cuenta que el año litúrgico cristiano, centrado en la pascua de Jesús, repite el marco general del año litúrgico judío, se explica bien que el autor haya subrayado con complacencia, en el curso del «Libro de los signos», la inserción de los hechos y milagros de Jesús en el marco de las grandes fiestas judías: la pascua, las tiendas y la dedicación (cf. 6,4; 7,2; 10,22). Demostraba así que estas fiestas habían tenido en Jesús su cumplimiento [75]. En sentido inverso, su «Libro de la hora» (que comienza en 13,1), era una lectura litúrgica enteramente destinada a la celebración de la pascua cristiana. Nos contentamos aquí con esta visión global. Es indudable que las investigaciones encaminadas en esta dirección harán luz sobre ciertos aspectos del evangelio, al precisar el *Sitz im Leben* de los fragmentos que se le han incorporado.

Las cartas de Juan

Origen de los textos

Las tres cartas de Juan [76] proceden seguramente del mismo medio que el evangelio: el himno al Verbo con que se abre éste tiene estrecha relación con el solemne inicio de la primera carta (1Jn 1,1-3). En la segunda y la tercera, el autor se designa a sí mismo como «el Anciano» (sin nombre propio; 2Jn 1; 3Jn 1). No es el título de un apóstol, sino el de un jefe de iglesia, procedente del medio judeocristiano. Probablemente sobre estos textos se apoya la distinción, testificada en algunos pasajes patrísticos, entre Juan el apóstol y Juan el presbítero [77]. Pero tanto en el evangelio como en las cartas faltan el nombre de Juan, hijo del Zebedeo, y el título de apóstol. Tal vez lo más sencillo sería admitir que en uno y otro lado se encuentra la misma tradición del «discípulo al que Jesús amaba» [78]. En la tarea de dar forma a todos estos escritos debieron intervenir diferentes redactores. Pero el autor de las cartas puede ser el responsable de una de las capas redaccionales que se perciben en el evangelio.

1Jn: ¿carta o predicación?

La segunda carta es un billete dirigido a una iglesia (la «señora Electa»), probablemente desde Éfeso, donde se encontraba el Anciano: insiste brevemente en varios de los temas desarrollados en la primera, como reacción contra los seductores, que eran la prueba de que el Anticristo estaba en acción (2Jn 7-11). La tercera, dirigida a un discípulo llamado Gayo, ofrece interesantes precisiones sobre la vida de las iglesias en el medio asiático: trabajo de los predicadores itinerantes, mala acogida dispensada por un jefe de iglesia que se aferra a su primer puesto, conducta loable de un hermano (o de un misionero) llamado Demetrio... Se trata de una carta personal, a diferencia de la segunda, destinada a ser leída en asamblea.

La primera carta tiene un carácter enteramente diferente. Desprovista de encabezamiento y de conclusión, no se presenta como *carta* más que en los pasajes en los que el autor dice: «os escribo» u «os he escrito» (1,4; 2,1.7-8.12-14.21.26; 5,13). El conjunto tiene más bien el aire de un *discurso* o de una secuencia de discurso [79]. Esta situación es similar, aunque en un estilo muy diferente, a la de Sant, 1Pe, Ef donde hemos advertido un fondo literario oratorio. ¿Puede llevarse más lejos el paralelismo? De hecho, el marco bautismal que dominaba en la redacción de 1Pe y de Ef ha dejado huellas muy nítidas en los temas desarrollados en esta carta: confesión y remisión de los pecados, aceptación del mandamiento del amor, lucha contra el Malo, confesión de Jesús como Hijo de Dios venido en carne, recepción de la unción del Espíritu, compromiso en la fe que asegura la victoria sobre el mundo, etc. Es cierto que la señal de alerta contra los anticristos (2,18-19.22-23; 4,1-6) desborda el marco bautismal. Pero puede explicarse por la situación en que se encontraban las iglesias asiáticas: la lucha contra los falsos doctores se da la mano con la carta de Judas y las pastorales [80]. Aquí se precisa más la naturaleza del peligro a que está expuesta la fe: se trata de un docetismo que la antigüedad cristiana identificó con el sistema de Cerinto. Con todo, la inserción de esta polémica en el texto no excluye que la mayoría de las predicaciones reunidas en él constituyeran al principio un conjunto de discursos-tipo destinados a la liturgia bautismal, aunque la distinción y el orden de las perícopas presenta problemas de difícil solución. En un estilo muy diferente, 1Jn sería a la tradición joánica lo que Ef era para la de Pablo y 1Pe para la de Pedro, aunque con una intervención redaccional más acusada del autor que reunió estas predicaciones. Esta hipótesis requiere comprobaciones críticas más minuciosas.

La implantación de la tradición joánica

Tal vez sea difícil situar en un mismo lugar (Éfeso) la tradición paulina reagrupada alrededor de Ef y la tradición joánica atestiguada por Jn y las tres cartas, aunque exista entre ambas una distancia de veinte años. El silencio de Ignacio de Antioquía (muerto hacia el 110) y de Policarpo de Esmirna (muerto hacia el 150) es un poco inquietante. Pero está compensado por las declaraciones explícitas de Polícrates de Éfeso y de Ireneo de Lyón, un asiático emigrado a Occidente [81]. Puede, pues, aceptarse este dato de la tradición antigua, pero dejando abiertas las discusiones relativas a los autores o redactores del evangelio, de las cartas y del Apocalipsis. Sea como fuere, hay lugar para varios «Juanes»: Juan, hijo del Zebedeo, es muy probablemente el «discípulo al que Jesús amaba»; Juan el Anciano (o el presbítero), autor de las cartas, que en algún momento debió intervenir también en el proceso de formación del evangelio; Juan el profeta, autor del Apocalipsis. La identidad de los nombres provocó la fusión de los personajes en la tradición del siglo II.

V

HACIA UN «CORPUS» DE ESCRITURAS CRISTIANAS

La «canonicidad» de las Escrituras apostólicas

Al seguir las huellas del desarrollo de la Iglesia hasta los inicios del siglo II, hemos observado una actividad literaria original que fue formando poco a poco, junto a la Escritura legada por el judaísmo, un *corpus* de textos «funcionales» destinados a alimentar, reglamentar y expresar la vida de fe. Estos textos *tenían un carácter normativo en cuanto que eran testimonios auténticos de la tradición apostólica,* fueran quienes fueren los autores a quienes se debían. Este carácter normativo no se refería tan sólo a la forma *final* que han tomado para entrar en la colección actual: englobaba *todas las etapas de su formación y de su redacción.* En efecto, fueron producidos y conservados en la «tradición portadora» antes de ser incorporados en conjuntos más vastos, precisamente para jugar un papel «regulador». Puede hablarse a este propósito de una *canonicidad activa* (κανών = regla), testificada por el uso que las iglesias hicieron de estos textos. Gracias a ellos pudieron, en efecto, las iglesias verificar de continuo, por un lado, la solidez de las enseñanzas recibidas y transmitidas y, por el otro, la fidelidad de su vida comunitaria al evangelio anunciado por los enviados de Cristo resucitado. Al mismo tiempo, estos textos proporcionaban el principio de interpretación que hacía posible la lectura cristiana de las Escrituras heredadas del judaísmo.

Es indudable que la literatura primitiva cuyas huellas podemos descubrir en los libros actuales no conservó todos los elementos de la tradición. Pero los elementos conservados no lo fueron por azar: nos hallamos ante una documentación variada que, ya desde los orígenes, hacía autoridad en las iglesias. El mismo principio es válido, *a fortiori,* respecto de los libros mismos, escritos siempre ocasionales que respondían a las necesidades prácticas de una época y de un medio concretos. Se ha señalado siempre la función de la asamblea cristiana como «lugar de producción» de toda esta literatura. Después de haber sido el marco sociológico en que tomaron forma los primeros textos cristianos, fue también la asamblea la que hizo necesaria su reunión en síntesis (evangelios, Hechos, cartas, Apocalipsis) y luego en *corpus* parciales. La existencia de estos *corpus* recibe una brillante confirmación en los dos escritos más tardíos del Nuevo Testamento: el final del evangelio de Marcos y la *IIª Petri.*

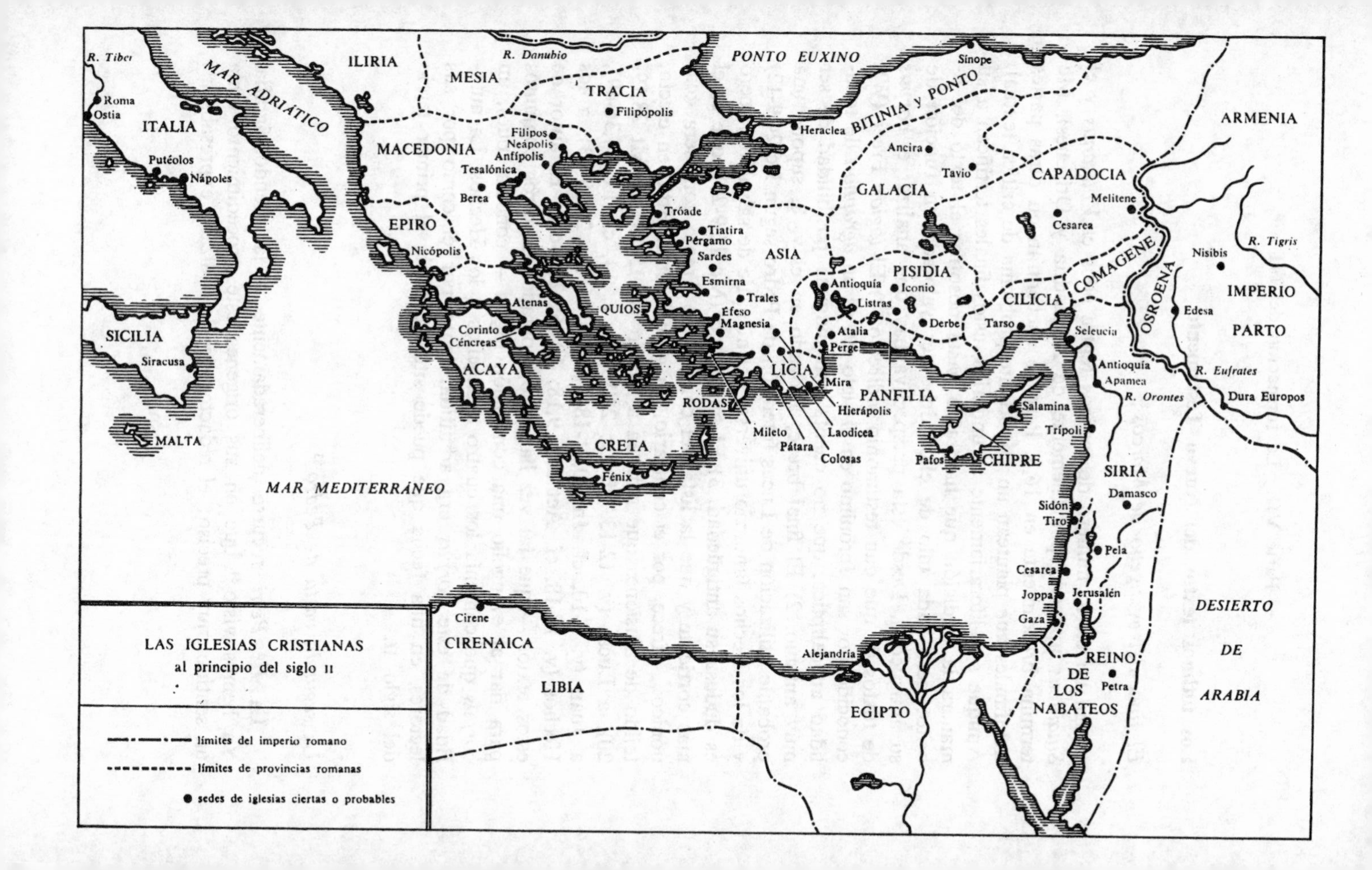
LAS IGLESIAS CRISTIANAS
al principio del siglo II
límites del imperio romano
límites de provincias romanas
sedes de iglesias ciertas o probables
R. Tiber
Roma
Ostia
ITALIA
Putéolos
Nápoles
MAR ADRIÁTICO
ILIRIA
MESIA
R. Danubio
TRACIA
Filipópolis
PONTO EUXINO
Sinope
Heraclea
BITINIA y PONTO
ARMENIA
MACEDONIA
Filipos
Neápolis
Anfípolis
Tesalónica
Berea
Ancira
Tavio
GALACIA
CAPADOCIA
Melitene
Cesarea
EPIRO
Nicópolis
Tróade
Tiatira
Pérgamo
Sardes
Esmirna
ASIA
PISIDIA
Antioquía
Iconio
Listras
Derbe
CILICIA
Tarso
COMAGENE
OSROENA
Nisibis
Edesa
R. Tigris
IMPERIO
PARTO
R. Eufrates
Dura Europos
SICILIA
Siracusa
Atenas
Corinto
Céncreas
ACAYA
QUIOS
Tralles
Éfeso
Magnesia
Atalia
Perge
LICIA
Mira
PANFILIA
Hierápolis
Laodicea
Colosas
Pátara
Mileto
RODAS
MALTA
CRETA
Fénix
MAR MEDITERRÁNEO
Salamina
Pafos
CHIPRE
Seleucia
Antioquía
Apamea
R. Orontes
Trípoli
SIRIA
Damasco
Sidón
Tiro
Pela
Cesarea
Joppa
Jerusalén
Gaza
DESIERTO
DE
ARABIA
Cirene
CIRENAICA
LIBIA
Alejandría
EGIPTO
REINO
DE
LOS
NABATEOS
Petra

Los últimos textos del Nuevo Testamento

El final del evangelio de Marcos [82]

En un cierto número de testigos (entre ellos el *Vaticanus* y el *Sinaiticus* apoyado por Clemente de Alejandría y Orígenes), Mc termina bruscamente en 16,8. Pero se encuentran en otras partes tres finales que plantean un importante problema de crítica textual. Aunque son literariamente secundarios, estos finales testifican a su manera la tradición que ha traído hasta nosotros el texto del librito; pero cada uno de ellos debe ser valorado en función de su antigüedad. Desde esta perspectiva hay que analizar el *corpus* de textos de que dan testimonio indirecto. 1) El *logion* Freer (W), conocido por san Jerónimo en el siglo IV, es un *agraphon* de tonalidad apocalíptica, que no cuenta con ninguna posibilidad de ser muy antiguo. 2) El final breve, apoyado en el v. 8, supone una probable utilización de Lucas (mención de Pedro según Lc 24,9-12) y de los Hechos (anuncio universal del mensaje de salvación); pero es dudosa su antigüedad. 3) El final largo (Mc 16,9-20), que es el más corriente y que la lista del concilio de Trento considera «canónico», ofrece, por el contrario, un gran interés. Está, en efecto, tejido de alusiones que remiten a Mateo (v. 15-16; cf. Mt 28,19-20), a Lucas (v. 12-13, cf. Lc 24,13-35; v. 14, cf. Lc 24,36-49), a Juan (v. 9-10, cf. Jn 20,11-18; v. 14, cf. Jn 20,19-23), a los Hechos (v. 17-18, cf. Act 2,4; 9,18; 10,46; 28,3-6.8). El autor de estos textos — que tal vez han sido separados de otros conjuntos para dar al evangelio una conclusión lógica — conocía, pues, un *corpus* que contenía los cuatro evangelios y los Hechos. La autoridad de este *corpus* era admitida, tanto por él como por sus lectores, en una fecha que puede situarse hacia el primer tercio del siglo II.

La segunda carta de Pedro [83]

La *IIª Petri* recurre deliberadamente a la pseudoepigrafía. Ya hemos visto [84] que en sus orígenes este procedimiento tenía un sentido muy preciso: el redactor que lo utilizaba expresaba así su voluntad de mantener en las iglesias la tradición de este o aquel apóstol, sobre todo en los casos en que esta tradición estaba amenazada. Éste es exactamente el objetivo de la *IIª Petri*, que se presenta como una especie de testamento dejado por el apóstol antes de su «partida» (1,13-15)[85]. El autor conocía la primera carta de Pedro, de la que toma algunos préstamos (cf. 3,1). Explota además la carta de Judas, cuyo esfuerzo contra los falsos doctores lleva adelante y cuyo texto adapta a sus propios objetivos[86]. Conocía asimismo una o varias colecciones evangélicas, de las que toma en concreto la evocación de la transfiguración de Jesús (1,16-18). Utiliza también algunas cartas paulinas. No precisa a qué iglesia(s) se dirige, pero la alusión a 1Pe (3,1) muestra que esta última era conocida de sus destinatarios; nos hallamos, pues, en Asia menor. Aquí son muy claros los peligros a que está expuesta la fe: proceden de los falsos doctores ya combatidos por Judas y por las cartas pastorales (2,1-2; 3,3-7)[87]. Parece haberse acrecentado su nociva influencia. El autor les opone no sólo el testimonio profético de las Escrituras que han fijado algunos hombres «movidos por el Espíritu santo» (1,20-21)[88], sino también el testimonio evangélico, que ha manifestado el verdadero conocimiento de Cristo (1,12-18). Los fieles deben guardar presentes en la memoria «las palabras predichas por los santos profetas y el precepto del Señor y Salvador, dado por vuestros apóstoles» (3,2).

Ahora bien, este testimonio apostólico está representado por medio de escritos. Entre ellos, el autor menciona explícitamente las cartas de san Pablo, reunidas en un *corpus* que comprende las cartas pastorales, asimiladas aquí a las «otras Escrituras» (3,14-16). Nos hallamos ante el primer indicio de una colección específicamente cristiana. Pero hay que garantizar la comprensión correcta de estos textos, que «los indoctos y vacilantes interpretan torcidamente» (3,16*b*). Esta alusión demuestra que los herejes de aquella época apelaban a los libros de los dos Testamentos para dar a su doctrina una apariencia de fundamento. La situación descrita es la correspondiente a los inicios del siglo II. La carta pudo ser escrita entre el 110 y el 125. La autoridad de la tradición de Pedro, que la carta quiere mantener con firmeza, dándole una verdadera autoridad «magisterial»[89], la invocación de la autoridad de las Escrituras proféticas (que abarcan todo el Antiguo Testamento) y de los escritos apostólicos, explican que la carta haya podido entrar en la categoría de libros «canónicos» (en el sentido activo que acabamos de precisar): constituye el último eslabón de la cadena que une ya con los escritos patrísticos, los más antiguos de los cuales son incluso anteriores a ella [90].

CAPITULO QUINTO

EN LOS ORÍGENES DEL CANON DE LAS ESCRITURAS

I

LA TRADICIÓN VIVA FRENTE A LAS DESVIACIONES RELIGIOSAS

La continuidad de la tradición viva

No existe una fecha fija que marque el tránsito de la tradición *apostólica* a la tradición *eclesiástica:* sólo *a posteriori* pueden distinguirse estas dos etapas, al afirmar que la segunda hizo fructificar el «depósito» que la primera acababa de fijar. De hecho, en el terreno práctico la transición se llevó a cabo de forma imperceptible, ya en vida de los apóstoles: éstos confiaron, en efecto, la predicación evangélica a los misioneros, y la responsabilidad de las iglesias a los jefes; pero ni los unos ni los otros eran enviados directos de Cristo resucitado. A nivel del Nuevo Testamento, es a los «varones apostólicos»[1] de esta clase a quienes se debe, en la mayor parte de los casos, la redacción, la composición o la edición final de los escritos en los que la Iglesia reconocía los testimonios «auténticos» de la tradición apostólica (en el sentido jurídico de la palabra «auténtico»). Antes de examinar las condiciones bajo las que, *a posteriori*, se produjo este reconocimiento, es preciso señalar los dos puntos sobre los que la tradición viva presenta una continuidad real, desde el período apostólico al período eclesiástico: el de las instituciones y el de las creaciones literarias.

La continuidad institucional

En el Nuevo Testamento, la composición de los escritos «apostólicos» tuvo por marco las estructuras institucionales en las que estos textos desempeñaron funciones precisas: éste es el aserto que pretendían demostrar todos los análisis precedentes. Es sin duda necesario dar su justo valor al dinamismo carismático que hizo posible el florecimiento y la expansión del evangelio en el seno del judaísmo y del mundo pagano y que se manifestaba en las iglesias mediante los dones del Espíritu. Pero sería absolutamente arbitrario separar o incluso oponer carismas e instituciones, distinguiendo, por ejemplo, entre las comunidades carismáticas aparecidas en la estela de san Pablo y las comunidades «instituidas», de tipo judeocristiano. De hecho, todas las comunidades tenían conciencia de estar dirigidas por el Espíritu, pero no podían prescindir de estructuras, que bajo formas diferentes y con diversas denominaciones, son tan antiguas como la Iglesia misma. Desde su origen, las estructuras estuvieron íntimamente vinculadas a la celebración de las «asambleas en iglesia», ya sea que los que estaban al frente de ellas desempeñaran un «servicio de la Palabra» que podía tener varias aplicaciones y diversos nombres, o que tuvieran una función de presidencia o de pastoral, sobre la que recaía la responsabilidad del orden interior, de la unidad, del bien común [2]. En uno y otro caso, la preocupación por «guardar el depósito», es decir, el evangelio auténtico, constituía una obligación esencial.

No obstante, los últimos libros del Nuevo Testamento nos han permitido asistir a un desplazamiento progresivo del servicio de la Palabra: ha ido pasando poco a poco de los profetas y de los doctores (1Cor 12,28; Act 13,1-2) a los ancianos (o presbíteros) y a los presidentes de las asambleas. En Act 20,29-31 vemos cómo Pablo encomienda a los presbíteros de Éfeso la tarea de defender al rebaño contra los discursos heterodoxos y los «lobos crueles»; en 1Tim 5,17, se dice que algunos presbíteros que ejercen la presidencia «trabajan en la Palabra y la enseñanza»; en Tit 1,9 se les confía una importante función doctrinal; en 2Jn 7-11 es un anciano (= presbítero) el que toma la iniciativa de poner en guardia a los fieles contra los anticristos (cf. también

1Jn 2,12-23; 4,1-6). Esta evolución corresponde al estadio de organización ya alcanzado entonces por las iglesias, y concretamente a las posibilidades de predicación que se desarrollaron entre los que desempeñaban funciones ministeriales (presidentes, presbíteros, pastores); pero respondía también a las necesidades prácticas del momento. Fue precisamente esta evolución la que permitió la unificación progresiva de las estructuras locales, que en su origen no habían sido calcadas sobre un mismo modelo.

Los primeros documentos cristianos exteriores al Nuevo Testamento muestran la rápida aceleración de este proceso[3]. Hacia fines del siglo I o comienzos del II, la *Didakhe*[4] supone todavía la persistencia del modelo judeocristiano, con sus profetas y sus doctores, en las iglesias de Siria. Hacia el año 95, la *Carta de Clemente*[5] (que, por lo demás, está dirigida por «la iglesia de Dios que habita en Roma, a la iglesia de Dios que habita en Corinto»: 1Clem, encabezamiento) testifica para estas dos iglesias una estructura casi similar a la de las cartas pastorales: a la cabeza de las comunidades hay un colegio de presbíteros que cumplen solidariamente la función de *episkopos* (1Clem 42,4-5), pero todo autoriza a suponer que uno de ellos debía tener un cargo de presidencia entre los restantes. Hacia el 110/115, las cartas de Ignacio de Antioquía[6] muestran que, en todo el Oriente, el *presbyterium* local está efectivamente presidido por un *episkopos*, que cumple las funciones asignadas a los obispos a partir del siglo II. ¿A qué preocupaciones respondía esta institución del episcopado unitario? Hablar a este propósito de una «toma del poder» que habría asegurado la supremacía de la institución sobre el carisma sería incurrir en un anacronismo para el que los textos no ofrecen el más mínimo fundamento[7]. Se trataba simplemente de realizar el ideal que Ignacio trazaba a los Magnesios: «Poned, pues, empeño en afianzaros en los decretos del Señor y de los apóstoles, a fin de que todo cuanto hiciereis os salga prósperamente en la carne y en el espíritu, en la fe y en la caridad, en el Hijo, en el Padre y en el Espíritu, en el principio y en el fin, unidos a vuestro obispo dignísimo y a la espiritual corona, digna de ser ceñida, de vuestro colegio de ancianos y a vuestros diáconos según Dios» (Magn 13,1). La unidad en las comunidades y entre las comunidades, fundada sobre la adhesión al verdadero evangelio, prevalece aquí sobre toda otra preocupación. Sus artesanos son aquellos que desempeñan los ministerios, ya que sin ellos no habría *ekklesia* (Tral 2,1): ésta tiene por centro el *presbyterium*, unido al obispo como las cuerdas a la lira (Ef 4,1). Por eso, los actos de la asamblea en iglesia — bautismo, ágape, eucaristía — sólo son legítimos, válidos y agradables a Dios cuando son realizados en torno al obispo o al presbítero designado por él (Esm 8,1-2; cf. Fil 4). La unidad manifestada por estos signos visibles tiene su fundamento en la referencia apostólica que une a las iglesias con el Señor. Ahora bien, esta referencia tiene su expresión concreta en el principio de la «sucesión» apostólica, firmemente subrayada en la *Carta de Clemente* (1Clem 42 y 44)[8].

Contemplada, pues, desde este ángulo, la continuidad de la tradición viva se presenta como una realidad compleja, en la que todos los elementos son interdependientes: celebración de las asambleas bajo la presidencia de pastores legítimos, servicio de la Palabra en la línea exacta del depósito apostólico, lectura y explicación de las Escrituras a la luz del único evangelio definido por este depósito, adhesión a las costumbres cristianas, sobre las que deben velar los jefes de las iglesias. Las estructuras institucionales están al servicio de esta fidelidad, como ya indicaban las cartas pastorales. Por lo demás, la insistencia de Ignacio en este punto se explica por un contexto histórico muy preciso, sobre el que tendremos que volver: existían, al margen de las iglesias, grupos heréticos (Ef 6,2; Tral 6,1), que usurpaban el nombre de cristianos y pervertían la fe, y que celebraban también sus propias asambleas (Ef 7-9; Magn 8; Tral 6,11; Fil 2-3; Esm 4-7). La *Carta de Clemente* muestra, por su parte, que la realización del ideal legado por los apóstoles podía tropezar con dificultades debidas a defectos humanos cuando surgían, por ejemplo, querellas en torno al cargo (colegial) del episcopado (1Clem 44,1). Así, pues, lo que importaba es mantener con firmeza la unidad en las iglesias.

La continuidad literaria

El marco eclesial así definido fue el lugar de la creación literaria, que se prosiguió sin discontinuidad. Se desplegaron las formas de los textos inauguradas en la época precedente, siguiendo siempre el ritmo de las asambleas cristianas, al mismo tiempo que experimentaban notables transformaciones. La *Didakhe*, en su anonimato, se mantenía todavía cerca de la literatura primitiva, pero constituía ya una regulación eclesiástica de la vida comunitaria. De ella se diferencia sensiblemente la *Carta de Clemente*, en la medida en que muestra la intervención de una iglesia — la de Roma, que podía apoyarse en el doble testimonio de Pedro y Pablo (1Clem 5,3-6) — para resolver la crisis en que se debatía otra iglesia, la de Corinto, que sin embargo era heredera de la tradición dejada por Pablo y por sus cartas (1Clem 47,1-4): no hay aquí un acto de autoridad, sino de amor fraterno [9]. Las cartas de Ignacio de Antioquía, y más tarde la de Policarpo de Esmirna [10], demuestran la persistencia de un género iniciado por las cartas paulinas. Con todo, su objetivo no es regular la vida de las comunidades en nombre de la autoridad apostólica: lo que manifiestan concretamente es la *koinônia* entre las iglesias y sus pastores, aunque insistiendo siempre en los peligros del momento. La *IIª Clementis* [11], documento del siglo II, se vincula al género homilético, cuya importancia ha podido entreverse en algunos pasajes de cartas e incluso en cartas enteras (Heb, 1Pe, Ef, 1Jn). Para completar este cuadro, habría que añadir algunas obras perdidas, de las que Eusebio de Cesarea ha conservado los títulos y algunos fragmentos [12]: la *Explicación de las palabras del Señor*, de Papías de Hierápolis (hacia el 125); la obra histórica de Hegesipo: las *Apologías* de Cuadrado y de Arístides de Atenas, etc. En la literatura eclesiástica estas obras inauguran nuevos géneros. Con todo, hacia mediados del siglo II el *Pastor de Hermas* [13] es un resurgimiento original del género apocalíptico: se sabe por el *Canon de Muratori* (líneas 73-80) que su autor era el hermano del papa Pío, muerto bajo Antonino (131-161). Hacia esta misma época, la literatura de creación toma formas nuevas en la obra del filósofo Justino [14], tanto en sus dos *Apologías*, dirigidas (entre el 148 y el 161) al emperador Antonino y al Senado, como en su *Diálogo con Trifón* (escrito hacia el 165), que testifica a la vez la controversia con el judaísmo y la interpretación cristiana de la Escritura, leída en su versión griega.

Hay que señalar, en este cuadro general, la permanencia de una costumbre literaria convencional practicada por la apocalíptica judía y también habitual en el último estadio del Nuevo Testamento: la utilización de la pseudoepigrafía, que ponía las obras de autores desconocidos bajo el patronato de los grandes personajes del pasado, judíos o cristianos. Por este camino, se completaron o reelaboraron en las comunidades cristianas, a partir del siglo II, un cierto número de apócrifos judíos [15]. Se encuentran en este grupo algunas obras perfectamente admisibles desde el punto de vista de la ortodoxia doctrinal, por ejemplo la *Ascensión de Isaías* [16]; que expresa una cierta mística cristiana todavía cercana a la apocalíptica judía. También a los héroes de la época apostólica se les atribuyeron obras de esta índole, escritas con un espíritu aceptable: así el *Apocalipsis de Pedro* [17] que fue leído en algunas asambleas cristianas, o la *Carta de Bernabé* [18], en la que, con todo, la polémica antijudía desvaloriza excesivamente el Antiguo Testamento. Pero fue cabalmente esta facilidad del recurso al patronato ficticio de los apóstoles lo que hizo necesaria la reacción de los jefes de iglesias vinculados a la auténtica tradición y es que, prescindiendo de obras desprovistas de una auténtica calidad doctrinal o espiritual, hubo diversas sectas, salidas del tronco cristiano, que encontraron en este modo de expresión un medio de propaganda fácil y peligrosa para los fieles.

El peligro de las desviaciones

Es difícil clasificar las corrientes que, a partir del siglo II, compitieron con la «gran Iglesia», y ello tanto más cuanto que las fronteras de la ortodoxia sólo se irían definiendo poco a poco, y como reacción contra aquellas corrientes. A grandes rasgos, podemos comenzar por los judeocristianos, para pasar luego a observar en los mismos medios ortodoxos las evoluciones de una piedad sospechosa a ciertas miradas, y perfilar, en fin la importancia que fueron adquiriendo un gnosticismo que todo lo invadía y un montanismo entusiasta e iluminado. En todos estos sectores se registró una producción literaria más o menos abundante, cuyo conocimiento resulta necesario para comprender los problemas de la época.

Endurecimiento y evolución de los judeocristianos

Los judeocristianos, expulsados de las comunidades y de las sinagogas judías entre el 85 y el 100, no perdieron de golpe su originalidad. Su situación civil y religiosa era precaria: excluidos del judaísmo, representaban una especie de disidencia que, con todo, podía ampararse bajo el estatuto reconocido a los judíos por el imperio romano; pero, por esto mismo, su sumisión a las prácticas de la ley amenazaba con separarles de las otras iglesias, en las que predominaba ampliamente el elemento no judío. Puede, con todo, advertirse su influencia en una porción notable de la antigua literatura cristiana: J. Daniélou ha destacado el hecho, aunque tal vez valorándolo excesivamente [19]. Además, las comunidades de este tipo subsistieron en Oriente, y especialmente en Siria, hasta el siglo VI. Lo poco que sabemos de ellas permite entrever una esclerosis progresiva y en repliegue sobre sí mismas que arruinaron su capacidad de irradiación. Poseyeron no obstante su literatura propia y en concreto algunos libritos evangélicos todavía conocidos por san Jerónimo [20].

Con todo, ya en fechas bastante tempranas, se produjo un radical endurecimiento que llevó a algunas de sus fracciones a constituirse en sectas, que produjeron una literatura polémica y propagandística, puesta en general bajo el amparo de nombres prestigiosos, como el de Pedro y, sobre todo, de Santiago. Entre los ebionitas [21], que tuvieron su evangelio particular, la concepción de Cristo se distanció de los modelos apostólicos para derivar hacia el adopcionismo o el docetismo. Otras comunidades se dejaron ganar por la corriente gnóstica, introduciendo en ésta sus ideas propias, lo que permite explicar el papel atribuido a algunos apóstoles, como Tomás o Santiago, en el gnosticismo sirio o egipcio. Toma así forma, a partir de un cristianismo arcaico subdividido en diversas corrientes, una literatura «evangélica» de segunda mano que ofrecía garantías cada vez más precarias y en la que la evocación de las autoridades apostólicas encubría enseñanzas dudosas o francamente desviadas.

Del pietismo sospechoso a la literatura tendenciosa

En el seno de la gran Iglesia se mantenía mejor la preocupación por la ortodoxia. Pero también aquí se desarrollaba de forma peligrosa el gusto por la literatura pseudoepigráfica, en la medida en que esta traducción de la fe y de la piedad ponía al amparo de los apóstoles algunas producciones de contenido ambiguo o mediocre. Ya hemos visto, en páginas anteriores, que había adquirido derecho de ciudadanía en la Iglesia un cierto desarrollo haggádico de las tradiciones evangélicas: el que se incorporó a los relatos de la infancia según Mateo traducía una cristología totalmente auténtica [22]; también los relatos de la pasión o de la resurrección conservan algunos rasgos haggádicos, incluso en los evangelios canónicos, cuando proyectan sobre las tradiciones orales una imaginería bíblica que revela más arte que historia para expresar de forma concreta una reflexión teológica (por ejemplo, Mt 27,45.51-53; 28,2-4). Los desarrollos de este tipo conservan todavía una puesto limitado en algunos textos de Ignacio de Antioquía o de Justino [23], aunque sin recurrir a la autoridad de los apóstoles para justificarlos.

Hubo, con todo, dos tipos de desviación que introducirían en este ámbito elementos más sospechosos, incluso teniendo en cuenta la parte de libertad que la fe dejaba a la imaginería cristiana. De un lado, los desarrollos legendarios tendían a apoyarse en las tradiciones de la infancia o en las de la pasión y resurrección: el gusto inmoderado por lo maravilloso navegó aquí a velas desplegadas, sin gran respeto por sus regulaciones normales. En el *Protoevangelio de Santiago* [24] (siglo II), el pietismo orquestó una concepción muy sospechosa de la virginidad de María. En el *Evangelio de Pedro* [25] (hacia el 130) y en la *Carta de los apóstoles* [26] (entre el 130 y el 150) la exposición de la doctrina adquiere un sesgo tendencioso, que amenaza con desacreditar la «regla de la fe». Además, la idea de una revelación esotérica confiada por Cristo resucitado a sus apóstoles abría la puerta a colecciones «secretas» (ἀπόκρυφα), a las que mostró gran afición el gnosticismo. Ya desde esta sola perspectiva, resultaba útil distinguir entre el legado auténtico de los apóstoles y los elementos imaginarios que pretendían apoyarse en él. De otro lado, la tradición apocalíptica amenazaba con inflamar la fantasía. Se sabe por Eusebio de Cesarea que Papías de Hierápolis daba extraordinario crédito a los sueños milenaristas [27] atribuidos a los presbíteros oyentes de los apóstoles (HE 3,39,11-12): estos elementos registraron, al parecer, muchos progresos, ya que el mismo Ireneo los tomó por moneda de buena ley y los incorporó a su escatología sobre la fe de los presbíteros (*Adv. Haer.* 5,33,3-4; 5,36,1-2). El ejemplo de Ireneo muestra las dificultades con que tropezaba en aquella época el esfuerzo por discernir y valorar los datos recibidos de la tradición oral.

De los falsos doctores al gnosticismo

Pero había aspectos aún más graves. Ya hemos visto que los últimos escritos del Nuevo Testamento se enfrentaban con la obligación de denunciar las tentativas de falsos doctores que se insinuaban en las comunidades corrompiendo la fe: así ocurre en la carta de Judas, en las cartas pastorales, el Apocalipsis, las cartas de Juan, la *IIª Petri*, aunque no todos estos documentos se refieren necesariamente a los mismos adversarios [28]. Pero, entre el año 100 y el 150, las tendencias pregnósticas que podían observarse en las fronteras del judaísmo y del cristianismo, cristalizaron en varias corrientes sincretistas centradas en mitologías de la salvación. Este gnosticismo consolidado se esforzaba por integrar en sus sistemas el mayor número posible de elementos cristianos que pudiera asimilar [29]. Aunque tenía un carácter esotérico, en cuanto transmisión de una enseñanza secreta que otorgaba el «conocimiento» salvador, salió a luz una gran masa de literatura propagandista, que circuló en el Oriente medio: en Siria con los elcasaítas y los grupos baptistas que dieron nacimiento a la corriente mandea [30]; en Egipto, donde Alejandría actuaba como centro de fermento intelectual; y luego, a partir de aquí, en todos los centros cultivados del mundo mediterráneo (Roma, Atenas) y del mundo iranio (en el que, en el siglo III, habría de destacarse el maniqueísmo) [31].

Es indudable que esta literatura tuvo antecedentes paganos, concretamente en el *corpus* hermético [32]. Pero a medida que los sistemas gnósticos iban incorporando elementos cristianos, recurrieron a procedimientos que les permitían penetrar en el público de los bautizados y los catecúmenos [33]. De un lado, los autores imitaban los géneros literarios utilizados en los escritos apostólicos: se asistió así a una floración de evangelios y apocalipsis, mientras que las cartas se prestaban menos a este tipo de imitación. De otro, se recurrió a la sistemática de poner las obras bajo el patrocinio de los apóstoles de Cristo: Tomás, Santiago, Felipe,

Bartolomé, Matías, etc. Los doctores gnósticos exponían indudablemente su enseñanza personal en sus propias obras: así en el *Comentario de Juan* de Heracleón [34], refutado por Orígenes, o en la *Carta de Ptolomeo a Flora,* debida a un discípulo itálico de Valentín y conservada por Epifanio [35]. Pero la tradición religiosa de autores como Basílides (entre el 120 y el 150) o Valentín (entre el 135 y el 160) pasó también por el canal de la literatura apócrifa, con lo que conseguían un auditorio más amplio: se afirmaba que el Cristo de la fe había impartido enseñanzas secretas a algunos discípulos predilectos, ya antes de su partida del mundo o también después de su resurrección. El contenido de esta enseñanza adoptaba la forma de *logia,* en los que algunos materiales evangélicos primitivos eran torcidamente entendidos, reinterpretados, recompuestos, amplificados con ayuda de nuevas formulaciones. El *Evangelio según Tomás* [36], que pudo tal vez conocer una primera redacción en el siglo II, procedente de un medio sirio, proporciona un excelente ejemplo de estas diversas manipulaciones [37].

El iluminismo profético de Montano

Los protagonistas del gnosticismo eran doctores que, por así decirlo, adaptaban el evangelio a los gustos del día y lo acomodaban a las exigencias de la religiosidad greco-oriental ávida de especulaciones, insertando a Cristo en sus mitos de liberación. Al recurrir a la literatura pseudoapostólica, chocaban con los jefes de iglesias, ya que a la autoridad de éstos oponían otras autoridades superiores: las de los apóstoles, sobre los que pretendían fundamentarse. Pero los obispos vieron discutida su autoridad también desde otro ángulo y a cargo de una corriente totalmente diferente, que se presentaba como heredera del profetismo carismático: la de Montano, del que Eusebio de Cesarea nos ha conservado interesantes noticias (HE 5,14; 16; 18-19). El entusiasmo iluminista de Montano nació en Frigia, territorio en que gozaba de suma veneración el culto a Cibeles. Cabe sospechar una influencia lateral de este culto sobre el convertido que, el año 156 (Epifanio) o el 172 (Eusebio), pretendió ser la voz del Espíritu Santo para traer una revelación nueva, superior a la de la tradición y las Escrituras apostólicas. Por consiguiente, los grupos que pertenecían a esta *renovación* espiritual, aunque pretendían permanecer en el seno de la Iglesia e introducir en ella mayor fervor y austeridad, rechazaban la autoridad de los obispos locales, anclados en la tradición antigua: ¡primera oposición entre institución y carisma! Esta corriente, combatida por los obispos asiáticos, se propagó hasta Occidente (Lyón, Roma, Cartago), donde consiguió reclutar un miembro de la talla de Tertuliano, montanista acérrimo desde el 210/211 y luego fundador de un grupo disidente. Aunque el montanismo fue «hábil en fabricar nuevas Escrituras» (HE 6,20,3) apenas si quedan escritos de esta procedencia [38], a excepción de las últimas obras de Tertuliano. La lucha de los obispos ortodoxos contra el montanismo, atestiguada a partir de Dionisio de Corinto (entre el 160 y el 170), se prolongó hasta el siglo III; este movimiento fue condenado por el papa Ceferino, hacia el año 200 [39].

II

LA FIJACIÓN DE LA COLECCIÓN DE LAS ESCRITURAS

La adhesión a la tradición apostólica

Todos los problemas planteados por las diversas disidencias tuvieron que ser resueltos en una época en que la Iglesia, a menudo perseguida por las autoridades imperiales o por los administradores locales, carecía de un poder central que pudiera actuar por vía de autoridad: la importancia creciente de la iglesia de Roma era en realidad el reconocimiento de su función de arbitraje. Los jefes de las iglesias se esforzaban, en las diferentes regiones del imperio, por «conservar el depósito» (1Tim 1,20; 2Tim 1,14) en sus propias demarcaciones, de modo que los fieles no fueran «extraviados por doctrinas variadas y extrañas» (Heb 13,9). Y lo hicieron en función de un principio esencial: la invocación de la *tradición apostólica*. Ya antes incluso de que Ireneo construyera la correspondiente teoría [40], fue esta referencia práctica la que determinó la actitud de los obispos locales frente a los doctores gnósticos y los profetas montanistas. Es cierto que los gnósticos pretendían apoyarse también en una tradición secreta, transmitida de viva voz *(Adv. haer.* 3,2,1). Pero a esto se oponía «la verdadera tradición que viene de los apóstoles y que, gracias a la sucesión de los presbíteros, se guarda en las iglesias» (ibid. 3,2,2). Esta tradición, «que ha sido manifestada en el mundo entero, puede percibirse en toda iglesia por todos cuantos desean ver la verdad» (ibid. 3,3,1); de ahí que Ireneo enumere detalladamente la cadena de sucesiones que liga a los pastores actuales de las iglesias con los apóstoles (de 3,3,1 a 3,4,2). En estos pasajes se combate en primer término a los gnósticos. Pero la invocación de la tradición puede dirigirse igualmente contra todos cuantos pretenden traer revelaciones superiores a las de los apóstoles.

Ahora bien, ¿cómo puede conocerse de manera segura y auténtica esta tradición de carácter «exotérico»? La sucesión episcopal asegura su conservación, *desde un punto de vista práctico,* gracias a las instituciones, a la liturgia, a las normas de comportamiento, a las explicaciones de la fe, que son el bien común de las iglesias. Pero se halla también testificada en los *textos,* que permiten comprobar sus bases. De un lado, están las Escrituras que la Iglesia ha heredado del judaísmo: cuando Ireneo emplea esta palabra, se refiere siempre al Antiguo Testamento [41]; se hacía, por tanto, indispensable fijar los libros que constituían autoridad en la Iglesia, precisamente en una época en que circulaba un gran número de escritos bajo el nombre de los grandes personajes veterotestamentarios. Pero no debe olvidarse que estos libros se leían como «Escrituras cumplidas»: por consiguiente, su interpretación tradicional formaba también parte de la herencia recibida y transmitida. De otro lado, era importante conocer con certeza los libros que podían reclamar para sí a justo título el patrocinio apostólico: había, pues, que señalar bien, de entre la masa de evangelios, hechos, cartas y apocalipsis que pululaban para servir de instrumento a la propaganda herética, aquellos que representaban la tradición de los apóstoles y que entraban a su vez en la categoría de Escrituras: los dos Testamentos constituyen el bien de la Iglesia [42], que los herejes usurpaban indebidamente.

Para poder ser reconocida esta autoridad de las Escrituras apostólicas se requerían dos operaciones conjuntas. El primer criterio que se debía aplicar se refería al contenido de la doctrina de los libros: había que proscribir aquellos que, aunque invocando la autoridad de los apóstoles, se apartaban de lo que habían creído y enseñado Pedro, Pablo, Juan, Santiago y los otros. La continuidad de la tradición viva, garantizada por la sucesión episcopal, actuaba, pues, a modo de *test* para negar todo valor a los libros esotéricos opuestos a la revelación pública. Un segundo criterio confirmaba y precisaba el primero: es el *uso de las iglesias* el que permite saber cuáles son los libros *recibidos* como testigos auténticos de la enseñanza de los apóstoles. Los libros que se vinculan de hecho a la tradición de cada uno de los apóstoles o de los personajes apostólicos, conservados con este título en las iglesias, llevan la marca de su origen por su atribución literaria o por sus afinidades reconocidas. De ahí que Ireneo ponga tanto empeño en recopilar todos los informes posibles sobre la composición de estos libros y sobre sus destinatarios[43]: no a la manera de los críticos modernos, que muchas veces se ven obligados a distinguir entre *auctor* y *scriptor*[44] o incluso a comprobar que algunos pseudoepígrafos tuvieron la abierta intención de conservar la tradición de este o aquel autor venerable[45], sino a la manera de un hombre de tradición, apoyado en el uso antiguo que reconocía a los libros un carácter *normativo* para la fe y la vida práctica.

Puede hablarse, a este propósito, de una «canonicidad» activa: los libros en cuestión testifican la «regla de la verdad» (κανὼν τῆς ἀληθείας) *(Adv. haer.* 1,1,20; 2,4,1; 3,11,1), «la regla de la fe» *(Demostración apostólica,* 3)[46]. Éste es el sentido primario de la palabra κανονικός aplicada a los libros santos. El reconocimiento práctico de esta «canonicidad» fue, por supuesto, muy anterior a la definición que da de ella Ireneo. Cuando los padres apostólicos y los apologetas recurrían a los evangelios y a las cartas, incluso sin mencionar a sus autores, es porque les atribuían una autoridad especial, cabalmente la propia de la tradición apostólica. Justino, por ejemplo, se refería a los evangelios bajo la denominación —muy griega[47]— de «memorias de los apóstoles» *(1.ª Apología* 66,3; 67,3, etc.) y vinculaba a las «memorias de Pedro» una cita implícita del evangelio de san Marcos *(Diálogo con Trifón* 106,3). Ahora bien, este autor nos dice textualmente que estas *memorias* o *evangelios* se leían, junto con los escritos de los profetas, en la asamblea cristiana *(1.ª Apología* 67,3). Así, pues, la *asamblea en iglesia* siguió siendo el lugar en que se conservaban, leían y explicaban los libros, lo mismo que había sido el lugar en que fueron elaborados [48]: existe una continuidad perfecta entre su formación en la época apostólica (o subapostólica) y su utilización en la corriente del siglo II. Hay aquí una tradición «práctica» que garantiza la tradición doctrinal, en una época en que los herejes la combatían.

Hacia una lista oficial de los escritos apostólicos

La presión de las circunstancias

En su estudio sobre la formación de la Biblia cristiana, A. von Campenhausen atribuye una importancia determinante a la reacción contra «los innumerables libros de los profetas montanistas» [49]. Es posible, en efecto, que su pretensión de traer una revelación nueva, superior a la del evangelio, provocara la revalorización de los evangelios y de los restantes libros apostólicos de los que eran la pieza maestra: era preciso recordar que aquí encuentra la fe cristiana su regla definitiva, a la que nada puede añadirse. No obstante, es igualmente probable que la lucha contra la propaganda gnóstica tuviera una repercusión considerable en este dominio. Dado que el gnosticismo invocaba la autoridad de Cristo y de los apóstoles para acreditar sus obras heterodoxas, era de capital importancia saber qué evangelios, cartas y apocalipsis representaban la auténtica tradición apostólica [50]. En virtud de esta misma operación, también las supercherías piadosas puestas bajo el amparo de grandes personajes quedaban descartadas, para distinguir la cizaña del trigo.

Dos grandes iniciativas individuales parecen haber precipitado el movimiento en las diversas iglesias. En primer lugar, un doctor gnóstico originario del Ponto, llamado Marción, se trasladó a Roma hacia el año 140 y enseñó allí un sistema dualista, que oponía entre sí a los dos Testamentos [51]. Marción excluía de las Escrituras la totalidad del Antiguo Testamento, como obra del demiurgo malo, y del Nuevo sólo conservaba el evangelio de Lucas, mutilado, y una parte de las cartas de san Pablo (Ireneo, *Adv. haer.* 1,27,2-3). Aunque fue excomulgado hacia el 144 y combatido por Justino, consiguió un gran número de adeptos. Medio siglo más tarde, Tertuliano tenía que polemizar rudamente contra él en su *Adversus Marcionem* (200, con edición aumentada en 207 y 211), que es nuestra fuente esencial para el conocimiento de las *Antítesis* publicadas por el doctor hereje. La reacción contra su iniciativa obligó a los obispos y a los doctores cristianos a fijar una lista tan completa como fuera posible de los libros santos, descartando los apócrifos (= ocultos o esotéricos) y los sospechosos. En segundo lugar, entre el 170 y el 180, Taciano [52], discípulo de Justino, arrastrado hacia el encratismo (o tal vez hacia el marcionismo) compuso una *armonía evangélica*, el *Diatessaron*: a base de eliminar los duplicados, combinar los textos de los cuatro evangelios y añadir algunas tradiciones apócrifas, proponía a la lectura de los cristianos una obra nueva, que amenazaba con suplantar a los evangelios primitivos. En conjunto, esta obra era ortodoxa y conoció un éxito duradero: todavía en el siglo IV la comentaba san Efrén [53] y tuvo sucedáneos en diversas lenguas, hasta la edad media. Con todo, los hombres adictos a la tradición centraron la atención en el «evangelio tetramorfo», el único que poseía una autoridad apostólica indiscutible [54].

En estas complejas circunstancias, y a lo largo del siglo II, se llevó a cabo una doble tarea, cuyo resultado fue la fijación del Nuevo Testamento. De un lado, las iglesias establecieron listas oficiales que representaban para ellas la regla de la fe. Del otro, los copistas cristianos se esforzaron por mejorar el texto de los libros sobre los que se apoyaban la fe y la predicación de la Iglesia: de un texto popular y con múltiples variantes, se intentaba pasar a un texto mejor establecido, más erudito, que preludiaba las grandes recensiones del siglo IV [55]. Estas dos operaciones conjuntas son comparables a la actividad de los doctores judíos que, hacia finales del siglo I, fijaron la lista de los libros santos admitidos en la lectura sinagogal y que, al mismo tiempo, eligieron la recensión que debía desembocar en el texto masorético. Podemos prescindir aquí del problema de la fijación del *texto* del Nuevo Testamento. Pero debemos examinar en cambio con mayor detalle la determinación de su lista de libros, en la medida en que algunos testimonios ocasionales nos permiten fijar sus etapas.

Primeros indicios de listas oficiales

Hemos visto que para los padres, hasta Ireneo, la Escritura en cuanto tal era el Antiguo Testamento, entendido como «profecía de Cristo». No se puede, pues, omitir aquí la fijación de su lista oficial en la Iglesia. En este sentido, el criterio esencial estuvo siempre constituido por cl uso antiguo de las comunidades. Ahora bien, en las diferentes regiones de la diáspora griega este uso era netamente más amplio que en el marco palestino [56]. De todas formas, las iglesias que estaban en contacto con un medio judío importante y los autores comprometidos en la controversia con este medio, sufrieron la influencia de las decisiones adoptadas por los doctores en Jamnia. De ahí, por ejemplo, la testificación de una lista restringida en Melitón de Sardes [57] (segunda mitad del siglo II), que declara en una carta a Onésimo haberla «recibido en Oriente» (Eusebio, HE 4,26,12-14). Todavía en pleno siglo IV se seguirán percibiendo las huellas de esta influencia cuando algunos padres mencionan textos «discutidos» a los que sólo conceden un valor limitado, como por ejemplo Cirilo de Jerusalén, en el medio palestino (*Catequesis* 4,35-36). En cambio, el uso de Ireneo [58], contemporáneo de Melitón de Sardes, se conforma a la práctica de las iglesias implantadas en la diáspora griega, y concretamente en Alejandría: utiliza la Sabiduría, Baruc (bajo el nombre de Jeremías), las secciones griegas de Daniel, pero también el cuarto libro de Esdras (*Adv. haer.* 3,21,2, que relata la reconstitución de todos los libros proféticos por Esdras). Ireneo considera, por lo demás, que la versión griega está «divinamente inspirada» (ibid.), lo que fundamenta su valor para la lectura litúrgica. En este mismo sentido, escribe Orígenes, un poco más tarde, a Julio Africano, para solventar sus dudas a propósito de los libros que no figuraban en la lista judía fijada por los rabinos: aunque conoce la lista de los 22 libros (Eusebio, HE 6,25,1-2), no se siente vinculado a ella e incluye en su Biblia todos los deuterocanónicos [59].

Respecto de los libros del Nuevo Testamento, sólo poseemos un pequeño número de testimonios directos sobre las listas fijadas en las iglesias locales. El *Canon de Muratori* [60] es una lista romana, establecida entre el 165 y el 185. Conoce los cuatro evangelios, los Hechos, todas las cartas de san Pablo (pero no la carta a los Hebreos). Su modo de excluir las cartas apócrifas evidencia que reacciona contra Marción y los otros herejes (líneas 63-67). Conoce la carta de Judas y dos cartas de Juan, el Apocalipsis de Juan y el de Pedro «aunque algunos de los nuestros se niegan, con todo, a leerlo en la iglesia». Los *Prólogos antimarcionitas*[61] tienen un objetivo muy limitado: traducidos del griego, son también más tardíos, pero se apoyan en un uso anterior. Para los siglos II y III, a falta de listas, hay que referirse al uso de los autores[62]. Las fluctuaciones de éstos son mínimas. Algunos conceden crédito a la *Carta de Bernabé* (Clemente de Alejandría), al *Pastor de Hermas* (Ireneo), al *Apocalipsis de Pedro (Canon de Muratori,* Clemente de Alejandría). Hay un solo autor que niega la autoridad de todos los escritos joánicos, por reacción contra el montanismo: el sacerdote romano Cayo (de quien habla Eusebio en HE 6,20,3)[63]. Algunos autores ignoraban, al parecer, la carta a los Hebreos *(Canon de Muratori),* o no se lo atribuían a san Pablo (Hipólito, Tertuliano) en razón de las dificultades críticas que ya había advertido Orígenes (HE 6,25,11): es probable que su inserción en el *corpus* paulino no se produjera al mismo tiempo en todas partes. Las cartas de Santiago y Judas, la *IIª Petri,* las cartas pequeñas de Juan, cuentan con escasas menciones, hasta tal punto que todavía en el siglo IV Eusebio de Cesarea las incluía entre los libros controvertidos (HE 3,25,3).

Estas fluctuaciones no afectan al principio «canónico» cuya importancia acabamos de ver. Pero es interesante observar que la palabra κανών, en el sentido de lista de los libros santos, no aparece hasta el concilio de Laodicea, hacia el 360 (PG 25,436); hasta esta fecha, tenía el sentido activo de «regla de la fe» que ya hemos subrayado en san Ireneo. Los escritos «apostólicos» (en sentido amplio, esto es, los que son testigos de la *tradición* apostólica) constituían la regla de la doctrina a la que era preciso referirse como a la piedra de toque de la ortodoxia. Bajo este aspecto es, pues, abusivo afirmar que Marción fue «en cuanto a la idea de base, el creador de la santa Escritura cristiana»[64] o el iniciador del primer «canon cristiano». Al establecer su lista restringida, se convirtió más bien en antecesor de los que más tarde intentarían fijar «un canon en el canon», un «evangelio fundamental» que serviría para valorar y enjuiciar los restantes escritos y para excluirlos, llegado el caso, de la lista en uso. La iniciativa de Marción, al parecer tan innovadora, tenía por fuerza que saldarse con un fracaso. En realidad, el canon, tal como lo entendía Ireneo, *existía en la práctica* desde el instante mismo en que las iglesias leían en sus asambleas los textos en que reconocían el legado auténtico de los apóstoles desde el punto de vista de la fe y de la vida cristiana. Sobre este telón de fondo, las cuestiones críticas sólo podían desempeñar un papel secundario, a riesgo de arrojar eventualmente dudas sobre la autoridad de este o de aquel libro: desde fines del siglo II sobre la carta a los Hebreos, si su autor no fue Pablo; más tarde, sobre algunas cartas católicas o sobre el Apocalipsis de Juan, cuya autenticidad literaria no parecía segura (cf. HE 7,25,1-3.12-16.24-26). La exégesis moderna cuenta con la ventaja de saber distinguir claramente estas dos cuestiones: al poner de manifiesto la evolución literaria registrada en la tradición dejada por los diversos apóstoles, invita a no confundir la autoridad normativa de un escrito con su autenticidad literaria o con las modalidades de su composición. La libertad de apreciación otorgada así a los críticos goza, pues, de amplia capacidad de movimiento dentro del campo de su adhesión a la tradición apostólica, norma última de la fe.

PARTE OCTAVA

LOS APÓCRIFOS DEL NUEVO TESTAMENTO

por Christian Bigaré

INTRODUCCIÓN

En el siglo II, la Iglesia se vio enfrentada con el problema de discernir las Escrituras que transmiten la palabra de Dios en el seno de la auténtica tradición apostólica. Ya Orígenes utilizó el término de *apócrifo*, significando con él la literatura «oculta» o «secreta» de los gnósticos. Fue san Jerónimo el primer autor que llamó *apócrifas* a todas las obras excluidas del canon bíblico. En el siglo XVI, los protestantes aplicaron esta designación a los escritos griegos del Antiguo Testamento que los católicos prefieren llamar *deuterocanónicos*, reservando para los otros el nombre de *pseudoepígrafos* por alusión a la pseudonimia empleada por sus autores. Estas embrolladas denominaciones complican de mala manera el problema. De hecho, cierto número de libros canónicos utilizan la pseudonimia. No todos los libros no canónicos son apócrifos, es decir, secretos (en hebreo *ganuz)* en el sentido —el único exacto— en que lo entendía Orígenes. Pero todavía no ha logrado imponerse en el uso ninguna otra denominación.

Aquí entendemos por *Apócrifos del Nuevo Testamento* los evangelios, hechos, cartas y apocalipsis atribuidos a los apóstoles y no recibidos por la Iglesia en el canon. No es nuestra intención acometer un estudio exhaustivo de toda esta literatura. Nuestro propósito es describirla en la medida en que puede ayudar a esclarecer la exégesis del Nuevo Testamento. Destaquemos en primer lugar algunos rasgos generales.

1) Los escritos que componen esta literatura pertenecen a varios géneros literarios, análogos a los de los escritos canónicos que querían imitar o completar. Hay, con todo, por poner un ejem-

plo, más diferencias que puntos comunes entre los evangelios arcaicos, los «evangelios ficciones» y los evangelios gnósticos: la palabra *evangelio* no pretende tanto definir un género cuanto caracterizar, según los casos, las agrupaciones de palabras, de relatos o de meditaciones sobre Jesús; los hechos, en cambio, se limitan a narrar el apostolado y el martirio de los apóstoles.

2) Dentro de un mismo género, varían mucho la inspiración y el método. Algunos escritos son pietistas y populares, otros eruditos. Los hay ortodoxos mientras que otros son claramente tendenciosos, con toda una gama intermedia. Hay obras originales junto a meras compilaciones. Las más antiguas se remontan a una época poco alejada de la redacción de los libros del Nuevo Testamento, mientras que las más recientes datan de los siglos V y VI. Hay que distinguir, además, entre los documentos primitivos y las reelaboraciones, que a veces han sido sucesivas.

El estudio de los *apócrifos* incluye el de los *agrapha*. Se entiende por *agraphon* «toda sentencia aislada, atribuida a Jesús por el camino de la tradición y ausente de nuestros evangelios

CUADRO CRONOLÓGICO

	Evangelios	*Otros escritos*	*Nag Hammadi*
100-150	Evangelio de los Hebreos o de los Nazarenos Evangelio de los Egipcios Evangelio de los Ebionitas	Carta de los apóstoles	Apocryphon de Juan
130-150	Evangelio de Pedro	Carta de Bernabé	
140-160	Papiro Egerton 2	Hechos de Juan	
150-200	Protoevangelio de Santiago	Hechos de Pablo Hechos de Pedro Apocalipsis de Pedro	Evangelio de Verdad (primera compilación del Evangelio según Tomás)
200			Evangelio de Felipe
200-250		Hechos de Tomás Hechos de Andrés	Evangelio según Tomás
250-300		Hechos de Pilato	
s. IV	Evangelio de José		
s. V	Evangelio ficción de Tomás Transitus Mariae		
s. VI	Evangelio del pseudo-Mateo		

canónicos»[1]. Aquí hay que investigar, en primer término, si estos *logia* son auténticos o no, y luego qué es lo que nos pueden enseñar sobre las tradiciones evangélicas extracanónicas. Ha sido, en parte, esta cuestión la que ha llevado a hablar de algunos evangelios gnósticos, y en concreto del *Evangelio según Tomás*, que es una simple colección de *logia*.

El *cuadro cronológico* adjunto puede ayudar, a pesar de su carácter aproximativo y provisional, a clasificar la literatura apócrifa. La primera columna establece el escalonamiento cronológico de los evangelios; la segunda pone en paralelo los otros escritos; la tercera sitúa los textos gnósticos de Nag Hammadi, que forman una colección aparte.

CAPÍTULO PRIMERO

AL MARGEN DE LOS EVANGELIOS CANÓNICOS

I

«*AGRAPHA*» *Y TRADICIONES EVANGÉLICAS EXTRACANÓNICAS*

Durante mucho tiempo se dio una yuxtaposición de tradición predominantemente oral y de algunos materiales escritos sobre Jesús [1]. Se admite sin dificultad que los cuatro evangelios no recogieron la totalidad de los datos que circulaban a través de las iglesias. Se da el nombre de *agrapha* a las sentencias atribuidas a Jesús y llegadas hasta nosotros fuera del canal del texto recibido. Se las encuentra en las adiciones y las variantes de los manuscritos evangélicos, o bien en el texto de otros libros canónicos. Algunas fueron relatadas por los padres de la Iglesia o transmitidas en los escritos eclesiásticos, litúrgicos o disciplinares. También la contienen las obras y fragmentos agrupados bajo el nombre de *Evangelios* y de *Hechos* apócrifos. Se trata, en general, de breves sentencias o de cortos diálogos. Hay, además, algunos relatos más largos y algunas tradiciones narrativas relativas a Jesús.

En un primer estadio, y durante cerca de un siglo, la crítica se esforzó por reunir estos *agrapha*, estudiar sus modos de «fabricación» e interpretar los que se consideraban válidos. La cosecha no fue abundante. En 1889, Resch reunía 177 fragmentos, de los que extrajo 77 proposiciones auténticas, reducidas más tarde a 36. En 1896, Ropes consideraba 14 textos como positivamente válidos y otros 13 que podrían serlo eventualmente. En 1963, y después de los descubrimientos de Oxirinco y de Nag Hammadi, Jeremias retuvo 21 [2]. Hoy día es posible ir más adelante y comenzar a discernir el contenido de las tradiciones evangélicas, que persistieron tal vez hasta el siglo IV. Iremos dando, en los lugares oportunos, algunas indicaciones sobre el tema.

Adiciones y variantes de los manuscritos evangélicos

La gran mayoría de las innumerables variantes, puramente gramaticales o mínimas, sólo tienen algún interés para la crítica textual [3]. Los problemas planteados por Mc 16,9-20; Lc 9,55-56; Lc 23,34*a* y Jn 7,53-8,11 pertenecen directamente al estudio de los evangelios. Hay algunas adiciones mínimas que nunca han sido admitidas en las versiones. El *Codex Bezae* (D, Cambridge) merece lugar aparte, debido al número de añadidos o de modificaciones que contiene. Así por ejemplo, sustituye Mt 20,28 por un desarrollo que debe relacionarse con Lc 14,7-11. Modifica el texto de Lc 10,16 y sustituye Lc 6,5 por una sentencia de Jesús sobre el trabajo en día de sábado. Algunos manuscritos concluyen Mt 6,13 (texto del *paternoster)* con la doxología: «...a ti el reino, el poder y la gloria por los siglos»; esta fórmula vuelve a encontrarse, en forma más breve, en la *Didakhe* 8,2. No hay aquí nada que suene a falso.

Más importante es el *Logion de Freer,* interpolado en Mc 16,14-15 en el manuscrito descubierto en Akhmim en 1906 [4]. Se trata de un diálogo entre los discípulos y Jesús después de la resurrección, a propósito del poder de Satán. Es una adición, tal vez anterior al año 150, y vinculada al problema de todo el final de Marcos: «auténtica reliquia de la primera generación cristiana».

Variantes y «agrapha» de los otros libros canónicos

Algunas veces Pablo aduce sentencias del Jesús histórico: 1Cor 7,10; 9,14; 11,24 tienen sus paralelos en los sinópticos; 1Tes 4,16, sobre la parusía, con notables diferencias respecto de Mt 24,30, puede ser sustancialmente auténtico. A pesar de la argumentación de Vaganay, la máxima de Act 20,35 es indudablemente un proverbio corriente, puesto, con gran acierto, en labios de Jesús. Por este lado, el botín es bastante exiguo.

Evangelios apócrifos y evangelios gnósticos

Carecen de interés las sentencias de Jesús procedentes de la literatura legendaria en torno a su infancia y su pasión. De los evangelios arcaicos sólo han llegado hasta nosotros algunas citas hechas por los padres: valoraremos estos *agrapha* cuando analicemos los evangelios correspondientes.

El *Evangelio según Tomás* se presenta como una colección de *logia* que será examinada más adelante [5]. Aparte las reelaboraciones y las sentencias netamente gnósticas, contiene algunos *agrapha* ya conocidos por los padres, otros inéditos que hay que clasificar, y, en fin, algunas variantes de materiales sinópticos que pueden plantear un problema: ¿se remontan a una tradición independiente o proporcionan formas más arcaicas que las que han sido fijadas en los evangelios canónicos [6]? Los otros evangelios y escritos gnósticos de Nag Hammadi contienen numerosas sentencias atribuidas a Cristo; algunas modifican los textos sinópticos, otras no tienen ninguna relación con estos últimos. Se trata, sobre todo, de pretendidas enseñanzas de Cristo glorificado, después de la resurrección, y a veces también de sentencias atribuidas a Cristo preexistente [7].

Papiros egipcios

Los papiros de Oxirinco (siglo III), aunque en gran parte mutilados, evidencian algo más que una simple yuxtaposición de *agrapha*. Contienen extractos de apócrifos, reelaboraciones de evangelios canónicos y huellas de tradiciones orales. todo lo cual testifica indudablemente la existencia de agrupaciones muy antiguas de *logia* [8]. Los fragmentos 1, 654 y 655 deben estudiarse a una con el *Evangelio según Tomás*. Junto a otros fragmentos más breves (1224, 1081), el fragmento 840 contiene un largo relato cuya autenticidad está siendo admitida por un número creciente de críticos. Se trata de una discusión en el atrio del templo entre Jesús y un jefe de los sacerdotes, fariseo, a propósito de lo puro y lo impuro [9].

También el papiro *Egerton 2*, descubierto en 1934, y tal vez fechable hacia el 140-160, nos lleva más allá de las tradiciones canónicas. Contiene los fragmentos de un evangelio desconocido, en el que la mezcla de rasgos joánicos y sinópticos testifica ya la difusión del evangelio de Juan. Trae dos sentencias de Jesús que no parecen ser sino composiciones artificiales. Pero habría que emitir un juicio diferente si se admitiera que el autor del papiro y Juan han utilizado una fuente común [10].

Citas de los padres y textos eclesiásticos

En los primeros años del siglo II, Papías había reunido una colección de 5 volúmenes: *Explicaciones de las palabras del Señor*. Algunas de ellas habrían sido transmitidas por los ancianos, que las habían recibido a su vez de varios apóstoles o discípulos del Señor. La única que ha llegado hasta nosotros, por intermedio de Ireneo *(Adv. Haer.* 5,33,3-4) .es un texto apocalíptico bastante extravagante [11]. La Eusebio de Cesarea tenía a Papías por hombre de corta inteligencia (HE 3,39,13), que conservaba parábolas extrañas y enseñanzas fabulosas (3,31,11). Su libro se ha perdido, aunque tal vez algunas citas hayan podido pasar a autores posteriores.

Algunos padres antiguos: Clemente de Roma, Justino, Ireneo, Clemente de Alejandría, Tertuliano, Orígenes entre otros, dan muestras de mayor discreción. Hasta el año 500 Jeremias ha podido contabilizar 24 fuentes principales de las palabras del Señor distintas de las que estos autores dicen haber leído en los apócrifos [12]. Pero estas fuentes aparecen en decenas de citas y de alusiones y puede darse el caso de que un texto sea reproducido muchas veces. Así, la fórmula: «Sed cambistas expertos», conocida por Clemente de Alejandría y por Orígenes, ha sido transmitida en 27 citas y 20 alusiones [13]. Se refiere a los cambistas del templo, que tenían que distinguir rápidamente las piezas falsas entregadas por los peregrinos. Habría que buscar también las ramificaciones, cuando estos textos proceden de una o de varias tradiciones. Esto es válido, por ejemplo, para una sentencia transmitida por Clemente y Orígenes, Eusebio y Ambrosio, unas veces con una formulación muy sinóptica: «Pedid grandes cosas y Dios os dará también las pequeñas por añadidura», y otra más joánica: «Pedid las cosas del cielo y Dios os dará por añadidura las de la tierra» [14].

Más raros son los *agrapha* procedentes de textos litúrgicos o disciplinares, como la Liturgia de Alejandría, la *Didakhe,* la *Didascalía siríaca* (o *Constituciones apostólicas).* Ofrecen el mismo interés que las citas patrísticas y también plantean idénticos problemas.

Junto a los *agrapha* propiamente dichos, los padres apostólicos presentan también un cierto número de tradiciones evangélicas narrativas. Citemos dos, que luego fueron reasumidas por el *Protoevangelio de Santiago* [15]: el nacimiento de Jesús en una cueva, mencionado por Justino *(Diálogo con Trifón* 78,4-6) y la estrella de Belén, cuya luz eclipsaba la de todos los demás astros, según Ignacio de Antioquía (Ef 19,2).

A pesar de su número relativamente reducido, estas sentencias «no escritas» y estos restos de relatos, hechos sin referencia a unos escritos determinados, son importantes. Nos confirman que, durante mucho tiempo, la autoridad del evangelio tetramorfo no fue obstáculo para la transmisión atenta de ciertas tradiciones orales. Su escaso número es más bien argumento a su favor, a pesar de las reservas o de las matizaciones con que varios padres las saludan. Se mantuvo su uso, mientras que los escritos apócrifos cayeron muy pronto bajo sospecha y acabaron por ser eliminados, desde el siglo IV, primero de las listas y después de las bibliotecas. Los papiros de Nag Hammadi, en curso de publicación, y en particular los apocalipsis, podrán aportar algunos nuevos *logia* interesantes, pero no alterarán el balance actual de la contribución de los *agrapha* al conocimiento del Nuevo Testamento. Hay, en primer lugar, algunos *logia* que son algo más que variantes: colorido palestino de los relatos, resonancia evangélica de las sentencias. Sin aportar elementos nuevos al mensaje de Jesús conocido por la tradición común, podrán darnos alguna información sobre la historia del texto evangélico y sobre las reacciones que provocó en las primeras comunidades cristianas. Además, las sentencias y los elementos narrativos recogidos acá y acullá incitan a una búsqueda más sistemática de las tradiciones evangélicas.

II

LOS EVANGELIOS APÓCRIFOS

Aparte los cuatro libritos canónicos, circularon también otras colecciones que llevaban el nombre de evangelios. De los procedentes de los círculos judeocristianos sólo han llegado hasta nosotros algunos fragmentos. Es bastante largo el fragmento del *Evangelio de Pedro.* Los «evangelios ficciones» son, sin excepción, más tardíos. También, en fin, los medios gnósticos recurrieron, desde el siglo II, al género literario «evangelio» para difundir su propaganda en los medios cristianos e incluso en los paganos.

Los evangelios desaparecidos o fragmentarios

Evangelios judeocristianos

Es de lamentar la pérdida casi total de los evangelios judeocristianos, no sólo en el plano doctrinal, sino también en el plano de la historia del texto evangélico. Son conocidos por algunas citas que hicieron de ellos los padres. Pero es también posible que éstos hayan utilizado un cierto número de datos tomados de aquellos evangelios, sin hacer una referencia expresa a los mismos. Sabemos por san Jerónimo (*In Isaiam* 18, prólogo) que la sentencia de Cristo a Pedro y a los apóstoles después de la resurrección, citada por Ignacio de Antioquía: «Tocadme, palpadme y ved como yo no soy un espíritu incorpóreo» (Esm 3,2) se leía en el *Evangelio de los Hebreos.*

El mismo san Jerónimo descubrió en Cesarea un *Evangelio según los Hebreos,* escrito en arameo, que le pareció ser el original semítico de Mateo. Encontró también otro ejemplar entre los nazarenos de Berea, cerca de Antioquía. Lo leyó, sin duda, apresuradamente, y copió y tradujo algunos pasajes que aparecen citados en sus obras. Al parecer, lo que Jerónimo había descubierto era más bien una paráfrasis aramea del texto griego de Mateo. Vemos así cómo, antes de recibir el bautismo de Juan, Jesús explica a su familia que él no tenía necesidad ninguna de recibirlo. Con todo, pudieron incorporarse a este escrito algunas tradiciones extracanónicas o algunas formulaciones más antiguas. Es interesante el *agraphon* citado por san Jerónimo en un comentario a la carta a los Efesios (*In Eph* 5,3-4), en el que el término *in caritate* permite varias traducciones. Una de ellas era corriente: «No estéis, pues, nunca alegres hasta que no veais a vuestro hermano en la caridad.» Pero podría preferirse: «No estéis, pues, nunca contentos más que si consideráis a vuestro hermano con caridad»; sentencia que se inscribe en la línea del Antiguo y del Nuevo Testamento[16]. Se trata, sin duda, del mismo escrito, citado también por otros autores, como Hegesipo y Eusebio de Cesarea, bajo el título de *Evangelio de los Nazarenos,* del que poseemos un total de una treintena de citas. La importancia dada a Santiago, hermano del Señor, permite vincularlo a los judeocristianos de la estricta observancia[17].

Citas análogas hacen Clemente de Alejandría y Orígenes, según un texto griego que, al parecer, sólo ellos conocieron. ¿Habría que reservar para este escrito el título de *Evangelio de los Hebreos?* En tal caso, se dirigiría a los círculos de judeocristianos grecoparlantes de Egipto[18]. En cualquier caso, estas tres colecciones están libres de influencias o de reelaboraciones gnósticas. La asimilación del Espíritu Santo a una madre obedece a que la palabra es del género femenino en hebreo, no a una especulación sobre alguna divinidad femenina.

El *Evangelio de los Ebionitas,* de que habla sobre todo Epifanio, se identifica probablemente con el *Evangelio de los Doce Apóstoles.* Escrito en griego, habría sido compuesto por la misma época (primera mitad del siglo II). Utilizado por las comunidades disidentes de Transjordania, tiene acusadas tendencias heréticas. Los relatos del bautismo de Jesús y de la vocación de los doce combinan los de los sinópticos. Se niega el nacimiento virginal de Jesús, y su filiación divina sólo se remonta hasta el bautismo. Hostil al culto y a los sacrificios, este evangelio convertía a Juan en un vegetariano y manifestaba las reticencias de Jesús a comer en pascua las carnes inmoladas[19]. De hecho, el evangelio presenta una cristología de tipo gnóstico.

¿Pertenece a esta misma corriente y a esta misma época el *Evangelio de los Egipcios,* compuesto por cristianos procedentes del paganismo? Nos quedan de él sobre todo dos fragmentos de un diálogo entre Jesús y Salomé, conservados por Clemente de Alejandría[20]. Las palabras de Cristo sobre el matrimonio tienen un pronunciado sabor gnóstico y encratita, pero tal vez se trate de una reelaboración del texto original[21].

Fragmentos del Evangelio de Pedro

Del *Evangelio de Pedro* sólo tenemos un fragmento, que va desde la condena de Jesús a sus apariciones en Jerusalén y en Galilea. Fue descubierto en 1886, en Akhmim, en el Alto Egipto, en un manuscrito que contenía además un pasaje del *Apocalipsis de Pedro* y una parte del *Libro de Henoc:* ¿se trataba tal vez de una antología de textos sobre la vida en el más allá? El *Evangelio de Pedro* ofrece un particular interés debido a la antigüedad de su composición y a su medio de origen. Escrito sin duda hacia el año 130, en Siria, es decir, en un medio próximo a las iglesias judeocristianas, es contemporáneo de los evangelios de estas iglesias, hoy desaparecidos. Se trata, probablemente, de la misma obra cuya lectura desaconsejaba el obispo Serapión de Antioquía, hacia el año 200 [22].

El autor, que conocía y utilizaba libremente los evangelios canónicos con intención apologética, destacaba claramente la divinidad de Cristo. Aunque presenta numerosas afinidades con los textos proféticos y testifica la utilización mediata de *Testimonia* sacados del Antiguo Testamento, no le interesa el aspecto de cumplimiento de las Escrituras en los sufrimientos y muerte de Jesús. Se hace eco de una tradición que atribuía a Herodes la condena a muerte, exonerando así a Pilato de toda responsabilidad. A lo largo de la pasión, se va subrayando de forma desafortunada, que raya en el docetismo, la divinidad y la impasibilidad de Cristo. A la muerte en cruz sigue inmediatamente la exaltación celeste de Cristo. El relato de la resurrección, ante los ojos mismos de los enemigos de Jesús, encierra numerosos elementos apocalípticos y la cruz aparece como un ser vivo. «Tres hombres salen del sepulcro, seguidos de una cruz sostenida por los dos más jóvenes. La cabeza de los dos primeros llegaba hasta el cielo, pero la del que los guiaba sobrepasaba los cielos. Y oyeron una voz procedente de los cielos, que decía: "¿Has predicado a los muertos?" Y se oyó a la cruz responder: "Sí"» (10,39-42). Después de la resurrección, Jesús se muestra a las santas mujeres. Pero cuando se aparece, al final, a los apóstoles a orillas del lago Tiberíades, estos últimos parecen ignorar su resurrección. Se comprueban así las tendencias teológicas de la obra. Escrito de segunda mano, ignora visiblemente la situación concreta de la Judea de la época de Jesús. No debe exagerarse su influencia, ya que todos los intentos de relacionarlo con la literatura patrística conducen a resultados inciertos.

Los «evangelios ficciones»

Los evangelios que se acaban de mencionar querían, al igual que los evangelios canónicos, coleccionar y transmitir la enseñanza de Jesús. Las obras agrupadas bajo el título de *evangelios ficciones* pretendían, en cambio, contar lo que los anteriores habían silenciado, para satisfacer la curiosidad del pueblo cristiano sobre José y María, la infancia de Jesús, y en menor grado, sobre su pasión. Pertenecen, pues, en gran parte al ámbito de la función fabuladora, si no ya de la pura fantasía. Tal como han llegado hasta nosotros, su composición podría situarse entre los siglos III y VI.

Hay, con todo, dos de ellos, el *Protoevangelio de Santiago* y, en menor grado, el *Transitus Mariae*, que constituyen una excepción, y son formas de transición. Se advierte en ellos, en primer lugar, la huella de tradiciones extracanónicas que habría que relacionar con todos aquellos pasajes de los padres, sobre todo del siglo II, que conservan elementos narrativos del mismo género. Además, a partir de ciertos rasgos legendarios, como nacimientos milagrosos, vuelven sobre temas del Antiguo Testamento y ofrecen los primeros esbozos de una teología mariana y de una reflexión sobre las postrimerías.

Protoevangelio de Santiago y Evangelio del pseudo-Mateo

El editor del *Protoevangelio*, en el siglo XVI, lo llamó así porque narra hechos que son en parte anteriores a los relatos evangélicos. El manuscrito más antiguo data del siglo III y le llama: *Natividad de María, revelación de Santiago* (el «hermano» del Señor). A este escrito, que constituye el primer testimonio de la devoción creciente de los cristianos a María, se le podría intitular: «Evangelio de las dos natividades milagrosas». Tras el descubrimiento del papiro *Bodmer 5* no se puede sostener ya que se trata de la unión de dos documentos, sino que es una obra unitaria, redactada antes de fines del siglo II. Se inspira en los evangelios canónicos y en viejas tradiciones orales, confirmadas por pasajes paralelos de los primeros padres [23]. Pero a pesar del patronato de Santiago, que haría pensar en medios judeocristianos, la obra revela escaso conocimiento del judaísmo.

Ana y Joaquín, ancianos y estériles, conocen por un ángel su próxima fecundidad. Consagrada al Señor desde su nacimiento, María es presentada al templo a la edad de tres años. Aquí recibió diariamente su comida de la mano de un ángel. Cuando llegó a los doce años, el sumo sacerdote confió la custodia de su virginidad a José, viudo cargado de hijos, milagrosamente designado. Primero en la fuente de la aldea y luego en su cuarto, María sabe por medio de un ángel que será madre de Jesús. La prueba de las aguas amargas, victoriosamente superada por María y José, manifiesta que el embarazo de la Virgen es milagroso. En la hora del nacimiento (¿puede hablarse de alumbramiento?), la gruta es invadida por una nube, remplazada luego por una luz cegadora; cuando ésta se disipa a su vez, el Niño está allí. El castigo de la incrédula Salomé concluye este cuadro, que testifica la antiquísima creencia en la virginidad de María: antes, durante y después del nacimiento de Jesús. Esta reacción contra el docetismo es llevada hasta el extremo y conduce a un relato de mal gusto. El final sobre el asesinato de Zacarías, padre de Juan Bautista, parece ser una pieza de acarreo.

La Iglesia de Oriente utilizó abundantemente, desde el siglo IV, el *Protoevangelio* en su literatura, su arte y su liturgia. La Iglesia de Occidente no parece haber conocido la obra más que a través de reelaboraciones, la más antigua de las cuales sería el *Evangelio del pseudo-Mateo*. Presentado como una traducción latina de san Jerónimo a partir de un original hebreo, dataría del siglo VI. Sus relatos, tejidos a partir del libro precedente, son aún menos discretos. La fuga a Egipto da lugar a maravillosas amplificaciones y la infancia de Jesús está sembrada de milagros. El relato del encuentro de Ana y Joaquín en la Puerta Dorada insiste en el carácter milagroso del nacimiento de María. El asno y el buey de la cueva vienen a realizar, de manera popular e imaginada, las profecías de Isaías (1,3) y de Habacuc (3,2, en los Setenta).

Habría que mencionar aquí la influencia de estas dos obras en las representaciones del arte cristiano durante largos siglos: vida de María, infancia de Jesús. Aquí se encuentra también el origen de varias fiestas litúrgicas desprovistas de carácter histórico: las conmemoraciones de los santos Joaquín y Ana, Natividad de María, presentación en el templo. Pero, detrás de las leyendas, hay que saber percibir el espíritu y la intención que presidieron su elaboración.

«Transitus Mariae», Historia de José el carpintero y otros evangelios de la infancia

Los textos que siguen intentaban servir a la edificación de los fieles, pero la imaginación se desbordó en ellos sin trabas. El *Transitus Mariae*, redactado sin duda en el siglo V, cuenta la muerte y asunción de la virgen María. Su lengua original parece haber sido el griego. Aparte una recensión griega, existen diversas traducciones reelaboradas en latín, siríaco, copto y armenio, lo que testifica su influencia y difusión. He aquí dos rasgos tomados del texto latino falsamente atribuido a Melitón de Sardes[24] (siglo II). En el instante de la muerte de María, en presencia de Pablo y de los apóstoles, Jesús en persona entrega el alma de su madre al arcángel Miguel. Tras haber sido enterrada en el valle de Josafat, Jesús aparece de nuevo y la resucita; a continuación, María asciende al cielo con su Hijo, llevada por los ángeles. El texto árabe del *Transitus* desarrolla aún más los inicios del culto mariano: poder de intercesión de María, sus primeros milagros, las primeras fiestas instituidas en su honor. Es evidente que la elaboración de estos relatos legendarios fue precedida por la fe y la piedad marianas, de las que no son más que la traducción artística: se encuentran testimonios paralelos en san Andrés de Creta y en san Juan Damasceno.

De la *Historia de José el carpintero* hay dos redacciones en copto y en árabe. El original griego habría sido redactado en Egipto, y no antes del siglo IV. En el monte de los Olivos, Jesús cuenta a sus discípulos la vida de su «padre según la carne» y, sobre todo, su muerte y sepultura. El anciano murió a la edad de ciento once años, sano de cuerpo y de espíritu, en brazos de Jesús y María. Su alma, depositada en un velo luminoso, es llevada por Miguel y Gabriel. Su cuerpo deberá permanecer incorrupto hasta el reino de mil años de Cristo glorioso en la tierra. Jesús mismo recomienda orar a José y celebrar su fiesta todos los años.

El *Evangelio de Tomás, filósofo israelita,* debió ser escrito en griego, en el siglo V, por un cristiano procedente del paganismo, poco al corriente de la vida judía. Existen versiones, a veces muy divergentes, en siríaco, georgiano y eslavo. Combinado con el *Protoevangelio,* constituye el origen de dos amplificaciones sirias de las que ha salido a su vez el *Libro armenio de la infancia* y el *Libro árabe de la infancia.* Estos escritos son, en realidad, novelas sin interés. Algunos episodios son encantadores: la visita de Eva a la cueva de Belén, la curación del niño leproso. Otros son pueriles, como el que presenta a Jesús haciendo pájaros de barro en día de sábado; en respuesta a los reproches por esta acción, dio vida a las aves. La mayoría de ellos lo describen como un pequeño mago, orgulloso y duro, que avergüenza e inquieta a sus padres: aquí la imaginación marcha a la deriva.

Hechos de Pilato (o Evangelio de Nicodemo) y Evangelio de Gamaliel

Los *Hechos de Pilato* son una composición apócrifa, que ha llegado hasta nosotros en diversas recensiones: griega, siríaca, copta, armenia, etiópica y latina. Una primera parte se presenta como redactada según las actas del proceso de Jesús ante Pilato, y siguiendo un relato de Nicodemo. El primer título es el más antiguo, y fue elegido sin duda para presentar el escrito como una respuesta a unos hechos blasfemos de Pilato, aparecidos a comienzos del siglo IV (HE 9,5,1). Pudo existir un núcleo primitivo, al que harían alusión Justino (*1.ª Apología* 35 y 48) y Tertuliano (*Apologeticum* 21; cf. HE 2,1-2). Nicodemo y José de Arimatea desempeñan en esta obra un papel activo y proporcionan pruebas tan evidentes de la resurrección que hasta Anás y Caifás tienen que rendirse a la evidencia. A continuación se ha insertado artificialmente una segunda parte, más antigua que la primera. Dos hermanos gemelos, hijos del anciano Simeón, resucitados a la muerte de Cristo, cuentan la bajada de Jesús a los infiernos. Esta narración, de carácter apocalíptico, explota el texto de 1Pe 3,19 e intenta satisfacer la curiosidad de los cristianos sobre la actividad del Salvador durante el sueño de su cuerpo después de la muerte. Como apéndice de algunos manuscritos, o en otros apócrifos, se encuentran diversas piezas de la misma vena, pero de menor interés: Cartas de Pilato a Tiberio o a Claudio, de Tiberio a Pilato, correspondencia entre Pilato y Herodes, relatos sobre el castigo de Pilato, etc.

El *Evangelio de Gamaliel*, probablemente compuesto en copto en el siglo V ó VI, subsiste en algunas recensiones árabes y etíopes. Desarrolla algunos episodios de la pasión, en un espíritu de marcada hostilidad a los judíos.

Los evangelios gnósticos

El gnosticismo cristiano es un caso particular de un fenómeno más amplio de la historia de las religiones: la gnosis. Se discuten sus remotos orígenes. En los alrededores de la era cristiana apareció en Siria, donde dio origen a gnosis paganas, judías y cristianas, porque encontró allí un terreno abonado en la mentalidad apocalíptica judía y después en la judeocristiana. A comienzos del siglo II pasó a Egipto y conoció entonces una considerable expansión en el mundo cristiano [25]. Más tarde, daría también origen al maniqueísmo.

Algunos de los apócrifos mencionados en las páginas anteriores ofrecen ciertos rasgos gnósticos. Hasta no hace mucho, los gnósticos cristianos se conocían sobre todo a través de las citas y las refutaciones de los heresiólogos antiguos, y en particular de Ireneo, Hipólito y Epifanio. Los descubrimientos de Nag Hammadi, contemporáneos de los de Qumrân, han restituido, en traducción copta, una obra considerable, cuyo estudio y publicación están aún muy lejos de su final. Los 13 libros de que se componen abarcan cerca de 1000 páginas y encierran 44 escritos gnósticos, algunos de ellos reproducidos en varios ejemplares. Muchos de ellos pertenecen únicamente y sin ambigüedad al gnosticismo pagano. Pero otros presentan, vistos desde el exterior, cierto parecido con los libros canónicos, sea en razón de sus títulos (evangelios, hechos, apocalipsis), sea mediante el recurso de atribuir su transmisión a los apóstoles (Juan, Tomás, Felipe, Matías, Santiago). Revelan el secreto oculto al vulgo y transmitido por Jesús a algunos confidentes, que no son, evidentemente, los autores de los sinópticos: ¿cómo reconocer en sí mismo una partícula de la divinidad y preparar el retorno a la Unidad primordial? En esta literatura esotérica, el *Evangelio según Tomas* es el único que plantea problemas relacionados con el estudio del Nuevo Testamento.

Evangelio según Tomás (o palabras secretas de Jesús a Tomás)

Algunos críticos han creído por un momento haber descubierto un quinto evangelio, bajo la forma de colecciones primitivas de *logia,* a las que también habrían recurrido los evangelistas [26]. Se trata de una colección de 114 sentencias de Jesús [27]. Al principio se menciona al apóstol Tomás como beneficiario de la revelación, aunque ya no vuelve a reaparecer más que en el *logion* 13, que le muestra superior a Pedro y Mateo. ¿Pero se trata de una colección arcaica, o de la utilización, con otros fines, de un género literario por lo demás ya bien conocido?

Los evangelios canónicos están presentes por doquier. Algunas sentencias se reproducen al pie de la letra o con variantes mínimas sin interés, cuando son debidas a la libertad que se tomó el redactor. Pero otras aparecen, por el contrario, redactadas de forma más concisa (26,36), o más difusa (17,32). A veces se hallan unidos elementos que están separados en los sinópticos (76); por el lado contrario, los *logia* 10 y 16 parecen fragmentar un texto único en Lucas. ¿De dónde proceden estas diferencias y cuál es su valor? No parece que haya que recurrir a una tradición aramea primitiva, independiente de la de los sinópticos. Pero tal vez nos hallemos ante variantes muy antiguas, o incluso ante un estadio más arcaico que el del texto de los sinópticos, sea fijado por escrito, sea transmitido por tradición oral [28].

Hay además una decena de *agrapha* de estilo sinóptico, pero todavía desconocidos, que también pueden proceder de tradiciones orales (n.º 8, 14, 15, 24, 29, 78, 82, 101, 102, 106, 113). Según Jeremías, dos de ellos dan un sonido más auténtico. Son el *logion* 8, sobre el pescador que rechaza los pequeños peces que recoge la red y sólo guarda el único pez grande, y el *logion* 82, ya conocido por Orígenes [29]: «El que está cerca de mí, está cerca del fuego, y el que está lejos de mí, está lejos del reino». No es seguro que se haya utilizado el IV evangelio.

Hay también algunos evangelios apócrifos en la fuente de este escrito: dos de ellos al menos han dejado aquí su impronta. El *logion* 2 está relacionado con el texto griego del *Evangelio de los Hebreos,* citado por Clemente de Alejandría [30]; el *logion* 12, sobre el primado de Santiago, recuerda la ya mencionada cita de san Jerónimo [31]. Por lo demás, los *logia* 22, 37, 61, 106 y 114 deben relacionarse con pasajes conocidos del *Evangelio de los Egipcios:* papel de Salomé, desprecio de lo femenino [32].

Tres de los papiros de Oxirinco han sido finalmente identificados como fragmentos de un texto griego del *Evangelio según Tomas.* P^{654} = prólogo y *logia* 1-7; P^{1} = *logia* 26-33 y 77^{b}; P^{655} = = *logia* 36-39. Este texto griego sería más antiguo que nuestro texto actual y también menos gnóstico, pero con rasgos que le distinguen ya de los evangelios canónicos. De todas formas, no sería sino una traducción de un texto copto más antiguo que el conservado, mientras que se considera que los otros manuscritos de Nag Hammadi son traducciones del griego [33].

En efecto, junto a las sentencias recogidas de diferentes fuentes, se advierte la mano de o de los redactores gnósticos. Ocurre, en primer lugar, que, aun respetando el tenor literal, la simple manipulación de los textos sinópticos permite introducir una doctrina nueva. El *logion* 83 insiste en la superioridad de la continencia entendida en sentido encratita mediante el recurso de yuxtaponer Lc 11,27-28 y Lc 23,29, con lo que falsea la significación obvia de los dos textos. Hay también, en segundo lugar, junto a textos manipulados, formulaciones puramente gnósticas (cf. los n.os 7, 12, 19, 22... 114). Todo esto nos permite ver cómo trabajaba el redactor. Echaba mano de una serie de textos o de tradiciones, los conservaba o los modificaba a su gusto, les añadía fórmulas puramente gnósticas y fundía el conjunto en un crisol bien conocido en aquella época, aunque ya arcaico en relación con los escritos canónicos: una colección de *logia.* La redacción del texto copto conservado data de mediados o finales del siglo III, pero a partir de una compilación que podía remontarse al siglo II y cuyo origen sería semítico y probablemente sirio.

De lo dicho se desprende una doble conclusión. Los materiales reunidos en esta obra interesan parcialmente a la exégesis neotestamentaria, pero no permiten remontarse más allá de los apócrifos arcaicos que utilizan. Se trata de un escrito típicamente gnóstico, tal vez «el más antiguo testigo que poseemos por el momento de una naciente gnosis siríaca» [34].

Otros evangelios gnósticos

De los otros 43 textos de Nag Hammadi, una buena docena tiene aún la forma de evangelios o están puestos bajo el patrocinio de un apóstol: *Apocryphon de Juan, Evangelio de los Egipcios, Apocalipsis de Pablo,* tres *Apocalipsis de Santiago, Carta de Pedro a Felipe, Hechos de Pedro, Apocalipsis de Pedro, Evangelio de Felipe, Libro de Tomás* (sentencias consignadas por Matías), *Evangelio de Verdad, Oración del Apóstol Pedro.* Se trata, pues, de un procedimiento sistemático de los gnósticos cristianos. El título de los libros y el patrocinio de los apóstoles intentaban acreditar su producción. Presentamos, a título de ejemplo, tres de estos escritos, de géneros bastante diferentes.

El *Evangelio de Verdad,* publicado en 1956, no es sino una homilía, sin nombre de autor ni destinatarios, que quiere revelar la verdad oculta de los evangelios. El título ha sido sencillamente tomado de las primeras palabras del texto. Este libro, de origen alejandrino y redactado sin duda en la segunda mitad del siglo II, expone una variante simplificada de la gnosis valentiniana: hacia el año 180, Ireneo *(Adv. Haer.* 3,11,9) atribuía a los discípulos de Valentín la composición de un *Evangelio de Verdad.*

El *Apocryphon de Juan* ha sido descubierto en tres redacciones, una de ellas destacadamente más larga. Se presenta como una revelación hecha por Cristo glorioso a Juan en el monte de los Olivos. Es interesante por su datación y contenido. Puede ser de principios del siglo II, lo que le convierte en contemporáneo de los evangelios arcaicos desaparecidos. Expone ampliamente la doctrina gnóstica bajo la forma de un comentario del Génesis, rasgo que le vincula al judaísmo contemporáneo de Cristo y al judeocristianismo [35]. Tal vez Ireneo conoció esta obra antes de que se le diera forma cristiana: revelación de Cristo y comentario bíblico.

El *Evangelio de Felipe* lleva este título porque éste es el único apóstol mencionado en la obra. Más reciente que el *Evangelio de Verdad,* aunque surgido de la misma corriente, es una simple carta, sin plan. Informa sobre los sacramentos gnósticos, tomados en parte de la liturgia cristiana. Al parecer, ha incorporado numerosos textos cristianos más antiguos y plenos de interés. Contiene algunos *agrapha* inéditos, procedentes de apócrifos o de otras partes. Los *logia* 43 y 54 recurren a la analogía de la tintura y del bautismo: el tintorero echa en su caldera materias de varios colores, que salen de él blanqueadas, como el cristiano sale purificado del bautismo. El *logion* 91, el único que menciona a Felipe, ofrece un relato del apóstol que cuenta que la madera de la cruz fue sacada de un árbol planteado por el carpintero José, y relacionado con el árbol de la Vida del paraíso [36].

El *Evangelio de Tomás,* el *Evangelio de Felipe* y el *Libro de Tomás* (redactado por Matías) adquieren un relieve particular debido al hecho de que este último presenta a los tres citados apóstoles como los únicos depositarios de la buena nueva, que reviste así un carácter esotérico. No se menciona en parte alguna a los autores de los sinópticos. En cambio, el *Apocryphon de Juan* presenta al autor del IV evangelio como al teórico del gnosticismo cristiano. El decreto gelasiano (siglo VI) que proscribía los libros apócrifos [37] parece estar dirigido contra las *Preguntas de Bartolomé,* obra de la que existen varias recensiones (griega, latina y eslava). También en este libro se advierten las huellas de una corriente literaria influida por el gnosticismo [38].

CAPITULO SEGUNDO

LAS OTRAS OBRAS DE IMITACIÓN

Junto a los evangelios apócrifos, floreció también la literatura de imitación de todos los géneros literarios representados en el seno del Nuevo Testamento: hechos, cartas y apocalipsis. Su interés es menor que el de los evangelios. Nos contentaremos con ofrecer aquí una breve idea de conjunto.

I

LOS HECHOS APÓCRIFOS

Bastará con presentar las obras más antiguas, fechadas entre el 160 y el 230. A pesar del escalonamiento de sus redacciones y de algunas diferencias doctrinales, existe una verdadera unidad entre los *Hechos de Juan, de Pedro, de Pablo, de Andrés* y *de Tomás*. Desde el punto de vista literario, pertenecen al ámbito de la novela popular, abundan los rasgos maravillosos y fantásticos y presentan a menudo hechos y discursos aparejados [1]. Su unidad se basa en las tendencias doctrinales de sus autores, hasta tal punto que a fines del siglo IV los *hechos* formaban una especie de *corpus* que los maniqueos oponían al libro canónico de los *Hechos de los apóstoles*. Originarios de Asia o de Siria, encierran huellas de encratismo o de gnosticismo, pero es posible que los que se presentan como francamente gnósticos hayan sufrido alguna reelaboración. No son, sin embargo, obras de propaganda doctrinal; se limitan simplemente a ser testimonio de unas tendencias difundidas desde fechas muy tempranas, incluso en el cristianismo popular.

Hechos de Juan

Al parecer, los *Hechos de Juan* fueron redactados en su forma actual, que es probablemente una síntesis de documentos diversos, procedentes de los años 140-160 y utilizados por los demás *hechos*. Se encuentran tradiciones análogas en los autores antiguos e incluso en el *Apocryphon de Juan*[2]. Los hechos propiamente dichos comienzan en el cap. 18, cuando Domiciano ordenó al apóstol trasladarse de Éfeso a Roma. Los milagros, incluidas resurrecciones, y los discursos se suceden por parejas, en Patmos primero y luego también después del regreso a Éfeso. Vemos a Juan beber sin daño el contenido de una copa envenenada. Con todo, el episodio de la caldera de aceite hirviendo sólo figura en *hechos* más tardíos. El *himno a Cristo* de los cap. 94-96 y las numerosas sentencias de Cristo o de Juan, son gnósticos o docetistas. Los cap. 72 y 85 mencionan el sacrificio eucarístico ofrecido por los difuntos. De este conjunto ha llegado hasta nosotros un texto original griego, conservado en dos manuscritos, y una traducción latina expurgada.

Hechos de Pablo

Los *Hechos de Pablo,* conocidos y utilizados por los redactores de los *Hechos de Pedro,* son casi tan antiguos como los anteriores. Aparte una tendencia encratita, que les hace presentar la castidad como la cúspide de la santidad, estos *hechos* ofrecen escasos puntos de fricción con la crítica doctrinal. Acabaron, con todo, por incurrir bajo sospecha debido al uso que hicieron de ellos los maniqueos y los priscilianistas. La obra abarca tres secciones: los *Hechos de Pablo,* un *Martirio de Pablo* y una correspondencia de Pablo con los corintios, que evaluaremos más tarde. En 1897, el descubrimiento de una versión copta mutilada demostró que las tres secciones debían formar un todo. En 1936 un fragmento de papiro griego del siglo IV añadió algunas páginas inéditas al martirio de Pablo y confirmó, por los nuevos paralelos que en él aparecían, que existió al principio una redacción única, cuyo título podría ser: *Hechos de Pablo y de Tecla.*

Tertuliano refiere *(Tratado del bautismo,* 17) que estos *hechos* fueron obra de un sacerdote de Asia y que al descubrirse su piadosa impostura fue destituido, todavía en vida del apóstol Juan. Pero esto no impidió que la Iglesia antigua concediera valor histórico al personaje de Tecla y a varios episodios de la narración. Se encuentra también en el libro un retrato físico de Pablo que ha servido de inspiración para la iconografía tradicional. Este escrito afirma nítidamente la resurrección de los muertos y deja entrever que las oraciones pueden salvar a un pagano incluso después de muerto.

Hechos de Pedro

De la obra original en griego sólo ha llegado hasta nosotros un fragmento que narra el suplicio final del apóstol. El resto del texto se encuentra en un fragmento copto y en una reelaboración latina, un tanto gnóstica, conocida bajo el nombre de *Hechos de Verceil.* Tiene amplia cabida en este escrito el elemento maravilloso, tanto en los prodigios de Simón Mago como en los milagros del apóstol en Roma: perro que habla, pez en salazón que empieza a nadar[3]. Más adelante se narra el episodio del *Quo vadis:* huyendo de Roma y de la persecución, Pedro se encuentra con el Señor, que le dice que va a Roma para ser crucificado de nuevo. Reconfortado, el apóstol desanda el camino y muere crucificado cabeza abajo. Por lo demás, se dice también que Pedro estuvo en Jerusalén durante doce años después de la ascensión y que luego se trasladó a Roma, donde murió antes de que transcurriera un año. A partir del siglo IV se asiste a una floración de *hechos* que intentan conciliar estos datos con las fechas tradicionales. Esto es atribuir al autor de los *Hechos* preocupaciones de orden histórico que no tenía. El cap. 10 del texto de Verceil presenta, junto a la sentencia que evoca a Mt 17,20 y 14,28, un *agraphon* de Jesús que dice a sus discípulos más inmediatos: «Los que están conmigo no me han comprendido.» El texto recuerda un diálogo de Jesús referido en el cap. 92 de los *Hechos de Juan,* pero también, simplemente, a Jn 1,11.

Hechos de Tomás

Los *Hechos de Tomás* fueron compuestos en siríaco, en la región de Edesa, a comienzos del siglo III. El texto griego conservado es una traducción hecha sobre una versión siríaca más antigua y más gnóstica que el texto siríaco, que también ha llegado hasta nosotros. Numerosos puntos de contacto parecen inducir a creer que la obra supone el *Evangelio según Tomás* o que ha sido influenciada por la misma tradición[4].

Estos *hechos* describen la actividad de Tomás en la India en trece secciones, además del relato de su martirio: pero nos hallamos en terreno plenamente legendario. Aparece una y otra vez el mito gnóstico del Salvador bajo sus imágenes clásicas: guía, pastor, médico, etc. Así lo expresan o lo insinúan los relatos y las oraciones, lo mismo que el «canto nupcial» (Act 1, cap. 5-7). Ocupa un puesto singular el bellísimo «canto de la perla» (Act 9, cap. 108-113), procedente, según A. Adam, de un mito de origen parto, que habría influido en la gnosis judía y cristiana[5].

J.E. Ménard sólo ve aquí un producto del clima siríaco, a partir de la apocalíptica judía y judeocristiana, sobre el tema evangélico del mercader que vende cuanto tiene cuando descubre una perla preciosa: sin género de dudas una antiquísima composición litúrgica judeocristiana[6].

Siguiendo una tendencia encratita que ya hemos encontrado en los ebionitas, vemos que para la eucaristía Tomás se contenta con pan y agua. La colección de *Salmos de Tomás* utilizada por los maniqueos encubre idénticos rasgos encratitas y gnósticos[7].

Hechos de Andrés

También aquí, resultó fatal para el texto original que los herejes utilizaran estos *hechos,* de los que sólo nos han llegado algunas reelaboraciones griegas y latinas. Una de las más conocidas y que mejor permitiría captar los rasgos primitivos es el *Liber miraculorum beati Andreae Apostoli* de Gregorio de Tours, del siglo VI. El apóstol fue arrojado a las fieras por orden del gobernador de Acaya, furioso porque su mujer había sido ganada para la continencia por la predicación cristiana. Milagrosamente preservado de los dientes de las fieras, Andrés, flagelado y crucificado, continuó predicando al pueblo, desde lo alto de la cruz, durante tres días. La liturgia antigua utilizaba, para la fiesta del 30 de noviembre, un antiguo documento latino, la *Carta de los sacerdotes de la Iglesia de Acaya,* en el que se encuentra la hermosa salutación del apóstol a la cruz que iba a recibir al discípulo después de haber llevado al Maestro. La composición primitiva pudo ser acaso originaria de Acaya. Si depende de los *Hechos de Pedro* (los mismos textos, con saber gnóstico o encratita), no puede ser anterior al año 200.

II

CARTAS Y APOCALIPSIS APÓCRIFOS

Existen pocas cartas apócrifas, porque este género se prestaba menos a las largas exposiciones y a las licencias de la fantasía de los autores. La *Carta de Bernabé,* tratado de teología surgido de un medio judeohelenista, que puede fecharse en el primer cuarto del siglo II, es de otra índole. El autor utiliza generosamente colecciones judías de citas del Antiguo Testamento antirritualistas y ya cristianizadas. Por eso reviste gran interés para el problema de los *Testimonia*[8]. Son, en cambio, muy escasas las citas del texto sinóptico y las huellas de posibles *agrapha*. Esta composición, debida a un *didaskalos*, no entra directamente en el estudio de los apócrifos.

Por lo que hace a la apocalíptica, ya hemos visto [9] que conoció un gran florecimiento entre los judíos desde el siglo II antes de nuestra era hasta finales del primer siglo cristiano; a partir de esta última fecha, la reacción de los medios rabínicos proscribió esta literatura hasta el punto de provocar su casi total extinción [10]: los apocalipsis judíos han llegado hasta nosotros a través de manos cristianas y en traducciones griegas o hechas sobre el griego, a excepción de los fragmentos originales descubiertos en Qumrân. Pero, mientras tanto, el género se había aclimatado en la Iglesia apostólica, en la que fue utilizado por el Apocalipsis joánico. En la época siguiente, los apocalipsis cristianos fueron puestos bajo el amparo de los nombres de algunos apóstoles o de autores conocidos del Antiguo Testamento. También el gnosticismo echó mano de este mismo procedimiento literario, pero es todavía demasiado prematuro intentar hacer un balance de los apocalipsis gnósticos para destacar sus elementos cristianos.

Las cartas apócrifas

Cartas atribuidas a san Pablo

La *Tercera carta a los Corintios*, inserta en la tercera parte de los *Hechos de Pablo y Tecla* [11] era conocida por las versiones armenia y copta del Nuevo Testamento. También se ha descubierto un texto griego (Pap. *Bodmer 10)* en un manuscrito del siglo III, procedente de Egipto. Es posible que esta carta sea anterior a los *hechos*, en los que luego habría sido encasillada. A lo largo de sus sesenta líneas combate los errores de Simón y de Cleóbulo en Corinto. Inspirada en el Nuevo Testamento, opone al gnosticismo una doctrina de depurada ortodoxia, con notable insistencia en la resurrección de la carne. La breve *Carta a los Laodicenses*, cuyo título recuerda Col 4,15, va insertando, uno tras otro, pasajes de cartas canónicas, sobre todo de la carta a los Filipenses. Sólo existe en su texto latino. No es seguro que tengamos aquí la *Carta a los Laodicenses* que el *Canon de Muratori* atribuye a un autor marcionita, al mismo tiempo que una *Carta a los Alejandrinos*, hoy perdida. La *Correspondencia de Pablo y de Séneca*, que abarca 14 cartas de un contenido muy pobre, puede fecharse tal vez en el siglo IV, porque ya la conocía san Jerónimo *(De viris illustribus*, 12). Fue compuesta en latín.

La Carta de los apóstoles

La *Carta de los apóstoles (o Testamento de Nuestro Señor en Galilea)* es conocida por las versiones copta y etíope, derivadas probablemente de un original griego, que podría acaso fecharse en la primera mitad del siglo II. Existen dudas sobre su lugar de origen: Siria o Egipto. Este documento reviste interés desde el punto de vista doctrinal y litúrgico; pero ha dejado escasas huellas en la antigua literatura cristiana. Se presenta como una carta dirigida por los apóstoles a todas las iglesias, para transmitirles revelaciones recibidas de Cristo después de su resurrección, sobre su bajada a los infiernos y su predicación a los muertos, su parusía y el juicio final. Es sensible la reacción contra el gnosticismo, pero la expresión literaria adoptada para expresar la doctrina resulta a veces extraña: se inscribe en la corriente apocalíptica judeocristiana. Su libre utilización de los libros del Nuevo Testamento supone un fuerte enraizamiento tradicional.

Los apócrifos petrinos

Debería mencionarse aquí una *Predicación de Pedro*[12] (= *Kerygma Petrou)*, citada por Clemente de Alejandría y conocida por algunos otros escritores cristianos (Orígenes) o gnósticos (Heracleón). Pero quedan sólo escasos fragmentos de ella, que permiten insertarla dentro de la literatura apologética del siglo II. Muy distinto es el caso de las *Kerygmata Petrou*[13]. Se trata de una obra antipaulina, en la que Santiago ocupa el primer lugar, como en el judeocristianismo sectario, aunque es muy palpable la influencia del gnosticismo (probablemente elcasaíta). Pudo ser compuesta en griego, en un medio sirio, entre el 220 y el 300. Los textos apócrifos atribuidos a Santiago revelan una influencia judeocristiana. De todas formas, se encuentra una *Carta de Santiago* entre los textos gnósticos del Codex Jung (en copto).

Los apocalipsis apócrifos

Apocalipsis de Pedro y de Pablo

El *Canon de Muratori* menciona, junto al *Apocalipsis* de Juan, un *Apocalipsis de Pedro* que se remonta a la primera mitad del siglo II, aunque el citado *Canon* añade que algunos no admiten su lectura en la asamblea. Nos es conocido por un fragmento griego de Akhmim descubierto en 1886, al mismo tiempo que el *Evangelio de Pedro,* y por una versión etíope reelaborada. Se presenta como una revelación hecha por Jesús a

Pedro y transmitida por éste a su discípulo Clemente. Nos hace asistir a la vuelta de Cristo en gloria y al juicio universal. Se describen por extenso los tormentos de los condenados. La obra, aunque esmaltada de citas bíblicas y evangélicas, no por ello deja de utilizar todo un *stock* de imágenes tomadas de los mitos helenistas. En ella bebieron — tal vez por intermedio del *Apocalipsis* de Juan — la iconografía y la literatura cristianas de la edad media. No tiene nada que ver con el apocalipsis gnóstico de Pedro descubierto en Nag Hammadi, ni con otro apocalipsis de Pedro más tardío, conservado en árabe.

El *Apocalipsis de Pablo* se presenta como un texto descubierto el año 380, bajo el consulado de Teodosio y de Graciano, en la casa de Saulo de Tarso. Se distingue probablemente de un apocalipsis del mismo nombre mencionado por Orígenes, pero es seguro que lo conocieron Prudencio y san Agustín. Su origen probable es Palestina. Este apocalipsis, compuesto en griego, sólo se conoce en esta lengua en un resumen, pero se ha conservado en numerosas versiones. Depende del *Apocalipsis de Pedro* y se mueve en el marco del arrebatamiento de Pablo evocado en 2Cor 12,2. El autor poseía una vigorosa capacidad imaginativa y poética. Su angelología es muy interesante. Pero es preciso aceptar sus convencionalismos literarios básicos cuando describe con detalle los tormentos de los condenados: nos hallamos en los orígenes de la poesía de Dante. En este libro figura expresamente la idea judía de una atenuación de las penas de los condenados, aunque trasladada del sábado al domingo (cap. 44).

Los otros apocalipsis apócrifos

Existe un número bastante considerable de apocalipsis de fechas más tardías: de la Virgen, de Tomás (utilizado por los priscilianistas), de Juan, de Esteban (proscrito por el decreto de Gelasio). Además, prolongando una línea de la literatura judía, y a veces mediante reelaboración de otros libros judíos más antiguos [14], los autores cristianos ponían sus obras de «revelación» bajo el patrocinio de algunos héroes del Antiguo Testamento: tenemos así los apocalipsis de Baruc griego (3Bar), de Esdras (5 y 6Esd), de Sedrach, de Elías y Sofonías (que pueden tener un fondo judío), una *Ascensión de Isaías,* situada a continuación del relato judío de su martirio [15]. No carece de alguna verosimilitud la hipótesis que defiende el origen cristiano de algunas obras como el *Libro de las parábolas* inserto en 1Hen y del *Libro de Henoc* conservado en versión eslava [16]. Todo ello sin contar con las interpolaciones cristianas de los libros de los *Oráculos sibilinos* heredados del judaísmo [17] y los libros 6-8 de la misma colección, que son puramente cristianos. Pero esta literatura pertenece más al ámbito de la edad patrística que al de la Biblia: la mencionamos aquí sólo a título de recordatorio, para demostrar la línea de continuidad de ciertos géneros literarios procedentes del judaísmo y utilizados en el Nuevo Testamento.

CONCLUSIÓN

Llegados al final de esta sucinta exposición, cabe preguntarse cuál es, en definitiva, la aportación de los apócrifos del Nuevo Testamento de un lado para el conocimiento de la Biblia y, del otro, para el estudio literario y doctrinal del cristianismo antiguo.

Sobre el primer punto, hay que reconocer que el balance es exiguo. Algunos *agrapha,* algunas variantes textuales antiguas, un cierto número de tradiciones narrativas que se alejan un poco de las de los evangelios canónicos, permiten entrever los estadios sucesivos por los que fue pasando la tradición evangélica, conservada durante largo tiempo en la fase de transmisión oral. Son pocos los materiales ciertamente arcaicos. Pero se percibe la existencia de colecciones primitivas, que contenían *logia* de Jesús, *Testimonia* de la Escritura y acaso también relatos cuya evolución se fue acentuando progresivamente a partir del momento en que no estaban sujetos a la «regulación» de las colecciones canónicas. Las cartas y apocalipsis apócrifos no aportan nada importante al Nuevo Testamento.

Así estas producciones, a menudo desconcertantes para nuestro gusto, ofrecen algún interés sólo en lo referente al conocimiento del cristianismo antiguo. Desde este punto de vista, resulta interesante comprobar que los géneros literarios esenciales en los que se moldeó la tradición apostólica marcaron tan a fondo a la Iglesia antigua que tuvieron una descendencia bastante numerosa. De todas formas, el valor de estas obras así compuestas es muy diverso. Las que proceden del judeocristianismo atestiguan a veces la persistencia de una expresión apocalíptica de la doctrina, en concreto en los apócrifos del Antiguo Testamento refundidos o compuestos por los cristianos: este punto merece atento análisis. Con todo, los evangelios originarios de este medio muestran un arcaísmo que derivaría rápidamente ya hacia las corrientes sectarias, como el ebionismo, ya hacia una apertura a la gnosis, que coincide con el florecimiento de ésta en el siglo II. Quedan los elementos de piedad popular; estos escritos concentran su atención, de un lado, en la infancia de Jesús y en la figura de su madre y, del otro, en los misterios del más allá y en la espera del final de todas las cosas. Por ambas partes, el Nuevo Testamento se prolonga de una forma que tiene, a veces, un cierto valor teológico, pero que a menudo deriva también hacia la vana curiosidad e incluso hacia el mal gusto. No es ciertamente despreciable la contribución artística de los evangelios y de los apocalipsis apócrifos, ya que pueden seguirse sus huellas en muchos padres orientales y en la literatura y el arte medievales. Pero conviene asignarle su lugar propio, como elemento cultural que, en cuanto tal, no compromete la fe. Con esta condición, los apócrifos tienen un puesto entre las obras de la época patrística.

Con todo, al reasumir los géneros literarios utilizados en el Nuevo Testamento, entrañaban en sí un cierto peligro, debido a la confusión que podían crear en los espíritus. Desde el siglo II, las sectas los utilizaron como una estratagema capaz de encubrir sus doctrinas entre fieles poco ilustrados, gracias a la autoridad apostólica que falsamente pretendían para sí. En este punto, el gnosticismo fue el mayor productor de textos atribuidos a los apóstoles: por este camino esperaban los doctores de estas diversas corrientes absorber el evangelio. Ésta fue la razón esencial que obligó a desplegar un esfuerzo considerable, en aquella época, para reunir los escritos en los que las iglesias encontraban la auténtica *tradición apostólica*, la única regla de la fe. La formación de listas oficiales, que se comunicaban de una iglesia a otra, se debió en gran parte a esta reacción necesaria contra los peligros de la herejía [18].

NOTAS

PARTE QUINTA

Capítulo primero (págs. 37 a 69)

1. Un autor reciente ha creído ver aquí base suficiente para construir una hipótesis aventurada de contaminación entre Rom y Heb: F. Renner, *«An die Hebräer», ein pseudepigraphischer Brief,* Münsterschwarzach 1970; cf. «Biblica» 52 (1971), p. 63-68.

2. C. Spicq, Comentario, t. 1, p. 21-24.

3. Véase *La question littéraire de Hébreux 13,1-6,* NTS 23 (1976-77), p. 121-139.

4. F.C. Synge, *Hebrews and the Scriptures,* Londres 1959, p. 43-52.

5. Cf. *La structure littéraire de l'épître aux Hébreux,* p. 254-256; P. Andriessen - A. Lenglet, p. 16; H.M. Schenke, *Erwägungen zum Rätsel des Hebräerbriefes,* en *Festschrift H. Braun,* Tubinga 1973, p. 422.

6. *Pistos* en Heb 2,17 y 3,2.5 no significa *fiel,* sino «digno de fe», como en Núm 12,7 y en otros muchos textos; cf. «Verbum Domini» 45 (1967), p. 291-305.

7. «Biblica» 55 (1974), p. 350.

8. La parte central del discurso abarca 132 versículos sobre un total de 298 (omitiendo los 5 v. epistolares). Está precedida por 77 v. (4+28+45) y seguida de 89 v. (53+34+2). La exposición central (7,1-10,18) tiene, por sí sola, 87 versículos.

9. También materialmente 9,11 se halla casi en el centro matemático del discurso, que tiene 152 v. de 1,1 a 9,10 y 146 v. de 9,11 a 13,21 (omitiendo 13,19).

10. Cf. sobre este punto el toque de atención de J. Delorme, *Sacrifice, sacerdoce, consécration,* en RSR 63 (1975), p. 343-366.

11. Cf. J. Smith, *A Priest for Ever,* Londres-Sydney 1969.

12. Entre los de fecha más reciente, citaremos a S. Kistemaker, *The Psalm Citations in the Epistle to the Hebrews,* Amsterdam 1961, y a F. Schröger, *Der Verfasser des Hebräerbriefes als Schriftausleger,* Ratisbona 1968.

13. Cf. vol. I, p. 131-134, 200s.

14. Cf. *Longue marche ou accès proche? Le contexte biblique de He 3,7-4,11,* «Biblica» 49 (1968), p. 9-26; O. Hofius, *Katapausis,* Tubinga 1970.

15. Sobre los ministerios en Heb, véase la profunda exposición de C. Perrot, en J. Delorme, *Le ministère et les ministères selon le NT*, París 1974, p. 118-137 (tr. cast.: *El ministerio y los ministerios según el NT*, Cristiandad, Madrid 1975).

16. J. Schröger, *Der Gottesdienst der Hebräerbriefgemeinde*, «Müncher theologische Zeitschrift» 19 (1968), p. 161-181; R. Williamson, *The Eucharist and the Epistle to the Hebrews*, NTS 21 (1974-75), p. 300-312.

17. P. Andriessen, *L'Eucharistie dans l'Épître aux Hébreux*, NRT 94 (1972), p. 269-277; J. Thurén, *Das Lobopfer der Hebräer*, Åbo 1973.

18. Cf. Y. Yadin, *The Dead Sea Scrolls and the Epistle to the Hebrews*, en «Scripta Hierosolymitana» IV (1958), p. 36-55; H. Kosmala, *Hebräer, Essener, Christen*, Leiden 1959.

19. J. Coppens, *Les affinités qumrâniennes de l'épître aux Hébreux*, NRT 84 (1962), p. 128-141, 257-282; H. Braun, *Qumran und das NT. Ein Bericht über 10 Jahre Forschung (1950-1959)*, en «Theologische Rundschau» 30 (1964), p. 1-38; *Qumran und das NT*, Tubinga 1966, t. 1, p. 241-278; t. 2, p. 181-184.

20. Debe señalarse que en Qumrân existía una cierta especulación sobre Melquisedeq; cf. A.S. van der Woude, en «Oudtestalentliche Studiën» 14 (1965), p. 354-373; M. de Jonge - A.S. van der Woude, *11Q Melchizedek and the New Testament*, NTS 12 (1965-66), p. 301-326; pero su orientación es sensiblemente diferente (véase M. Delcor, *Melchizedek from Genesis to the Qumran Texts and the Epistle to the Hebrews*, JSJ 2 (1971), p. 124-127. Es preciso, además, tener en cuenta que este mismo nombre se utiliza también en la angelología qumrariana (cf. J.T. Milik, *Milki-ṣedeq et Milki-reša' dans les anciens écrits juifs et chrétiens*, JSS 23 (1972, p. 126-137). Véase vol. I, p. 171.

21. C. Spicq, *Alexandrinismes dans l'épître aux Hébreux*, RB 58 (1951), p. 481-502; J. Cambier, *Eschatologie ou hellénisme dans l'épître aux Hébreux*, «Salesianum» 11 (1949), p. 62-96.

22. C. Spicq, Comentario, t. 1, p. 39-91.

23. R. Williamson, *Philo and the Epistle to the Hebrews*, Leiden 1970.

24. E. Käsemann, *Das wandernde Gottesvolk*, Gotinga 1939.

25. O. Hofius, *Katapausis*, Tubinga 1970; *Der Vorhang vor dem Thron Gottes*, Tubinga 1972.

26. Cf. el empleo de la palabra «hebreo» en Act 6,1; 2Cor 11,22; Flp 3,5; cf. vol. I, p. 208s).

Capítulo segundo (págs. 70 a 85)

1. M. Gertner, *Midrashim in the NT*, JSS 7 (1962), p. 283-291 (véase p. 285s).

2. M. Dibelius - H. Greeven, p. 7; J. Marty, p. 236s; F. Mussner, p. 58; B. Reike, p. 7.

3. Véase la justificación de este análisis en nuestro Comentario, p. 56-263.

4. Ibidem, p. 12-14.

5. Cf. *La carta de Aristeas,* final de 1Hen, *Testamentos de los Doce Patriarcas,* 4 M, 1QS III, 13-IV,26, *Documento de Damasco, Pirqè abôth,* etc. (información sobre este material en vol. I, p. 128-149).

6. Cf. R. Bultmann, *Der Stil des paulinischen Predigt und die kynisch-stoische Diatribe,* FRLANT, Gotinga 1910; H. Thyen, *Der Stil des jüdisch-hellenistischen Homelie,* Gotinga 1955; E. Kamlah, *Die Form des katalogischen Paränese im NT,* Tubinga 1964.

7. *Prefacio* al Nuevo Testamento, último párrafo.

8. Véase la exposición detallada en nuestro Comentario, p. 16-34.

9. P.C. Chappuis, *La destinée de l'homme: De l'influence stoïcienne sur la pensée chrétienne,* París 1927; A.J. Festugière, *L'idéal religieux des grecs et l'évangile,* París 1932.

10. Cf. J. Cantinat, o. c., p. 17-20.

11. Véase la lista de las obras citadas en la nota 5, a las que puede añadirse la de J. Bonsirven, *Textes rabbiniques des deux premiers siècles,* Roma 1955, p. 805. Para el caso concreto de 1QS, véase J.P. Audet, *Les affinités littéraires et doctrinales du Manuel de discipline,* RB 1952, p. 41-82; J. Carmignac, en *Les textes de Qumrân traduits et annotés,* t. 1, p. 39-80. I. Jacobs analiza las relaciones entre la carta y el midrash judío en *The Midrashic Background for James 2,21-23,* NTS 22 (1975-76), p. 457-464.

12. M.E. Boismard, *Une liturgie baptismale dans la Prima Petri,* RB 1957, p. 189.

13. Ibid., p. 161ss.; R.C. Selwyn, *The Epistle of S. Peter,* Londres 1946, p. 384-463; J.N.D. Kelly, *A Comentary on the Epistles of Peter and of Jude,* Londres 1969, p. 11.

14. M. Dibelius - H. Greeven, p. 27s; E. Massaux, *L'influence de saint Matthieu sur la littérature chrétienne avant saint Irénée,* Gembloux 1950; W.D. Davies, *The Seeting of the Sermon on the Mount,* Cambridge 1964, p. 401-414.

15. A. Jaubert, *Clément de Rome: Épître aux Corinthiens,* París 1971, p. 56; F.W. Young, *Relationship of I Clement to the Epistle of James,* JBL 1948, p. 339-346; J.P. Audet, *La Didachè: Instruction des apôtres,* París 1958, c. 6; P. Prigent - R.A. Kraft, *Épître de Barnabé,* París 1971, p. 12-20.

16. J.O. Seitz, *Relationship ot the Shepherd of Hermas to the Epistle of James,* JBL, 1944, p. 131-144; R. Jouly, *Hermas: Le Pasteur,* París 1958, p. 47; S. Giet, *Hermas et les Pasteurs d'Hermas,* París 1963; J.P. Audet, *Les affinités littéraires et doctrinales du Manuel de discipline,* RB 1965, p. 41ss; J. Schwartz, *Les survivances littéraires païennes dans le Pasteur d'Hermas,* RB, 1965, p. 240ss, 340ss.

17. Cf. el Comentario de J. Marty, p. 275.

18. Cf. L. Gangush, *Der Lehrgehalt des Jakobusbriefe,* Friburgo de Brisgovia 1914.

19. B. Sesboüé, *L'onction des malades,* Lyón 1972; R. Béraudy, *Le sacrement des malades,* NRT 96 (1974), p. 600-634; E. Cothenet, *La maladie et la mort du chrétien dans la liturgie,* «Esprit et vie», 84 (1974), p. 561-569.

20. Existe una gradación en los dos resultados obtenidos por la oración de los presbíteros. El primero (la salud, levantarse del lecho) es indudablemente de orden físico, en contraste con el segundo (remisión de los pecados eventuales), que es de orden espiritual. Pero es posible que aquel primer resultado implique ya una orientación escatológica, ya que este aspecto de la salvación es el que aparece en todo el resto de la carta (cf. 1,2-12.21; 2,14; 4,12; 5,7ss.20).

21. Cf. el Comentario de M. Dibelius; p. 300.

22. L. Simon, *Une éthique de la sagesse,* p. 178ss; D. Lys, *L'onction dans la Bible,* en *Études Théologiques et Religieuses,* 1954, p. 3-54; cf. A. d'Alès, art. *Extrême-onction,* SDB, t. 3, col. 262-272.

23. Cf. Act 14,23; 15,4ss; 20,12.28ss. Sobre esta cuestión, véase P. Dornier, *Les épîtres pastorales,* París 1969, p. 57ss, 72ss, 124ss; A. Lemaire, *Les ministères aux origines de l'Église,* París 1971; J. Delorme, *Le ministère et les ministères selon le Nouveau Testament,* o.c.

24. Véase nuestro Comentario, in loco, p. 249s.

25. Cf. el art. *Enfermedad, curación,* VTB, Barcelona [11]1980, p. 276-279.

26. Véase la observación de la TOB, *Nouveau Testament* (1972), p. 710, nota *b*. Otra opinión: E. Cothenet, art. cit., en «Esprit et Vie», 1974, p. 567.

27. Concilio de Trento, sesión 14 (25 nov. 1551), cánones 1 al 4. Véase A. Duval, *L'extrême-onction au Concile de Trente,* «La Maison-Dieu», n.º 101 (1970), p. 127-172.

28. Concilio Vaticano II, *Constitutio de Sacra Liturgia,* n.º 73 (4 dic. 1963).

29. Cf. T. García de Orbiso, *De oratione, extrema unctione et confessione (Jc 5,13-18),* VD, 1953, p. 70ss.

30. Sobre la función de los *didaskaloi* (o doctores) en las iglesias de aquella época, véase A. Lemaire, *Les ministères aux origines de l'Église,* p. 11s, 18s; J. Delorme, *Le ministère et les ministères dans le NT,* p. 326, 334s; *Bible de Jérusalem,* nueva ed. (1973), p. 1589, nota *h*.

31. J. Blinzler, *Die Brüder und Schwester Jesu*[2], Stuttgart 1967, p. 73-93; J. Schmid, *Los «hermanos de Jesús»,* en *El evangelio según san Marcos,* Herder, Barcelona [2]1973, p. 126-128.

32. Cf. *Evangelio según Tomás,* Logion n. 12: R. Kasser, *L'évangile selon Thomas,* Neuchâtel-París 1961, p. 45; R.M. Grant, *The Secret Sayings of Jesus: The Gnostic Gospel of Thomas,* Nueva York 1960, p. 33, 84, 128; R. McL Wilson, *Gnose et Nouveau Testament,* París 1969, p. 229.

33. Eusebio de Cesarea, *Historia eclesiástica,* 2, 23, 4-20: cf. los comentarios de J. Chaine, p. XXXIX y R.V.G. Tasker, p. 27.

34. O. Cullmann, *Saint Pierre,* Neuchâtel-París 1952, p. 35ss; E. Trocmé, *Naissance de l'unité ecclésiale,* «Lumière et Vie», n.º 103 (1971), p. 5-17.

35. A. Siouville, *Les homélies clémentines,* París 1933, p. 14s, 70-88; J. Doresse, *L'évangile selon Thomas ou les Paroles secrètes de Jésus,* París 1959, p. 139s (cf. NRT, 1962, p. 981-984).

36. Opinión de K.H. Schelkle, M.E. Boismard, O. Knox, W. Barclay, S. McNeile, *Nouveau Testament* de la TOB, p. 698.
37. Opinión de J. Moffatt, M. Dibelius, F. Hauck, A. Meyer, H. Windisch, K. Aland y otros.
38. Cf. Act 15,20s. Véase las tradiciones reseñadas por Eusebio de Cesarea (HE 2,23,4ss) y san Epifanio *(Adv. Haer.* 29,4; 78,13s).
39. Véase el Comentario de J. Marty, p. 281.
40. Hegesipo se limitaba a señalar la injusticia de la muerte de Santiago; cf. M.E. Boismard, recensión del Comentario de F. Mussner, en RB, 1967, p. 142-144.
41. Opiniones de R.V.G. Tasker, p. 19 y C.L. Mitton, p. 227.
42. M.E. Boismard, art. cit., RB 1967, p. 142s.
43. Opinión de M.H. Shepherd, *The Epistle of James...*, JBL, 1948, p. 339ss; 1956, p. 49ss.
44. D. Guthrie, *New Testament Introduction*, Londres 1950, p. 738.
45. Indicación de Eusebio, de Cesarea, *Historia eclesiástica,* 3,20.
46. Sobre 1Pe 5,12, véase E. Best, *I Peter,* Londres 1971, p. 55-63. Cf. 1Cor 16,21; Rom 16,22; Col 4,18; Eusebio, *Historia eclesiástica* 2,15.
47. Véase el comentario de M. Dibelius - H. Greeven, p. 15s.
48. Por ejemplo, J.B. Mayor, Comentario, p. LXXIVss; A. Feuillet en *The Background of the NT and Its Eschatology* (Studies in Honour of C.H. Dodd), Cambridge 1965, p. 274ss.
49. Opinión de J. Chaine, C.L. Mitton (p. 233ss). F. Mussner (p. 12ss); J. Bligh, *Galatians,* Londres 1969, p. 86s, 141, 164s, 184.
50. Cf. vol. I, p. 180-188 (con bibliografía sobre la diáspora).
51. Cf. M.E. Boismard, *Une liturgie baptismale dans la Prima Petri,* RB, 1957, p. 181
52. Cf. R.McL. Wilson, *Gnose et Nouveau Testament,* Tournai - París 1969, p. 123, 127ss; B. Couroyer, nota sobre el gnosticismo, en RB, 1970, p. 304-306.
53. Eusebio de Cesarea, *Histoire ecclésiastique,* ed. G. Bardy, «Sources chrétiennes», t. 1, p. 90, 133; t. 2, p. 106.
54. Sobre el silencio del *Canon de Muratori* (finales del siglo II) y los testimonios de las iglesias latinas, véase M.J. Lagrange, *Histoire ancienne du Canon du NT,* París 1933, p. 160ss. Otros estudios: S. Lyonnet, *Le témoignage de saint Jean Chrysostome et de saint Jérôme sur Jacques,* RSR, 1939, p. 335-351; J. Bonsirven, art. *Jacques,* SDB, t. 4, col. 497.
55. Sobre este punto, véase nuestro Comentario, p. 37s.

Capítulo tercero (págs. 86 a 98)

1. Así K.H. Schelkle, M.E. Boismard, J.N.D. Kelly, E. Best; cf. las posiciones de la TOB *(Nouveau Testament,* París 1972, p. 713s) y de la BJ (nueva ed., París 1973, p. 714).
2. Cf. J. Huby, *Les épîtres de la captivité,* París 1935, p. 24s.
3. Véase el comentario de E.G. Selwyn, p. 363s. M.E. Boismard, *Une liturgie baptismale dans la Prima Petri,* RB, 1956, p. 182-208; *Quatre*

hymnes baptismales dans la Première épître de Pierre, París 1961; art. *Pierre (Epître de),* SDB, t. 7, col. 1430ss.

4. Cf. ya B. Perdelwitz, *Die Mysterienreligion und das Problem des IP,* en RVV 11/3, Giessen 1911; así también H. Windisch, F.W. Beare, Fr. Hauck, G. Schneider, W. Borneman, *Der I. Petrusbrief. Eine Taufe-rede des Silvanus,* ZNW 20 (1919), p. 143-165.

5. F.L. Cross Jr, *I Peter: A Pascal Liturgy,* Londres 1954.

6. Así C. Spicq, *Les épîtres de saint Pierre,* p. 14ss; M.E. Boismard, art. *Pierre,* SDB, t. 7, col. 1446s; E. Best, Comentario, p. 28-32.

7. J.N.D. Kelly, Comentario (BNTC), p. 18s. Son muchos los autores que hacen una llamada a la prudencia ante «la gran variedad de intentos de reconstrucción de una liturgia o de una homilía bautismal» a partir de 1Pe (TOB, *Nouveau Testament,* p. 714); así también C.F.D. Moule (en NTS 3 [1956-1957], p. 4ss), W.K.C. Guthrie *(New Testament Introduction,* Londres 1970, p. 803s), A.R. Leaney (Comentario, p. 238ss).

8. E.G. Selwyn ha hecho en su Comentario (p. 363-466) un detenido análisis de estas analogías. Véase también M.E. Boismard, en SDB, t. 7, col. 1420-1430; J.N.D. Kelly, Comentario, p. 11ss.

9. Cf. E. Best, *I Peter and the Gospel Tradition,* NTS 16 (1970-1971), p. 95-113; Comentario, p. 52ss; H. Gundry, *Verba Christi in I Peter,* NTS 13 (1967-1968), p. 336-350.

10. Véanse los Comentarios de R.G. Selwyn, p. 33ss; C. Spicq, p. 23s; Cf. A. Feuillet, *Les "sacrifices spirituels" du sacerdoce royal des fidèles,* NRT, 1974, p. 704-728.

11. R.G. Selwyn, o.c., p. 363ss; J. Coutts, *Ephesians 1,3-14 and I Peter 1,3-12,* NTS 3 (1956-1957), p. 115-127; C. Bigg, Comentario, p. 15-24.

12. Así C. Spicq, Comentario, p. 15; M.E. Boismard, SDB, t. 7, col. 1423s.

13. Th. Sörri, *Der Gemeinde-Gedanke im ersten Petrusbrief,* Gütersloh 1925; W.C. van Unnik, *The Teaching of Good Works in I Peter,* NTS 1 (1954-1955), p. 92-110; A.R. Jonsen, *The Moral Theology of S. Peter,* en «Sciences ecclésiastiques», Montreal 1964, p. 93-107.

14. ¿Era el arca de Noé la que prefiguraba el bautismo (M.E. Boismard, SDB, t. 7, col. 1439)? ¿No era, más bien, el paso a través de las aguas (cf. 1Cor 10,1ss; Rom 6,1ss; cf. TOB, *Nouveau Testament,* p. 722)?

15. Admiten esta interpretación P. Benoit, en *Exégèse et théologie,* t. 1, París 1961, p. 413; H. Vorgrimmler, *Cuestiones en torno al descenso de Cristo a los infiernos,* «Concilium» n.º 12 (1966), p. 140-151; Ch. Perrot, *La descente du Christ aux enfers dans le NT,* «Lumière et Vie», n.º 87 (1968), p. 5-30; A. Vanhoye, *Situation du Christ,* París 1969, p. 68-100. Otros autores interpretan 1Pe 3,18s como un anuncio o incluso como una proposición de salvación para los difuntos que pueblan la morada de los muertos; cf. aunque con muchas diferencias de matiz, C. Spicq, Comentario, p. 32ss, 136-141; E. Selwyn, Comentario, p. 198s, 319-362; J. Galot, en NRT, 1961, p. 471-491; H. Cousin, en «Lumière et Vie», n.º 119 (1974), p. 110; E. Best, Comentario, p. 153-146; W. Panneberg, *La foi des apôtres,* tr. fr., París 1974, p. 103s (tr. cast.: *La fe de los apóstoles,* Sígueme, Sa-

lamanca 1975); véase la discusión del problema en W.J. Dalton, *Christ's Proclamation to the Spirits: A Study of 1 Peter 3,18-4,6,* Roma 1965.

16. A. Feuillet, art. *Parousie,* SDB, t. 6, col. 1385s; W.G. Kümmel, *Die Naherwartung in der Verkündigung Jesu* en *Festgabe an R. Bultmann,* Tubinga 1964, p. 33ss; C. Spicq, *Vie chrétienne et pérégrination selon le NT,* París 1973, p. 59ss (tr. cast. *Vida cristiana y peregrinación según el NT,* Católica, Madrid 1977).

17. ¿Encierra el texto de 1Pe 4,6 la misma idea que 3,19? A las referencias ya dadas, puede añadirse: C.E.B. Cranfield, *The Interpretation of 1P 3,19; 4,6,* «Expository Times», 1958, p. 269-372; Comentario de A.M. Stibbs - A.F. Waals, p. 140-142 y 151s.

18. Cf. J.H. Elliott, *The Elect and the Holy: An Exegetical Examination of 1P 2,4-10 and the Phrase «Basileion hierateuma»,* NT Suppl. 12, Leiden 1966, p. 64-70, 166-169, 220-223; J. Coppens, *Le sacerdoce royal des fidèles,* en *Mélanges offerts à Mgr A. Charue,* Gembloux 1969, p. 61-75; A. Feuillet, *Les "sacrifices spirituels" du sacerdoce royal des baptisés (1P 2,5),* NRT, 1957, p. 193-207.

19. Véanse los Comentarios de A.F. Waals - A.M. Stibbs, p. 15-30; D. Guthrie, p. 773-796; C. Spicq, p. 17-26.

20. La utilización de estos temas admite otras explicaciones; cf. J.C. Wand, Comentario, p. 26-30.

21. A.W. Argyle, *Did Jesus Speak Greek?,* «Expository Times», 67 (1956), p. 92, 283; C. Spicq, Comentario, p. 23, nota 3.

22. Cf. P. Carrington, *S. Peter's Epistle,* Londres 1951, p. 57s; Comentarios de A.M. Stibbs - A.F. Waals, p. 25, y de D. Guthrie, p. 778; K.H. Schelkle, *Introduction au NT,* tr. fr., Mulhouse 1965, p. 251.

23. Cf. J. Knox, en JBL 72 (1953), p, 187ss; W.C. Van Unnik, en NTS 2 (1955-1956), p. 92ss; F.W. Beare, Comentario, p. 13ss. Plinio preguntaba si debía castigar «el solo nombre de cristiano»; 1Pe 4,14-16 pide que sólo debe sufrirse como cristiano, en nombre de Cristo.

24. Comentario de A.M. Stibbs - A.F. Waals, p. 52s; C.E.B. Granfield, en «Expository Times», 1948, p. 256-259; W.C. Van Unnik, en NTS 2 (1955-1956), p. 92ss; C.F.D. Moule, en NTS 4 (1957-1958), p. 7ss.

25. L. Rademacher, *Der I. Petrusbrief und Silvanus,* ZNW, 25 (1926), p. 287-299. Así también Zahn, Bigg, Moffatt, Selwyn, Schelkle, Cullmann, Boismard, Borneman, Von Soden.

26. F.W. Beare, Comentario, p. 13ss; J. Knox, en JBL 72 (1953), p. 187ss; también Holzmann, Perdelwitz, Heussi, Streeter, Wand.

27. E. Best, Comentario, p. 63.

28. Ap 14,8; 16,19; 17,5s; 18,2.10.21; 4Esd 5,1ss.28.31; 2 Bar 67,4; cf. H.L. Strack - P. Billerbeck, *Kommentar zum NT,* t. 3, p. 816.

29. Eusebio de Cesarea, *Historia eclesiástica* 2,15,2.

30. Así Cross, Boismard, Lohse (p. 83ss), Best (p. 64s), Guthrie (p. 801s).

31. Así Knopf (p. 25), Streeter (p. 130s).

32. Cf. O. Cullmann, *Saint Pierre: Disciple, apôtre, martyr,* p. 62ss; S. Lyonnet, *De ministerio romano S. Petri ante adventum S. Pauli,* VD,

1955, p. 143ss; J. Carcopino, art. *Pierre (Fouilles de Saint)*, SDB, t. 7 (1966), col. 1375-1415.

33. Cf. el volumen en colaboración: *Saint Pierre dans le Nouveau Testament*, tr. fr., París 1974, p. 181-190.

34. Eusebio de Cesarea, *Historia eclesiástica*, 3,39,17; J.E. Ménard, *L'Évangile de vérité*, París 1962, p. 27, 114; C. Spicq, Comentario, p. 35, notas.

Capítulo cuarto (págs. 99 a 109)

1. G.H. Boobyer, *The Verbs in Jude 11*, NTS 5 (1958-1959), p. 45-47.

2. Concretamente 1Hen 6-8; Jub 5,6-10; *Test. de los XII P.*: Leví 3; Rubén 5. Cf. G.E. Closen, *Die Sünde der Söhne Gottes (Gn 6,1-4)*, Roma 1937; A.M. Dubarle, *Le péché des anges dans l'épître de Jude*, en *Mémorial J. Chaine*, Lyón 1950, p. 145-148.

3. Orígenes, *Peri arkhon*, 3,2,1; pero este libro difiere probablemente del apócrifo conservado bajo este título en versión latina, que es un *Testamento de Moisés* (cf. vol. I, p. 141s). Para este v. véase K. Berger, *Der Streit des guten et bösen Engels um die Seele. Beobachtungen zu 4Q arm*[b] *und Judas 9*, JSJ 4 (1973), p. 12-18.

4. Filón, *De posteritate Caini*, 38s; *Vita Mosis*, 1,264s; TrgJ sobre Gén 4,7; Tb *Sanhedrin*, 106a. Cf. G. Vermes, *The Story of Balaam*, en *Scripture and Tradition in Judaism*, Leiden 1961, p. 127-177.

5. J. Aspiazu, *La profecía de Henoc en San Judas*, «Razón y fe» 12 (1915), p. 17-27. El texto griego de Judas es aquí el más cercano al texto arameo fragmentario de Qumrân; cf. J.T. Milik, *The Books of Enoch: Aramaic Fragments of Qumran Cave 4*, Oxford 1976, p. 185s. Pero es indudable que Judas utilizó una versión griega.

6. Esta aproximación viene sugerida por la indicación de Orígenes (n. 3), con modificación del título de la obra. Se piensa en el *Testamento*, VII, 9 *(os eorum loquitur superbia)*; pero la expresión figura también en el texto arameo de 1Hen 1,9 (citado por Judas, p. 14s) y 5,4 (cf. J.T. Milik, o.c., p. 186 y 147).

7. K. Pieper, *Zur Frage nach den Irrlehren des Jud.*, «Ntl. Untersuchungen», Paderborn 1939, p. 66-71.

8. Cf. los comentarios de B. Reike, p. 148, 189; C. Spicq, p. 197, 201s. Ya en los autores judíos anteriores a la era cristiana se encuentran *Testimonia*, recopiladas con intenciones polémicas: *Carta de Aristeas* 138; 1QpHa VIII,11-13; 1QH IV,6; 4QTest.

9. Véase nuestro Comentario, p. 275s.

10. U. Holzmeister, *Compendium officiorum christianorum a S. Juda 20s. propositum*, VD 5 (1925), p. 367-369.

11. Así Jülicher, Harnack, Pfleiderer, Holzmann, Knopf, Windisch (cf. el Nuevo Testamento de la TOB, p. 764).

12. Cf. ya A. Wikenhauser, *Introducción al NT*, Herder, Barcelona [2]1966, tr. cast.; p. 354; J. Cantinat, Comentario, p. 300s.

13. O. Cullmann, *Le Nouveau Testament* (col. «Que sais-je?»), Pa-

rís 1966, p. 103 (tr. cast.: *El Nuevo Testamento,* Taurus, Madrid 1971).

14. Cf. R.M. Grant, *Introduction historique au NT,* tr. fr., París 1969, p. 185.

15. M. Testuz, *Papyrus Bodmer VII-IX,* Cologny-Ginebra 1959.

16. J.E. Ménard, art. *Pseudonymie,* SDB. t. 9, col. 249.

Capítulo quinto (págs. 110 a 123)

1. Cf. supra, p. 102s.

2. P. Ladeuze, *Transposition accidentelle dans la II.ª Petri,* RB 14 (1905), p. 543-552.

3. U. Holzmeister, *Vocabularium S. Petri,* «Biblica» 30 (1949), p. 339-355.

4. Véase la lista de estos *hapax legomena* en el comentario de Bigg, p. 224, y sobre todo en el de Chaine, p. 14 (que menciona su lugar en el texto).

5. Véanse los comentarios de Windisch (p. 84, 105), Bigg (p. 225ss); M. Green, *2 Peter Reconsidered,* Londres 1961, y *2 Peter and Jude,* Londres 1968-1970, p. 16ss. Cf. F. Olivier, *Essais,* Ginebra 1963, p. 143-152.

6. Cf. vol. I, p. 120ss. Véanse los comentarios de Windisch-Preisker. p. 11-19, y de C. Spicq, p. 194 (con notas); J. Munck, *Discours d'adieu dans le NT et dans la littérature biblique,* en *Mélanges offerts à M. Goguel,* Neuchâtel-París 1950, p. 155-170; J. Dupont, *Le discours de Milet,* París 1962, p. 11-19. O. Knoch reasume la interpretación del escrito como discurso de despedida en *Festschrift K.H. Schelkle,* Düsseldorf 1973, p. 149-165.

7. Véase 1Hen 1,2ss; 93,12-17; Jub 4,30; 5,6-24; 7; 1QH III,29-34; 1QM XI,10s; OrSib 3,77ss; 4,172ss; 5,155s. Cf. el comentario de Spicq, p. 247-260.

8. Cf. Filón, *De Plant.,* 1,14-21; *Quis rer. div. her.,* 89 (con las mismas metáforas de la lámpara del día y del astro matutino, en el mismo contexto que 2Pe 2,19-21); 4Esd 12,42 (y, en el NT, 1Pe 1,10-12).

9. Véase 1Hen 1-5; 18-21; *Testamentos de los Doce Patriarcas:* Leví, 2,3ss; 4,1; 14,5ss (y cf. Is 6,1s; Mt 24; 2Tim 3,1ss).

10. Cf. supra, p. 102s.

11. Cf. el comentario de G. Guthrie, p. 844.

12. Cf. el comentario de H. Windisch, p. 84ss; E. des Places, «*Syngeneia*»: *La parenté de l'homme avec Dieu,* París 1964; véase J. Schmitt, art. *Pierre (Seconde épître de),* SDB t. 7, col. 1457.

13. Véase el Comentario de J. Chaine, p. 1-5.

14. Textos en M.R. James, *The Apocryphal New Testament,* Oxford ²1924 (1955), p. 505-521; E. Hennecke, *Neutestamentliche Apokryphen.* Tubinga 1904-1924 (edición refundida por W. Schneemeltzer, Tubinga 1964, t. 2).

15. Salvo para algunas expresiones aisladas, como «el monte santo» (2Pe 1,18). Sobre los escritos apócrifos atribuidos a Pedro, cf. las indicaciones dadas infra, p. 525-551.

16. Esta diatriba es un «párrafo valeroso» bastante grandilocuente, algunas de cuyas expresiones presentan dificultades; cf. P.W. Skehan, *A Note on 2 Petr. 2,15,* «Biblica» 41 (1960), p. 69-71.

17. Frente a los escarnecedores que, al negar la parusía de Cristo, niegan también su resurrección, parece mejor apoyarse en la gloria terrestre de Cristo, que anunciaba y demostraba esta resurrección, que no en la gloria del resucitado (compárese con 2Tim 2,17); cf. los Comentarios de Green (p. 21) y de Guthrie (p. 841s).

18. Para describir la renovación del mundo, se recurre a imágenes de origen judío o pagano; cf. J.J. Chaine, *Cosmogonie aquatique et conflagration finale d'après la II.ª Petri,* RB 1937, p. 207-216; E. Testa, *La distruzione del mondo per il fuoco nelle 2 epistola di S. Pietro,* RivB 10 (1962), p. 252-281; H. Lennhard, *Ein Beitrag zur Übersetzung von 2 Pet. 3,10,* ZNW 52 (1961), p. 128s; cf. F.W. Danker, ZNW 53 (1962), p. 82-86. Véase sobre este punto, A. Feuillet, art. *Parousie,* SDB, t. 7, col. 1392-1394.

19. En 1,16 («poder y venida de nuestro Señor Jesucristo») no se estaría hablando de la parusía, sino de la manifestación de Jesús, desde la encarnación a la resurrección; cf. C.E. Carlston, *Transfiguration and Resurrection,* JBL, 1961, p. 233-240; C. Spicq, Comentario, p, 220.

20. Véanse los comentarios de Charue, Green, Guthrie, Heibert, aparte los comentaristas más antiguos, que se limitaban a reproducir los datos procedentes de Orígenes y de Jerónimo.

21. Cf. el Comentario de C. Spicq, p. 187-189.

22. Ibid., p. 198, 209; cf. J. Dupont, *Gnôsis: La connaissance religieuse dans les épîtres de saint Paul,* París 1949, p. 31ss.

23. O. Cullmann, *Le Nouveau Testament,* p. 106 (tr. cast.: *El Nuevo Testamento,* Taurus, Madrid 1971).

24. Cf. supra, p. 102-104.

25. Cf. A. Feuillet, art. *Parousie,* SDB, t. 7, col. 1392. En 3,4 hay una referencia a los textos del Nuevo Testamento sobre la «proximidad» de la parusía (Mc 9,1; 13,30; 1Tes 4,15; 1Cor 15,51; 1Pe 4,7.17, etc.) más que a los textos proféticos sobre la venida del día de Yahveh (cf. C. Spicq, o.c., p. 246s; Comentario de Green, p. 25s, 126-129).

26. Cf. P. Benoit, reseña sobre el comentario de Chaine, *Vivre et penser* (= RB), 1941, p. 136; J.A. Sint, *Pseudonymität im Altertum,* Innsbruck 1960; K. Aland, *The Authorship and Integrity of the New Testament,* Londres 1965, p. 1-13; J.E. Ménard, art. *Pseudonymie,* SDB, t. 9, col. 250.

27. *Nuevo Testamento* de la TOB, p. 729. Sobre esta cuestión ver E. Ernst, *The Date of 2 Peter and the Deposit of Faith,* «Clergy Review», 47 (1962), p. 686-689.

28. La colección de papiros Bodmer contenía, ya en el siglo III, la carta, pero contenía también un cierto número de apócrifos (cf. *Papyrus Bodmer VII-IX,* Cologny - Ginebra 1959, p. 7-10).

29. Ni Erasmo, ni Lutero, ni Calvino rechazaron esta carta del canon de las Escrituras; cf. Th. Zahn, *Einleitung in das NT,* Leipzig 1906 ([2]1924), t. 2, p. 283s. No ha sido, pues, objeto de discusión entre las confesiones cristianas.

PARTE SEXTA

Sección primera

Capítulo primero (págs. 131 a 147)

1. P. Prigent, *Apocalypse et apocalyptique,* RevSR 47 (1973), p. 280-299 (= *Exégèse biblique et judaïsme,* dir. por J.E. Ménard; Estrasburgo 1973, p. 126-145).
2. Cf. vol. I, p. 135-139, 146-149 (con bibliografía sobre el tema).
3. Cf. *Introducción crítica al AT,* p. 374-385.
4. E. Cothenet, *Le prophétisme dans le NT,* SDB, t. 8, col. 1297-1299, 1301s, 1309-1311, insiste sobre la pluralidad de funciones desempeñadas por los profetas en las comunidades cristianas. Una de ellas era la explicación de la Escritura «en el Espíritu».
5. Véase vol. I, p. 170.
6. M. Delcor, *Le livre de Daniel,* París 1971, p. 28s: cf. E. Jacob. *Aux sources de l'apocalyptique,* en *Apocalypse et théologie de l'espérance* (Congreso de Toulouse, 1976), dir. por L. Monloubou, París 1977, cap. 1.
7. M.E. Boismard, *L'Apocalypse,* BJ, p. 8.
8. Cf. J. Cambier, *Les images de l'Ancien Testament dans l'Apocalypse de saint Jean,* NRT, 1955, p. 113-122. A. Vanhoye, *L'utilisation du livre d'Ezechiel dans l'Apocalypse,* «Biblica», 1962, p. 436-476; R. Tamisier, *L'Apocalypse et ses harmonies bibliques,* Lombreuil 1964; A. Feuillet, *Le Cantique et l'Apocalypse,* RSR 49 (1961), p. 321-353.
9. E.B. Allo, Comentario, p. LXIV.
10. E.B. Allo, Comentario, p. CCLXVss.
11. Ibid., p. LXXVIII-CXI.
12. Ibid., p. CCXL.
13. Ibid., p. LXXXVI.
14. P. Loenertz, *The Apocalypse of St. John,* Londres 1947.
15. J. Levie, *L'apocalypse de saint Jean devant la critique moderne,* NRT, 1924, p. 513-525, 596-618.
16. M.E. Boismard, en BJ², p. 1781; F. Rousseau, p. 66-73.
17. H. Stierlin, p. 172-182; H. Kraft, HNT, p. 49-50.
18. H. Kraft, HNT, p. 50.
19. E.B. Allo, Comentario. p. LXXXVI.
20. M.E. Boismard, en BJ², p. 1780-1781.

Capítulo segundo (págs. 148 a 162)

1. Cf. L. Gry, *Le millénarisme dans ses origines et son développement,* París 1904; A. Gelin, art. *Millénarisme,* SDB, t. 5, col. 1289-94.
2. AAS 36 (1944), p. 212.
3. Para un punto de vista diferente sobre la composición de Jn 5,19-47, véase la exposición de E. Cothenet, p. 248-250.

4. Compárese con la concepción paulina de la resurrección en 1Cor 15,35-57 (cf. M. Carrez, *L'herméneutique paulinienne de la résurrection,* en *La résurrection et l'exégèse moderne,* LD 50, París 1969, p. 55-63).

5. De todas formas, es más admisible que la que historiza el milenarismo, al tiempo que pretende salvar su perspectiva escatológica: representaría el triunfo terrestre prometido a la misión evangelizadora de la Iglesia al término de la historia, y antes del final de los tiempos (H.M. Féret, *L'Apocalypse de saint Jean,* p. 316). El tema del combate escatológico y del reino milenario de los resucitados se entrelazan de tal suerte (en Ap 19,11-20,15) que debe descartarse toda interpretación «cronológica».

6. Véase vol. I, p. 534-537.

7. M. Goguel, *Actualité de l'Apocalypse,* RHPR, 1921, p. 119-139. P. Grelot, *Le monde à venir,* col. «Croire et comprendre», París 1974, amplía la investigación a los restantes libros del NT.

8. Véase en la *bibliografía* las obras mencionadas en la sección sobre la enseñanza escatológica. La tentación concordista, que interpreta el mensaje profético de Juan como una *predicción* críptica de acontecimientos particulares, es más insidiosa en este libro que en ningún otro. En todo período crítico (de la Iglesia o de la sociedad), las bestias, las langostas, las plagas, los demonios-ranas, etc., han dado pie a identificaciones precisas, como para conjurar los peligros en los que el intérprete barrunta la acción de Satán. Los «siete períodos» en que se supone dividida la historia de la Iglesia concluyen generalmente con aquel en que se encuentra el mencionado intérprete, y que preludia ya el fin próximo. También los reproches hechos a las «siete iglesias» entran a formar parte de esta periodicidad: se pone nombres bajo cada una de ellas y se descubre que el presente corresponde a tal mensaje particular, a la espera de que se desencadene la convulsión siguiente, en la Iglesia o en la sociedad. Se trata, en definitiva, de otra especie de iluminismo, tal vez incorregible, que no comprende bien la noción misma de profecía y olvida el carácter global del mensaje del libro, válido y actual para todos los tiempos. Los sistemas político-religiosos de inspiración tradicionalista se hallan de continuo expuestos a la tentación de oponer esta visión catastrófica del presente y del futuro al milenarismo secularizado de ciertas corrientes políticas modernas. Una sana interpretación del libro deberá precaver contra esta tentación a cuantos acogen con fervor su mensaje de esperanza.

9. T. Holtz, *Die Christologie des Apokalypse,* Berlín ²1971. J. Comblin, *Le Christ dans l'Apocalypse,* Tournai-París 1965; F. Bovon, *Le Christ dans l'Apocalypse,* RTP 21 (1972), p. 65-80.

10. Cf. F. Bruce. *The Spirit in the Apocalypse,* en *Christ and Spirit in the NT* (Studies in Honour of C.F.D. Moule), Cambridge 1973, p. 333-344.

11. J. Comblin. *La liturgie de la nouvelle Jérusalem,* ETL, 1953, p. 5-40; P. Prigent, *Apocalypse et liturgie* («Cahiers Théologiques» 52), Neuchâtel 1964; G. Delling, *Zum gottesdienstlichen Stil der Johannes-Apokalypse,* «Novum Testamentum» 3 (1957), p. 107-137.

12. Cf. F.M. Braun, *La Mère des fidèles,* París 1955, p. 131-176;

L. Cerfaux, *La vision de la femme et du dragon de l'Apocalypse,* ETL, 1955, p. 21-33 (= *Recueil L. Cerfaux,* t. 3, Gembloux 1961, p. 237-251). J. Le Frois, *The Woman Clothed with the Sun,* Roma 1954; A.M. Dubarle, *La femme couronnée d'etoiles,* en *Mélanges bibliques rédigés en l'honneur de A. Robert,* París 1957, p. 512-518; P. Prigent, *Apocalypse 12: Histoire de l'exégèse,* Tubinga 1959; H. Gollinger, *Das grosse Zeichen von Apokalypse 12,* Stuttgart 1971.

13. Cf. A. Feuillet, *Le Messie et sa Mère d'après le ch. 12 de l'Apocalypse,* RB, 1959, p. 55-86 (= *Études johanniques,* p. 246-310).

14. Para 1QH 3,6-18, véase: A. Dupont-Sommer, *La mère du Messie et la mère de l'Aspic dans un hymne de Qumrân,* RHR, 147 (1955), p. 174-188; M. Delcor, *Un psaume messianique de Qumrân,* en *Mélanges bibliques rédigés en l'honneur de A. Robert,* p. 334-340. Esta interpretación es impugnada por O. Betz, *Die Geburt der Gemeinde durch den Lehrer,* NTS, 3 (1956-57), p. 314-326.

15. La argumentación de J. McHugh, *The Mother of Jesus in the New Testament,* Londres 1975, p. 404-432 se apoya en el principio que ve en María el arquetipo de la Iglesia. Podría también aducirse que la concepción y nacimiento del Mesías por la humanidad nueva representada bajo los rasgos de la Mujer se ha realizado concretamente gracias a la madre de Jesús.

Capítulo tercero (págs. 163 a 166)

1. He aquí algunos extractos de las afirmaciones de Dionisio de Alejandría sobre el Apocalipsis: «No negaré que este escrito sea de Juan, y concedo que es un hombre santo e inspirado por Dios. Pero no aceptaría fácilmente que este hombre fuera el apóstol, el hijo del Zebedeo, el hermano de Santiago, de quien son el evangelio intitulado *Según Juan* y la carta católica. Conjeturo, en efecto, según el aspecto de los discursos y según lo que se llama la disposición del libro, que no se trata del mismo... Juan no habla nunca de sí mismo ni en primera ni en tercera persona. En cuanto al autor del Apocalipsis, desde el principio se pone de relieve... No dijo, como repetidas veces en el evangelio, que es el discípulo amado del Señor, ni que se recostó sobre su pecho. El evangelio y la carta concuerdan entre sí y comienzan de la misma manera... completamente distinto y singular respecto de estos libros es el Apocalipsis; no se refiere a ellos ni tiene la menor relación con ellos. No tiene, por así decirlo, ni una sílaba en común con ellos» (HE 7,25).

2. Cf. infra, p. 329-334, 341ss.

3. Cf. *L'Apocalypse,* BJ, p. 16-20.

4. Cf. J.L. d'Aragon, en JBC, p. 458s; TOB: *Nouveau Testament,* p. 772; A. Wikenhauser - J. Schmid, *Introducción al NT,* Herder, Barcelona ^{3}1978, p. 971; W.G. Kümmel, *Einleitung,* p. 417. La mayoría de los críticos aceptan el nombre de Juan para el redactor final, pero se niegan a identificarle con Juan el presbítero mencionado por el texto de Papías que reproduce Eusebio de Cesarea (HE 3,39,4-5).

5. Cf. infra, p. 265-368s.
6. Cf. H.D. Saffrey, *Relire l'Apocalypse à Patmos,* RB 82 (1975), p. 385-417.
7. A. Feuillet, NTS (1957-58), p. 169ss.
8. Cf. *L'Apocalypse,* BJ, p. 20-22.

Sección segunda

Capítulo primero (págs. 170 a 194)

1. H. Lohmeyer, *Über Aufbau und Gliederung des ersten Johannesbriefes,* ZNW, 1928, p. 225-267. Ha propuesto también un plan septenario B. Giurisato, *Struttura della prima lettera di Giovanni,* «Rivista Biblica» 21 (1973), p. 361-381.
2. Th. Häring, *Gedankengang und Grundgedanken des ersten Johannesbriefes,* en *Theologische Abhandlungen Carl von Weizsäcker gewidmet,* Friburgo de B., 1892.
3. R. Schwertschlager, *Der 1. Joh. in seinem Grundgedanken und Aufbau,* Coburgo 1935.
4. F. Prat, *Plan de la première lettre de saint Jean,* en J. Calès, *Un maître de l'exégèse contemporaine: le P. Ferdinand Prat,* París 1942, p. 174-191; cf. también E. Nagl, *Die Gliederung des I Joh.,* BZ, 1924, p. 77-92.
5. Cf. A. Robert - A. Feuillet, *Introducción a la Biblia,* t. 2, Herder, Barcelona [3]1970, p. 616s, reimpreso en *Catholicisme,* art. *Jean,* t. 6 (1964), col. 404s.
6. A. Feuillet, *Étude structurale de la 1er épître de Saint Jean: Comparaison avec le IVe évangile. La structure fondamentale de la vie chrétienne selon saint Jean,* en *Neue Testament und Geschichte* (Mélanges O. Cullmann), Zurich 1972, p. 307-327.
7. Cf. E. Cothenet, *La «Communio Sanctorum», partage de la foi et de la mission de l'Église,* LMD 112 (1972), p. 28-53.
8. En el mismo sentido, D. Mollat, art. *Jean l'évangeliste,* DS 52-53 (1972), col. 242.
9. Cf. infra, p. 184s.
10. En favor del carácter epistolar, F.O. Francis, *The Form and Function of the Opening and Closing Paragraphs of James and I John,* ZNW 61 (1970), p. 110-126.
11. O. Roller, *Das Formular der paulinischen Briefe,* Stuttgart 1933, p. 237.
12. Cf. supra, parte quinta, cap. primero (A. Vanhoye).
13. M.E. Boismard, *Une liturgie baptismale dans la 1a Petri,* RB 63 (1956), p. 182-208; 64 (1957), p. 161-183.
14. Cf. F. Mussner, *Le langage de Jean et le Jésus de l'histoire,* tr. fr. p. 108s; cf. H. Conzelmann, *Was von Anfang war,* en *Ntl. Studien... R. Bultmann,* Berlín 1954, p. 192-201.
15. E. von Dobschütz, *Johanneische Studien,* ZNW 8 (1907), p. 1-8.
16. A. Loisy, *Les livres du Nouveau Testament,* París 1922, p. 683.

17. R. Bultmann, *Analyse des ersten Joh.*, en *Festgabe für A. Jülicher,* Tubinga 1927, p. 138-158; *Die kirchliche Redaktion des Joh.*, en *In memorian E. Lohmeyer,* Stuttgart 1951, p. 189-201. Tesis repetida en el comentario de la carta (1967).

18. H. Braun, *Literar-Analyse und theologische Schichtung in I Joh.*, ZTK 48 (1951), p. 262-292.

19. P. Le Fort, *Les structures de l'église militante selon saint Jean,* p. 23.

20. Cf. infra, p. 188-191.

21. J. Mouroux, *L'expérience chrétienne,* París 1952, p. 166.

22. I. de la Potterie, *Le péché, c'est l'iniquité (1Jn 3,4),* en *La vie selon l'Esprit, condition du chrétien* («Unam sanctam», n.º 55), París 1965, p. 65-83 (tr. cast. Sígueme, Salamanca ²1967); *L'onction du chrétien par la foi,* ibid., p. 107-167; *L'impeccabilité du chrétien d'après 1Jn 3,6-9,* ibid., p. 197-216; E. Cothenet, *Sainteté de l'Église et péché des chrétiens,* NRT 96 (1974), p. 449-470 (véase p. 457-462).

23. N. Lazure, *La convoitise de la chair: 1Jn 2,16,* RB 72 (1969), p. 161-205.

24. I. de la Potterie, *La péché, c'est l'iniquité,* l. c., p. 74-80.

25. E. Schultz, art. Σπέρμα, TWNT, t. 7, p. 545. Para la doctrina valentiniana del *Sperma,* véase G. Quispel, *Ptolémée: Lettre à Flora,* SC n.º 24bis, p. 28s.

26. I. de la Potterie, *L'impeccabilité du chrétien,* l. c., p. 210.

27. N. Lazure, *Les valeurs morales...*, p. 201-204, da algunas indicaciones sobre el carácter específico de la enseñanza de 1Jn en el tema de la fe.

28. Cf. supra, p. 176.

29. I. de la Potterie, en *La vie selon l'Esprit,* o. c., p. 58s; M. Miguens, *Tres testigos: Espíritu, agua, sangre,* «Stud. Francisc. Liber annus» 22 (1972), p. 74-94; J. Forestell, *The Word of the Cross,* Roma 1974, p. 90 y 170s, considera el simbolismo sacramental como secundario.

30. C. Spicq, *Agapè,* EB, t. 3 (1959), p. 246-312; N. Lazure, *Les valeurs morales...*, p. 207-251; H. Schlier, *Die Bruderliebe nach dem Evangelium und den Briefen des Johannes,* en *Mélanges B. Rigaux,* Gembloux 1970, p. 235-245.

31. N. Lazure, o. c., p. 144.

32. A. Feuillet, *Le mystère de l'amour divin...*, p. 179-204.

33. N. Lazure, o. c., p. 238.

34. Mouroux, *L'expérience chrétienne,* o. c., p. 183.

35. Véase el comentario de R. Schnackenburg, *Cartas de san Juan,* Herder, Barcelona 1980, *Excursus* 4, p. 140-145.

36. N. Lazure, o. c., p. 243s.

37. A. Feuillet, *Le mystère de l'amour divin...*, p. 241-246.

38. Cf. vol. I, p. 175s.

39. J.A.R. Robinson, *The Destination and Purpose of the Johannine Epistles,* NTS 7 (1960-61), p. 56-65.

40. Cf. supra, p. 182s.

41. Véase vol. I, p. 72-78.

42. M.E. Boismard, *La connaissance dans l'Alliance nouvelle d'après la 1re lettre de saint Jean,* RB 56 (1949), p. 365-391; cf. E. Malatesta, *Interiority and Covenant: An exegetical Study of the* εἶναι ἐν *and* μένειν *Expressions in 1Jn,* «Analecta Biblica» 69.

43. R. Le Déaut, «Biblica» 42 (1961), p. 30-36: *Liturgie juive et NT,* Roma 1965, p. 60s.

44. J. Chmiel, *Lumière et charité d'après la 1re épître de saint Jean,* Roma 1973.

45. M.E. Boismard, en RB 66 (1959), p. 145s.

46. H. Braun, *Qumran und das Neue Testament,* t. 1, p. 290-306, especialmente 304s.

47. Véase la obra colectiva dirigida por J.H. Charlesworth, *John and Qumran,* Londres 1972, p. 156-165.

48. N. Lazure, *La convoitise de la chair en 1Jean 2,16,* RB 76 (1969), p. 161-205.

49. Cf. infra, p. 80s, 196, 358.

50. E. Cothenet, *Prophétisme dans le Nouveau Testament,* SDB, t. 8, col. 1318-1320 (bibliogr.). También K. Weiss, *Ortodoxie und Heterodoxie im I Joh.,* ZNW 58 (1967), p. 247-255.

51. L. Hartman, *Prophecy Interpreted: The Formation of some Jewish Apocalyptic Texts and the Eschatological Discourse (Mc 13 par.),* Lund 1966, p. 237ss.

52. *Homologein* en el sentido de confesión de fe en 2,23; 4,2.3.15. En 1,9 se refiere a la confesión de los pecados. De este modo, 1Jn proporciona una base importante para el estudio de los orígenes del símbolo de los apóstoles.

53. Cf. F. Mussner, *Der historische Jesus und der Christus des Glaubens,* BZ (nueva serie) 1 (1957), p. 236, reimpreso en *Praesentia Salutis,* Düsseldorf 1967, p. 42-66 (53).

54. R. Schnackenburg, Comentario citado, p. 245.

55. C.K. Barrett, ΨΕΥΔΑΠΟΣΤΟΛΟΙ *(2Co 11,13),* en *Mélanges B. Rigaux,* Gembloux 1970, p. 377-396.

56. E. Cothenet, *Sainteté de l'Église et pechés des chrétiens,* NRT 96 (1974), p. 449-470 (cf. 457-462).

57. P.Th. Camelot, *Lettres de saint Ignace d'Antioche,* SC n.º 10, Introducción, p. 27.

58. En el mismo sentido, R.C. Briggs, *Contemporary Study of the Johannine Epistles,* en «Review and Expositor» 67 (1970), p. 411-422.

59. W.F. Howard, *The Common Authorship of the Joh. Gospel and Epistles,* JTS 48 (1947), p. 12-25; W.G. Wilson, *An Examination of the Linguistic Evidence Adduced against the Unity of Authorship of the First Epistle of John and the Fourth Gospel,* JTS 49 (1948), 147-156; A.P. Salom, *Some Aspects of the Grammatical Style of I John,* BJL 74 (1955), p. 96-102.

60. F.M. Braun, *Jean le Théologien,* t. 1 (1959), p. 33-38.

61. Véase el catálogo, fechado alrededor del 400, editado por A. Smith Lewis, en M.J. Lagrange, *Histoire du Canon du NT,* p. 129.

62. Ibid., p. 157.

63. Aquí tenemos que limitarnos a remitir a las exposiciones que se darán más adelante, a propósito del IV evangelio, sobre la escuela joánica (p. 368s), sobre el problema del martirio de Juan (p. 366-368) y sobre la implantación de la tradición joánica en Éfeso (p. 360-362).

64. P. Martin, *Introduction à la critique textuelle du NT* (texto litografiado), París 1886, t. 5, p. 148-152; cf. el comienzo del comentario de J. Chaine, p. 127. Para la datación de los Mss. que acabamos de mencionar, véase la edición de la Vulgata de R. Weber, *Biblia sacra juxta Vulgatam Versionem*, Stuttgart [2]1975.

65. Véase el texto del cardenal Vaughan, publicado en RB, 1898, p. 149.

Capítulo segundo (págs. 195 a 200)

1. Cf. TOB, *Nouveau Testament*, p. 761, nota *e*.
2. Cf. supra, p. 191.
3. P. Katz, *The Johannine Epistles in the Muratorian Canon*, JTS 8 (1957), p. 273s.
4. G. Bornkamm, art. Πρέσβυς, TWNT, t. 6, p. 670.
5. Cf. infra, p. 266s.

Sección tercera (pág. 203)

1. F. Libermann, *Commentaire des douze premiers chapitres de l'évangile selon saint Jean*, París 1873 (reed. 1957).

Capítulo primero (págs. 205 a 218)

1. H. de Lubac, *Histoire et Esprit: L'intelligence de l'Écriture d'après Origène*, París 1950. La parte del comentario que ha llegado hasta nosotros ha sido editada en «Sources chrétiennes», n.º 120, 157, 222. Sobre Heracleón, véase E.H. Pagels, *The Johannine Gospel in Gnostic Exegese*, Nashville-Nueva York 1937.
2. Cf. J. Bonsirven, *Pour une intelligence plus profonde de saint Jean*, *Mélanges J. Lebreton*, t. 1 (= RSR 1951), p. 176-196.
3. K.G. Bretschneider, *Probabilia de evangelii et epistolarum Joannis apostoli indole et origine, eruditorum judiciis modeste subjecit*, Leipzig 1820.
4. Sobre Baur, cf. W.G. Kümmel, *Das Neue Testament: Geschichte der Erforschung seiner Probleme*, Friburgo-Munich [2]1970, p. 156-176.
5. J. Wellhausen, *Das Evangelium Johannis*, Berlín 1908.
6. E. Schwartz, *Aporien im 4. Evangelium*, en *Nachrichten von der königlichen Gesellschaft der Wissenschaften zu Göttingen*, Berlín 1907, p. 342-372; 1908, p. 115-148, 149-188, 497-560.
7. F. Spitta, *Das Johannes-Evangelium*, Gotinga 1910.

8. M. Goguel, *Introduction au Nouveau Testament*, t. 2, p. 49s. Pero no debe olvidarse que ya en 1892 Holtzmann consideraba al IV evangelio como el «signo de contradicción» *(semeion antilegomenon)* de la crítica *(Einleitung²*, p. 434).

9. B.F. Westcott's, *St. John: A Re-issue of a Famous Commentary With a New Introduction* (por Adam Fox), Londres 1958.

10. W. Wrede, *Charakter und Tendenz des Johannesevangeliums*, Tubinga-Leipzig 1903.

11. A. Loisy, *Le quatrième évangile*, París 1903.

12. A. Loisy, *Le quatrième évangile*, segunda edición refundida, París 1921, p. 66.

13. Texto en el *Enchiridion Biblicum*, n.º 187-189.

14. M. Lepin, *L'origine du quatrième évangile*, París 1907; *La valeur historique du quatrième évangile*, 2 vols., París 1910.

15. M.J. Lagrange, *L'évangile selon saint Jean*, EB, París 1925; 3.ª ed. corregida, 1927.

16. C.H. Dodd, *L'interprétation du IVe évangile* (tr. fr., LD 82), París 1975, p. 14; tr. cast. *Interpretación del cuarto evangelio*, Cristiandad, Madrid 1978.

17. H.J. Holtzmann, *Lehrbuch der neutestamentlichen Theologie*, t. 2, Tubinga 1897, p. 351s.

18. A. Schweitzer, *Die Mystik des Apostels Paulus*, Tubinga 1930.

19. R. Reitzenstein, *Poimandres*, Leipzig 1904.

20. *Das iranische Erlösungsmysterium*, Bonn 1921.

21. Sobre la gnosis antigua, véase vol. I, p. 72-78.

22. R. Bultmann, *Der religionsgeschichtliche Hintergrund des Prologs zum Johannesevangelium* en ΕΥΧΑΡΙΣΤΗΡΙΟΝ: *Studien zur Religion und Literatur des A. und N. Testaments H. Gunkel dargebracht*, Gotinga 1923, t. 2, p. 3-26; y *Die Bedeutung der neuerschlossenen mandäischen und manichäischen Quellen für das Verständnis des Johannesevangelium*, en ZNW 24 (1925), p. 100-146. En el mismo sentido, H. Becker, *Die Reden des Johannesevangeliums und der Stil der gnostischen Offenbarungsrede*, Gotinga 1956.

23. R. Bultmann, *Das Evangelium des Johannes*, MKNT 1941. En 1957 se publicó un cuaderno complementario *(Ergänzungsheft)*.

24. En el mismo sentido: R.T. Fortna, *The Gospel of Signs*, «NTS Monograph Series» n.º 11, Cambridge 1970.

25. R. Bultmann, *Theologie des Neuen Testaments*, Tubinga 1965 (véanse las recensiones críticas de P. Benoit, *Exégèse et théologie*, t. 1, París 1961, p. 62-90; tr. cast.: *Exégesis y teología*, Studium, Madrid 1974).

26. Ibid., p. 360.

27. Ibid., p. 363s.

28. R. Bultmann, *Die Bedeutung der neuerschlossenen mandäischen und manichäischen Quellen...* p. 102s, 145s, reimpreso en *Exegetica*, 1967, p. 57s, 103 (véase la exposición general del sistema en W.G. Kümmel, *Bilan de la théologie au XXe siècle*, t. 2, Tournai-París 1971, p. 217-219).

29. Cf. P. Benoit, art. cit., p. 75.

30. E. Schweizer, «*Ego eimi*»: *Die religionsgeschichtliche Herkunft und*

theogische Bedeutung der johanneischen Bildreden, zugleich ein Beitrag zur Quellenfrage des vierten Evangeliums, Gotinga 1939 (reed. 1965).

31. K. Kundsinn, *Charakter und Ursprung der johanneischen Reden,* Riga 1939; E. Ruckstuhl, *Die literarische Einheit des Johannes-evangeliums,* Friburgo de Brisgovia 1951.

32. O. Cullmann, *Le salut dans l'histoire* (trad. fr., Neuchâtel-París 1966, donde se da una síntesis de las obras precedentes).

33. O. Cullmann, *Les sacrements dans l'évangile johannique: La vie de Jésus et le culte de l'Église,* París 1951.

34. O. Cullmann, *Le milieu johannique,* trad. fr. Neuchâtel-París 1976 (ed. al. en 1975).

35. J. Blank, *Krisis: Untersuchungen zur joh. Christologie und Eschatologie,* Friburgo de Brisgovia 1964; W. Thüsing, *Die Erhöhung und Verherrlichung Jesu im Johannesevangelium,* Münster de W. 1960; F. Mussner, *«Zoè»: Die Anschauung vom Leben in vierten Evangelium unter Berücksichtigung der Johannesbriefe,* Munich 1952; *Die johanneische Sehweise,* Friburgo de Brisgovia 1965.

36. Véase el análisis de sus posiciones en W.G. Kümmel, *Bilan de la théologie au XX*^e^ *siècle,* t. 2, p. 215s, 219.

37. E.C. Hoskyns - F.N. Davey, *The Fourth Gospel,* Londres 1940, 2.ª ed. revisada 1947.

38. Ibid., p. 130.

39. C.H. Dodd, *The Interpretation of the Fourth Gospel,* o.c.

40. Ibid.; cf. F.M. Braun, *Hermétisme et johannisme* RTh 55 (1955), p. 22-42, 259-299.

41. En este punto, Dodd hace referencia a su libro: *Las parábolas del reino,* Cristiandad, Madrid 1974. Pero la noción de escatología «realizada» no ha conseguido el asentimiento unánime de los críticos.

42. Cf. infra, p. 237ss.

43. C.H. Dodd, *Historical Tradition in the Fourth Gospel,* Cambridge 1963 (tr. cast.: *La tradición histórica en el cuarto evangelio,* Cristiandad, Madrid 1977). Los puntos de vista de Dodd sobre estos problemas han llegado al gran público a través de la obra de A.M. Hunter, *According to John.* A pesar de esta toma de posición, Dodd concede poca importancia a las tradiciones joánicas en su síntesis: *El fundador del cristianismo,* Herder, Barcelona [3]1977.

44. Véase la colección de estudios: *John and Qumran,* dir. por J.H. Charlesworth, Londres 1972.

45. Esta última tesis ha sido propuesta por W.H. Brownlee, *John the Baptist in the New Light of Ancient Scrolls* (1955), en K. Stendahl (dir.), *The Scrolls and the New Testament,* Nueva York, 1957, p. 33-53. La posición de los críticos es, en general, más reservada; así R.E. Brown, *The Dead Sea Scrolls and the New Testament* (1966) en *John and Qumran,* p. 4-5.

46. J.A.T. Robinson, *The New Look on the Fourth Gospel,* en *Studia Evangelica,* t. 1, Berlín 1959, p. 338-350.

47. Ibid., p. 350.

48. M.E. Boismard, *Le prologue de saint Jean,* París 1953 (tr. cast.:

Fax, Madrid [2]1970). *Du baptême à Cana,* París 1956; F.M. Braun, *Jean le Théologien,* t. 2: *Les grandes traditions d'Israël,* EB, París 1964; A. Feuillet, *Les thèmes bibliques majeurs du discours sur le pain de vie* (1960), reproducido en *Études johanniques,* Brujas-París 1962, p. 47-129; P. Borgen, *Bread from Heaven,* Leiden 1965; I. de la Potterie, *La vérité dans saint Jean,* «Analecta Biblica» 73-74, Roma 1977.

49. Cf. C.K. Barrett, *The Gospel of John and Judaism,* Londres 1975, p. 56-58.

50. A. Guilding, *The Fourth Gospel and Jewish Worship: A Study of the Relation of John's Gospel to the Ancient Jewish Lectionary,* Oxford 1960. Con todo, debe tenerse en cuenta que «no puede hablarse de un ciclo de lecturas determinado (anual o trienal) más que a partir del siglo II-III de nuestra era» (R. Le Déaut, vol. I, p. 117, mencionando las investigaciones de C. Perrot). Sobre esta tesis, cf. infra, p. 304-306.

51. R. Le Déaut, *Targumic Literature and NT Interpretation,* BTB 4 (1974), p. 243-289, con bibliografía sobre el tema.

52. G.W. Buchanan, *The Samaritan Origin of the Gospel of John,* en *Religions in Antiquity,* Leiden 1968, p. 149-175; E.D. Freed, *Samaritan Influences in the Gospel of John,* CBQ 30 (1968), p. 580-587; E.D. Freed, *Did John write his Gospel to win Samaritans?,* «Novum Testamentum» 12 (1970), p. 241-256; C.H.H. Scobie, *Origin and Development of Samaritan Christianity,* NTS 19 (1973), p. 390-414; R. Bergmeyer, *Johanneische Evangelium und Samaritanisches Schrifttum,* JSJ (1974), p. 121-133; J.D. Purvis, *The Fourth Gospel and the Samaritans,* «Novum Testamentum» 17 (1975) p. 161-198.

53. W.A. Meeks, *The Prophet-King: Moses Traditions and the Johannine Christology,* Leiden 1967.

54. Cf. vol. I, p. 178s.

55. L. Schottroff, *Heil als innerweltliche Entweltlichung,* «Novum Testamentum» 11 (1969), p. 294-317; *Der Glaubende und die feindliche Welt,* Neukirchen 1970.

56. Véase la comunicación de Y. Janssens: *Une source gnostique du Prologue de Jean?,* en *Journées bibliques de Louvain* (1975), Gembloux 1977, p. 355-358.

57. G. Richter, *Zur Formgeschichte und literarische Einheit von Joh. 6,31-58,* ZNW 60 (1969), p. 21-55; J. Becker, *Wunder und Christologie. Zum literarkritischen und christologischen Problem der Wünder im Johannesevangelium,* NTS 16 (1970-1971), p. 130-148; H. Thyen, *Aus der Literatur zum Johannesevangelium,* «Theologische Rundschau» 39 (1974), p. 328-330.

58. *Synopse de la Bible de Jérusalem,* tomo 3, en preparación; ya en el t. 2 se señalaron varios paralelismos internos.

59. R.T. Fortna, *The Gospel of Signs,* Cambridge 1970.

60. W. Wilkens, *Die Entstehungsgeschichte des vierten Evangeliums,* Zurich 1958; crítica despiadada de H. Thyen, art. cit., p. 308-314. O. Merlier, *Le quatrième évangile: La question johannique,* París 1961. Para los comentarios de R. Schnackenburg y R.E. Brown, véase la bibliografía general.

61. Aplicando los mismos principios que en su estudio sobre *La structure littéraire de l'épître aux Hébreux* (Brujas-París 1963), A. Vanhoye ha mostrado la unidad de Jn 5,19-30: *La composition de Jean 5,19-30,* en *Mélanges B. Rigaux,* Gembloux 1970, p. 259-274. En el mismo sentido, I. de la Potterie, *Naître de l'eau et de l'esprit...,* en *La vie selon l'Esprit, condition du chrétien,* o. c., p. 31-63.

62. Ejemplos de análisis estructural en «Cahier Biblique: Foi et Vie» n.º 13 (1974): J. Escande, *Jésus devant Pilate: Jn 18,28-19,16,* p. 66-82; P. Geoltrain, *Les noces à Cana: Jn 2,1-12,* p. 83-90.

63. S.S. Smalley, *Diversity and Development in John,* NTS 17 (1971-1972), p. 276-292.

64. E. Käsemann, *Jesu letzter Wille nach Johannes 17,* Tubinga [3]1971.

65. Cf. W.G. Kümmel, *Bilan de la théologie au XXe siècle,* t. 2, p. 233s.

66. Véase nuestra exposición en la presentación de las cartas de Juan, supra, p. 198-200.

67. A. Schweitzer, *La mystique de l'apôtre Paul,* tr. fr., p. 295.

68. W.G. Kümmel, art. cit., p. 224.

Capítulo segundo (págs. 219 a 259)

1. M.E. Boismard, *Importance de la critique textuelle pour établir l'origine araméenne du quatrième évangile,* en *L'évangile de Jean: Études et Problèmes,* Brujas-París 1958, p. 41-57 (véase p. 51s).

2. Cf. J. Duplacy, en «Biblica» 51 (1970), p. 108s.

3. M.E. Boismard, *À propos de Jean 5,39,* RB 55 (1948), p. 5-34; *Critique textuelle et citations patristiques,* RB 57 (1950), p. 388-408; *Lectio brevior, potior,* RB 58 (1951), p. 161-168; *Dans le sein du Père (Jn 1,18),* RB 59 (1952), p. 23-39; *Problèmes de critique textuelle concernant le quatrième évangile,* RB 69 (1953), p. 347-371.

4. Véase, en el mismo sentido, J. Galot, *Être né de Dieu (Jean 1,13),* «Analecta Biblica» n.º 37, Roma 1969.

5. M.E. Boismard, en RB 64 (1957), p. 363-398, y 70 (1963), p. 120-133.

6. C.M. Martini, *Il problema della recensionalità del codice B alla luce del papiro Bodmer XIV,* «Analecta Biblica» n.º 26, Roma 1966. Reservas de J. Duplacy en «Biblica» 51 (1970), p. 87-91 y, sobre todo, en *P[75] et les formes les plus anciennes du texte de Luc,* en *L'évangile de Luc: Problèmes littéraires et théologiques,* Gembloux 1973, p. 111-128.

7. P. Prigent, *Les citations des Pères Grecs et la critique textuelle du Nouveau Testament,* en *Die alten Übersetzungen des Neuen Testaments, die Kirchenväterzitate und Lektionare,* dir. por K. Aland, Berlín 1972, p. 436-454. Véase también G.D. Fee, *The Text of John in the Jerusalem Bible: A Critique of the Use of Patristic Citations in the New Testament Textual Criticism,* JBL 90 (1971), p. 163-173.

8. R. Kieffer, *Au-delà des recensions? L'évolution de la tradition textuelle dans Jean 6,52-71* («Conjectanea biblica NT» Serie 3), Lund 1968; cf. la recensión de J. Duplacy, «*Biblica*» 51 (1970), p. 99s.

9. O. c., p. 249.
10. Los problemas particulares de crítica textual que plantea el *prólogo* se abordan más adelante, p. 240s.
11. Lista más completa en el Comentario de C.K. Barrett, p. 5s.
12. R. Schnackenburg, *El evangelio según san Juan,* t. 1, p. 136s.
13. Véase la exposición, muy documentada, de M.J. Lagrange, Comentario, p. CI-CXIX; pero desde la publicación de esta obra se han renovado los estudios sobre esta cuestión.
14. Texto reproducido por Eusebio, HE 7,25.
15. J.J. O'Rourke, *The Historical Present in the Gospel of John,* JBL 93 (1974), p. 585-590.
16. K. Beyer, *Semitische Syntaxe im Neuen Testament,* 1/1, Gotinga 1962, p. 280.
17. Blass - Debrunner - R.W. Funk, *A Greek Grammar of the New Testament,* n.º 396.
18. Lista en D.M. Smith Jr., *The Composition and Order of the Fourth Gospel: Bultmann's Literary Theory,* New Haven - Londres 1964, p. 9-11 (32 características del evangelista, en oposición a sus fuentes).
19. E. Schweizer, *Ego eimi,* Gotinga 1939 (reed. 1965), p. 87-109 (cf. supra, p. 212).
20. F.M. Braun, *Jean le Théologien,* t. 1, p. 401-403.
21. Conviene también comprobar si algunas palabras no cambian de acepción de un lugar a otro del evangelio; así, puede oponerse el sentido de σάρξ 1,14 y 3,6; en 6,51 y 6,63 (según G. Richter).
22. R.T. Fortna, *The Gospel of Signs,* Cambridge 1970, p. 18.
23. C.F. Burney, *The Aramaic Origin of the Fourth Gospel,* Oxford 1922. E. Malatesta, *St. John's Gospel,* n.º 756-766, ofrece bibliografía sobre esta cuestión.
24. Cf. el *índice* de M. Black, *An Aramaic Approach of the Gospels and Acts*[3], p. 332 (en las entradas: *Mistranslation of Aramaic*).
25. C.C. Torrey, *The Aramaic Origin of the Gospel of John* (1922); *Our translated Gospels: Some of the Evidence,* Londres 1937; véase la bibliografía, p. 634s.
26. M.J. Lagrange, Comentario, p. CI-CXIX.
27. J. Bonsirven, *Les aramaïsmes de saint Jean l'évangéliste,* «Biblica» 30 (1949), p. 405-432.
28. Ibid., p. 432. El final es una conclusión apologética que desborda evidentemente el análisis lingüístico.
29. M.E. Boismard, *Importance de la critique textuelle pour établir l'origine araméenne du IV*[e] *évangile,* en *L'évangile de Jean: Études et problèmes,* Brujas 1958, p. 41-57.
30. M. Black, *An Aramaic Approach*[3], p. 273s.
31. A.J. Festugière, *Observations stylistiques sur l'évangile de saint Jean,* París 1974.
32. A. Puech, *Histoire de la littérature grecque chrétienne,* t. 1, París 1928, p. 144.
33. R.E. Brown, *The Gospel According to John,* p. CXXXIII.
34. A.J. Festugière, o. c., p. 122s.

35. X. Léon-Dufour, *Le mystère du Pain de vie*, RSR 46 (1958), p. 499s. Véase también: *Trois chiasmes johanniques (Jn 12,23-32; 6,35-40; 5,19-30)*, NTS 7 (1960-1961), p. 249-255.

36. Cf. infra, p. 241s.

37. Véase, recientemente, A. Jaubert, *Approches de l'évangile de Jean*, París 1976, p. 65-72.

38. Cf., por ejemplo, la homilía sobre el «pan de vida», con inclusión de los v. 31 y 58 («nuestros padres - vuestros padres»), o el encadenamiento progresivo, mediante palabras nexo, en la catequesis bautismal de 2, 23-3,21 (I. de la Potterie, *Naître de l'eau et naître de l'Esprit: Le texte baptismal de Jn 3,5*, en *La vie selon l'Esprit, condition du chrétien*, o. c., p. 41-48).

39. H. Clavier, *L'ironie dans le IVe évangile*, en *Studia Evangelica*, t. 1, Berlín 1959, p. 261-276.

40. O. Cullmann, *Der johanneische Gebrauch doppeldeutiger Ausdrücke zum Verständnis des 4. Evangeliums*, ThZ 4 (1948), p. 360-372 (resumido en *La foi et le culte de l'Église primitive*. Neuchâtel-París 1963, p. 143-149; trad. cast. en Studium, Madrid 1971).

41. H. Leroy, *Rätsel und Missverständnis*, Bonn 1968 (tesis resumida en «Bibel und Leben» 9 [1968], p. 196-207); D.W. Wead, *The Literary Devices in John's Gospel*, Basilea 1970.

42. L. Cerfaux, *Le thème littéraire parabolique dans l'évangile de saint Jean*, en *Recueil L. Cerfaux*, t. 2, p. 17-26.

43. G.D. Kilpatrick, *What John Tells About John*, en *Studies in John presented to ... J.N. Sevenster*, Leiden 1970, p. 85.

44. A.J. Festugière, o. c., p. 40.

45. Cf. infra, p. 271ss.

46. J.H. Bernard, *A Critical and Exegetical Commentary on the Gospel of St. John*, ICC, Edimburgo 1929, t. 1, p. XVI-XXX.

47. Visión de conjunto sobre el tema: F.R. Hoare, *Original Order and Chapter of St. John's Gospel*, Londres 1944. Bultmann ha propuesto un gran número de inversiones: sus hipótesis han sido sistematizadas y discutidas por D.M. Smith Jr. *The Composition and Order of the Fourth Gospel. Bultmann's Literary Theory*, New Haven - Londres 1964.

48. H. Thyen, en «*Theologische Rundschau*», 1975, p. 302-304.

49. C.H. Dodd, *L'interprétation du quatrième évangile*, o. c., p. 372.

50. E.B. Allo, art. *Jean*, SDB, t. 4, col. 817-821.

51. Cf. infra, p. 261ss.

52. A. Lion, *Lire saint Jean*, París 1972.

53. H. Thyen, en «Theologische Rundschau», 1974, p. 69 (y nota).

54. P. Lamarche, *Le Prologue de Jean*, RSR 52 (1964), p. 497-537 (= *Christ vivant*, París 1966, especialmente p. 109-121); K. Aland, *Eine Untersuchung zu Joh. 1,3-4*, ZNW 59 (1968), p. 174-210.

55. M.E. Boismard, *Le Prologue du quatrième évangile*, o. c., p. 54-65.

56. En último lugar, J. Galot, *Être né de Dieu (Jean 1,13)*, Roma 1969.

57. M.E. Boismard, o. c., p. 91.

58. E.A. Mastins, *Neglected Feature of the Christology of the Fourth Gospel*, NTS 22 (1975-1976), p. 32-51 (37-41).

59. C. Spicq, *Le Siracide et la structure littéraire du Prologue de saint Jean, Mémorial Lagrange,* París 1940, p. 183-195.

60. M.E. Boismard, o. c., p. 107 (cf. supra, p. 231ss).

61. P. Borgen, *Observations on the Targumic Character of the Prologue of John,* NTS 16 (1969-1970), p. 294.

62. L. Schottroff, *Der Glaubende und die feindliche Welt. Beobachtungen zum gnostischen Dualismus und seiner Bedeutung für Paulus und das Johannesevangelium,* Neukirchen 1970.

63. K. Aland, *Eine Untersuchung zu Joh. 1,3-4,* ZNW 59 (1968) p. 207.

64. A. Feuillet, *Le Prologue de saint Jean,* o. c., p. 157.

65. Contra E. Käsemann, cf. infra, p. 253.

66. S.A. Panimolle, *Il dono della Lege e la Grazia della Verità (Gv 1,17),* Roma 1973.

67. I. de la Potterie, *L'emploi dynamique de «eis» dans saint Jean et ses incidences théologiques,* «Biblica» 43 (1962), p. 366-387.

68. Cf. infra, p. 269s.

69. P. Lamarche, *Christ vivant,* p. 131-133. W. Wink, *John the Baptist in the Gospel Tradition,* Cambridge 1968, p. 98s, 105s; M.D. Hooker, *John the Baptist and the Johannine Prolog,* NTS 16 (1970), p. 354-358.

70. Cf. infra, p. 296ss; A. Jaubert, *Approches de l'évangile de Jean,* París 1976, p. 171-174 («Logos filoniano y Cristo joánico»).

71. A. Díez Macho, *Le Targum palestinien,* en *Exégèse biblique et judaïsm,* Estrasburgo 1973, p. 51s (reeditado en Leiden 1974).

72. En el análisis que sigue, reduciremos al mínimo las notas justificativas. El lector puede consultar las bibliografías detalladas dadas para cada una de estas secciones, en las que figuran los autores citados en la exposición. Las escasas excepciones se justifican por razones de utilidad práctica.

73. M.E. Boismard, *Du baptême à Cana,* París 1956, p. 14s.

74. Podría recurrirse a la interpretación alegórica del Cantar de los Cantares en la tradición judía, a condición de que pudiera probarse su lectura en la pascua antigua. Pero los testimonios sobre su introducción en el ciclo litúrgico de esta época son más tardíos.

75. Cf. P. Lebeau, *Le vin nouveau du Royaume,* Brujas-París 1966; B. Olsson, *Structure and Meaning of the Fourth Gospel,* p. 107.

76. B. Olsson, o. c., p. 106.

77. Jn 3,14 alude a Núm 21,9, donde los Setenta han traducido el hebreo *nes* por *semeion* (cf. infra, p. 332).

78. Se da bibliografía particular sobre este episodio, infra, p. 640.

79. Cf. supra, p. 237.

80. C.H. Dodd, *L'interprétation du quatrième évangile,* o. c., p. 446.

81. Cf. infra, p. 315.

82. Véase también vol. I, p. 140s.

83. Cf. la tabla comparativa trazada por R.R. Brown, *The Gospel According to John,* t. 2, p. 589-591.

84. E. Käsemann, *Jesu letzter Wille,* p. 22s.

85. Cf. infra, p. 277ss.

86. R.E. Brown, o. c., p. 785s, 802s.

87. Sobre los sacramentos en el IV evangelio, cf. infra, p. 329-335.
88. Cf. infra, p. 262ss.
89. Tal vez la mejor explicación siga siendo la de san Agustín, quien hace notar que 153 es la suma de los números del 1 al 17 *(Tractatus in Iohannem,* 122,8; PL 35,1963s). Pero no sabemos por qué se han elegido los 17 primeros números.

Capítulo tercero (págs. 260 a 290)

1. J. Huby, en *Christus,* París [6]1934, p. 1047.
2. C.H. Dodd, *L'interprétation du IVe évangile,* o. c., p. 19s.
3. Cf. supra, p. 214ss. Para los autores citados a lo largo del texto, cf. la bibliografía, p. 646s.
4. W.C. Van Unnik, *The Purpose ,of St. John's Gospel, Studia Evangelica,* t. 1, p. 410.
5. Cf. supra, p. 258.
6. En contra de M.E. Boismard, *Saint Luc et la rédaction du IVe évangile,* RB 69 (1962), p. 200-203.
7. H. Thyen, en «Theol. Rundschau» 1975, p. 329s.
8. G. Richter, *Die Fleischwerdung des Logos im Johannesevangelium,* «Novum Testamentum» 13 (1971), p. 81-121; 14 (1972), p. 257-279.
9. Cf. infra, p. 332.
10. A. Feuillet, *Les christophanies pascales du quatrième évangile sont-elles des signes?,* NRT 97 (1975), p. 577-592.
11. S. Sabugal, *«Christos», Investigación exegética sobre la cristología joannea,* Herder, Barcelona 1972, p. 363, nota 1.
12. R. Schnackenburg, *Die Messiasfrage im Johannesevangelium,* en *Neutestamentliche Aufsätze* (homenaje a J. Schmid), Ratisbona 1963, p. 240-264.
13. X. Léon-Dufour, *Actualité du quiatrième évangile,* NRT 76 (1954), p. 449-468.
14. Cf. infra, p. 333ss.
15. Título de *Jean le Théologien,* t. 2, París 1964.
16. C.H. Dodd, *A l'arrière-plan d'un dialogue johannique,* RHPR 37 (1957), p. 5-17.
17. J.L. Martyn, *History and Theology...,* p. 31-41; W. Nicol, *The «Sèmeia» in the Fourth Gospel,* Leiden 1972, p. 142-149.
18. A. Feuillet, *Le sacerdoce du Christ et de ses ministres,* París 1972, p. 172-176.
19. Cf. Jn 16,2, que debe compararse con Rom 10,2: «tienen celo por Dios».
20. Cf. infra, p. 305ss.
21. Cf. infra, p. 361s, y supra, p. 187s.
22. J. Daniélou, *Théologie du Judéo-christianisme,* Tournai 1958, p. 68-76.
23. Cf. E. Cothenet, art. *Prophétisme (dans le NT),* SDB, t. 8, col. 1229-1233; S. Sabugal, *Christos...,* p. 60-63, 292-304.

24. E. Käsemann, *Jesu letzter Wille nach Johannes 17*, Tubinga [3]1971, p. 26-35.
25. G. Richter, *Die Fleischwerdung des Logos...* (citado en n. 8).
26. Cf. infra, p. 309ss.
27. Cf. infra, p. 347-350.
28. Cf. infra, p. 285-290.
29. Cf. supra, p. 206-209.
30. Referencias en R.T. Fortna, *The Gospel of Signs*, p. 9, n.º 1.
31. C.H. Dodd, *The Historical Tradition in the Fourth Gospel*, Cambridge 1963 (tr. cast.: en Cristiandad, Madrid 1977).
32. Cf. la exposición infra, p. 279s.
33. Cf. J. Jeremias, *Die Abendmahlsworte Jesu.*
34. W.G. Kümmel, *Einleitung in das NT* (1973), p. 168s.
35. J.M. van Cangh, *La multiplication des pains et l'eucharistie*, LD n.º 86, París 1975.
36. A. Feuillet, *Les deux onctions faites sur Jésus, et Marie Madeleine*, RTh 75 (1975), p. 357-394 (ver p. 371).
37. A. Feuillet, *Jésus et sa mère*, París 1974, ha puesto de relieve las afinidades entre Lucas y Juan.
38. E. Osty, *Les points de contact entre le récit de la Passion dans saint Luc et dans saint Jean*, en *Mélanges J. Lebreton* (= RSR 39, 1951), t. 1, p. 146-154.
39. M.E. Boismard, *Synopse des quatre évangiles*, t. 2, París 1972, p. 47s (tr. cast.: en Desclée, Bilbao 1975), que sistematiza algunas observaciones que había hecho ya en su artículo: *Saint Luc et la rédaction du IVe évangile*, RB 79 (1962), p. 185-211.
40. Véase vol. I, p. 396s.
41. Ph.H. Menoud, *L'évangile de Jean d'après les recherches récentes*[2], p. 29.
42. Cf. supra, p. 210ss. Para toda esta sección, véase la bibliografía citada infra, p. 647s.
43. R.T. Fortna, *The Gospel of Signs*, p. 235-245.
44. O. Cullmann, *Le milieu johannique*, p. 19.
45. Cf. infra, p. 299ss.
46. B. Noack, *Zur johanneischen Tradition*, p. 71-88; F.M. Braun, *Jean le Théologien*, t. 2: *Jean et les grandes traditions d'Israël*, París 1964.
47. B. Lindars, *Témoignage de l'évangile de Jean*, p. 61-67.
48. Cf. supra, p. 282s.
49. Cf. la relación de las recensiones en E. Malatesta, *St. John's Gospel*, n.º 690.
50. H. Thyen, en «Teologische Rundschau», 39 (1975), p. 308-314.
51. Cf. infra, p. 372.
52. P. Parker, *Two Editions of John*, JBL 75 (1956), p. 303-314.
53. X. Léon-Dufour, *Exégèse du NT, I. Autour du quatrième évangile*, RSR 55 (1967), p. 576-581.
54. Ibid., p. 578, nota 8: marcamos esta etapa con la cifra 0, porque deseamos evitar numerar la fuente fundamental al mismo nivel que las corrientes que se derivan de ella.

55. J. Becker, *Wunder und Christologie*, NTS 16 (1969-70), p. 130-148.

56. M.E. Boismard, *L'évolution du thème eschatologique dans les traditions johanniques*, RB 68 (1961), p. 507-524.

57. Recensión de F.M. Braun, *Jean le Théologien*, t. 2, en RB 72 (1965), p. 115s.

58. A. Vanhoye, *La composition de Jn 5,19-30*, en *Mélanges B. Rigaux*, Gembloux 1970, p. 259-274.

Capítulo cuarto (págs. 291 a 335)

1. Cf. supra, p. 209ss.
2. Véase vol. I, p. 198-201.
3. Ibid., p. 57-59 (y la bibliografía).
4. Ibid., p. 72-78. En la p. 72 se hace una exposición global del gnosticismo, siguiendo a R.McL. Wilson, *Gnose et Nouveau Testament*, Tournai-París 1969, p. 22.
5. Clemente de Alejandría, *Excerpta ex Theodoto*, SC n.º 23, París 1948, p. 78.
6. *Evangelium veritatis*, I,3s.; ed. M. Malinine - H.Ch. Puech - G. Quispel, Zurich 1956, p. 22 (citado por F.M. Braun, *Jean le Théologien*, t. 1, p. 118).
7. Para la tesis general de Bultmann, cf. supra, p. 210ss.
8. R. Bultmann, *Le christianisme primitive dans le cadre des religions antiques*, tr. fr., París 1950, p. 162.
9. Cf. R. Schnackenburg, *Présent et futur: Aspects actuels de la théologie du Nouveau Testament*, Brujas-París 1969 (cap. 9: «La cristología joánica y el mito gnóstico del Salvador»).
10. U. Bianchi (dir.), *Le origine dello Gnosticismo* (Colloquio di Messina, 13-18 abril 1966), Leiden 1970; S. Pétrement, *Le colloque de Messine et le problème du Gnosticisme*, «Revue de métaphysique et de morale» 72 (1967), p. 344-373; R.McL. Wilson, o. c., p. 42s.
11. Cf. vol. I, p. 76-78.
12. Cf. supra, p. 269.
13. C.H. Dodd, *L'interprétation du IVe évangile*, o. c., p. 22-76. Para la bibliografía del *Corpus Hermeticum*, cf. vol. I, p. 727.
14. Sucinto análisis del sistema, ibid., p. 73-76.
15. F.M. Braun, *Jean le Théologien*, t. 2, p. 295.
16. Cf. vol. I, p. 198-201 (con bibliografía, p. 744s).
17. J. Lebreton, *Les origines du dogme de la Trinité*, t. I (1910), p. 516. Este autor no olvidó, con todo, destacar con atención las diferencias importantes entre Juan y Filón.
18. C.H. Dodd, *L'interprétation du IVe évangile*, o. c., p. 356-358.
19. Cf. M.E. Boismard, *Du baptême à Cana*, p. 99.
20. P. Borgen, *Bread from Heaven*, Leiden 1965, con estudio de Filón: *De vita Mosis*, 1,192-210; *De specialibus legibus*, 4,126-131; B.J. Malina, *The Palestinian Manna Tradition*, Leiden 1968.
21. B. Botte, *La vie de Moïse par Philon*, en *Moïse, l'homme de*

l'alliance, Tournai-París 1955, p. 55-62; W.A. Meeks, *The Prophet King: Moses Traditions and the Johannine Christology,* Leiden 1967.

22. Exposición de conjunto en F.M. Braun, *Jean le Théologien,* t. 2, p. 3-21.

23. D. Barthélemy, *Les devanciers d'Aquila,* Leiden 1963, ha encontrado al pseudo-Teodición en un rollo griego de profetas menores descubierto en una cueva del desierto de Judá. Fecha su composición en la primera mitad del siglo I.

24. P. Grelot, *De son ventre couleront des fleuves d'eau vive: La citation scripturaire de Jn 7,38,* RB 66 (1959), p. 369-374; *Eau du rocher ou source du Temple?,* RB 70 (1963), p. 43-51.

25. S.A. Panimolle, *Il dono della Legge e la grazia della Verità (Giov. 1,17),* Roma 1973.

26. A. Feuillet, *L'heure de la Femme et l'heure de la Mère de Jésus,* «Biblica» 47 (1966), p. 169-184, 361-380, 557-573.

27. Cf. vol. I, p. 122s: introducción de la llamada de la Aqedah en el marco de la pascua (cf. TrgPal sobre Éx 12,42); J.J. Enz, *The Book of Exodus as a Literary Type for the Gospel of John,* JBL 76 (1957), p. 208-215.

28. Véase también H. Sahlin, *Zur Typologie des Johannesevangeliums,* Uppsala 1950.

29. Cf. supra, p. 257s.

30. G. Reim, *Studien zum alttestamentlichen Hintergrund des Johannesevangeliums,* p. 164-166.

31. H. Zimmermann, *Das absolute «Egô eimi» als die neutestamentliche Offenbarungsformel,* BZ 4 (1960), p. 54-69, 266-276; A. Feuillet, *Les «Egô eimi» christologiques du IVe évangile,* RSR 54 (1966), p. 5-22, 213-240.

32. El contexto de esta cita de Zacarías contiene también el anuncio de una fuente que aportará remedio al pecado y a la impureza (Zac 13,1, que debe relacionarse con la fuente del templo de Ez 47,1ss y Joel 4,18); tal vez se refiere a ella Jn 19,34, que habla del agua que brotó del costado de Cristo (cf. Jn 7,37s).

33. J.P. Charlier, *L'exégèse johannique d'un précepte légal: Jn 8,17,* RB 67 (1960), p. 503-515; véase también S. Pancaro, *The Metamorphosis of a Legal Principle in the Fourth Gospel: A Closer Look at Jn 7,51,* «Biblica» 53 (1972), p. 340-361.

34. A. Hanson, *John's Citation of Ps 82 (Jn 10,33-36 = Ps 82,6),* NTS 11 (1964-65), p. 158-162; *John's Citation of Ps 82 Reconsidered,* NTS 13 (1966-67), p. 363-367.

35. A. Guilding, *The Fourth Gospel and Jewish Worship: A Study of the Relation of St. John's Gospel to the Ancient Jewish Lectionary System,* Oxford 1960.

36. Cf. vol. I, p. 117, que remite a C. Perrot, *La lecture de la Bible dans la Synagogue: Les anciennes lectures palestiniennes du Shabbat et des fêtes,* Hildesheim 1973.

37. Cf. supra, p. 250 y 298.

38. Ver H.L. Strack - P. Billerbeck, *Kommentar zum NT aus Talmud und Midrashim,* t. 2, p. 804s.

39. Cf. supra, p. 245 (con la cita de A. Díez Macho).

40. A. Jaubert, *Le symbolisme du puits de Jacob (Jn 4,12),* en *L'homme devant Dieu* (Mélanges H. de Lubac), París 1963, t. 1, p. 63-73.

41. G. Vermes, *He is the Bread: Targum Neofiti (Ex 16,15)* en *Neotestamentica et Semitica* (Mélanges M. Black), Edimburgo 1969, p. 256-263; B.J. Malina, *The Palestinian Manna Tradition,* Leiden 1968.

42. Éste es el caso, por ejemplo, del comentario de Barrett, acabado en 1951 y publicado en 1955 (cf. la recensión de M.E. Boismard, en RB 1956, p. 268).

43. P. Benoit, *Qumrân et le Nouveau Testament,* en *Exégèse et Théologie,* t. 3, p. 363.

44. «Éstos son los espíritus de verdad y de perversidad: en la morada de la luz se encuentran las generaciones de verdad, y de la fuente de las tinieblas salen las generaciones de perversidad. En la mano del príncipe de las luces se encuentra la dominación de todos los hijos de justicia; andan por los senderos de la luz. En la mano del ángel de las tinieblas reside toda la dominación de los hijos de la perversidad: andan por los senderos de las tinieblas» (1QS III, 18-21).

45. I. de la Potterie, *L'arrière-fond du thème Johannique de vérité, Studia Evangelica,* t. 1, Berlín 1959, p. 277-294.

46. J.H. Charlesworth, *A critical Comparison of the Dualism in 1QS III,13-IV,26 and the Dualism Contained in the Fourth Gospel,* «NTS», 15 (1968-69), p. 389-418 (= *John and Qumran,* p. 209-223).

47. Cf. infra, p. 370.

48. E. Cothenet, art. *Prophétisme (dans le NT), II. Jean-Baptiste,* SDB, t. 8, col. 1254s.

49. J. Schmitt, *Le milieu baptiste de Jean le Précurseur,* en *Exégèse biblique et judaïsme,* p. 245s, relaciona este fragmento con la corriente «baptista».

50. Sobre esta cuestión, véase J. Coppens, *Le don de l'Esprit d'après les textes de Qumrân et le IVe évangile,* en *L'évangile de Jean: Études et problèmes,* p. 209-223; O. Betz, *Der Paraklet-Fürsprecher im häretischen Spätjudentum, im Johannesevangelium und in neugefundenen gnostischen Schriften,* Leiden 1963, p. 36-72, 113-116, 117-212.

51. O. Cullmann, *Le milieu johannique,* Neuchâtel-París, p. 129. La postura aquí mencionada había sido ya expuesta por su autor en varios artículos: *Secte de Qumrân, hellénistes des Actes et IVe évangile,* en *Les manuscrits de la Mer Morte* (Coloquio de Estrasburgo 1955), París 1957, p. 61-74 y 135s; *L'opposition contre le Temple de Jérusalem: motif commun de la théologie johannique et du monde ambiant,* NTS 5 (1958-59), p. 157-173.

52. Fragmentos en 2Q n.º 24 y 5Q n.º 15 (DJD, t. 3). El conjunto del rollo encontrado en 11Q sólo es conocido por un informe previo de Y. Yadin; tiene parecido con Ez 40-48. Pero es preciso esperar a su publicación para analizar su contenido.

53. Cf. R. Schnackenburg, *Adoration en esprit et en vérité,* en *L'exis-*

tence chrétienne selon le NT, Brujas-París 1971, t. 2, p. 281-300 (tr. cast. en Verbo Divino, Estella 1970).

54. C.K. Barrett, Comentario, p. 32.

55. A. Jaubert, *Approches de l'évangile de Jean,* p. 27.

56. A. Loisy, *Le Quatrième Évangile,* París 1903, p. 73.

57. Véanse las observaciones de X. Léon-Dufour, en vol. I, p. 445-450.

58. Este dato fue registrado ya por A. Schweitzer, *Von Reimarus zu Wrede. Eine Geschichte der Lebens-Jesu Forschung,* Tubinga 1906 que, sin embargo, no ponía en duda el «positivismo histórico» de su tiempo.

59. Cf. L. Ramlot, *Histoire et mentalité symbolique,* en *Exégèse et Théologie: Les saintes Écritures et leur interprétation théologique,* Gembloux 1968, p. 82-190.

60. Cf. supra, p. 263s.

61. C.H. Dodd, *Le «kérygma» apostolique dans le IVe évangile,* RHPR 31 (1951), p. 265-274.

62. Sobre la localización, cf. M.E. Boismard, *Aenon, près de Salem (Jn 3,23),* RB 80 (1973), p. 218-229.

63. A. Duprez, *Jésus et les dieux guérisseurs: A propos de Jean 5,* París 1970.

64. Cf. J. Starcky, art. *Lithostroton,* SDB, t. 5, col. 398-405. A. Vanel, art. *Prétoire,* SDB, t. 8, col. 513-554.

65. M.J. Lagrange, *Évangile selon saint Jean,* p. CXXIV-CXXVI. La investigación ha sido puesta al día por R.D. Potter, *Topography and Archaeology in the Fourth Gospel, Studia Evangelica,* t. 1, p. 329-337.

66. Los juegos de palabras sobre los nombres de lugares eran habituales en la tradición hebrea y aramea del mundo judío. En Juan tres de los nombres de lugares se dan «en hebreo» *(hebraisti* = en arameo, por oposición al griego): el de la piscina de Betzatá o Betesda (= *beyt ḥesdâ),* atestiguado por el rollo de cobre de 3Q, quiere decir «la casa de la misericordia». *Gabbatâ* es el «lugar elevado» en el que Pilato hizo sentar a Jesús como para una entronización (19,13, entendido de la manera indicada supra, p. 257). Más difícil de determinar es la interpretación simbólica de «lugar de la Calavera» *(golgo[l]tâ).*

67. D. Mollat, *Remarques sur le vocabulaire spatial du IV[e] évangile,* en *Studia Evangelica,* t. 1, p. 322s.

68. A. Feuillet, *L'Heure de Jésus et le signe de Cana,* en *Études johanniques,* p. 11-33; G. Ferraro, *L'«Ora» di Cristo nel Quarto Vangelo,* Roma 1974.

69. R. Formesyn, *Le «sèmeion» johannique et le «sèmeion» hellénistique,* ETL 38 (1962), p. 856-894; S. Hofbeck, *Sèmeion. Der Begriff des «Zeichens» im Johannesevangelium unter Berücksichtigung seiner Vorgeschichte,* Münsterschwarzach [2]1970; W. Nicol, *The «Sèmeia» in the Fourth Gospel: Tradition and Redaction,* NTSuppl 32, Leiden 1972.

70. Cf. supra, p. 302.

71. Cf. infra, p. 333ss.

72. J.L. Martyn, *History and Theology in the Fourth Gospel,* p. 3-41.

73. Niegan radicalmente la historicidad Loisy, Bultmann y otros mu-

chos. R.E. Brown propone una solución más matizada. Al principio la historia se habría transmitido sin contexto cronológico. Sólo en la segunda edición lo habría introducido el autor en su lugar actual, como «una dramatización del tema de Jesús como vida del mundo» (*The Gospel According to John*, o. c., p. 414, 428s).

74. E. Renan, *Vie de Jésus*, París 1863, p. 359-364.

75. M. Hermaniuk, *La parabole évangélique*, Brujas 1947, p. 33-61 (exposición sobre la antigüedad clásica).

76. L. Cerfaux, *Le thème littéraire parabolique dans l'évangile de saint Jean*, en *Recueil L. Cerfaux*, t. 2, p. 17-26; H. Riesenfeld, *The Parables in the Synoptic and in the Johannine Traditions*, en *The Gospel Tradition*, Oxford 1970, p. 139-169.

77. Subraya estos paralelos J. Carmignac, *Recherches sur le «Notre Père»*, París 1969, p. 369-371.

78. Cf. vol. I, p. 152-212.

79. Véase la abundante bibliografía citada por A. Feuillet, *Le mystère de l'amour divin dans la théologie johannique*, París 1972, p. 141-177.

80. A. Jaubert, *Approches de l'évangile de Jean*, p. 33.

81. C.H. Dodd, *Historical Tradition in the Fourth Gospel*, o. c., p. 423-432.

82. Véase el índice de R.H. Charles, *The Book of Enoch*, Oxford 1912, p. 329 *(sub verbo)*. También al «Libro astronómico» y al «Libro de los Vigilantes» se les llamaba «testimonios» en la noticia que el *Libro de los jubileos* consagra a Henoc (Jub 4,18-24). En los fragmentos arameos de 4Q la palabra *śhd* aparece en un solo pasaje, a propósito de los «elegidos escogidos como testigos de la justicia» *(ytbḥrwn bḥyryn lśhdy qšt)*; se trata de un extracto del *Apocalipsis de las semanas*, incorporado a la *Carta de Henoc*, 1Hen 93,10 (J.T. Milik, *The Books of Enoch*, Oxford 1976, p. 265: 4Q En^{g} 1 IV).

83. D. Mollat, *art. Jugement (II. Dans le NT)*, SDB, t. 4, col. 1381.

84. I. de la Potterie, *La notion de témoignage dans saint Jean*, «Sacra Pagina», París-Gembloux 1959, t. 1, p. 193-208; (véase p. 198); *Jean-Baptiste et Jésus, témoins de la vérité d'après le IVe évangile*, en *Le Témoignage*, dir. por E. Castelli, París-Roma 1972, p. 317-329.

85. H.G. Gadamer, *Wahrheit und Methode*, Tubinga 1960, p. 279, citado por F. Mussner, *Le langage de Jean et le Jésus de l'histoire*, p. 21. En este libro, Mussner analiza el modo como lleva Juan a cabo la «fusión de los horizontes» (el del tiempo de Jesús y el de su propio tiempo), para evocar al «Jesús de la historia».

86. Cf. infra, p. 349.

87. E.C. Hoskyns, *The Fourth Gospel*, Londres 1947, p. 84, 130.

88. Cf. supra, p. 299ss.

89. O. Cullmann, *El evangelio de Juan y la historia de la salvación*, en *Estudios de teología bíblica*, Studium, Madrid 1973, p. 151-163 (cf. p. 154-155).

90. Cf. infra, p. 350ss. Tomamos este párrafo de una nota de P. Grelot.

91. Cf. TWNT, art. Μαθητής, t. 4, p. 417-465 (Rengstorf); X. Léon-Dufour, *L'évangile et les épîtres johanniques*, en *Le ministère et les mi-*

nistères selon le Nouveau Testament, París 1974, p. 241-263 (254-257), tr. cast. en Cristiandad, Madrid 1975.

92. Sobre el «discípulo al que Jesús amaba», cf. infra, p. 369ss.
93. A. Jaubert, *Approches de l'évangile de Jean,* p. 57.
94. C.H. Dodd, *L'interprétation du IVe évangile,* o. c., p. 175-187.
95. Cf. supra, p. 313s.
96. S. Agustín, *Tractatus in Johannem,* 17, 4-6 (PL 35,1528-1531).
97. Cf. supra, p. 245.
98. Cf. supra, p. 282.
99. G. Stemberger, *La symbolique du Bien et du Mal selon saint Jean,* tr. fr., París 1970. Pero estas antítesis no deben interpretarse en función de un dualismo metafísico (cf. supra, p. 306s).
100. E. Schweizer, *Egô eimi,* Gotinga 1939 (²1965).
101. I. de la Potterie, *Jésus, roi et juge, d'après Jo 19,13,* «Biblica» 41 (1960), p. 217-247. Esta hipótesis, admitida por muchos, es rechazada por otros (C.H. Dodd, D. Mollat en BJ, R.E. Brown) y un tercer grupo, en fin, se mantiene indeciso (C.K. Barrett, B. Lindars, A. Jaubert).
102. A. Jaubert, o. c., p. 63-84.
103. H. van den Bussche, *Jean,* p. 43
104. C.H. Dodd, *L'interprétation du IVe évangile,* o. c., p. 186.
105. «Los griegos no conocían la palabra de Dios en estado puro. No podía, pues, concebirse la posibilidad de una función subsidiaria del *semeion.* Para ellos, el mensaje de los dioses está siempre en el signo mismo» (*Le «sèmeion» johannique et le «sèmeion» hellénistique,* ETL 38 [1962], p. 865).
106. Cf. supra, p. 302.
107. A. Jaubert, *Approches de l'évangile de Jean,* p. 140-142.
108. Cf. supra, p. 302s.
109. D. Mollat, *Le «sèmeion» johannique,* en «Sacra Pagina», t. 2, Gembloux-París 1959, p. 218.
110. Cf. supra, p. 210ss.
111. O. Cullmann, *Les sacrements dans l'évangile johannique,* en *La foi et le culte de l'Église primitive,* o. c., p. 133.
112. R.E. Brown, *The Gospel According to John,* o. c., p. CXI-CXIV.
113. «Éste es el sentido de la restricción: *ei me tous podas* del v. 10. En el bautismo, es el *individuo* el que, de una vez por todas, recibe la gracia de tener parte en Cristo; en la eucaristía, es la *comunidad* la que recibe esta gracia, y siempre de forma renovada» *(Les sacrements de l'évangile johannique,* en *La foi et le culte dans l'Église primitive,* o. c., p. 199).
114. P. Grelot, *L'interprétation pénitentielle du lavement des pieds: Examen critique,* en *Mélanges H. de Lubac,* t. 1, p. 75-91. E. Cothenet, *Sainteté de l'Église et péchés des chrétiens,* NRT 96 (1974), p. 449-470 (véase p. 457-462).
115. Cf. supra, p. 315s.
116. Cf. supra, p. 250s.
117. O. Cullmann, o. c., p. 161.
118. P. Lebeau, *Le vin nouveau du Royaume,* Brujas 1966, p. 33-52.

Notas (parte VI, secc. III, cap. V)

Capítulo quinto (págs. 336 a 355)

1. C.H. Dodd, *L'interprétation du IVe évangile,* p. 16.
2. R. Bultmann, *Histoire et eschatologie,* tr. fr., Neuchâtel-París 1959, p. 42-44. Véase la bibliografía.
3. D. Mollat, art. *Saint Jean l'évangeliste,* DS, t. 8, col. 225.
4. Supra, p. 181ss.
5. A. Nygren, *Érôs et Agapè: La notion chrétienne de l'amour et ses transformations,* tr. fr., t. 1, París 1944, p. 166-168.
6. A. Feuillet, *Le mystère de l'amour divin dans la théologie johannique,* p. 83-112.
7. P. Benoit, *Paulinisme et Johannisme,* NTS 9 (1962-63), p. 193-207 (= *Exégèse et Théologie,* t. 3, p. 300-317). Véase también M. Goguel, *Paulinisme et Johannisme,* RHPR 10 (1930), p. 504-526; 11 (1931), p. 1-19; 126-156; H. Huby, *Mystique paulinienne et johannique,* Brujas 1946.
8. Supra, p. 321s.
9. Supra, p. 243s.
10. E. Käsemann, *Jesu letzter Wille nach Johannes 17,* p. 154 y 62.
11. Supra, p. 330.
12. Supra, p. 332.
13. A. Vanhoye, *L'oeuvre du Christ, don du Père (Jn 5,36 et 17,4),* RSR 48 (1960), p. 377-419.
14. A. Feuillet, *Le mystère de l'amour divin...,* p. 76. Véase también C.K. Barrett, *The Father is greater than I (Jn 14,28): Subordinationist Christology in the New Testament,* en *Neues Testament und Kirche* (homenaje a R. Schnackenburg), Friburgo de B. 1974, p. 144-159.
15. F.M. Braun, *Jean le Théologien,* t. 3, p. 220-225.
16. C.K. Barrett, *Christocentric or Theocentric? Observations on the Theological Method of the Fourth Gospel,* en *La notion biblique de Dieu,* dir. por J. Coppens, Gembloux-Lovaina 1976, p. 361-384.
17. Véase sobre este punto la tesis de J.T. Forestell, *The Word of the Cross,* Roma 1974, que invita a ciertas reservas.
18. S. Lyonnet, art. *Péché: Nouveau Testament,* SDB t. 7, col. 490-493.
19. G. Ferraro, *L'«ora» di Cristo nel quarto Vangelo,* Roma 1974, p. 178-282.
20. A. Feuillet, *Introducción a la Biblia,* t. 2, p. 789-791.
21. J. Radermakers, *Mission et apostolat dans l'évangile johannique, Studia Evangelica,* t. 2, Berlín 1964, p. 100-121 (120).
22. J. Dupont, *Essais sur la christologie de saint Jean,* Brujas 1951, p. 296s (cf. p. 57 para la expresión «cristología funcional»).
23. O. Cullmann, *Christologie du Nouveau Testament,* Neuchâtel-París, p. 230-233.
24. Nótese la importancia del verbo «buscar» *(zetein:* 34 veces). A la primera frase de Jesús («¿Qué buscáis?», 1,38) responde la pregunta del Resucitado a María Magdalena (20,15). Véase A. Feuillet, *La recherche du Christ dans la Nouvelle Alliance, d'après la Christophanie de Jn 20,*

11-18, en *L'homme devant Dieu* (Mélanges H. de Lubac), París 1963, t. 1, p. 93-112.

25. A. Feuillet, *Le prologue du quatrième évangile,* Brujas-París 1968, p. 205-217 (tr. cast. en Ed. Paulinas, Madrid).

26. I. de la Potterie, *L'emploi de «eis» chez Jean et ses incidences théologiques,* «Biblica» 43 (1962), p. 366-387 (cita de la p. 386).

27. S. Lyonnet, art. *Péché,* SDB, t. 7, col. 491s.

28. I. de la Potterie, *Naître de l'eau et naître de l'esprit: Le texte baptismal de Jn 3,5,* en *La vie selon l'Esprit, condition du chrétien,* o. c., p. 31-63, especialmente p. 60.

29. J. Golub, *Non enim ad mensuram dat Spiritum (Jo 3,34b),* VD 43 (1965), p. 62-70.

30. R. Schnackenburg, *Adoration en esprit et en vérité,* en *L'existence chrétienne selon le Nouveau Testament,* o. c., t. 2, p. 281-300.

31. Supra, p. 305.

32. R.E. Brown, *The Gospel According to John,* in loco. Los autores están muy divididos en este punto.

33. Buen análisis en F. Mussner, *Le langage de Jean et le Jésus de l'histoire,* p. 52-68, 87-100.

34. Cf. supra, p. 184s.

35. Cf. supra, p. 325ss.

36. R. Bultmann, *Theologie des Neuen Testaments*[5], p. 443-445.

37. E. Schweizer, *Gemeinde und Gemeindeordnung im Neuen Testament,* Zurich 1959, 1.ª parte, D, § 11.

38. J. Bonsirven, *L'individualisme chrétien chez saint Jean,* NRT 62 (1935), p. 449-476; C.F. Moule, *The Individualism of the Fourth Gospel,* «Novum Testamentum» 5 (1962), p. 161-190.

39. I. de la Potterie, *Le Bon Pasteur,* en *Populus Dei* (Mélanges A. Ottaviani), Roma 1969, t. 2, p. 927-968 (esp. p. 941).

40. Cf. supra, p. 199s.

41. Cf. E. Cothenet, *L'Apocalypse,* en *Le ministère et les ministères selon le Nouveau Testament,* o. c., p. 264-277.

42. J.L. D'Aragon, *Le caractère distinctif de l'Église johannique,* en *L'Église dans la Bible,* Brujas-París 1962, p. 53-66.

43. A. Jaubert, *L'image de la Vigne (Jean 15),* en *Oikonomia* (homenaje a O. Cullmann), Hamburgo 1967, p. 97.

44. S. Pancaro, *«People of God» in St. John's Gospel,* NTS 16 (1969-1970), p. 114-129.

45. P. Le Fort, *Les structures de l'Église militante selon saint Jean,* Ginebra 1970, p. 108s.

46. Cf. supra, p. 326.

47. Cf. X. Léon-Dufour, *L'évangile et les épîtres johanniques,* en *Le ministère et les ministères dans l'Église,* o. c., p. 241-263.

48. Cf. infra, p. 369ss.

49. A. Kragerud, *Der Lieblingsjünger im Johannesevangelium,* Oslo 1959; rigurosa discusión de M.E. Boismard, RB 67 (1960), p. 405-410.

50. R.E. Brown, K.P. Donfried, J. Reumann, *Saint Pierre dans le NT,* p. 171.

51. F. Mussner, *Die johanneischen Parakletssprüche und die apostolische Tradition,* BZ 5 (1961), p. 56-70 (= *Praesentia Salutis,* Düsseldorf 1967, p. 146-158).

Capítulo sexto (págs. 356 a 377)

1. R.E. Brown, *The Gospel According to John,* o. c., p. LXXXVII.
2. Cf. supra, p. 285ss.
3. Para las cartas joánicas, véase supra, p. 191ss.
4. Para el Apocalipsis, véase supra, p. 163-166.
5. E. Käsemann, *Jesu letzter Wille nach Johannes 17,* Tubinga [3]1971. p. 157.
6. Cf. supra, p. 220.
7. Para el papiro *Egerton* 2, véase F.M. Braun, *Jean le Théologien,* t. 1, p. 87-94, 404-406 (texto griego).
8. Trad. esp. de D. Ruiz Bueno, *Padres apostólicos,* BAC, Madrid 1974, p. 479.
9. F.M. Braun, *Jean le Théologien,* t. 1, p. 250. Véase también X. Alegre, *El concepto de salvación en las «Odas de Salomón»* (tesis mecanografiada, Munster 1977), p. 451-472, las posibles relaciones de las *Odas* con el cuarto evangelio.
10. J.H. Charlesworth, *Qumran, John and the Odes of Salomon,* en *John and Qumran,* p. 107-136. El origen esenio del autor de las *Odas* lo defiende J. Carmignac, *Un qumrânien converti au christianisme: L'auteur des Odes de Salomon,* en H. Bardkte (dir.), *Qumran-Probleme,* Berlín 1963, p. 75-108.
11. Para este apócrifo, véase infra, p. 550.
12. R. Schnackenburg, en BZ 9 (1965), p. 304. En sentido contrario: H. Thyen, en «Theologische Rundschau», 39 (1975), p. 319.
13. Véase la presentación de este apócrifo infra, p. 541.
14. «Si (los Arcontes) os dicen: "¿De dónde habéis nacido?", decidles: "Hemos nacido de la luz, allá donde la luz nace de sí misma; se ha levantado y se ha revelado en su imagen." Si os dicen: "¿Quiénes sois vosotros?", decid: "Somos sus hijos y los elegidos del Rey vivo"», *Evangelio según Tomás,* logion 50 (tr. fr. de J.E. Ménard, *Littérature apocalyptique et littérature gnostique,* en *Exégèse biblique et judaïsme,* Estrasburgo 1973, p. 158).
15. R. Schnackenburg, *El evangelio según san Juan,* t. 1, p. 219s. Para un estudio más extenso, véase F.M. Braun, *Jean le Théologien,* t. 1, p. 112-132; F.B. Standaert, *L'Évangile de vérité: Critique et lecture;* NTS 22 (1975-1976), p. 243-275.
16. Cf. J.E. Ménard, *L'évangile selon Philippe,* París 1964.
17. Y. Janssens, *Héracléon: Comentaire de l'évangile selon saint Jean,* «Le Muséon» 72 (1959), p. 101, 277-299; E.H. Pagels, *The Johannine Gospel in Gnostic Exegesis,* Nashville - Nueva York 1973.
18. F.M. Braun, *Jean le Théologien,* t. 1, p. 345-350. Texto en K. Aland, *Synopsis quattuor evangeliorum,* p. 533.

19. J. Regul, *Die antimarcionitischen Evangelien - Prologue,* Friburgo de Brisgovia 1969, p. 99-197; pero no deben perderse de vista las reservas de J. Duplacy, en «Biblica» 53 (1972), p. 267s.

20. Damos el texto según la traducción de F. Sagnard, *Irénée de Lyon: Contre les Hérésies,* libro III, SC n.º 34, in loco.

21. E. Hennecke - W. Schneemelcher, *Neutestamentliche Apokryphen,* t. 2, p. 125-176 (tr. ing. de R.McL. Wilson, Londres 1955, t. 2, p. 188-259). J. Quasten, *Potrologia,* t. 1, BAC, Madrid 1961, p. 136-138.

22. Cf. infra, p. 569, nota 1.

23. Traducción según M.J. Lagrange, *Histoire ancienne du Canon du Nouveau Testament,* París 1933, p. 71s.

24. Cf. supra, p. 196s.

25. Cf. supra, p. 163s.

26. Pueden consultarse los detalles de este análisis crítico en los comentarios de Lagrange (p. XXII-LXVI), Schnackenburg (t. 1, p. 106-120), Brown (p. LXXXVIII-XCII); F.M. Braun, *Jean le théologien,* t. 1, p. 69-296; J. Colson, *L'énigme du disciple que Jésus aimait,* p. 29-63.

27. Cf. supra, p. 187s.

28. A. Feuillet, *La coupe et le baptême de la passion (Mc 10,35-40; cf. Mt 20,20-23; Lc 12-50),* RB 74 (1967), p. 356-391.

29. Textos en F.M. Braun, o. c., t. 1, p. 407-411.

30. Cf. vol. I, p. 145.

31. E. Lohse, *Märtyrer und Gottesknecht,* Tubinga 1955; J. Jeremias, *Heiligengräber in Jesu Umwelt,* Gotinga 1958.

32. H.D. Saffrey, *Relire l'Apocalypse à Patmos,* RB 82 (1975), p. 385-417, ofrece nuevos puntos de vista sobre la isla de Patmos como lugar de destierro. Pero esto no resuelve el problema de la identidad exacta del Vidente a quien se debe el Apocalipsis.

33. R.E. Brown, *The Gospel According to John,* p, XCVIII.

34. Ibid., t. 1, p. XCIX.

35. Ibid., t. 1, p. XCIX. No debe olvidarse que Justino (*Diálogo con Trifón,* 66,3) alude al evangelio de Marcos (3,17), dándole el título de «Memorias de Pedro»: así, pues, la autoridad de Pedro ampara al evangelio de Marcos, que depende de la tradición petrina.

36. Para la alternancia de ἀγαπᾶν y φιλεῖν, véase A. Jaubert, *Approches de l'évangile de Jean,* p. 42, nota 63. En el cap. 21 los dos verbos se alternan en el transcurso de las preguntas de Jesús a Simón Pedro (v. 15-17), pero, en cambio, para designar al discípulo sólo se emplea ἀγαπᾶν (21,7.20).

37. B. Lindars, *The Gospel of John,* Londres 1972, p. 548.

38. Los autores aludidos en el texto están mencionados en la bibliografía, infra, p. 658s.

39. Véase A. Feuillet, en *Introducción a la Biblia,* Herder, Barcelona [3]1970, p. 589s (siguiendo a Chapman).

40. Esta observación confirma la distinción entre *auctor* y *scriptor* ya mencionada antes (p. 356) y es aplicable tanto a los cap. 13-20 como al cap. 21 (cf. 21,24), incluso en el caso de que existan varias capas redaccionales.

41. A. Jaubert, *Approches de l'évangile de Jean,* p. 43s.: sobre el sentido de la expresión «en el seno de...», véase H. Thyen en «Theologische Rundschau», 1974, p. 242.
42. F.M. Braun, *Jean le théologien,* t. 1, p. 25.
43. R.E. Brown, *The Gospel According to John,* t. 1, p. C-CI.
44. Cf. supra, p. 362.
45. Véanse las indicaciones dadas antes (p. 276s).
46. Esta tradición supone la fusión de diversos personajes —ya llevada a cabo en Ireneo— que hemos intentado distinguir en estas páginas. Por consiguiente, no puede extraerse ninguna indicación cronológica precisa sobre la fecha y lugar de la muerte del apóstol Juan. Jn 21,24 es solamente un eco del hecho de que sobrevivió mucho tiempo a Pedro. Hemos rechazado antes la tesis de su martirio; el comentario dado a la sentencia enigmática de Jesús confirma este punto de vista. Pero no es imposible que, después de la guerra judía, Juan se hubiera trasladado efectivamente a Antioquía y Éfeso, donde un sepulcro guardaba su memoria.
47. Cf. E. Massaux, *Influence de l'évangile de saint Matthieu sur la littérature chrétienne avant Irénée,* Lovaina - Gembloux, 1950, p. 651s.

PARTE SÉPTIMA

Introducción (págs. 381 a 386)

1. P. Grelot, *La formación del Antiguo Testamento,* en H. Cazelles (dir.), *Introducción crítica al AT.,* Herder, Barcelona 1980, p. 805-860.
2. Cf. nuestras observaciones en *L'exégèse biblique au carrefour,* NRT 98 (1976), p. 496-499. Olvidan totalmente este examen crítico aquellos que, aceptando como oro de buena ley los presupuestos marxistas, llevan a cabo un «análisis materialista» de los textos bíblicos. En realidad, los elementos de observación y de interpretación sociológicos incorporados a este procedimiento quedan distorsionados y desviados de su objetivo bajo el dictado de una ideología que impone ya de antemano los resultados que se deben conseguir. La reacción contra el idealismo hegeliano, del que la crítica liberal estuvo durante demasiado tiempo prisionera, no ha hecho sino encerrar la lectura del Nuevo Testamento en un círculo que sólo en apariencia se distingue del anterior: idealismo y materialismo se oponen en una contradicción dialéctica, pero los dos ignoran por un igual la experiencia de fe en que se enraízan los textos del Nuevo Testamento, hasta el punto de que la desnaturalizan desde el instante mismo en que acomenten su análisis. Es muy cierto que no hay exégesis sin *presuposición;* pero, en el caso presente, la *pre-comprensión* se transforma fatalmente en *pre-juicio* que falsea todo el estudio. (Aludo aquí a la distinción de R. Bultmann: *Une exégèse sans présupposition est-elle possible?* [1957], en *Foi et compréhension,* t. 2: *Eschatologie et démythologisation,* tr. fr. París 1969, p. 167-175.)

Capítulo primero (págs. 387 a 409)

1. Véanse los 4 vols. de *Mythologiques,* París 1964-1971. Este ejemplo no es aducido en razón del conflicto de métodos que podría enfrentar a la antropología estructural de Cl. Lévi-Strauss con la exégesis bíblica o incluso con el análisis de los textos practicado según diversos principios por los historiadores de las religiones (cf. M. Meslin, *Pour une science des religions,* París 1973, p. 189-194; tr. cast.: *Aproximación a una ciencia de las religiones,* Cristiandad, Madrid 1978). Más allá de los métodos, lo que está en juego es el interés mismo del objeto.

2. Cf. la conclusión de la *Introducción crítica al AT* citada antes, p. 382, nota 1.

3. Cf. K.L. Schmidt, art. *Église* de TWNT, tr. fr., Ginebra 1967, p. 41-114; L. Cerfaux, *La théologie de l'Église suivant saint Paul,* nueve ed., París 1965, p. 81-100.

4. Véase la exposición de J. Giblet, *El mundo helenístico y el imperio romano,* en vol. I, p. 60-78 (cap. 2: la vida religiosa).

5. R. Le Déaut, *La vida religiosa y social* (del judaísmo palestino), ibid., p. 115-117 (cf. 182-184: El judaísmo de lengua griega).

6. Véase G. Friedrich, art. *Évangile* de TWNT, tr. fr., Ginebra 1966; cf. X. Léon-Dufour, *Les évangiles et l'histoire de Jésus,* p. 183s (tr. cast.: *Los evangelios y la historia de Jesús,* Estela, Barcelona 1967).

7. R. Le Déaut, *La literatura rabínica,* en vol. I, p. 230-235.

8. Cf. C. Perrot, *Los Hechos de los apóstoles,* en vol. I, p. 493-502. Volveremos más adelante sobre el tema de la utilización de los Hechos, cuando estudiemos la Iglesia primitiva (infra, p. 479s.

9. Cf. M. Delcor, *Repas cultuels esséniens et thérapeutes, thiases et haburôth,* RQ 6 (1968), p. 401-425.

10. J.A. Fitzmyer, *Methodology in the Study of the Aramaic Substratum of Jesus' Sayings in the NT,* en *Jésus aux origines de la christologie,* dir. por J. Dupont, Gembloux 1975, p. 80ss; cf. *The Languages of Palestine in the First Century A.D.,* CBQ 32 (1970), p. 501-531.

11. Hace un análisis sistemático de estos paralelos H. Braun, *Qumran und das NT,* 2 vols., Tubinga 1966. Cf. vol. I, p. 275, 325, 434; véase el índice analítico, bajo la entrada «Qumrân».

12. Cf. vol. I, p. 160-174 (esenios), 198 (terapeutas), 177-180 (baptistas), 155 (cofradías fariseas).

13. Esta tesis subyace, por ejemplo, en C. Guignebert, *Le Christ,* París 1944 (reed. 1973; tr. cast.: en Uteha, México 1968). Es aceptada también, como un postulado indiscutido, por R. Bultmann, *Le christianisme primitif dans le cadre des religions antiques,* tr. fr., París 1950.

14. Véase concretamente L. Goppelt, *Les origines de l'Église: Christianisme et judaïsme aux deux premiers siècles,* tr. fr., París 1961.

15. Los críticos atribuyen generalmente a R. Gamaliel II la adición del n.º 12 a las 18 bendiciones; véase el texto traducido por J. Bonsirven, *Le judaïsme palestinien au temps de J.C.,* t. 2, París 1935, p. 146; cf. I.

Elbogen, *Der jüdische Gottesdienst in seiner geschichtlichen Entwicklung*, reed. Darmstadt ⁴1962, p. 36s. Pero la mención de los nazarenos (= cristianos) podría ser más tardía (C.K. Barrett, *The NT Background: Selected Documents*, Londres 1956, p. 67). Atribuye esta medida a razones dictadas por la ortodoxia N.J. McEleney, *Orthodoxy in Judaism of the First Christian Century*, JSJ 4 (1973), p. 41s; pero véanse las observaciones críticas de la respuesta de D.E. Aune, JSJ 7 (1976), p. 1-10.

16. No existen razones para hacer de Santiago el sucesor de Pedro en una especie de «primado» cuya sede sería Jerusalén, según la hipótesis de O. Cullmann, *Saint Pierre: Disciple, apôtre, martyr*, Neuchâtel 1952, p. 37ss, 206. Durante la época apostólica, los cargos recibidos de Cristo estaban ligados a las personas, no a los lugares.

17. M. Simon, *St. Stephen and the Hellenists in the Primitive Church*, Londres 1958, p. 14-15; C.F.D. Moule, *Who were the Hellenists?*, «Expository Times» 70 (1958-1959), p. 100-102; J.A. Fitzmyer, *Jewish Christianity in Acts in the Light of the Qumran Scrolls*, en *Studies in Luke-Acts* (*Essays in Honour of P. Schubert*), Londres 1966, p. 233-257 (= *Essays on the Semitic Background of the NT*, Londres 1971, p. 271-303). I.H. Marshall, *Palestinian and Hellenistic Christianity: Some Critical Comments*, NTS 19 (1972-1973), p. 71-287. Cf. H. Conzelmann, *Théologie du NT*, tr. fr. Ginebra - París 1967, p. 44-46.

18. M.D. Goulder, *Midrash and Lection in Matthew*, Londres 1974, p. 139, vincula las iglesias de Galilea a los «nueve» que no son nombrados en Gál 1-2 a propósito de la asamblea de Jerusalén; con motivo de las fiestas de peregrinación, se producirían intercambios entre las iglesias de Galilea y Judea. La hipótesis es demasiado amplia para una base tan estrecha. Se vincularían a Galilea las iglesias de Siria del sur (p. 141), donde este autor sitúa la comunidad de Siria del sur (p. 141), donde este autor sitúa la comunidad mateana (cf. infra, p. 475).

19. En general, los autores establecen una relación entre el edicto de Claudio (49) contra los judíos de Roma, que causaban disturbios *impulsore Chresto quodam* (Suetonio) y el desarrollo de una iglesia local (cf. Act 18,2). El hecho de que se enviara una carta a los Romanos (hacia el 57) supone la existencia de una iglesia en este lugar bastante evolucionada, probablemente en ambiente judío, a pesar de la oposición a que alude Rom 9-11 (cf. M. Simon, *La civilisation de l'antiquité et le christianisme* p. 509). Eusebio (HE 2,14,6) dice que Pedro se trasladó a Roma en los inicios del reinado de Claudio, pero toma este dato de la leyenda de Simón mago.

20. M. Simon, *La migration à Pella: Légende ou réalité*, RSR 60 (1972) (= *Judéo-christianisme: Volume offert au C^al^ Daniélou*), p. 37-54.

21. Cf. supra, p. 366.

22. J. Daniélou, *Théologie du judéo-christianisme*, Tournai - París 1958, p. 17-65, asigna una porción bastante considerable a esta herencia judeocristiana. Pero véanse las observaciones críticas de R.A. Kraft, *In Search of «Jewish Christianity» ant Its «Theology»: Problems of Definition and Methodology*, en RSR 60 (1972), p. 81-92. Cf. B.J. Malina, *Jewish Chris-*

tianity or Christian Judaism: Toward a Hypothetical Definition, JSJ (1976), p. 46-57; M.J. Velasco - L. Sabourin, *Jewish Christianity of the First Centuries,* BTB 6 (1976), p. 5-26.

23. Sobre los ebionitas, véase en particular H.J. Schoeps, *Theologie und Geschichte des Judenchristentums,* Tubinga 1949 (cf. *El judeocristianismo,* Marfil, Alcoy); véase infra, p. 534s.

24. Cf. supra, p. 398; bibliografía sobre esta cuestión: D. Flusser, en IEJ 1975, p. 18-20.

25. Véase el texto de Eusebio, HE 2,14,1-6; cf. en vol. I, p. 77.

26. F. Gütung, *Der geographische Horizont der sogenannte Völkerliste des Lukas (Acta 2,9-11),* ZNW 68 (1975), p. 149-169, sólo tiene en cuenta el horizonte lingüístico de la lista, que pretendería englobar todas las lenguas del mundo; pero, según este autor, la lista sería una pura invención de Lucas. Sea como fuere, hay regiones no mencionadas en ella (Siria, Asia menor, Macedonia, Acaya...).

27. M. Hengel, *Eigentum und Reichtum in der frühen Kirche,* Stuttgart 1973.

28. M. Simon, o. c., p. 31.

29. Cf. vol. I, p. 550.

30. *Manuel d'Épictète,* tr. fr. de J. Souilhé, col. «Guillaume Budé», t. 1, París 1953, p. 55 (motivación religiosa de la igualdad entre esclavos y hombres libres); cf. Séneca, *Lettres à Lucilius,* libro 5, carta 47,10 (tr. fr. col. «Guillaume Budé», t. 2, p. 19).

31. Cf. P. Grelot, *L'Église devant les societés temporelles, à la lumière du Nouveau Testament,* «L'année canonique», 21 (1977), p. 183-188.

32. Cf. J. Gagé, *Les classes sociales dans l'empire romain,* París 1964, p. 415 (sobre la condición de los *fugitivi*).

33. La expresión es de M. Simon, *La civilisation de l'antiquité et le christianisme,* p. 31: «Podría incluso decirse que estas últimas fueron el elemento motor del cristianismo primitivo.»

34. C. Spicq, *Les épîtres pastorales,* París [4]1969, p. 423-425 ha destacado todos los indicios que muestran la participación de una cierta burguesía comerciante y rica en la vida de las iglesias. Pero esto no hacía sino aumentar aún más la obligación de asistencia respecto de los pobres, las viudas desamparadas, etc., en el seno de las comunidades. En todo caso, deben tenerse en cuenta las limitaciones de la documentación: ésta suele hablar poco del pueblo sencillo, que, propiamente hablando, no tiene «historia».

35. Sin embargo, los hermanos «de la casa del César» de Flp 4,22 son, simplemente, servidores de casa imperial, en Éfeso según todas las probabilidades. Para obtener una información más precisa sobre estos puntos, resulta indispensable un estudio sociológico del Nuevo Testamento. Sea como fuere, a Jesús no se le presenta como un miembro de la clase pobre, sino como un «trabajador por cuenta propia», que abandona libremente su oficio para llevar a cumplimiento su misión profética (cf. Mc 6,3). Si nos atenemos a las reacciones de su familia, se trataba de una arriesgada aventura económica (Mc 3,21). Pero, a continuación, el hecho de que se le conceda el título de «rabí» indica que se trataba de

un hombre que gozaba de consideración y destacaba sobre el común de la gente. Entre sus discípulos más inmediatos, Pedro y Andrés, los dos hijos del Zebedeo, pertenecían a la clase de patronos de pesca (Mc 1,16-20): libremente «lo dejaron todo», «por Jesús y por el evangelio» (Mc 10,28s). A partir de esta elección deliberada puede proclamar Jesús la bienaventuranza de los pobres (Lc 6,20) y prometer el céntuplo a los que lo han dejado todo por seguirle (Mc 10,30): y es que, para entrar en el reino de Dios, es preciso liberarse de la servidumbre del dinero (Mc 10,23s; Lc 18,24; Mt 6,24 = Lc 16,13). Pero aquí salimos ya del plano sociológico para entrar en el corazón del mensaje de Jesús, tan paradójico para las clases pobres como para las ricas, sea cual fuere el tipo de organización social.

36. M. Simon, o. c., p. 211. J. Moreau, *La persécution du christianisme dans l'empire romain,* París 1956, p. 39 es partidario del motivo del *fiscus judaicus* y manifiesta un excesivo escepticismo a propósito de la presentación de Domiciano.

37. Tácito, *Annales* 15,44. E. Griffe, *Les persécutions contre les chretiens aux Ier et IIe siècles,* París 1967, p. 31, admite que no existió un edicto de persecución general, en contra de la opinión de los historiadores antiguos, que se apoyaban en un texto de Tertuliano.

38. Véase un examen minucioso de los textos en O. Cullmann, *Saint Pierre: Disciple, apôtre, martyr,* Neuchâtel 1952, p. 79-103; la tradición de los siglos siguientes se analiza en las p. 103-137. Cullmann admite el testimonio indirecto de la *Ia Clementis.* El problema ha sido renovado en parte debido a las excavaciones del Vaticano; cf. J. Carcopino, art. *Pierre (Fouilles de Saint-),* SDB, t. 7 (1966) col. 1375-1415.

39. Cf. supra, nota 36.

40. Sobre el problema planteado por el martirio de Juan, véase E. Cothenet, supra, p. 366ss.

41. Supra, p. 163s (M.E. Boismard, sobre el Apocalipsis); p. 360-364 (E. Cothenet, sobre el IV evangelio).

42. Texto y comentario en P. de la Briolle, *La réaction païenne: Étude sur la polémique anti-chrétienne du Ier au VIe siècle,* París 1950, p. 28-35. Cf. J. Moreau, *La persécution du christianisme,* p. 40-45 (aunque depende, por desgracia, de B. Aubé en su valoración de las cartas de Ignacio de Antioquía, cuya autenticidad niega, p. 46); E. Griffe, *Les persécutions contre les chrétiens,* p. 88-90; M. Simon, *La civilisation de l'antiquité et le christianisme,* p. 214-216. Es problema difícil calcular el número de cristianos de Asia menor. Las cifras propuestas (que varían de 60 000 a 200 000) son hipotéticas.

43. Volveremos sobre todas estas cuestiones más adelante (p. 509s).

44. Para una visión de la extensión geográfica del cristianismo a comienzos del siglo II, véase el mapa, p. 503.

Capítulo segundo (págs. 410 a 445)

1. Cf. supra, p. 383-385.
2. Véase vol. I, p. 267-270 (Marcos), 402-428 (enfoque histórico-crítico

de los tres sinópticos); supra, parte sexta, todo el capítulo tercero de la sección tercera.

3. Cf. vol. I, p. 491s, 496s.

4. Ibidem, p. 466-471.

5. Ibid., p. 662-666.

6. H. Greeven, *Propheten, Lehrer, Vorsteher bei Paulus,* ZNW 44 (1952-1953), p. 3-30. Pero, ¿hay que aplicar esta trilogía a la iglesia de Antioquía, porque Lucas (Act 13,1-3) dice que hubo en esta ciudad profetas y doctores enviados a misionar por una intervención divina, de suerte que puede llamar a continuación apóstoles a Bernabé y Saulo (13,4.14)? Cf. sobre este punto A. Lemaire, *Les ministères aux origines de l'Église,* p. 58-61, cf. 84. A Pablo se le da el título de apóstol porque vio a Cristo resucitado (1Cor 9,1); pero el hecho cierto es que Lucas nunca relaciona este título con el relato de la conversión. Es evidente que el testimonio de Pablo goza de prioridad respecto del arreglo de Lucas. Si los títulos de apóstol, profeta y doctor «parecen característicos... de los años 50-80» (ibid., p. 183) se debe simplemente a que no tenemos ninguna documentación escrita anterior al 50.

7. A. Lemaire, o. c., p. 184, remitiendo a los textos analizados con anterioridad.

8. Cf. J. Gnilka, *Der Philipperbrief,* HTHK 1968, p. 32-39 *(excursus* bajo los títulos de *Episkopos* y *Diakonos).*

9. Cf. supra, p. 393-395.

10. Cf. supra, p. 391ss.

11. Véase M. Carrez, vol. I, p. 552 y 559.

12. C. Perrot, en vol. I, p. 117.

13. A.C. Sundberg Jr., *The Old Testament of the Early Church,* Cambridge (EE.UU.) - Londres 1964, p. 81-103.

14. Ibid., p. 111-128 (la fijación del canon judío).

15. P. Grelot, *Les versions grecques de Daniel,* «Biblica» 47 (1966), p. 381-402.

16. Ante esta circunstancia, ¿tiene algo de extraño que algunos libros aparezcan citados en el NT con más frecuencia que otros? Véase la exposición de C.H. Dodd, *Conformément aux Écritures,* tr. fr., París 1968, cap. 3-5: los libros más citados en los textos que plantean el problema de una colección de *Testimonia* son: Isaías, Daniel, los Salmos, Jeremías, algunos profetas menores (Oseas, Joel, Habacuc, Zacarías).

17. R. Le Déaut, en vol. I, p. 131-134; D. Patte, *Early Jewish Hermeneutic in Palestine,* Missoula (EE.UU.) 1975.

18. Cf. J. Carmignac, en vol. I, p. 170s.

19. Ibid., p. 185s, 200.

20. M. Gourgues, «*Le Seigneur a dit à mon Seigneur*»: *L'application christologique du Psaume 110,1 dans le Nouveau Testament,* tesis del Instituto Católico de París, 1976 (próxima publicación en «Études bibliques»); *Exalté à la droite de Dieu (Ac 2,33 et 5,31),* «Science et esprit» 27 (1975), p. 303-327; *Lecture christologique du Psaume 110 et fête de la Pentecôte,* RB 83 (1976), p. 5-24; J. Dupont, *Assis à la droite de Dieu: L'interprétation du Psaume 110,1 dans le Nouveau Testament,* en *Resurrexit: Actes*

du Symposium international sur la résurrection du Christ (Roma 1971), dir. por Dhanis, Roma 1974, p. 340-422.

21. C.H. Dodd, *Conformément aux Écritures*, p. 39, 100-102; B. Lindars, *New Testament Apologetics*, p. 169-174, 185s; J. Dupont, *Études sur les Actes des apôtres*, París 1967, p. 300-304 (cf. 267s).

22. O. Cullmann, *Christologie du NT*, Neuchâtel 1958, p. 48-71; J. Jeremias, art. Παῖς Θεοῦ, TWNT, t. 5, p. 698-713.

23. O. Cullmann, o.c., p. 161-163 atribuye la utilización de este título a los «helenistas» y a los medios representados por el evangelio de Juan, en estrecho contacto con el pensamiento mismo de Cristo (p. 163); C. Colpe, art. Ὑιὸς τοῦ ἀνθρώπου, TWNT, t. 8, p. 433-474, discute los diversos usos de la expresión en el Nuevo Testamento.

24. J. Lambrecht, *Die Redaktion der Markus-Apokalypse: Literarische Analyse und Strukturuntersuchung*, Roma 1967; J. Dupont, *La ruine du temple et la fin des temps dans le discours de Marc 13*, en *Apocalypses et théologie de l'espace* LD 95, París 1977, cap. 8. El análisis de este texto desde el punto de vista de la historia redaccional deja intacta la cuestión del origen de los materiales integrados en él.

25. E. Käsemann, *Les débuts de la théologie chrétienne* (1960), en *Essais exégétiques*, tr. fr., Neuchâtel 1972, p. 174-198; *Sur le thème de l'apocalyptique chrétienne primitive* (1962), ibid., p. 199-226.

26. E. Käsemann, *Un droit sacré dans le NT*, NTS 1954-55, p. 248-260 (= o. c., p. 227-241) da un ejemplo que deja un flanco abierto a la crítica, en la medida en que corre el riesgo de ser indebidamente generalizado.

27. No obstante, el Hijo del Hombre «está de pie» a la diestra de Dios; cf. M.H. Scharlemann, *Stephen: A Singular Saint*, Roma 1968, p. 15-17. La utilización de expresiones escriturísticas en el texto de los apocalipsis judíos es un hecho bastante constante.

28. Para las relaciones con los procedimientos de la exégesis judía, véase A. Díez Macho, *Deraš y exégesis del Nuevo Testamento*, «Sefarad» 35 (1975), p. 37-89. Para los principios fundamentales de la interpretación cristiana, véase P. Grelot, *Sentido cristiano del Antiguo Testamento*, Bilbao 1967, p. 18-41 (pero desde esta fecha se han publicado numerosos trabajos sobre puntos concretos).

29. Tomado de la tr. fr. de C. Blanc, *Origène: Commentaire de S. Jean*, SC n.º 78, p. 403.

30. Véase el libro de B. Lindars citado en la nota 21.

31. La cuestión de las colecciones de *Testimonia* fue abierta por el libro de J. Rendel Harris, *Testimonies*, 2 vols., Cambridge 1916-1920. Sin admitir esta tesis, L. Cerfaux, *Un chapître du livre des «Testimonia» (Pap. Ryl. 460)*, 1937 (= *Recueil L. Cerfaux*, t. 2, p. 221-226) acepta la existencia de Florilegios (p. 226). C.H. Dodd, *Conformément aux Écritures*, p. 28-31 y 108-111, piensa en un proceso de selección mantenido todo a lo largo del Nuevo Testamento (p. 110).

32. J.A. Fitzmyer, *4Q Testimonia and the New Testament* (1957), en *Essays on the Semitic Background of the NT*, p. 59-89 (con bibliografía).

33. P. Prigent, *L'épître de Bernabé 1-16 et ses sources*, EB, París

1961, p. 29-83 (los *Testimonia* de polémica anticultual), 147-182 (los *Testimonia* mesiánicos). La hipótesis ha sido generalizada por J. Daniélou, *Théologie du judéo-christianisme,* p. 100-129, en el estudio de la exégesis judeocristiana (a la que el autor concede un amplio espacio en los padres).

34. W.A. Shotwell, *The Biblical Exegesis of Justin Martyr,* Londres 1965, p. 67-70.

35. Cf. O. Cullmann, *Secte de Qumrân, hellénistes des Actes et IVe évangile,* en *Les manuscrits de la mer Morte* (Coloquio de Estrasburgo 1955), París 1967, p. 61-74, 135s; *Le milieu johannique,* tr. fr., Neuchâtel-París 1976, p. 65-68, 71s; 77-79.

36. B. Rigaux, *Dieu l'a ressuscité,* Gembloux 1973, p. 107-132 (con bibliografía exhaustiva sobre este texto).

37. La referencia a la sepultura en la tradición de 1Cor 15,4 no supone una alusión al sepulcro vacío, pero, de todas formas, remite a las tradiciones de Jerusalén sobre el sepulcro de Jesús. Este interés por el sepulcro no presupone el marco en que se formó la tradición del sepulcro vacío, que algunos críticos quieren vincular a la antigua costumbre de las peregrinaciones (L. Schenke, *Le tombeau vide et l'annonce de la résurrection,* tr. fr., LD 59, París 1970; J. Delorme, *Résurrection et tombeau de Jésus,* en *La résurrection du Christ et l'exégèse moderne,* LD 50, París 1969, p. 105-151; tr. cast. *La resurrección de Cristo y la exégesis moderna,* Studium, Madrid 1974).

38. A. George, *L'apparition aux Onze à partir de Lc 24,36-53,* en *La résurrection du Christ et l'exégèse moderne,* p. 75-104; B. Rigaux, o. c., p. 253-277 examina los relatos paralelos, a excepción del del final de Marcos. Pero la tradición citada por Pablo conoce ya una aparición de Jesús «a Pedro y luego a los doce» (1Cor 15,5).

39. Se pone de relieve esta posibilidad en la obra colectiva: *Saint Pierre dans le NT,* tr. fr., LD 79, París 1973, p. 102; cf. C.H. Dodd, *The Appearances of the Risen Christ: An Essay in Form-Criticism of the Gospels* (1957), en *More NT Studies,* Manchester 1968, p. 119-121.

40. Véase la discusión de W. Grundmann, *Das Evangelium nach Lukas,* Berlín ²1961, p. 127, que reacciona contra R. Bultmann, *Histoire de la tradition synoptique,* tr. fr., París 1973, p. 269 (donde se clasifica a la perícopa entre las «leyendas»); pero véase la adición bibliográfica de 1971, tr. fr., p. 595s, donde Kasting y G. Klein aceptan de nuevo la hipótesis.

41. Cf. *Saint Pierre dans le NT,* p. 113-116 y ya O. Cullmann, *Saint Pierre,* p. 163 (que, por su parte, prefiere situar Mt 16,17-19 en el contexto de la pasión).

42. El episodio «no puede ser un relato de aparición pascual anticipado por la tradición sinóptica: esta hipótesis obligaría a eliminar demasiados elementos, cuya ausencia quitaría al relato su carácter específico» (X. Léon-Dufour, *Études d'Évangile,* París 1965, p. 106; tr. cast. en Estela, Barcelona 1969); cf. recientemente R.H. Stein, *Is the Transfiguration (Mark 9: 2-8) a Misplaced Resurrection Account?,* JBL 95 (1976), p. 86-96.

43. J. Dupont, *Les tentations de Jésus au désert,* Brujas-París 1967, p. 13-23.

44. X. Léon-Dufour, art. *Passion,* SDB, t. 7, col. 1419-1492, analiza la

formación del relato a partir de pequeñas unidades en el curso de varias etapas redaccionales.

45. Cf. supra, p. 412-416.

46. Véase vol. I, p. 405-411. Es tarea difícil establecer la clasificación de las formas de los relatos. Las terminologías propuestas por Bultmann y Dibelius son poco satisfactorias y a veces incluso equívocas (por ejemplo debido a la utilización de las palabras mito o leyenda). Los criterios empleados para determinar los géneros deberían tener en cuenta a la vez los indicios puramente formales contenidos en dichos relatos y la función de cada uno de ellos en el anuncio del evangelio y en la vida de las iglesias.

47. El IV evangelio plantea problemas especiales que no podemos analizar aquí.

48. La crítica literaria confluye aquí con la crítica histórica, pero no deben confundirse sus dos niveles de planteamiento. Es perfectamente posible que la *representación* de un suceso real recurra a elementos puramente convencionales para sugerir una cierta *interpretación* religiosa. Así por ejemplo, Mateo sitúa el cuadro de la cruz de Jesús en el marco de la convulsión cósmica, de suerte que se establece una relación entre la cruz y el juicio de Dios, el fin del mundo presente y la apertura del mundo por venir (Mt 27,45.51-53). Querer historizar estos rasgos sería desconocer el sentido y la intención del narrador. Pero también es cierto que, en el caso presente, la formación del cuadro es de fecha tardía.

49. La expresión es de X. Léon-Dufour, *Les évangiles et l'histoire de Jésus,* p. 293ss (tr. cast. en Estela, Barcelona 1967).

50. Este paso de un análisis literario fundado en la teoría de los «recitativos» (cf. M. Jousse) a una presunción de autenticidad histórica, fue una pesada hipoteca en las reflexiones de L. de Grandmaison, *Jésus Christ,* 2 vols., París 1928; por ejemplo, vol. 1, p. 362-376; vol. 2, p. 46-56, 104, 120, etc.

51. Cf. supra, notas 25 y 26.

52. Cf. E. Cothenet, en supra, parte sexta, sección tercera, capítulo cuarto (§ I y II).

53. Cf. E. Cothenet, *L'Église naissante et le Temple de Jérusalem,* en *Liturgie particulière et liturgie de l'Église universelle,* Roma 1976, p. 89-111.

54. Véase la presentación general de H. Conzelmann, *Théologie du Nouveau Testament,* p. 56-73 (con bibliografía). Para el bautismo, cf. G. Lohfink, *Der Ursprung der christlichen Taufen,* «Theologische Quartalschrift» 156 (1976), p. 35-54.

55. O. Cullmann, *Les premières confessions de foi chrétienne,* París [2]1948; V.N. Neufeld, *The Earliest Christian Confessions,* Leiden 1963.

56. B. Rigaux, *Dieu l'a réssuscité,* p. 106-114, busca las huellas de estas confesiones de fe primitivas en las cartas paulinas.

57. Cf. E. Cothenet, supra, p. 247s. Lo mismo cabe decir, y aun con mayor razón, respecto de los relatos de milagros en los que Juan introduce resonancias bautismales con finalidad catequética (Jn 5; 9; 11).

58. J. Jeremias, *La dernière Cène: Les paroles de Jesús,* tr. fr. París

1972, p. 121-159, destaca la influencia de la liturgia sobre los relatos de la Cena.

59. J.M. Van Cangh, *La multiplication des pains et l'eucharistie,* LD n.º 86, París 1975.

60. Supra, p. 413-415.

61. El gesto es, en sí mismo, polivalente. Véase el *Excursus* de C. Spicq, *Les épîtres pastorales*[4], p. 722-730. Pero el autor minimiza la posible influencia del medio judío, no desde el punto de vista del «sacramento» de la ordenación para el ministerio, sino desde el punto de vista de la reasunción de un gesto que, en cuanto tal, no es «una invención de la primitiva Iglesia» (p. 726).

62. Contra S. Dockx, *L'ordination de Bernabé et de Saul d'après Actes 13,1-3,* NRT 98 (1976), p. 238-250, quien piensa que, en virtud de esta ordenación, Bernabé y Saulo quedaron insertos en la jerarquía de los enviados del Señor (p. 240), «elevados a un rango superior por los profetas-liturgos que ocupaban, a su vez, un rango superior de la jerarquía» (p. 243): «los profetas-liturgos de Antioquía... actuaban respecto de Bernabé y Saulo, que eran doctores, al modo de los grandes sacerdotes» (p. 243s, nota 23). Esto equivale a introducir en el relato de Lucas una interpretación sacerdotal del ministerio que no parece estar atestiguada al nivel del NT.

63. K.G. Kuhn, art. Μαραναθά, TWNT, t. 4, p. 470-475; P.E. Langevin, *Jésus Seigneur et l'eschatologie,* Brujas-París 1967, p. 168-297 (examen de 1Cor 16,22; Ap. 22,20 y Did 10,6).

64. Véase el estudio sistemático de R. Deichgräber, *Gotteshymnus in der frühen Christenheit,* Gotinga 1967, que nota la presencia de estos textos hasta Ignacio de Antioquía. Sobre el puesto de Cristo en esta oración primitiva, cf. G. Lohfink, *Gab es im Gottesdienst der neutestamentlicher Gemeinden eine Anbetung Christi?,* BZ 18 (1974), p. 161-180.

65. Véase la bibliografía del *Magnificat* en H. Schürmann, *Das Lukas-Evangelium,* TKNT, t. 1 (1969), p. 70-80 (nota sobre el v. 48, p. 74).

66. Ibid., p. 84-94 (nota sobre la prehistoria del *Benedictus,* p. 93s).

67. Infra, p. 530ss. 68. Infra, p. 541s.

69. Vol. I, p. 375-401 (diagrama de los sistemas, p. 399).

70. Véase J. Cantinat, supra, p. 78-84. Defiende una fecha muy antigua J.A. Robinson, *Redating the NT,* p. 118-139 (siguiendo a los autores que cita en la p. 139). Pero esta datación responde a su sistema, que sitúa prácticamente todo el NT antes del 70.

71. Cf. A. Vanhoye, supra, p. 66-69. Es cierto que la mención de «los de Italia» sólo figura en el billete de destino (13,22-25) y que, además, es ambigua. Consúltese sobre este punto las observaciones de A. Vanhoye, l. c.

72. Cf. J.P. Audet, *La Didachè: Instructions des apôtres,* París 1958, p. 197s, que considera que el escrito fundamental es una obra premateana, interpolada secundariamente.

73. W. Rordorf, *Un chapitre d'éthique judéo-chrétienne: les deux voies,* RSR 60 (1972) (= *Judéo-christianisme: Volume offert au C*al *Daniélou),* p. 109-128.

Capítulo tercero (págs. 446 a 472)

1. Cf. supra, p. 401-404.
2. Véase sobre este punto M. Carrez, en vol. I, p. 565-568, 582, 589-591.
3. Cf. supra, p. 401, 412-416.
4. Cf. C. Perrot, en vol. I, p. 523-526.
5. Véase una versión de esta biografía novelada en Ch. Guignebert, *Le Christ,* París 1944, p. 221-233 (tr. cast. *Cristo,* Uteba, México 1968), donde el postulado de la educación tarsiota de Saulo permite deducir que tenía, ya desde el principio, una mentalidad sincretista.
6. Sobre el enraizamiento «hebreo» (y no helenista) de Pablo, véase C. Perrot, en vol. I, p. 508ss. Insiste en su educación en Jerusalén W.C. Van Unnik, *Tarsus or Jerusalem: The City of Paul's Youth* (1962), en *Sparsa collecta,* t. 1, Leiden 1973, p. 259-320 (cf. 321-327). Sobre su uso del arameo, cf., del mismo autor, *Aramaisms in Paul,* ibid., p. 129-143.
7. La coincidencia de los textos de Pablo y de los Hechos, con el empleo paralelo del verbo διώκω, no permite deducir que el celo de Pablo por la ley (Flp 3,6) se redujera a una actitud de estricta observancia: el cuadro de este celo, tal como le ofrecen los Hechos, entra perfectamente en el marco previsible: según Act 6,9-14, los judíos helenistas estaban divididos en dos tendencias extremas, representadas por Esteban y por los que le condenaron a muerte. Es difícil estar de acuerdo con A.J. Hultgren, *Paul's Pre-christian Persecutions of the Church: Their Purpose, Locale and Nature,* JBL, 95, 1976, p. 97-111 (según este autor, Pablo se habría limitado a perseguir a los cristianos en el sentido de llevarlos ante los tribunales, pero sin recurrir a la violencia, en contra de lo que dicen los Hechos).
8. En el «yo» de Rom 7,7-25, ¿tenemos una confesión personal o se trata de una cláusula de estilo? Véase un rápido bosquejo de las opiniones en P. Grelot, *Péché originel et rédemption examinés à partir de l'épître aux Romains,* Tournai-París 1972, p. 81-84.
9. No abordamos aquí el problema de las cartas pastorales, cf. infra, p. 490-492.
10. Cf. supra, p. 419-441.
11. Supra, p. 417s.
12. Véase especialmente D.L. Dungan, *The Sayings of Jesus in the Churches of Paul,* Oxford 1971, y la bibliografía dada por C. Perrot vol. I, p. 762).
13. Supra, p. 442.
14. Se llega así, por este rodeo, al problema de los *Testimonia* (supra, p. 427s, y al de la Biblia de las comunidades primitivas (p. 419ss). Volveremos más adelante sobre los comentarios de la Escritura de que se hacen eco las cartas (infra, p. 453-455.
15. Supra, p. 417s.
16. Véase J.E. Crouch, *The Origin and Intention of the Colossian Haustafel,* Gotinga 1972 (con bibliografía); L. Goppelt, *Jesus un die «Haustafel»-Tradition,* en *Orientierung an Jesus* (homenaje a J. Schmid); P. Hoff-

mann, N. Brox, W. Pesch (dir.), Friburgo de B. 1973, p. 93-106 (con bibliografía).

17. Supra, p. 413-415.

18. Cf. P. Grelot, *La structure ministérielle de l'Église d'après saint Paul*, «Istina» 1970, p. 400-405; cf. 1971, p. 457-459.

19. Cf. E.E. Ellis, *Paul's Use of the O.T.*, Londres 1957. O. Michel, *Zum Thema: Paulus und seine Bibel*, en H. Feld - J. Nolte, *Wort Gottes in der Zeit* (homenaje a K.H. Schelkle), Düsseldorf 1973, p. 114-126.

20. Cf. *La naissance d'Isaac et celle de Jésus*, NRT 94 (1972), p. 447-480.

21. Véase M. Carrez, en vol. I, p. 543s-553 e infra, p. 462s.

22. M. Carrez, vol. I, p. 543s y 563.

23. Cf. supra, p. 440.

24. Véase J.M. Cambier, en vol. I, p. 608.

25. Sobre este importante texto, véase M. Carrez, vol. I, p. 578-582 (bibliografía p. 769s).

26. Ibid., p. 626-629 (con bibliografía, p. 778).

27. Es la tesis de E. Käsemann, *Eine urchristliche Taufliturgie* (1949), *Exegetische Versuche und Besinnungen*, t. 1, Gotinga 1960, p. 34-51.

28. No estudiamos aquí la bendición con que se abre la carta a los Efesios: volveremos sobre esta carta más adelante (p. 466, 484-486).

29. Véase C. Perrot, vol. I, p. 517-519.

30. C. Perrot, l. c., p. 516s y *passim*, en la presentación de las diversas cartas.

31. J.M. Cambier, vol. I, p. 529s.

32. M. Carrez, ibid., p. 542s, se pronuncia a favor de la unidad de la carta, en contra de las propuestas de división.

33. Véase la cronología fijada por C. Perrot, ibid., p. 516s y 545s.

34. Esto supone, evidentemente, que al relatar el fin de la estancia en Éfeso (Act 20,1) Lucas ha retocado la historia. Con todo, el caso es análogo al del incidente de Antioquía, del que no se habla en Act 15.

35. M. Carrez, vol. I, p. 576s piensa en los años 55-56.

36. Ibid., p. 543s.

37. Apartándonos de la opinión de M. Carrez, l. c., nosotros separamos aquí 2Cor 8 y 2Cor 9.

38. Recordemos que algunas hipótesis más complejas dividen aún más la 2Cor, distinguiendo en concreto dos cartas diferentes en 1,1-7,16 (cf. M. Carrez, vol. I, p. 543s).

39. Véase J.M. Cambier, ibid., p. 611ss.

40. Esta hipótesis no cuenta con el asentimiento unánime de los críticos; cf. B.N. Kaye, *To the Romans and Others Revisited*, «Novum Testamentum» 18 (1976), p. 37-67; este autor opina que el cap. 16 estaba dirigido a la comunidad de Roma, mientras que la copia en que no figuraba este capítulo (cf. P^{46}) se quedó en la comunidad de Corinto. En sus recientes *Introducciones*, W.G. Kümmel y J. Schmid prefieren la hipótesis «efesina». Pero véase también la opinión de J.M. Cambier en vol. I, p. 609ss.

41. M. Carrez, ibid, p. 633-635 (bibliografía p. 778s).

42. Ibid., p. 633 (bibliografía p. 777s).
43. M. Carrez estima que las cartas de Col y Flm fueron despachadas más bien desde Cesarea que desde Roma, debido a la facilidad de las comunicaciones, que permitía una mejor recepción de las noticias traídas por Epafras y un mejor envío de las cartas, llevadas por Tíquico y Filemón.
44. M. Carrez, ibid., p. 647-650 (con bibliografía p. 779ss).
45. Infra, p. 484-486.
46. Para las diversas opiniones de los críticos, véase M. Carrez, ibid., p. 662-666. Sobre la nueva hipótesis de datación antigua: B. Reicke, *Caesarea, Rome and the Captivity Epistles,* en W.W. Gasque - R.P. Martin (dir.), *Apostolic History and the Gospels (Mélanges F.F. Bruce),* Londres 1970, p. 277-285 (para 2Tim); J.A.T. Robinson, *Redating the NT,* p. 79-84 (para todas las pastorales); S. de Lestapis, *L'énigme des Pastorales de saint Paul* (Tit y 1Tim en marzo-abril del 58; 2Tim en la primavera del 61). S. de Lestapis, o. c., p. 72-78 presenta en forma resumida una reconstrucción «clásica» de los viajes de san Pablo entre el 63 y el 67.
47. Cf. infra, p. 490-492.
48. Véase el cuadro dado por B.M. Metzger, *A Textual Commentary on the Greek New Testament,* Londres 1971, p. 533-536. El texto que concluye en 14,23 (seguido de la doxología) está atestiguado directamente por la *Vetus latina* e indirectamente por dos series de manuscritos *(b* y *c* de Metzger), que intercalan la doxología entre 14,23 y 15,1, ya sea repitiéndola después de 16,23 o bien insertando en este lugar los deseos de 16,24. Con todo, Metzger atribuye este texto corto a los círculos marcionitas (p. 536). Cf. el estado de la cuestión presentado por J.M. Cambier en vol. I, p. 608s.
49. Cf. supra, p. 431-442.
50. Vol. I, p. 396s.
51. Los decretos de la Comisión Bíblica (19 de junio de 1911) insistían en esta posición clásica; véase el tenor de dichos decretos en la *Introducción a la Biblia,* Herder, Barcelona [3]1970, p. 163-166 y su valoración crítica, ibid., p. 159-163. Es de todo punto evidente que este problema no compromete la fe: de un lado, las posiciones conservadoras sólo dan a esta fe una seguridad ilusoria. J.A.T. Robinson, o. c., p. 86-117, ha hecho una nueva tentativa en favor de la datación más antigua: Mc entre el 45 y el 60; Lc entre el 57 y el 60 y Act entre el 57 y el 62; pero, además, Jn en el 47/48, Did entre el 40 y el 60, Judas y 2Pe en el 61/62, Ap en el 68, 1Clem a comienzos de la década del 70, el *Pastor de Hermas* hacia el 85 (en contra del dato, absolutamente claro, del *Canon de Muratori).* Esta acumulación de conjeturas es en realidad el reverso de la medalla de la paradoja de los críticos liberales, que situaban todo el NT en el siglo II, y tan frágil como esta segunda posición.
52. Cf. supra, p. 443.
53. Para todo lo que sigue, véase X. Léon-Dufour, en vol. I, p. 285-295.
54. Cf. supra, p. 408.
55. Cf. X. Léon-Dufour, art. *Passion,* SDB, t. 6, col. 1458ss (con su

bibliografía). Se destacan, de pasada, los duplicados. Pero M.E. Boismard, *Synopse des quatre évangiles en français,* p. 390-403 cree que existen también triplicados, que él atribuye a las fuentes A, B y C. La hipótesis de un solo relato primitivo de la pasión, que habría desembocado por un lado en el de Juan y, por otro, en los de los sinópticos, a través de las amplificaciones de un «relato intermedio» (H. Cousin, *Le prophete assassiné,* París 1976, p. 205-220), lleva hasta su límite extremo las conclusiones de la historia redaccional, al dar por supuesta la existencia de textos reconstruidos. ¿Pudo realmente existir *un* relato primitivo en una tradición oral que debió caracterizarse, al contrario, por una pluralidad de formas?

56. Esta fecha es aceptada por G. Minette de Tillesse, *Le secret messianique dans l'évangile de Marc,* p. 434-437, 443: según Mc 13, el evangelista habría escrito su obra en parte para dar una respuesta al escándalo causado por la reciente ruina de Jesusalén (p. 434) y por la doble muerte de Pedro y de Pablo (p. 436), con la intención de «ofrecer una nueva base a la iglesia de Roma, privada de su fundamento» (p. 437).

57. Cf. infra, p. 504.

58. Supra, p. 443ss.

59. J. Cantinat, supra, p. 93-96.

60. Véase en especial E.G. Selwyn, *The First Epistle of St. Peter,* Londres 1952, p. 365-456, que ofrece una *Formgeschichte* sistemática de 1 Pe comparada con las otras cartas.

61. Véase J. Cantinat, supra, p. 89 (con la bibliografía correspondiente).

62. Infra, p. 486ss.

63. Cf. M.E. Boismard, supra, p. 139-147.

64. También en este punto adopta J.A.T. Robinson una postura singular (o. c., p. 221-253) al optar por una datación antigua del libro (hacia el 68-70); pero no existen muchas probabilidades de que su tesis sea compartida por otros.

Capítulo cuarto (págs. 473 a 506)

1. Cf. vol. I, p. 45-229.

2. El principio de la sucesión apostólica (διαδέχομαι/διαδοχή), planteado en sus términos generales ya desde 1Clem 44,2-3 (cf. 42,3-4) ha sido aplicado a la iglesia de Roma desde Ireneo *(Adv. Haer.* 3,3,3). Al evocar la fundación y la edificación de esta iglesia, aparecen en escena «los bienaventurados apóstoles» (= Pedro y Pablo), pero sin poder precisar las circunstancias prácticas en que vivió la comunidad hasta su muerte. Fundándose en tradiciones locales, Ireneo dice que Pedro y Pablo «pusieron a Lino en el cargo (λειτουργία) del episcopado» (texto griego del pasaje en HE 3,6,1), y luego que Clemente «lo obtuvo (κληροῦται) en tercer lugar» (3,6,2). Relaciona a Clemente con Pedro y Pablo mediante una tradición oral (ibid.) y habla de su carta a los Corintios, que Ireneo atribuye «a la iglesia de Roma» (3,6,3). Ahora bien, para apoyar la exhortación

dirigida a la iglesia de Corinto, la 1Clem 5,4-7 se limita a invocar el testimonio (μαρτυρήσας) dado por los dos apóstoles. Este testimonio es el último acto apostólico: sobre él se concentra toda la atención, para que el legado recibido de los enviados de Jesús (cf. 1Clem 42,1-3) se conserve intacto gracias a la sucesión ministerial establecida por ellos (42,4; 44,2-3). En consecuencia, dentro del marco de una «sucesión apostólica» equivalente para todas las iglesias, *el lugar propio de la de Roma sólo se explica por el doble martirio, que la convirtió en depositaria del testimonio dado por este martirio.* A menudo se pasa por alto este punto fundamental en las reflexiones sobre el «primado romano» o sobre los «sucesores de Pedro»: se deja de lado a Pablo (contrariamente a la tradición eclesiástica antigua) y no aparece ya la referencia a las tumbas de los apóstoles. ¿No debería volver a emprenderse el estudio de toda esta cuestión desde esta perspectiva, común a Oriente y Occidente durante los primeros siglos?

3. Sobre el librito primitivo, cf. supra, p. 443. Para todo lo referente a Mt, véase X. Léon-Dufour, vol. I, p. 296-325 (problemas de autor, fecha y lugar de composición: p. 320-325).

4. Cf. O.L. Cope, *Matthew: A Scribe trained for the Kingdom of Heaven,* Washington 1976.

5. Cf. R.H. Gundry, *The Use of the O.T. in St. Matthew's Gospel,* NTSuppl 18, Leiden 1967; W. Rothfuchs, *Die Erfüllungszitate des Matthäusevangeliums,* Stuttgart 1969; F. Van Segbroeck, *Les citations d'accomplissement dans l'évangile selon S. Matthieu,* en M. Didier (dir.), *L'évangile selon Matthieu: Rédaction et théologie,* Gembloux 1972, p. 107-130. J.M. Van Cangh, *La Bible de Matthieu: Les citations d'accomplissement,* «Revue théologique de Louvain» 6 (1975), p. 205-211.

6. Cf. K. Stendahl, *The School of St. Matthew,* Uppsala 1954 ([2]1969).

7. De todas formas, estos fragmentos de catequesis evangélicas no determinan el plan del librito, que algunos críticos presentan como articulado sobre cinco discursos (cf. X. Léon-Dufour, vol. I, 305s).

8. El discurso de 24,4-25,46 amplía el pequeño apocalipsis de Mc 13, 5-36. Por eso son aún más significativas las adiciones y modificaciones del texto tradicional; pero el hecho de que se haya conservado 24,15 muestra el respeto del evangelista hacia este texto, incluso cuando sus operaciones redaccionales adaptan los materiales antiguos a las necesidades prácticas de su tiempo.

9. En este caso, la *Formgeschichte* de los materiales lleva, salvo indicaciones en contrario, al trabajo del mismo Mt (así en Mt 27,19.51-53; 28,2-4 que recuerda 27,62-66). Pero 27,3-9 tiene un paralelo en Act 1,18-19 que permite entrever un estadio anterior de la tradición oral ligada al lugar llamado *Hacéldama.* En los relatos de la infancia, 2,1-12 no está en la misma situación que 2,13-21, en el interior de una *haggada* cristiana que el evangelista ha recogido con una finalidad exclusivamente teológica.

10. Para el género que aquí llamamos *haggada,* véase C. Perrot, *Les récits d'enfance dans la Haggada,* RSR 55 (1967), p. 481-518.

11. La bibliografía de estos capítulos es muy extensa. No podemos intentar reproducirla aquí. Véase la recopilada en P.E. Langevin, *Bibliographie biblique (1930-1970),* Quebec 1972, p. 265-269. En francés: A. Paul,

L'évangile de l'enfance selon S. Matthieu, París 1968. Para una exposición crítica, véanse los comentarios de Mt y también A. Vögtle, *Die Genealogie Mt 1,2-16 und die matthäische Kindheitsgeschichte* (BZ 1964-65), reimpreso en *Das Evangelium und die Evangelien,* Düsseldorf 1971, p. 57-102; R.E. Brown, *The Birth of the Messiah,* Nueva York 1977, p. 42-232.

12. Véase, por ejemplo, J. Daniélou, *Los evangelios de la infancia,* Herder, Barcelona 1969, p. 17 a propósito de la genealogía «tomada de los archivos de la familia de Jesús». No se ignora el alcance teológico de los relatos; pero la insistencia en la historicidad de sus detalles denota una preocupación apologética excesiva que, en definitiva, se vuelve contra el propósito del autor. Nuestras observaciones no hacen sino poner de relieve la diversidad de formas literarias empleadas por el evangelista, pero queda aún por hacer su clasificación exacta.

13. Además de los comentarios, véase J. Lange, *Das Erscheinen des Auferstandenen im Evangelium nach Matthäus. Eine traditions- und redaktionsgeschichtliche Untersuchung zu Mt 28,16-20,* Wurzburgo 1973: B.J. Hubbard, *The Mattaean Redaction of a Primitive Apostolic Commissioning: An Exegesis of Matthew 28,16-20,* Montana (EE.UU.) 1974 (con las observaciones críticas de J. Murphy-O'Connor, RB 83 [1976], p. 97-102).

14. C. Perrot, vol. I, p. 485ss, 491.

15. Sobre el estilo de Lucas, véase X. Léon-Dufour, vol. I, p. 331-334; C. Perrot, ibid., p. 477-480.

16. X. Léon-Dufour, ibid., p. 330-361.

17. C. Perrot, ibid., p. 451-502.

18. Véase, por ejemplo, la conclusión del discurso de Pablo en Antioquía de Pisidia (Act 13,38s), que insiste en ciertos temas básicos de Gál y Rom, o el discurso del mismo Pablo en Listra (Act 14,15-17), que presenta un notable paralelismo con 1Tes 1,9-10; cf. C. Perrot, ibid, p. 479s. Pero, a pesar de estas dependencias, la teología de Lucas no es específicamente paulina; cf. X. Léon-Dufour, ibid., p. 358s.

19. Cf. E. Cothenet, supra, p. 276s (con bibliografía); F.L. Cribbs, *St. Luke and the Johannine Tradition,* JBL 90 (1971), p. 422-450.

20. J. Dupont, *Aequitas romana: Notes sur Actes 26,16* (1961), en *Études sur les Actes des apôtres,* LD 45, p. 527-552.

21. C. Perrot, vol. I, p. 473-477.

22. El desdoblamiento del discurso misional puede explicarse por la utilización de dos fuentes (Lc 9,1-6 y 10,1-16), ya que Lucas sigue una fuente particular de 9,51 a 18,14. Pero el número de 70 (ó 72) discípulos es la cifra consagrada para representar a todos los pueblos del mundo, ya desde Gén 10. Cada uno de estos pueblos estaba confiado a «un hijo de Dios» (Dt 32,13 LXX, que cuenta con el apoyo de un fragmento de 4Q) (cf. J.T. Milik, *The Books of Enoch,* p. 354). En Lucas hay, pues, una representación simbólica de la universalidad.

23. Cf. X. Léon-Dufour, vol. I, p. 360s.

24. Ibid., p. 342s (bibliografía p. 751ss). Véase una bibliografía exhaustiva de esta cuestión en el comentario de H. Schürmann, *Das Lukasevangelium,* TKNT, t. 1 (1969), p. XXVIII-XXXII.

25. J. Dupont, *Le salut des Gentils et la signification théologique du livre des Actes* (1959), en *Études sur les Actes des apôtres,* p. 293-419.

26. R. Laurentin, *Structure et théologie de Luc 1-2,* EB, París 1957 reunía ya una bibliografía de 500 números (p. 191-223) sobre estos capítulos. Desde entonces, no ha hecho sino ir en aumento. Puede completársela con la de H. Schürmann, en *Lukasevangelium,* p. 18-19 y, para cada una de las perícopas, en p. 18-145. Cf. R.E. Brown, *The Birth of the Messiah,* p. 233-499.

27. Supra, p. 441.

28. Proposición de A. Feuillet, *Jésus et sa mère d'après les récits lucaniens de l'enfance et d'après saint Jean,* París 1974, p. 86-91.

29. Defiende esta relación A. Feuillet, *L'épreuve prédite a Marie par le vieillard Siméon (Lc 2,35a),* en *A la rencontre de Dieu (Mémorial A. Gelin),* Le Puy 1961, p. 243-263; *La présentation de Jésus au Temple et la tranxfixion de Marie (Lc 2,22-40),* en *Jésus et sa mère d'après les récits lucaniens de l'enfance et d'après saint Jean,* París 1974, p. 58-69. Pero también deberán leerse las observaciones de P. Benoit, *Et toi-même, un glaive te transpercera l'âme (Luc 2,25),* CBQ 25 (1963), p. 251-261 (= *Exégèse et théologie,* t. 3, p. 216-227).

30. Supra, nota 19.

31. M.E. Boismard, *Synopse des quatre évangiles,* t. 2, París 1972, p. 46 (Mt y Mc), 47s. (Jn y el último redactor lucano); cf. *Saint Luc et la rédaction du quatrième évangile (Jn 4,46-54),* 59 (1962), p. 184-211.

32. Lucas sería «tal vez» el redactor utilizado por Pablo en la composición de las cartas pastorales (C. Spicq, *Les épîtres pastorales,* París [4]1969, p. 199). Lo que en C. Spicq es simple posibilidad, es ya certeza en S. de Lestapis, *L'énigme des Pastorales de saint Paul,* p. 146-148. Para Heb, véase C. Spicq, *L'épître aux Hébreux,* t. 1, París 1952, p. 198s. (Lucas no es el autor de Heb, pero el autor de este último escrito sí habría conocido a Lc y se habría inspirado en su obra).

33. Cf. supra, p. 443s. Para la presentación de la carta, nos remitimos a J. Cantinat, supra, p. 70-85.

34. Cf. M. Gertner, *Midrashim in the NT,* JSS 7 (1962), p. 283-291 (el autor de la carta habría acometido la tarea de «desmidrashizar» un comentario anterior del Sal 12); I. Jacobs, *The Midrashic Background for James 2,21-23,* NTS 22 (1975-76), p. 457-464.

35. Véanse los paralelos anotados por F. Mussner, *Der Jakobusbrief,* TKNT (1962), p. 47-52. Los más llamativos se refieren al evangelio de Mateo. Pero, más que en préstamos directos, J. Cantinat se inclina a pensar en una fuente común. La existencia de antiguas colecciones presinópticas confiere posibilidad a esta hipótesis.

36. Cf. supra, p. 443s. Para la presentación de la carta, nos remitimos a la exposición de A. Vanhoye, supra, p. 37-69.

37. Supra, p. 61s (con bibliografía).

38. Supra, p. 41s. Pero el estudio de la estructura de conjunto y del género literario globalmente considerado deja intacta la *Formgeschichte* de los fragmentos de que consta el escrito.

39. Cf. supra, p. 466s. Para los problemas relativos a la carta, nos re-

mitimos a la exposición y a la bibliografía de M. Carrez, vol. I, p. 636-650 y 779s.

40. J. Gnilka, *Das Kirchenmodell des Epheserbriefes*, BZ 15 (1971), p. 161-184; H. Merklein, *Das kirchliche Amt nach den Epheserbrief*, Munich 1973.

41. En su comentario, J. Gnilka se inclina más bien hacia los años 80-95. Pero todas las propuestas permanecen, en este campo, en el terreno de las puras hipótesis. La situación relativa de los textos es más importante que la cronología absoluta.

42. Cf. M. Carrez, vol. I, p. 638-641, que se inclina a admitir la autenticidad paulina; la redacción del texto habría corrido a cargo de un secretario.

43. Ibid., p. 642ss (con bibliografía sobre este texto, p. 779s). Más dudosa es la utilización de un himno en Ef 2,14-18, como lo indica ya el simple hecho de la diversidad de las reconstrucciones propuestas; cf. H. Merklein, *Zur Tradition und Komposition von Eph 2,14-18*, BZ 17 (1973), p. 79-102; con todo, este autor no descarta la posibilidad del himno.

44. En estos versículos el estilo pasa del «nosotros» al «vosotros». J. Gnilka, que destaca sus resonancias bautismales (Comentario, p. 84-87), ve aquí el indicio de la adaptación literaria llevada a cabo por el autor sobre la base de una primitiva bendición litúrgica. Pero el paso se explica sin mayor dificultad, admitiendo que la bendición es la apertura de una predicación bautismal, como en 1Pe 1,3-5, donde se observa un fenómeno similar.

45. Supra, p. 471. Analizamos a continuación el paralelismo de estas dos cartas. Desde esta perspectiva precisa debería reanudarse la *Formgeschichte* de las cartas, tal como la presenta E.G. Selwyn, *The First Epistle of St. Peter*, p. 364-466.

46. Supra, p. 468.

47. Supra, p. 471.

48. Cf. *Saint Pierre dans le Nouveau Testament*, dir. por R.E. Brown - K.P. Donfried - J. Reumann, tr. fr. París 1973, p. 183-190.

49. Cf. J. Cantinat, supra, p. 99-109.

50. Supra, p. 467. Para las cartas pastorales nos remitimos a la exposición de M. Carrez, vol. I, p. 651-666.

51. Supra, p. 485.

52. Cf. I. Frank, *Der Sinn der Kanonbildung. Eine historischtheologische Untersuchung der Zeit vom 1 Clemensbrief bis Irenäus von Lyon*, Friburgo de B. 1971, p. 60-72.

53. Cf. M. Carrez, vol. I, p. 656-658. Apoyándose en estos *personalia*, combinados con los datos de los Hechos y de otras cartas, reconstruye S. de Lestapis toda la vida del apóstol entre el 54 y el 61 (o. c., p. 85-128 y 185-311). Pero este modo de tratar los datos supone ya resuelto el problema de la autenticidad literaria.

54. Cf. supra, p. 479.

55. Lucas subraya que ya desde los inicios de la Iglesia en Jerusalén se practicaba la asistencia a las viudas, tradicional en las comunidades judías; fue aquí precisamente donde los cristianos helenistas recibieron

su encuadramiento propio (Act 6,1). Pero las viudas a que se refiere el texto constituyen un grupo aparte en las iglesias locales (cf. el comentario de C. Spicq, *Les épîtres pastorales*[2], p. 524-540).

56. Supra, p. 408s.

57. Para el Apocalipsis de Juan, véase la exposición de M.E. Boismard, supra, p. 129-166.

58. Vol. I, p. 145s; M.E. Boismard, supra, p. 131-134.

59. Cf. supra, p. 456 (temas de predicación). Véase la bibliografía sobre Pablo y la apocalíptica, en vol. I, p. 758; cf. P. Benoit, *L'évolution du langage apocalyptique dans le Corpus paulinien*, en *Apocalypse et théologie de l'espérance*, LD 95, París 1977, cap. 10.

60. Para las relaciones con la liturgia, véase la bibliografía dada por M.E. Boismard, nota 11 de la p. 568.

61. Cf. nota 8 de la p. 567. Se subraya especialmente este punto en el comentario de L. Cerfaux - J. Cambier, *L'Apocalypse de saint Jean lue aux chrétiens*, LD 17, París 1955 (tr. cast. en Fax, Madrid [2]1972).

62. Véase la exposición de M.E. Boismard, supra, p. 140-147.

63. Véase el análisis de los paralelismos en E.B. Allo, *Saint Jean: L'Apocalypse*, p. CXCIX-CCXXII y M.E. Boismard, supra, p. 164s.

64. Para el IV evangelio, véase la exposición de E. Cothenet, supra, p. 203-377.

65. Supra, p. 285-290.

66. Supra, cap. cuarto de la parte sexta; cf. A. Jaubert, *Approches de l'évangile de Jean*, París 1976, cap. 1 (p. 11-53).

67. Supra, p. 391-393, 417. Pero obsérvese que fueron los copistas del siglo II quienes pusieron el título de evangelio a la cabeza del libro. El comienzo actual no ofrece ninguna explicación explícita sobre el género de la obra (a diferencia de Mc 1,1; Mt 1,1: «Genealogía de Jesús»; Lc 1,1-4: prólogo explicativo). Juan comienza de una manera abrupta, por el himno al Verbo. Pero tal vez una edición anterior tuvo un comienzo narrativo en 1,6-7.(15).19-28. Cf. E. Cothenet, supra, p. 239.

68. La expresión es de F. Mussner, *Le langage de Jean et le Jésus de l'histoire*, tr. fr., Brujas-París 1969. Cf. la presentación del mensaje del IV evangelio en E. Cothenet, supra, p. 309-335: 1) El horizonte histórico: Jesús de Nazaret; 2) El horizonte eclesial: la acción actual de Cristo en gloria.

69. Cf. supra, p. 435. Pero este enraizamiento no basta para dar un peso real a la tesis que sitúa ya antes del 70 la edición del evangelio mismo. (J.A.T. Robinson, *Redating the NT*, p. 254-311; cf. el razonamiento de la pág. 270). De ser así, no se explicaría ninguno de los datos conservados sobre este punto por los escritores del siglo III, que unánimemente lo fechan más tarde.

70. Estos contactos son sensibles sobre todo en Lucas, cf. supra, p. 478. Pero también aparecen en los relatos mateanos de las apariciones de Cristo resucitado, concretamente Mt 28,9-10 (cf. Jn 20,14s). Véase P. Benoit, *Marie-Madeleine et les disciples au tombeau selon Jean 20,1-18* (1960), en *Exégèse et théologie*, t. 3, p. 270-282 (paralelismo de Mt 28,9-10, p. 274 y 280s). El contacto se sitúa al nivel de la tradición oral.

71. E. Cothenet, supra, p. 333-335.

72. En el texto actual pueden distinguirse estos dos «libros». Pero R.E. Brown, *The Gospel According to John*, p. XXXIV-XXXIX, admite que ya el mismo evangelista hizo dos ediciones de su librito, intercalando materiales complementarios, como por ejemplo los cap. 11-12, cuya inserción desplazó el episodio de la purificación del templo (2,13-22). Esta opinión es una cosa muy diferente de la teoría de los desplazamientos accidentales (cf. E. Cothenet, supra, p. 233-235).

73. Tal sería el caso si se admite, por ejemplo, el análisis de M.E. Boismard, *L'évolution du thème eschatologique dans les traditions johanniques*, RB 68 (1961), p. 507-534. Pero este análisis se apoya en una teoría de las capas redaccionales que no es admitida por todos los críticos. Sea como fuere, Boismard atribuía a las capas antiguas de la tradición la escatología «futura», por oposición a la escatología «realizada» de las capas recientes, al revés que Bultmann, que la atribuye al «redactor eclesiástico», responsable de una desfiguración de la obra propia del evangelista. Por lo demás, M.E. Boismard ha modificado su opinión; cf. RB 72 (1965), p. 115-116. Este sencillo ejemplo muestra que es preciso actuar con gran precaución al analizar los problemas críticos planteados por el IV evangelio.

74. Tesis de A. Guilding, *The Fourth Gospel and Jewish Worship*, Oxford 1960.

75. Esta notación es independiente del plano adoptado por el evangelista (cf. supra, p. 236s, los planes fundados sobre las fiestas judías). Tampoco prejuzga la historicidad propia de la cronología de Juan.

76. Cf. E. Cothenet, supra, p. 170-200.

77. E. Cothenet, supra, p. 196-198.

78. Sobre la cuestión del «discípulo al que Jesús amaba», supra, p. 369-377.

79. Cf. E. Cothenet, supra, p. 174s.

80. Supra, p. 488-492.

81. Véase el análisis crítico de estos testimonios en p. 163, 191s, 365s.

82. Cf. X. Léon-Dufour, en vol. I, p. 293-295.

83. J. Cantinat, supra, p. 110-123.

84. Cf. supra, p. 485 y 490s (a propósito de Ef y de las cartas pastorales).

85. J. Cantinat, nota 6 de la p. 565 (bibliografía p. 628s); O. Knoch, *Das Vermächtnis des Petrus: Der 2. Petrusbrief*, en *Wort Gottes in der Zeit* (homenaje a K.H. Schelkle), Düsseldorf 1973, p. 149-165.

86. Nótese, de paso, que el autor elimina del texto de Judas las referencias a los apócrifos judíos, lo que tal vez esté relacionado con su preocupación por la autoridad de las Escrituras; pero también podría admitirse que la fijación del canon judío a cargo de los doctores de Jamnia aconteció entre Jud y 2Pe.

87. Supra, p. 489s y 491.

88. Este texto es uno de los dos lugares teológicos esenciales en que se apoya la doctrina de la inspiración; el otro es 2Tim 3,16, donde se dice que la Escritura está «inspirada por Dios». Merece la pena advertir

que en ambos casos la invocación de las Escrituras para fijar la doctrina exacta tiene por contexto la lucha contra los herejes: 2Pe 1,20 afirma con energía que ninguna «profecía de la Escritura» es objeto de interpretación privada. La Escritura debe ser leída «en iglesia» para iluminar la fe.

89. La expresión procede del grupo de trabajo que ha estudiado las dos cartas de Pedro en *Saint Pierre dans le NT*, p. 191s: el autor de 2Pe escribe como si él fuera el depositario de este «magisterio» de Pedro en materia de doctrina. Pero no puede olvidarse que, a medida que retrocedía la perspectiva temporal, Pedro iba consolidando la posición privilegiada que ocupaba en el grupo de los doce, y precisamente en los textos evangélicos a que el autor se refiere. En este sentido, es el representante del cuerpo apostólico. Según 3,15-16, el acuerdo de principio entre Pedro y Pablo es el índice de la verdad evangélica.

90. Para el puesto de 2Pe en la formación del canon cristiano, véase I. Frank, *Der Sinn der Kanonbildung*, p. 72-79. No tiene la menor probabilidad de estar de acuerdo con la realidad el intento de datación antigua (hacia el 64-65) defendido por J.A.T. Robinson, o. c., p. 169-199 (para Jud y 2Pe). Los críticos más moderados piensan, para la 2Pe, en un discípulo de Pedro, que habría escrito hacia el 90; así C. Spicq, *Les épîtres de saint Pierre*, París 1966, p. 195; este autor sitúa el origen de la carta en Egipto, «porque es aquí donde fue más conocida y más favorablemente acogida», mientras que Roma sólo tuvo conocimiento de ella en fecha tardía.

Capítulo quinto (págs. 507 a 524)

1. La expresión procede de la constitución *Dei verbum*, n.º 18; cf. el comentario que hace de este texto X. Léon-Dufour, en *La révélation divine*, «Unam sanctam» 70*b*, París 1968, p. 408-413.

2. Véanse las indicaciones dadas antes, p. 412-416.

3. No pretendemos trazar aquí la historia de las estructuras ministeriales, sino que nos limitaremos a señalar algunos de los textos que la jalonan. Tampoco daremos, por tanto, una bibliografía detallada de esta cuestión. La presentación de J. Dauvillier, *Histoire du droit et des institutions de l'Église en Occident*, tomo I: *Les temps apostoliques (Ier siècle)*, París 1970, proporciona algunos elementos de base, con muy amplias bibliografías. Pero, para el punto de vista que interesa a nuestro estudio, se apoya en una crítica insuficiente de los textos neotestamentarios; de hecho, su descripción de las instituciones es, a menudo, inexacta.

4. Véase J.P. Audet, *La Didachè: Instructions des apôtres*, EB, París 1958, que distingue varias capas en el texto actual, pero que atribuye a la más antigua una fecha decididamente demasiado alta (entre los años 50 y 70, p. 219). Esta opinión ha sido reasumida por J.A.T. Robinson, *Redating the NT*, p. 323-327.

5. Cf. A. Jaubert, *Clément de Rome: Épître aux Corinthiens*, SC n.º 167, París 1971, con una larga introducción, más precisa y mejor que

la de H. Hemmer, *Les Pères apostoliques,* t. 2, París 1926. No deja de ser paradójico situar la carta en el 70 (J.A.T. Robinson, o. c., p. 327-334).

6. Cf. P.Th. Camelot, *Ignace d'Antioche - Polycarpe de Smyrne: Lettres, Martyre de Polycarpe,* SC n.º 10, París [4]1969; pero sigue conservando su utilidad la edición de A. Lelong, en *Les Pères apostoliques,* t. 3, París 1927 (con un índice griego más extenso). Cf. *Padres apostólicos* (texto griego y tr. en castellano de D. Ruiz Bueno) BAC, Madrid 1950.

7. Esta interpretación crispada, que a la autoridad de los «jerarcas» opone la libertad del Espíritu, ha ido tomando diversas formas en el curso de los siglos, y, en nuestros días, parece gozar de nuevo favor. En su punto límite, tendería a constituir una especie de jerarquía de profetas o de doctores, paralela a la de los pastores e independiente de ella. Pero se apoya en una suma de pequeños contrasentidos que, al acumularse, falsean la valoración de los textos a que recurre. Se vincula, más o menos explícitamente, a una teoría del protocatolicismo ya presente en la obra de Lucas y en las cartas pastorales, en las que se pretende ver una esclerosis que habría amortiguado el mensaje propio de san Pablo, susceptible — según dicen — de haber tenido un desarrollo completamente diferente. Pero, aparte la reconstrucción — bastante artificial — de un paulinismo abstracto, fundada en ciertos textos y totalmente ciega para otros, puede reprochársele a esta interpretación que lo que intenta es volver a escribir la historia antigua de la Iglesia en función de las preocupaciones modernas, en lugar de intentar comprenderla desde el interior, para detectar la razón de ser de su evolución institucional.

8. Cf. supra, p. 474, nota 2.

9. Además de la bibliografía de la nota 5, véase D.A. Hagner, *The Use of the Old and New Testaments in Clement of Rome,* Leiden 1973. Todos los autores de que se habla en este párrafo son citados, en la perspectiva de la formación del canon, por I. Frank, *Der Sinn der Kanonbildung,* Friburgo de B., 1971; para Clemente de Roma, cf. p. 20-28.

10. Véase la bibliografía dada en la nota 6.

11. Cf. la presentación y traducción de H. Hemmer, *Les Pères apostoliques,* t. 2, p. 132-171 (con un índice de palabras griegas). I. Frank, o. c., p. 92-100. K.P. Donfried, *The Setting of Second Clement in the Early Christianity,* Leiden 1974.

12. Véase Eusebio de Cesarea, *Historia eclesiástica* 3,39 (sobre Papías); 4,3,1-3 (Cuadrado y Arístides de Atenas, bajo Adriano); 2,23,3 y 4, 21-22 (Hegesipo, citado numerosas veces en otros lugares).

13. R. Joly, *Hermas: Le Pasteur,* SC n.º 53, París 1958. Adviértase que el precepto XI se dirige contra los falsos profetas; cf. J. Reiling, *Hermas and Christian Prophecy: A Study of the Eleventh Mandate,* Leiden 1973. Sobre su posición desde el punto de vista del canon, cf. I Frank, o. c., p. 86-92.

14. La exposición más accesible en lengua francesa sigue siendo la de L. Pautigny, *Justin: Apologies,* París 1904, y la de G. Archambaut, *Justin: Dialogue avec Tryphon,* 2 vols., París 1909 (col. Hemmer et Lejay); en castellano, D. Ruiz Bueno, *Padres apologistas griegos,* BAC, Madrid 1954. Bibliografía complementaria en J. Quasten, *Patrología,* t. 1,

BAC, Madrid 1961, p. 190-211. Para su posición respecto del Antiguo Testamento: P. Prigent, *Justin et l'Ancien Testament,* EB, París 1964; W.A. Shotwell, *Biblical Exegesis of Justin Martyr,* Londres 1965. Cf. I. Frank, o. c., p. 119-130.

15. Véanse las indicaciones dadas por C. Bigaré, infra, p. 551 (con la bibliografía correspondiente).

16. En la compilación actual, el *Testamento de Ezequías* (3,13-4,18) y la *Visión de Isaías* (6,1-11,40) son composiciones cristianas estrechamente emparentadas, que pueden situarse entre el 100 y el 130. Véase la traducción de E. Tisserant, *Ascension d'Isaïe,* París 1909.

17. Cf. infra, p. 550s.

18. P. Prigent, *L'Épître de Barnabé 1-16 et ses sources,* EB, París 1961; P. Prigent - R.A. Kraft, *Épître de Barnabé,* SC n.º 172, París 1971. Cf. I. Frank, o. c., p. 53-60.

19. Cf. infra, nota 22 al cap. 1, p. 595s.

20. Véanse las reseñas dadas en infra, p. 534s.

21. Supra, cap. primero, nota 23. Documentación en A.F.J. Klijn - G.J. Reinink, *Patristic Evidence for Jewish-Christian Sects,* Leiden 1973, p. 19-43. Información sobre su evangelio, infra, p. 535.

22. Cf. supra, p. 476s.

23. Véase los textos citados al lado de los *agrapha,* infra, p. 533. Debería acometerse la tarea de una investigación y compilación sistemática de esta *haggada* cristiana en los padres.

24. Infra, p. 537.

25. Infra, p. 536.

26. Infra, p. 550. I. Frank, *Der Sinn der Kanonbildung,* p. 100-101, estudia la *Carta de los apóstoles* desde el punto de vista de la formación del canon.

27. Para el milenarismo, véase la reseña de M.E. Boismard, supra, p. 152-155.

28. Las cartas pastorales los describen como espíritus engañosos (1Tim 4,1), seres ciegos e ignorantes (6,4), espíritus rebeldes, pronunciadores de discursos vanos, seductores (Tit 1,10), que profesan conocer a Dios, pero lo niegan (Tit 1,16); abundan los calificativos severos para denunciar los discursos charlatanes e impíos (2Tim 2,16) de estos impostores (2Tim 3,13). Pero nunca se dice con precisión qué sistema defendían. No es más clara la carta de Judas: los califica de impíos (v. 4), de incrédulos (v. 5), de blasfemos (v. 8.10), de escarnecedores (v. 18), de «psíquicos» y sin espíritu (v. 19). El Apocalipsis denuncia a los nicolaítas (Ap 2,6.15) y a Jezabel, «que se dice profetisa» (Ap 2,20). Las cartas de Juan hablan de pseudoprofetas (1Jn 4,1), que son como anticristos (1Jn 2,18.22; 4,3; 2Jn 7). La segunda carta de Pedro recoge las expresiones de Judas, pero las aplica claramente a los «falsos doctores» (ψευδοδιδάσκαλοι: 2Pe 2,1). Se recuerdan sus desviaciones en el plano doctrinal, moral o cultual, pero nunca se define su sistema particular.

29. Sobre los orígenes del gnosticismo, véase J. Giblet, vol. I, p. 76-78 (con la correspondiente bibliografía).

30. Para la documentación sobre los elcasaítas, véase A.F.J. Klijn -

G.J. Reinink, o. c., p. 54-67. Para las sectas baptistas y el origen de los mandeos, véase C. Perrot, vol. I, p. 179.

31. Los últimos documentos relativos a los orígenes del maniqueísmo indican que Mani, nacido el 216, se adhirió a la secta elcasaíta; cf. F. Decret, *Mani et la tradition manichéenne,* París 1974, p. 44-58, con una reseña sobre el elcasaísmo, p. 37-41; más técnico: H.Ch. Puech, *Le Manichéisme,* en *Histoire des religions,* «Bibliothèque de la Pléiade», t. 2, París 1972, p. 523-645 (con bibliografía).

32. Vol. I, p. 73-76; pero debe tenerse en cuenta la fecha de los textos del *Corpus hermeticum,* ya que esta obra no quedó fijada hasta después de nuestra era.

33. Véanse las indicaciones dadas por C. Bigaré, infra, p. 540ss.

34. W. Foerster, *Gnosis,* Zurich 1969, ha reunido y traducido los fragmentos de este comentario, ya conocidos por Orígenes, que los cita en su propio comentario de Juan. Tr. ing. en R.McL. Wilson, *Gnosis: A selection of Gnostic Texts,* t. 1, Oxford 1972, p. 162-183. Heracleón pertenece a la escuela gnóstica de Valentín; cf. E.H. Pagels, *The Johannine Gospel in Gnostic Exegesis,* Nashville-Nueva York 1973.

35. G. Quispel, *Ptolémée: Lettre à Flora,* texto, traducción e introducción, SC n.º 24, París 1949. Es importante la *Introducción,* porque analiza las relaciones mutuas de Valentín y Marción —que probablemente coincidieron en Roma— así como su posición respecto del cristianismo ortodoxo, en cuyo seno debieron nacer (p. 12s).

36. Cf. infra, p. 541s.

37. Aquí habría que mencionar también a Marción, contemporáneo de Valentín. Pero lo estudiaremos más tarde, debido a su importancia para la fijación del canon de las Escrituras.

38. Es tan poco lo que ha llegado hasta nosotros de esta secta que J. Quasten no cita ningún fragmento de su procedencia en su obra *Patrología,* tomo I (donde enumera los adversarios del montanismo). Pero véase J. Lebreton, *Histoire de l'Église,* de A. Fliche y V. Martin, t. 2: *De la fin su IIe siècle à la paix constantinienne,* París 1935, p. 39.

39. A propósito de esta condenación, Tertuliano acusó al papa de haberse dejado embaucar por el hereje Praxeas (*Adversus Praxean,* escrito en 212-213).

40. La posición de Ireneo es expuesta por I. Frank, *Der Sinn der Kanonbildung,* p. 189-200; H. von Campenhausen, *La formation de la Bible chrétienne,* p. 163s.

41. I. Frank, o. c., p. 192: pero se sobreentiende que toda Escritura es «profética», como decía ya 2Pe 1,19.

42. Ibid., p. 201. Naturalmente, en la demostración de la doctrina, «la carga decisiva de la prueba descansa sobre el Nuevo Testamento». (H. von Campenhausen, p. 163). De ahí que se le atribuya a veces el nombre de Escritura (ibid., p. 162, con las referencias en la nota 201).

43. H. von Campenhausen, o. c., p. 165-172 hace una exposición del resultado de estas investigaciones.

44. Distinción utilizada por E. Cothenet, supra, p. 356.

45. Cf. supra, p. 504s. Aquí es donde la concepción de la pseudo-

epigrafía se invierte: utilizada al principio para conservar la tradición apostólica, ahora se convierte en un medio que permite la introducción fraudulenta de elementos extraños. De ahí la insistencia de Ireneo por la autenticidad de los libros, entendida en un sentido que la crítica ha interpretado mal durante mucho tiempo, ya que lo juzgaba según sus propios criterios.

46. I. Frank, o. c., p. 198 hace un repertorio de las expresiones utilizadas, indicando al mismo tiempo sus referencias.

47. El cambio de título es un indicio de la influencia lateral del medio cultural griego, en el que se conocían las *Apomnemoneumata* de Jenofonte, Dionisio de Halicarnaso y Plutarco. Esta inflexión en la valoración de los libritos evangélicos muestra ya una preocupación de conocimiento histórico, tanto más significativa cuanto que la fe en Cristo tenía que diferenciarse de las creencias paganas o gnósticas, centradas en mitologías. Para el puesto de Justino en la formación del canon, cf. supra, nota 14.

48. Hemos venido destacando este punto a lo largo de todo nuestro estudio y a propósito de todos los autores sin excepción. Tal vez el único libro cuyo *Sitz im Leben* no se orienta a la «asamblea en iglesia» sea el de los Hechos de los apóstoles. Pero aun en este caso habría que analizar con mayor detalle los materiales que recoge.

49. A. von Campenhausen, *La formation de la Bible chrétienne,* p. 208. La lectura de las profecías montanistas en los lugares de culto está testificada por Tertuliano, *De anima* 9,4 (PL 2,660); *De virginibus velandis* 1 (PL 2,890); *De resurrectione carnis* 63 (PL 2,886); en este pasaje, Tertuliano, citando Act 2,17, reacciona violentamente contra los apócrifos de origen gnóstico. Un indicio de esta índole permite sospechar que las mártires africanas Perpetua y Felicidad pudieron tal vez pertenecer a la corriente montanista (cf. *Passio SS. Perpetuae et Felicitatis,* 1, con una cita de Joel 3 según Act 2,17; 11,1-13,8 que reproduce el relato de la visión en que Sáturo contempla anticipadamente su martirio, del mismo modo que Perpetua había descrito ya el suyo en el relato de 2,2-10,15). Con todo, hay que tener en cuenta que probablemente el autor de esta obra fue el mismo Tertuliano (A. von Campenhausen, o. c., p. 233, nota 105). Para el texto crítico, véase O. von Gebhardt, *Ausgewählte Märtyreracten,* Berlín 1902, p. 61-95. En cualquier caso, puede observarse que era muy fluida la frontera entre las Escrituras y la literatura de edificación, tan aficionada a visiones y profecías. El afán de profecías privadas es una marca del iluminismo de todos los tiempos.

50. Cf. los textos de Ireneo citados, supra, p. 519.

51. G. Bardy, art. *Marcion,* SDB, t. 5, col. 862-877 (con una bibliografía en la que se destaca la obra monumental de A. von Harnack, *Marcion. Das Evangelium vom fremdem Gott,* Leipzig [2]1924); J. Quasten, *Patrología,* p, 256-260 (con bibliografía); A. von Campenhausen, o. c., p. 148-156. No se olvide que, después de haber sido excomulgado, Marción organizó una iglesia con su jerarquía propia y sus asambleas litúrgicas; un gran número de estas comunidades subsistían todavía en Oriente en el siglo V y pueden rastrearse sus huellas hasta la edad media.

52. J. Quasten, o. c., p. 211-218 (con bibliografía); I. Frank, *Der Sinn der Kanonbildung,* p. 133-143.

53. L. Leloir, *Ephrem de Nisibe: Commentaire sur l'Évangile concordant ou Diatessaron,* SC n.º 121, París 1966.

54. San Ireneo, *Adv. Haer.* 3,11,7 (SC n.º 211, p. 159). En la exposición siguiente, Ireneo aplica a los evangelistas el simbolismo de los cuatro animales de Ezequiel.

55. Para la crítica textual de cada uno de estos libros, tenemos que limitarnos aquí a remitir a las exposiciones precedentes de esta *Introducción crítica al NT* y a las bibliografías que se dan sobre este tema.

56. Cf. supra, p. 419s.

57. Expone con detalle la opinión de Melitón I, Frank, o.c., p. 143-151.

58. Ibid., p. 189-202; A. von Campenhausen, *La formation de la Bible chrétienne,* p. 160-174, tiene sobre todo en cuenta la lista de los libros del Nuevo Testamento; pero la obra de Ireneo, dirigida en parte contra Marción, se refiere también al Antiguo cuando habla de las Escrituras.

59. Sobre la posición de Orígenes, véase J.P. van Casteren, *L'Ancien Testament d'Origène,* RB 10 (1901), p. 413-423. Véase la carta a Julio Africano, 4, en PG 11,57-60: los cristianos no tienen por qué pedir a los judíos el texto de su Biblia, porque la Biblia cristiana es la Biblia griega (P. Grelot, *La Biblia palabra de Dios,* Herder, Barcelona 1968, p. 226). La valoración de H. von Campenhausen, o.c., p. 272-281 no parece hacer plena justicia a Orígenes, ni en el problema del canon ni en el de la hermenéutica.

60. G. Bardy, art. *Muratori (Canon de),* SDB, t. 5. col. 1399-1408; H. von Campenhausen, o. c., p. 214-222; I. Frank, *Der Sinn der Kanonbildung,* p. 178-189. En nuestra opinión, no puede fecharse este documento en el siglo IV (cf. A.G. Sundberg, *Canon Muratori: A Fourth-Century List,* HTL 86 [1973], p. 1-41).

61. Se discute el origen y la pertenencia (marcionita o antimarcionita) de estos prólogos. Cf. G. Bardy, art. *Marcionites (Prologues),* SDB, t. 5. col. 877-881 (con bibliografía que alcanza hasta 1954); J. Regul, *Die antimarcionistischen Evangelienprologe,* Friburgo de Brisgovia, 1969.

62. No analizaremos aquí con detalle esta cuestión, contentándonos con remitir al lector a las exposiciones técnicas. Los textos y referencias patrísticas figuran ya en M.J. Lagrange, *Histoire ancienne du Canon du Nouveau Testament,* París 1933. Véase la reciente exposición de J. Schmid, *Introducción al NT,* Herder, Barcelona 1978, p. 60-115; W.G. Kümmel, *Einleitung...* p. 423-451.

63. Para las impugnaciones que suscitaron algunos libros, véanse las indicaciones dadas en la presentación de cada uno de ellos en esta obra.

64. H. von Campenhausen, *La formation de la Bible chrétienne,* p. 152.

PARTE OCTAVA

Introducción (págs. 527 a 529)

1. L. Vaganay, art. *Agrapha,* SDB, t. 1, col, 161. Para las notas que siguen, se consultará la bibliografía, p. 661, en la que se citan varias colecciones y obras importantes, además de la bibliografía particular de cada texto antiguo.

Capítulo primero (págs. 530 a 544)

1. Cf. supra, p. 442s.
2. J.J. Jeremias, *Les paroles inconnues de Jésus,* p. 45s.
3. Cf. J. Duplacy, *Où en est la critique textuelle du Nouveau Testament?,* París 1959.
4. Cf. B. Botte, *Freer (Logion de),* SDB, t. 3, col. 525-527; J. Jeremias, en E. Hennecke - W. Schneemelcher, *Neutestamentliche Apokryphen,* t. 1, p. 125s. Cf. vol. I, p. 293.
5. Cf. infra, p. 541s.
6. La *Synopse des quatre évangiles* de P. Benoit y M.E. Boismard, t. 1 (París 1965), cita todos los pasajes de este apócrifo que tienen referencia con el texto canónico; en el t. 2 (1972), p. 56 se examina la media docena de estos textos considerados más arcaicos (tr. cast. de la obra en Desclée, Bilbao 1975).
7. Como en el himno naasenno transmitido por Hipólito, *Refutatio,* 5,10,2 (cf. J. Jeremias, o. c., p. 28; tr. ing. en E. Hennecke - W. Schneemelcher, t. 2, p. 807s).
8. Textos en P. Grenfell - A.S. Hunt, *The Oxyrhinchus papyri,* Londres 1897-1922; cf. H.G.E. White, *The Sayings of Jesus from Oxyrhinchus,* Cambridge 1920.
9. Trad. en E. Hennecke - W. Schneemelcher, t. 1, A. II.1 (tr. ing. p. 92-94).
10. H.J. Bell - T.C. Skeat, *Fragments of an Unknouwn Gospel,* Londres 1935; G. Mayeda, *Das Leben-Jesu-Fragment Papyrus Egerton 2 und seine Stellung in der urchristlichen Literaturgeschichte,* Berna 1946; cf. L. Cerfaux, *Parallèles canoniques et extracanoniques a l'Évangile inconnu,* en *Recueil L. Cerfaux,* t. 1. 1954, p. 279-299: el redactor habría utilizado sobre todo a Lucas, con ciertos rasgos de polémica antijudía. Trad. en E. Hennecke - W. Schneemelcher, t. 1, A. II.2 (tr. ing. p. 94-97).
11. Véase S. Ireneo, *Contre les hérésies,* libro 5, SC n.º 153, p. 415-417.
12. J. Jeremias, *Les paroles inconnues de Jésus,* p. 24-26 (lista y referencias).
13. Ibid., p. 99-102.
14. Ibid., p. 97-98.
15. Cf. infra, p. 537s.

16. J. Jeremias, *Les paroles inconnues de Jésus,* p. 92.

17. Cf. S. Jerónimo, *De viris illustribus,* 2. Todas las citas están traducidas en E. Hennecke - W. Schneemelcher, t. 1, A.III.1 (tr. ing. p. 139-153).

18. Ibid., t. 1, A.III.3 (tr. ing. p. 158-165).

19. Cf. M.E. Boismard, *L'Évangile des Ebionites et le problème synoptique,* RB 73 (1966), p. 231s. Véanse los fragmentos conservados en E. Hennecke - W. Schneemelcher, tr. ing. t. 1, p. 153-158.

20. Clemente de Alejandría, *Stromata,* 3,92,2 (cf. E. Hennecke - W. Schneemelcher, o. c., t. 1, p. 166-178.

21. La reelaboración puede ser acaso debida a aquellos que, en Egipto, tejieron temas análogos en el *Evangelio según Tomás* (infra, p. 197-199).

22. Según Eusebio de Cesarea, HE 6,12,3-4.6.

23. Para la cueva y la estrella de Belén, ya mencionadas por Justino e Ignacio de Antioquía, cf. supra, p. 533.

24. Para una edición crítica, cf. B. Capelle, *Vestiges grecs et latins d'un antique «Transitus» de la Vierge,* «Analecta Bollandiana» 67 (1949), p. 21-48 (= *Travaux liturgiques de doctrine et d'histoire,* t. 3, Lovaina 1967, p. 350-373); para los relatos que traducen, a partir del siglo VI, la creencia en la asunción de María, véase *La tradition orientale de l'assomption d'après un ouvrage récent,* «Revue Bénédictine», 1958, p. 173-186 (= Travaux..., p. 347-386).

25. Para la gnosis y el gnosticismo, véase vol. I, p. 76-78. La bibliografía actual es impresionante. Véase H.C. Puech, *Où en est le problème du Gnosticisme,* «Revue de l'université de Bruxelles», 1934-1935, p. 137-158, 295-314. Pero desde entonces ha evolucionado mucho el estado de la cuestión. Cf. R.M. Grant, *La Gnose et les origines chrétiennes,* tr. fr., París 1964. M. Simon - A. Benoit, *Le judaïsme et le christianisme antique,* col. «La nouvelle Clio», París 1968, p. 146-156, 275-288 (tr. cast. en Labor, Barcelona 1972); R.McL. Wilson, *Gnose et Nouveau Testament,* tr. fr. Tournai - París 1969; J. Doresse, *La Gnose,* en H.C. Puech (dir.), *Histoire des religions,* «Bibliothèque de la Pléiade», t. 2, París 1972, p. 364-429 (bibliografía p. 423-429).

26. Ha llevado esta posición hasta un límite extremo P. de Suárez, *L'évangile de Thomas: Traduction, présentation et commentaire,* París 1974. Tomás habría recibido y transmitido el mensaje primitivo de Jesús (¡enunciado en copto!), que más tarde los sinópticos habrían deformado y degradado. Esta propaganda publicitaria en favor del esoterismo no tiene nada que ver con el estudio crítico del libro. Cf. R. Laurentin, *L'évangile selon saint Thomas: Situation et mystification,* en «Études», 1975, p. 733-751.

27. Citamos aquí los *logia* según la numeración de Leiden.

28. Véanse los textos conservados por M.E. Boismard, *Synopse,* t. 2, p. 56. Para el *logion* 86, cf. J.E. Ménard, *L'Évangile selon Thomas,* p. 11-13. Sobre el *logion* 65 mantienen opiniones divergentes J.E. Ménard, o. c., p. 166-167 y B. Dehandschutter, en M. Sabbe (dir.), *Tradition et redaction* (Jornadas bíblicas de Lovaina, 1971), Lovaina 1974, p. 203-219.

29. Orígenes, *In Ieremiam,* Hom. 20,3 (PG 13,351*d*-352*a*). Según J.

Jeremias, *Les paroles inconnues de Jésus,* p. 67, la prudencia con que Orígenes cita esta sentencia, sin mencionar su fuente escrita, indica que la tomó del *Evangelio según Tomás,* tenido por sospechoso, aunque consideraba que el *logion* era auténtico.

30. Cf. *Stromata,* 5,14,96.

31. Cf. supra, p. 535.

32. Cf. supra, p. 535.

33. G. Garitte, *Les Logoi d'Oxyrhynque et l'apocryphe copte dit «L'Évangile de Thomas»,* «Le Muséon» 73 (1960), p. 151-172; cf. J.E. Ménard, o.c., p. 3-4.

34. J.E. Ménard, o. c., p. 27. El origen siríaco del libro es impugnado por cierto número de críticos. Véase B. Ehlers, *Kann das Thomasevangelium aus Edessa stammen?,* «Novum Testamentum» 12 (1970), p. 284-317; B. Dehandschutter, *Le lieu d'origine de l'Évangile selon Thomas,* en *Miscellanea in honorem J. Vergote,* Lovaina 1975, p. 125-131.

35. Cf. J. Daniélou, *Théologie du judéo-christianisme,* París 1958, p. 93.

36. Cf. J.B. Bauer, *Les apocryphes du Nouveau Testament,* p. 44-51 (tr. cast. en Fax, Madrid 1971).

37. En opinión de E. von Dobschütz, que ha hecho una edición crítica del *Decreto gelasiano* (TU, t. 38/4, 1912). Para este autor, se trata de una lista reunida en la Galia en el siglo IV. El texto (cf. PL 59,157-164) enumera los libros «no recibidos», ya sea por su carácter apócrifo o por su origen herético (col. 162-164). Conoce, por ejemplo, diez apócrifos de Tomás. Se trata de un documento que debe consultarse en todo estudio de los apócrifos judíos y cristianos. Debe tenerse también en cuenta la *Esticometría de Nicéforo* (siglo IX), que indica el número de esticos de cada uno de los libros proscritos: se trata, pues, de una indicación importante para identificar algunos de ellos, perdidos y más tarde recuperados en parte en los papiros o en las traducciones.

38. Textos en E. Hennecke - W. Schneemelcher, t. 1, 1.VII, e° (tr. ingl. p. 486-503).

Capítulo segundo (págs. 545 a 551

1. F. Blumenthal, *Formen und Motiven in den apokryphen Apostelgeschichten,* Leipzig 1933.

2. El *Apocryphon de Juan* forma parte de la biblioteca gnóstica de Nag Hammadi. Véase *Apocryphon* 20,5-6: aparición de Cristo resucitado a Juan en el huerto de los Olivos; *Hechos de Juan,* 97-101: Jesús se aparece a Juan en el huerto durante su pasión, para revelarle el misterio de la cruz.

3. Este milagro, atribuido a Jesús Niño, reaparece en el *Evangelio de Tomás* (ed. Tischendorf, p. 164s).

4. J.E. Ménard, *L'Évangile selon Thomas,* p. 2-3.

5. A. Adam, *Die Psalmen des Thomas und das Perlen-Lied als Zeugnisse vorchristlichen Gnosis,* Berlín 1959.

6. G. Quispel, *Makarius, das Thomasevangelium und das Lied von der Perle,* amplía la investigación al pseudo-Macario, para vincularlo al movimiento encratita testificado en los *Hechos* apócrifos y, antes aún, en el *Evangelio.* Pero J.E. Ménard, *Le Chant de la Perle,* RevSR 42 (1968), p. 289-325, impugna la interpretación propuesta (cf. su edición de el *Évangile selon Thomas,* p. 14-22).

7. Estos *Salmos de Tomás* figuran en *Apéndice* al final del Salterio maniqueo, perdido en siríaco, pero conservado en copto y en parto; cf. C.R. Callberry (dir.), *A Manichaean Psalm-Book,* Stuttgart 1938; M. Boyce, *The Manichaean Hymn Cycles in Parthian,* Oxford 1953.

8. P. Prigent, *L'Épître de Barnabé I-XVI et ses sources,* EB, París 1961; P. Prigent - A. Kraft, *L'épître de Barnabé,* SC n.º 172, París 1972.

9. Cf. vol. I, p. 146-149.

10. La reacción de los doctores fariseos contra la apocalíptica sólo se fue afirmando progresivamente, después de 2Bar y 4 Esd (cf. vol. I, p. 146-148), pero registró un considerable avance por la misma época en que el cristianismo recurrió generosamente a esta forma literaria. Cf. J. Stiassny, *L'occultation de l'apocalyptique dans le rabbinisme,* en *Apocalypses et théologie de l'espérance, L. Monloubou* (dir.), LD 95, París 1977, capítulo 7.

11. Cf. supra, p. 546.

12. E. Hennecke - W. Schneemelcher, o. c., t. 1, B.XII.1 (tr. ing. p. 94-103). Texto en E. Klostermann, *Apokrypha I,* «Kleine Texte» 3, Berlín 1933.

13. E. Hennecke - W. Schneemelcher, o. c., p. 102-127.

14. Vol. I, p. 148s.

15. E. Tisserant, *L'ascension d'Isaïe,* París 1909.

16. Ha expuesto argumentos muy fuertes en este sentido J.T. Milik, *The Books of Enoch: Aramaic Fragments of Qumrân Cave 4,* Oxford 1976, p. 88-98 *(Libro de las Parábolas,* relacionado con el de los *Oráculos sibilinos),* p. 107-116 (Henoc eslavo). Las *Parábolas* datarían de alrededor del 270, mientras que 2Hen sería de los siglos IX-X. De hecho, las *Parábolas* no sólo no aparecen en los Mss. de Qumrân, sino que tampoco se encuentra ninguna cita de ellas en los padres antes del siglo IV, mientras que se registra una abundante utilización de las otras secciones del libro. Y ésta sería cabalmente la parte del libro que haría de Henoc el más antiguo profeta de Cristo.

17. Vol. I, p. 195s. J.T. Milik, o. c., p. 92-97 sitúa la composición del Libro 2 en el siglo III (autor cristiano), la del libro 3 acaso en el siglo II a.C. (autor judío), la del libro 5 en el siglo III de nuestra era (autor cristiano).

18. Tal como ha explicado P. Grelot, supra, p. 520ss.

BIBLIOGRAFÍA

Títulos y subtítulos se refieren a los del texto cuya bibliografía se da. Para hallar las páginas correspondientes, se podrá consultar el índice general.

PARTE QUINTA

LAS OTRAS CARTAS

Comentarios a todas las cartas «católicas»: M. Meinertz - W. Vrede, HSNT 1924; J. Moffatt, MFF 1928 ([7]1953); A. Charue, BPC 1938; P. de Ambroggi, SBG 1949; H. Windisch - H. Preisker, HNT[3] 1951; R. Leconte, BJ 1953; J. Michl, RNT 1977; IntB, t. 12, 1957; W. Barclay, DSB 1958; F. Hauck, KNT[8] 1958; J. Schneider, NTD[11] 1961; B. Reike, AnchB 1964; J. Salguero, Biblioteca de autores cristianos (BAC) n.º 248, 1965 y A. Díaz - R. Franco, BAC n.º 214, 1967.

Estudios (crítica textual): W.L. Richards, *The Present Status of Text Critical Studies in the Catholic Epistles,* «Andrews University Seminary Studies», 13 (1975), p. 261-272.

CAPITULO PRIMERO

LA CARTA A LOS HEBREOS

Comentarios: H. Windisch, HNT 1913 ([2]1931); E. Riggenbach, KNT 1913 ([2]1922); J. Moffatt, ICC 1924; T.H. Robinson, MFF 1933; H. Strathmann, NTD 1937 ([8]1963; tr. fr. Ginebra 1971); O. Michel, MKNT 1936 ([6]1966); A. Médebielle, BPC 1938; J. Bonsirven, VS 1943; C. Spicq, EB 1952-53;

Teodorico da Castel S. Pietro, SBG 1952; O. Kuss, RNT 1977; J. Héring, CNT 1954; F.F. Bruce, NIC 1964; H. Montefiore, BNTC 1964; W. Hillmann, «Die Welt der Bibel» 1965 (tr. fr. «Lumières Bibliques», 1967); J.H. Davies, CBC 1967; F. Schierse, «El NT y su mensaje», Herder, Barcelona [2]1979; P. Andriessen - A. Lenglet, «Het Nieuwe Testament», Roermond 1971; G.W. Buchanan, AnchB 1972; A. Strobel, NTD 1975. Fuera de colecciones: B.F. Westcott, Londres 1889 ([3]1903, reimpreso recientemente); J.S. Javet, *Dieu nous parla,* Neuchâtel - París 1945; R.C.H. Lenski, Colombus 1946; H.A. Kent, Grand Rapids 1972. Comentarios antiguos: S. Juan Crisóstomo, PG 63, 9-236; S. Tomás de Aquino, ed. R. Cai, Turín 1953.

Estudios L. Vaganay, *Le plan de l'épître aux Hébreux, Mémorial Lagrange,* París 1940, p. 269-277; Teodorico Da Castel San Pietro, *La chiesa nella lettera agli Ebrei,* Turín 1945; T.W. Manson, *The Epistle to the Hebrews: An Historical and Theological Reconsideration,* Edimburgo 1951; F.J. Schierse, *Verheissung und Heilsvollendung. Zur theologischen Grunfrage des Hebräerbriefes,* Munich 1955; A. Cody, *Heavenly Sanctuary and Liturgy in the Epistle to the Hebrews,* St. Meinrad (U.S.A.) 1960; C. Spicq en el art. *Paul,* SDB, t. 7, col. 226-279 (1962); A. Vanhoye, *La structure littéraire de l'épître aux Hébreux,* Brujas-París 1963, [2]1976; *Situation du Christ: Hébreux 1 et 2,* París 1969; E. Grasser, *Der Glaube im Hebräerbrief,* Marburgo 1965; S. Sowers, *The Hermeneutics of Philo and Hebrews,* Zurich 1965; G. Theissen, *Untersuchungen zum Hebräerbrief,* Gütersloh 1969; R.A. Greer, *The Captain of our Salvation: A Study in the Patristic Exegesis of Hebrews,* Tubinga 1973.

Bibliografía complementaria: C. Spicq, EB (1952), t. 1, p. 379-411; SDB, t. 7, col. 272-279; E. Grässer, *Der Hebräerbrief 1938-1963,* «Theologische Rundschau», 30 (1964), p. 138-236; W.G. Kümmel, *Einleitung in das NT* (1973), p. 343.

CAPÍTULO SEGUNDO

LA CARTA DE SANTIAGO

Comentarios (además de los comentarios a las cartas católicas, antes mencionados): J.H. Ropes, ICC 1916; J. Chaine, EB 1927; O. Bardenhever, TKNT 1928; A. Ross, *New Intern. Comment. of the NT* 1954; R.V.G. Tasker, TyNT 1956; M. Dibelius - H. Greeven, MKNT[10] 1957; W. Barclay, DSB 1957; E.C. Blackmann, TorchNT 1958; F. Mussner, HTK 1964; R.R. Wlliams, CBC 1965; H. Rusche, «Die Welt der Bibel» 1967 (= «Lumières bibliques», 1967); O. Knoch, «El NT y su mensaje», Herder, Barcelona [2]1976; J. Cantinat, SB 1973. Fuera de colecciones: F. Spitta, Gotinga 1896; J.B. Mayor, Londres 1913; J. Marty, París 1935; T. Garcia ab

Orbiso, Roma 1954; A. Schlatter, Stuttgart [2]1956; L. Simon, Ginebra 1961; C.L. Mitton, Londres-Grand Rapids 1966.

Estudios: A.T. Cadoux, *The Thought of James,* Londres 1944; J. Bonsirven, art. *Jacques,* SDB, t. 4, col. 784-795; A. Lohse, *Glaube und Werke. Zur Theologie des Jakobusbriefes,* ZNW, 1957, p. 1-22; C.E.B. Cranfield, *The Message of James,* «Scottish Journal of Theology», 1965, p. 182-193, 338-345.

CAPÍTULO TERCERO

LA PRIMERA CARTA DE PEDRO

Comentarios (además de los comentarios a las cartas católicas, antes mencionados): C. Bigg, ICC[2] 1910; R. Knopf, MKNT[7] 1912; U. Holzmeister, CSS 1937; K.H. Schelkle, TKNT 1961; B. Schwank, «El NT y su mensaje». Barcelona, Herder [2]1979; C. Spicq, SB 1965; J.N.D. Kelly, BNTC 1969; A.M. Stibbs - A.F. Waals, TyNT[2] 1971; E. Best, OliphantsNCB 1971. Fuera de colecciones: J.C. Wand, Londres 1934; E. Schweizer, Zurich 1949; C.E.B. Cranfield, Londres 1950; E.G. Selwyn, Londres 1955; F.W. Beare, Oxford 1958; J.C. Margot, Ginebra 1960; A.R. Leaney, Cambridge 1967.

Estudios: A. Schlatter, *Petrus und Paulus nach dem I. Petrusbrief,* Stuttgart 1937; G. Thils, *L'enseignement de saint Pierre,* París 1943; O. Cullmann, *Saint Pierre: Disciple, apôtre, martyr,* Neuchâtel-París 1952 ([2]1960), tr. cat., *Sant Pere, Deixeble, Apòstol, Màrtir,* Ed. 62, Barcelona 1967; M.E. Boismard, art. *Pierre (I*[re] *épître de),* SDB, t. 7, col. 1415-1455; R.E. Brown - K.P. Donfried - J. Reumann, *Saint Pierre dans le Nouveau Testament,* tr. fr., LD n.º 79, París 1974, p. 181-190.

CAPÍTULO CUARTO

LA CARTA DE JUDAS

Comentarios (además de los comentarios a las cartas católicas, antes mencionados): C. Bigg, ICC 1910; R. Knopf, MKNT[7] 1912; J. Chaine, EB 1939; C.H. Boobyer, Peake'sCB 1962; A.R. Leany, CBC 1967; M. Greer, TyNT 1968; J.N.D. Kelly, BNTC 1969. Fuera de colecciones: J.B. Mayor, Londres 1907; J.C. Wand, Londres 1934.

Estudios: R. Leconte, art. *Jude,* SDB, t. 4, col. 1285-1298; J. Colon, art. *Jude,* DTC, t. 8, col. 1668-1681; C.L. Berg, *The Theology of Jude,* Dallas 1954; K. Gilming, *An Expositional Study of Jude,* Dallas 1954; D. Rowston, *The Most Neglected book in the NT,* NTS 21 (1974-75), p. 554-563.

CAPÍTULO QUINTO

LA SEGUNDA CARTA DE PEDRO

Comentarios: C. Bigg, ICC 1910; R. Knopf, MKNT[7] 1912; J. Chaine, EB 1939; H. von Soden, TKNT 1944; C.H. Boobyer, Peake'sCB 1962; C. Spicq, SB 1965; A.R. Leaney, CBC 1967; O. Knoch, «Die Welt des Bibel», 1967 (= «Lumières Bibliques» 1969); M. Green, TyNT 1968; J.N.D. Kelly, BNTC 1969. Fuera de colecciones: J.C. Margot 1960.

Estudios: J. Schmitt, art. *Pierre (Seconde épître de)*, SDB, t. 7, col. 1455-1463; W. Bruger, *Des Petrus letzte Mahnung. Erwägungen zum zweiten Petrusbrief*, Spire 1950; M. Green, *2 Peter Reconsidered*, Londres 1961; O. Knoch, *Das Vermächtnis des Petrus: Der zweite Petrusbrief*, en *Wort Gottes in der Zeit (Festschrift K.H. Schelkle)*, Düsseldorf 1973, p. 149-165.

PARTE SEXTA

LA TRADICIÓN JOÁNICA

SECCIÓN PRIMERA

EL APOCALIPSIS DE JUAN

Bibliografía: A. Feuillet, *L'Apocalypse: État de la question*, Subsidia Neotestamentica III, Brujas-París 1963; H. Kraft, *Zur Offenbarung des Johannes*, «Theologische Rundschau», 38 (1973), p. 81-98; W.G. Kümmel, *Einleitung in das NT* (1973), p. 398s, 497.

Comentarios: W. Bousset, MKNT[16] 1906; R.H. Charles, ICC 1920; T. Zahn, KNT 1924-26; J. Rohr, HSNT[4] 1932; E.B. Allo, EB[3] 1933; A. Gelin, BPC 1938; M. Kiddle, MFF 1940; A. Wikenhauser, RNT 1969; J. Bonsirven, VS 1951; E. Schick, *Echter-Bibel*, 1952 y «El NT y su mensaje», Herder, Barcelona [2]1979; M. Riss, IntB 1957; E. Lohse, NTD[8] 1960; N. Turner, Peake's C 1963; J.L. D'Aragon, JBC 1968; H. Kraft, HNT[13a] 1974; J. Massyngberde Ford, AnchB 1975. Fuera de colecciones: H.B. Swete, Londres 1909; A. Loisy, París 1923; L. Cerfaux - J. Cambier, *L'Apocalypse de saint Jean lue aux chrétiens*, París 1955 (tr. cast.: *El Apocalipsis de san Juan leído a los cristianos*, Fax, Madrid 1968); H. Lilje, *L'Apocalypse, le dernier livre de la Bible*, tr. fr., París 1959; C. Brütsch, *Clarté de l'Apocalypse*, Ginebra 1966 ([2]1970).

Bibliografía (parte VI, secc. I, cap. II)

CAPÍTULO PRIMERO

PROBLEMAS LITERARIOS

II. LA COMPOSICIÓN LITERARIA

M.E. Boismard, *L'Apocalypse ou les Apocalypses de saint Jean,* RB 56 (1949), p. 507-541; *Notes sur l'Apocalypse,* RB 59 (1952), p. 161-181; F. Rousseau, *L'Apocalypse et le milieu prophétique du Nouveau Testament: Structure et préhistoire du texte,* Tournai-Montreal 1971; H. Stierlin, *La vérité sur l'Apocalypse: Essai de reconstitution des textes originels,* París 1972.

CAPÍTULO SEGUNDO

EL MENSAJE Y LAS ENSEÑANZAS DEL APOCALIPSIS

I. EL MENSAJE DEL LIBRO

Las diversas interpretaciones

O. Böcher, *Die Johannesapokalypse,* Darmstadt 1975 (historia de las interpretaciones antes de 1700; bibliografía desde 1700).

Ensayo de explicación: designio del autor

R. Schütz, *Die Offenbarung des Johannes und Kaiser Domitian,* Gotinga 1933; P. Touilleux, *L'Apocalypse et les cultes de Domitien et de Cybèle,* París 1935; L. Cerfaux, *Le conflit entre Dieu et le souverain divinisé dans l'Apocalypse de Jean,* en *La Regalità divina,* Leiden 1959, p. 459-470 (= *Recueil L. Cerfaux,* t. 3, p. 225-236).

II. LA ENSEÑANZA ESCATOLÓGICA

Los datos ciertos

H.M. Féret, *L'Apocalypse de saint Jean, vision chrétienne de l'histoire,* París 1943; J. Huby, *Apocalypse et histoire,* «Construire» n.º 15 (1944), p. 80-110; S. Giet, *L'Apocalypse et l'histoire,* París 1957; M. Rissi, *Zeit und Geschichte in der Offenbarung des Johannes,* Zurich 1952; H. Schlier, *Jésus Christ et l'histoire d'après l'Apocalypse,* en *Essais sur le Nouveau Testament,* tr. fr., París 1968, p. 343-360; J. Ellul, *L'Apocalypse, architecture en mouvement,* Tournai-París 1975.

III. LA ENSEÑANZA TEOLÓGICA

H. Crouzel, *Le dogme de la rédemption dans l'Apocalypse*, BLE 1957, p. 66-92; A. Feuillet, *Les vingt-quatre vieillards de l'Apocalypse*, RB 65 (1958), p. 5-32; *Essai d'interprétation du ch. 11, de l'Apocalypse*, en «Sacra Pagina», t. 2, Gembloux-París 1959, p. 414-429 (= *Études johanniques*, Brujas-París 1962, p. 193-271). Véanse también las obras y artículos citados en las notas.

SECCIÓN SEGUNDA

LAS CARTAS DE JUAN

Bibliografías sistemáticas: E. Haenchen, *Neuere Literatur zu den Johannesbriefen*, «Theologische Rundschau» 26 (1960), p. 1-43, 267-291; R.C. Briggs, *Contemporary Study of the Johannine Epistles*, «Review and Expositor» 67 (1970), p. 411-422.

Comentarios: A. Plummer, CBSC 1886; A.E. Brooke, ICC 1912; W. Vrede, HSNT6 1932; J. Bonsirven, VS 1936; A. Charue, BPC 1938; J. Chaine, EB 1939; C.H. Dodd, MFF 1946; F. Hauck, NTD5 1949; F.M. Braun, BJ 1953; J. Reuss, *Echter-Bibel* 1952; R. Schnackenburg, TKNT (51974; tr. cast. Herder, Barcelona 1980); J. Michl, RNT 1977; A. Ross, NIC 1954; A.N. Wilder, IntB 1957; J. Schneider, NTD9 1961; N. Alexander, TorchBC 1963; R. Bultmann, MKNT 1967; H. Balz, NTD11 1973; W. Thüsing, «El NT y su mensaje», Herder, Barcelona 21973. Fuera de colecciones: D. Moody, Waco (USA) 1970; J.L. Houlden, Londres 1973; W. de Boor, Wuppertal 1974.

Estudios: W. Lütgert, *Amt und Geist*, Gütersloh 1911; H. Asmussen, *Wahrheit und Liebe. Eine Einführung in die Johannesbriefe*, Hamburgo 31957; M. Kohler, *Le coeur et les mains: Commentaire de la 1re épître de Jean*, Neuchâtel 1962; P. Le Fort, *Les structures de l'Église militante selon S. Jean*, Ginebra 1970.

CAPÍTULO PRIMERO

LA PRIMERA CARTA DE JUAN

I. PRESENTACIÓN LITERARIA

Todos los comentarios tratan este punto en su introducción. Véase además: W. Thiele, *Wortschatzungsuntersuchungen zu den altlateinischen Texten der drei Johannesbriefe*, Friburgo de B. 1958; E. Malatesta, *The Epistles of St. John: Structured Greek Text,* Fano 1966; J.C. O'Neill, *The Puzzle of 1 John,* Londres 1966; A. Škrinjar, *De divisione epistolae primae Johannis,* VD 47 (1969), p. 31-40.

II. LAS IDEAS RECTORAS DE 1JN

Suitbertus a S. Joanne a Cruce, *Die Volkommenheitslehre des ersten Johannesbriefes,* «Biblica» 39 (1958), p. 319-333, 449-470; N. Lazure, *Les valeurs morales de la théologie johannique,* EB, París 1965; J. Chmiel, *Lumière et charité d'après la Ire épître de Jean,* Roma 1971; D. Mollat, art. *Jean l'évangéliste,* DS, t. 8 (1972), col. 240-247; A. Feuillet, *Le mystère de l'amour divin dans la théologie johannique,* EB, París 1972; D. Dideberg, *S. Augustin et la Ire épître de S. Jean: Une théologie de l'Agapè,* París 1975; E. Malatesta, *Interiority and Covenant: An exegetical Study of the* εἶναι ἐν *and* μένειν ἐν *Expression in 1 John,* «Analecta Biblica», Roma 1977.

III. PROBLEMAS DE ORIGEN

Además de los comentarios, véase: H.H. Wendt, *Die Johannesbriefe und das joh. Christentum,* Halle 1915; W. Nauck, *Die Tradition und der Charakter des 1 Joh.,* Tubinga 1957.

Nota sobre el «comma» joánico

A. Lemonnier, art. *Comma johannique,* SDB, t. 2, col. 67-73; J. Chaine, *Les épîtres catholiques,* EB 1939, p. 126-137; T. Ayuso Marazuela, *Nuevo estudio sobre el «Comma johanneum»,* «Biblica» 28 (1974), p. 83-112, 216-235; 29 (1948), p. 52-76; W. Thiele, *Beobachtungen zum Comma johanneum,* ZNW 50 (1959), p. 61-73.

CAPÍTULO SEGUNDO

LAS CARTAS SEGUNDA Y TERCERA

Estudios: E. Käsemann, *Ketzer und Zeuge* (1951), en *Exegetische Versuche und Besinnungen,* t. 1, p. 168-187; H. von Campenhausen, *Kirchliches Amt und geistliche Vollmacht in den ersten 3 Jahrhunderten,* Tubinga 1953, p. 132-134, 153s; E. Schweizer, *Gemeinde und Gemeindeordnung im Neuen Testament,* Zurich 1959, 12a-e; F.A. Pastor Piñeiro, *La eclesiología juanea según E. Schweizer,* «Analecta Gregoriana» 168, Roma 1968, p. 179-194.

SECCIÓN TERCERA

EL CUARTO EVANGELIO

Comentarios: M.J. Lagrange, EB 1925; A. Durand, VS 1927; G.H.C. MacGregor, MFF 1928; J.H. Bernard ICC 1929; W. Bauer, HNT³ 1933; F. Tillmann, HSNT⁴ 1931; F. Büchsel, NTD 1934; F. Braun, BPC 1935; R. Bultmann, MKNT 1937-41 (Ergänzungsheft 1971); A. Wikenhauser, RNT ³1978; H. Strathmann, NTD⁶ 1951; W.F. Howard - A.J. Gossip, IntB 1952; D. Mollat, BJ 1953; R. Schnackenburg, TKNT 3 vol., 1965-1979; tr. cast. 1980; R.E. Brown, AnchB 2 vol., 1966-70 (tr. cast. Madrid 1979); B. Schwank, «Die Welt der Bibel» 1966ss (tr. fr. «Lumières bibliques», 1967-71); J.N. Sanders (ed. B.A. Mastin), BNTC 1968; S. Schulz, NTD¹² 1972; J. Blank, «El NT y su mensaje», Herder, Barcelona 1979s. Fuera de colecciones: B.F. Wescott, 1880 (reed. por A. Fox, Londres 1958); A. Loisy, París 1903 (²1921); H. Odeberg, Uppsala 1929; A. Schlatter, Stuttgart 1930; E. Hoskyns (ed. N. Davey), Londres 1940 (²1947); C.K. Barrett, Londres 1955; L. Bouyer, Tournai ²1955 (tr. cast. Barcelona 1967); R.H. Lightfoot (ed. C.G. Evans), Londres 1956; W. Barclay, 2 vol., Filadelfia 1958; H. Van den Bussche, Brujas-París 1967 (tr. cast. Madrid 1972); L.M. Peretto, Roma 1968; W. De Boor, 2 vol., Wuppertal 1971; L. Morns, Grand Rapids 1971; G. Hibbert, Londres 1972; B. Lindars, Londres 1972.

Obras generales: E.B. Allo, art. *Jean (Évangile de saint)*, SDB, t. 4 (1948), col. 813-843; C.H. Dodd, *The Interpretation of the Fourth Gospel*, Cambridge 1953 (²1970); citado según la tr. fr., París 1975; tr. cast.: *Interpretación del cuarto evangelio*, Cristiandad, Madrid 1978; *L'évangile de Jean: Études et problèmes*, «Recherches bibliques» n.º 3; Brujas-Lovaina 1958; F.M. Braun, *Jean le théologien*, EB, 4 vol.: I. *Jean le théologien et son évangile dans l'Église ancienne*, 1959; II. *Les grandes traditions d'Israël: L'accord des Écritures d'après le IVᵉ évangile*, 1964; III. *Le mystère de Jésus-Christ*, 1966; IV. *Le Christ notre Seigneur, hier et aujourd'hui*, 1972 (citado aquí: *Jean le théologien*, vol. 1, etc.). A. Feuillet, *Études johanniques*, Brujas-París 1962; L. Morris, *Studies in the Fourth Gospel*, Exeter 1969; *Studies in John, Presented to J.N. Sevenster*, NTSuppl. 24, Leiden 1970 (citado: *Studies in John)*; B. Lindars - B. Rigaux, *Témoignage de l'évangile de Jean*, «Pour une histoire de Jésus» n.º 5, Brujas-París 1974; S. Pancaro, *The Law in the Fourth Gospel*, NTSuppl. 42, Leiden 1975; A. Jaubert, *Approches de l'évangile de Jean*, París 1976; F.M. Braun, *La foi chretienne selon S. Jean*, París 1976; D. Mollat, *Saint Jean maître de vie spirituelle*, París 1976; *L'évangile de Jean: Sources, rédaction, théologie* (Journées bibliques de Louvain, 1975), M. de Jonge (dir.) Gembloux 1977; I. de la Potterie, *La vérité dans saint Jean*, 2 vol., «Analecta Biblica» 73-74, Roma 1977.

CAPÍTULO PRIMERO

HISTORIA DE LA INTERPRETACIÓN

Antes de los estudios críticos

Los comentarios patrísticos figuran en las *Patrologías* griega y latina. S. Agustín, *Tractatus in Johannem,* BAC, n.º 139 y 165. Entre los comentarios medievales destacamos: S. Tomás de Aquino, *Super Evangelium S. Ioannis Lectura,* dir. R. Cai, Turín 1952.
Traducciones francesas recientes: Orígenes, *Commentaire sur S. Jean,* «Sources chrétiennes», dir. C. Blanc, n.º 120, 157, 222; S. Efrén, *Commentaire de l'évangile concordant,* dir. L. Leloir, «Sources chrétiennes», n.º 121. T.E. Pollard, *Johannine Christology and the Early Church,* Cambridge 1970.

Investigaciones críticas

P.H. Menoud, *L'évangile de Jean d'après les recherches récentes,* «Cahiers théologiques» n.º 3, Neuchâtel 1943 ([2]1947); *Nouveaux ouvrages sur l'évangile de Jean,* RTP 3 (1953), p. 252-256; *Les études johanniques de R. Bultmann à C.K. Barrett,* en *L'évangile de Jean: Études et problèmes,* Brujas-París 1958, p. 11-40; W.F. Howard, *The Fourth Gospel in Recent Criticism and Interpretation* (rev. de C.K. Barrett), Londres [4]1955; E. Haenchen, *Aus der Literatur zum Johannes-Evangelium (1929-1956),* «Theologische Rundschau» 23 (1955), p. 295-335; F.B. Braun, *Où en est l'étude du IVe évangile?,* ETL 32 (1956), p. 535-546.
E. Malatesta, *St. John's Gospel,* Roma 1967, n.º 1-89 (bibliografía de las publicaciones entre 1920 y 1965); W.G. Kümmel, *Les recherches exégétiques sur le Nouveau Testament,* en *Bilan de la théologie du XXe siècle,* t. 2, Tournai-París 1970, p. 170-175, 212-224; B. Vawter, *Développements récents dans la théologie johannique,* BTB 1 (1971), p. 32-63.
H. Thyen, *Aus der Literatur zum Johannesevangelium,* «Theologische Rundschau» 39 (1974-1975), p. 1-69, 222-252, 289-330; R. Kysar, *The Fourth Evangelist and His Gospel: An Examination of Contemporary Scholarship,* Minneápolis (Miss.) 1975.
R. Schnackenburg, *El evangelio según san Juan,* t. 1, Herder, Barcelona 1980, p. 217-240 (El evangelio de Juan en la historia); *Entwicklung und Stand der johanneischen Forschung seit 1955* y J. Giblet, *Développements dans la théologie johannique,* en *L'évangile de Jean* (Journées bibliques de Louvain 1975), Gembloux 1977, p. 19-44 y 45-72.

CAPÍTULO SEGUNDO

PRESENTACIÓN LITERARIA DEL IV EVANGELIO

I. FIJACIÓN CRÍTICA DEL TEXTO

Ediciones de textos: C.H. Roberts, *An Unpublished Fragment of the Fourth Gospel in the John Ryland's Library,* Manchester 1935; H. Idris Bell - T.C. Skeat, *Fragments of an Unknown Gospel and Other Early Christian Papyri,* Londres 1935; texto revisado en *The New Gospel Fragments,* Londres 1955; V. Martin, *Papyrus Bodmer II: Évangile de Jean, 1-14,* Cologny-Ginebra 1956; V. Martin, *Papyrus Bodmer II: Suppl. Évangile de Jean 14-21,* Cologny-Ginebra 1958; V. Martin - J.W.B. Barns, *Papyrus Bodmer II: Suppl. Évangile de Jean 14-21,* nueva ed. completada, con reproducción fotográfica, cap. 1-21, Cologny-Ginebra 1962; V. Martin - R. Kasser, *Papyrus Bodmer XIV-XV: Évangiles de Luc et Jean,* Cologny-Ginebra 1961.

Estudios principales sobre los textos: M.J. Lagrange, *Deux nouveaux textes relatifs à l'Évangile,* RB 44 (1935), p. 339-343; L. Cerfaux, *Parallèles canoniques et extra-canoniques de l'Évangile inconnu,* en *Recueil L. Cerfaux,* t. 1, p. 279-299; F.M. Braun, *Jean le Théologien,* t. 1, p. 86-100, 404-406.
Acerca de P66: M.E. Boismard, *Le papyrus Bodmer II,* RB 64 (1957), p. 363-398, y recensión de la nueva ed. de V. Martin - J.W.B. Barns, RB 70 (1963), p. 120-133; J. Duplacy, en RSR 50 (1962), p. 249-252; K. Aland, *Neue Neutestamentliche Papyry (II),* NTS 10 (1963-1964), p. 62-79; NTS 11 (1964-1965), p. 1-21.
Acerca de P75: J. Duplacy, en RSR 50 (1962), p. 255-260; C.L. Porter, *An Analysis of the Textual Variation between Pap. 75 and Codex Vaticanus in the Text of John,* en *Studies in the History and Text of the New Testament* (homenaje a K.W. Clark), Salt Lake City 1967, p. 71-80.
Edición de la *Vetus Latina:* A. Jülicher - W. Matzkow - K. Aland, *Itala IV,* Berlín 1963. Sobre las dos versiones coptas: R. Kasser, *L'évangile selon S. Jean et les versions coptes* (Bibliothèque Théologique), Neuchâtel 1967.
Para una visión de conjunto: B.M. Metzger, *The Text of the New Testament: Its Transmission, Corruption and Restoration,* Oxford 1964; R. Schnackenburg, *El evangelio según san Juan,* t. 1, p. 199-216.

II. LENGUA Y ESTILO DEL IV EVANGELIO

E. Malatesta, *St. John's Gospel,* n.º 604-670; E.A. Abbott, *Johannine Vocabulary,* Londres 1905; *Johannine Grammar,* Londres, 1906.
C.F. Burney, *The Aramaic Origin of the Fourth Gospel,* Oxford 1922; C.C. Torrey, *The Aramaic Origin of the Gospel of John,* HTR 16 (1923), p. 305-344; *Our Translated Gospels: Some of the Evidence,* Londres 1937;

M. Black, *An Aramaic Approach to the Gospels and Acts,* Oxford 1946 ([3]1967: citamos esta edición); Schuyler Brown, *From Burney to Black: The Fourth Gospel and the Aramaic Question,* CBO 26 (1944), p. 323-339 (buena bibliografía); G.D. Kilpatrick, *What John tell us about John?, Studies in John* (Mélanges J.N. Sevenster), Leiden 1970, p. 75-87; A.J. Festugière, *Observations stylistiques sur l'évangile de S. Jean,* París 1974. J. Bonsirven, *Les aramaïsmes de S. Jean l'évangéliste,* «Biblica» 30 (1949), p. 405-432.

III. EL PLAN DEL IV EVANGELIO

E. Malatesta, *St. John's Gospel,* n.º 518-571; R. Schnackenburg, *El evangelio según san Juan,* t. 1, p. 74-78, 82-85; R.E. Brown, *The Gospel according to John,* t. 1, p. XXIV-XXVIII, CXXXVIII-CXLIV; H. Thyen, en «Theologische Rundschau» 39 (1975), p. 296-307.
E. Ruckstuhl, *Die literarische Einheit des Johannesevangeliums,* Friburgo 1951; M.E. Boismard, *L'évangile à quatre dimensions* «Lumière et Vie» 1 (1951), p. 94-114; F. Quiévreux, *La structure symbolique de l'évangile de S. Jean,* RHPR 33 (1953), p. 123-165; H. Clavier, *La structure du IVe évangile,* RHPR 35 (1955), p. 174-195; A. Feuillet, *La composition littéraire de Jn 9-12,* en *Mélanges A. Robert,* París 1957, p. 478-493; H. Van den Bussche, *La structure de Jean 1-12,* en *L'évangile de Jean: Études et problèmes,* Brujas-París 1958, p. 61-109; D.M. Smith Jr, *The Composition and Order of the Fourth Gospel: Bultmann's Literary Theory,* New Haven-Londres 1964; D. Deeks, *The Structure of the Fourth Gospel,* NTS 15 (1968-1969), p. 107-129; A. Lion, *Lire S. Jean* (col. Lire la Bible 32), París 1972.

IV. ANÁLISIS DE LA OBRA

El prólogo

Bibliografía de conjunto: E. Malatesta, *St. John's Gospel,* n.º 1073-1148.
C. Spicq, *Le Siracide et la structure littéraire du prologue de S. Jean,* en *Mémorial Lagrange,* París 1940, p. 183-195; M.E. Boismard, *Le Prologue de S. Jean,* LD 11, París 1953 (tr. cast.: *El prólogo de san Juan,* Fax, Madrid [2]1970); *Saint Luc et la rédaction du IVe évangile,* RB 69 (1962), p. 206-210; H. Schlier, *Im Anfang war das Wort. Zum Prolog des Johannes,* «Wort und Wahrheit» 9 (1954), p. 169-180 (tr. fr.: *Le temps de l'Église,* Tournai-París 1961, p. 278-290); Serafín de Ausejo, *¿Es un himno a Cristo el prólogo de S. Juan? Los himnos cristológicos de la iglesia primitiva (Phil. 2,6-11; Col 1,15-20; 1Tim. 3,16; Hebr. 1,2ss) y el prólogo del 4.º Ev.,* «Estudios Bíblicos» 16 (1956), p. 223-277, 381-427; E. Käsemann, *Aufbau und Anliegen des johanneischen Prologs,* en *Libertas christiana* (homenaje a F. Delekat), Munich 1957, p. 75-99 (= *Exegetische Versuche*

und Besinnungen, t. 2, p. 155-180); M.F. Lacan, *Le Prologue de S. Jean: Ses thèmes, sa structure, son mouvement,* «Lumière et Vie» n.º 33 (1957), p. 91-110; R. Schnackenburg, *Logos-Hymnus und johanneischer Prolog,* BZ 1 (1957), p. 69-109; S. Schulz, *Die Komposition des Johannesprologs und die Zusammensetzung des 4. Evangeliums,* «Studia Evangelica» t. 1, Berlín 1959, p. 351-362; J.A.T. Robinson, *The Relation of the Prologue to the Gospel of St. John,* NTS 9 (1962-1963), p. 120-129; E. Haenchen, *Probleme des johanneischen Prologs: (a) Rekonstruktion des Hymnus; (b) ... der Bearbeitung,* ZTK 60 (1963), p. 305-334; W. Eltester, *Der Logos und sein Prophet. Fragen zur heutigen Erklärung des joh. Prologs,* Berlín 1964, p. 109-134; P. Lamarche, *Le Prologue de S. Jean,* RSR 52 (1964), p. 497-537 (= *Christ Vivant,* París 1966, p. 87-140); J. Willemse, *Jesús, primera y última palabra de Dios,* «Concilium» n.º 10 (1965), p. 81-99; J. Jeremías, *Der Prolog des Johannesevangeliums,* Stuttgart 1967; A. Feuillet, *Le prologue du quatrième évangile,* Brujas-París 1968 = art. *Prologue,* SDB, t. 8, col. 623-688 (bibliografía muy desarrollada); en tr. cast.: *Prólogo del cuarto evangelio,* Paulinas, Madrid; P. Borgen, *Observation on the Targumic Character of the Prologue of John,* NTS 16 (1969-1970), p. 288-295; *Logos was the true Light: Contribution to the Interpretation of the Prologue of John,* «Novum Testamentum» 16 (1972), p. 115-130; J. Irigoin, *La composition rythmique du Prologue de Jean (1,1-18),* RB 78 (1971), p. 501-514, J.T. Sanders, *The New Testament Christological Hymns: Their Historical Religious Background,* Cambridge 1971, p. 29-57; G. Richter, *Die Fleischwerdung des Logos im Joh.-Ev.,* «Novum Testamentum» 13 (1971), p. 81-126; 14 (1972), p. 257-276; M.D. Hooker, *The Johannine Prologue and the Messianic Secret,* NTS 21 (1974-1975), p. 40-58; H. Zimmermann, *Christushymnus und johanneischer Prolog,* en *Neues Testament und Kirche* (homenaje a R. Schnackenburg), Friburgo de Brisgovia 1974, p. 249-265; D.G. Deeks, *The Prologue of St. John's Gospel,* BTB 16 (1976), p. 62-78; P.J. Cahill, *The Johannine Logos as Center,* CBQ 38 (1976), p. 54-72.

Origen del Logos joánico

E. Malatesta, *St. John's Gospel,* n.º 1149-1193; A. Debrunner - H. Kleinknecht - O. Procksch - R. Kittel, art. *Légô-Logos,* TWNT, t. 4, p. 69-140: R.J. Tournay - A. Barucq - A. Robert - J. Starcky, art. *Logos,* SDB, t. 5, col. 425-496; J. Giblet, *La théologie johannique du Logos,* en *La Parole de Dieu en Jésus-Christ,* Tournai-París 1961, p. 85-119; F.M. Braun, *Messie, Logos et Fils de l'Homme,* en *La venue du Messie* (Recherches bibliques, 6), Brujas-París 1962, p. 133-147; D. Muñoz León, *Dios-Palabra: «Memra» en los Targumim del Pentateuco,* Granada 1974; cf. L. Sabourin, *The Memra of God in the Targums,* BTS 6 (1976), p. 79-85; C. Lefèvre (Filosofía antigua), A. Feuillet - M. Sinoir (Tradición bíblica), M. Spanneut - J. Liebaert (Tradición patrística), art. *Logos, Catholicisme,* fasc. 31 (1974), col. 963-994.

Bibliografía (parte VI, secc. III, cap. II)

EL LIBRO DE LOS SIGNOS (1,19-12,50)

PARTE PRIMERA: EL ANUNCIO DE LA VIDA (1,19-6,71)

SECCIÓN PRIMERA: EL ACCESO A LA FE (1,19-4,42)

1) «¿Quién eres tú?» (1,19-51)

M.E. Boismard, *Du baptême à Cana,* LD, París 1956; *Les traditions johanniques concernant le Baptiste,* RB 70 (1963), p. 5-42; E. Cothenet, art. *Prophétisme dans le NT: Jean-Baptiste,* SDB, t. 8 (1971), col. 1254-58 (bibliografía sobre las tradiciones joánicas).
G. Richter, *Bist du Elias (Joh 1,21),* BZ 6 (1962), p. 79-92, 238-56; 7 (1963), p. 63-80; J.A.T. Robinson, *Elijah, John and Jesus: An Essay in Detection,* NTS 4 (1957-58), p. 263-281; R. Schnackenburg, *Das vierte Evangelium und die Johannesjunger,* «Historisches Jahrbuch» 77 (1958), p. 21-38; A. Serra, *La tradizione della teofania sinaitica nel Targum dello pseudo-Jonathan Es. 19,24 e in Giov. 1,19-2,12,* «Marianum» 33 (1971), p. 1-39; B. Van Iersel, *Tradition und Redaktion in Joh. 1,19-36,* «Novum Testamentum» 5 (1962), p. 245-267.

Sobre Jn 1,51: W. Michaelis, *Joh. 1,51, Gen. 28,12 und das Menschensohn-Problem,* TLZ 85 (1960), p. 561-578; G. Quispel, *Nathanael und der Menschensohn (Joh. 1,51),* ZNW 47 (1956), p. 281-3; F. Hahn, *Die Jüngerberufung Joh 1,35-51,* en *Neues Testament und Kirche* (homenaje a R. Schnackenburg), Friburgo de B. 1974, p. 172-190; S.S. Smalley, *Johannes 1,51 und die Einleitung zum vierten Evangelium,* en *Jesus und der Menschensohn* (homenaje a A. Vögtle), Friburgo de B. 1975, p. 300-313.

2) La nueva alianza (2,1-25)

El episodio de Caná (2,1-12)

M.E. Boismard, *Du baptême à Cana,* p. 133-159; F.M. Braun, *La Mère des fidèles,* París [2]1954, p. 47-74; J.D.M. Derrett, *Water into Wine,* BZ 7 (1963), p. 80-97; R.J. Dillon, *Wisdom, Tradition and Sacramental Retrospect in the Cana Account (Jn 2,1-11),* CBQ 24 (1962), p. 268-296; A. Feuillet, *L'heure de Jésus et le signe de Cana,* ETL 36 (1960), p. 5-22 (= *Études johanniques,* p. 11-33); *La signification fondamentale du premier miracle de Cana (Jn 2,1-11) et le symbolisme johannique,* RTh 65 (1965), p. 517-535; M. Rissi, *Die Hochzeit in Kana,* en *Oikonomia* (homenaje a O. Cullmann), Hamburgo 1967, p. 76-92; J. Michl, *Bemerkungen zu Joh. 2,4,* «Biblica» 36 (1955), p. 492-509; A. Smitmans, *Das Weinwunder von Kana. Die Auslegung von Joh. 2,1-11 bei den Vätern und heute,* Tubinga 1966; B. Olsson, *Structure and Meaning in the Fourth*

Gospel: A Text-linguistic Analysis of John 2:1-11 and 4:1-42, Lund 1974; A. Vanhoye, *Interrogation johannique et exégèse de Cana (Jn 2,4),* «Biblica» 55 (1974), p. 157-167.

La purificación del templo (2,13-25)

F.M. Braun, *L'expulsion des vendeurs du Temple (Jn 2,13-22, etc.),* RB 38 (1929), p. 178-200; O. Cullmann, *L'opposition contre le Temple de Jérusalem,* NTS 5 (1958-59), p. 157-173; A.M. Dubarle, *Le signe du temple,* RB 48 (1939), p. 21-44; R.H. Lightfoot, *The Cleansing of the Temple in St. John's Gospel,* en *The Gospel Message of St. Mark,* Oxford 1950, p. 70-79; M. Simon, *Retour du Christ et reconstruction du Temple dans la pensée chrétienne primitive,* en *Aux sources de la Tradition chrétienne* (Mélanges M. Goguel), Neuchâtel-París 1950, p. 247-57; X. Léon-Dufour, *Le signe du temple selon S. Jean,* RSR 39 (1951), p. 155-175; V. Epstein, *The Historicity of the Gospel Account of the Cleansing of the Temple,* ZNW 55 (1964), p. 42-58; E. Trocmé, *L'expulsion des marchands du Temple,* NTS 15 (1968-69), p. 1-22.

3) Vacilaciones y progresos en la fe (3,1-4,42)

La conversación con Nicodemo (3,1-21)

F. Roustang, *L'entretien avec Nicodème,* NRT 78 (1956), p. 337-58; I. de la Potterie, *Naître de l'eau et de l'Esprit,* Sc Eccl 14 (1962), p. 417-443 = *La vie selon l'Esprit condition du chrétien* (Unam Sanctam n.º 55), París 1965, p. 31-63; G. Gaeta, *Il dialogo con Nicodemo* (Studi Biblici 26), Brescia 1974.

Último testimonio de Juan (3,22-36)

M.E. Boismard, *L'ami de l'époux (Jn 3,29),* en *A la rencontre de Dieu* (Mémorial A. Gelin), Lyón-Le Puy 1961, p. 289-295; *Aenon, près de Salem (Jn 3,23),* RB 80 (1973), p. 218-229; X. Léon-Dufour, *Et là Jésus baptisait (Jn 3,22),* en *Mélanges E. Tisserant,* Ciudad del Vaticano 1964, t. 1, p. 295-309.

La conversación con la samaritana (4,1-42)

F.M. Braun, *In Spiritu et Veritate (Jn 4,23),* RTh 52 (1952), p. 245-74; 485-507; O. Cullmann, *La Samarie et les origines de la Mission chrétienne: Qui sont les ἄλλοι de Jn 4,38?,* en *Des sources de l'Évangile à la formation de la théologie chrétienne,* Neuchâtel-París 1969, p. 43-49 (tr. cast.

Del evangelio a la formación de la teología cristiana, Sígueme, Salamanca 1972); F. Roustang, *Les moments de l'acte de foi et ses conditions de possibilité: Essai d'interprétation du dialogue avec la Samaritaine,* RSR 46 (1958), p. 344-378; J.A.T. Robinson, *The «Others» of John 4,38: A Test of exegetical Method,* en *Studia Evangelica,* t. 1, Berlín 1959, p. 510-515; R. Schnackenburg, *Die Anbetung in Geist und Wahrheit (Joh. 4,23) im Lichte von Qumran-Texten,* BZ 3 (1959), p. 88-94; *Adoration en esprit et en vérité,* en *L'existence chrétienne selon le Nouveau Testament,* Brujas-París 1971, t. 2, p. 281-300 (tr. cast. *La existencia cristiana según el NT,* Verbo Divino, Estella [Navarra] 1970); A. Jaubert, *La symbolique du puits de Jacob (Jn 4,12),* en *L'homme devant Dieu* (Mél. H. de Lubac), París 1963, t. 1, p. 63-73; L. Schottroff, *Johannes 4,5-15 und die Konsequenz des johanneischen Dualismus,* ZNW 60 (1969), p. 199-213.

SECCIÓN SEGUNDA: JESÚS, PALABRA QUE TRANSMITE LA VIDA (4,43-5,47)

1) **El segundo milagro de Caná** (4,43-54)

A. Feuillet, *La signification théologique du second miracle de Cana (Jn 4,46-54),* RSR 48 (1960), p. 62-75 (= *Études johanniques,* p. 34-46); L. Erdozain, *La función del signo en la fe según el cuarto evangelio: Estudio crítico exegético de las perícopas Jn 4,46-54 y Jn 20,24-29,* «Analecta Biblica» 33, Roma 1968.

2) **La curación del paralítico de Betzatá** (5,1-47)

A. Duprez, *Jésus et les dieux guérisseurs: A propos de Jean 5,* Cahiers de la Revue Biblique 12, París 1970; cf. la reseña crítica de J. Jeremias, «Biblica» 54 (1973), p. 152-155; J. Giblet, *Le témoignage du Père (Jn 5, 31-47),* BVC n.º 12 (1955), p. 49-59; A. Vanhoye, *L'oeuvre du Christ, don du Père (Jn 5,36 et 17,4),* RSR 48 (1960), p. 377-419; *La composition de Jn 5,19-30,* en *Mélanges B. Rigaux,* Gembloux 1970, p. 259-274; M.E. Boismard, *L'évolution du thème eschatologique dans les traditions johanniques,* RB 68 (1961), p. 507-524 (cf. 514-518); C.H. Dodd, *Une parabole cachée dans le IVe évangile,* RHPR 42 (1962), p. 107-115; J. Blank, *Krisis. Untersuchungen zur johanneischen Christologie und Eschatologie,* Friburgo de B. 1964, p. 109-182; J.L. Martyn, *History and Theology in the Fourth Gospel,* Nueva York 1968, p. 45-77; J. Bernard, *La guérison de Bethesda. Harmoniques judéohellénistiques d'un récit de miracle un jour de sabbat,* en «Mélanges de Science religieuse» 33 (1976), p. 3-34.

SECCIÓN TERCERA: JESÚS PAN DE VIDA (6,1-71)

Visión de conjunto de Jn 6: D. Mollat, *Le ch. 6 de S. Jean,* «Lumière et Vie» n.º 31 (1957), p. 107-119; F.J. Leenhardt, *La structure du ch. 6 de l'évangile de Jean,* RHPR 39 (1959), p. 1-13; X. Léon-Dufour, *Le mystère du Pain de Vie (Jn 6),* RSR 46 (1958), p. 481-523.

1) El relato de la multiplicación de los panes (6,1-15)

E.D. Johnston, *The Johannine Version of the Feeding of the Five Thousand - An Independant Tradition?,* NTS 8 (1961-62), p. 151-154. Para el relato sinóptico, bibliografía en J.M. Van Cangh, *La multiplication des pains et l'eucharistie,* LD 86, París 1975, cap. 2 («Histoire de l'exégèse»); J. Konings, *The Pre-Markan Sequence in Jn 6,* en *L'Évangile de Marc: Tradition et rédaction,* Gembloux 1974, p. 147-177.

2) El discurso del pan de vida (6,26-58)

Sobre el género literario del discurso: B. Gärtner, *John 6 and the Jewish Passover,* Upsala 1959; P. Borgen, *Observations on the Midrashic Character of John 6,* ZNW 54 (1963), p. 232-240; *Bread from Heaven: An Exegetical Study in the Concept of Manna in the Gospel of John and the Writings of Philo,* Leiden 1965; B.J. Malina, *The Palestinian Manna Tradition,* Leiden 1968; R. Le Déaut, *Une aggadah targumique et les «murmures» de Jean 6,* «Biblica» 51 (1970), p. 80-83; J.N. Aletti, *Le discours sur le pain de vie (Jn 6). Problèmes de composition et fonction des citations de l'AT,* RSR 62 (1974), p. 169-187.
Sobre las alusiones sapienciales: A. Feuillet, *Les thèmes bibliques majeurs du discours sur le pain de vie (Jn 6),* NRT 82 (1960), p. 803-822, 918-939, 1040-1062 (= *Études johanniques,* p. 47-129).
Sobre la interpretación eucarística de Jn 6,51-19: J. Jeremias, *La dernière Cène: Les paroles de Jésus* (tr. fr., LD 75), París 1972, p. 121-124; H. Schürmann, *Joh. 6,51c: Ein Schlüssel zur johanneischen Brotrede,* BZ 2 (1958), p. 244-62; J.D.G. Dunn, *John 6: A Eucharistic Discourse?,* NTS 17 (1970-71), p. 328-338; U. Wilckens, *Der eucharistische Abschnitt der johanneischen Rede vom Lebensbrot (Joh 6,51c-58),* en *Neues Testament und Kirche* (homenaje a R. Schnackenburg), Friburgo de B. 1974, p. 220-248.

PARTE SEGUNDA: RECHAZO DE LA VIDA Y AMENAZAS DE MUERTE (7,1-12,50)

Sobre Jn 7-12: H. van den Bussche, *La structure de Jean 1-12,* en *L'évangile de Jean: Études et problèmes,* p. 51-109 (cf. p. 96-107).
Sobre el episodio de la mujer adúltera (7,53-8,11): U. Becker, *Jesus und die Ehebrecherin. Untersuchungen zur Texte- und Uberlieferungsgeschichte von Joh. 7,53-8,11,* Berlín 1963; H. Riesenfeld, *The Pericope «De adultera» in the Early Christian Tradition,* en *The Gospel Tradition,* Oxford 1970, p. 95-110.

SECCIÓN PRIMERA: CONTROVERSIA EN LA FIESTA DE LAS TIENDAS (7,1-8,59)

J. Schneider, *Zur Komposition von Joh. 7*, ZNW 45 (1954), p. 108-119.
M.E. Boismard, *De son ventre couleront des fleuves d'eau (Jn 7,38)*, RB 65 (1958), p. 523-546; P. Grelot, *De son ventre couleront des fleuves d'eau: La citation scripturaire de Jean 7,38*, RB 66 (1959), 369-374 (cf. 67 [1960], p. 224s); A. Feuillet, *Les fleuves d'eau vive de Jn 7,38: Contribution à l'étude des rapports entre IVe évangile et Apocalypse*, en *Parole de Dieu et Sacerdoce* (Mélanges J.J. Weber), París 1962, p. 107-120; P. Grelot *Jn 7,38: Eau du rocher ou source du temple?*, RB 70 (1963), p. 43-51.
S. Pancaro, *The Metamorphosis of a Legal Principle in the Fourth Gospel: A Closer Look at Jn 7,51*, Biblica 53 (1972), p. 340-61; J.P. Charlier, *L'exégèse johannique d'un précepte légal: Jn 8,17*, RB 67 (1960), p. 503-515; C.H. Dodd, *A l'arrière-plan d'un dialogue johannique (8,33-47)*, RHPR 37 (1957), p. 5-17.

SECCIÓN SEGUNDA: JESÚS, LUZ DEL MUNDO (9,1-10,42)

A. Feuillet, *Essai sur la composition des ch. 9-12 de S. Jean*, en *Études johanniques*, p. 130-151; J.L. Martyn, *History and Theology in the Fourth Gospel*, Nueva York 1968, p. 3-41.
Sobre las alegorías del cap 10: J. Schneider, *Zur Komposition von Joh. 10*, «Conjectanea Neotestamentica» 11 (1947), p. 220-225; L. Cerfaux, *Le thème littéraire parabolique dans l'évangile de S. Jean*, «Conjectanea Neotestamentica» 11 (1947), p. 15-25 (= *Recueil L. Cerfaux*, t. 2, p. 17-26); A.J. Simonis, *Die Hirtenrede im Johannes-Evangelium. Versuch einer Analyse von Johannes 10,1-18 nach Entstehung, Hintergrund und Inhalt*, «Analecta Biblica» 29, Roma 1967; I. de la Potterie, *Le Bon Pasteur*, en *Populus Dei* (Mélanges A. Ottaviani), Roma 1969, t. 2, p. 927-968.
Sobre la discusión de la fiesta de la dedicación: M.E. Boismard, *Jésus, le Prophète par excellence, d'après Jean 10,24-39*, en *Festschrift R. Schnackenburg* (1974), p. 160-171.

SECCIÓN TERCERA: JESÚS, VIDA Y RESURRECCIÓN DEL MUNDO (11,1-12,36)

1) Resurrección de Lázaro (11,1-45)

W.H. Cadman, *The Raising of Lazarus (Jn 10,40-11,53)*, en *Studia Evangelica*, t. 1, Berlín 1959, p. 423-434; R. Dunkerley, *Lazarus (Jn 11; Lc 16,19-31)*, NTS 5 (1958-59), p. 321-327; G. Sass, *Die Auferweckung des Lazarus. Eine Auslegung von Johannes 11*, Neukirchen 1967; L. Sabourin, *Resurrectio Lazari (Jo. 11,1-44)*, VD 46 (1968), p. 339-350; T.E. Pollard, *The Raising of Lazarus (John 11)*, en *Studia Evangelica*, t. 6, Berlín 1973, p. 434-443; C.F.D. Moule, *The Meaning of «Life» in the Gospels and*

Epistles of St. John. A Study in the Story of Lazarus (Jn 11,1-44), «Theology» 78 (1975), p. 114-125.

2) Deliberación en casa de Caifás (11,46-54)

P. Winter, *On the Trial of Jesus*, Berlín 1961, p. 37-43; C.H. Dodd, *The Prophecy of Caiaphas (Jn 11,47-53)*, *Neotestamentica et Patristica* (Mélanges O. Cullmann), Leiden 1962, p. 133-143; S. Pancaro, *«People of God» in St. John's Gospel?*, NTS 16 (1969-70), p. 114-129.

3) Unción de Betania y entrada en Jerusalén (12,1-19)

A. Légault, *An Application of the Form-Critique Method to the Anoitings in Galilee (Lk 7,36-50) and Bethany (Mt 26,6-13; Mk 14,3-9; Jn 12,1-8)*, CBQ 16 (1954), p. 131-145; E.D. Freed, *The Entry into Jerusalem in the Gospel of John*, JBL 80 (1961), p. 329-338; M.E. Boismard, *La royauté du Christ dans le IVe évangile*, «Lumière et Vie» n.º 57 (1962), p. 43-63; D.M. Smith, *John 12,12ff. and the Question of John's Use of the Synoptics*, JBL 82 (1963), 58-64; A. Feuillet, *Les deux onctions faites sur Jésus, et Marie-Madeleine*, RTh 75 (1975), p. 357-394.

4) Episodio de los griegos (12.20-36)

A. Rasco, *Christus, granum frumenti (Jn 12,24)*, VD 37 (1959), p. 12-25, 65-77; I. de la Potterie, *L'exaltation du Fils de l'homme (Jn 12,31-36)*, «Gregorianum» 49 (1968), p. 460-478; X. Léon-Dufour, *Père, fais-moi passer sain et sauf à travers cette heure! (Jn 12,27)*, en *Neues Testament und Geschichte* (Mélanges O. Cullmann), Zurich-Tubinga 1972, p. 157-165; H.B. Kossen, *Who were the Greeks of John 12,20?*, en *Studies in John* (homenaje a J.N. Sevenster), Leiden 1970, p. 97-110.

EL LIBRO DE LA HORA, O DE LA GLORIA (13,1-20,31 + 21,1-25)

PARTE PRIMERA: LA CENA DE DESPEDIDA (13,1-17,26)

SECCION PRIMERA: EL LAVATORIO DE LOS PIES Y LA CENA (13,1-30)

H. Thyen, *Johannes 13 und die «kirchliche Redaktion» der vierten Evangeliums*, en *Tradition und Glaube* (homenaje a G. Kuhn), Gotinga 1971, p. 343-356.
Sobre Jn 13,1-3: G. Ferraro, *L'«ora» di Cristo nel quarto Vangelo*, Roma 1974, p. 202-221.

Bibliografía (parte VI, secc. III, cap. II)

1) El relato del lavatorio de los pies (13,1-20)

P. Grelot, *L'interprétation pénitentielle du lavement des pieds*, en *L'homme devant Dieu* (Mélanges H. de Lubac), París 1963, t. 1, p. 75-91; M.E. Boismard, *Le lavement des pieds (Jn 13,1-17)*, RB 71 (1964), p. 5-24; G. Richter, *Die Fusswaschung im Johannesevangelium: Geschichte ihrer Deutung*, Ratisbona 1967; A. Weiser, *Joh. 13,13-20: Zufügung einer späteren Herausgebers?*, BZ 12 (1968), p. 252-7 (contra la tesis de G. Richter); J.D.G. Dunn, *The Washing of the Disciples' Feet in John 13,1-20*, ZNW 61 (1970), p. 247-252.

2) El anuncio de la traición de Judas (13,21-30)

M. Wilcox, *The Composition of John 13,21-30, Neotestamentica et Semitica* (homenaje a M. Black), Edimburgo 1969, p. 143-156.

SECCIÓN SEGUNDA: LOS DISCURSOS DE DESPEDIDA (13,31-16,33)

Género literario de los discursos de despedida: J. Munck, *Discours d'adieu dans le Nouveau Testament et dans la littérature biblique*, en *Aux sources de la tradition chrétienne* (Mélanges M. Goguel), Neuchâtel 1950, p. 155-170.
Comentarios: J. Huby, *Le discours de Jésus après la Cene*, París 1933; A. von Speyr, *Die Abschiedsreden. Betrachtungen über Kap. 13-17 des Johannesevangeliums*, Einsiedeln 1948; C. Hauret, *Les Adieux du Seigneur (Jn 13-17)*, París 1952 (tr. cast. *La despedida del Señor*, Rialp, Madrid 1963); H. van den Bussche, *Le discours d'adieu de Jésus*, Tournai 1959; G.M. Behler, *Les paroles d'addieux du Seigneur*, LD 27, París 1960.
Estudios particulares: S. Schulz, *Komposition und Herkunft der johanneischen Reden*, Stuttgart 1960, p. 81-84 y 109-117; J. Becker, *Die Abschiedsreden Jesus im Johannesevangelium*, ZNW 61 (1970), p. 215-246; A. Lacomara, *Deuteronomy and the Farewell Discourse (Jn 13,31-16,33)*, CBQ 36 (1974), p. 65-84; J.L. Boyle, *The Last Discourse (Jn 13,31-16,33) and Prayer (Jn 17): Some Observations on Their Unity and Development*, «Biblica» 56 (1975), p. 210-222.
Alegoría de la viña: R. Borig, *Der wahre Weinstock*, Munich 1967; A. Jaubert, *L'image de la vigne (Jn 15)*, en *Oikonomia* (homenaje a O. Cullmann, Hamburgo 1967), p. 93-99.
I. de la Potterie, *Je suis la Voie, la Vérité et la Vie (Jn 14,6)*, NRT 88 (1966), p. 907-942; A. Feuillet, *L'heure de la femme (Jn 16,21) et l'heure de la Mère de Jésus (Jn 19,25-27)*, «Biblica» 47 (1966), p. 169-184, 361-380, 557-573.
Sobre el Paráclito, véase infra, p. 656s.

SECCIÓN TERCERA: LA ORACIÓN SACERDOTAL (Jn 17)

A. George, *L'Heure de Jean 17*, RB 61 (1954), p. 392-397; W. Thüsing, *Herrlichkeit und Einheit. Eine Auslegung des Hohepriesterlichen Gebetes Jesu (Joh. 17)*, Düsseldorf 1962 (tr. fr. *La prière sacerdotale de Jésus*, «Lire la Bible» 22, París 1970); E. Käsemann, *Jesu letzter Wille nach Joh. 17*, Tubinga [3]1971; J. Becker, *Aufbau, Schichtung und theologiegeschichtliche Stellung des Gebetes in Joh. 17*, ZNW 60 (1969), p. 56-83; B. Rigaux, *Les destinataires du IVe évangile à la lumière de Jn 17*, «Revue Théologique de Louvain» 1 (1970), p. 289-319; E. Malatesta, *The Literary Structure of John 17*, «Biblica» 52 (1971), p. 190-214; G. Ferraro, *L'«Ora» di Cristo nel quarto Vangelo*, Roma 1974, p. 260-275.
A. Feuillet, *Le sacerdoce du Christ et de ses ministres*, París 1972 (con bibliografía, p. 12, n. 10); acerca de este libro, véase J. Delorme, *Sacerdoce du Christ et ministère (A propos de Jean 17)*, RSR 62 (1974), p. 199-219.

PARTE SEGUNDA: EL RELATO DE LA PASIÓN (18,1-19,42)

Estudios generales: E. Osty, *Les points de contac entre le récit de la passion dans saint Luc et dans saint Jean, Mélanges J. Lebreton* (= RSR 39 [1951], p. 146-154); I. Buse, *St. John and the Marcan Passion Narrative*, NTS 4 (1957-1958), p. 215-219; *St. John and the Passion Narratives of St. Matthew and St. Luke*, NTS 7 (1960-1961), p. 65-76; P. Borgen, *John and the Synoptics in the Passion Narrative*, NTS 5 (1958-1959), p. 246-259; X. Léon-Dufour, art. *Passion*, SDB, t. 6, col. 1438-1444; J.C. Fenton, *The Passion according to John*, Londres 1961. A. Janssens de Verebeke, *La structure des scènes du récit de la passion en Jn 18-19*, ETL 38 (1962), p. 504-522; J.A. Bailey, *The Traditions common to the Gospels of Luke and John*, Leiden 1963, p. 29-84; C.H. Dodd, *Historical Tradition...*, Cambridge 1963, p. 21-151 (tr. cast. en Cristiandad, Madrid 1977); E. Haenchen, *Historie und Geschichte in den johanneischen Passionsberichten*, en *Zur Bedeutung des Todes Jesu*, Gütersloh 1967, p. 55-78; W.A. Meeks, *The Prophet-King: Moses Traditions and the Johannine Christology*, Leiden 1967, p. 55-80; J. Jeremias, *La dernière Cène: Les Paroles de Jésus*, tr. fr., París 1972, p. 99-107; A. Dauer, *Die Passionsgeschichte im Johannesevangelium. Eine traditionsgeschichtliche und theologische Untersuchung zu Joh, 18,1-19,30*, Munich 1972; J.T. Forestell, *The Word of the Cross*, «Analecta Biblica» 57, Roma 1974.

Estudios particulares: J. Blank, *Die Verhandlung vor Pilatus: Joh 18,28-19,16 im Lichte johanneischer Theologie*, BZ 3 (1959), p. 60-81; I. de la Potterie, *Jésus, roi et juge d'après Jn 19,13: ekathisen epi bématos*, «Biblica» 41 (1960), p. 217-247; *La parole de Jésus «Voici ta Mère» et l'accueil du Disciple (Jn 19,27b)*, «Marianum» 36 (1974), p. 1-39; D. Mollat, *Ils regarderont celui qu'ils ont transpercé: La conversion chez saint Jean*, «Lumière et Vie» n.º 47 (1960), p. 95-114; H. Schlier, *Jésus et Pilate*, en *Le temps de l'Église*, tr. fr. Tournai 1961, p. 68-84; F.M. Braun, *Quatre «Signes» johanniques de l'unité chrétienne*, NTS 9 (1962-1963), p. 147-155 (p. 150-152 sobre Jn 19,23s); M. Miguens, *Salió sangre y agua (Jn 19,34)*, «Studi Biblici Franciscani: Liber annuus» 14 (1963-1964), p. 5-31; A. Feuillet, *L'heure de la femme (Jn 16,21) et l'heure de la Mère de Jésus (Jn 19,25-27)*, «Biblica» 47 (1966), p. 169-184, 361-380, 557-573; *Le Nouveau Testament et le coeur du Christ*, «L'Ami du Clerge» 74 (1964), p. 321-333 (327-333 sobre Jn 19,31-37); A. Bajsic, *Pilatus, Jesus und Barabbas*, «Biblica» 48 (1967), p. 7-28; R. Schnackenburg, *Die Ecce-Homo-Szene und der Menschensohn*, en *Jesus und der Menschensohn* (homenaje a A. Vögtle), p. 371-386.

PARTE TERCERA: LAS APARICIONES DEL RESUCITADO (20,1-31 + 21,1-25)

Apariciones en Jerusalén (20,1-31)

Estudios de conjunto: B. Lindars, *The Composition of John 20*, NTS 7 (1960-1961), p. 142-147; G. Hartmann, *Die Vorlage der Osterberichte im Joh. 20*, ZNW 55 (1964), p. 197-220; L. Dupont - C. Lash - G. Lévesque, *Recherche sur la structure de Jean 20*, «Biblica» 54 (1973), p. 482-498; D. Mollat, *La foi pascale selon le ch. 20 de l'évangile de saint Jean*, en *Resurrexit*, Ciudad del Vaticano 1974, p. 316-339.

Estudios particulares

Sobre la aparición a María Magdalena (20,1-18): F.M. Catherinet, *Note sur un verset de l'évangile de Jean (20,17)*, en *Mémorial J. Chaine*, Lyón 1950, p. 51-59; P. Benoit, *Marie-Madeleine et les Disciples au Tombeau selon Jn 20,1-18*, *Festschrift J. Jeremias* (1960), 141-152 (= *Exégèse et Théologie*, t. 3 [París 1968], p. 270-282); M. Hengel, *Marie Magdalena und die Frauen als Zeugen*, en *Abraham unser Vater* (homenaje a O. Michel, Leiden-Colonia 1963), p. 243-256; A. Feuillet, *La recherche du Christ dans la Nouvelle Alliance d'après le christophanie de Jo 20,11-18*, en *L'Homme devant Dieu* (Mélanges H. de Lubac), t. 1, París 1963, p. 93-112; *Les deux onctions faites sur Jésus, et Marie Madeleine*, RTh 75 (1975), p. 357-394.

Sobre la aparición a los once (20,19-29): J. Schmitt, *Simples remarques sur le fragment Jn 20,22-23*, en *Mélanges M. Andrieu*, Estrasburgo 1956, p. 415-423; C.H. Dodd, *Historical Tradition...*, o. c., p. 346-349 (sobre 20,21); B. Prete, *Beati coloro che non vedono e credono (Giov. 20,29)*, «Bibbia e Oriente» 9 (1967), p. 97-114; A. George, *Les récits d'apparition aux Onze*, en *La Résurrection du Christ et l'exégèse moderne*, LD n. 50, París 1969, p. 75-104 (91-93 sobre Jn 20,19,23; buena bibliografía).

Conclusión del evangelista (20,30s)

A. Feuillet, *Les christophanies pascales du IVe evangile sont-elles des signes?*, NRT 97 (1975), p. 577-592 (con bibliografía).

Apéndice. Las apariciones a las orillas del lago (21,1-25)

M.E. Boismard, *Le chapitre 21 de saint Jean: Essai de critique littéraire*, RB 54 (1947), p. 473-501; O. Cullmann, *Saint Pierre: Disciple, apôtre, martyr*, Neuchâtel-París 1952, p. 52-56 (hay tr. catalana en Ed. 62, Barcelona 1967); O. Merlier, *Le IVe évangile: La question johannique*, París 1961, p. 145-169; F. Gils, *Pierre et la foi au Christ ressuscité*, ETL 38 (1962), p. 5-43; S. Agourides, *The Purpose of John 21*, en *Studies in Honour K.W. Clark*, Salt Lake City 1967, p. 127-132; G. Klein, *Die Berufung des Petrus*, ZNW 58 (1967), p. 1-44 (véase p. 24-34); S.S. Smalley, *The Sign in John 21*, NTS 20 (1973-1974), p. 275-288; R.E. Brown, *John 21 and the First Apparition of the Risen Jesus to Peter*, en *Resurrexit*, E. Dhanis (dir.), Ciudad del Vaticano 1974, p. 246-265.

CAPÍTULO TERCERO

DEL IV EVANGELIO A LA TRADICIÓN JOÁNICA

I. EL LIBRO EVANGÉLICO: FINALIDAD Y DESTINATARIOS

Las intenciones de Juan según 20,30-31

Bibliografía en E. Malatesta, *St. John's Gospel*, n.º 572-587; O. Cullmann, *Les sacrements dans l'évangile johannique*, París 1951 (= *La Foi et le Culte de l'Église primitive*, Neuchâtel-París 1963, p. 131-209 [p. 135-152], tr. cast.: *La fe y el culto en la Iglesia primitiva*, Studium, Madrid 1971); W.C. van Unnik, *The Purpose of John's Gospel, Studia Evangelica*, t. 1, Berlín 1959, p. 382-411; J.L. Martyn, *History and Theology in the Fourth Gospel*, Nueva York 1968; A. Wind, *Destination and Purpose of the Gospel of John*, «Novum Testamentum» 14 (1972), p. 26-69 (excelente estado de la cuestión); D.M. Smith Jr., *Johannine Christianity: Some Reflections on Its Character and Delineation*, NTS 21 (1974-1975), p. 222-248.

En el trasfondo: destinatarios judíos

G. Baum, *The Jews and the Gospel*, Londres 1961 (tr. fr.: *Les Juifs et l'Évangile*, LD 41, París 1965, p. 121-161). E. Grässer, *Die antijudäische*

Polemik im Johannesevangelium, NTS 11 (1964-1965), p. 74-90; R. Leistner, *Antijudaismus im Johannesevangelium? Darstellung des Problems in der neueren Auslegungsgeschichte und Untersuchung der Leidensgeschichte,* Berna-Francfort 1974; S. Pancaro, *The Relationship of the Church to Israel in the Gospel of St. John,* NTS 21 (1974-1975), p. 396-405.

La intención misionera de Juan

O. Cullmann, *La Samarie et les origines de la mission chrétienne: Qui sont les ἄλλοι de Jn 4,38?* (1953-1954), en *Des sources de l'Évangile à la formation de la théologie chrétienne,* Neuchâtel 1969, p. 43-49 (tr. cast.: *Del evangelio a la formación de la teología cristiana,* Sígueme, Salamanca 1972); J.A.T. Robinson, *The «Others» of John 4,38: A Test of Exegetical Method, Studia Evangelica,* t. 1, p. 510-515; B. Olsson, *Structure and Meaning in the Fourth Gospel. A Text-Linguistic Analysis of John 2:1-11 and 4:1-42,* Lund 1974 (Excursus 3: La misión en Juan, p. 241-248); H.B. Kossen, *Who Were the Greeks of John 12,20?,* en *Studies in John* (Mélanges Sevenster), Leiden 1970, p. 97-110.

¿Tiene el evangelio una finalidad polémica?

Contra los baptistas

W. Baldensperger, *Der Prolog des vierten Evangeliums,* Friburgo de B. 1898; J. Thomas, *Le mouvement baptiste en Palestine et en Syrie (150 av. J.C. - 300 ap. J.C.),* Gembloux 1935, p. 103-109; J.A. Sint, *Die Eschatologie des Täufers, die Täufergruppen und die Polemik der Evangelisten,* en *Vom Messias zum Christus.* K. Schubert, (dir.), Viena 1964, p. 55-163; W. Wink, *John the Baptist in the Gospel Tradition,* Cambridge 1968, p. 87-106; E. Cothenet, art. *Prophétisme (dans le NT),* SDB, t. 8, col. 1254-1258.

II. EL PROBLEMA DE LAS FUENTES

Visión general: R. Schnackenburg, *El evangelio según san Juan,* t. 1, p. 56-67 (relación con los Sinópticos), p. 78-82 (teorías sobre la distinción de fuentes).

Planteamiento del problema

E. Schwartz, *Aporien im vierten Evangelium,* en *Nachrichten von der königlichen Gesellschaft der Wissenschaften zu Göttingen: Philologisch-historische Klasse,* 1907, p. 342-372; 1908, p. 115-188, 497-650; B. Noack, *Zur johanneischen Tradition: Beiträge zur Kritik an der literarischen Ana-*

lyse des vierten Evangeliums, Copenhague 1954; H. Becker, *Die Reden des Johannes-evangeliums und der Stil der gnostischen Offenbarungsrede,* Gotinga 1956; M.C. Tenney, *The footnotes of John's Gospel,* en «Bibliotheca Sacra» 117 (1960), p. 350-365; D.M. Smith Jr, *The Sources of the Gospel of John: An Assesment of the Present State of the Problem,* NTS 10 (1963-1964), p. 336-351; *The Composition and Order of the Fourth Gospel: Bultmann's Literary Theory,* New Haven-Londres 1965; R.T. Fortna, *The Gospel of Signs: A Reconstruction of the Narrative Source Underlying the Fourth Gospel* (NTS Monograph Series n.º 11), Cambridge 1970 (Introducción metodológica, p. 1-25); *Christology and the Fourth Gospel: Redaction-Critical Perspectives,* NTS 21 (1974-1975), p. 489-504; B. Lindars, *Behind the Fourth Gospel,* Londres 1971; tr. fr. en B. Lindars - B. Rigaux, *Témoignage de l'évangile de Jean* («Pour une histoire de Jésus», 5), Brujas-París 1974, p. 37-60; W. Nicol, *The Sèmeia of the Fourth Gospel: Tradition and Redaction* (NTSuppl, n.º 32), Leiden 1972.

Juan y los Sinópticos

Estado de la cuestión

P. Gardner - Smith, *St. John and the Synoptic Gospels,* Cambridge 1938; J. Blinzler, *Johannes und die Synoptiker. Ein Forschungsbericht,* Stuttgart 1965; E.F. Siegman, *St. John's Use of the Synoptic Material,* CBQ 30 (1968), p. 182-198; F. Schneider - W. Stenger, *Johannes und die Synoptiker. Vergleich ihrer Parallelen,* Munich 1971; A. Dauer, *Die Passionsgeschichte im Johannesevangelium,* Munich 1972.

Juan y Lucas

J. Schniewind, *Die Parallelperikopen bei Lukas und Johannes* (1914), reed. Hildesheim 1958; P. Parker, *Luke and the Fourth Gospel,* NTS 9 (1962-1963), p. 317-336; J.A. Bailey, *The Tradition Common in the Gospels of Luke and John,* Leiden 1963; F. Lamar Cribbs, *St. Luke and the Johannine Tradition,* JBL 1971, p. 422-450; P. Benoit, - M.E. Boismard, *Synopse des quatre évangiles en français,* t. 2, París 1972, p. 47s; tr. cast.: *Sinopsis de los cuatro evangelios,* Desclée, Bilbao 1975.

El relato de la pasión

E. Osty, *Les points de contact entre le récit de la Passion dans saint Luc et dans saint Jean, Mélanges J. Lebreton* (= RSR 39, 1951), t. 1, p. 146-154; H. Klein, *Die lukanisch-johanneische Passionstradition,* ZNW 67 (1976), p. 155-186.

Proposiciones de los críticos modernos

Nos remitimos a las obras indicadas en la bibliografía del cap. primero y en la de *Estado de la cuestión.*

III. ETAPAS DE LA REDACCIÓN EN LA TRADICIÓN JOÁNICA

Examen detallado de las hipótesis existentes: H. Thyen, *Aus der Literatur zum Johannesevangelium,* «Theologische Rundschau» 39 (1975), p. 289-330. W. Wilkens, *Die Entstehungsgeschichte des vierten Evangeliums,* Zollikon 1958; R. Schnackenburg, *El evangelio según san Juan,* t. 1, p. 88-104; R.E. Brown, *The Gospel According to John,* t. 1, p. XXIV-XL (tr. cast.: *El evangelio según san Juan,* Cristiandad, Madrid 1979); B. Lindaes, en *Témoignage de l'évangile de Jean,* p. 61-86; H. Thyen, *Johannes 13 und die «kirchliche Redaktion» des vierten Evangeliums,* en *Tradition und Glaube* (homenaje a K.G. Kuhn) Gotinga 1971, p. 343-356; H.M. Teeple, *The Literary Origin of the Gospel of John,* Evanston 1974.

CAPÍTULO CUARTO

EL TRASFONDO RELIGIOSO DEL LIBRO Y SU MENSAJE

1. EL TRASFONDO RELIGIOSO DEL IV EVANGELIO

E. Malatesta, *St. John's Gospel,* n.º 409-506; C.H. Dodd, *L'interprétation du IVe évangile,* 1re partie, o. c., p. 13-172; R. Schnackenburg, *El evangelio según san Juan,* t. 1, p. 147-179; R.E. Brown, *The Gospel according to John,* t. 1, p. LII-LXVI; F.M. Braun, *Jean le Théologien,* t. 1, p. 100-133, G.W. MacRae, *The Fourth Gospel and Religionsgeschichte,* CBQ 32 (1970), p. 13-24; C.K. Barrett, *Das Johannesevangelium und das Judentum,* 1970; tr. ingl.: *The Gospel of John and Judaism,* Londres, 1975; O. Cullmann, *Le milieu johannique,* Neuchâtel-París 1976.

Juan y el gnosticismo antiguo

Bibliografía sucinta sobre el gnosticismo en la parte primera de esta obra, Vol. I, p. 727. G. Quispel, *L'évangile de Jean et la Gnose,* en *L'évangile de Jean: Études et problèmes,* Brujas-París 1958, p. 197-208; R. Schnackenburg, *Présent et futur: Aspects actuels de la théologie du NT,* París 1969 (cap. 9: La Christologie johannique et le mythe gnostique du Sauveur); L. Schottroff, *Heil als innerweltliche Entweltlichung,* «Novum Testamentum» 11 (1969), p. 294-317; *Der Glaubende und die feindliche Welt,* Neukirchen

1970; E. Käsemann, *Jesu letzter Wille nach Johannes 17*, Tubinga 1971; E. Ruckstuhl, *Das Johannesevangelium und die Gnosis*, en *Neues Testament und Geschichte* (Mélanges O. Cullmann), Zurich-Tubinga 1972, p. 143-156; K.M. Fischer, *Der johanneische Christus und der gnostische Erlöser*, en *Gnosis und Neues Testament* (dir. K.W. Tröger), Gütersloh 1973, p. 245-266; E.H. Pagels, *The Johannine Gospel in Gnostic Exegesis* (SBL Monograph Series n.º 17), Nashville-Nueva York 1973; A. Jaubert, *Jean 17,25 et l'interprétation gnostique*, en *Mélanges d'Histoire des Religions offerts à H.Ch. Puech*, París 1974, p. 347-353.

Juan y el pensamiento helenístico

Relaciones del IV evangelio con el hermetismo

Bibliografía sumaria sobre el hermetismo en la parte primera de esta obra, Vol. I, p. 727. Textos del *Corpus Hermeticum:* tr. fr. en A.J. Festugière, *La révélation d'Hermès Trismégiste*, 4 vol., París 1944-1954. Véase el t. 4, cap. 10 (análisis de C.H. 13, p 200-210) y cap. 11 (Los temas de la regeneración, p. 211-257); F.M. Braun, *Jean le Théologien*, t. 2 (Apéndice 2: Esenismo y Hermetismo; Apéndice 3: San Juan y los griegos p. 277-300); E. Yamauchi, *Pre-Christian Gnosticism*, Londres 1973 (p. 30-34; El evangelio de Juan).

Juan y Filón de Alejandría

Bibliografía sobre Filón en la parte primera de esta obra, Vol. I, p. 744s. J. Starcky, art. *Logos*, SDB, t. 5, col. 490s; A. Feuillet, art. *Philon d'Alexandrie*, SDB, t. 7, col. 1348-1351 (Las relaciones de Filón con san Juan, san Pablo y la carta a los Hebreos); R. McL. Wilson, *Philo and the Gospel*, «Expository Times» 65 (1953-1954), p. 47-49.

Juan y sus raíces judías

El empleo de la Biblia judía

E. Malatesta, *St. John's Gospel*, n.º 409-426.
C.K. Barrett, *The Old Testament in the Fourth Gospel*, en JTS 48 (1947), p. 155-169; H. Sahlin, *Zur Typologie des Johannesevangeliums*, Upsala 1950; D.R. Griffiths, *Deutero-Isaiah and the Fourth Gospel*, «Expository Times» 65 (1953-1954), p. 355-360; F.W. Young, *A Study of the Relation of Isaiah to the Fourth Gospel*, ZNW 46 (1955), p. 215-233; G. Ziener, *Weisheitsbuch und Johannesevangelium* «Biblica» 38 (1957), p. 396-418; 39 (1958), p. 37-60; R.H. Smith, *Exodus Typology in the Fourth Gospel*, JBL 81 (1962), p. 329-342; F.M. Braun, *Jean le Théologien*, t. 2: *Les*

grandes traditions d'Israel. L'accord des Écritures d'après le IVe évangile, EB, París 1964; B. Vawter, *Ezechiel and John,* CBQ 26 (1964), p. 450-458; C.H. Dodd, *According to the Scriptures,* tr. fr. *Conformément aux Écritures,* París 1968; C.K. Barrett, *Das Johannesevangelium und das Judentum,* Stuttgart-Berlín 1970 (= *The Gospel of John and Judaism,* Londres 1975); G. Reim, *Studien zum alttestamentlichen Hintergrund des Johannesevangeliums* (NTS Monograph Series n.º 22), Cambridge 1974.

Juan y la tradición de Qumrân

E. Malatesta, *St. John's Gospel,* n.º 431-450.
Visión general: R. Schnackenburg, *El evangelio según san Juan,* t. 1, p. 156-167; R.E. Brown, *The Gospel according of John,* t. 1, p. LXII-LXIV; F.M. Braun, *L'arrière-fond judaïque du IVe évangile et la Communauté de l'alliance,* RB 62 (1955), p. 5-44; P. Benoit, *Qumrân et le Nouveau Testament,* NTS 7 (1960-1961), p. 276-296 (= *Exégèse et théologie,* t. 3, p. 361-386); J. Roloff, *Der johanneische Lieblingsjünger and der Lehrer der Gerechtigkeit,* NTS 15 (1967-1968), p. 129-151.
J.H. Charlesworth, *John and Qumran,* Londres 1972 (colección de artículos con bibliografía); H. Braun, *Qumran und das NT,* t. 1, Tubinga 1966, p. 96-138 (análisis crítico de las semejanzas propuestas, versículo por versículo).
Acerca del problema del dualismo: G. Baumbach, *Qumran und das Johannesevangelium. Eine vergleichende Untersuchung der dualitischen Aussagen der Ordensregel (1QS) von Qumran und des Johannesevangeliums mit Berücksichtigkeit der spätjüdischen Apokalypsen,* Berlín 1958; H.W. Huppenbauer, *Der Mensch zwischen zwei Welten: Der Dualismus der Texte von Qumran (Höhle 1) und der Damaskusfragmente (CD). Ein Beitrag zur Vorgeschichte des Evangeliums,* Zurich 1959; J. Becker, *Das Heil Gottes. Heils- und Sündenbegriffe in den Qumrantexten und in NT,* Gotinga 1964, p. 217-237; O. Böcher, *Der johanneische Dualismus im Zusammenhang des nachbiblischen Judentums,* Gütersloh 1965.

II. EL HORIZONTE HISTÓRICO DEL MENSAJE: JESÚS DE NAZARET

E. Malatesta, *St. John's Gospel,* n.º 721-755.
E. Hoskyns - F.N. Davey, *The Fourth Gospel,* Londres 1947 (cap. 4: La tensión histórica del IV evangelio; cap. 7: El IV evangelio y el problema de la significación de la historia); A.J.B. Higgins, *The Historicity of the Fourth Gospel,* Londres 1960; R.E. Brown, *The Problem of Historicity in John,* CBQ 24 (1962), p. 1-14; *The Gospel According to John,* t. 1, p. XLI-LI; C.H. Dodd, *Historical Tradition in the Fourth Gospel,* Cambridge 1963; tr. cast. *La tradición histórica en el cuarto evangelio,* Cristiandad, Madrid 1977 (estudio minucioso del problema); F. Mussner, *Die johanneische Sehweise und die Frage nach dem historischen Jesu,* Friburgo de Brisgovia

1965; tr. fr. *Le langage de Jean et le Jésus de l'histoire,* Brujas-París 1969; A.M. Hunter, *According to John,* Westminster 1968; tr. fr. *Saint Jean, témoin du Jésus de l'histoire,* París 1970, en estrecha dependencia de C.H. Dodd; J.L. Martyn, *History and Theology in the Fourth Gospel,* Nueva York 1968; R. Schnackenburg, *El evangelio según san Juan,* t. 1, p. 44-56; O. Cullmann, *Le milieu johannique,* Neuchâtel-París 1976, p. 35-42.

III. EL HORIZONTE ECLESIAL DEL MENSAJE: LA ACCIÓN PRESENTE DE CRISTO EN GLORIA

Del grupo de discípulos a la comunidad creyente

E. Malatesta, *St. John's Gospel,* n.º 2452-2461a; K. Rengstorf, art. Μαθητής, TWNT, t. 4, p. 417-465 (cf. 440-460); F.M. Braun, *Jean le Théologien,* t. 4, p. 5-93; X. Léon-Dufour, *L'évangile et les épîtres johanniques,* en J. Delorme (dir.), *Le ministère et les ministères selon le NT,* París 1974, p. 246-249 (tr. cast. *El ministerio y los ministerios según el NT,* Cristiandad, Madrid 1975).

De los signos evangélicos a los sacramentos de la Iglesia

Un universo de signos

E. Malatesta, *St. John's Gospel,* n.º 590-599; R.E. Brown, *The Gospel According to John,* t. 1, p. CXI-CXIV; R. Schnackenburg, *El evangelio según san Juan,* t. 1, Excursus 4 (Los «signos» joánicos), p. 381-448; P. Prigent, *Le symbole dans le NT,* RevSR 49 (1975), p. 101-115; A. Jaubert, *Approches de l'évangile de Jean,* París 1976, p. 54-86.
K.H. Rengstorf, art. *Sèmeion, TWNT,* t. 7, p. 241-257; L. Cerfaux, *Les miracles, signes messianiques de Jésus et oeuvres de Dieu selon l'évangile de saint Jean,* en *L'attente du Messie,* Brujas 1958, p. 131-138 (= *Recueil L. Cerfaux,* t. 2, p. 41-50); D. Mollat, *Le Sèmeion johannique,* en «Sacra Pagina», t. 2 (1959), p. 209-218; J.P. Charlier, *La notion de signe (sèmeion) dans le IVe évangile,* RSPT 43 (1959), p. 434-448; R. Formesyn, *Le Sèmeion johannique et le Sèmeion hellénistique,* ETL 38 (1962), p. 856-894; S. Hofbeck, *Sèmeion: Der Begriff des «Zeichens» im Johannesevangelium unter Berücksichtigung seiner Vorgeschichte,* Münsterschwarzach 1966; J. Becker, *Wunder und Christologie. Zum literarkritischen und christologischen Problem der Wunder im Johannesevangelium,* NTS 16 (1969-1970), p. 130-148; W. Nicol, *The Sèmeia in the Fourth Gospel,* Leiden 1972.

La interpretación sacramental del IV evangelio

E. Malatesta, *St. John's Gospel,* n.º 2462-2496; O. Cullmann, *Les sacrements dans l'évangile johannique,* París 1951 (reproducido en *La foi et le culte de l'Église primitive,* (o. c., p. 133-209); P. Niewalda, *Sakramentssymbolik im Johannesevangelium? Eine exegetischhistorische Studie,* Limburgo 1958; R. Schnackenburg, *Die Sakramente im Johannes Evangelium,* en «Sacra Pagina», t. 2, París-Gembloux 1959, p. 235-254; E. Lohse, *Wort und Sakrament in Johannes Evangelium,* NTS 7 (1961), p. 110-125; R.E. Brown, *The Johannine Sacramentary Reconsidered,* en «Theological Studies» 23 (1962), p. 183-206 (= *NT Essays,* Londres-Dublín 1965, p. 51-76); *The Eucharist and Baptism in John,* ibid., p. 78-95; G.R. Beasley - Murray, *Baptism in the NT,* Londres 1963, p. 216-226; G.H.C. McGregor, *The Eucharist in the Fourth Gospel,* NTS 9 (1962-1963), p. 111-119; A. Feuillet, *L'Heure de Jésus et le signe de Cana,* en *Études johanniques,* p. 11-33; *La signification fondamentale du premier miracle de Cana et le symbolisme johannique,* RTh 65 (1965), p. 517-535; F.M. Braun, *L'Eucharistie selon saint Jean, RTh* 70 (1970), p. 5-29; H. Klos, *Die Sakramente im Johannes Evangelium,* Stuttgart 1970; G. Ferraro, *L'«Ora» di Cristo nel quarto Vangelo,* Roma 1974.

CAPÍTULO QUINTO

JUAN EL TEÓLOGO

E. Malatesta, *St. John's Gospel,* n.º 2221-2245; R. Schnackenburg, *El evangelio según san Juan,* t. 1, p. 180-192; R.E. Brown, *The Gospel According to John,* t. 1, p. CV-CXXVIII; B. Vawter, *Développements récents dans la théologie johannique,* BTB 1 (1971), p. 32-63.

W.D. Howard, *Christianity according to St. John,* Londres, 1943; R. Bultmann, *Theologie des Neuen Testaments,* Tubinga 1948-1951, p. 349-439; E.K. Lee, *The Religious Thought of St. John,* Londres 1950; C.H. Dodd, *The Interpretation of the Fourth Gospel,* Cambridge 1953, p. 133-285 (tr. cast. *Interpretación del cuarto evangelio,* Cristiandad, Madrid 1978; tr. fr., p. 175-368); J. Bonsirven, *Le témoin du Verbe,* Toulouse 1956; A. Feuillet, *Introducción a la Biblia,* t. 2, Herder, Barcelona [3]1970, p. 788-810; *Études johanniques,* Brujas-París 1962; *Le mystère de l'amour divin dans la théologie johannique* (EB), París 1972; F.M. Braun, *Jean le Théologien,* t. 3, *Sa théologie. 1) Le mystère de Jésus Christ,* París 1966; t. 4, *Sa théologie. 2) Le Christ, Nôtre Seigneur hier, aujourd-hui, toujours,* París 1972; H. Conzelmann, *Théologie du Nouveau Testament,* tr. fr., Ginebra 1969, p. 329-366; C.K. Barrett, *The dialectical Theology of St. John, NT Essays,* Londres 1972, p. 49-69; D. Mollat, *Jean l'évangéliste,* DS (1972), col. 192-247; *Saint Jean, maître spirituel,* París 1976; J. Painter, *John: Witness and Theologian,* Londres 1975.

Sobre la teología moral de Juan: O. Prunet, *La morale chrétienne d'après les écrits johanniques,* París 1957; C. Spicq, *Agapè dans le Nouveau Testament. Analyse des textes,* t. 3, París 1959, p. 125-245; N. Lazure, *Les valeurs morales de la théologie johannique,* EB, París 1965; J.M. Casabó Suqué, *La teología moral en S. Juan,* Fax, Madrid 1970.

I. ASPECTOS NUEVOS DE LA TEOLOGÍA JOÁNICA

Juan y los sinópticos

Modificación de la perspectiva escatológica

F. Mussner, ΖΩΗ: *Die Anschauung vom «Leben» im vierten Evangelium,* Munich 1952; A. Corell, *Consummatum est: Eschatology and Church in the Gospel of St. John,* Londres 1958; M.E. Boismard, *L'évolution du thème eschatologique dans les traditions johanniques,* RB 68 (1961), p. 507-524, con la puntualización de RB 72 (1965), p. 115s; J. Blank, *Krisis. Untersuchungen zur johanneischen Christologie und Eschatologie,* Friburgo de B. 1964; P. Ricca, *Die Eschatologie des vierten Evangeliums,* Zurich 1966; G. Ferraro, *L'«Ora» di Cristo nel quarto Vangelo,* Roma 1974; R. Schnackenburg, *El evangelio según san Juan,* t. 2, Excursus 14, p. 523-537.

II. MISIÓN DEL HIJO Y MISIÓN DEL ESPÍRITU

La cristología de Juan

E. Malatesta, *St. John's Gospel,* n.º 2255-2390*a*; R. Schnackenburg, *El evangelio según san Juan,* t. 1, p. 180-186; Excursus 2: La idea de preexistencia, p. 328-340; Excursus 3: Los nombres de dignidad de Jesús en Jn 1, p. 357-365; Excursus 6: El mito gnóstico del redentor y la cristología joánica, p. 470-485; t. 2, Excursus 8: Origen y sentido de la fórmula ἐγώ εἰμι, p. 73-85; Excursus 9: El «Hijo» como autodesignación de Jesús en el evangelio de Juan, p. 158-175; Excursus 13: Exaltación y glorificación de Jesús, p. 490-505; R.E. Brown, *The Gospel according to John,* t. 1, p. CXXII-CXXVII; apéndice 4: Ego Eimi - «I am»: p. 533-538.

E. Schweizer, *Ego eimi. Die religionsgeschichtliche Herkunft und theologische Bedeutung der johanneischen Bildreden, zugleich ein Beitrag zur Quellenfrage des vierten Evangeliums,* Gotinga 1939 (²1965); O. Cullmann, Εἶδεν καὶ ἐπίστευσεν: *La vie de Jésus, objet de la «vue» et de la «foi» d'après le IVe évangile,* en *Aux sources de la Tradition chrétienne* (Mélanges M. Goguel), Neuchâtel-París 1950, p. 52-61; J. Dupont, *Essais sur la christologie de saint Jean,* Brujas 1951; D. Mollat, *La divinité du Christ d'après saint Jean,* «Lumière et Vie», n.º 9 (1953), p. 101-134; M.E. Boismard, *Jésus, sauveur, d'après saint Jean,* «Lumière et Vie», n.º 15 (1954),

p. 103-122; *Le Christ-Agneau, Rédempteur des hommes,* «Lumière et Vie» n.º 36 (1958), p. 91-104; *La royauté du Christ d'après le IVe évangile,* «Lumière et Vie» n.º 57 (1962), p. 43-63; J. Giblet, *Jésus et le Père dans le IVe évangile,* en *L'évangile de Jean: Études et problèmes,* Brujas 1958, p. 111-130; W. Grossouw, *La glorification du Christ dans le IVe évangile,* ibid., p. 131-145; W. Thusing, *Die Erhöhung und Verherrlichung Jesu im Johannesevangelium,* Münster 1960; H. Zimmermann, *Das absolute Ego Eimi als die neutestamentliche Offenbarungsformel,* BZ 4 (1960), p. 54-69, 266-276; J. Coutts, *The Messianic Secret in St. John's Gospel, Studia Evangelica,* t. 3, Berlín 1964, p. 45-57; C. Traets, *Voir Jésus et le Père selon l'Évangile selon saint Jean,* Roma 1964; H. Schlier, *Le Révélateur et son oeuvre dans l'Évangile de saint Jean,* en *Essais sur le NT,* tr. fr., LD 66, París 1968, p. 295-306; C.H. Dodd, *The Portrait of Jesus in John and the Synoptics,* en *Christian History and Interpretation* (Studies J. Knox), Cambridge 1967, p. 183-198; W.A. Meeks, *The Prophet-King: Moses Traditions and the Johannine Christology* NTSuppl. 10, Leiden 1967; A. Feuillet, *Les «Ego eimi» christologiques du IVe évangile,* RSR 54 (1966), p. 5-22, 213-240; *Le sacerdoce du Christ et de ses ministres d'après la prière sacerdotale du IVe évangile et plusieurs données parallèles du Nouveau Testament,* París 1972, p. 5-100; T.E. Pollard, *Johannine Christology and Early Church,* Cambridge 1970; S. Sabugal, ΧΡΙΣΤΟΣ: *Investigación exegética sobre la cristología joannea,* Herder, Barcelona 1972; J.P. Miranda, *«Der Vater, der mich gesandt hat.» Religionsgeschichtliche Untersuchungen zu den Sendungsformeln. Zugleich ein Beitrag zur johanneischen Christologie und Ekklesiologie,* Berna 1972; M. de Jonge, *Jesus as Prophet and King in the Fourth Gospel,* ETL 49 (1973), p. 160-177; J.T. Forestell, *The Word of the Cross,* Roma 1974; R.T. Fortna, *Christology in the Fourth Gospel: Redaction-Critical Perspectives,* NTS 21 (1974-1975), p. 489-504; B.A. Mastin, *A Neglected Feature of the Christology of the Fourth Gospel,* NTS 22 (1975-1976), p. 32-51; C.K. Barrett, *Christologic or Theocentric? Observations on the Theological Method of the Fourth Gospel,* en *La notion biblique de Dieu: Le Dieu de la Bible et le Dieu des philosophes,* dir. por J. Coppens, Gembloux-Lovaina 1976, p. 361-376; U.B. Müller, *Die Geschichte der Christologie in der johanneischen Gemeinde,* Stuttgart 1975.

Acerca del título de Hijo del hombre: O. Colpe, art. Υἱός τοῦ ἀνθρώπου, TWNT, t. 8, p. 468-474; E. Ruckstuhl, *Die johanneische Menschensohnforschung (1957-1969),* en J. Pfammater - F. Furger (dir.), *Theologische Berichte* 1, Einsiedeln 1972, p. 171-284; R. Schnackenburg, *El evangelio según san Juan,* t. 1, Excursus 5, p. 448-461; *Der Menschensohn im Johannesevangelium,* NTS 11 (1964-1965), p. 123-137; S. Schulz, *Untersuchungen zur Menschensohn-Christologie im Johannesevangelium,* Gotinga 1957; O. Cullmann, *Christologie du Nouveau Testament,* Neuchâtel 1958, p. 118-166 (159-162); F. Hahn, *Christologische Hoheitstitel,* Gotinga 1963, p. 39ss; Y.B. Tremel, *Le Fils de l'Homme selon saint Jean,* «Lumière et Vie» n.º 62 (1963), p. 65-92; H.M. Dion, *Quelques traits originaux de la conception johannique du Fils de l'homme,* «Sciences Ecclésiastiques» 19 (1967), p. 49-66; S.S. Smalley, *The Johannine Son of Man Sayings,* NTS 15 (1968-1969), p. 278-301; W. Meeks, *The Man from Heaven in Johannine Sectarianism,* JBL 91 (1972), p. 44-72; B. Lindars, *The Son of Man in the Johannine Christology,* en *Christ and Spirit in the New Testament* (Studies... C.F.D. Moule), Cambridge 1973, p. 43-60; F.J. Moloney, *The Johannine Son of Man,* Roma 1976 (resumido en BTB 6 [1976], p. 177-189); J. Coppens, *Le Fils de l'homme dans l'évangile johannique,* ETL 52 (1976), p. 28-81; *Jesus und der Menschensohn* (homenaje a A. Vogtle), Friburgo de B. 1975 (véanse los estudios de S.S. Smalley, E. Ruckstuhl, C.K. Barrett, J. Riedl, R. Schnackenburg, en las p. 300-386).

La misión del Paráclito

E. Malatesta, *St John's Gospel,* n.º 2391-2429; R. Schnackenburg, *El evangelio según san Juan,* t. 3, Excursus 16, p. 177-195; R.E. Brown, *The Gospel According to John,* t. 2, Apéndice 5, p. 1135-1143; E. Schweizer, art. Πνεῦμα, TWNT, t. 6, p. 436-443; tr. fr. *Esprit,* en *Dictionnaire biblique Gerhard Kittel,* Ginebra 1971, p. 207-221; J. Behm, art. Παράκλητος, TWNT, t. 5, p. 798-812.

S. Mowinckel, *Die Vorstellungen des Spätjudentums von hl. Geist als Fürsprecher und der johanneische Paraklet,* ZNW 32 (1933), p. 97-130; M.F. Berrouard, *Le Paraclet, défenseur du Christ devant la conscience du croyant* (Jn 16,8-11), RSPT 33 (1949), p. 361-389; G. Bornkamm, *Der Paraklet im Johannesevangelium,* en *Festschrift R. Bultmann zum 65. Geburtstag,* Stuttgart 1949, p. 12-35; J. Giblet, *Les promesses de l'Esprit et la mission des Apôtres dans les évangiles,* «Irénikon» 30 (1957), p. 5-43; J. Coppens, *Le don de l'Esprit d'après les textes de Qumrân et le quatrième Évangile,* en *L'évangile de Jean: Études et Problémes,* Brujas 1958, p. 209-223; F. Mussner, *Die johanneischen Parakletsprüche und die apostolische Tradition,* BZ 5 (1961), p. 56-70 (= *Praesentia Salutis,* Düsseldorf 1967, p. 146-158); O. Betz, *Der Paraklet-Fürsprecher im häretischen Spätjudentum, im Johannesevangelium und in neugefundenen gnostischen Schriften,* Leiden 1963; A. Feuillet, *De munere doctrinali a Paraclito in Ecclesia expleto juxta Evangelium Sancti Joannis,* en *De Scriptura et Traditione,* Roma 1963, p. 115-136; I. de la Potterie, *Le Paraclet,* en *La Vie selon l'Esprit,* París 1965, p. 85-105 (tr. cast. *La vida según el Espíritu,* Sígueme, Salamanca ²1967); M. Miguens, *El Paráclito (Jn 14-16),* Jerusalén 1963; H. Schlier, *L'Esprit selon l'Évangile de saint Jean,* en *Essais sur le Nouveau Testament,* tr. fr., París 1968, p. 307-315; G. Johnston, *The Spirit-Paraclete in the Gospel of John,* Cambridge 1970; reseña de E. Malatesta, «Biblica» 54 (1973), p. 539-550; E. Cothenet, art. *Prophétisme dans le Nouveau Testament,* SDB, t. 8 (1971), col. 1316-1322; A.R.C. Leaney, *The Johannine Paraclete and the Qumran Scrolls,* en *John and Qumran,* dir. por J.H. Charlesworth, Londres 1972, p. 38-61; E. Bammel, *Jesus und der Paraklet in Joh. 16,* en *Christ and Spirit* (Studies in Honour of C.F.D.

Moule), Cambridge 1973, p. 199-217; F. Porsch, *Pneuma und Wort. Ein exegetischer Beitrag zur Pneumatologie des Johannesevangeliums,* Francfort 1974; U.B. Müller, *Die Parakletenvorstellung im Johannesevangelium,* ZTK 71 (1974), p. 31-77.

III. LA VIDA EN IGLESIA

Estructura de la Iglesia

E. Malatesta, *St. John's Gospel,* n.º 2452-2461*a;* R. Schnackenburg, *El evangelio según san Juan,* t. 1, p. 189-192; t. 2, Excursus 17, p. 251-267; R.E. Brown, *The Gospel According to John,* t. 1, p. CV-CXI; J. Bonsirven, *L'individualisme chrétien chez saint Jean,* NRT 62 (1935), p. 449-476; A. Corell, *Consummatum est: Eschatology and Church in the Gospel of St. John,* Londres 1958; E. Schweizer, *Der Kirchenbegriff im Evangelium und den Briefen des Johannes, Studia Evangelica,* t. 1, Berlín 1959, p. 363-381 (= *The Concept of the Church in Jo. and 1-3 Jo,* en *New Testament Essays in Memory of T.W. Manson,* Manchester 1959, p. 230-245); J.L. D'Aragon, *Le caractère distinctif de l'Église johannique,* en *L'Église d'après le IVe évangile et l'Apocalypse,* «La Maison-Dieu» n.º 65 (1961), p. 60-79 (= *Études johanniques,* 1962, p. 152-174); C.E.D. Moule, *The Individualism of the Fourth Gospel,* «Novum Testamentum» 5 (1962), p. 171-190; J. Radermakers, *Mission et apostolat dans l'évangile de Jean,* en *Studia Evangelica,* t. 2 (Berlín 1964), p. 100-121; F. Refoulé, *Primauté de Pierre dans les évangiles,* RevSR 38 (1964), p. 25-35; R. Schnackenburg, *L'Église dans le Nouveau Testament,* tr. fr., París 1964, p. 115-131; H. van den Bussche, *L'Église dans le IVe évangile,* en *Aux origines de l'Église* (Recherches bibliques n.º 7), Brujas-París 1965, p. 65-85; E. Käsemann, *Jesu letzter Wille nach Johannes 17,* Tubinga 1966 ([3]1971); A. Jaubert, *L'image de la Vigne (Jn 15),* en *Oikonomia* (homenaje a O. Cullmann), Hamburgo 1967, p. 93-99; F.A. Pastor Piñeiro, *La ecclesiología juanea según E. Schweizer,* Roma 1968; P. Le Fort, *Les structures de l'Église militante selon saint Jean,* Ginebra 1970; E. Cothenet, art. *Prophétisme dans le NT,* SDB, t. 8, col. 1316-1322; F.M. Braun, *Jean le Théologien,* t. 4 (1972), p. 5-93; X. Léon-Dufour, *L'évangile et les épîtres johanniques,* en J. Delorme (dir.), *Le ministère et les ministères selon le NT,* París 1974, p. 241-263 (trad. cast. Cristiandad, Madrid 1975); R.E. Brown - K.P. Donfried - J. Reumann, *Sant Pierre dans le NT,* tr. fr., LD 79, París 1974, p. 159-182; J.F. O'Grady, *Individualism and Johannine Ecclesiology,* BTB 5 (1975), p. 227-261; *Johannine Ecclesiology: A critical Evaluation,* BTB 7 (1977), p. 36-44.

CAPÍTULO SEXTO

EL AUTOR DEL CUARTO EVANGELIO

E. Malatesta, *St. John's Gospel*, n.º 154-250.

J. Donovan, *The Authorship of St. John's Gospel*, Londres 1936; Ph.H. Menoud, *L'évangile de Jean d'après les recherches récentes*, Neuchâtel 1947, p. 8-12; G. Bardy, art. *Jean le Presbytre*, SDB, t. 4 (1948), col. 843-847; E. Käsemann, *Ketzer und Zeuge. Zum johanneischen Verfasserproblem*, ZTK 48 (1951), p. 292-311 (= *Exegetische Versuche und Besinnungen*, t. 1, Gotinga 1960, p. 168-187); A. Feuillet, en *Introducción a la Biblia*, t. 2, p. 581-595, F.M. Braun, *Jean le Théologien et son évangile dans l'Église ancienne*, París 1959 (teniendo en cuenta las observaciones de M.E. Boismard, RB 57 [1960], p. 592-597); R. Schnackenburg, *El evangelio según san Juan*, t. 1, p. 104-133; t. 3, p. 463-480; R.E. Brown, *The Gospel According to John*, t. 1, p. LXXXVII-CIV.

I. LA DOCUMENTACIÓN TRADICIONAL

W. Loewenich, *Das Johannes-Verständnis im zweiten Jahrhundert*, Giessen 1932, p. 60-115; J.N. Sanders, *The Fourth Gospel in the Early Church*, Cambridge 1943, p. 47-66; G. Quispel, *L'évangile de Jean et la Gnose*, en *L'évangile de Jean: Études et problèmes*, Brujas 1958, p. 197-208; F.M. Braun, *Jean le Théologien*, t. 1, París 1959; M.F. Wiles, *The Spiritual Gospel: The Interpretation of the Fourth Gospel in the Early Church*, Cambridge 1960, p. 96-111.

II. LAS DIFICULTADES CRÍTICAS

La cuestión del martirio de Juan

E. Schwartz, *Ueber den Tod der Söhne Zebedäi. Ein Beitrag zur Geschichte des Johannesevangeliums*. Memorias de la Real Academia de Ciencias de Gotinga, Berlín 1903-1904; F.M. Braun, *Jean le Théologien*, t. 1, p. 375-388; K.A. Eckardt, *Der Tod des Johannes als Schlüssel zum Verständnis der johanneischen Schriften*, Berlín 1961 (juicio severo de H. Thyen, «Theologische Rundschau», 1975, p. 323-326).

III. EL DISCÍPULO AL QUE JESÚS AMABA

E. Malatesta, *St. John's Gospel*, n.º 193-233 y 2520-2532.

F.V. Filson, *Who was the Beloved Disciple?*, JBL 68 (1949), p. 83-88; J.N. Sanders, *Who was the Disciple whom Jesus loved?*, en *Studies in the*

Fourth Gospel, Londres 1957, p. 72-82; F.M. Braun, *Jean le Théologien* (1959), t. 1, 301-330; A. Kragerud, *Der Lieblingsjünger im Johannesevangelium,* Oslo 1959 (véase la recensión de M.E. Boismard, RB 67 [1960], p. 405-410); P. Parker, *John and Mark,* JBL 79 (1960), p. 97-110; *John the Son of Zebedee and the Fourth Gospel,* JBL 81 (1962), p. 35-43; R. Schnackenburg, *El evangelio según san Juan,* t. 1, p. 125-129; *Der Jünger, den Jesus liebte,* en *Ev-Kath Kommentar zum NT,* cuaderno preparativo n.º 2, Zurich-Neukirchen 1970, p. 97-117; *El evangelio según san Juan,* t. 3, Excursus 18, p. 463-480; R.E. Brown, *The Gospel according to John,* t. 1 (1966), p. XCII-CII; A. Dauer, *Das Wort des Gekreugzigten an seine Mutter und den Jünger, den er liebte,* BZ 11 (1967), p. 222-239; 12 (1968), p. 80-93; L. Morris, *Studies in the Fourth Gospel,* Grand Rapids 1969, p. 246-253; J. Roloff, *Der johanneische «Lieblingsjünger» und der Lehrer der Gerechtigkeit,* NTS 15 (1968-1969), p. 129-151; J. Colson, *L'énigme du disciple que Jésus aimait,* París 1969; Th. Lorenzen, *Der Lieblingsjünger im Johannesevangelium,* Stuttgart 1971; B. de Solages, *Jean, fils de Zébédée et l'énigme du disciple que Jésus aimait,* BLE, 1972, p. 41-50; F. Neyrinck, *The «Other Disciple» in Jn 18,15-16,* ETL 51 (1975), p. 113-141; A. Jaubert, *Approches de l'Évangile de Jean,* París 1976, p. 41-53; O. Cullmann, *Le milieu johannique,* Neuchâtel-París 1976, p. 106-123.

PARTE SÉPTIMA

LA FORMACIÓN DEL NUEVO TESTAMENTO

Historia de los orígenes cristianos

A. Harnack, *Die Mission und Ausbreitung des Christentums in den ersten drei Jahrhunderten,* 2 vol., Leipzig [2]1906; H. Lietzmann, *Histoire de l'Église ancienne,* I. *Les commencements,* tr. fr., París 1936; M. Goguel, *Jésus et les origines du christianisme:* I. *La naissance du christianisme,* París 1947; II. *L'Église primitive,* París 1947; R. Knopf - H. Lietzmann - H. Weinel, *Einführung in das Neue Testament,* Berlín [5]1949, p. 256-435; M. Goguel, *Les premiers temps de l'Église,* Neuchâtel-París 1949; L. Goppelt, *Les origines chrétiennes: Christianisme et judaïsme aux deux premiers siècles,* tr. fr., París 1961; F. Filson, *A New Testament History,* Londres 1964; A. Jaubert, *Les premiers chrétiens,* París 1967; H. Conzelmann, *Geschichte des Urchristentums,* Gotinga 1968 ([3]1976); M. Simon - A. Benoit, *Le judaïsme et le christianisme antique,* col. «Nouvelle Clio», París 1968, tr. cast.: *El judaísmo y el cristianismo antiguo,* Labor, Barcelona 1972 (con bibliografía). M. Simon, *La civilisation de l'antiquité et le christianisme,* París 1972; H. Conzelmann - A. Lindemann, *Arbeitsbuch zum NT,* Tubinga [2]1976.

Presentación de los libros en la historia

C.F.D. Moule, *The Birth of the New Testament*, Edimburgo 1962 (tr. cast.: *El fenómeno del NT*, Desclée, Bilbao 1971); R.M. Grant, *La formation du Nouveau Testament*, tr. fr., París 1969; *Introduction critique au Nouveau Testament*, tr. fr., París 1969; Ph. Vielhauer, *Geschichte der Urchristlichen Literatur*, Berlín 1975 (con bibliografía al día).

CAPÍTULO QUINTO

EN LOS ORÍGENES DEL CANON DE LAS ESCRITURAS

T. Zahn, *Geschichte des neutestamentlichen Kanons*, 2 vol., Erlangen 1888-1890; *Grundriss der Geschichte des Nt. Kanons*, Leipzig ^{2}1904, completado por 10 series de *Forschungen* (1884-1929); M.J. Lagrange, *Histoire ancienne du Canon du Nouveau Testament*, EB, París 1933 (con bibliografía hasta esta fecha); J. Ruwet, *De Canone*, en *Institutiones biblicae*, t. 1, Roma ^{6}1958, p. 148-165; C.F.D. Moule, o. c., p. 153-177 de la tr. fr., *La genèse du Nouveau Testament*, Neuchâtel-París 1971; H. von Campenhausen, *La formation de la Bible chrétienne* (1968), tr. fr., Neuchâtel-París 1971 (con bibliografía); A.C. Sundberg, *Towards a Revised History of the NT Canon*, en *Studia evangelica*, t. 4, Berlín 1968, p. 452-461; I. Frank, *Der Sinn der Kanonbildung. Eine historisch- theologische Untersuchung der Zeit vom 1. Clementsbrief bis Irenäus von Lyon*, Friburgo de B. 1971 (abundante bibliografía, p. 213-224); E. Käsemann (dir.), *Das Neue Testament als Kanon. Dokumentation und kritische Analyse zur gegenwartigen Diskussion*, Gotinga 1970 (estudios protestantes y católicos). Exposiciones en W.G. Kümmel, *Einleitung in das NT* (^{17}1973), p. 420-451; A. Wikenhauser - J. Schmid, *Introducción al NT* (^{3}1978), p. 57-115 (con bibliografía); Ph. Vielhauer, *Geschichte der urchistlichen Literatur* (1975), p. 774-786.

PARTE OCTAVA

LOS APÓCRIFOS DEL NUEVO TESTAMENTO

Textos y traducciones: E. Preuschen, *Antilegomena: Die Reste der ausserkanonischen Evangelien und urchristlichen Ueberlieferungen*, Giessen 1901, ^{2}1905; E. Klostermann - A. Harnack, *Apocrypha* (Kleine Texte, 3^{4}, 8^{3}, 11^{2}, 12^{1}), Bonn-Berlín 1911-1933; M.R. James, *The Apocryphal New Testament*, Oxford 1923 (reed. 1963); F. Amiot, *Évangiles apocryphes*, París 1952 (no se limita a los evangelios propiamente dichos); W.M. Haelis,

Die apokryphen Schriften zum Neuen Testament übersetzt und erläutert, Bremen 1956, [3]1962; E. Hennecke - W. Schneemelcher, *Neutestamentliche Apokryphen*, 2 vol., Tubinga [3]1959-64; tr. ingl.: *New Testament Apocrypha*, dir. por R.McL. Wilson, Londres 1963-65 (con bibliografía muy completa); L. Moraldi, *Apocrifi del Nuovo Testamento*, 2 vol., Turín 1971.

Trabajos diversos: E. Amann, *Apocryphes du Nouveau Testament*, SDB, t. 1 (1928), col. 460-533; J. Hervieux, *Ce que l'Évangile ne dit pas*, París 1958 (tr. cast.: *Lo que no dice el Evangelio*, Casal i Vall, Andorra 1960); J.B. Bauer, *Les Apocryphes du Nouveau Testament*, tr. fr., París 1973; (tr. cast. *Los apócrifos neotestamentarios*, Fax, Madrid 1971).

CAPÍTULO PRIMERO

AL MARGEN DE LOS EVANGELIOS CANÓNICOS

I. «AGRAPHA» Y TRADICIONES EVANGÉLICAS EXTRACANÓNICAS

A. Resch, *Agrapha. Ausserkanonische Schriftfragmente*, Leipzig 1889, [2]1906 (reed. 1967); J.H. Ropes, *Die Sprüche Jesu, die in den kanonischen Evangelien nicht überliefert sind*, Leipzig 1896; L. Vaganay, *Agrapha*, SDB, t. 1 (1928), col. 159-198; J. Jeremias, *Unbekannte Jesusworte*, Zurich 1948; 3.ª ed. Gütersloh 1963 (= *Les paroles inconnues de Jésus*, París 1970; tr. cast. *Las palabras desconocidas de Jesús*, Sígueme, Salamanca 1976); A. de Santos Otero, *Los Evangelios Apócrifos*, Madrid 1956, [3]1963, p. 112ss. Algunos *Agrapha*, sobre todo sacados de los padres, están traducidos en R. Dunkerley, *Le Christ*, París 1962, p. 169-220.

II. LOS EVANGELIOS APÓCRIFOS

Textos y traducciones en la bibliografía general. Además: C. von Tischendorf, *Evangelia apocrypha*, Leipzig 1852, [2]1876; C. Michel - P. Peeters, *Évangiles apocryphes*, 2 vol., París 1911-1914, [2]1924; A. de Santos Otero, *Los Evangelios Apócrifos*, Madrid 1956, [3]1963.

Los evangelios desaparecidos o fragmentarios

Fragmentos del Evangelio de Pedro

L. Vaganay, *L'Évangile de Pierre*, EB, París 1932; M. Mara, *L'Évangile de Pierre*, SC n.º 201, París 1973 (con bibliografía).

Los «evangelios ficciones»

Protoevangelio de Santiago y Evangelio del pseudo-Mateo

Texto y traducción en C. Michel - P. Peeters, o. c., t. 1; E. Amann, *Le Protévangile de Jacques et ses remaniements latins,* París 1910; M. Testuz, *Papyrus Bodmer V: Nativité de Marie,* Cologny-Ginebra 1958; E. de Strycker, *La forme la plus ancienne du Protévangile de Jacques: Recherches sur le papyrus Bodmer V,* Bruselas 1961; F. Cothenet, art. *Protévangile de Jacques,* SDB, t. 8 (1972), col. 1374-1384.

«Transitus Mariae», Historia de José el carpintero y otros evangelios de la infancia

Texto y traducción: véase la bibliografía de los evangelios apócrifos (C. Tischendorf, C. Michel - P. Peeters, A. de Santos Otero); E. Henneke - W. Schneemelcher, t. 1, A.VIII.1-2 y IX (tr. ingl., p. 363-369, 388-401, 429-432). Texto griego ed. por A. Wenger, París 1955; texto etióp., CSCO, Lovaina 1973; texto georg., M. van Esbroek, en «Analecta Bollandiana» 91 (1973), p. 55-75.

Hechos de Pilato (o Evangelio de Nicodemo) y Evangelio de Gamaliel

Texto y traducción: E. Revillout, *Actes de Pilate (ou Évangile de Nicodème),* PO, t. 9, París 1913; M.A. van Oudenrijn, *Gamaliel: Äthiopische Texte zur Pilatusliteratur,* Friburgo 1959 (cf. RSPT, 1960, p. 265).

Los evangelios gnósticos

Generalidades: J. Doresse, *Les livres secrets des gnostiques d'Égypte,* t. 1, París 1958; W.C. van Unnick, *Evangelien aus dem Nilsand,* Francfort 1960; D.M. Scholer, *Nag Hammadi Bibliography (1948-1969),* Nag Hammadi Studies, Leiden 1971; *Bibliographia Gnostica: Supplementum I-IV,* «Novum Testamentum», 1971-1974; J.E. Ménard, *Littérature apocryphe juive et Littérature gnostique,* en *Exégèse biblique et judaïsme,* Estrasburgo 1973, (= RevSR 1973), p. 146-169.

Evangelio según Tomás

Texto: A. Guillaumont - H.C. Puech - G. Quispel - W. Will, *Évangile de Thomas: Texte copte et traduction française,* Leiden 1959; J. Doresse, *L'évangile selon Thomas: Traduction et commentaire,* París 1959; R. Kasser, *L'évangile selon Thomas: Présentation et commentaire théologique,* Neuchâtel 1961; J.E. Ménard, *L'évangile selon Thomas: Introduction, traduction, commentaire,* Leiden 1975 (con bibliografía exhaustiva).

Estudios: J.A. Fitzmyer, *The Oxyrhinchus Logoi of Jesus and the Coptic Gospel according to Thomas,* «Theological Studies», 1959, p. 505-560 (= *Essays on the Semitic Background of the NT,* Londres 1971, p. 355-433); W. Schrage, *Das Verhältnis des Thomas-Evangelium zur synoptischen Tradition und zur den Koptischen Evangelienübersetzungen,* Berlín 1964; H. Quecke, *L'Évangile de Thomas: État des Recherches,* en *La venue du Messie,* Recherches bibliques, VI (1962), p. 217-241; D. Dehandschutter, *L'évangile selon Thomas, témoin d'une tradition prélucanienne?,* en *L'évangile de Luc: Problèmes littéraires et théologiques,* Gembloux 1973, p. 287-297; *Le lieu d'origine de l'évangile selon Thomas,* en *Orientalia Lovaniensia* (= Mélanges J. Vergote), 1976, p. 125-131.

Otros evangelios gnósticos

M. Malinine - H.C. Puech - G. Quispel, *Évangile de vérité: Texte copte et traduction trilingue,* Zurich 1956; J.E. Ménard, *L'Évangile de Vérité: Rétroversion grecque et commentaire,* París 1962 - Leiden 1972; Søren Giversen, *Apocryphon Joannis: Texte copte, traduction anglaise et commentaire,* Copenhague 1963; R.McL. Wilson, *The Gospel of Philip,* Londres 1962; J.E. Ménard, *L'Évangile selon Philippe: Texte et traduction,* Estrasburgo 1967.

CAPÍTULO SEGUNDO

LAS OTRAS OBRAS DE IMITACIÓN

1. LOS HECHOS APÓCRIFOS

Colección general: A. Lipsius - M. Bonnet, *Acta apostolorum apocrypha,* 3 vol., Leipzig 1891-1903 (reed. Darmstadt 1959); M. Erbetta, *Gli Apocrifi del Nuovo Testamento,* t. 2: *Atti e legende,* Turín 1966; D. Guthrie, *Acts and Epistles in Apocryphal Writing,* Exeter 1970. Presentación, traducción y bibliografía en E. Hennecke - W. Schneemelcher, t. 2.

Hechos particulares: L. Vouaux, *Les Actes de Paul,* París 1913; *Les Actes de Pierre,* París 1922; T. Jansma, *A Selection of the Acts of Judas Thomas,* Leiden 1952 (sólo texto siríaco); A.F. Klijn, *The Acts of Thomas,* Leiden 1962; J. Flamion, *Les Actes apocryphes de l'apôtre André,* París 1911; P.M. Peterson, *Andrew, Brother of Simon Peter: His History and Legends,* Leiden 1958; cf. L. Leloir, *La version arménienne des Actes apocryphes d'André et le Diatessaron,* NTS 22 (1975-76), p. 127-139.

II. CARTAS Y APOCALIPSIS APÓCRIFOS

Colecciones: E. Hennecke - W. Schneemelcher, *Neutestamentliche Apokryphen,* t. 2 (= *New Testament Apocrypha,* ed. por R.Mc. Wilson, t. 2), B. XII, 4 (cartas) y C (apocalipsis); M. Erbetta, *Gli Apocrifi del Nuovo Testamento,* t. 3: *Lettere e apocalissi,* Turín 1969.

Las cartas apócrifas

Cartas atribuidas a Pablo

A. Harnack, *Die apokryphen Briefe des Paulus an der Laodicener und Korinther,* «Kleine Texte» 12, Bonn 1905; M. Testuz, *Correspondance apocryphe des Corinthiens et de l'apôtre Paul,* en *Papyrus Bodmer X-XII,* Cologny-Ginebra 1959, p. 7-45 (con bibliografía); E. Hennecke - W. Schneemelcher, t. 2, p. 128-141 y 374-377; E. Dhorme, *Saint Paul,* París 1965, p. 206-222.

La Carta de los apóstoles

Texto etiópico y traducción por L. Guerrier - S. Grébaut, *Le Testament de Notre Seigneur en Galilée,* PO, t. 9/3, París 1913; C. Schmidt, *Gespräche Jesu mit seinen Jüngern nach der Auferstehung,* Leipzig 1919; H. Duensing, *Epistula apostolorum,* «Kleine Texte» 152, Bonn 1925; M. Hornschuh, *Studien zur Epistula Apostolorum,* Berlín 1965.

Apócrifos petrinos

Apócrifos de Pedro: véase E. Hennecke - W. Schneemelcher, t. 2, B. XII, 1-2 (tr. ingl., t. 2, p. 94-128); Carta gnóstica de Santiago: G. Quispel, *Epistula Jacobi apocrypha (Codex Jung,* fol. 1 verso-VIII recto), Berna 1968.

Los apocalipsis apócrifos

Presentación de conjunto: C. Tischendorf, *Apocalypses apocryphae,* Leipzig 1866; J. Quasten, *Patrología,* tr. cast., t. 1, BAC, Madrid 1961, p. 143-149. Se encuentran muchos textos en M.R. James, *Apocrypha anecdota,* I, Cambridge 1893 (sobre todo la *Visión de Pablo* en versión latina, p. 1-42).

Bibliografía (parte VIII, cap. II)

Apocalipsis de Pedro y Pablo

E. Klostermann, *Reste der Petrusapokalypse, Apocrypha* I, «Kleine Texte», 3, p. 8-13; S. Grébaut, *Apocalypse de Pierre: Texte éthiopien et traduction française,* ROC 15 (1910), p. 198-204, 307-323, 425-439; C. Maurer - H. Duensing, en E. Hennecke - W. Schneemelcher, t. 2 c. XVI, 3 (tr. ingl., p. 663-683). Apocalipsis de Pablo y otros apocalipsis tardíos: ibid., c. XVIII (p. 751-803).

ÍNDICES

Las citas bíblicas son demasiado numerosas para reproducirlas íntegramente en índice. Intentar una selección de ellas sería una arbitrariedad.

En el índice de autores antiguos se incluyen los anteriores al concilio de Trento. Del índice de autores modernos se excluyen los que sólo son mencionados en la bibliografía o en las notas de carácter bibliográfico.

Las cifras que siguen a la sigla II se refieren al volumen segundo; las que la preceden, al primero.

CITAS EXTRABÍBLICAS

a) **Apócrifos o pseudoepígrafos**

e) Targumes (exc. Qumrân)

AUTORES ANTIGUOS

AUTORES MODERNOS

ÍNDICE ANALÍTICO

GOSHEN COLLEGE - GOOD LIBRARY
3 9310 01087843 6